D1748215

DER JUGEND-BROCKHAUS

Band 1

DER JUGEND BROCK HAUS

3. Auflage
Erster Band: A – GRI

F. A. BROCKHAUS
Leipzig · Mannheim

Redaktionelle Leitung:
Marianne Strzysch

Die Deutsche Bibliothek - CIP-Einheitsaufnahme
Der **Jugend-Brockhaus** / [Red.: Marianne Strzysch].-
Leipzig; Mannheim: Brockhaus.
Teilw. in der Red. von Eberhard Anger
ISBN 3-7653-2302-0 Pp. in Kassette
ISBN 3-7653-0380-1 Pp. in Kassette
ISBN 3-7653-2303-9 Pp. in Kassette
NE: Anger, Eberhard [Red.];
Strzysch, Marianne [Red.]
Bd.1. A – Gri. - 3. Aufl. - 1996
ISBN 3-7653-2313-6

Namen und Kennzeichen, die als Marken
bekannt sind und entsprechenden Schutz genießen,
sind beim fett gedruckten Stichwort durch das
Zeichen ® gekennzeichnet.
Handelsnamen ohne Markencharakter sind
nicht gekennzeichnet. Aus dem Fehlen des
Zeichens ® darf im Einzelfall nicht geschlossen
werden, dass ein Name oder Zeichen frei ist.
Eine Haftung für ein etwaiges Fehlen des Zeichens ®
wird ausgeschlossen.
Das Wort BROCKHAUS ist für den Verlag
F. A. Brockhaus GmbH als Marke geschützt.

Das Werk einschließlich aller seiner Teile
ist urheberrechtlich geschützt. Jede Verwertung
außerhalb der Grenzen des Urheberrechtsgesetzes ist
ohne Zustimmung des Verlages unzulässig und
strafbar. Das gilt insbesondere für Vervielfältigungen,
Übersetzungen, Mikroverfilmungen und die
Speicherung und Verarbeitung in elektronischen
Systemen.

© F. A. Brockhaus GmbH, Leipzig - Mannheim 1996
Satz: Bibliographisches Institut & F. A. Brockhaus AG
(PageOne), Mannheim
Druck: ColorDruck, Leimen
Bindearbeit: Franz Spiegel Buch GmbH,
Ulm-Jungingen
Printed in Germany
Gesamtwerk: ISBN 3-7653-2303-9
Band 1: ISBN 3-7653-2313-6

Vorwort

Wer es mit Inspektor Arnold aus Edgar Wallace' Kriminalroman ›Die Bande des Schreckens‹ hält, braucht das Vorwort nicht zu lesen. Der kluge Inspektor nämlich hatte schon als Junge ein Lexikon zweimal durchgelesen und wusste alles ...

Für Jugendliche, die nicht alles wissen und die sich selbstständig informieren wollen, hat die Brockhaus-Lexikonredaktion dieses Lexikon erarbeitet und für die 3. Auflage grundlegend aktualisiert. In 10 000 Haupt- und etwa 40 000 Unterstichwörtern hat sie – unterstützt von Gymnasiallehrern und jugendlichen Beratern – die Informationsflut, die in Schule und Freizeit auf Jugendliche eindringt, geordnet und gebändigt.

Der Jugend-Brockhaus will nicht nur Wegweiser durch den in den Schulen behandelten Wissensstoff sein. Er stellt auch viele Tausend Fakten aus allen wichtigen und für Jugendliche besonders interessanten Wissensgebieten zuverlässig, aktuell und manchmal sogar spannend und unterhaltend dar. Seine Hauptbausteine sind verständliche Texte, die das Wesentliche herausarbeiten ohne es durch vergröbernde Vereinfachung zu verfälschen. Hinzu kommen zahlreiche Zeichnungen, Grafiken und Fotos, die den Benutzer über wichtige, interessante und schwierige Sachverhalte buchstäblich ›ins Bild setzen‹.

Selbst der erwachsene Leser wird bisweilen verblüfft feststellen, dass ihm manches hier zum ersten Mal richtig klar wird, ob es sich nun um historische, politische, naturwissenschaftliche oder technische Zusammenhänge handelt oder um mathematische Operationen. Die jugendlichen Berater der Redaktion haben bestätigt: Nach der Lektüre des Artikels ›Dreisatz‹ mit seinen Erklärungen und Rechenbeispielen hatten sie diese Rechenart begriffen, die ja sogar mancher Erwachsene nicht so recht beherrscht ...

Und noch etwas: Der Jugend-Brockhaus ist auf die neue Rechtschreibung umgestellt und hilft so seinen Benutzern sich an sie zu gewöhnen.

Für die Brockhaus-Redaktion hört die Arbeit an einem Lexikon auch nach seinem Erscheinen nicht auf. Der Jugend-Brockhaus soll sich durch Anregungen und kritische Hinweise seiner Benutzer weiterentwickeln. Wir werden also Leserpost begrüßen und gern beantworten.

Damit dieses Lexikon als Werkzeug schnell erfasst und erfolgreich benutzt werden kann, empfehlen wir die Seite 6 zu lesen.

Im Sommer 1996   F. A. BROCKHAUS

Hinweise für den Benutzer des Jugend-Brockhaus

Die Stichwörter sind nach dem Alphabet angeordnet.
Für die Einordnung gelten alle fett gedruckten Buchstaben, auch wenn das Stichwort aus mehreren Wörtern besteht.

Die Umlaute ä, ö, ü werden wie a, o, u behandelt, also folgen z. B. aufeinander: Atmung, Ätna, Atoll.

Dagegen werden ae, oe, ue wie getrennte Buchstaben behandelt; z. B. folgen aufeinander: Cadmium, Caesar, cal.

Bei Stichwörtern mit mehreren Bedeutungen werden die Erklärungen aneinander gereiht und mit Ziffern versehen: 1) ...; 2) ...; 3) ...

Die **Betonung** wird bei jedem Stichwort durch einen Punkt oder einen Strich unter dem betonten Vokal angezeigt. Ein Punkt bedeutet Kürze (z. B. Elsass, Sekunde), ein waagerechter Strich Länge (z. B. Ebene, Fortuna) des betonten Vokals.

Stichwörter, die schwierig auszusprechen sind, erhalten in der eckigen Klammer Angaben zur **Aussprache**. Hierzu werden die Buchstaben des deutschen Alphabets sowie die folgenden zusätzlichen Zeichen verwendet:

ã für den Nasal, der dem a entspricht, z. B. En**te**nte
ẽ für den Nasal, der dem e entspricht, z. B. Cho**pin**
õ für den Nasal, der dem o entspricht, z. B. Be**ton**

Angaben zur **sprachlichen Herkunft** werden gebracht, wenn sie zum Verständnis des Stichworts beitragen können. Sie stehen entweder in der eckigen Klammer hinter dem Stichwort oder an geeigneter Stelle im Text, z. B.

Alibi [lateinisch ›anderswo‹]
Albinismus [zu lateinisch albus ›weiß‹]

Der **Verweispfeil** → fordert auf, das dahinter stehende Stichwort nachzuschlagen, um dort weitere Auskünfte zu finden.

Das Zeichen ⇒ am Schluss einiger Artikel weist auf Stichwörter hin, die in größerem, ergänzendem Zusammenhang mit dem behandelten Thema stehen.

Als **Abkürzungen** und **Zeichen** werden verwendet:

°C	Grad Celsius	usw.	und so weiter
Jahrh.	Jahrhundert	z. B.	zum Beispiel
n. Chr.	nach Christi Geburt	*	geboren
v. Chr.	vor Christi Geburt	†	gestorben

Das Bildquellenverzeichnis erscheint am Schluss von Band 3.

A, der erste Buchstabe des Alphabets, ein Vokal; entspricht dem griechischen Buchstaben →Alpha. A ist Einheitenzeichen für die Einheit →Ampere; a ist Einheitenzeichen für die Flächeneinheit Ar und die Zeiteinheit Jahr. In der Musik ist A der sechste Ton der C-Dur-Tonleiter; die Instrumente werden nach dem Stimmton a′, dem →Kammerton, gestimmt.

Aachen, 244 600 Einwohner, Stadt in Nordrhein-Westfalen, nahe der belgischen und niederländischen Grenze. Schon die Römer nutzten die hier vorhandenen Heilquellen. Als bevorzugter Aufenthalt Karls des Großen wurde die Pfalz Aachen Mittelpunkt des Fränkischen Reiches. Seit Otto I. (936) bis 1531 fand im Aachener Dom die Krönung der deutschen Könige statt.

Aale, schlangenförmige Fische ohne Bauchflosse. Rücken- und Schwanzflosse sind zu einem langen Flossensaum verwachsen. Die Männchen, die im Meer oder Brackwasser leben, können bis zu 50 cm lang werden, die Weibchen, die sich in Flüssen, Bächen und Gräben aufhalten, bis zu 150 cm. Zur Fortpflanzung ziehen die europäischen wie die amerikanischen Aale zur Sargassosee im westlichen Atlantik, wo das Meer 6000 m tief ist. Dort legen die Weibchen den Laich ab und die Männchen befruchten ihn, indem sie ihre Samen(milch) darübergießen. Beide nehmen danach keine Nahrung mehr auf und sterben. Aus den Eiern schlüpfen etwa 10 mm lange, durchsichtige **Aallarven,** die wie ein längliches Blatt aussehen. Diese Larven, die im und vom Plankton leben, lassen sich zuerst mit dem Golfstrom, dann mit dem Nordatlantischen Strom an die europäischen Küsten treiben. Sie sehen jetzt wie wurmähnliche, noch immer glashelle Fischchen aus. Erst nach etwa 3 Jahren haben sie ihre endgültige Gestalt erreicht.

Tagsüber vergraben sich die Aale im Schlamm, in der Dämmerung suchen sie nach Insektenlarven, Würmern, Schnecken und kleinen Fischen. Aale können kurze Strecken auf feuchtem Boden über Land wandern, wobei eine dicke Schleimschicht sie vor Austrocknung schützt. Sie atmen dann den Sauerstoff des Wassers, das noch in ihren Kiemen vorhanden ist. (BILD Fische)

Aarau, 16 500 Einwohner, Hauptstadt des Schweizer Kantons Aargau, liegt an der Aare.

Aare, mit 295 km der längste schweizerische Nebenfluss des Rheins. Die Aare entspringt in den Aargletschern, einem Gletschergebiet in den östlichen Berner Alpen. Sie durchfließt den Brienzer, Thuner und Bieler See und mündet unterhalb Koblenz (Kanton Aargau) in den Rhein.

Aargau, Kanton der deutschsprachigen Schweiz. Auf einer Fläche von 1 404 km² leben rund 521 000 Einwohner; Hauptstadt ist Aarau. Landwirtschaft auf dem fruchtbaren Hügelland beiderseits der Aare und am Rhein sowie Industrie bestimmen das Landschaftsbild. – Seit 1415 eidgenössisches Gebiet, entstand der Kanton im Jahr 1803.

Abakus [lateinisch abacus ›Brett‹], seit dem Altertum bekanntes Rechenbrett (→Rechenmaschinen) zur Durchführung der 4 Grundrechenarten.

Abbildung, bildliche Wiedergabe. In der Mathematik ist eine Abbildung eine Vorschrift, die jedem Element m einer Menge M ein Element m' einer Menge M' zuordnet. Die Begriffe Abbildung und →Funktion werden als Bezeichnungen für denselben Sachverhalt benutzt. Es ist aber üblich in der Geometrie von einer Abbildung und nicht von einer Funktion zu sprechen, wenn jedem Punkt P der Ebene genau ein Punkt P' als Bildpunkt zugeordnet wird.

Zu den geometrischen Abbildungen zählen die **Kongruenzabbildungen** und die **Ähnlichkeitsabbildungen.**

Die Kongruenzabbildungen. Zu ihnen gehören: 1) Verschiebungen, 2) Geradenspiegelungen, 3) Drehungen, 4) Hintereinanderausführungen der genannten Abbildungen.

1) **Verschiebungen.** Jede Verschiebung ist durch einen Verschiebungspfeil bestimmt. Ist ein solcher Pfeil (Skizze 1) gegeben, so findet man den zum Punkt P gehörenden Bildpunkt P', indem man den Pfeil an den Punkt P anlegt. Richtung und Länge des Pfeils dürfen dabei nicht geändert werden. Die Spitze des Pfeils markiert den Bildpunkt P'. Man sagt: Der Punkt P ist auf den Punkt P' abgebildet worden. Eine geometrische Figur verschiebt man, indem man jeden ihrer Punkte verschiebt. In der Skizze 2 ist ein Dreieck ABC mithilfe eines Verschiebungspfeiles verschoben worden. Dazu braucht man nur die Eckpunkte A, B und C des Dreiecks zu verschieben. Das Bilddreieck $A'B'C'$ erhält man dann durch geradlinige Verbindung der Bildpunkte A', B' und C'.

2) **Geradenspiegelungen.** Jede Geradenspiegelung ist durch eine Spiegelachse bestimmt. Ist eine solche Spiegelachse g gegeben, so findet man den zum Punkt P gehörenden Bildpunkt P' mithilfe der folgenden Konstruktion. Man zeichnet die Senkrechte durch den Punkt P zur Achse g. Den Schnittpunkt der Senkrechten mit der Achse g nennt man Q. Auf der Seite der Senk-

Aargau
Kantonswappen

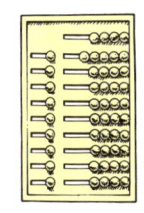

Abakus

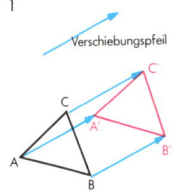

Verschiebungspfeil

Bildpunkt P′

Punkt P

1

Verschiebungspfeil

Verschiebung eines Dreiecks ABC

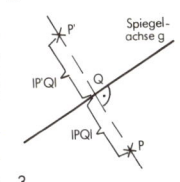

2

Spiegelachse g

3 **Abbildung**

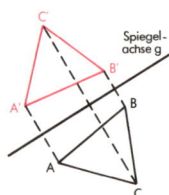

Abc

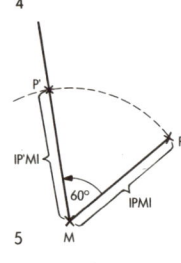

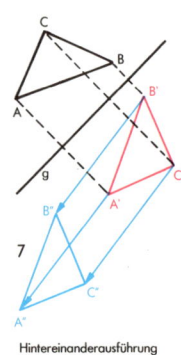

rechten, die dem Punkt P gegenüberliegt, zeichnet man den Punkt P' so, dass gilt: |P'Q|=|PQ| (Skizze 3). Diese Konstruktion wird ebenso wie bei der Verschiebung zur Spiegelung geometrischer Figuren benutzt (Skizze 4).

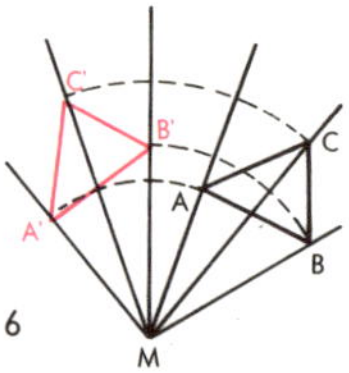

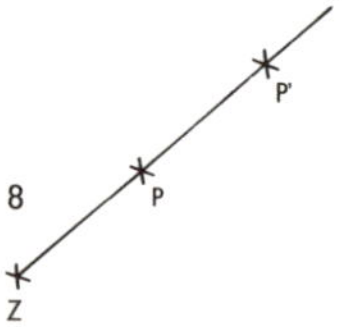

3) **Drehungen.** Jede Drehung ist durch einen Drehpunkt und ein Drehmaß bestimmt. Unter dem Drehmaß versteht man den Winkel, um den gegen den Uhrzeigersinn, also nach links, gedreht wird.

Ist ein Drehpunkt M und ein Drehmaß, z.B. 60°, gegeben, so findet man den zum Punkt P gehörenden Bildpunkt P' mithilfe der folgenden Konstruktion. Man verbindet den Punkt P geradlinig mit dem Punkt M. Von dieser Strecke trägt man einen Winkel von 60° gegen den Uhrzeigersinn ab. Der Scheitel des Winkels ist der Punkt M. Auf dem Zweitschenkel des Winkels zeichnet man den Punkt P' so, dass gilt:

|P'M|=|PM| (Skizze 5).

Diese Konstruktion wird zur Drehung geometrischer Figuren benutzt (Skizze 6). Eine Drehung um 180° um den Drehpunkt M wird auch als **Punktspiegelung** am Punkt M bezeichnet.

4) **Hintereinanderausführung der obigen Abbildungen.** Spiegelt man ein Dreieck ABC zuerst an einer Achse g und verschiebt danach das Bilddreieck A'B'C', so spricht man von einer **Hintereinanderausführung** oder **Verkettung** einer Spiegelung mit einer Verschiebung (Skizze 7).

In gleicher Weise lassen sich die anderen Kongruenzabbildungen miteinander verketten.

Für die Kongruenzabbildungen gelten folgende Eigenschaften:
1. Jedem Punkt der Ebene wird genau ein Bildpunkt zugeordnet.
2. Eine Gerade wird auf eine Gerade abgebildet.
3. Eine Strecke wird auf eine gleich lange Strecke abgebildet.
4. Ein Winkel wird auf einen gleich großen Winkel abgebildet.
5. Eine Figur und ihre Bildfigur sind zueinander kongruent, das heißt, sie unterscheiden sich nur durch die Lage, nicht aber durch Größe und Gestalt (→Kongruenz).

Die **Ähnlichkeitsabbildungen.** Zu ihnen gehören: 1) zentrische Streckungen, 2) Hintereinanderausführungen einer zentrischen Streckung mit einer Kongruenzabbildung.

Jede zentrische Streckung ist durch ein Streckzentrum und einen Streckfaktor bestimmt.

Sind ein Streckzentrum Z und ein Streckfaktor, z.B. $k=2$, gegeben, so findet man den zum Punkt P gehörenden Bildpunkt P' mithilfe der folgenden Konstruktion. Man verbindet den Punkt Z geradlinig mit dem Punkt P und verlängert die Strecke $\overline{ZP}$ über P hinaus. Auf dieser Verlängerung zeichnet man den Punkt P' so, dass gilt: $|ZP'| = 2 \cdot |ZP|$ (Skizze 8). Diese Konstruktion wird ebenso wie bei den Kongruenzabbildungen zur zentrischen Streckung geometrischer Figuren benutzt (Skizze 9).

Für die Ähnlichkeitsabbildungen gelten folgende Eigenschaften:
1. Jedem Punkt der Ebene wird genau ein Bildpunkt zugeordnet.
2. Eine Gerade wird auf eine Gerade abgebildet.
3. Eine Strecke wird auf eine Strecke abgebildet. Beide Strecken können unterschiedliche Längen besitzen.
4. Ein Winkel wird auf einen gleich großen Winkel abgebildet.
5. Eine Figur und ihre Bildfigur sind zueinander ähnlich, das heißt, sie unterscheiden sich in Lage und Größe, nicht aber in ihrer Gestalt (→Ähnlichkeit).

ABC-Kampfmittel, auch **ABC-Waffen,** Kampfmittel, die aus **a**tomaren (→Kernwaffen), **b**iologischen oder **c**hemischen Stoffen (→Kampfstoffe) bestehen und im Kriegsfall eingesetzt werden können.

ABC-Staaten, **A**rgentinien, **B**rasilien, **C**hile.

Abendland. Die alten Römer bezeichneten die im Westen Italiens in Richtung des Sonnenuntergangs gelegenen Länder als **Okzident,** deutsch ›Abendland‹, im Gegensatz zum →Orient, dem ›Morgenland‹. Heute verwendet man den Begriff besonders im Zusammenhang mit der Kultur Europas.

Abendmahl, die letzte Mahlzeit Jesu Christi, die er am Abend vor seiner Kreuzigung mit seinen Jüngern einnahm. Dabei teilte er Brot und Wein mit ihnen aus und sagte dazu, dies sei sein Leib und Blut. – Die Erinnerung daran wird in allen christlichen Kirchen gefeiert. Die katholische Kirche feiert am Gründonnerstag das Abendmahl als Einsetzung der →Eucharistie. Die evangelischen Kirchen deuten den Sinn des Abendmahls unterschiedlich. Die lutherischen Kirchen halten an der wirklichen Gegenwart Christi in den Abendmahlsgottesdiensten fest. Für die reformierten Kirchen ist die Abendmahlsfeier eine symbolische Handlung, die an das letzte Abendmahl Jesu erinnert. In allen evangelischen Kirchen erhält die Gemeinde das Abendmahl in beiderlei Gestalt (Brot und Wein).

Abendrot, die Rotfärbung des westlichen Himmels nach Sonnenuntergang. Sie entsteht, weil das Licht der tief stehenden Sonne einen besonders langen Weg durch die Atmosphäre zurücklegen muss. Dabei wird es ähnlich wie beim Durchgang durch ein Prisma in seine farblichen Bestandteile zerlegt, von denen nur der rote Anteil zum Betrachter gelangt.

Abendstern, der helle Planet Venus, der kurz nach Sonnenuntergang am westlichen Himmel sichtbar wird.

Aberglaube, der Glaube an naturgesetzlich unerklärliche Kräfte, soweit diese nicht in einer Religionslehre selbst begründet sind, z. B. an überirdische Kräfte in Lebewesen oder Dingen, die angeblich Glück bringend oder bedrohlich sind (z. B. sollen eine schwarze Katze oder die Zahl 13 Unglück, ein Schornsteinfeger oder ein vierblättriges Kleeblatt Glück bringen). Zum Glauben an diese Kräfte gehören auch abergläubische Rituale, die Unglück abwehren sollen (z. B. das Tragen von Glücksbringern oder das Dreimal-über-die-rechte-Schulter-Spucken). Die Formen des Aberglaubens (Glaube an Fabelwesen, Geister, zauberhafte Kräfte und an die Vorhersehbarkeit der Zukunft), die auf alte Volksreligionen zurückgehen, heißen **Volksglaube.**

Abfahrtslauf, Disziplin des alpinen Skisports. Eine stark abschüssige Strecke muss dabei in kürzester Zeit durchfahren werden. Die Abfahrtsstrecke mit Bodenwellen, Steilstücken und Geländebuckeln stellt hohe Anforderungen an das fahrerische Können der Rennläufer. An besonders gefährlichen Stellen sind Pflichttore (2 Fahnen im Abstand von 8 m – bei Damenrennen 5 m) aufgestellt. Diese müssen mit beiden Ski durchfahren werden und zwingen den Läufer zu einer Geschwindigkeitsminderung. Die Herren erzielen bei ihren Abfahrtsrennen (Streckenlänge etwa 3 km) Durchschnittsgeschwindigkeiten von über 100 km/h, die Damen (Streckenlänge etwa 2,5 km) von etwa 90 km/h.

Abfälle, →Müll.

Abgase, heiße Gase von Industrieanlagen, Heizungen und Autos, die meist flüssige oder feste Bestandteile enthalten. Dazu gehören →Wasserdampf, →Kohlenmonoxid, →Kohlendioxid, →Stickoxide, →Kohlenwasserstoffe, →Blei, →Ruß. Durch Filteranlagen oder Katalysatoren können Abgase gereinigt werden.

Abgasentgiftung, die Verringerung der schädlichen Bestandteile von Abgasen auf einen Anteil, der möglichst nicht mehr schädlich ist. Da Abgase auch feste oder flüssige Bestandteile enthalten können, müssen diese zunächst herausgefiltert und abgeschieden werden. Dies geschieht durch Einbau von Filteranlagen in Feuerungen und Schornsteine, durch Auswaschen von Gasen und Dämpfen. Die Abgase von Verbrennungsmotoren lassen sich am wirkungsvollsten durch →Katalysatoren entgiften, die überdies die Verwendung von bleifreiem Benzin verlangen, sodass die Emission des giftigen Bleis entfällt.

Am besten ist das Problem der Abgasentgiftung zu lösen, wenn die luftverunreinigenden industriellen Prozesse durch weniger schädliche Verfahren ersetzt werden können oder wenn den Motorenbauern Konstruktionen gelingen, in denen weniger Schadstoffe entstehen.

Für Pkw, Lkw und Busse ist alle 2 Jahre eine Abgasuntersuchung (AU) vorgeschrieben.

Abgeordneter, das gewählte Mitglied einer Volksvertretung wie Bundestag oder Landtag. In der Regel gehört er einer Partei an und wird in seinem Wahlkreis von der wahlberechtigten Bevölkerung gewählt. Für seine Arbeit bekommt er ein Entgelt, die ›Diäten‹.

Abhorchen, Auskultieren gehört zu den wichtigsten Untersuchungsmethoden (für Herz, Lunge) eines Arztes. Früher verwendete man dazu ein Hörrohr. Heute benutzt der Arzt ein **Stethoskop,** das mit seinem tonverstärkenden Teil auf den Körper aufgesetzt wird und über ein Schlauchsystem mit den Ohren verbunden ist. Auf diese Weise kann der Arzt Geräusche (z. B. Herztöne, Atemgeräusch) und deren eventuelle Veränderungen besser wahrnehmen. Auch Geräusche, die im Darm oder in den Gefäßen entstehen, sind so feststellbar. Manchmal genügt es aber schon, das bloße Ohr anzulegen.

Auch heute noch wird in der Endphase der Geburt eines Kindes der Bauch der Mutter mit einem Hörrohr abgehört, um die kindlichen Herztöne zu erfassen.

Abidjan [abidschan], 2,5 Millionen Einwohner mit Vororten, Hauptstadt und wichtigste Hafen- und Industriestadt der Republik Elfenbeinküste, Westafrika.

Ableger, Absenker, die Teile einer Pflanze, die sich bewurzeln und zu einer selbstständigen Pflanze heranwachsen können. Der Gärtner benutzt Ableger zur ungeschlechtlichen Vermehrung, indem er z. B. Zweige von Gehölzen abtrennt und in die Erde einlegt. Nach Bewurzelung werden sie eingetopft oder ausgepflanzt (→Steckling).

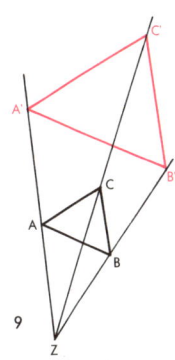

zentrische Streckung eines Dreiecks ABC mit dem Zentrum Z und dem Streckfaktor k = 2

Abbildung

Abraham, nach alttestamentlicher Überlieferung der Stammvater des Volkes Israel. Wahrscheinlich ist er zwischen 2000 und 1700 v. Chr. von Mesopotamien kommend nach Palästina eingewandert und hat den israelitischen Glaubenskult begründet. In den **Abrahamsagen** des Alten Testaments (1. Buch Mose) wird er als Glaubensheld geschildert, der bereit war, seinen Sohn **Isaak** zu opfern. Gott hatte dieses Opfer von ihm verlangt und im letzten Moment einen Widder statt Isaak auf den Opferstein gelegt. Die Moslems verehren Abraham als Propheten.

Abrüstung, die Verringerung des Waffenbestands und der Mannschaftsstärke bei den Streitkräften eines Landes oder mehrerer Länder. Abrüstung kann von einem Staat freiwillig oder (z. B. als Verlierer eines Kriegs) gezwungenermaßen vorgenommen werden. Sie kann das Ergebnis von Verhandlungen gleichberechtigter Partner sein. Abrüstung soll der politischen Entspannung und der Sicherung des Friedens dienen.

Schon vor dem Ersten Weltkrieg wurde auf den Haager Konferenzen (1899, 1907) die Abrüstungsfrage diskutiert. Nach dem Zweiten Weltkrieg zwang die Entwicklung von Kernwaffen die Staatsmänner zu neuen Abrüstungsüberlegungen. So beschlossen 1963 die USA, die Sowjetunion und Großbritannien im **Teststoppabkommen,** keine Kernwaffenversuche in der Atmosphäre, im Weltraum und unter Wasser durchzuführen. In den 1970er Jahren vereinbarten die USA und die Sowjetunion eine zahlenmäßige Begrenzung ihrer Interkontinentalraketen (Reichweite ab etwa 6000 km), 1987 die Vernichtung der landgestützten Mittelstreckenwaffen (Reichweite 150–6000 km). 1990 wurde ein Vertrag über konventionelle Abrüstung in Europa unterzeichnet. Ihm folgten der START-Vertrag (1991) und START II (1993) über die Verringerung der strategischen Kernwaffen.

Abruzzen, Gebirgsteil des →Apennin.

Abseits, Regelverstoß im Hockey, Eishockey, Rugby und Fußball.

Beim Fußball und Hockey befindet sich ein Spieler im Abseits, wenn er bei der Ballabgabe in der gegnerischen Hälfte sich näher an der Torlinie befindet als zwei gegnerische Spieler. Ausnahmen von dieser Abseitsregel:
1) Der Spieler hält sich während der Ballabgabe in der eigenen Spielfeldhälfte auf.
2) Zwei Spieler der gegnerischen Mannschaft sind ihrer Torlinie näher als der Angreifer.
3) Der Ball wurde zuletzt von einem Gegner berührt oder gespielt.
4) Der Ball kommt direkt von einem Eckstoß, Abstoß, Einwurf oder Schiedsrichterball. Diese Ausnahme gilt beim Hockey nicht.

Verstößt ein Spieler gegen die Abseitsregel, so erhält die gegnerische Mannschaft einen indirekten Freistoß zugesprochen.

Beim **Eishockey** läuft ein Spieler, der vor dem Puck in das gegnerische Verteidigungsdrittel eindringt, ins Abseits. Beim Rugby ist ein Spieler dann im Abseits, wenn er mit seinem Eingreifen ins Spiel einen Straftritt verursacht.

Abseits (Fußball): Der Spieler, der den Pass erhalten soll, steht im Abseits, weil er im Augenblick der Ballabgabe dem Tor näher ist als zwei Gegenspieler

Absolution, die Freisprechung von Sünden nach der →Beichte. In der katholischen Kirche erteilt der Priester die Absolution, in den evangelischen Kirchen ist sie mit dem Abendmahl verbunden. Voraussetzung ist, dass die Sünden bereut werden und Buße getan wird.

Absolutismus. In einer Monarchie bezeichnet man die Regierungsform als **absolutistisch,** wenn der herrschende König oder Fürst uneingeschränkt, also ohne Kontrolle durch ein Parlament, regiert. Von einem Tyrannen unterschied sich der **absolute Monarch** dadurch, dass er sich an die Gebote der Religion und Moral als allgemeine Grundsätze des Staates gebunden fühlte. Der absolute Monarch wurde als von Gott eingesetzt (›von Gottes Gnaden‹) verstanden; sein Wille galt daher als oberstes Gesetz. Der französische König Ludwig XIV. (*1643, †1715) hat diese Regierungsform zur größten Entfaltung gebracht. Man bezeichnet das 17./18. Jahrh. als Zeitalter des Absolutismus.

Abstammungslehre, lateinisch **Deszendenzlehre,** die wissenschaftliche Lehre, nach der alle heutigen Lebewesen von früheren, ausgestorbenen Arten abstammen (→Evolution).

abstrakte Kunst, gegenstandslose Kunst, Bezeichnungen für Werke der Malerei und Bildhauerkunst, bei denen Menschen und

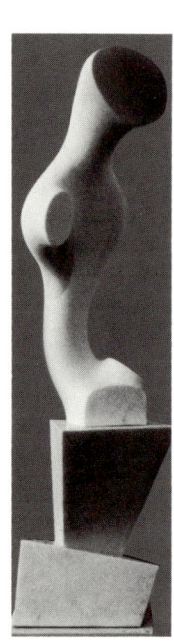

abstrakte Kunst: Hans Arp, Daphne II; 1960

Gegenstände kaum oder gar nicht mehr zu erkennen sind. Abstrakte Kunstwerke entstehen aus dem freien Spiel von Formen und Farben. Diese eigenständigen Form- und Farbgebilde sollen unmittelbar, ohne an Gewohntes zu erinnern, auf die Phantasie des Betrachters, seine Gefühle und Stimmungen wirken. Gewisse Anklänge an Dingformen können vorhanden sein, Werktitel können in bestimmte Richtungen weisen. Seit etwa 1910 hat sich die abstrakte Kunst in sehr verschiedenen Stilrichtungen weltweit verbreitet. Bedeutende **Maler** der Anfangszeit waren die Russen **Wassily Kandinsky** und **Kasimir Malewitsch** sowie der Niederländer **Piet Mondrian**, bedeutende **Bildhauer** die Russen **Alexandr Archipenko** und **Wladimir Tatlin** (›Konstruktivismus‹) sowie die Deutschen **Rudolf Belling** und **Hans Arp**.

Abt, der Vorsteher eines Klosters. Er wird von den Mönchen auf Lebenszeit gewählt und hat ähnliche Rechte wie ein Bischof. Er darf Bischofsmütze, Ring und Stab tragen. Die Vorsteherin eines Nonnenklosters wird **Äbtissin** genannt.

Abtreibung, →Schwangerschaftsabbruch.

Abu Dhabi, 243 000 Einwohner, Hauptstadt der Vereinigten Arabischen Emirate auf einer Insel im Persischen Golf.

ab urbe condita [lateinisch ›seit der Gründung der Stadt‹ (Rom)]. Wie heute die Jahre nach der Geburt Jesu Christi gezählt werden, so zählte man im Römischen Reich nach den Konsuln, den Regierungsjahren der Kaiser, aber auch nach dem sagenhaften Datum der Gründung der Stadt Rom (753 v. Chr.).

Abu Simbel, zwei Tempel am westlichen Nilufer nahe der Südgrenze Ägyptens, die König Ramses II. im 13. Jahrh. v. Chr. bauen ließ. Vor den Tempeln stehen 20 m hohe Sitz- und Standbilder des Königs und der Königin. Als beim Bau des Assuanstaudamms die Tempel zu versinken drohten, wurden sie 1964-68 um 65 m nach oben versetzt. Dazu wurden die Tempel in Einzelteile zerlegt und am neuen Standort originalgetreu wieder zusammengesetzt.

Abwasser, verunreinigtes Wasser, das in die Kanalisation abgeleitet und den Gewässern wieder zugeführt wird. Der Verschmutzungsgrad der häuslichen, vor allem aber der gewerblichen und industriellen Abwässer ist so hoch, dass sie in →Kläranlagen gereinigt werden müssen.

Abwehrkräfte braucht der Körper, um sich gegen Krankheiten oder Vergiftungen zu schützen. Diesen Vorgang bezeichnet man als **Abwehr.**

abstrakte Kunst: Wassily Kandinsky, Träumerische Improvisation; 1913 (München, Staatsgalerie moderner Kunst)

Dazu dienen **Abwehrstoffe,** die beim gesunden Menschen im Blut vorhanden sind (z. B. weiße Blutkörperchen) oder die in bestimmten Geweben erst gebildet werden müssen (**Antikörper**). Es kommt zur Bildung von Antikörpern, wenn in den Körper ihm fremde Stoffe (z. B. Bakterien) eingedrungen sind. Gegen diese Eindringlinge richten sich die Antikörper und versuchen sie unschädlich zu machen. Hat ein Mensch zu wenig Abwehrstoffe, nennt man das **Abwehrschwäche.** Ein solcher Mensch ist anfällig für Krankheiten (z. B. Eiterungen, Erkältungskrankheiten). Bei der Virusinfektionskrankheit →AIDS sind die körpereigenen Abwehrkräfte so stark gestört, dass selbst harmlose Infektionen durch Keime, die überall verbreitet sind, zu schweren Erkrankungen führen.

Abwertung. Jede Währung eines Landes, also z. B. die Deutsche Mark (DM) der Bundesrepublik Deutschland, steht in einem bestimmten Verhältnis zu der Währung eines anderen Landes, z. B. dem US-Dollar der USA. Dieses Verhältnis nennt man **Wechselkurs.** Der Wechselkurs ist der Preis der einen Währung, ausgedrückt in einer anderen Währung, also das Tauschverhältnis, in dem die beiden Währungen zueinander stehen, z. B. DM : Dollar = 1,5 : 1. Um einen Dollar zu bekommen, muss man 1,50 DM bezahlen. Durch eine Abwertung ändert sich dieses Tauschverhältnis: Wird z. B. die DM abgewertet, so muss man für einen Dollar mehr bezahlen, weil die DM im Verhältnis zum Dollar an

Abwi

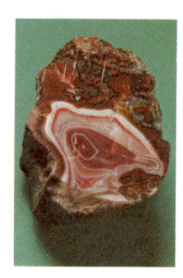

Wert verloren hat. Eine Abwertung kann entweder durch die Währungsbehörden eines Landes (in der Bundesrepublik Deutschland die Deutsche Bundesbank) festgesetzt werden – man spricht dann von **festen Wechselkursen** – oder sie kommt, bei **freien Wechselkursen,** durch Angebot und Nachfrage am Markt zustande. Wenn die Nachfrage auf den internationalen Märkten nach der DM gering und nach dem Dollar groß ist, neigt die DM zur Abwertung. Eine Abwertung der DM gegenüber dem Dollar führt dazu, dass im Außenhandel die von der Bundesrepublik Deutschland aus den USA eingeführten Waren teurer, die in die USA ausgeführten deutschen Waren billiger werden, also die deutschen Ausfuhren durch die (abwertungsbedingte) ›Preissenkung‹ angeregt werden.

Das Gegenteil von Abwertung heißt **Aufwertung.** In diesem Fall gewinnt die DM im Verhältnis zum Dollar an Wert. Der Preis für einen Dollar beträgt nach der Aufwertung dann z. B. 2 DM (DM : Dollar = 2 : 1).

Abwind, eine abwärts gerichtete Luftströmung, die z. B. auf der vom Wind abgewandten Seite eines Gebirges oder im Zentrum eines →Hochs auftritt. Die Luft gerät dabei in tiefere, wärmere Luftschichten. Mit der Erwärmung ist meist eine Auflösung der Wolken verbunden.

Accra, 1,1 Millionen Einwohner mit Vororten, Hauptstadt der westafrikanischen Republik Ghana am Atlantischen Ozean, mit Fischereihafen.

Achäer, nach den ältesten griechischen Quellen die Völkerschaften, die, aus dem Donauraum kommend, nach 1900 v. Chr. auf die Balkanhalbinsel bis zur Peloponnes vordrangen. Sie legten auf hoch gelegenen Plätzen feste Burgen an, so →Mykene und Tiryns. Um 1400 v. Chr. eroberten sie Kreta. Als um 1100 v. Chr. die Dorer einwanderten, wurden die Achäer in die nach ihnen benannte Landschaft **Achaia** im Nordwesten der Peloponnes zurückgedrängt. Die Achäer blieben unabhängig, bis Sparta sie 414 v. Chr. unterwarf. – Bei Homer ist der Begriff ›Achäer‹ gleichbedeutend mit ›Griechen‹.

Achämeniden, altpersische Herrscher, die ihre Herkunft auf Achaimenes, der um 700 v. Chr. lebte, zurückführen. Seine Nachkommen begründeten das persische Großreich. Die bedeutendsten Herrscher des Geschlechts waren **Kyros der Große** und **Dareios der Große.** Es erlosch 330 v. Chr. mit Dareios III., der Alexander dem Großen unterlag und auf der Flucht ermordet wurde.

Achat, ein seit dem Altertum begehrter Schmuckstein. Achate entstehen in Gasblasen langsam auskühlender vulkanischer Gesteinsschmelzen. Lagenweise sondert sich an den Hohlraumwänden durch mineralische Beimengungen verschieden gefärbter Quarz ab und erstarrt. Bedeutende Vorkommen gab es bis vor 150 Jahren bei Idar-Oberstein; heute kommen die meisten Achate aus Brasilien und Uruguay sowie aus Indien.

Achilles, in der griechischen Sagenwelt der tapferste Held der Griechen bei ihrem Kampf um Troja. Er war ein Halbgott; durch ein Bad im Styx, dem Fluss der Unterwelt, war er bis auf eine seiner Fersen unverwundbar geworden. Gerade auf diese Ferse lenkte der Lichtgott Apoll einen Pfeil des Trojaners Paris, der Achilles tötete. – Heute bezeichnet man im übertragenen Sinn eine verletzbare Stelle als **Achillesferse.**

Achillessehne, die kräftige Sehne des Wadenmuskels, die am Fersenbein (→Ferse) befestigt ist. Starke Dauerbelastung, z. B. beim Sport, verursacht einen Verschleiß, der dazu führen kann, dass die Achillessehne bei einer heftigen Bewegung ein- oder ausreißt. Dadurch werden die Standfestigkeit und die Möglichkeit den Fuß zu senken beeinträchtigt.

Achse, 1) Mathematik: eine besonders ausgezeichnete Gerade. Beispiele für Achsen sind Koordinatenachsen (→Koordinatensystem) und Spiegelachsen (→Abbildung).
2) bei Fahrzeugen die Anordnung von 2 Rädern, die in Fahrtrichtung nebeneinander liegen, auch bei Fahrzeugen mit Einzelradaufhängung, das heißt, wenn die beiden Räder gar keine Verbindung miteinander haben.

Achsensymmetrie, eine Art der →Symmetrie.

Acht und Bann. Im Mittelalter und am Beginn der Neuzeit war es oft schwierig den Gesetzen Achtung zu verschaffen, weil dem Staat die Machtmittel fehlten, die er heute hat. Dafür konnte der Richter den überführten Verbrecher ›in die Acht erklären‹. Ein Geächteter war ›vogelfrei‹: Jeder durfte ihn töten. Durch den **Bann** wurde missliebigen Personen der Aufenthalt in bestimmten Gebieten, oft ihrer Heimat, verboten. – Der **Kirchenbann** oder die **Exkommunikation** ist eine kirchliche Strafe. Ein Exkommunizierter ist vom Empfang der Sakramente ausgeschlossen. Er darf auch keine kirchlichen Dienste (wie Pfarrgemeinderat, Religionsunterricht) ausüben. Aus der Kirche ist er aber nicht ausgeschlossen. – Kaiser und Päpste des Mittelalters

Achat
(Idar-Oberstein)

Achat
(geschliffen)

haben Acht und Bann oft gegen ihre politischen Feinde angewendet. So hat z. B. Kaiser Friedrich Barbarossa seinen Gegner Heinrich den Löwen 1180 geächtet und deutsche Könige, z. B. Heinrich IV. im Jahr 1076 (→Investiturstreit), sind von den Päpsten gebannt worden.

Aconcagua, mit 6959 m der höchste Berg Amerikas. Er liegt in den Anden Argentiniens nahe der Grenze zu Chile. Der Aconcagua ist aus vulkanischem Material aufgebaut, aber selbst kein Vulkan.

A. D. Abkürzung für →**A**nno **D**omini.

adagio [ada̱dscho, italienisch], musikalische Tempobezeichnung: langsam, gemächlich, bequem. Das **Adagio** ist ein Satz in diesem Tempo, z. B. in einer Sonate oder Sinfonie.

Adamsapfel, scherzhafte Bezeichnung für den Teil des →Kehlkopfs, der beim Mann stärker ausgeprägt ist als bei der Frau und dessen Veränderungen in der Pubertät zur tiefen Stimme des Mannes beitragen.

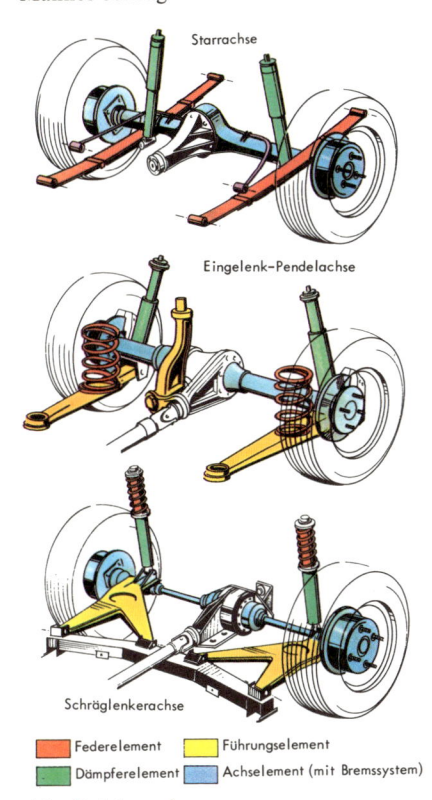

Starrachse

Eingelenk-Pendelachse

Schräglenkerachse

■ Federelement ■ Führungselement
■ Dämpferelement ■ Achselement (mit Bremssystem)

Achse 2): Achsanordnung

Adapter [zu englisch to adapt ›anpassen‹], Verbindungsstück oder Zusatzteil, das die Anwendungsmöglichkeiten eines Geräts erweitert. Ein Adapter wird auch benötigt, wenn 2 Teile nicht zusammenpassen, z. B. bei unterschiedlichen Gewinden oder Steckersystemen.

Addis Abeba, 1,74 Millionen Einwohner, Hauptstadt Äthiopiens, liegt 2470 m über dem Meer auf einer Hochfläche in der Mitte des Landes. Mit dem Hafen Djibouti am Roten Meer ist es durch eine Eisenbahnlinie verbunden.

Addition [zu lateinisch addere ›hinzufügen‹], eine der 4 →Grundrechenarten.

Adel, eine Gruppe der Gesellschaft – man spricht von einem ›Stand‹ –, die früher besondere Vorrechte und großes Ansehen besaß. In allen europäischen Staaten bildete der Adel von der Völkerwanderungszeit bis zur Französischen Revolution von 1789, zum Teil noch im 19. Jahrh., den einflussreichsten Stand der Gesellschaft: Er stellte die politische und militärische Führung eines Landes; auch die hohen geistlichen Würdenträger wie Bischöfe und Äbte entstammten dem Adel.

Bei den Germanen wurden zunächst aus den Erbbauern Adlige. Durch ihre ererbten großen Höfe hatten sie Macht und stellten die Anführer im Krieg. Im Mittelalter verlieh der König die erbliche Adelswürde an Gefolgsleute, die sich durch besondere Leistungen ausgezeichnet hatten. Sie erhielten Landbesitz und verschiedene Vorrechte. Als Gegenleistung waren sie dem König dienstbar, z. B. mussten sie Kriegsdienste leisten und im Krieg Geld und Gefolgsleute stellen. Außerdem war ihnen ein Teil der Gerichtsbarkeit übertragen. In späterer Zeit entstanden beim Adel bestimmte Rangstufen: Zum Hochadel, der die Fürsten umfasst, gehörten (in der Reihenfolge der Rangordnung) die **Herzöge** und **Grafen,** zum niederen Adel die **Barone** oder **Freiherrn,** die **Ritter** und **Edlen** sowie die mit dem bloßen Prädikat **von** ausgezeichneten Adligen. In einzelnen Fällen wurde der **persönliche Adel** verliehen, das heißt, der Adelsname durfte nur von dem geführt werden, der ihn verliehen bekommen hatte, nicht aber von seiner Ehefrau und seiner Familie. Der Adelstitel war dann nicht erblich. Seit dem 14. Jahrh. geschah die Verleihung eines Adelstitels durch die Aushändigung eines **Adelsbriefes** oder **Adelsdiploms.** Ein Mitglied dieses **Briefadels** unterschied man von einem Mitglied des **Alten Adels** (früher sprach man vom **Uradel**), dessen Vorfahren ohne Diplom schon vor dem 14. Jahrh. nachweisbar adlig waren.

13

Adel

Seit der Französischen Revolution 1789 verlor der Adel in fast allen Ländern nach und nach seine Vorrechte. Nur in Großbritannien sind diese noch in einem gewissen Umfang erhalten geblieben. In Deutschland wurde der Adelsstand 1919 endgültig aufgehoben. Während jedoch hier Adelstitel als Bestandteil des Namens weiterhin geführt werden dürfen, ist dies in Österreich und anderen Ländern verboten.

Adelheid. Die Königin und Kaiserin Adelheid (*931, †999) zählt zu den wenigen Frauen des Mittelalters, die großen politischen Einfluss ausgeübt haben. Sie war zuerst mit König Lothar von Italien verheiratet, dessen Tod (950) Machtkämpfe um die Herrschaft in Italien auslöste. Dabei geriet Adelheid in Gefangenschaft. Der deutsche König Otto I. befreite sie 951, heiratete sie und empfing mit ihr 962 in Rom die Kaiserkrone. Adelheid griff immer wieder in die deutsche Politik ein, zeitweise im Wettbewerb mit ihrer Schwiegertochter Theophano. 991–995 war sie Regentin für ihren Enkelsohn Otto III.

Aden, 365 000 Einwohner, zweitgrößte Stadt und Hafen in Jemen, liegt an der Südwestspitze der Arabischen Halbinsel.

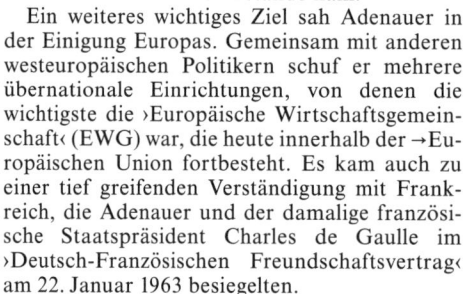

Adenauer. 14 Jahre lang lenkte **Konrad Adenauer** (*1876, †1967) als Bundeskanzler die politischen Geschicke der Bundesrepublik Deutschland, an deren Gründung er maßgeblich mitgewirkt hatte. Er verschaffte dem jungen westdeutschen Staat Ansehen im Ausland, besonders bei den westlichen Nachbarn und ehemaligen Kriegsgegnern Frankreich und Großbritannien wie auch bei den USA. Er befürwortete ein Bündnis mit diesen Staaten, das 1954/55 durch den Beitritt zur NATO zustande kam.

Ein weiteres wichtiges Ziel sah Adenauer in der Einigung Europas. Gemeinsam mit anderen westeuropäischen Politikern schuf er mehrere übernationale Einrichtungen, von denen die wichtigste die ›Europäische Wirtschaftsgemeinschaft‹ (EWG) war, die heute innerhalb der →Europäischen Union fortbesteht. Es kam auch zu einer tief greifenden Verständigung mit Frankreich, die Adenauer und der damalige französische Staatspräsident Charles de Gaulle im ›Deutsch-Französischen Freundschaftsvertrag‹ am 22. Januar 1963 besiegelten.

1955 wurden erstmals Botschafter mit der Sowjetunion ausgetauscht; zugleich ließ die Sowjetunion die letzten rund 10 000 Kriegsgefangenen in ihre Heimat zurückkehren.

Auch innenpolitisch waren schwere Aufgaben zu bewältigen. Die von Adenauer geführten Regierungen konnten für über 10 Millionen Vertriebene und Flüchtlinge, die in der Bundesrepublik Deutschland eine neue Heimat suchten, Arbeit und Wohnung schaffen; diese hatten an dem rasch wachsenden Wohlstand wesentlichen Anteil.

Adenauer war 1950–66 Bundesvorsitzender der CDU. Als er 1949 zum ersten Mal Bundeskanzler wurde, war er 73 Jahre alt. Dies war aber nicht sein erstes öffentliches Amt; noch während des Ersten Weltkrieges war er 1917 zum Oberbürgermeister der Stadt Köln gewählt worden; dieses Amt hatte er 16 Jahre lang inne, bis 1933, als die Nationalsozialisten ihn absetzten.

Adern bilden ein System von Gefäßen (→Blutkreislauf), in denen das Blut durch den Körper transportiert wird. Eine Aufgabe des Blutkreislaufs besteht darin, den Körper mit Sauerstoff aus der Lunge zu versorgen und gleichzeitig das Kohlendioxid abzutransportieren, damit dieses über die Lungen wieder ausgeschieden werden kann. Man unterscheidet Arterien und Venen. Die **Arterien (Schlagadern)** gehen vom Herzen aus und leiten meist das mit Sauerstoff angereicherte Blut. Die größte Arterie ist die →Aorta. Zur Körperoberfläche hin werden die Arterien immer feiner, verzweigen sich und bilden schließlich ein Netz von **Haargefäßen (Kapillaren).** Durch die Wände der feinen Gefäße wird Sauerstoff an das Gewebe abgegeben und Kohlendioxid aufgenommen. Hier ist auch der Übergang zu den **Venen (Blutadern),** die das Blut zum Herzen zurückführen. Vom Herzen gelangt das Venenblut zur Lunge, gibt dort das Kohlendioxid ab, nimmt Sauerstoff auf und kehrt zum Herzen zurück. Die Adern sind sehr elastisch; sie erweitern und verengen sich nach Bedarf (Tätigkeit des Organs). Dies ermöglicht einen gleichmäßigen Blutstrom, obwohl das Blut stoßweise aus dem Herzen ausgeworfen wird. Als →Puls lassen sich diese Stöße z. B. am Handgelenk tasten.

Adhäsion, das Aneinanderhaften von Stoffen infolge von Kräften **(Adhäsionskräften),** die zwischen den Atomen oder Molekülen zweier verschiedener Stoffe bei enger Berührung wirken. So bleibt an einem Glasstab beim Herausziehen aus einem Gefäß mit Wasser ein Wassertropfen haften, weil die Adhäsionskräfte zwischen Glas und Wasser größer sind als die Kohäsionskräfte (→Kohäsion) zwischen den Wassermolekülen. Aus dem gleichen Grund steht Wasser am Rand eines Reagenzglases höher als in der Mitte.

Adjektiv [zu lateinisch adiectio ›Hinzufügung‹], **Eigenschaftswort,** Wortart, die eine

Konrad Adenauer

Eigenschaft oder ein Merkmal einer Person, eines Tieres, einer Pflanze oder eines Dinges nennt. Das Adjektiv steht im gleichen Kasus (Beugefall) wie das Substantiv, dem es beigefügt ist. Die →Kasus heißen wie beim Substantiv.

Nominativ	(Werfall)	Der schwarze Hund ...
Genitiv	(Wesfall)	Die Hütte des schwarzen Hundes ...
Dativ	(Wemfall)	Der Knochen gehört dem schwarzen Hund.
Akkusativ	(Wenfall)	Ich rufe den schwarzen Hund.

Das Adjektiv, das hinter dem Substantiv steht, wird nicht flektiert (gebeugt), z. B.: Der Kaffee ist stark. Fast alle Adjektive können gesteigert werden: stark, stärker, am stärksten (→Komparation).

Adler gelten in Sage und Volksglauben als die Könige der Vögel, zugleich auch als die Vögel der Könige und Götter; sie sind Sinnbild für Macht, Mut und Kraft. So war der Adler das Symbol des griechischen Göttervaters Zeus und des obersten römischen Gottes Jupiter. Neben dem Löwen ist der Adler (der ›Aar‹) das häufigste Wappentier; er erscheint z. B. im Wappen der Bundesrepublik Deutschland.

Diese großen →Greifvögel kreisen majestätisch mit nur wenigen, langsamen Schlägen ihrer mächtigen Schwingen in der Luft, oft schweben sie auch ohne Flügelschlag; ihre Schwungfedern sind dabei fingerartig gespreizt. In den deutschen Alpen nistet auf unzugänglichen steilen Felsen noch vereinzelt der dunkelbraune **Steinadler** mit goldgelbem Kopf. Die Flügel des größeren Weibchens (85 cm lang, 4,5 kg schwer) messen im Flug von Spitze zu Spitze 2,30 m. Mit großer Geschwindigkeit (über 100 Kilometer pro Stunde) stürzt sich der Steinadler aus dem Flug auf sitzende oder laufende Beutetiere (Hasen, Füchse, Murmeltiere) herab, ergreift sie mit den langen, gebogenen Krallen und tötet sie durch Hiebe mit dem starken, nur an der Spitze hakig gebogenen Schnabel. In Freiheit kann ein Steinadler bis zu 20 Jahre alt werden, in Gefangenschaft doppelt so alt.

Der größte europäische Greifvogel ist mit 2,55 m Flügelspannweite der dunkelbraune **Seeadler** mit kurzem, weißem Schwanz; er ist auf dem Hinweisschild ›Natur- und Landschaftsschutzgebiet‹ abgebildet. In Deutschland ist er der seltenste Brutvogel. Seeadler, die vor allem Fische und Wasservögel erbeuten, finden hier kaum noch klare, fischreiche Seen. Nur noch in Ostholstein brüten einige wenige Paare. Mit den Adlern nah verwandt sind die →Bussarde.

Der →Fischadler ist auch ein Greifvogel, er gehört aber nicht zur Gruppe der Adler.

Adoption [von lateinisch adoptare ›hinzuerwählen‹], **Annahme als Kind,** rechtlicher Vorgang, bei dem ein Erwachsener ein fremdes Kind annimmt und es künftig wie ein leibliches Kind behandelt. Es entsteht ein Eltern-Kind-Verhältnis ohne Rücksicht auf natürliche Abstammung. Häufig sind es kinderlose Ehepaare, die ein Kind als eigenes annehmen, aber auch allein stehende Erwachsene oder Ehepaare, die bereits leibliche Kinder haben. Wer ein Kind adoptieren will, muss mindestens 25 Jahre alt sein; ist er verheiratet, darf sein Ehepartner nicht jünger als 21 Jahre alt sein. Das adoptierte Kind muss mindestens 8 Wochen alt sein.

Nur ein geringer Teil der adoptierten Kinder sind Waisenkinder. In den meisten Fällen leben ihre natürlichen Eltern noch, jedoch hat sie eine oft äußerst schwierige persönliche Lage veranlasst, ihr Kind nicht selbst zu erziehen. Häufig sind es sehr junge, ledige Mütter, die sich, manchmal schon vor der Geburt des Kindes, hierzu entschließen. Die Adoption wird beim Vormundschaftsgericht, oftmals nach Vermittlung durch staatliche Stellen oder Wohlfahrtsverbände, beantragt. Gegen den Willen des Kindes soll keine Adoption stattfinden. Ist es unter 14 Jahre alt, wird dem Antrag nur dann entsprochen, wenn der gesetzliche Vertreter des Kindes – das ist oft das Jugendamt – einwilligt. Die Lebensverhältnisse der künftigen Adoptiveltern werden sorgsam geprüft. Durch die Adoption erhält das Kind die gleichen Rechte und Pflichten wie ein leibliches Kind. Es nimmt den Familiennamen der Adoptiveltern an, die Verwandtschaft zu seiner leiblichen Verwandtschaft erlischt. Auch Erwachsene können adoptiert werden.

Adria, Adriatisches Meer, nördliches Nebenmeer des Mittelmeers, mit dem es durch die **Straße von Otranto** verbunden ist. Die Adria trennt die Balkanhalbinsel (Kroatien, Montenegro, Albanien) von der Apenninhalbinsel (Italien). Sie ist im Norden flach, im Süden bis 1 260 m tief. Während die italienische Adriaküste flach und sandig ist, zeigt die Ostküste eine reiche Gliederung in oft felsige Buchten, Inseln und Halbinseln; größte Halbinsel ist Istrien. Wichtigste Häfen der Adria sind Venedig, Triest, Bari und Brindisi in Italien, Rijeka in Kroatien.

Advent [aus lateinisch adventus ›Ankunft‹], bei den Christen die Vorbereitungszeit auf das Fest der Geburt Christi. Die Adventszeit umfasst die 4 Sonntage vor Weihnachten. Mit dem ersten Adventssonntag beginnt das Kirchenjahr. Der **Adventskranz** aus Tannengrün mit 4 Kerzen bürgerte sich erst nach dem Ersten Weltkrieg ein.

Adler:
OBEN Weißkopf-Seeadler,
UNTEN Steinadler

Adve

Adverb [aus lateinisch adverbium ›das zum Verb gehörige Wort‹], **Umstandswort,** Wortart, die zur näheren Bestimmung eines Verbs dient. Nach Art und Weise der Bestimmung werden 3 Adverbgruppen unterschieden, zu denen bestimmte Frageformen gehören.

Adverbien des **Ortes** Wo? Wohin? Woher?
z. B. Ich schaue nach links
Adverbien der **Zeit** Wann? Wie lange? Wie oft?
z. B. Ich verreise nächste Woche
Adverbien der **Art und Weise** Wie?
z. B. Ich sitze unbequem

adverbiale Bestimmung, Umstandsbestimmung, Satzteil, der die Aussage des Verbs nach Ort, Zeit, Art und Weise, Mittel und Grund näher bestimmt (Ich gehe morgen mit Klara ins Kino).

Aerodynamik [aus lateinisch aer ›Luft‹ und griechisch dynamis ›Kraft‹], die Lehre von der Bewegung der Luft und von den Kräften, die die strömende Luft ausüben kann. Entsprechend befasst sich die Aerodynamik mit in der Luft bewegten Körpern.

Der **Luftwiderstand** ist eines der Hauptthemen der Aerodynamik. Er hängt von der Strömungsgeschwindigkeit und Dichte der Luft, von der Form und Größe des umströmten Körpers ab. Ein umströmter Körper bietet einen Stirnwiderstand und einen Reibungswiderstand, ausschlaggebend aber ist das Verhalten der Luft hinter dem Körper. Ist der Körper eine quer zur Strömungsrichtung stehende Platte, bilden sich dahinter viele große Wirbel (Turbulenzen) aus, die sich von der Platte ablösen. Sie nehmen Bewegungsenergie, die von dem Körper oder der anströmenden Luft aufgebracht werden muss, mit sich fort. Ist der umströmte Körper z. B. eine Kugel, werden die Wirbel schon schwächer. Am strömungsgünstigsten verhält sich ein stromlinienförmiger Körper, hinter dem sich kaum Wirbel bilden. Die strömende Luft löst sich hier nicht ab, wird nicht turbulent, sondern bleibt laminar (Fachausdruck für anliegende Stromlinien). Deshalb werden Autos und Flugzeuge so gebaut, dass möglichst wenig Wirbel auftreten. Die Versuche und Untersuchungen dazu finden im Windkanal statt. Der Luftwiderstand wird als Luftwiderstandsbeiwert, kurz C_W-Wert, gemessen. Je niedriger der Zahlenwert ist, desto widerstandsärmer der Körper, in unseren Beispielen: Platte 1,1, Kugel 0,45, Stromlinienkörper 0,05. Bei heutigen windschlüpfrigen Serienautos beträgt C_W etwa 0,3 bis 0,4.

Den Flugzeugbauer interessiert nicht nur der Widerstand, den ein Flugzeug erfährt, sondern vor allem auch der dynamische **Auftrieb,** der als Auftriebsbeiwert C_A am Tragflügel gemessen wird. Er bewirkt, dass →Flugzeuge fliegen.

Bei Geschwindigkeiten oberhalb der Schallgeschwindigkeit gelten veränderte Gesetze der Aerodynamik. Der strömungsgünstigste Körper hat dann eine vorn scharf zugespitzte Form.

Die der Aerodynamik entsprechende Wissenschaft von strömenden Flüssigkeiten heißt **Hydrodynamik.** Beide gehören in das übergeordnete Gebiet der Strömungslehre.

Affen. Von allen Säugetieren sind die Affen, die zu den →Primaten gehören, dem Menschen biologisch am ähnlichsten. Sie tragen ein Haarkleid; nur Hände, Füße, Gesicht und Ohren sind nackt oder wenig behaart. Mit den Füßen können sie ebenso gut greifen wie mit den Händen. Die meisten Affen klettern gut, und einige können auch über mehrere Meter weit von Baum zu Baum springen; manche können über kurze Strecken aufrecht gehen. Sie können sehr gut sehen und fühlen, gut hören und riechen.

Affen leben in den Ländern der tropischen und subtropischen Zone (Afrika, Mittel- und Südamerika, Indien und Südostasien). Sie haben ein Allesfressergebiss mit besonders starken Eckzähnen, fressen aber mit Vorliebe Früchte, Pflanzen und Insekten. Sie leben vorwiegend auf Bäumen, meist in Urwäldern, einige (Paviane, Schimpansen) auch in der Savanne. In kleinen (Gorilla) oder größeren (Paviane) Gruppen wandern sie umher. Sie bauen zum Teil täglich neue Schlafnester, die sie, wie die Orang-Utans, in kurzer Zeit aus Zweigen zusammenflechten und mit Moos auspolstern. Innerhalb der Gruppe herrscht eine Rangordnung; meist ist das stärkste Männchen der Anführer. Das ›Lausen‹ der Affen, das man auch im Zoo oft beobachten kann, gilt weniger der Entfernung von Ungeziefer als vielmehr den salzig schmeckenden Hautschuppen und dem Kontakt untereinander. Die Weibchen bringen meist nur ein Junges zur Welt, das sie oft mehrere Jahre stillen und behüten.

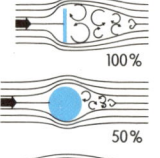

Aerodynamik: Nimmt man den Luftwiderstand einer ebenen Platte mit 100% an, so hat die Kugel gleichen Querschnitts 50% und ein Stromlinienkörper nur 5% jenes Widerstands

Aerodynamik: Kraftwagen im Windkanal

Afgh

Man unterscheidet die **Altweltaffen** (auch Schmalnasenaffen) in Afrika und Asien von den **Neuweltaffen** (auch Breitnasenaffen) in Amerika; bei den Schmalnasenaffen liegen die Nasenlöcher eng zusammen, die Breitnasenaffen haben weit auseinander liegende, mehr seitwärts gerichtete Nasenlöcher. In Europa gibt es frei lebende Affen (Magots) nur an den Felsküsten von Gibraltar. Zu den Neuweltaffen gehören z. B. Brüllaffen und Klammerschwanzaffen, die mit ihrem langen Schwanz Gegenstände greifen und sich beim Klettern festhalten können. Altweltaffen sind →Paviane, →Meerkatzen, →Makaken, →Gibbons und Menschenaffen (→Gorilla, →Orang-Utan, →Schimpanse; im zoologischen System gehört auch der Mensch dazu).

Affenbrotbäume, große Laubbäume, die vor allem in afrikanischen Savannen wachsen. Sie werden bis 20 m hoch und sind mit über 40 m Stammumfang das dickste Gewächs, das es im Pflanzenreich gibt. Sie können etwa 4000 Jahre alt werden. Die gurkenförmigen, etwas säuerlichen Früchte kann man essen.

Afghanistan
Fläche: 652 090 km^2
Einwohner: 19,062 Mio.
Hauptstadt: Kabul
Amtssprachen: Dari (Persisch), Paschto
Währung: 1 Afghani (Af) = 100 Puls (Pl)
Zeitzone: MEZ + 3,5 Stunden

Afghanistan, Staat im Nordosten Vorderasiens. Das Binnenland, fast zweimal so groß wie die Bundesrepublik Deutschland, wird vom →Hindukusch in eine Nord- und eine Südregion geteilt. Es grenzt an Iran, Turkmenistan, Usbekistan, Tadschikistan, Pakistan und China. Kahle Hochgebirge, Steppen und Wüsten wechseln mit fruchtbaren Tallandschaften ab. Die Täler zwischen der Hauptstadt Kabul und dem **Khaibarpass** an der Grenze nach Pakistan bilden heute das politische und wirtschaftliche Kernland Afghanistans. Auch der Norden bietet gute wirtschaftliche Möglichkeiten. Die Bevölkerung in diesem Gebiet hat viele Gemeinsamkeiten mit den Einwohnern der nördlich angrenzenden Republiken, so die islamische Religion.

Zahlreiche Volksgruppen bewohnen das Land. Die größte bilden die **Paschtunen,** ein Volk mit iranischer Sprache. Sie machen etwa die Hälfte

Afri

Afghanistan

Staatswappen

Staatsflagge

der Bevölkerung aus. Zu ihnen gehören auch die rund 2 Millionen Nomaden Afghanistans. Rund 90% der Afghanen bekennen sich zum sunnitischen Islam. Die größten Städte sind, nach der jetzigen Hauptstadt **Kabul, Kandahar** im Südosten, die erste Hauptstadt des Landes, und das für seine Teppiche bekannte **Herat** im Westen.

Die Wirtschaft ist noch wenig entwickelt. In den bewässerten Tälern und in den Oasen werden Getreide, Baumwolle und Obst angebaut, außerdem Mandeln, Nüsse und Pistazien. Viehhaltung wird vor allem von Nomaden betrieben. Von den Bodenschätzen werden Steinkohle, Salz, Erdgas genutzt, außerdem das Mineral Lapislazuli, dessen Vorkommen in Afghanistan das größte der Erde ist.

Geschichte. Die lang gestreckten Täler Afghanistans waren seit alters her Durchgangsstraßen, deren Beherrschung die Nachbarstaaten erstrebten. So wurde das Gebiet des heutigen Afghanistan von Arabern, die den Islam brachten, von Persern, Mongolen und Indern beherrscht, bis 1747 Emir Ahmed Schah Durrani ein unabhängiges afghanisches Königreich schuf. Im 19. Jahrh. versuchten sowohl Großbritannien als auch Russland die Vorherrschaft über Afghanistan zu erlangen. 1973 wurde die Republik ausgerufen. Die kommunistische Regierung versuchte eine staatlich gelenkte Wirtschaftsordnung durchzusetzen. Um diese Regierung gegen nationalistische Mudschaheddin an der Macht zu erhalten, drangen sowjetische Truppen 1979 in das Land ein, mussten es aber 1989 wieder verlassen. Seither bekämpfen sich verfeindete Milizen traditioneller und revolutionärer Strömungen, auch Anhänger des sunnitischen und schiitischen Islam. (KARTE Band 2, Seite 195)

Afrika, Erdteil der ›Alten Welt‹. Im Norden grenzt Afrika an das Mittelmeer, im Westen an den Atlantischen und im Osten an den Indischen Ozean. Im Nordwesten bildet das Rote Meer die Grenze gegen Asien, mit dem Afrika an der Landenge von Suez verbunden ist. Die Entfernung nach Europa beträgt an der schmalsten Stelle, der Straße von Gibraltar, nur 14 km.

Mit einer Gesamtfläche von 30 Millionen km^2 umfasst Afrika 1/5 der Landfläche der Erde. Der Erdteil erstreckt sich von Norden nach Süden über 8 000 km und von Westen nach Osten über 7 600 km. Unter allen Erdteilen hat Afrika die wenigstens gegliederte Küste. Ihr sind nur wenige Inseln vorgelagert. Einzige größere Insel ist **Madagaskar** im Südosten. Durch den an der Westseite eingreifenden Golf von Guinea wird der Kontinent in einen Nordteil von breiter, trapezförmiger Gestalt und einen dreieckigen Südteil gegliedert.

Die Oberflächenformen Afrikas sind weitgehend von großen **Ebenen** bestimmt, die im Süden und Osten in Höhen von mehr als 1 000 m liegen. Die Hälfte der Gesamtfläche Afrikas liegt jedoch unter 500 m. Die Küsten sind größtenteils **Steilküsten,** besonders im Norden und Süden. In den Tropen sind sie streckenweise von Mangrovesümpfen und vorgelagerten Korallenriffen begleitet, sonst flach und sandig mit starker Brandung. Im Nordwesten und im äußersten Süden Afrikas finden sich junge **Faltengebirge:** das Atlasgebirge in Marokko und Algerien mit Höhen bis 4 165 m und das Kapgebirge (bis 2 326 m) in Südafrika. Ansonsten ist der Kontinent durch flache Schwellen in Becken gegliedert. An kleinere, abflusslose **Becken** der Sahara schließen sich nach Süden in der Sudanzone Niger- und Tschadbecken sowie das Becken am Weißen Nil an. In der Mitte Afrikas liegt das riesige Kongobecken und im Süden das Kalaharibecken, das im Südosten von einem alten Gebirgssystem, den Drakensbergen (bis 3 482 m), umgeben ist. Den Osten Afrikas, vom Roten Meer im Nordosten bis zum Sambesi im Südosten, durchzieht eine große Einbruchzone, in der Tanganjika- und Malawisee liegen. Dieser Graben ist von **Vulkanen** begleitet, darunter die höchsten Berge Afrikas: Kilimandscharo (5 895 m) und Mount Kenya (5 194 m).

Gewässer. Der größte See Afrikas ist der **Victoriasee** im Osten. Zu den abflusslosen Binnenseen gehört der **Tschadsee.** Die Flüsse in den Winterregengebieten in Nord- und Südafrika führen im Sommer nur wenig Wasser. In den Wüsten gibt es Trockentäler (Wadis), in denen nur nach starken Niederschlägen Wasser fließt. In abflusslosen Becken bilden sich durch die hohe Verdunstung ausgedehnte **Salzpfannen.** Mächtige Flüsse entspringen in den tropisch feuchten Gebieten: **Nil, Kongo, Sambesi, Niger.** Mit Stromschnellen und Wasserfällen durchbrechen sie die Ränder der Becken und münden ins Meer.

Afrika: Berge		
Kilimandscharo (Kibo)	Tansania	5 895 m
Mount Kenya	Kenia	5 194 m
Ruwenzori	Uganda	5 119 m
Ras Daschan	Äthiop. Hochland	4 620 m
Meru	Tansania	4 567 m
Karisimbi	Virunga, Ruanda	4 530 m
Mount Elgon	Kenia/Uganda	4 321 m
Toubkal	Hoher Atlas	4 165 m
Kamerunberg	Kamerun	4 065 m
Cathkin Peak	Drakensberge	3 181 m

Klima, Pflanzenwuchs. Afrika lässt sich aufgrund seiner Lage beiderseits des Äquators in regelmäßig aufeinander folgende Klimazonen unterteilen. Die **Tropenzone** um den Äquator mit Regen zu allen Jahreszeiten weist Regenwald auf (Golf von Guinea, Kongobecken). Nördlich und südlich schließen sich Zonen mit 2 Regenzeiten an, getrennt durch eine kurze Sommer- und eine lange Wintertrockenzeit. Zum Rand der Tropen hin, in der Sudanzone nördlich und im Sambesihochland südlich des Äquators, bringen die Regenzeiten immer weniger Niederschläge. In diesen Gebieten Afrikas herrschen **Savannen** vor: zunächst Feuchtsavanne mit immergrünen Bäumen und hohem Gras, zum Rand der Tropen hin Trocken-, dann Dornsavanne. Die offene Savannenlandschaft ist die Heimat der großen afrikanischen Tierarten: Großkatzen, Elefanten, Nashörner, Flusspferde, Zebras, Giraffen, Büffel. Auf den Savannengürtel folgen schließlich die großen **Trockengebiete**: im Norden die Sahara, mit 9 Millionen km² (25-mal so groß wie die Bundesrepublik Deutschland) die größte Wüste der Erde, im Süden die Kalahari. Teile des ostafrikanischen Hochlands (Kenia, Tanganjika in Tansania) und das ›Horn‹ von Afrika, die somalische Halbinsel im Osten, sind ebenfalls trocken. Pflanzenwuchs ist auf die wenigen Oasen beschränkt. Die Küsten des Mittelmeers und des südlichsten Afrika weisen Mittelmeerklima auf. Afrika ist der heißeste Kontinent der Erde. Die höchsten Temperaturen treten nicht im Bereich um den Äquator auf, sondern in den subtropischen Trockengebieten, vor allem in der Sahara.

Bevölkerung. In Afrika leben über 500 Millionen Menschen. In den Gebieten südlich der

Afrika: Flüsse

	Länge in km	Einzugsgebiet in 1000 km²	Einmündungsgewässer
Nil (mit Kagera)	6671	2870	Mittelmeer
Kongo	4374	3690	Atlantischer Ozean
Niger	4184	2092	Atlantischer Ozean
Sambesi	2736	1330	Indischer Ozean
Oranje	2250	1020	Atlantischer Ozean
Okawango	1800	800	Okawangosumpf
Juba	1650	196	Indischer Ozean
Limpopo	1600	440	Indischer Ozean
Senegal	1430	441	Atlantischer Ozean

Afrika: Staatliche Gliederung (1995)

Unabhängige Staaten (Jahr der Unabhängigkeit)	Staatsform	Fläche km²	Einwohner in 1000	Hauptstadt
Ägypten (1922)	Republik	1 001 449	54 842	Kairo
Algerien (1962)	Republik	2 381 741	26 346	Algier
Angola (1975)	Republik	1 246 700	988	Luanda
Äquatorialguinea (1968)	Republik	28 051	369	Malabo
Äthiopien (1941)	Republik	1 104 500	49 881	Addis Abeba
Benin (1960)	Republik	112 622	4 918	Porto Novo
Botswana (1966)	Republik	581 730	1 313	Gaborone
Burkina Faso (1960)	Republik	274 200	9 513	Ouagadougou
Burundi (1962)	Republik	27 834	5 823	Bujumbura
Djibouti (1977)	Republik	23 200	467	Djibouti
Elfenbeinküste (1960)	Republik	322 463	12 910	Yamoussoukro
Eritrea	Republik	117 400	3 100	Asmara
Gabun (1960)	Republik	267 667	1 237	Libreville
Gambia (1965)	Republik	11 295	908	Banjul
Ghana (1957)	Republik	238 533	15 959	Accra
Guinea (1958)	Republik	245 857	6 116	Conakry
Guinea-Bissau (1974)	Republik	36 125	1 006	Bissau
Kamerun (1960)	Republik	475 442	12 198	Yaunde
Kap Verde (1975)	Republik	4 033	384	Praia
Kenia (1963)	Republik	580 367	25 230	Nairobi
Komoren (1975)	Republik	2 235	585	Moroni
Kongo (1960)	Republik	342 000	2 368	Brazzaville
Lesotho (1966)	Monarchie	30 355	1 836	Maseru
Liberia (1847)	Republik	111 369	2 751	Monrovia
Libyen (1951)	Republik	1 759 540	4 875	Tripolis
Madagaskar (1960)	Republik	587 041	12 827	Antananarivo
Malawi (1964)	Republik	118 484	10 356	Lilongwe
Mali (1960)	Republik	1 240 192	9 818	Bamako
Marokko (1956)	Monarchie	458 730	26 318	Rabat
Mauretanien (1960)	Republik	1 030 700	2 143	Nouakchott
Mauritius (1968)	Republik	2 040	1 098	Port Louis
Moçambique (1975)	Republik	799 380	14 872	Maputo
Namibia (1990)	Republik	824 292	1 534	Windhuk
Niger (1960)	Republik	1 267 000	8 252	Niamey
Nigeria (1960)	Republik	923 768	88 515	Abuja
Ruanda (1962)	Republik	26 338	7 526	Kigali
Sambia (1964)	Republik	752 614	8 638	Lusaka
São Tomé e Príncipe (1975)	Republik	964	124	São Tomé
Senegal (1960)	Republik	196 192	7 736	Dakar
Seychellen (1976)	Republik	280	72	Victoria
Sierra Leone (1961)	Republik	71 740	4 376	Freetown
Simbabwe (1980)	Republik	390 580	10 583	Harare
Somalia (1960)	Republik	637 657	9 204	Mogadischu
Südafrika (1910)	Republik	1 221 037	39 818	Pretoria
Sudan (1956)‹	Republik	2 505 813	26 656	Khartum
Swasiland (1968)	Monarchie	17 363	792	Mbabane
Tansania (1964)	Republik	945 087	27 829	Dodoma
Togo (1960)	Republik	56 785	3 763	Lome
Tschad (1960)	Republik	1 284 000	5 846	N'Djamena
Tunesien (1956)	Republik	163 610	8 401	Tunis
Uganda (1962)	Republik	236 036	18 674	Kampala
Zaire (1960)	Republik	235 880	39 882	Kinshasa
Zentralafrikanische Republik (1960)	Republik	622 984	3 173	Bangui

Abhängige Gebiete	Fläche km²	Einwohner in 1000	Verwaltungssitz
Westsahara	266 769	250	El-Aaiún
Großbritannien:			
St. Helena	122	7	Jamestown
Frankreich:			
Réunion	2 510	624	Saint-Denis
Mayotte	375	73	Dzaoudzi
Portugal:			
Madeira	794	272	–
Spanien:			
Kanarische Inseln	7 273	1 637	Las Palmas
Nordafrikanische Besitzungen	32	124	–

Afri

Sahara stellen die **Schwarzen** den größten Bevölkerungsanteil. Außer ihnen gibt es noch zugewanderte Europäer und Asiaten sowie kleinere Gruppen Pygmäen, Hottentotten und Buschmänner. In Nordafrika überwiegen die hellhäutigen **Araber** und **Berber.** In der Republik Südafrika und in Namibia spielen **Weiße** europäischer Abstammung in Politik und Wirtschaft noch eine bedeutende Rolle. **Asiaten** (besonders

Afrika: Städte (Einwohner in 1 000)			
Stadt	Land	Stadtgebiet	mit Vororten
Abidjan	Elfenbeinküste		2 500
Accra	Ghana	1 100	1 580
Addis Abeba	Äthiopien	1 740	
Alexandria	Ägypten		2 800
Algier	Algerien	1 700	
Casablanca	Marokko		2 900
Dakar	Senegal		1 150
Giseh	Ägypten	1 250	
Johannesburg	Südafrika	632	
Kairo	Ägypten	6 300	13 300
Kapstadt	Südafrika	770	
Khartum	Sudan	557	
Kinshasa	Zaire	3 560	8 800
Lagos	Nigeria	1 100	
Tunis	Tunesien	597	1 150

Die Zahlen in der Mitte lassen sich keiner Spalte eindeutig zuordnen.

Inder) leben in den südöstlichen Gebieten. Nicht ganz die Hälfte der Afrikaner – 45% – gehören dem Christentum an, etwas weniger – 42% – dem Islam. Etwa 1/8 der afrikanischen Bevölkerung bekennt sich zu Naturreligionen.

Wirtschaft. In Bezug auf die wirtschaftliche Entwicklung weisen die afrikanischen Staaten große Unterschiede auf. Neben der Republik Südafrika als Industrieland gibt es fortgeschrittene Entwicklungsländer (z. B. die nordafrikanischen Staaten) und Länder wie Äthiopien, in denen fast keine Industrie vorhanden ist und die Landwirtschaft nicht den eigenen Bedarf an Nahrungsmitteln decken kann. Insgesamt jedoch leben die meisten Menschen in Afrika von der **Landwirtschaft.** Die Erzeugung landwirtschaftlicher Güter konnte zwar in den letzten Jahren durch Vergrößerung der Anbauflächen, Verbesserung der Anbaumethoden und Einsatz von Maschinen gesteigert werden; da aber die Bevölkerungszahl schneller zunimmt als die Nahrungsmittelproduktion, reichen die in Afrika erzeugten Lebensmittel für die Versorgung der Bevölkerung bei weitem nicht aus. Zudem entstehen immer wieder große Verluste, besonders bei der in den Savannen- und Steppengebieten betriebenen **Viehhaltung,** durch Dürrekatastrophen wie in den 1970er-Jahren in der Sahelzone.

Afrika ist reich an **Bodenschätzen,** die aber nur zum Teil abgebaut werden. Die wichtigsten Bergbauländer sind die Republik Südafrika (Gold, Diamanten, Uran), Sambia (Kupfer, Zink), Zaire (Diamanten, Kupfer, Mangan) und Simbabwe (Gold, Chrom). Die Erdölgewinnung ist bedeutend, vor allem in Libyen, Algerien und Nigeria. Algerien hat außerdem große Erdgaslager. Die **Industrialisierung** ist noch gering (außer in der Republik Südafrika). Die industrielle Produktion beschränkt sich vielfach auf die Verarbeitung land- und forstwirtschaftlicher Erzeugnisse und die Erdölraffinerie. In einigen Ländern im Norden und Osten hat der Fremdenverkehr große Bedeutung erlangt.

Geschichte. Für die europäischen Völker war Afrika jahrhundertelang ein unerforschter Kontinent. Im Altertum waren nur die an das Mittelmeer angrenzenden Gebiete bekannt. Erst seit dem 15. Jahrh. unternahmen europäische Seefahrer, zunächst die Portugiesen, Entdeckungsfahrten entlang der Westküste und umsegelten schließlich auf dem Weg nach Indien auch die Südspitze Afrikas. Es dauerte noch bis zum beginnenden 19. Jahrh., bis die erste Kenntnis über das Innere des Kontinents nach Europa drang.

In Afrika fanden sich Spuren einer sehr frühen Besiedlung. Die ältesten Funde, die auf die Verbreitung der Vorfahren der heutigen Menschen hinweisen, sind älter als 2,5 Millionen Jahre. Die überlieferte Geschichte beginnt im Nordosten mit dem Reich der **ägyptischen Pharaonen,** das auch nach Verlust der Selbstständigkeit wirtschaftlich und politisch stets von großer Bedeutung war. Im westlichen Nordafrika entfaltete sich die phönikische Kolonie **Karthago** zu einer großen See- und Handelsmacht, die schließlich den Römern erlag. Alle Küstenländer Nordafrikas wurden **römische Provinzen.** Mit dem arabischen Einfall in Ägypten (642 n. Chr.) begann die Eroberung des größten Teils von Nord- und Ostafrika durch die **Araber,** deren Vorherrschaft bis in die Neuzeit dauerte. Im Sudan bildeten die Eroberer große islamische Reiche. Seit dem 15. Jahrh. gründeten die Portugiesen, dann auch die Holländer, Engländer, Franzosen und Dänen Handelsstützpunkte an den Küsten Afrikas, ohne zunächst ins Innere vorzudringen; sie trieben vor allem von Westafrika aus Handel mit schwarzen Sklaven nach Amerika. Erst in der zweiten Hälfte des 19. Jahrh. fand die **Kolonisierung,** die allgemeine Aufteilung Afrikas unter die europäischen Kolonialmächte, statt. Ausnahmen bildeten Äthiopien und Liberia. Nach dem Zweiten Weltkrieg erlangten die Afrikaner im Rahmen der ehemaligen Kolonialgrenzen ihre Unabhängigkeit und schlossen sich 1963 in der **Organisation für afrikanische Einheit (OAU)** zusammen. (KARTE Band 2, Seite 194)

Afrikaans, Sprache der →Buren, die hauptsächlich aus holländischen Dialekten des 17. Jahrh. entstand. Seit 1925 ist sie neben Englisch Amtssprache in der Republik Südafrika.

After, lateinisch **Anus,** der Darmausgang, das Mündungsstück des Darmkanals, in dem die Schleimhaut des Mastdarms in die äußere Haut übergeht. Zwei Schließmuskeln erlauben eine Kontrolle über den Stuhlgang. Der innere Schließmuskel ist nicht dem Willen unterworfen und erschlafft beim Stuhlgang, während der äußere willentlich beeinflussbar ist und den Darminhalt zurückhalten oder passieren lassen kann.

AG, Abkürzung für →Aktiengesellschaft.

Ägäisches Meer, Ägäis, ein Nebenmeer des Mittelmeers, zwischen Griechenland und Kleinasien. Im Süden, wo es am tiefsten ist (bis 2962 m), reicht es bis Kreta. Die zahlreichen **Ägäischen Inseln** (Kykladen, Lemnos, Lesbos, Chios usw.) sind Überreste eines alten, abgesunkenen Festlandes.

Agamemnon, der antiken Sage nach König der griechischen Stadt Mykene. Er führte die Griechen in den →Trojanischen Krieg und kehrte nach vielen Jahren siegreich in die Heimat zurück. Seine Frau Klytämnestra und ihr Liebhaber ermordeten den Heimgekehrten; später übte Agamemnons Sohn →Orest zusammen mit seiner Schwester →Elektra blutige Rache an den Mördern ihres Vaters. Eine Tragödie des griechischen Dichters Aischylos stellt Rückkehr und Ermordung des Agamemnon dar.

Agaven wuchsen früher nur in wärmeren Gebieten Amerikas; heute gibt es sie in vielen warmen Ländern, z. B. auch in Südeuropa. Die fleischigen, Wasser speichernden Blätter sind meist schopfartig angeordnet. Oft erst nach mehreren Jahren entwickelt die Pflanze einen bis 10 m hohen Blütenstand, nach dessen einmaligem Blühen sie abstirbt. Aus den Blattfasern einer mittelamerikanischen Agave gewinnt man **Sisal,** aus dem Seile und Säcke gefertigt werden. Der süße Blattsaft einer anderen Art wird zu alkoholischen Getränken vergoren (z. B. zu **Pulque,** dem mexikanischen Nationalgetränk). Manche Agavenarten sind Zimmerpflanzen.

Aggregat [zu lateinisch aggregare ›beigesellen‹], Gruppe von 2 oder mehreren Maschinen, die miteinander verbunden sind. Ein Turboaggregat besteht z. B. aus einem Generator, der von einer Dampf- oder Gasturbine angetrieben wird.

Aggregatzustand, zusammenfassende Bezeichnung für den festen, flüssigen und gasförmigen Zustand von Stoffen, wobei der Begriff Aggregat darauf hinweist, dass die Teilchen des jeweiligen Stoffes (z. B. →Atome, →Moleküle) sich untereinander durch Kräfte anziehen. Diese sind im festen Zustand am stärksten; die Teilchen bewegen sich nur sehr wenig, daher besitzen die Stoffe eine bestimmte Form. Erwärmt man über den Schmelz- oder Gefrierpunkt (z. B. bei Eis) hinaus, so nimmt die Heftigkeit der Teilchenbewegung zu, der Stoff verliert seine Form und passt sich als Flüssigkeit der Gestalt des jeweiligen Gefäßes an. Aber erst nach Erreichen des Siede- oder Kochpunkts fliegen die Teilchen im gasförmigen Zustand regellos durcheinander. Hierbei nimmt das Volumen meist erheblich zu.

Die Übergänge zwischen den einzelnen Zuständen kennzeichnet man durch die in der schematischen Darstellung verwendeten Begriffe.

Agra, etwa 899 000 Einwohner, Stadt im nordindischen Bundesstaat Uttar Pradesh. Sie wurde 1566 von dem Mogulkaiser Akbar gegründet. Von ihm und seinen Nachfolgern stammen viele prachtvolle Bauten. Zu den schönsten Werken der islamischen Kunst in Indien zählt das **Tadsch Mahal** im Osten Agras, eine riesige, prunkvolle Grabanlage für den Kaiser Shah Jahan und seine Lieblingsfrau. Nach elfjähriger Bauzeit wurde sie 1648 fertiggestellt. Das Grabmal selbst besteht ganz aus weißem Marmor; viele Ornamente im Innern sind aus Edel- und Schmucksteinen zusammengesetzt.

Agrarstaat, ein Land, in dem die Landwirtschaft den Hauptanteil an der Gesamtwirtschaft (Produktion aller Güter und Dienstleistungen) beiträgt und in dem der größte Teil der Bevölkerung in der Landwirtschaft arbeitet. Häufig sind Entwicklungsländer, also ärmere Länder, z. B. in Afrika oder Asien, in denen es noch wenig Industrie gibt, Agrarstaaten.

Agrigent, 52 000 Einwohner, Stadt in Italien, liegt auf Sizilien nahe der Südküste. Im Altertum war Agrigent neben Syrakus die wichtigste griechische Stadt auf Sizilien, die nach manchen Schätzungen eine halbe Million Einwohner hatte. Von der Blütezeit im 6. und 5. Jahrh. v. Chr. zeugen mehrere Tempel, von denen der Concordiatempel besonders gut erhalten ist.

Agrippa. Der römische Staatsmann und Feldherr **Marcus Vipsanius Agrippa** (*63, †12

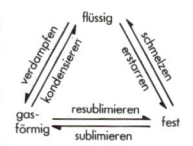

Aggregatzustand

Agaven:
Sisalagave

Ägyp

v. Chr.) war ein Jugendfreund und enger Vertrauter Octavians, des späteren Kaisers Augustus. 31 v. Chr. übernahm er den Oberbefehl über dessen Flotte und errang bei Aktium den entscheidenden Sieg über Antonius und Kleopatra. 21 v. Chr. heiratete er Julia, die Tochter des Augustus, und wurde zum Mitregenten erhoben. Er ließ auf eigene Kosten 2 neue Wasserleitungen, Thermen und einen Tempel bauen. Unter seiner Leitung fand eine Vermessung des Römischen Reiches statt, die Grundlage für eine Weltkarte wurde.

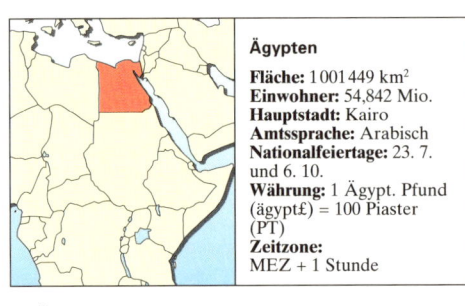

Ägypten
Fläche: 1 001 449 km²
Einwohner: 54,842 Mio.
Hauptstadt: Kairo
Amtssprache: Arabisch
Nationalfeiertage: 23. 7. und 6. 10.
Währung: 1 Ägypt. Pfund (ägypt£) = 100 Piaster (PT)
Zeitzone:
MEZ + 1 Stunde

Ägypten

Staatswappen

Staatswappen

Ägypten ist ein ›Geschenk des Nils‹. Nahezu die gesamte Bevölkerung lebt in der fruchtbaren Stromoase, die nur etwa den dreißigsten Teil der Landesfläche einnimmt. Der größte Teil Ägyptens gehört zur Wüste **Sahara,** die sich im Osten bis zur Küste des Roten Meeres erstreckt. Das Niltal ist mit etwa 1 200 Einwohnern je km² eines der am dichtesten besiedelten Gebiete der Erde. Die Bewohner leben fast zur Hälfte von der Landwirtschaft. Auf den fruchtbaren Feldern des Niltals und des Nildeltas werden in mühevoller Arbeit im Bewässerungsfeldbau vor allem Baumwolle, Zuckerrohr, Mais, Reis, Obst und Gemüse angebaut. Seit 1890 ist die ganzjährige Bewässerung durch den Bau von Staudämmen sichergestellt. 1971 wurde bei **Assuan** der von der Sowjetunion errichtete Hochdamm vollendet, mit dessen Hilfe in erster Linie das Bewässerungsland vergrößert werden sollte. Inzwischen hat sich gezeigt, dass der Dammbau erhebliche Nachteile mit sich bringt (z. B. Festhalten des fruchtbaren Schlamms, →Nil).

Die zahlreich vorhandenen Bodenschätze Ägyptens (Erdöl, Erdgas, Eisenerz) haben zum Aufbau einer Industrie im Nildelta geführt. Neben der Ausfuhr von Rohstoffen (Baumwolle, Erdöl) ist der Fremdenverkehr eine bedeutende Einnahmequelle.

Mit dem →Suezkanal gehört eine der wichtigsten Wasserstraßen der Welt zu Ägypten.

Geschichte. In Ägypten entstand eine der ältesten Kulturen der Menschheit (ÜBERSICHT).

Im Altertum Teil des Römischen, dann des Byzantinischen Reichs, wurde Ägypten seit dem 7. Jahrh. von arabischen Dynastien regiert und gehörte seit 1517 zum Osmanischen Reich. Der osmanische Statthalter Mehmed Ali versuchte im 19. Jahrh. einen selbstständigen Staat zu schaffen. Dies wurde von den europäischen Großmächten verhindert. Unter ihnen gewann Großbritannien den größten Einfluss. Als selbstständiger Staat wurde Ägypten 1936 nach der Thronbesteigung König Faruks anerkannt. 1952 stürzte die Armee den König, ein Jahr später wurde die Republik ausgerufen. 1954 übernahm Gamal Abd el-Nasser die Macht (bis 1970). Seit 1948 war Ägypten in 3 Kriege mit Israel verwickelt (→Nahostkonflikt). Als erstes arabisches Land schloss es unter amerikanischer Vermittlung 1979 einen Friedensvertrag mit Israel. Nassers Nachfolger, Answar as-Sadat, wurde 1981 ermordet. Dessen Nachfolger, Präsident Hosni Mubarak, muss sich innenpolitisch mit Terrorismus und islamischem Fundamentalismus auseinander setzen. (KARTE Band 2, Seite 194)

Ähnlichkeit. Mathematik: Zwei Figuren heißen zueinander **ähnlich,** wenn sie sich in Lage und Größe, nicht aber in ihrer Gestalt unterscheiden. Ähnliche Figuren können stets mithilfe einer Ähnlichkeitsabbildung (→Abbildung) aufeinander abgebildet werden. In ähnlichen Figuren sind entsprechende Winkel gleich groß und die Längen entsprechender Strecken haben das gleiche Verhältnis.

In der Skizze 1 (Seite 24) sind die beiden Dreiecke ABC und $A'B'C'$ ähnlich. Es gilt:

$\alpha = \alpha'$, $\beta = \beta'$, $\gamma = \gamma'$, sowie $\frac{a'}{a} = \frac{b'}{b} = \frac{c'}{c} = \frac{2}{1}$.

Für Dreiecke gibt es sogenannte **Ähnlichkeitssätze.** Diese Sätze sagen aus, unter welchen Bedingungen 2 Dreiecke zueinander ähnlich sind. Die Ähnlichkeitssätze für Dreiecke lauten: 2 Dreiecke sind ähnlich, wenn sie

1) im Verhältnis der Längen ihrer 3 Seiten übereinstimmen;

2) im Verhältnis der Längen zweier Seiten und dem eingeschlossenen Winkel übereinstimmen;

3) in 2 Winkeln übereinstimmen;

4) im Verhältnis der Längen zweier Seiten und dem Winkel, der der größeren Seite gegenüberliegt, übereinstimmen.

Die Ähnlichkeitssätze sind Hilfsmittel zum Beweisen von mathematischen Aussagen.

Beispiel: In jedem rechtwinkligen Dreieck gilt: $a^2 = c \cdot p$ (Kathetensatz, →pythagoreischer

Altägyptische Geschichte

Um 3000 v. Chr.	Am Unterlauf des Nils bestanden 2 Königreiche: Oberägypten im Flusstal des Nils und Unterägypten im Delta.
Um 2900 v. Chr.	Mit der Eroberung Unterägyptens durch Oberägypten entstand ein Reich unter der Führung eines oberägyptischen Königshauses (Hauptstadt **Memphis** in der Nähe des heutigen Kairo). Die Königshäuser werden **Dynastien** genannt und die Könige **Pharaonen**. Von der Reichsvereinigung bis zur Eroberung Ägyptens durch Alexander den Großen werden 31 Dynastien gezählt, und die zweieinhalbtausendjährige Geschichte des alten Ägypten wird in Altes, Mittleres und Neues Reich eingeteilt. Die Macht der Pharaonen beruhte auf dem Glauben, dass der Gott Horus im jeweils regierenden Pharao menschliche Gestalt angenommen habe. Damit war der Pharao der Herr über die Weltordnung und jeder hatte seinem göttlichen Gebot bedingungslos zu gehorchen. Das Reich war in Gaue aufgeteilt, die von Beamten verwaltet wurden: Die höchsten Beamten ernannte der Pharao selbst. Steuern wurden in Form von landwirtschaftlichen Produkten entrichtet, die in Magazinen gespeichert wurden.
2660 v. Chr.	Das Zeitalter des Alten Reichs ist die erste große Blütezeit der ägyptischen Kultur. Es begann mit der 3. Dynastie (2660 bis 2590 v. Chr.); zu ihr zählt Pharao **Djoser**, der mit der Stufenpyramide von Sakkara als seinem Grabmal das erste große Steinbauwerk des alten Ägypten errichtete. Unter der 4. Dynastie (2590 bis 2470 v. Chr.) entstanden 5 große **Pyramiden**. Die 3 bekanntesten sind die von Giseh bei Kairo. Sie tragen die Namen ihrer Erbauer: **Cheops, Chephren** und **Mykerinos**. Sie entstanden im Lauf von kaum mehr als 100 Jahren.
2160 v. Chr.	Am Ende der 6. Dynastie zerbrach die Einheit des Reiches in sozialen Unruhen und in Kämpfen um die Herrschaft. Diese Zeit der Unruhe bezeichnet man als die Erste Zwischenzeit.
2040 v. Chr.	Einem Fürstengeschlecht aus der oberägyptischen Stadt **Theben** gelang es das Reich erneut zu einen. Die nun für Ägypten folgende Blütezeit unter den Pharaonen der 12. Dynastie, die die Residenz zurück nach Theben verlegten, wird Mittleres Reich genannt. Ägypten dehnte seinen Machtbereich nach Süden aus.
1785 v. Chr.	Unter den Herrschern der 13. Dynastie stellte sich ein erneuter Niedergang ein. Die Zweite Zwischenzeit begann. In dieser Krise fielen 1650 v. Chr. die Hyksos, ein asiatisches Volk, in Ägypten ein und eroberten das Land. Ihre Herrschaft über Ägypten dauerte fast 100 Jahre. Ein Fürstengeschlecht, wieder aus Theben, organisierte 1560 v. Chr. den Widerstand gegen die Hyksos.
1552 v. Chr.	Mit der Vertreibung der Hyksos begann das Neue Reich und Ägypten erlebte eine neue Blütezeit. Aus dem Fürstengeschlecht, das die Hyksos vertrieb, ging die 18. Dynastie hervor. Theben wurde nun wieder Reichshauptstadt.
1468 bis 1436 v. Chr.	**Thutmosis III.** eroberte Palästina und Syrien und dehnte seinen Machtbereich nach Süden aus. Als sein Enkel **Amenophis III.** 1402 v. Chr. den Thron bestieg, war Ägypten auf der Höhe seiner Macht. Amenophis entfaltete eine rege Bautätigkeit. Noch heute künden die Ruinen des **Luxor-** und **Karnaktempels** von seiner glanzvollen Regierungszeit.
1363 bis 1347 v. Chr.	Sein Sohn **Amenophis IV.**, der mit **Nofretete** verheiratet war, versuchte, eine neue Religion in Ägypten einzuführen. Künftig sollte statt des Reichsgottes Amun und der vielen anderen Götter nur noch die Sonne als einziger Gott **Aton** verehrt werden. Nach ihm nannte der Pharao sich ›Echnaton‹; er verließ Theben und gründete eine neue Hauptstadt: Amarna.
1347 v. Chr.	Nach dem Tod Echnatons stieg der Einfluss der Amun-Priester wieder und der junge Pharao **Tut-ench-Amun** musste nach Theben und zur alten Götterverehrung zurückkehren. Amarna zerfiel. Unter der Herrschaft Echnatons, der sich wenig um Außenpolitik gekümmert hatte, war Ägyptens Großmachtstellung ins Wanken geraten. Eine Reihe von Kriegen, die die Pharaonen der nachfolgenden 19. Dynastie führen mussten, war die Folge.
1306 bis 1070 v. Chr.	Die Pharaonen der 19. und 20. Dynastie festigten wieder die Großmachtstellung Ägyptens. Der 19. Dynastie entstammte **Ramses II.**, der von 1290 bis 1224 v. Chr. regierte und gewaltige Bauten in Karnak, Luxor und Abu Simbel errichten ließ. Unter seinen Nachfolgern setzte wieder ein politischer Niedergang ein.
1070 v. Chr.	In der Dritten Zwischenzeit zerfiel Ägypten in 2 Reiche: Während die Pharaonen der 21. bis 24. Dynastie über das Delta (Unterägypten) herrschten, hatten die Amun-Priester in Theben einen eigenen Gottesstaat ausgerufen und beherrschten Oberägypten.
712 v. Chr.	Die Spätzeit begann, als aus dem einst von Ägypten beherrschten Nubien ein König mit einem Heer einfiel, Ägypten eroberte und die 25. Dynastie begründete. 664 v. Chr. drangen dann die Assyrer in Ägypten ein und zerstörten Theben. Seit 525 v. Chr. herrschten die Perser für etwa ein Jahrhundert in Ägypten. Die fremden Herrscher wurden jedoch immer wieder vertrieben.
332 v. Chr.	Ägypten wurde von Alexander dem Großen erobert. Alexander leitete die griechische oder hellenistische Zeit ein. Zum neuen Mittelpunkt wurde die Stadt Alexandria. Nach Alexanders Tod herrschte sein Feldherr Ptolemaios über Ägypten. Er krönte sich 305 v. Chr. zum ägyptischen Pharao und begründete damit die Dynastie der **Ptolemäer**. Unter ihrer Herrschaft wurde Ägypten zum reichsten Staat der damaligen Welt.
51 v. Chr.	Die letzten Ptolemäer konnten Macht und Selbstständigkeit Ägyptens nicht behaupten. Unter Ptolemaios XIV. und seiner Schwester **Kleopatra** kam das Land unter römische Vormundschaft. Als 30 v. Chr. **Octavian**, der spätere Kaiser Augustus, Alexandria eroberte und Ägypten endgültig unter römische Oberhoheit stellte, beging Kleopatra Selbstmord.

Ahor

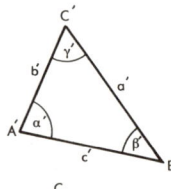

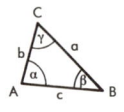

1 ähnliche Dreiecke

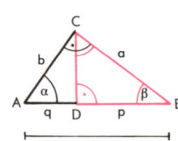

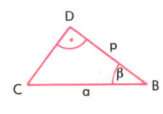

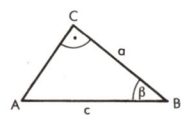

2 Ähnlichkeit

Ahorn:
OBEN Bergahorn
UNTEN Spitzahorn

Lehrsatz). Beweis: *ABC* sei ein rechtwinkliges Dreieck. Man zeichnet durch den Eckpunkt *C* die Senkrechte auf die Seite *c*. Den Fußpunkt der Senkrechten auf der Seite *c* nennt man *D*. Da die beiden Dreiecke *ABC* und *CBD* in zwei Winkeln übereinstimmen (siehe Skizze 2), sind sie nach dem 3. Ähnlichkeitssatz ähnlich. Da in ähnlichen Dreiecken die Verhältnisse der Längen entsprechender Seiten übereinstimmen, gilt:

$$\frac{a}{c} = \frac{p}{a}, \text{ also } a^2 = p \cdot c.$$

Ahorn, ein Laubbaum, der in Europa und Nordamerika wächst, besonders in Kanada, dessen Wappen ein Ahornblatt trägt. Er ähnelt in den handförmig gelappten Blättern und der leicht abblätternden, glatten Rinde der Platane. Die Früchte, die oft bis tief in den Winter am Baum sitzen, haben 2 lange Flügel, damit der Wind sie weit fortwirbeln kann; sie drehen sich dabei wie kleine Propeller. In Deutschland werden **Bergahorn** und **Spitzahorn** als Park- und Alleebäume angepflanzt; beide sind relativ unempfindlich gegen Abgase. Die Bäume werden etwa 25 m hoch. Der kleinblättrige **Feldahorn** wächst strauchartig in Tiefebenen und Vorgebirgen. Aus dem harten, weißen Ahornholz werden hochwertige Möbel, auch Geigen und Gitarren gefertigt.

Ähre, ein →Blütenstand.

AIDS [eids], Abkürzung für englisch Acquired Immune Deficiency Syndrome, deutsch ›erworbene Immunschwäche‹, eine ansteckende Krankheit (↑Infektionskrankheiten), bei der die natürlichen Abwehrkräfte des Körpers (das ›Immunsystem‹) versagen. Sie wird durch ein Virus (das **HIV-Virus**) verursacht, das v.a. in Körperflüssigkeiten wie Blut, Sperma (Samenflüssigkeit), Speichel, Tränen und in der Muttermilch vorkommt. Man steckt sich aber nicht an, wenn man mit diesen Flüssigkeiten nur in Berührung kommt, sondern erst, wenn sie, meist über eine Wunde, ins Blut gelangen. Dies geschieht z.B., wenn ein Drogenabhängiger eine Spritze benutzt, die vor ihm ein an AIDS Erkrankter gebraucht hatte. Eine andere Gruppe von gefährdeten Menschen (›Risikogruppe‹) sind Homosexuelle und Prostituierte, also Menschen, die häufig und mit wechselnden Partnern Geschlechtsverkehr haben und sich durch die Samenflüssigkeit, die durch kleinste, nicht einmal spürbare Verletzungen ins Blut gelangen kann, anstecken. Beim normalen Zusammenleben mit einem Kranken, z.B. in Familie, Schule und Beruf, besteht keine Ansteckungsgefahr, sofern die Regeln der Hygiene eingehalten werden.

Bis heute ist es noch nicht gelungen AIDS wirksam zu bekämpfen, da noch kein Mittel gegen das verursachende HIV-Virus gefunden wurde.

Airbus [ärbuss, englisch ›Luftbus‹], Großraum-Verkehrsflugzeug, an dessen Bau französische, deutsche, britische, niederländische und spanische Firmen beteiligt sind (→Flugzeug).

Aischylos [ais|chylos], **Äschylus,** griechischer Dichter (*525 v.Chr., †456 v.Chr.). Er begründete die literarische Kunstform der **Tragödie.** Von seinen etwa 90 Schauspielen sind 7 erhalten, darunter ›Die Perser‹, ›Sieben gegen Theben‹ und die ›Orestie‹, eine Trilogie, die aus 3 zusammenhängenden Tragödien besteht.

Akazi|en wachsen als charakteristische Bäume oder Sträucher in der afrikanischen und australischen Savanne und werden auch häufig im Mittelmeergebiet angepflanzt. Ihre Zweige tragen oft Dornen. Die meist gelben, bällchenähnlichen Blüten bilden Köpfchen, Ähren oder Trauben. Viele Arten liefern Pflanzengummi (›Gummiarabikum‹). In Deutschland kommen blühende Zweige verschiedener Akazienarten als ›Mimosen‹ auf den Markt (→Mimose).

Akbar. Der Begründer des letzten großen Reiches auf indischem Boden vor der britischen Kolonialherrschaft wurde 1542 als **Dschalal ad-Din Mohammad** geboren und später **Akbar,** das heißt ›der Große‹, genannt. Dreizehnjährig wurde er 1556 Großmogul (Kaiser). Er war selbst Moslem und versuchte eine neue Religion zu begründen, die Moslems und Hindus vereinte. Er förderte die Kunst; so erlebte die indische Malerei unter Akbars Herrschaft eine Blütezeit. Seine Hauptstadt Agra ließ er mit prächtigen Bauten schmücken. Akbar starb 1605.

Akelei, eine Sommerblume, die in Wäldern und Gebüschen wächst. Ihre meist blauen Blüten haben 5 Hüllblätter und 5 trichterförmige Blätter mit langem, oft stark gebogenem Sporn. Die Akelei steht unter Naturschutz. Sie ist auch eine beliebte Gartenblume mit violettblauen oder rosaroten bis weißen, manchmal gefüllten Blüten.

Akkommodation [lateinisch accommodatio ›Anpassung‹], die Einstellung des →Auges auf eine bestimmte Entfernung.

Akkord [von spätlateinisch accordare ›übereinstimmen‹], **1)** Musik: Zusammenklang von 3 oder mehr Tönen unterschiedlicher Tonhöhe. Akkorde, die als ausgeglichen und ruhig empfunden werden, nennt man **konsonant,** andere, die gespannt klingen und nach einer Auflösung (einem ruhigen Klang) drängen, **dissonant**. Der Akkord, der in der europäischen Musik am häufigsten verwendet wird, ist der →Dreiklang.

2) Wirtschaft: Bei der Herstellung von Gütern fallen häufig immer wieder dieselben oder ähnliche Arbeiten an, die in den Betrieben von einer Person oder einer Personengruppe erledigt werden können. Bearbeiten diese Personen in besonders kurzer Zeit viele Teile oder erledigen viele Arbeitsvorgänge, so können sie die Gesamtproduktion des Betriebes erheblich steigern. Da sie im **Akkordlohn** bezahlt werden – sie werden nach Leistung und nicht nach der Dauer ihrer Anwesenheit im Betrieb (= **Zeitlohn**) entlohnt –, können sie durch schnelles Arbeiten auch ihr Einkommen erhöhen.

Akkordeon, Sammelbezeichnung für alle Hand- oder Ziehharmonikas. Durch Zusammendrücken und Auseinanderziehen des Blasebalgs wird der Luftstrom auf elastische Metallzungen verschiedener Länge geleitet, die an einem Ende in einem Metallrahmen befestigt sind und mit dem freien Ende in Schwingung geraten und so den Ton erzeugen. Man unterscheidet **wechseltönige Akkordeons,** bei denen verschiedene Töne entstehen, je nachdem, ob der Balg herausgezogen oder zusammengedrückt wird, und **gleichtönige Akkordeons,** bei denen derselbe Ton erklingt. Ursprünglich wurden alle Töne sowohl auf der Bass- oder Begleitseite wie auf der Melodieseite durch Knopfdruck erzeugt, später setzte sich für die rechte Melodieseite eine klavierähnliche Tastatur durch. Das Akkordeon ist ein verbreitetes Instrument der Volks- und Tanzmusik. Es wird auch in Gruppen, Akkordeonorchestern, gespielt. Eine Sonderform ist das →Bandoneon.

Bleiakkumulator

Blei (grau) + Bleidioxid (braun) + Schwefelsäure ⇌ Entladen / Laden
$Pb + PbO_2 + 2 H_2SO_4$

Bleisulfat (weiß) + Wasser
$2 PbSO_4 + 2 H_2O$

Akkumulator [lateinisch ›Sammler‹, ›Speicher‹], kurz **Akku,** ein →galvanisches Element, das chemische Energie speichert.

Die gebräuchlichste Form, auch **Batterie** genannt, findet man in Kraftfahrzeugen. Der →Elektrolyt ist in diesem Fall 20%ige Schwefelsäure; die eine Platte besteht aus reinem Blei, die andere Platte aus Bleidioxid. Lässt man das Auto an oder betätigt den Lichtschalter, so werden das reine Blei und das Bleidioxid in Bleisulfat und der Elektrolyt hauptsächlich in Wasser verwandelt: Der Akkumulator entlädt sich. Damit er funktionstüchtig bleibt, muss auch im entladenen Zustand noch ein Rest Schwefelsäure im Elektrolyten enthalten sein.

Die Entladespannung einer einzigen solchen Zelle beträgt etwa 2 Volt. In einer modernen Kraftfahrzeugbatterie befinden sich 6 oder 12 Zellen, die 12 oder 24 Volt liefern. – Zum Laden benötigt man eine Stromquelle (→Elektrolyse), die den Vorgang wieder rückgängig macht.

Auch gebräuchlich sind der Nickel-Cadmium- und der Lithium-Schwefel-Akkumulator. (Weiteres BILD Seite 26)

Akkusativ [lateinisch ›Anklagefall‹, zu accusare ›anklagen‹], **Wenfall,** →Kasus.

Akne, eine Hautkrankheit, die häufig in der →Pubertät auftritt. Aufgrund der hormonellen Umstellung in dieser Zeit und auch durch Anlage bedingt sondern die Talgdrüsen vermehrt Talg ab, der verhärtet und die Talgdrüsen verstopft; dadurch kann es zu Entzündungen kommen.

Akropolis [griechisch ›Oberstadt‹], der hoch gelegene Burgberg in griechischen Städten. In Athen erhebt sich die Akropolis mit ihren prächtigen Tempeln inmitten der Stadt. Sie war ursprünglich der Sitz der Könige, wurde in den Perserkriegen zerstört und nach 450 v. Chr. unter Perikles als ›Wohnsitz der Götter‹ mit Tempeln und Denkmälern geschmückt. An den Bauten der Akropolis arbeiteten große Künstler, z. B. der Bildhauer Phidias.

Akt, 1) bildende Kunst: die Darstellung des nackten oder fast nackten menschlichen Körpers. Schon in der Altsteinzeit fertigten die Menschen kleine Statuen (Statuetten) aus Stein, Elfenbein oder Ton: nackte Fruchtbarkeitsgöttinnen mit übertrieben hervorgehobenen weiblichen Formen (›Venusstatuetten‹). Die Marmor- und Bronzeskulpturen der Griechen zeugen bereits von genauen Naturstudien. Vor allem der durch Sport trainierte männliche Körper galt damals als Ideal der Schönheit. Im Mittelalter war der Akt nur zur Darstellung religiöser Inhalte erlaubt (Adam und Eva, Christus am Kreuz); die Geschlechtsteile blieben verhüllt. Seit der Renaissance gehörten anatomische Studien zur Ausbildung des Künstlers. Häufige Themen waren der biblische David (von ihm schufen die italienischen Bildhauer Donatello und Michelangelo bekannte Statuen) oder Figuren der antiken Götter- und Heldensage. Seit dem 18./19. Jahrh. wird der nackte Mensch auch selbst zum Thema, ohne religiösen oder mythologischen Hintergrund.

Akazie

C-Dur-Akkord

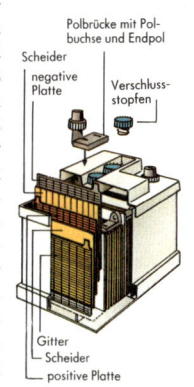

c-Moll-Akkord
Akkord

Akkumulator: Schnittbild (Polbrücke mit Polbuchse und Endpol, Scheider, negative Platte, Verschlussstopfen, Gitter, Scheider, positive Platte)

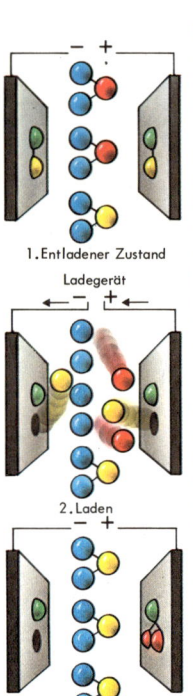

Akti

1. Entladener Zustand
Ladegerät
2. Laden
3. Geladener Zustand
Verbaucher
4. Entladen

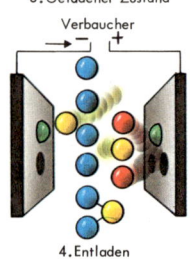

- Wasserstoff H
- Sauerstoff O
- Blei Pb
- Sulfat-Ionen $SO_4^=$

Akkumulator:
Die elektrochemischen Vorgänge im Blei-Akkumulator

Nicht nur der schöne Mensch wird gezeigt, sondern auch der leidende, unterdrückte oder gehemmte, dessen seelische Verfassung sich im Körper ausdrückt.

2) Abschnitt einer dramatischen Handlung in Schauspiel, Oper und Ballett. In der klassischen griechischen Tragödie gab es keine Akteinteilung; eine Einteilung in 3 Akte beruht auf Vorstellungen von einem gesetzmäßigen dramatischen Ablauf (Aristoteles). Später setzte sich die Fünfteilung durch (z. B. in der deutschen Klassik), seit dem ›Sturm und Drang‹ (Einfluss Shakespeares) eine lockere Aneinanderreihung von Szenen.

Aktie, ein Wertpapier, durch dessen Kauf man einen Beteiligungsanteil an einer →Aktiengesellschaft erwirbt. Das **Grundkapital** (Eigenkapital) einer Aktiengesellschaft, also das Geld, das die Eigentümer zur Gründung und für die Geschäftsführung ihrer Firma benötigen, wird in viele Anteile gestückelt. Ein solcher Anteil heißt Aktie. Jeder Aktienbesitzer (**Aktionär**) ist Miteigentümer der Aktiengesellschaft. Er erwirbt mit dem Kauf einer Aktie auch ein Stimmrecht, mit dem er auf die Geschäfte der Aktiengesellschaft Einfluss nehmen kann. Je mehr Aktien jemand besitzt, desto größer ist sein Einfluss.

Jeder Besitzer einer Aktie kann diese an der **Börse,** dem Markt für Aktien, auch wieder verkaufen, wenn er einen Käufer findet. Angebot und Nachfrage an der Börse bestimmen den Preis der Aktie, den **Aktienkurs.**

Aktiengesellschaft, Abkürzung **AG.** Jedes Unternehmen muss bei seiner Gründung eine Rechtsform festlegen, in der es geführt wird und in der es sein Verhältnis nach außen hin zur Öffentlichkeit darstellt. Eine solche Rechtsform ist z. B. die AG. Diese Form wählen meist größere Betriebe, die zu ihrer Gründung und für ihre Geschäftsführung viel Geld benötigen. Dieses Geld, das Grundkapital, bringen sie durch die Ausgabe von →Aktien am Markt auf. Die AG ist eine Kapitalgesellschaft mit eigener Rechtspersönlichkeit, das heißt, sie tritt in der Öffentlichkeit nicht als eine Privatperson auf, die für die Geschäfte verantwortlich ist. Die Geschäftsführung übernimmt der **Vorstand,** der wiederum von einem **Aufsichtsrat** bestellt und kontrolliert wird. Die Anteilseigner (**Aktionäre**) schließen sich in der **Hauptversammlung** zusammen, der Vorstand und Aufsichtsrat Rechenschaft über die Geschäfte ablegen müssen.

Aktium, Landzunge an der Westküste Griechenlands. Hier besiegte 31 v. Chr. die Flotte des Octavian, des späteren römischen Kaisers →Augustus, die Flotte seiner Gegner Antonius und Kleopatra von Ägypten. Nach diesem Seesieg beherrschte Octavian das gesamte Römische Reich.

Aktiv [von lateinisch activus ›tätig‹], Tätigkeitsform des Verbs, im Gegensatz zum →Passiv (Leideform). Das Verb steht im Aktiv, wenn das Subjekt handelt, das heißt eine Tätigkeit ausführt, z. B. Der Gärtner schneidet die Hecke.

Aktiva, →Bilanz.

Aktivkohle, poröse Kohlenstoffstruktur mit großer innerer Oberfläche, die zwischen 500 und 1 500 m²/g schwankt. Sie wird aus pflanzlichen (Holz, Torf, Nussschalen), tierischen (Blut, Knochen) oder mineralischen (Kohlen) Rohstoffen hergestellt. Nach der äußeren Form werden unterschieden: **Pulveraktivkohle,** z. B. zum Entfärben von Flüssigkeiten, **Kornaktivkohle,** z. B. zur Entfernung schädlicher Stoffe in Wasser, und **zylindrisch geformte Aktivkohle,** vor allem zur Reinigung von Gasen von Geruchs- und Giftstoffen. Die unerwünschten Stoffteilchen bleiben an der inneren Oberfläche haften.

Akupunktur [lateinisch ›Nadelstich‹], Verfahren der Heilkunde, bei dem Gold- oder Silbernadeln unterschiedlich tief in bestimmte Stellen des Körpers eingestochen werden und dort eine gewisse Zeit verbleiben. Diese Einstichstellen (›Akupunkturpunkte‹) sind auf 14 Linien (›Meridianen‹) angeordnet und genau festgelegt. Mit der Akupunktur sollen Krankheiten (z. B. Migräne) geheilt und Schmerzen (z. B. Kopfschmerzen) gelindert werden. Sie ist ein altes Verfahren der chinesischen Heilkunde, welches heute auch in Europa angewendet wird. In China wird sogar bei Operationen die Akupunktur eingesetzt, um Schmerzen auszuschalten.

Akustik [zu griechisch akoustikos ›das Gehör betreffend‹], die Lehre vom →Schall. Die **physikalische Akustik** befasst sich mit der Ausbreitung des Schalls, der durch mechanische Schwingungen entsteht und sich in Form von →Wellen ausbreitet. Die **physiologische** und **psychologische Akustik** untersucht die Wirkung des Schalls auf den Menschen.

Nicht in jedem Konzertsaal klingen Musikinstrumente gleich gut; es gibt Konzertsäle mit guter und schlechter Akustik. Die Erzielung guter Hörverhältnisse in Räumen ist Aufgabe der **Raumakustik.**

Manche Wohnungen werden als hellhörig bezeichnet, weil man Geräusche von Nachbarn deutlich wahrnimmt. Mit der Fortpflanzung des

Schalls in Gebäuden und Baustoffen befasst sich die **Bauakustik**.

akute Krankheiten, plötzlich auftretende und heftig, meist fiebrig verlaufende Erkrankungen, im Gegensatz zu →chronischen Krankheiten. Akute Krankheiten können, wenn sie nicht völlig ausgeheilt sind, zu chronischen werden, ebenso wie im Verlauf chronischer Krankheiten akute Phasen auftreten können.

Akzent, die Betonung einer Silbe in einem Wort (**Wortakzent,** z. B. ›máchen‹) oder eines Wortes, das besonders hervorgehoben werden soll, in einem Satz (**Satzakzent,** z. B. ›gerade du solltest das wissen‹). Bei Sprachen mit **festem Akzent** wird immer eine bestimmte Silbe betont (z. B. in den germanischen Sprachen die Stammsilbe), bei Sprachen mit **freiem Akzent** kann die Betonung auf jeder Silbe liegen.

Alarich, König der →Westgoten. Er wurde um 370 geboren und wuchs zum Führer der als römische Verbündete südlich der unteren Donau angesiedelten Westgoten heran, die ihn 395 zu ihrem König wählten. 397 ernannte ihn der oströmische Kaiser Arkadios zu seinem Statthalter in Illyrien. Von hier aus fiel Alarich mehrfach im weströmischen Italien ein. 410 eroberte und plünderte er Rom. Im selben Jahr starb er auf dem Weg nach Sizilien.

Alaska, nördlichster Bundesstaat der Vereinigten Staaten von Amerika. Es ist der größte Bundesstaat der USA, mit einer Fläche von 1,52 Millionen km² mehr als viermal so groß wie die Bundesrepublik Deutschland. Das Land ist aber nur dünn besiedelt (0,2 Einwohner je km²). Von den rund 400 000 Einwohnern, die sich in den Städten (Anchorage, Spenard, Fairbanks) konzentrieren, machen Eskimo und Indianer rund ein Sechstel aus. Die Hauptstadt Alaskas ist **Juneau** (6 000 Einwohner). Es ist aber geplant, am Fuß des Mount McKinley, des höchsten Berges Nordamerikas, eine neue Hauptstadt **Willow South** zu bauen.

Landschaftlich gliedert sich Alaska in ein großes, von dem Fluss Yukon durchflossenes Becken, das von Gebirgsketten umrahmt wird: von der bis 6 193 m hohen (Mount McKinley), vergletscherten Alaskakette im Süden und der bis 2 816 m hohen Brookskette im Norden. Im Innern ist das Klima kontinental und verhältnismäßig trocken.

Alaska ist reich an Bodenschätzen (Erdöl, Kohle, Eisen, Blei, Chrom und Kupfererz sowie das seltene Beryllium). Dagegen ist die Goldgewinnung, die Ende des 19. Jahrh. zum ›Goldrausch‹ führte, heute bedeutungslos. 1980 wurde mehr als ein Viertel des Landes unter Naturschutz gestellt.

Alaska wurde 1741 von dem dänischen Seefahrer Vitus Bering entdeckt, der im Auftrag Russlands reiste. So gehörte es zunächst zu Russland. 1867 kauften es die USA, deren 49. Staat Alaska seit 1959 bildet. (KARTE Band 2, Seite 196)

Alba. Fernando Álvarez de Toledo, Herzog von Alba (*1507, †1582), stammte aus einer der vornehmsten Familien Spaniens. Nach seinen Erfolgen als Feldherr schickte der spanische König Philipp II. ihn 1567 als Statthalter in die Niederlande, die sich gegen die spanische Herrschaft aufgelehnt hatten. Zunächst stellte Alba die Ruhe wieder her, doch als er die Führer des Aufstands, die Grafen Egmont und Hoorn, und viele andere hinrichten ließ, stärkte er noch den Willen der Niederländer zum Widerstand und der Aufruhr flammte erneut auf. Deshalb fiel Alba bei seinem König in Ungnade und wurde 1573 abberufen. 1580 befehligte er wieder ein Heer und eroberte Portugal für Spanien.

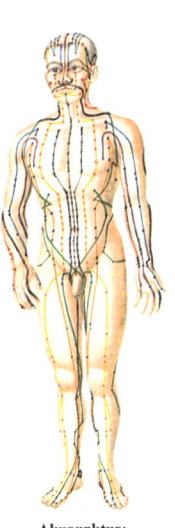

Albanien
Fläche: 28 748 km²
Einwohner: 3,315 Mio.
Hauptstadt: Tirana
Amtssprache: Albanisch
Nationalfeiertag: 28. 11.
Währung: 1 Lek = 100 Qindarka
Zeitzone: MEZ

Albani|en, Republik im Westen der Balkanhalbinsel. Das Land liegt an der Adriaküste und grenzt im Norden an Montenegro, im Osten an Serbien und Makedonien und im Südosten an Griechenland. Albanien ist größtenteils gebirgig; die dicht bewaldeten Gebirgszüge umschließen ein Hügelland, auf dem lichte Wälder sich mit landwirtschaftlichen Anbaugebieten abwechseln.

Das Küstengebiet, einst versumpft, ist heute meist trockengelegt: angebaut werden hauptsächlich Reis und Oliven. Die Flüsse stürzen durch Bergschluchten in das Hügelland und münden in das Adriatische Meer; die längsten sind Drina (300 km) und Mat.

Wirtschaftlich zählt Albanien zu den ärmsten Ländern in Europa. Weit mehr als die Hälfte der Erwerbstätigen ist in der Landwirtschaft beschäftigt. Die wichtigsten Bodenschätze sind Chromerz, Braunkohle und Erdöl. Sie haben ei-

Alba

Akupunktur: Auswahl der Akupunkturpunkte; die farbigen Linien (›Meridiane‹) sind jeweils einem Organ oder mehreren Organen zugeordnet

Albanien

Staatswappen

Staatsflagge

Alba

nen bedeutenden Anteil an der Ausfuhr. Nach Lockerung der Beziehung zur Volksrepublik China sind die EU-Länder die wichtigsten Handelspartner.

Geschichte. Das Gebiet des heutigen Albaniens gehörte seit der Teilung des Römischen Reichs im Jahr 395 zum Oströmischen, später Byzantinischen Reich. 1444–68 bildete das Land einen eigenständigen Staat und kam dann unter die Herrschaft der Türken. In dieser Zeit wurden die meisten Albaner Moslems. 1912 zum unabhängigen Staat proklamiert, wurde Albanien nach dem Zweiten Weltkrieg unter Ausschaltung der Opposition zum kommunistischen Staatswesen umgewandelt. Maßgeblicher Politiker wurde Enver Hoxha (Hodscha, *1908, †1985). Unter seiner Führung wandte sich 1961 Albanien von der Sowjetunion ab (1968: Austritt aus dem Warschauer Pakt). Nach einer langen Zeit enger Bindung an China betrieb es seit 1979 eine Politik vollkommener Isolierung. Ausgelöst durch die politischen Veränderungen in Osteuropa wurden auch in Albanien Reformen eingeleitet. Die Kommunisten verloren 1992 die Parlamentswahlen. Die von der Demokratischen Partei gestellte Regierung versucht mithilfe westlicher Staaten eine Verbesserung der wirtschaftlichen Lage zu erreichen. (Karte Band 2, Seite 205)

Albatrosse, große, den →Sturmvögeln verwandte Vögel. Sie können sehr gut fliegen und verbringen die meiste Zeit auf und über den Meeren der Südhalbkugel. Auch bei sehr starkem Wind können sie mit ihren langen und schmalen Flügeln tagelang im Segelflug fliegen, wobei sie die kaum fühlbaren Aufwinde über den Wellen nutzen. Albatrosse, die bei Seeleuten als Glücksbringer gelten, begleiten oft Hochseeschiffe. Nur zur Brutzeit kommen sie an Land und nisten auf den Klippen abgelegener Inseln, vor allem im Pazifischen Ozean. Sie legen nur alle 2 Jahre ein einziges Ei. Der **Wanderalbatros,** der so groß und schwer wie eine Gans wird, ist mit über 3 m Flügelspannweite der größte Meeresvogel.

Albinismus [zu lateinisch albus ›weiß‹], Farbstoffmangel in Haut und Haaren bei Mensch und Tier. Aufgrund einer erblichen Störung können keine Farbstoffe (›Pigmente‹) im Körper gebildet werden. Diese Menschen haben eine helle Haut und weißblonde Haare; die Augen erscheinen rötlich, da das Blut durchschimmert. Haut und Augen sind sehr lichtempfindlich und müssen vor der Sonne geschützt werden.

Als **Albinos** geborene Tiere sind ganz weiß (z. B. weiße Mäuse). Sie werden in der freien Natur von ihren Artgenossen häufig nicht als arteigen erkannt.

Albrecht der Bär, *um 1100, †1170, der Gründer des brandenburgischen Staates, war seit 1134 Markgraf der Nordmark, des Gebiets nördlich von Magdeburg und westlich der Elbe. Von hier aus eroberte er im Kampf gegen die slawischen Wenden das Havelland. Ein slawischer Fürst vererbte ihm Brandenburg und seit 1150 nannte Albrecht sich Markgraf von Brandenburg. Er bekehrte die dort lebenden heidnischen Slawen zum Christentum und holte niederdeutsche Siedler in die zum Teil verödeten Gebiete.

Albrecht von Brandenburg wurde 1490 als jüngster Sohn des brandenburgischen Kurfürsten Johann Cicero geboren. 1513 wurde er Erzbischof von Magdeburg und Administrator (Verwalter) des Bistums Halberstadt, im folgenden Jahr auch Erzbischof und Kurfürst von Mainz. Nach kirchlichem Recht war es verboten so viele Ämter innezuhaben, jedoch wurde es ihm gegen Bezahlung erlaubt. Die große Summe, die er hierfür und für die glanzvolle Ausstattung seiner Residenzen brauchte, lieh er bei dem Augsburger Bankhaus der →Fugger. Um seine Schulden abzuzahlen, schickte er den Dominikaner Johann Tetzel aus, um Ablassbriefe, mit denen man sich von kirchlichen Strafen freikaufen konnnte, zu verkaufen. Gegen diesen Handel richteten sich die Thesen Martin Luthers, die 1517 die →Reformation einleiteten. Anfangs verhielt Albrecht sich duldsam gegenüber der Reformation, die sich deshalb in seinen eigenen Gebieten auszubreiten begann. Erst als er vor der Reformation aus seiner bevorzugten Residenz Halle nach Mainz ausweichen musste, wandte er sich entschieden gegen die Lehre Luthers. Er starb 1545 in Mainz.

Albrecht von Preußen, *1490, †1568, aus dem Haus Hohenzollern, wurde 1511 von den Rittern des →Deutschen Ordens zum Hochmeister des Ordensstaates gewählt. 1523 traf er mit Martin Luther zusammen, der ihn für die Reformation gewann und ihm riet den geistlichen Staat in ein weltliches Herzogtum umzuwandeln. 1525 erreichte Albrecht, dass ein erbliches Herzogtum unter dem Namen →Preußen geschaffen wurde. Die Reformation wurde eingeführt und 1544 die Universität Königsberg gegründet, die für die weitere Verbreitung der Reformation in den umliegenden Ländern wichtig wurde.

Alchimie [aus arabisch al-kimija ›Chemie‹], Bezeichnung für die Chemie in der Zeit von Christi Geburt bis 1500, als man im Orient wie in

Europa versuchte den ›Stein der Weisen‹ zu finden. Dieser sollte es angeblich ermöglichen unedle Metalle in Gold zu verwandeln, Krankheiten zu heilen und sogar ein hohes Alter zu erreichen. Auf der Suche nach diesem Stein beschäftigten sich die Alchimisten mit vielen, bis dahin noch nie untersuchten Stoffen und machten dabei grundlegende Entdeckungen, z. B. Alkohol, Porzellan, Phosphor. Außerdem entwickelten sie neue chemische Arbeitsverfahren als Grundlage der späteren wissenschaftlichen Chemie.

Alemannen, Alamannen, germanischer Stamm, der sich im 3. Jahrh. herausgebildet hat. In ihrem ursprünglichen Siedlungsgebiet im Bereich der mittleren Elbe zählten sie zu den Sweben. 259/260 drangen die Alemannen über den →Limes in den südwestdeutschen Raum ein und siedelten zwischen Lech und Vogesen. Im 6. Jahrh. wurden sie von den →Franken unterworfen; ihr Siedlungsgebiet wurde zum Herzogtum Schwaben, dessen lateinischer Name ›Suevia‹ an die Herkunft der Alemannen erinnert. Das französische Wort für Deutschland ›Allemagne‹ leitet sich vom Stammesnamen der Alemannen ab. Auf der Kuppe des Runden Berges bei Urach im Kreis Reutlingen sind Überreste der Burg eines alemannischen Kleinkönigs zu sehen.

Aletschgletscher, der größte und mit 24,5 km der längste Gletscher der Alpen. Er liegt in der Schweiz im Kanton Wallis und bedeckt ein Gebiet von 86,8 km^2. Der Ausfluss des Aletschgletschers ist die Massa, die nach kurzem Lauf in die Rhone mündet.

Aleuten, Kette von etwa 70 Inseln, zu Alaska, USA, gehörig, die sich in einem über 2 500 km langen Bogen von Südalaska nach Westen erstrecken. Sie trennen das Beringmeer im Norden vom Pazifischen Ozean im Süden. Den Südrand der Inseln bildet der bis 7 700 m tiefe **Aleutengraben.** Auf den Aleuten gibt es viele zum Teil noch tätige Vulkane. Das raue, nasskalte Klima erlaubt keinen Baumwuchs. Die rund 8 000 Einwohner leben von Fischerei und Pelztierfang.

Alexander I., *1777, †1825, war der Enkel Katharinas II., der Großen; er wurde 1801 russischer Kaiser (Zar). Seine Pläne zielten vor allem darauf Russland zu einem modernen Staat zu machen. Er gründete Universitäten und führte Reformen in der Verwaltung durch. Verfassungsentwürfe seiner Mitarbeiter wurden jedoch nicht verwirklicht. Im Bündnis mit dem französischen Kaiser Napoleon I. und später als dessen Gegner konnte er die Grenze des Russischen Reiches weiter nach Westen vorschieben. 1815 gründete er mit dem König von Preußen und dem Kaiser von Österreich die **Heilige Allianz,** die den Frieden sichern und politische Umstürze abwehren sollte.

Alexander II., *1818, †1881, folgte seinem Vater Nikolaus I. 1855 während des Krimkrieges als Kaiser (Zar) von Russland. Dieser Krieg hatte gezeigt, dass Russland besonders in seiner wirtschaftlichen Entwicklung West- und Mitteleuropa unterlegen war und so waren innenpolitische Reformen die wichtigste Aufgabe. Die Aufhebung der bäuerlichen Leibeigenschaft 1861, die ihm den Beinamen ›Zar-Befreier‹ eintrug, setzte Arbeitskräfte für die Entwicklung der Industrie frei. Besonders erfolgreich wirkte sich die Einführung der örtlichen Selbstverwaltung aus. Seine eigene uneingeschränkte Macht behielt Alexander jedoch bei. 1863 erhoben sich die Polen gegen die russische Herrschaft. Der Aufstand wurde blutig unterdrückt, jedoch wirkte er viele Jahre nach, indem er das Misstrauen Alexanders gegenüber liberalen Bestrebungen stärkte. Die Erfolge im Russisch-Türkischen Krieg (1877/78) verschafften Russland ein Übergewicht auf dem Balkan und weckten Ängste in Österreich-Ungarn und Großbritannien. Auf dem →Berliner Kongress vermittelte der deutsche Reichskanzler Bismarck zwischen den Großmächten und Alexander verzichtete auf Teile der Eroberungen.

Alexander der Große, *356 v. Chr., †323 v. Chr., Sohn Philipps II., König der Makedonen, eines nordwestgriechischen Volkes. Die Makedonen hatten in der Mitte des 4. Jahrh. v. Chr. die Vorherrschaft über die Griechen gewonnen. Am entscheidenden Sieg bei Chaironeia (338 v. Chr.) hatte Alexander, 18-jährig, mitgewirkt. Alexander hatte eine hervorragende Erziehung durch den Philosophen Aristoteles genossen. 336 v. Chr., als er 20 Jahre alt war, wurde sein Vater, König Philipp II., ermordet und Alexander bestieg den Thron. Die makedonische Vorherrschaft über die Griechen musste er gegen die aufständischen Thebaner verteidigen: Diese strafte er mit der Zerstörung ihrer Stadt (335 v. Chr., →Theben).

Im Frühjahr 334 v. Chr. begann Alexander einen Feldzug gegen die Perser, den er als ›Rachefeldzug‹ ausgab (→Perserkriege). In mehreren Schlachten, so bei **Issos** 333 v. Chr., besiegte er das riesige persische Heer und jagte den persischen König **Dareios** in die Flucht. 332 v. Chr. eroberte Alexander Ägypten, wo ihn die Ägypter als Befreier bejubelten und zum Pharao krönten. 331 v. Chr. gründete er im Nildelta die Stadt **Ale-**

Alexander der Große (Ausschnitt aus dem Alexandermosaik, um 100 v. Chr., in Pompeji)

Alexxandria. Dann zog Alexander mit seinem Heer wiederum nach Norden. In einer letzten Schlacht besiegte er den Perserkönig Dareios bei Gaugamela (331 v. Chr.) und eroberte die persischen Königsstädte Babylon, Susa und Persepolis. Nun war Alexander **König von Asien.**

Doch trieb ihn sein Eroberungswille weiter nach Osten: **Indien** war das Ziel, das er nach schweren Kämpfen 327 v. Chr. erreichte. Sein Heer erzwang den Rückmarsch. 323 v. Chr. starb er in Babylon nach kurzer Krankheit, 33 Jahre alt. Einen Nachfolger hatte er nicht bestimmt.

Sein riesiges Reich zerfiel rasch, obwohl Alexander begonnen hatte die vielen Völker seines Reiches zu einer Einheit zu verschmelzen. Alexander selbst hatte eine Tochter des persischen Königs Dareios geheiratet. Diesem Beispiel waren Tausende seiner Offiziere und Soldaten gefolgt und hatten persische Frauen geheiratet.

Alexander hatte durch seine Feldzüge und durch mehr als 70 Stadtgründungen den Griechen neue Räume in Asien bis nach Indien eröffnet. Als Seefahrer und Händler trugen sie ihre Sprache und Sitten in den Orient, wo sich ihre Kultur mit der orientalischen vermischte und eine neue, **hellenistische Kultur** entstand. Daher bezeichnet man die Staaten, die nach Alexanders Tod auf dem Boden seines Großreichs entstanden, als **hellenistische Staaten.** Es waren 3 große Teilreiche, deren Herrscher die Königswürde annahmen und sich als Nachfolger Alexanders, als **Diadochen,** bezeichneten: Seleukos herrschte über die asiatischen Länder von Syrien bis zum Indus, Ptolemaios über Ägypten und Antigonos über Griechenland. In Kleinasien bildeten sich noch die selbstständigen kleineren Staaten von Pontos am Schwarzen Meer, →Pergamon und Rhodos. Das Zeitalter des **Hellenismus** währte bis zur Eroberung durch die Römer.

Alexander Newski wurde zum russischen Nationalhelden, weil er die Grenze seines Landes erfolgreich verteidigte. Um 1220 geboren, regierte er seit 1236 im russischen Fürstentum Nowgorod, seit 1252 auch im Großfürstentum Wladimir. Seinen Beinamen ›Newski‹ (von der Newa) erhielt er nach seinem Sieg über die Schweden (1240) am Fluss Newa nahe dem heutigen Sankt Petersburg. Einen weiteren Sieg zur Sicherung der Nordwestgrenze errang er 1242 in einer Schlacht auf dem zugefrorenen Peipussee über den Deutschen Orden. Er starb 1263.

Algen: 1 Gallertalge (Blaualge); **2** Meersalat (Grünalge); **3** Blasentang (Braunalge); **4** Beerentang (Braunalge); **5** Knorpeltang (Rotalge); **6** Kieselalge; **7** Armleuchteralge (Grünalge)

Alexandria, 2,8 Millionen Einwohner, zweitgrößte Stadt und Haupthafen Ägyptens. Alexandria liegt am Mittelmeer an der Westspitze des Nildeltas. 331 v. Chr. von Alexander dem Großen gegründet nahm Alexandria einen raschen Aufschwung und wurde im Ägypten der Ptolemäer zum Königssitz und Mittelpunkt der griechischen Geistesbildung. Im ›Museum‹, dem Musenheiligtum, mit Bibliothek (über 700 000 Buchrollen) wirkten Gelehrte und Forscher aus allen Wissenschaften; z. B. schrieb hier Euklid sein Lehrbuch der Geometrie. Alexandria war auch eine bedeutende Handelsstadt, bis sie in arabischer Zeit (7. Jahrh.) verfiel. Der 110 m hohe Leuchtturm (299–277 v. Chr. erbaut) auf der Insel Pharos vor der Stadt zählte zu den →sieben Weltwundern; ein Erdbeben zerstörte ihn im 14. Jahrh. Von der einstigen Weltstadt des Altertums sind nur wenige Reste erhalten. Ausgrabungen sind schwierig, weil sich die moderne Großstadt seit dem 19. Jahrh. auf dem Boden der antiken Stadt entwickelt hat.

Alexandriner, meist 12-silbiger jambischer →Vers.

Algarve, die südlichste Landschaft Portugals. Sie teilt sich in ein höheres Berg- und Hügelland und ein niedrigeres, stark verkarstetes Kalkhügelland, dem die Küstenebene vorgelagert ist. Diese hat eine hohe Bevölkerungsdichte. Die vielen Kleinstädte leben vom Handel mit den landwirtschaftlichen Erzeugnissen der Region. Daneben ist der Tourismus eine wichtige Einnahmequelle.

Algebra, Teilgebiet der Mathematik, das sich mit den →Gleichungen und →Ungleichungen beschäftigt. Das Rechnen mit Gleichungen ist sehr alt. Die ältesten Aufgaben über quadratische Gleichungen, die man kennt, finden sich auf Keilschrifttafeln der Babylonier (2000 v. Chr.). Von der Beschäftigung der Ägypter mit Gleichungen zeugt das ›Rechenbuch des Ahmes‹, eine Papyrusrolle von 20 m Länge und 30 cm Breite, das um etwa 1700 v. Chr. entstand.

Bei den Griechen beschäftigten sich vor allem Heron von Alexandria, Diophant und Euklid mit der Gleichungslehre. So löste Euklid (um 325 v. Chr.) die quadratische Gleichung auf rein geometrische Weise durch Flächenverwandlung. Heron (um 60 n. Chr.) und Diophant (um 250 n. Chr.) gaben rechnerische Lösungen der quadratischen Gleichung an. Neben Gleichungen verwendeten griechische Mathematiker, so z. B. Euklid, Diophant und Archimedes (um 250 v. Chr.), auch schon Ungleichungen.

Das Erbe der Griechen übernahmen Inder und Araber. Die Inder, die mit negativen Zahlen rechnen konnten, stellten das paarweise Auftreten der Lösungen quadratischer Gleichungen fest.

In der Frühzeit der Mathematik wurden alle Rechnungen und Formeln in Worten ausgedrückt. Erst allmählich führte man Abkürzungen für häufig gebrauchte Ausdrücke ein. So bezeichnete Diophant unbekannte Zahlen mit dem Zeichen ç (griechisches Schluss-S).

Erst Leonardo von Pisa (um 1200) verwendete in größerem Ausmaß Buchstaben als Platzhalter. Die ausschließliche und folgerichtige Benutzung von Buchstaben ist dem Franzosen François Viète (*1540, †1603) zu verdanken. Im 16. Jahrh. gelang die Lösung der Gleichungen 3. und 4. Grades mithilfe der cardanischen Formeln, nach dem italienischen Mathematiker Geronimo Cardano (*1501, †1576).

Den grundlegenden Satz der Algebra, auch **Fundamentalsatz der Algebra** genannt, fand 1799 Carl Friedrich Gauß. Der Satz besagt, dass jede Gleichung n-ten Grades genau n Lösungen hat, dass also z. B. eine Gleichung 3. Grades genau 3 Lösungen besitzt.

Algen. Im Uferbereich des Meeres, in Teichen, Tümpeln und an feuchten Stellen (z. B. Mauern, Baumstämmen) findet man oft eine grüne Masse, die aus einem Gewirr feiner Fäden besteht. Das sind Algen, blütenlose Pflanzen von einfachem Bau. Nimmt man einige Fäden aus dem Wasser, so fallen sie sofort zusammen, da sie sehr zart gebaut sind. Algen schwimmen frei im Wasser oder setzen sich mit wurzelartigen Haftscheiben an Felsen, Steinen, Muscheln und Holzteilen fest. Aufgrund ihrer sehr dünnen Zellwände ist es ihnen möglich, die im Wasser gelösten Nährstoffe leicht aufzunehmen. Die meist band- oder fadenförmigen Pflanzenkörper enthalten immer Blattgrün (Chlorophyll), das aber von anderen Farbstoffen überdeckt sein kann. Es dient zur →Photosynthese, zu der Sonnenlicht notwendig ist. So können Algen nur in flachen, durchsonnten Gewässern oder in den oberen Schichten tieferer Gewässer leben. Größere Formen werden auch als **Tang** bezeichnet. Algen dienen vielen Wassertieren als Nahrung und sind bedeutende Sauerstoffproduzenten. Viele werden als Düngemittel und Grundstoff zur Futtermittelherstellung verwendet. Auch als Nahrung für den Menschen ist eine zunehmende Verwertung zu erwarten.

Es gibt verschiedene Arten von Algen: Grün-, Braun- und Rotalgen. **Grünalgen** bewohnen nur die oberste Wasserzone. Sie können mikroskopisch klein und einzellig sein (und gehören dann häufig zum →Plankton) oder sie sind vielzellig. Besonders auffallend ist der **Meersalat.** In seiner gesamten lappenartigen und am Rande gewellten Pflanzenfläche erkennt man keine Gliederung. Andere Grünalgen sind fadenförmig wie das **Borstenhaar** oder schlauchartig wie die **Darmalge.** Bei den stets vielzelligen, großen **Braunalgen** wird das Blattgrün von einem gelbbraunen Farbstoff überdeckt. Zu den bekanntesten Braunalgen gehört der bis 2 m lange **Blasentang;** die gasgefüllten Blasen geben ihm Auftrieb im Wasser. Ansammlungen von Braunalgen bilden dicke Rasen, in denen Kleintiere wie Krebse und Schnecken Unterschlupf und Nahrung finden. In größeren Meerestiefen (vereinzelt bis 150 m) leben die rot bis violett gefärbten, oft fädig oder blattartig verzweigten **Rotalgen.** Aus Rotalgen des Pazifischen Ozeans gewinnt man den gelatineartigen Agar-Agar, der u. a. als Nährboden für Bakterienkulturen dient. Die →Blaualgen stehen den Bakterien näher.

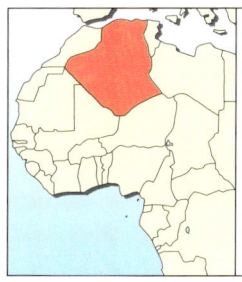

Algerien
Fläche: 2 381 741 km²
Einwohner: 26,346 Mio.
Hauptstadt: Algier
Amtssprache: Arabisch
Nationalfeiertage: 5. 7. und 1. 11.
Währung: 1 Alger. Dinar (DA) = 100 Centimes (CT)
Zeitzone: MEZ – 1 Stunde

Algeri|en, das zweitgrößte Land Afrikas. Es ist eine Demokratische Volksrepublik mit einem Obersten Sicherheitsrat an der Spitze. Das Land grenzt im Norden an das Mittelmeer. Der Nordteil wird vom Atlasgebirge mit dem Hochland der Schotts beherrscht. Die Mitte und der Süden gehören zur Wüste Sahara.

Araber und Berber machen den größten Teil der schnell wachsenden Bevölkerung aus. Viele Menschen wandern aus den Saharagebieten in den wirtschaftlich stärkeren Norden ab.

Bis zur Unabhängigkeit (1962) war Algerien ein Agrarland. Noch heute leben mehr als zwei Drittel der Bewohner von der Landwirtschaft. Die Küstenebene hat Mittelmeerklima. Daher fallen im Winter ausreichend Niederschläge für den Anbau von Weizen, Kartoffeln, Gerste, Wein und Oliven. Sie sind die wichtigsten Anbauprodukte des Landes. In den Trockengebieten wird Weidewirtschaft betrieben.

Algerien
Staatswappen

Staatsflagge

Algi

Algerien ist reich an Bodenschätzen, vor allem an Erdöl- und Erdgas, die auch den größten Teil der Ausfuhr stellen. Seit der Unabhängigkeit wurden zahlreiche Industriezweige aufgebaut.

Geschichte. Algerien, im Altertum römische Provinz, seit 1519 unter der Oberherrschaft des Osmanischen Reichs, wurde 1830–47 von Frankreich erobert. Viele französische Siedler kamen in das Land. 1925 regten sich die ersten Unabhängigkeitsbestrebungen. 1954 begann unter der Führung der FLN (›Befreiungsfront‹) ein Aufstand, der 1962 zur Unabhängigkeit führte. Danach verließen die meisten französischen Siedler das Land. In jüngster Zeit versuchen militante Gruppen, Vorstellungen des islamischen Fundamentalismus durchzusetzen. (Karte Band 2, Seite 194)

Algier [alschihr], 1,7 Millionen Einwohner, Hauptstadt Algeriens und Hafenstadt am Mittelmeer. Die Stadt entwickelte sich unter osmanischer Herrschaft (seit 1519) zur Hauptstadt des Landes, erhielt aber erst nach der Eroberung durch die Franzosen (1830) ihre kulturelle und wirtschaftliche Bedeutung. Seit der Unabhängigkeit Algeriens (1962) ist Algier Regierungssitz.

Alibi [lateinisch ›anderswo‹]. Oftmals wird jemand verdächtigt, zu einem bestimmten Zeitpunkt an einem bestimmten Ort, ›dem Tatort‹, eine Straftat begangen zu haben. Kann der Verdächtige jedoch nachweisen, dass er sich zum fraglichen Zeitpunkt anderswo (an einem anderen Ort als dem Tatort) aufgehalten hat, so hat er ein Alibi und kommt als Täter nicht infrage.

Alimente [lateinisch ›Nahrungsmittel‹], regelmäßige Unterhaltszahlungen im Rahmen der →Unterhaltspflicht.

Alken, meerbewohnende, den Möwen verwandte Vögel der Nordhalbkugel mit meist schwarzweißem Gefieder. Sie tauchen bis in große Tiefen nach Fischen, Krebsen und Weichtieren, wobei sie mit den schmalen Flügeln rudern und mit den Füßen steuern. Sie sind schnelle Flieger, bleiben aber meist auf dem Wasser. An Land watscheln sie unbeholfen mit ihren weit zurückgestellten, mit Schwimmhäuten versehenen Füßen oder rutschen auf den Sohlen. Zur Brutzeit sind Alken sehr gesellig. Reihenweise stehen sie zu vielen Tausenden auf den Absätzen unzugänglicher Felsklippen (›Vogelberge‹). Fast alle Arten legen nur ein einziges Ei.

Der entengroße **Tordalk** mit kräftigem hohem Schnabel kommt im Winter an die deutsche Nord- und Ostseeküste. Die ähnliche **Trottellumme** mit wesentlich schlankerem Schnabel brütet zahlreich auf Helgoland und an anderen Küsten der Nordsee. Auch der etwas kleinere **Papageitaucher,** der einem Pinguin ähnelt, erscheint gelegentlich an deutschen Küsten. Sein auffallend hoher, bunter Schnabel trägt wulstige Widerhaken, an denen bei der Futtersuche bis zu 10 kleine Fische festgeklemmt werden. Papageitaucher nisten in Brutröhren, die sie mit Schnabel und Krallen metertief ins Erdreich graben. Heute gehen viele Jungvögel zugrunde, da die Fische (kleine Heringe, Makrelen, Sandaale), mit denen sie wegen ihres engen Schlundes gefüttert werden müssen, durch Fischfang immer weniger geworden sind. Papageitaucher können 30–40 Jahre alt werden.

Alkibiades. Der athenische Staatsmann und Feldherr Alkibiades lebte von etwa 450 bis 404 v. Chr., sodass der größte Teil seines Lebens in die Zeit des →Peloponnesischen Kriegs fiel. Er wuchs bei seinem Onkel Perikles auf und war Schüler des Sokrates. Seine Begabung, Rednergabe und persönliche Ausstrahlung machten es ihm leicht, Unterstützung für seine politischen Pläne zu finden. So überredete er die Athener zum Kriegszug, der **Sizilischen Expedition,** gegen Syrakus. Kaum in Sizilien gelandet (415) wurde er nach Athen zurückgerufen, um dort wegen Frevels gegen die Götter vor Gericht gestellt zu werden. Er floh vor dem Feind Athens, nach Sparta. Durch seine Beratung gelang es den Spartanern, die Athener in Sizilien vernichtend zu schlagen. Später nutzte er Richtungskämpfe in Athen aus, um dorthin zurückzukehren. Obwohl er vorübergehend wieder Einfluss gewinnen konnte, musste er jedoch nach einer Niederlage seines Unterfeldherrn schon ein Jahr später (404) nach Kleinasien flüchten und wurde dort auf Veranlassung der Spartaner ermordet.

Alkohol, zunächst eine Vielzahl organischer Verbindungen, die als gemeinsames Merkmal mindestens eine OH-Atomgruppe (O = Sauerstoff, H = Wasserstoff) besitzen. Dazu gehören so unterschiedliche Stoffe wie leicht bewegliche, mit Wasser beliebig mischbare Flüssigkeiten, aber auch wachsartige Feststoffe.

Umgangssprachlich versteht man unter Alkohol die in alkoholischen Getränken vorkommende Verbindung **Äthanol,** eine farblose, brennend schmeckende, leicht entzündliche Flüssigkeit mit der chemischen Formel C_2H_5OH, die eine berauschende Wirkung besitzt. Sie kommt in der Natur überall dort vor, wo Hefepilze, die in der Luft allgegenwärtig sind, feuchte, zucker- oder stärkehaltige Stoffe wie Kartoffeln, Früchte, Mais und anderes Getreide vergären.

Alken: Papageitaucher

Die **alkoholische Gärung** ist das wichtigste Verfahren zur Herstellung alkoholischer Getränke wie Wein und Bier. Dabei wird durch die Hefepilze Traubenzucker in Äthanol und Kohlendioxid zerlegt. Maximal entstehen 18% Alkohol, da die Hefen bei dieser Alkoholkonzentration absterben. Erst durch →Destillation können höhere Alkoholwerte erzielt werden.

Reines Äthanol ist für Organismen aller Art giftig. Kleine Mengen alkoholischer Getränke wirken auf den Menschen zunächst anregend – man wird fröhlich und redselig –, dann aber berauschend. Alkoholische Getränke beeinträchtigen sehr stark das Konzentrations- und Reaktionsvermögen des Menschen; z. B. ist die so hervorgerufene Fahruntüchtigkeit (vom Gesetz bei 0,8 Promille festgelegt) Ursache zahlreicher Unfälle. 0,4–0,5% Äthanol im Blut führen zu einer tödlichen Atemlähmung. Die Entwicklung vom gelegentlichen Genießen von Alkohol zur Alkoholabhängigkeit **(Alkoholismus, Trunksucht)** ist schleichend. Die Trunksucht führt zu körperlichem und seelischem Verfall, wobei besonders Leber, Herz und Magen oft nicht mehr heilbar geschädigt werden. Entzugserscheinungen (›Delirium‹) zeigen sich in Unruhe, Erregungs- und Angstzuständen sowie in Sinnestäuschungen (›Halluzinationen‹). Eine **Alkoholvergiftung,** die eine Überdosierung von Alkohol bedeutet und vielfach Jugendliche trifft, kann einen tödlichen Ausgang nehmen. An Alkoholismus leiden in Deutschland über 2 Millionen Menschen, wobei der Anteil der alkoholgefährdeten oder -abhängigen Kinder ständig steigt.

Neben seiner Verwendung als Genussmittel wird Äthanol als Lösungsmittel verwendet, z. B. in Parfüm und Rasierwasser.

In jüngster Zeit versucht man bestimmte Alkohole (z. B. Methanol) als Treibstoff zum Ersatz von Benzin zu verwenden.

Allah, im Islam das arabische Wort für **Gott.** Der Prophet Mohammed hatte ihn als den einzigen Gott verkündet. Allah wird nicht nur von Moslems, sondern auch von Arabisch sprechenden Christen und Juden als Bezeichnung für Gott gebraucht. Denn allen 3 Religionen ist das Bekenntnis gemeinsam, dass es nur einen einzigen Gott gibt.

Allegorie [zu griechisch allegorein ›anders sagen‹], verstandesmäßig fassbare, bildliche Darstellung eines abstrakten Begriffs oder Sachverhalts, der von sich aus nicht anschaulich ist. In der bildenden Kunst tritt als häufigste Form der Allegorie die Personifikation auf, z. B. der Sensenmann als Tod, eine Frauengestalt mit verbundenen Augen, in den Händen Schwert und Waage, als Gerechtigkeit. Die Art der Darstellung geht manchmal bis auf die Antike zurück, so die des Glücks als Fortuna (römische Glücksgöttin) mit dem Rad. Häufig gibt es auch allegorische Darstellungen der Jahreszeiten (BILD Renaissance) oder der Lebensalter.

allegro, musikalische Vortragsbezeichnung: heiter, lustig; später Tempobezeichnung: lebhaft, schnell. Das **Allegro** ist ein Satz in diesem Tempo, z. B. in einer Sonate oder Sinfonie.

Allergie [griechisch ›Andersempfindlichkeit‹], überempfindliches Reagieren des Körpers auf bestimmte Reizstoffe **(Allergene).** Diese Überempfindlichkeit ist teils angeboren, teils erworben. Nach der ersten Berührung mit dem Allergen ändert der Körper seine Reaktionslage, sodass bei einem zweiten Kontakt die krankhaften Erscheinungen auftreten. Diese zeigen sich vor allem auf der Haut (z. B. Ausschlag, Juckreiz) oder als allergischer Schnupfen. Es kann auch zu lebensbedrohenden Reaktionen kommen. Deshalb ist es ratsam, sich bei einer Allergie vom Arzt einen **Allergiepass** ausstellen zu lassen. Bekanntestes Beispiel für eine Allergie ist der **Heuschnupfen,** der besonders im Frühjahr durch Blütenstaub verschiedener Gras- und Baumarten hervorgerufen wird. Auch das →Asthma ist eine allergische Reaktion, z. B. auf Staub, Tierhaare oder Schimmelpilze. Viele Stoffe wie Waschmittel, Kunstfasern, Medikamente (Penicillin), aber auch äußere Reize wie Kälte, Wärme und vor allem Nahrungsmittel wie Erdbeeren, Milch, Fisch können Allergien auslösen.

Allgäu, Landschaft in Süddeutschland, zwischen Bodensee und Lech, einem Nebenfluss der Donau. Das Allgäu umfasst auch einen Teil der Nördlichen Kalkalpen (→Alpen), der als **Allgäuer Alpen** bezeichnet wird.

Alligatoren, eine Familie der →Krokodile.

Aloe, baum- oder strauchförmige Pflanze, die vor allem in afrikanischen Steppen und Gebirgen wächst. Ihre bedornten, fleischigen Blätter sind rosettenartig angeordnet. Der eingedickte Saft, der aus den Blättern gezapft wird, dient als Abführmittel. Manche Arten sind Zierpflanzen.

Alpaka, eine Haustierform der Lamas (→Kamele).

Alpen, höchstes Gebirge in Europa. Über 1 200 km erstreckt sich der Gebirgsbogen von Genua im Westen bis nach Wien im Osten und

Aloe

Alpe

erreicht dabei eine Breite von 150–250 km. Die Fläche von 220 000 km² ist etwa doppelt so groß wie das Staatsgebiet Bulgariens. Folgende Staaten haben Anteil an den Alpen: Frankreich, Schweiz, Italien, Liechtenstein, Österreich, Bundesrepublik Deutschland, Slowenien. Die höchsten Erhebungen liegen mit dem **Montblanc** (4 808 m) und dem **Monte Rosa** (4 634 m) in den Westalpen. **Bernina** (4 049 m), **Ortler** (3 899 m) und **Großglockner** (3 797 m) sind die höchsten Gipfel der Ostalpen. Die **Zugspitze** mit 2 962 m ist der höchste in Deutschland gelegene Gipfel der Alpen.

Aufbau und Oberflächengestalt. Die Struktur des erdgeschichtlich jungen Gebirges ist im Wesentlichen in der **Kreidezeit** (Erdmittelalter) und im **Tertiär** (Erdneuzeit) entstanden. Der Bau der Alpen ist durch Faltung und großflächige Überschiebung der Gesteinsschichten gekennzeichnet. Ihre heutige Gestalt erhielten die Berge und Täler der Alpen erst während der Eiszeit. Im Verlauf dieser Zeit wechselten mehrere Kalt- und Warmzeiten miteinander ab. Dabei prägten besonders die Kaltzeiten mit ihren riesigen Alpengletschern, die weit ins Alpenvorland hinausreichten, die Formen des Gebirges. Heute sind nur noch die inneren und höchsten Teile der Alpen (insgesamt eine Fläche von 3 200 km²) vergletschert.

Wegen ihrer unterschiedlichen Gesteine und der umgestaltenden Wirkung der Eiszeit wurden die Alpen zum formenreichsten Gebirge Europas. So entstanden in den Gebirgsflanken große Mulden (Kare, heute zum Teil mit Karseen), erweiterte und vertiefte Täler und Pässe. Am Alpenrand und im Alpenvorland hinterließ das Eis tiefe Talseen und eine durch Moränenwälle geprägte Hügellandschaft.

Einteilung. Eine Linie vom Bodensee über Vorderrhein und Splügenpass bis zum Comer See kennzeichnet die Grenze zwischen **Ost**- und **Westalpen**. Von Nord nach Süd unterscheidet man die **Nördlichen Kalkalpen**, die **Zentralalpen** (bestehend aus kristallinen Gesteinen, vor allem Granit und Gneis) und die **Südlichen Kalkalpen**, die wie der nördliche Teil aus verschiedenen Kalkgesteinen aufgebaut sind. Im Bereich der Westalpen fehlen allerdings die Südlichen Kalkalpen.

Das Klima in den Alpen ist keineswegs einheitlich. Am Nordrand und in den Nördlichen Kalkalpen herrscht gemäßigtes, mitteleuropäisches Klima mit hohen Niederschlägen. In den großen Längstälern (z. B. Inn/Salzach) ist es wärmer und trockener, während in den Zentralalpen die Niederschlagsmenge wieder ansteigt. Im südlichen Teil macht sich der Einfluss des Mittelmeerklimas mit höheren durchschnittlichen Temperaturen und geringeren Niederschlägen bemerkbar. Dieser Unterschied ist auch die Ursache für den →Föhn, einen warmen, trockenen Fallwind, der alljährlich im ausgehenden Winter den Schnee von den Hängen der Nördlichen Kalkalpen ›frisst‹. Die Schneegrenze liegt im Randbereich bei 2 500–2 600 m, im Zentralbereich der Alpen bei 2 800–3 100 m.

Gewässer. Viele Flüsse haben ihr Quellgebiet in den Alpen, z. B. Rhône, Rhein und Po. Große Seen charakterisieren die alpine Landschaft: Vierwaldstätter See, Bodensee, Zürichsee und

Alpenstraßen, Alpenbahnen, Alpenpässe (Auswahl, Reihenfolge von W nach O)			
Pass	Passhöhe in m	verbindet	Verkehrsart
Colle di Tenda	1 873	Nizza und Ventimiglia mit Cuneo und Turin	Straße (T 3,2 km, 1 316 m) Bahn (T 8,1 km, 1 037 m)
Mont Genèvre	1 854	Briançon mit Susa	Straße
Mont Cenis	2 083	Grenoble und Modane mit Susa und Turin	Straße, Bahn (T 12,2 km, 1 294 m; Autoverladung)
Montblanc-Tunnel	1 392	Chamonix mit Entrèves	Straße (T 11,6 km)
Großer Sankt Bernhard	2 472	Martigny mit Aosta	Straße (T 5,9 km, 1 900 m)
Simplon	2 005	Brig mit Domodossola	Straße, Bahn (T 19,8 km, 700 m; Autoverladung)
Furka	2 431	Goms (oberes Rhônetal) mit Urseren (oberes Reußtal)	Straße, Bahn (T 15,4 km)
Sustenpass	2 224	Reußtal mit Aaretal	Straße (T 2 224 m)
Sankt Gotthard	2 108	Reußtal (Altdorf) mit Tessintal (Bellinzona)	Straße (T 16,3 km, 1 150 m), Bahn (T 15 km, 1 154 m; Autoverladung)
Klausenpass	1 952	Linthal mit Altdorf	Straße
Splügen	2 117	Thusis mit Chiavenna	Straße
Septimer	2 311	Bivio mit Casaccia	Straße
Julier	2 284	Bivio mit Silvaplana	Straße
Maloja	1 815	Oberengadin mit Bergell	Straße
Albula	2 312	Tiefencastel mit Oberengadin	Straße, Bahn (T 5,9 km, 1 823 m)
Flüela	2 383	Davos mit Unterengadin	Straße
Bernina	2 330	Oberengadin mit Veltlin	Straße, Bahn
Arlberg	1 793	Landeck im Inntal mit Bludenz im Illtal	Straße (T 14 km, 1 318 m), Bahn (T 10,25 km, 1 310 m)
Stilfser Joch	2 757	Spondinig mit Bormio	Straße
Reschen	1 504	Nauders mit Mals	Straße
Fernpass	1 209	Imst mit Reutte	Straße
Brenner	1 371	Innsbruck mit Sterzing und Bozen	Straße und Autobahn, Bahn
Felber Tauern	2 545	Mittersill mit Matrei und dem Iseltal	Straße (T 5,6 km, 1 652 m; T für Erdölleitung)
Großglockner-Hochtor	2 576	Großglockner-Hochalpenstraße	(T 2 505 m)
Niederer und Hoher Tauern	2 431 / 2 460	Gasteiner Tal mit Mallnitz und dem Mölltal	Bahn (T 8,5 km, 1 225 m; Autoverladung)
Radstädter Tauern	1 739	Radstadt mit Sankt Michael	Straße, Tauernautobahn (Tauerntunnel 6,4 km, 1 340 m)
Katschberg	1 641	Sankt Michael mit Spittal	Straße, Tauernautobahn (T 5,4 km, 1 194 m)
Karawanken	637	Rosenbach mit Jesenice	Bahn (T 8 km, 637 m)
Rottenmanner Tauern	1 265	Liezen mit Judenburg	Straße
Präbichl	1 227	Hieflau mit Leoben	Straße, Bahn (T 1 204 m)
Semmering	985	Gloggnitz mit Mürzzuschlag	Straße, Bahn (T 1,4 km, 897 m)

T = Tunnel, dahinter Länge und Höhe über dem Meeresspiegel

Genfer See im Norden, Lago Maggiore, Luganer See, Comer See und Gardasee im Süden.

Pflanzen- und Tierwelt. Vom Gebirgsfuß ausgehend folgen mit zunehmender Höhe auf Laubwald der Nadelwald, die Krummholz- und schließlich die Mattenzone. In der Mattenzone, die zwischen Wald- und Schneegrenze liegt, gedeihen farbenprächtige Pflanzen wie Alpenrose, Enzian, Edelweiß. Der starke Skitourismus hat in den letzten Jahren besonders diese Region in Mitleidenschaft gezogen. Die mittlerweile zum Teil selten gewordenen Tiere wie Murmeltier, Gämse, Steinbock, Steinadler und Alpendohle leben meist in über 1 800 m Höhe.

Bevölkerung. Die Alpen sind das am dichtesten besiedelte Hochgebirge der Erde. Die höchsten Dauersiedlungen liegen bei etwa 2 100 m, während die Sommersiedlungen (Almen) bis auf 2 700 m reichen. Die **Rätoromanen** bilden den Rest der alpenländischen Urbevölkerung. Heute bestimmen die aus dem Vorland eingewanderten Völker deutscher, italienischer, französischer und slowenischer Sprache das Leben in den Alpen.

Wirtschaft und Verkehr. Viehzucht (Almwirtschaft), Ackerbau und Holzwirtschaft sind von alters her die Haupterwerbsquellen der alpenländischen Bevölkerung. Heute bietet der sehr stark ausgeweitete Fremdenverkehr viele Arbeitsmöglichkeiten, sodass die durch den Rückgang der Almwirtschaft ausgelöste Bergflucht gemildert wurde. In den Ostalpen wird Bergbau (Eisenerz, Blei, Zink und Salz) betrieben, während sich im Süden und Südwesten Textil- und Seidenindustrie angesiedelt haben. Zahlreiche Mineralquellen bilden die Grundlage für einen Kurtourismus (Reichenhall, Ischl, Gastein). Verkehrsmäßig sind die Alpen besser als jedes andere Hochgebirge der Erde erschlossen. Die Straßen und Bahnen über die Pässe (ÜBERSICHT) verfügen zum Teil über gewaltige Tunnelanlagen.

Alpenpflanzen, volkstümliche Bezeichnung für alle Pflanzen der Alpen, im engeren Sinn für die Pflanzen, die oberhalb der Baumgrenze gedeihen. Alpenpflanzen mit ihren leuchtend farbigen Blüten sind von kleinem Wuchs, da die intensive Sonneneinstrahlung in der dünnen, staubfreien Höhenluft ihr Wachstum hemmt. Doch sind gerade die Bodennähe und der häufig dichte Polsterwuchs ein Schutz vor zu starker Abkühlung, da die Pflanzen zum einen aus der tagsüber im Boden gespeicherten Wärme Nutzen ziehen und zum anderen gegen scharfen Wind und damit vor zu starker Austrocknung geschützt sind.

Alpenpflanzen I: 1 Stängelloser Enzian, **2** Edelweiß, **3** Almenrausch oder Alpenrose, **4** Alpenaster

Vor zu großem Wasserverlust, zu starker Sonneneinstrahlung und Kälte bewahrt sie auch die häufig dichte Behaarung ihrer Blätter. Andererseits ist die lange liegende Schneedecke ein Schutz vor dem Erfrieren. In dicken Blättern und Stängeln können viele Alpenpflanzen Wasser speichern. Die meisten besitzen Zwiebeln, Knollen und Wurzelstöcke, um Nährstoffe als Vorrat zu halten und sich durch ungeschlechtliche Vermehrung ausbreiten zu können. Ein weit verzweigtes, oft tief gehendes Wurzelsystem ermöglicht es vielen Alpenpflanzen Wasser aus großer Tiefe zu holen und sich in Schutt und Geröll zu halten. Gleichzeitig wirkt ihr Vorhandensein der Abtragung (Erosion) des Bodens entgegen. Der Gletscherhahnenfuß wächst am Finsteraarhorn (Schweiz) noch in über 4 200 m Höhe. Im Allgemeinen gedeihen in solchen Höhen nur noch Algen, Moose und Flechten. Viele Alpenpflanzen stehen unter Naturschutz und dürfen nicht gepflückt werden, so z. B. Enzian, Edelweiß und Silberdistel. (Weitere BILDER Seite 36)

Alpha (A, α), der erste Buchstabe des griechischen Alphabets. **Alpha und Omega (A und O),** der erste und der letzte Buchstabe des griechischen Alphabets, werden in der Bedeutung ›Anfang und Ende‹ gebraucht, so wie wir ›von A bis Z‹ sagen; a wird in der Geometrie zur Bezeichnung eines Winkels verwendet und ist physikalisches Symbol für das Alphateilchen (→Alphastrahlung).

Alphabet, Abc, die Gesamtheit aller Buchstaben einer Sprache und einer Schrift in einer geordneten Reihe. Der Name Alphabet stammt aus der griechischen Sprache, in der die beiden ersten Buchstaben ›Alpha‹ und ›Beta‹ heißen.

Alph

Alpenpflanzen II: **1** Alpenglöckchen (Soldanelle), **2** Gletschermannsschild, **3** Himmelsherold, **4** Alpenleinkraut, **5** Hungerblümchen, **6** Stängelloses Leimkraut

Alphastrahlung, α-Strahlung, eine Teilchenstrahlung, die bei der natürlichen und künstlichen →Radioaktivität auftritt. Sie besteht aus Heliumatomkernen **(Alphateilchen),** die aus den radioaktiven Atomkernen herausgeschleudert werden. Die spontane Umwandlung eines radioaktiven Atomkerns durch Aussendung eines Alphateilchens heißt **Alphazerfall.**

Alphorn, Holztrompete, die meist von Hirten der Alpenregionen geblasen wird. Ein bis zu 4 m langes, aus Holzrinnen zusammengesetztes Rohr, am Ende leicht abgebogen, wird mit einem Kesselmundstück angeblasen. Es hat keine Grifflöcher. Wegen seines lauten und weit tragenden Tons diente das Alphorn ursprünglich wohl der Nachrichtenübermittlung und wurde später erst als Musikinstrument verwendet.

alpine Kombination, im Skisport ein Doppel- oder Dreifachwettbewerb, der entweder aus 2 Wettbewerben nach Wahl (Abfahrtslauf, Riesenslalom oder Slalom) oder aus allen 3 Disziplinen (Dreierkombination) besteht. Die Platzierungen der einzelnen Läufer werden in Punkte umgerechnet und dann addiert. Kombinationssieger ist der Läufer mit der höchsten Punktzahl.

Alpinismus, →Bergsteigen.

Alster, rechter Nebenfluss der Elbe. Der 52 km lange Fluss entspringt nördlich von Hamburg. In Hamburg ist er seenartig zur **Außenalster** und **Binnenalster** aufgestaut und über schiffbare Kanäle und Schleusen mit der Elbe verbunden.

Alt, Musik: →Stimmlagen.

Altamira, Höhle in Nordspanien, in der Provinz Santander. Hier wurden 1879 bei Ausgrabungen die ersten Höhlenbilder der Altsteinzeit gefunden. Die mehrfarbigen Deckenbilder stellen Tiere wie Bison, Stier, Wildpferd und Wildschwein dar. Eine Nachbildung dieses wichtigen Beispiels der Höhlenmalerei ist im Deutschen Museum in München zu sehen.

Altar, in fast allen Religionen die erhöhte Opferstätte für die Gottheit, meist von block- oder tischartiger Grundform. Der christliche Altar kann seit dem 11. Jahrh. eine gemalte oder geschnitzte Rückwand **(Retabel)** haben, oft mit beweglichen Seitenteilen **(Flügelaltar).**

Altdorf, 8 700 Einwohner, Hauptort des schweizerischen Kantons Uri, südlich des Vierwaldstätter Sees, an der Gotthardstraße. Altdorf ist der Sage nach Schauplatz des Apfelschusses von Wilhelm →Tell. 1895 wurde hier ein Telldenkmal errichtet; seit 1925 wird alle 3 Jahre Schillers Schauspiel ›Wilhelm Tell‹ aufgeführt.

Alter, →Lebensalter.

Alternativbewegung, etwa Mitte der 1970er-Jahre in der Bundesrepublik Deutschland und anderen Industrieländern entstandene Bewegung, zu der Menschen gezählt werden, die ihren Lebens- und Arbeitsbereich bewusst anders als bisher üblich gestalten wollen. Die Alternativbewegung, zu der sich vor allem viele Jugendliche bekennen, hat kein einheitliches Programm; ihre Anhänger handeln meist aus der Besorgnis heraus, dass die herkömmlichen Mittel und Methoden zur Lösung der gegenwärtigen Probleme nicht geeignet sind. Zu diesen Problemen rechnet die Alternativbewegung z. B. Ausbeutung der Rohstoffe für die industrielle Massenproduktion, zunehmende Belastung der Umwelt durch Schadstoffe, Ausbau der Kernenergie, Verwendung chemischer Erzeugnisse (Kunstdünger, Schädlingsbekämpfungsmittel) in der Landwirtschaft sowie die in der Industriegesellschaft durch Konkurrenzdenken, Leistungsdruck und Streben nach Besitz geprägte Lebens- und Arbeitsweise. Dies alles führt nach Meinung der Anhänger der Alternativbewegung ohne wirkungsvolle Gegenmaßnahmen zur Zerstörung der natürlichen Lebensgrundlagen künftiger Generationen.

Zum Bereich der **alternativen Wirtschaftsformen** zählen vorwiegend Kleinbetriebe (Handwerk, Kunsthandwerk, Buchläden, Dienstleistungen wie Renovierungen, Umzüge). Hergestellt und verkauft werden ›umweltfreundliche‹ Erzeugnisse. In den Betrieben arbeiten meist kleine Gruppen von 5 bis 15 Mitgliedern; Entscheidungen werden gemeinsam getroffen, in der Regel verdienen alle das Gleiche. Die Gruppen, die **alternative Landwirtschaft** betreiben, verzichten auf Kunstdünger und chemische Schädlingsbekämpfungsmittel. Durch landwirtschaftlichen Anbau mit natürlichen Methoden sollen Lebensmittel erzeugt werden, die weitgehend frei von schädlichen Stoffen sind. Was sie nicht für den eigenen Bedarf benötigen, verkaufen diese Betriebe meist direkt auf dem Markt oder in Bioläden.

Viele Gruppen der Alternativbewegung wollen mit **alternativen Lebensformen** neben der Arbeit auch den privaten Bereich neu gestalten. Das Zusammenleben in Wohngemeinschaften, gemeinsame Kindererziehung, soziale Gleichheit zwischen Frau und Mann im Berufs- wie im Privatleben werden als bewusste Abkehr von der Lebensform der Kleinfamilie verstanden. Die räumliche Trennung von Arbeitsstätte und Wohnung soll rückgängig gemacht werden; Wohnen und Arbeiten finden häufig in demselben Gebäude statt. Dem von ihnen abgelehnten Konsum in der Industriegesellschaft setzen alternative Gruppen die bewusste Beschränkung auf lebensnotwendige Dinge entgegen. Vielfältige Aktivitäten auf sozialem (z.B. Kindergruppen, Drogenberatung) und kulturellem Gebiet (z.B. Theatergruppen; Stadtteilzeitungen) sind ebenfalls kennzeichnend für die Alternativbewegung.

Die Alternativbewegung hat allgemein auf Probleme aufmerksam gemacht, mit denen sich nun auch die politischen Parteien auseinander setzen. Ein Teil der Parteien unterstützt die Ideen zur Lösung der Probleme oder sieht in diesen Ideen zumindest Ansätze die Probleme zu überwinden. Andere Parteien dagegen lehnen diese Ideen ab, weil sie ihnen als Utopien, als nicht zu verwirklichende Wunschvorstellungen erscheinen.

Alter Orient, Bezeichnung für das Gebiet, in dem sich die frühen Hochkulturen entwickelten: Palästina-Syrien, Kleinasien, Mesopotamien, Iran. Die ersten großen Staaten entstanden um 3000 v. Chr. an Euphrat und Tigris.

Altersversorgung. Im Alter von 60 bis 65 Jahren scheidet ein Arbeitnehmer normalerweise aus dem aktiven Arbeitsleben aus. Er wird zum **Rentner,** der kein festes Anstellungsverhältnis in einer Firma mehr hat und somit auch nicht mehr Lohn oder Gehalt von seiner Firma bekommt. Um auch für diese Zeit genügend Geld für den Lebensunterhalt zu haben, ist jeder gesetzlich verpflichtet, während seiner aktiven Arbeitszeit einen bestimmten Teil seines Arbeitslohnes in die **Rentenversicherung** (→Sozialversicherung) einzubezahlen. Damit erwirbt er sich einen Anspruch auf Erhalt einer →Rente im Alter. Über diese vom Staat vorgeschriebene Rente hinaus kann jeder freiwillig eine **Lebensversicherung** für sich abschließen, aus der ebenfalls nach Vereinbarung ab einem bestimmten Zeitpunkt eine Rente gezahlt werden kann. Außerdem bieten viele Betriebe ihren Angestellten neben dem Gehalt als zusätzliche Leistung eine **betriebliche Altersversorgung (Betriebsrente)** an. Für die Arbeitnehmer des öffentlichen Dienstes bezahlen die öffentlichen Arbeitgeber die Versicherungsbeiträge in die Versorgungsanstalt, die dann die →Pension auszahlt.

Altertum, der Zeitraum von der Entwicklung der ersten Hochkulturen im Alten Orient um 3000 v.Chr. bis zum Untergang des Weströmischen Reiches im Jahr 476. Einen Teil dieses Zeitraums, die Epoche der griechischen und römischen ›Antike‹, bezeichnet man als **klassisches Altertum.**
⇒ Ägypten · Assyrien · Babylonien · griechische Geschichte · griechische Kunst · römische Geschichte · römische Kunst.

Altes Testament, →Bibel.

Alte Welt, die Länder des Abendlands. Auch die Erdteile Europa, Asien und Afrika werden als Alte Welt bezeichnet im Unterschied zu Amerika, der **Neuen Welt.** Australien bleibt bei dieser Einteilung unberücksichtigt.

Altsteinzeit, die älteste Epoche der Menschheitsgeschichte. Sie begann vor etwa 2 Millionen Jahren mit dem ersten Auftreten des Menschen in Afrika und dauerte bis zum Ende der →Eiszeit um 8000 v.Chr. Unser Wissen über die Menschen der Altsteinzeit ist sehr begrenzt. Lediglich Funde von menschlichen Skeletten (z.B. →Neandertaler) oder Höhlenmalereien geben Auskunft über das Leben in dieser Zeit. Die ersten Menschen, deren Zahl sehr niedrig war, unterschieden sich im Aussehen stark von den heutigen Menschen: Sie waren ziemlich klein, gingen gebückt, waren stark behaart und hatten eine Kopfform, die der des Affen ähnlich war.

Die Menschen der Altsteinzeit wohnten in Höhlen, die Schutz vor dem unwirtlichen Wetter und vor gefährlichen Tieren boten. Hier entstanden dann die ersten Kunstwerke der Menschheitsgeschichte, die **Höhlenbilder.** Oft sind Tiere wie Mammut und Bison abgebildet. Diese Tiere spielten eine große Rolle im Leben der Menschen, die im Wesentlichen von der **Jagd** lebten. Die Jagd auf Großtiere war ein anstrengendes und oftmals gefährliches Unterfangen, das die

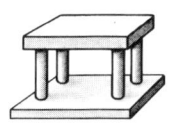

Tischaltar

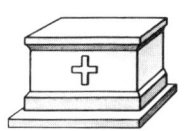

Blockaltar

Flügelaltar

Altar

Altw

Menschen auch zeitlich voll in Anspruch nahm. Da einer allein oder wenige nicht in der Lage waren, erfolgreich zu jagen, schlossen sich die Menschen zu Gruppen von 20–30 Leuten, den **Horden,** zusammen. Die Männer einer solchen Horde konnten nun gemeinsam große Fallgruben bauen, in denen die Großtiere gefangen wurden. Man tötete sie dann durch schwere Steine, die man auf sie warf. Kleinere Tiere wurden erlegt, indem man sie bis zur Erschöpfung hetzte, umstellte und durch Schläge mit dem →Faustkeil tötete. Die Beute wurde fast vollständig verarbeitet: Das Fleisch wurde auf dem **Feuer** – die Entdeckung des Feuersteins machte ein Entzünden des Feuers bei Bedarf möglich – als Nahrung zubereitet, die Felle wurden zu Kleidung und die Knochen zu Werkzeugen verarbeitet.

Da das erbeutete Fleisch nicht zum Lebensunterhalt ausreichte, waren die Altsteinzeitmenschen darauf angewiesen, sich zusätzlich von Pflanzen und Kräutern zu ernähren, die von Frauen und Kindern gesammelt wurden. Der Mensch lebte zu dieser Zeit somit von dem, was die Natur ihm bot: Er war **Jäger und Sammler.**

Die sich von 8000 bis 5000 v. Chr. an die Altsteinzeit anschließende **Mittelsteinzeit** ist durch eine allgemeine Weiterentwicklung der menschlichen Lebensform und Kultur gekennzeichnet: So wurden z. B. die Steinwaffen und -werkzeuge verbessert. Da sich aber nichts Grundlegendes änderte, kann man diese Epoche der Altsteinzeit zuordnen. Um 5000 v. Chr. begann mit der Sesshaftwerdung des Menschen ein neuer Abschnitt der Menschheitsgeschichte, die →Jungsteinzeit.

Altweibersommer. Mit Beginn des Herbstes, Ende September, herrscht in Mitteleuropa häufig noch ein letztes Mal sonniges, warmes Wetter. Ursache ist trockene, warme Luft aus östlichen Richtungen, die ein Hoch über Osteuropa mit dem Azorenhoch verbindet. Diese Zeit wird Altweibersommer genannt. Ihren besonderen Charakter bekommen diese Tage durch Tausende kleiner zarter Spinnfäden, die in der Sonne glitzernd durch die Luft fliegen. Daran lassen sich meist junge Spinnen vom Wind forttreiben.

Aluminium, Zeichen Al, ein →chemisches Element, ÜBERSICHT; es ist ein silberweißes, unedles, gut verformbares Leichtmetall (Dichte weniger als $4,5$ g/cm^3). Gegen Sauerstoff und Feuchtigkeit ist es unempfindlicher als Eisen und rostet nicht. Ursache dafür ist eine harte, durchsichtige Oxidschicht, die sich auf reinem Aluminium in wenigen Sekunden bildet. Fein verteiltes Aluminium verbrennt, einmal gezündet, unter starker Licht- und Wärmeentwicklung, weswegen es in Blitzlichtbirnen verwendet wird. Da Aluminium sehr leicht ist, findet es im Fahrzeug- und Flugzeugbau, in der Elektrotechnik, für Haushaltsgeräte und im Bauwesen vielfältige Verwendung.

Amalgam [aus arabisch al-malgam ›erweichende Salbe‹], flüssige oder feste Legierung von Quecksilber mit Metallen. Amalgam wurde vor allem für Zahnfüllungen verwendet.

Amateur [amatör], jeder, der sich mit einer Sache aus Liebhaberei, nicht berufsmäßig beschäftigt, besonders der Sportler, der eine Sportart nicht als Beruf, also ohne Bezahlung ausübt. Lange Zeit durften nur Amateure an Olympischen Spielen teilnehmen. Durch die steigenden Anforderungen im Spitzensport, z. B. die wachsenden Trainingsbelastungen und die intensiven Wettkampfvorbereitungen, verwischten sich die Grenzen zwischen Amateur und →Profi immer mehr. Seit 1971 gelten für Spitzensportler vom Internationalen Olympischen Komitee festgelegte Regeln, in denen der Amateurbegriff nicht mehr erwähnt wird. Sie bestimmen, welche Zahlungen ein Sportler entgegennehmen darf, ohne sein Startrecht bei Olympischen Spielen zu verlieren.

Amateurfunk [amatörfunk], drahtlose Nachrichtenübermittlung zwischen Funkamateuren, die nur privaten Zwecken dient. Mit eigenen Anlagen senden Funkamateure über weite Entfernungen und empfangen Nachrichten aus der ganzen Welt. Außer Sprechfunk benutzen sie gelegentlich auch Morsezeichen. Jeder Funkamateur hat ein eigenes Rufzeichen, das aus Zahlen und Buchstaben zusammengesetzt ist. In Deutschland ist der Betrieb einer Funkanlage erst nach Ablegung einer Prüfung erlaubt.

Amazonas, der größte Strom Südamerikas. Mit 7 Millionen km^2 Einzugsgebiet – dies entspricht etwa der Fläche Australiens – ist der Amazonas das größte Stromgebiet der Erde. Der 6 518 km lange Fluss entsteht durch Vereinigung der in den peruanischen Anden entspringenden Quellflüsse Marañón, Huallaga und Ucayali. Bevor der Amazonas in den Atlantischen Ozean mündet, durchfließt er mit geringem Gefälle das brasilianische Tiefland. Von den rund 1 100 Nebenflüssen sind 15 länger und wasserreicher als der Rhein. Vier Fünftel des Stroms sind schiffbar, Seeschiffe können bis Manaus gelangen, 1 300 km von der Atlantikküste entfernt; 100 Nebenflüsse können mit kleineren Schiffen befahren werden. Die Wassermenge des Amazonas schwankt je nach Wasserstand zwischen 35 000 und 120 000 m³ in der Sekunde (zum Vergleich: der Rhein hat bei Emmerich eine durchschnittliche Wasserführung von 2330 m³ in der Sekunde). Der schon bei Iquitos (Peru) 1800 m breite Fluss ist unterhalb von Manaus fast überall breiter als 5 km; die Mündung ist über 250 km breit.

Amazonen, in der griechischen Sage ein nur aus Frauen bestehendes kriegerisches Volk in Asien. Die Amazonen verkehrten nur einmal im Jahr mit Männern benachbarter Völker, um von ihnen Kinder zu bekommen; nur die Mädchen wurden aufgezogen.

Heute werden manchmal Turnierreiterinnen und schlanke, sportliche Frauen als Amazonen bezeichnet.

Ambo, Ovambo, Volk der Sprachgruppe der →Bantu im südlichen Angola und nördlichen Südwestafrika **(Ovamboland).** Die Ambo leben vom Hirseanbau, von Rinder- und Ziegenhaltung oder sie arbeiten auf Farmen und in Minen.

Ambrosia, die Speise, der die griechischen Götter der Sage nach ihre Unsterblichkeit verdankten. Dem **Nektar,** ihrem Getränk, wurde dieselbe Wirkung zugeschrieben.

Ameisen, kleine Insekten, die in Staaten zusammenleben. In einem Staat können weniger als 100, aber auch mehrere Millionen Ameisen leben, die ähnlich wie die Bienen unterschiedlich aussehen und verschiedene Aufgaben zu erfüllen haben. Jeder Staat hat mindestens eine **Königin,** die größer ist als die anderen Ameisen. Die Königinnen sind fruchtbare Weibchen. Sie tragen zunächst Flügel und verlassen im Frühjahr mit den geflügelten Männchen das Nest, um sich

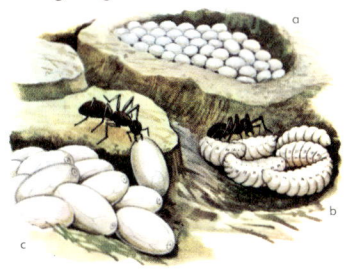

Ameisen: Entwicklungsstadien; a Eier, b Larven, c Puppen

beim ›Hochzeitsflug‹ zu paaren. Während die Männchen danach sterben, kehren die befruchteten Weibchen in ihr altes Nest zurück oder gründen ein neues. Sie werfen ihre Flügel ab und legen nur noch Eier (40–60 täglich). Jede Königin wird nur einmal befruchtet. Sie speichert den Samen in einer kleinen Tasche am Hinterleib. Aus Eiern, die sie nicht befruchtet, entwickeln sich die Männchen. Eine Ameisenkönigin kann über 15 Jahre alt werden.

Die **Arbeiter,** die die größte Gruppe im Staat bilden, sind geschlechtlich unterentwickelte Weibchen, die über ein Jahr, häufig 4–6 Jahre alt werden. Sie haben keine Flügel, aber kräftige Beine und laufen emsig hin und her, um Nahrung zu suchen; sie klettern auch auf hohe Bäume. An einem Tag können sie viele Tausend (50 000 bis 100 000) schädliche Insekten, deren Eier und Larven in ihr Nest schleppen. An einer schweren Raupe tragen oft mehrere Tiere. Sie holen auch Nektar, Pflanzensaft und Samen herbei. Mit ihren starken Kiefern können die Arbeiter gut schneiden, beißen und zermalmen. Mit diesen Werkzeugen bauen und verteidigen sie auch das Nest; häufig beschützen besonders große Ameisen, die **Soldaten,** das Nest. Die Arbeiter pflegen auch die Brut. Sie belecken z. B. die Eier, die beinlosen Larven und Puppen, um Schimmelbildung zu verhindern und schleppen sie – je nachdem, wie die Sonne steht – in die wärmsten Nestkammern oder nach draußen. Die weiß umsponnenen **Puppen** (oft fälschlich ›Ameiseneier‹ genannt) dienen als Singvogel- und Zierfischfutter. Wird ein Staat zu groß, wandern Königinnen mit einem Teil der Arbeiter und Brut aus und gründen neue Nester.

Die Nester der Ameisen bestehen aus einem Gewirr von Kammern und Gängen und können große Ausmaße erreichen. Die aus Nadeln und Zweigen erbauten **Ameisenhaufen** der weltweit verbreiteten, 4–11 mm langen **Roten Waldameise** können 1,5–2 m hoch sein und 10 m Umfang haben. Die unterirdischen Nestteile reichen bis 2 m tief in den Boden und bieten im Winter frostsicheren Schutz. Diese Ameisen stehen unter Naturschutz; die Ameisenhaufen dürfen nicht zerstört werden. Häufig lebt in deutschen Nadelwäldern auch die 15–20 mm lange **Rossameise** (auch **Riesenameise**), die ihre Nester in abgestorbenen Stämmen anlegt. Ameisen, die in Gärten und auf Wiesen leben, bauen Erdnester. Tropische Arten errichten Baumnester.

In **Ameisennestern** leben viele **Ameisengäste,** meist Insekten. Einige (z. B. manche Käfer) werden sogar gefüttert, weil ihre Ausscheidungen bei Ameisen begehrt sind. Da Ameisen besonders gern die zuckersüßen Ausscheidungen der Blattläuse, den ›Honigtau‹, auflecken und damit auch ihre Larven füttern, halten sie sich oft ganze ›Herden‹ von Blattläusen. Sie ›melken‹ diese, in-

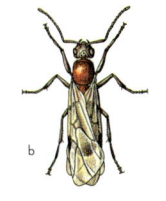

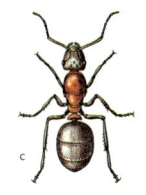

Ameisen: große Rote Waldameise; a Arbeiterin, b Männchen, c Weibchen

Amei

Ameisenjungfern:
Ameisenlöwe;
Fangtrichter

Ameisenjungfern:
1 Larve, Ameisenlöwe
(etwas vergrößert);
2 Puppe,
Ameisenlöwe,
geöffnet
(etwas vergrößert);
3 ausgebildetes Insekt,
Ameisenjungfer
(etwa die Hälfte der
natürlichen Größe)

dem sie sie mit ihren Fühlern betasten. Regelrechte Straßen führen häufig vom Nest der Ameisen zu einem Baum, auf dem viele Blattläuse sitzen. Ameisen verteidigen die Läuse und siedeln sie auf saftigere Pflanzenteile um (→Symbiose). Auf den Beutezügen und im Nest verständigen sich Ameisen durch Düfte, wozu sie aus Drüsen ein Sekret absondern, und durch Bewegungen wie Tänzeln und Fühlerstreicheln. Sie verteidigen sich, indem sie beißen oder aus Drüsen eine giftige Säure verspritzen (z. B. die Rote Waldameise); manche haben einen Giftstachel.

Die tropischen **Wander-** oder **Treiberameisen** bauen keine Dauernester. Sie ziehen in riesigen Scharen durch das Land und fressen Insekten und Spinnen, auch größere Tiere, die nicht fliehen können (z. B. eingesperrte Haustiere). Ameisen sind nicht mit den →Termiten verwandt, sondern mit Bienen, Hummeln und Wespen, die alle ›Hautflügler‹ sind.

Ameisenbären, kleine Säugetiere, die nicht mit den Bären verwandt sind, wie der Name vermuten lässt. Sie sind völlig zahnlos und fressen vor allem Ameisen und Termiten. Mit ihren starken, gekrümmten Vorderkrallen, mit denen sie sogar einen Puma oder Jaguar töten können, reißen sie z. B. Ameisennester auf und klauben die Ameisen mit ihrer regenwurmförmigen, klebrigen Zunge heraus. Ameisenbären haben dichte, struppige und lange Haare. Sie bewohnen offene Waldgebiete und Savannen in Südamerika. Der in seinem Bestand bedrohte **Große Ameisenbär** mit röhrenförmigem Kopf wird 2,50 m lang, wovon ein Drittel auf den stark buschigen Schwanz entfällt, und bis zu 40 kg schwer. Im Zoo wird er mit Eiern und Fleisch gefüttert. Die Mutter trägt ihr Jungtier lange Zeit auf dem Rücken umher.

Ameisenigel, auch **Schnabeligel,** haben ein dichtes Stachelkleid und sehen mit ihrer schnabelähnlichen Schnauze dem nicht näher verwandten Igel ähnlich. Diese urtümlichen Säugetiere, die wie die →Schnabeltiere Eier legen und eine Kloake haben, bewohnen Wälder und Steppen in Australien und auf einigen benachbarten Inseln. Nachts fangen sie mit ihrer wurmförmigen, klebrigen Zunge, die sie weit vorstrecken können, vor allem Ameisen und Termiten ein und zerreiben sie in ihrem zahnlosen Maul am hornigen Gaumen. Mit ihren kräftigen Krallen graben sie Erdhöhlen. Das Weibchen legt 1–2 etwa 15 mm lange Eier, die sich in einer Bruttasche weiterentwickeln. Der Embryo, der in der Bruttasche bleibt, bis er Stacheln entwickelt, wird mit Milch ernährt.

Ameisenjungfern, libellenähnliche Insekten mit glashellen, netzartigen Flügeln, die vor allem abends zwischen Sträuchern und Büschen umherfliegen. Das Weibchen legt seine Eier einzeln auf trockenem, sandigem Boden ab. Die Larve, der **Ameisenlöwe,** gräbt einen Trichter und versteckt sich am Grund im lockeren Sand. Aus dieser ›Fangfalle‹ können Ameisen oder andere kleine Tiere nicht entrinnen. Kommen sie an den Rand des Trichters, rutschen sie ab und blitzschnell packt die Larve mit ihren spitzen Kieferzangen zu und hält sie fest. Durch ein kleines Rohr in den Zangen werden Verdauungssäfte in das Beutetier gespritzt und der gelöste Nahrungsbrei aufgesaugt. Versucht ein in den Trichter gefallenes Tier im Sand wieder emporzuklettern, so schleudert die Larve eine Ladung Sand hoch und reißt es damit wieder nach unten.

Ameisenbären: Großer Ameisenbär

Ameisensäure, stechend riechende, ätzende und reduzierende (→Reduktion) organische Säure, die im Giftsekret von Ameisen und Brennnesseln vorkommt. Ameisensäure wird vielfältig in der Industrie, aber auch zur Haltbarmachung von Silofutter oder zur Desinfizierung von Fässern verwendet.

Amerika, der aus Nord- und Südamerika bestehende Doppelkontinent, der als ›Neue Welt‹ der ›Alten Welt‹ (Europa, Asien, Afrika) gegenübergestellt wird. Durch die Land- und Inselbrücke Mittelamerikas sind die beiden Teile miteinander verbunden. Amerika ist im Nordwesten an der **Beringstraße** nur 85 km von Asien entfernt. Im Übrigen ist es durch den Pazifischen Ozean im Westen, den Atlantischen Ozean und das Nördliche Eismeer im Osten deutlich von den anderen Kontinenten getrennt. Amerika erstreckt sich von Norden nach Süden über insgesamt 14 000 km, einschließlich der Inseln im Süden über 15 000 km. Nord- und Südamerika sind jeweils ähnlich aufgebaut: Entlang der Westküsten verlaufen die Hochgebirgsketten der **Kordilleren,**

an die sich nach Osten große flache Gebiete in unterschiedlicher Höhenlage anschließen. Nahe der Ostküste treten wieder Gebirge auf, die jedoch wesentlich niedriger und erdgeschichtlich erheblich älter sind als die Kordilleren im Westen.

Nordamerika

Oberflächenformen. Dem Norden Nordamerikas sind zahlreiche Inseln vorgelagert (→Grönland). Die Küsten sind im Osten durch größere Buchten (größte: Hudsonbai), im Westen (Alaska und Westkanada) durch Fjorde gegliedert. Die **Kordilleren** Nordamerikas sind bis 1 700 km breit. Im Mount McKinley (Alaska) erreichen sie 6 193 m Höhe. Sie spalten sich auf in einen westlichen (**Küstengebirge**) und einen östlichen Teil (**Rocky Mountains**). Zahlreiche Hochbecken liegen zwischen den Gebirgszügen, z. B. das Große Becken in den USA. Nach Osten schließen sich an das Gebirge große Ebenen (**Great Plains** in den USA) an, die sich allmählich nach Nordosten zum Tiefland des Kanadischen Schildes, nach Osten zum breiten Stromtiefland des **Mississippi** absenken. Auf der Ostseite Nordamerikas erstrecken sich von Südwesten nach Nordosten die **Appalachen,** ein bis zu 2 000 m hohes Mittelgebirge. Etwa 1/5 der Fläche Nordamerikas wird durch Mississippi und Missouri zum Golf von Mexiko entwässert. Die 5 **Großen Seen** stehen durch den Sankt-Lorenz-Strom mit dem Atlantischen Ozean in Verbindung.

Klima, Pflanzenwuchs. Nordamerika gehört verschiedenen Klimazonen an. Der Norden hat **Polarklima;** dieses geht an der Westküste über feuchtkühles, ozeanisches Klima in das subtropische Winterregenklima Kaliforniens über. Im Innern und im Süden schließt sich **trockenes Festlandklima** mit heißen Sommern an. Die Ostküste Nordamerikas ist ziemlich feucht. Im Süden, in Florida und an der Golfküste, herrscht **subtropisches Klima,** doch dringen kalte Luftströmungen oft sehr weit nach Süden vor und umgekehrt Hitzewellen weit nach Norden.

Der Pflanzenwuchs im Norden Kanadas beschränkt sich auf Moose und Flechten der Tundra. Darauf folgt ein breiter Waldgürtel, der zunächst aus Nadelhölzern besteht und im Süden in Laubwald übergeht. Im Innern gibt es weite Grassteppen (**Prärien**) und Wüsten, im Südosten und am Golf von Mexiko immergrüne Wälder, im Süden mit Palmen gemischt.

Die ursprüngliche Bevölkerung (Indianer) wurde von den Eroberern größtenteils ausgerottet oder ging an eingeschleppten Krankheiten zugrunde. In Kanada und den USA leben noch rund 1 Million Indianer, vorwiegend in Indianerreservationen. Im äußersten Norden leben Eskimo (etwa 40 000). Die durchschnittliche Bevölkerungsdichte ist gering, der Osten Nordamerikas ist jedoch sehr dicht besiedelt. Der größte Teil der 259 Millionen Einwohner Nordamerikas besteht aus Nachkommen eingewanderter Europäer. Die Hauptsprachen sind Englisch und in Kanada auch Französisch.

Wirtschaft. In kaum mehr als 100 Jahren entwickelten sich die USA und Kanada von Agrar- zu **Industrieländern;** die USA wurden zur stärksten Industrienation der Erde. Eine Grundlage für die günstige wirtschaftliche Entwicklung Nordamerikas ist sein Reichtum an **Bodenschätzen** und anderen **Naturgütern** (fruchtbare Böden, Wälder, Wasserkraft). Bei der Förderung von Molybdän, Nickel, Asbest, Zink, Kupfer, Silber

Nordamerika: Staatliche Gliederung				
Land	Staatsform	km²	Einwohner in 1 000	Hauptstadt
Kanada	Republik	9 976 139	27 367	Ottawa
Vereinigte Staaten von Amerika	Republik	9 529 063	255 159	Washington
Grönland[1]		2 175 600	57	Gothåb
Abhängige Gebiete Frankreich: Saint-Pierre-et-Miquelon		242	6	Saint-Pierre
Großbritannien: Bermudainseln		53	56	Hamilton

[1] Dänisch.

Amerika: Flüsse			
Fluss	Länge in km	Einzugsgebiet in 1 000 km²	Einmündungsgewässer
Nordamerika			
Mississippi/Missouri	6 021	3 221	Golf von Mexiko/Mississippi
Mackenzie[1]	4 241	1 841	Nordpolarmeer
Saint-Lawrence-River[2]	4 023	1 463	Atlantischer Ozean
Yukon	3 185	830	Pazifischer Ozean
Rio Grande del Norte	3 034	445	Golf von Mexiko
Nelson[3]	2 575	1 072	Hudson Bay
Colorado	2 334	632	Golf von Kalifornien
Arkansas	2 333	415	Mississippi
Ohio[4]	2 102	528	Mississippi
Columbia	1 953	668	Pazifischer Ozean
Südamerika			
Amazonas	6 518	7 180	Atlantischer Ozean
Paraná[5]	3 700	2 340	Atlantischer Ozean
São Francisco	2 900	630	Atlantischer Ozean
Tocantins	2 640	906	Atlantischer Ozean
Paraguay	2 500	1 095	Parana
Orinoco	2 140	948	Atlantischer Ozean
Uruguay[5]	1 650	365	La Plata
Magdalena	1 550	257	Karibisches Meer

[1] Mit Athabasca
[2] Von der Quelle des Saint Louis River (Minnesota) an, mit Großen Seen
[3] Mit Bow und Saskatchewan
[4] Mit Allegheny
[5] Paraná und Uruguay vereinigen sich zum Rio de la Plata

Amer

steht Nordamerika an erster Stelle. Von Bedeutung sind ferner Erdöl, Eisen, Schwefel und Steinkohle. Der Grad der Industrialisierung ist in den einzelnen Gebieten sehr unterschiedlich; neben hoch industrialisierten (um die Großen Seen) gibt es Gebiete mit vorwiegend landwirtschaftlichem Charakter (z. B. in der Mitte der USA). In der hoch entwickelten und voll mechanisierten **Landwirtschaft** werden große Erträge erzielt.

Geschichte. Amerika ist als letzter Erdteil (etwa zwischen 25 000 und 8 000 v. Chr.) von Nordostasien aus über eine Landbrücke im Gebiet der heutigen Beringstraße besiedelt worden. Die Nachfahren dieser Einwanderer, die **Indianer**, sind die Ureinwohner Amerikas. Als die ersten Europäer amerikanischen Boden betraten, besaßen die Indianer eine Vielzahl von Kulturen, die vom einfachen Wildbeuterdasein bis zum hoch entwickelten Bauerntum reichten. Mit der Eroberung Nordamerikas durch die **Europäer** setzten große Veränderungen ein: Der größte Teil der Indianer wurde ausgerottet, nur ein kleiner Teil konnte die eigene Kultur bewahren, teilweise bis in die Gegenwart. Von der Ankunft der Europäer bis zur Gründung der USA war der Kampf um die Vorherrschaft in Nordamerika vor allem bestimmt durch die Auseinandersetzung zwischen Großbritannien und Frankreich. Im 18. Jahrh. gewannen allmählich die **britischen Kolonien** an der Ostküste die beherrschende Stellung. Nach ihrer Unabhängigkeit schlossen sie sich zu den **Vereinigten Staaten von Amerika** zusammen und dehnten das Staatsgebiet rasch nach Westen aus. Dies geschah, am Übergang vom 18. zum 19. Jahrh., zunächst auf Kosten britischer (an den Großen Seen), französischer (im Westen) und spanischer (im Süden) Gebiete. Mitte des 19. Jahrh. trat Großbritannien einen großen Teil seines Gebiets im Nordwesten ab, im Südwesten fielen Teile **Mexikos** (von Texas bis Kalifornien) an die USA. Im Norden entwickelte sich **Kanada** zu einer selbstständigen Nation. Im 20. Jahrh. gewannen vor allem die USA zunehmend an Bedeutung und stiegen nach dem Zweiten Weltkrieg (1939 bis 1945) zu einer Weltmacht auf.

Mittelamerika

Mittelamerika stellt den Übergang zwischen Nord- und Südamerika dar. Als Grenze des Landbrücke gegen Nordamerika gilt die Landenge von Tehuantepec in Mexiko, das als Staat jedoch insgesamt Mittelamerika zugerechnet wird. Bis zur Nordgrenze Kolumbiens, der Grenze gegen Südamerika, ist die Landbrücke etwa 1 900 km lang. Der größte Teil dieses Gebiets wird von stellenweise vulkanischen **Gebirgen** eingenommen, die im Tajumulco in Guatemala 4 210 m Höhe erreichen. Vulkanausbrüche und Erdbeben sind häufig. Schmale **Tiefländer** liegen längs der Küste des Pazifischen Ozeans, ausgedehntere

Amerika: Städte (Einwohner in 1 000)

Stadt	Land	Stadtgebiet		mit Vororten
Anaheim	Vereinigte Staaten	226		1 930
Atlanta	Vereinigte Staaten	394		2 030
Baltimore	Vereinigte Staaten	763		2 170
Belo Horizonte	Brasilien	2 100		2 540
Bogotá	Kolumbien		3 970	
Boston	Vereinigte Staaten	574		2 760
Buenos Aires	Argentinien	2 920		11 400
Buffalo	Vereinigte Staaten	339		1 240
Cali	Kolumbien		1 530	
Caracas	Venezuela	1 290		
Chicago	Vereinigte Staaten	2 800		7 100
Cincinnati	Vereinigte Staaten	364		1 400
Cleveland	Vereinigte Staaten	506		1 900
Columbus	Vereinigte Staaten	633		1 090
Córdoba	Argentinien	990		
Dallas	Vereinigte Staaten	1 000		3 990
Denver	Vereinigte Staaten	468		1 620
Detroit	Vereinigte Staaten	1 030		4 670
Fortaleza	Brasilien	1 700		
Guadalajara	Mexiko	1 630		
Guatemala-Stadt	Guatemala			1 500
Guayaquil	Ecuador	1 500		
Havanna	Kuba	2 100		
Houston	Vereinigte Staaten	1 630		3 700
Indianapolis	Vereinigte Staaten	720		
Kansas City	Vereinigte Staaten	435		1 330
Los Angeles	Vereinigte Staaten	3 480		14 500
Medellín	Kolumbien		1 470	
Mexiko-Stadt	Mexiko			13 000
Miami	Vereinigte Staaten	418		1 630
Milwaukee	Vereinigte Staaten	636		1 400
Minneapolis	Vereinigte Staaten	371		2 110
Monterrey	Mexiko			1 920
Montevideo	Uruguay	1 250		
Montreal	Kanada	1 010		2 830
Newark	Vereinigte Staaten			1 960
New Orleans	Vereinigte Staaten	556		1 190
New York	Vereinigte Staaten	7 071		9 120
Nova Iguaçu	Brasilien		1 095	
Philadelphia	Vereinigte Staaten	1 690		3 700
Phoenix	Vereinigte Staaten	882		1 510
Pittsburgh	Vereinigte Staaten	424		2 260
Portland	Vereinigte Staaten	370		1 240
Porto Alegre	Brasilien	1 110		2 230
Recife	Brasilien	1 180		2 350
Rio de Janeiro	Brasilien	5 480		9 020
Saint Louis	Vereinigte Staaten	426		2 360
Salvador	Brasilien	1 500		1 770
San Diego	Vereinigte Staaten	875		1 860
San Francisco	Vereinigte Staaten	749		3 250
San Jose	Vereinigte Staaten	712		1 300
San Juan	Puerto Rico	431		1 090
Santiago de Chile	Chile			4 040
Santo Domingo	Dominikanische Republik	1 300		1 560
São Paulo	Brasilien	10 100		12 580
Seattle	Vereinigte Staaten	491		1 610
Tampa	Vereinigte Staaten	270		1 570
Toronto	Kanada	612		3 430
Vancouver	Kanada	431		1 270
Washington	Vereinigte Staaten	6 230		3 060

Die Zahlen in der Mitte lassen sich keiner Spalte eindeutig zuordnen

Mittelamerika: Staatliche Gliederung

Land	Staatsform	km²	Einwohner in 1000	Hauptstadt	Abhängige Gebiete	km²	Einwohner in 1000	Hauptstadt
Antigua und Barbuda	[1]	442	66	Saint John's	Großbritannien:			
Bahamas	[1]	13 878	264	Nassau	Anguilla	96	8	Valley
Barbados	[1]	430	259	Bridgetown	Cayman-Inseln	259	29	Georgetown
Belize	[1]	22 965	198	Belmopan	Montserrat	102	11	Plymouth
Costa Rica	Republik	51 100	3192	San José	Turks- und Caicos-Inseln	430	13	Grand Turk
Dominica	Republik	751	72	Roseau	Jungferninseln	153	17	Road Town
Dominikanische Republik	Republik	48 442	7471	Santo Domingo	Frankreich:			
El Salvador	Republik	21 041	5396	San Salvador	Guadeloupe	1780	400	Basse-Terre
Grenada	[1]	344	91	Saint George's	Martinique	1080	368	Fort-de-France
Guatemala	Republik	108 889	9745	Guatemala	Niederlande:			
Haiti	Republik	27 750	6755	Port-au-Prince	Niederländische Antillen	800	175	Willemstad
Honduras	Republik	112 088	5462	Tegucigalpa				
Jamaika	[1]	10 990	2469	Kingston	USA:			
Kuba	Republik	110 861	10 811	Havanna	Puerto Rico	8897	3594	San Juan
Mexiko	Republik	1 958 201	88 153	Mexiko	Jungferninseln	344	107	Charlotte Amelie
Nicaragua	Republik	120 254	3955	Managua				
Panama	Republik	77 082	2515	Panama				
Saint Kitts and Nevis	[1]	267	42	Basseterre				
Saint Lucia	[1]	616	137	Castries				
Saint Vincent und die Grenadinen	[1]	389	109	Kingstown				
Trinidad und Tobago	[1]	5130	1265	Port of Spain				

[1]) Land des Commonwealth; der Generalgouverneur vertritt die britische Krone.

auf der Halbinsel Yucatán in Mexiko und an der Ostküste, besonders in Nicaragua. Die Temperaturen des tropischen Klimas sind im Gebirgsland gemildert. Die höchsten Niederschläge fallen im Bereich der Küsten des Karibischen Meers.

Die **Inseln** Mittelamerikas werden unter dem Namen Westindien zusammengefaßt, da Kolumbus die von ihm 1492 entdeckten Inseln für Indien hielt. Die Inseln bestehen im Wesentlichen aus den Großen und Kleinen Antillen sowie den Bahamas und erstrecken sich in einem weit nach Osten ausholenden, über 4000 km langen Bogen. Sie stellen größtenteils Reste eines alten Gebirges dar; teilweise sind sie vulkanischen Ursprungs. Noch heute gibt es (auf Guadeloupe, Martinique und Saint Vincent) tätige **Vulkane.**

Anders als auf dem mittelamerikanischen Festland, wo die ursprünglich indianische Bevölkerung zumindest in Guatemala noch überwiegt, sind die **Indianer** auf den Inseln nahezu ausgerottet. Mehr als die Hälfte der Inselbevölkerung sind **Schwarze** (Nachkommen der Afrikaner, die seit dem 16. Jahrh. als Sklaven für die Plantagenarbeit eingeführt wurden) und Mischlinge. Etwa 40% **Weiße** leben vor allem im früher spanischen Kolonialgebiet.

Wirtschaft. Wichtigster Wirtschaftszweig Mittelamerikas ist die Landwirtschaft. Vorherrschend sind Plantagen, auf denen Kaffee, Kakao, Bananen, Tabak und Zuckerrohr angebaut werden. Der Fremdenverkehr hat in den letzten Jahren große Bedeutung erlangt.

Südamerika

Oberflächenformen. Die Westseite Südamerikas wird von den **Anden** eingenommen, deren höchste Gipfel nahezu 7000 m erreichen. Nach Osten schließen sich Mittelgebirge und Flachländer an: das **Bergland von Guayana** im Norden (bis 3014 m hoch), das **Brasilianische**

Amerika: Berge

Nord- und Mittelamerika

Mount McKinley	Alaska-Gebirge	6193 m
Mount Logan	Saint Elias Mountains	5950 m
Citlaltepetl (Pico de Orizaba)	Sierra Madre Oriental	5700 m
Mount Saint Elias	Saint Elias Mountains	5489 m
Popocatepetl	Zentralmexiko	5452 m
Ixtaccihuatl	Zentralmexiko	5286 m
Nevado de Toluca	Zentralmexiko	4577 m
Mount Whitney	Sierra Nevada	4418 m
Mount Elbert	Rocky Mountains	4399 m
Mount Rainier	Kaskadengebirge	4392 m
Mount Shasta	Kaskadengebirge	4317 m

Südamerika (Anden)

Aconcagua	Argentinien	6959 m
Illimani	Bolivien	6882 m
Ojos del Salado	Argentinien/Chile	6880 m
Tupungato	Argentinien/Chile	6800 m
Pissis	Argentinien	6779 m
Mercedario	Argentinien	6770 m
Huascarán	Peru	6768 m
Llullaillaco	Argentinien/Chile	6723 m
Illampu	Bolivien	6550 m
Chimborazo	Ecuador	6310 m

Amer

Südamerika: Staatliche Gliederung

Land	Staatsform	km²	Einwohner in 1 000	Hauptstadt
Argentinien	Republik	2 780 092	33 100	Buenos Aires
Bolivien	Republik	1 098 581	7 524	La Paz/Sucre
Brasilien	Republik	8 511 965	154 113	Brasilia
Chile	Republik	756 945	13 600	Santiago de Chile
Ecuador	Republik	283 561	11 055	Quito
Guyana	Republik	214 969	808	Georgetown
Kolumbien	Republik	1 138 914	33 424	Bogotá
Paraguay	Republik	406 752	4 519	Asunción
Peru	Republik	1 285 216	22 451	Lima
Surinam	Republik	163 265	438	Paramaribo
Trinidad und Tobago	Republik	5 130	1 265	Port of Spain
Uruguay	Republik	177 414	3 130	Montevideo
Venezuela	Republik	912 050	20 186	Caracas
Abhängige Gebiete				
Frankreich:				
Französisch-Guayana		91 000	104	Cayenne
Großbritannien:				
Falklandinseln		12 173	2	Port Stanley

Bergland in der Mitte (bis 2 890 m hoch) und das **Hochland von Patagonien** im Süden (1 000 bis 1 500 m hoch). Zwischen den Bergländern erstrecken sich ausgedehnte Tiefländer mit den Hauptströmen des Kontinents: Orinoco, Amazonas und Paraguay-Paraná, die alle zum Atlantischen Ozean fließen.

Klima, Pflanzenwuchs. Der größte Teil Südamerikas liegt im Bereich der Tropen. Der Süden hat Anteil an gemäßigtem, die Südspitze (Feuerland) an subpolarem Klima. Das Klima im Bereich der Anden wird von der Höhenlage bestimmt. Außerhalb der Anden herrschen im feuchtheißen Gebiet um den Äquator (Amazonasbecken) tropische **Regenwälder** vor, im übrigen Bereich **Savannen**. Ein Streifen entlang der mittleren Westküste wird von extrem trockenen **Wüsten** eingenommen. In Südamerika gibt es eine ganze Reihe nur dort heimischer Tiere, z. B. Ameisenbär, Faultier, Gürteltier, Jaguar und Kondor.

Die heutige B e v ö l k e r u n g Südamerikas setzt sich zusammen aus den Nachkommen verschiedener Rassen und Mischlingen. Die ursprünglichen Bewohner, die **Indianer**, sind während der Kolonialzeit in einigen Gebieten (Argentinien, Uruguay) fast ganz ausgerottet worden. Die Zahl der **Weißen**, die als Eroberer ins Land gekommen waren (besonders Spanier und Portugiesen), wurde seit dem 19. Jahrh. durch starke Zuwanderung aus Europa verstärkt. Zwischen 1850 und 1910 wanderten rund 5 Millionen Menschen allein nach Brasilien und Argentinien ein. Nachkommen afrikanischer **Sklaven** leben vor allem in Brasilien und an den tropischen Küsten im Norden und Osten Südamerikas. Die Verstädterung nimmt rasch zu, besonders in Argentinien, Chile, Uruguay und Venezuela. Mehr als die Hälfte der 306 Millionen Südamerikaner lebt bereits in Städten, an deren Rändern große Elendsquartiere (Favelas) entstehen. Der größte Teil der Bevölkerung gehört zur katholischen Kirche. Amtssprache ist in Brasilien Portugiesisch, in den anderen Staaten Spanisch. Ausnahmen sind Guyana (Englisch), Surinam (Niederländisch) und Französisch-Guayana (Französisch).

Wirtschaft. Südamerika führt vor allem landwirtschaftliche und bergbauliche Erzeugnisse aus. Der größte Teil der Bevölkerung ist noch in der **Landwirtschaft** tätig, von primitivem Anbau zur Selbstversorgung bis zur Bewirtschaftung großer Plantagen, die Güter wie Kaffee, Bananen, Kakao, Baumwolle für die Ausfuhr erzeugen. Die wichtigsten landwirtschaftlichen Erzeugerländer sind Brasilien, Argentinien, Kolumbien und Uruguay. Große Bedeutung hat der Fischfang (Chile, Peru). Der Reichtum an **Bodenschätzen** hat Südamerika zu einem wichtigen Lieferanten von Eisen-, Mangan-, Zinn- und Kupfererzen gemacht. Venezuela gehört zu den bedeutendsten Erdölländern der Erde. Die **Industrialisierung** wird vor allem in Brasilien, Argentinien und Chile sowie in Kolumbien und Venezuela stark vorangetrieben.

Die **wirtschaftlichen Schwierigkeiten** der südamerikanischen Staaten sind zum Teil darin begründet, dass ihre Wirtschaft jeweils von wenigen Produkten abhängig ist. So entfallen von der Ausfuhr in Kolumbien 2/3 auf Kaffee, in Chile etwas weniger als 2/3 auf Kupfer. Die Ausfuhr Venezuelas besteht fast ausschließlich aus Rohöl und Ölerzeugnissen, in Bolivien zu über 1/3 aus Zinnerzen.

Geschichte. Die Besiedlung Südamerikas erfolgte vermutlich von Nordamerika aus über die mittelamerikanische Landbrücke. Die ältesten Funde in Mittelamerika sind älter als 22 000 Jahre; in Südamerika fand man Geschossspitzen mit einem Alter zwischen 7 000 und 12 000 Jahren. Die ersten Bewohner streiften als **Jäger und Sammler** durch das Land. Ab dem 3. Jahrtausend v. Chr. wurden sie sesshaft und betrieben landwirtschaftlichen Anbau.

Mittel- und Südamerika werden zusammenfassend als **Lateinamerika** bezeichnet. Der Name rührt daher, dass dieser Kontinent von Spaniern und Portugiesen kolonisiert worden ist, deren Sprachen auf das Lateinische zurückgehen. Bis zu seiner Eroberung durch die Europäer im 16. Jahrh. hatten sich in diesem Raum mehrere **indianische Hochkulturen** entwickelt, zunächst vor allem in Mittelamerika (z. B. die Kulturen der

Maya), später auch in Südamerika im Bereich der Anden (die Kultur der Inka). Eine Besonderheit dieser Kulturen ist, dass ihnen das Rad und der Bau von Fahrzeugen unbekannt waren. Nach der Entdeckung durch **Kolumbus** unterwarfen die Spanier im 16. Jahrh. nach und nach den größten Teil Lateinamerikas. In Brasilien setzten sich seit 1500 die **Portugiesen** fest. Die harte Zwangsarbeit und die durch den Kontakt mit den Weißen auftretenden Seuchen hatten einen starken Rückgang der indianischen Bevölkerung zur Folge. Seit dem 16. Jahrh. wurden Sklaven aus Afrika eingeführt, die die Bewirtschaftung der Plantagen in Brasilien und Argentinien ermöglichten. Im 17. Jahrh. errichteten auch Niederländer, Engländer und Franzosen **Kolonien** in Lateinamerika. Diese gewannen jedoch zum größten Teil in der ersten Hälfte des 19. Jahrh. wieder ihre **Unabhängigkeit**. Auch Brasilien löste sich von Portugal. Das spanische Herrschaftsgebiet zerfiel in eine große Zahl selbstständiger Staaten, die immer wieder unter heftigen Unruhen im Innern zu leiden hatten. Seit dem letzten Drittel des 19. Jahrh. erlebte das südliche Amerika einen **wirtschaftlichen Aufschwung** (z. B. Eisenbahnbau, Zustrom großer Geldmengen); dabei nahm besonders der wirtschaftliche Einfluss der USA zu. Die große wirtschaftliche Krise, die um 1930 viele Länder der Erde ergriff (›Weltwirtschaftskrise‹), führte auch hier zu Massenarbeitslosigkeit; die besitzlose Landbevölkerung wanderte in die Städte ab. Diese Entwicklung vertiefte die sozialen Spannungen zwischen den einzelnen Schichten der Bevölkerung und löste oft revolutionäre Aktionen und politische Umstürze aus. (KARTEN Band 2, Seite 196/197)

Amerikanischer Unabhängigkeitskrieg, der von 1775 bis 1783 dauernde Krieg, in dem die 13 britischen Kolonien in Nordamerika ihre Unabhängigkeit von Großbritannien erkämpften. Dieser Krieg führte zur Gründung der USA (→Vereinigte Staaten von Amerika).

Amethyst [griechisch ›dem Rausch widerstehend‹], wertvoller Schmuckstein, ein violetter Quarzkristall, der seine Farbe durch Spurenbeimengungen von Eisen- oder Manganverbindungen erhält. Die Hauptfundorte liegen in Brasilien, Uruguay, Madagaskar und im Ural.

Aminosäuren, die Bausteine der Eiweiße im Organismus, die ferner die Vorstufen für andere körpereigene Stoffe (z. B. roter Blutfarbstoff, Enzyme, Hormone) bilden. Sie enthalten als charakteristische Molekülgruppen eine Säuregruppe (−COOH) und eine Aminogruppe (−NH$_2$).

Heute sind mehr als 200 Aminosäuren bekannt, von denen jedoch nur 20 am Eiweißaufbau beteiligt sind. Menschen und Tiere können nicht alle Aminosäuren, die sie zum Aufbau von Körpersubstanz brauchen, in ihrem Körper herstellen. Solche Aminosäuren, die der Körper braucht, aber nicht selbst herstellen kann, nennt man ›essenziell‹. Sie müssen mit der Nahrung aufgenommen werden, damit es nicht zu Mangelkrankheiten kommt.

Amman, 1,21 Millionen Einwohner, Hauptstadt von Jordanien und Residenz des jordanischen Königs. Es ist eine sehr alte Stadt, die schon im Alten Testament erwähnt wird.

Ammer, linker Nebenfluss der Isar. Die Ammer ist 170 km lang und entspringt im **Ammergebirge** in den Bayerischen Alpen. Sie durchfließt den **Ammersee** südwestlich von München. Nachdem sie den See wieder verlassen hat, heißt sie **Amper** und mündet bei Moosburg in die Isar.

Ammern, kleine, den →Finkenvögeln verwandte Singvögel. Sie bewegen sich viel am Boden und bauen dort oder nur wenig darüber auch ihr Nest. Mit ihrem kräftigen, kegelförmigen Schnabel fressen sie vor allem Samen. Oft ist zur Brutzeit der helle Gesang des Männchens zu hören. In Deutschland brüten mehrere Arten, sehr häufig die lebhaft gelb gefärbte **Goldammer** in Hecken offener Landschaften, seltener die etwas größere **Grauammer** in Getreidefeldern, die **Rohrammer** in Sumpfland und der **Ortolan** (auch **Grauammer**) in Obstplantagen.

Ammoniak, farbloses, zu Tränen reizendes Gas. Es entsteht überall dort, wo stickstoffhaltige tierische oder pflanzliche Stoffe (meist Eiweiße) verfaulen. Bekannter ist seine wässrige Lösung, eine **Salmiakgeist** genannte Lauge.

Ammoniak selbst oder seine Verbindungen sind Bestandteile von Reinigungs- und Putzmitteln oder dienen zur Herstellung von Düngern und Kunststoffen.

Ammoniten, ausgestorbene Gruppe von Meerestieren, die vom Silur (vor rund 400 Millionen Jahren) bis zum Ende der Kreidezeit (vor etwa 65 Millionen Jahren) weltweit verbreitet war. Ammoniten sind Weichtiere, innerhalb des Stammes zählen sie zu den Kopffüßern. Die versteinerten, schneckenhausähnlichen Kalkschalen erinnern an die gerollten Widderhörner des ägyptischen Gottes Ammon (→Amun), der gelegentlich widderköpfig dargestellt wurde. Der Weichkörper des Tieres steckte in der Wohnkammer, die bis zu eineinhalb Gehäusewindungen

Amethyst (geschliffen)

Ammern:
OBEN Goldammer,
UNTEN Rohrammer

Ammoniten

Amne

umfassen konnte; die Fangarme ragten aus der Schalenmündung. Lebensraum war der Außenbereich von Korallenriffen mit schlammbewohnenden Bodentieren. Auch heute noch findet man die Kalkschalen der Ammoniten in muschelkalkreichen Böden. Die Mehrzahl der Ammoniten wurde 5–25 cm groß. Es gab jedoch auch Formen, die bis zu 2,55 m Gehäusedurchmesser erreichten. Bekannt sind heute nahezu 5 000 fossile Arten.

Amnestie [griechisch ›das Vergessen‹], vom Staat vorgenommener Straferlass. Erlässt der Staat die Strafe Einzelnen, spricht man von Begnadigung, erlässt er sie vielen Rechtsbrechern gleichzeitig, spricht man von Amnestie. In der Bundesrepublik Deutschland ist eine Amnestie durch ein Parlamentsgesetz möglich.

Amnesty International [ämnesti internäschnl, englisch ›internationale Amnestie‹], Abkürzung **ai**, internationale Organisation, gegründet 1961, die sich für die Freilassung von Menschen einsetzt, die z. B. aus politischen, weltanschaulichen oder rassischen Gründen in Haft sind.

ai
Amnesty International

Amöben [griechisch ›Wechsel‹], **Wechseltierchen,** mikroskopisch kleine →Urtierchen, die keine feste Form haben. Wenn sie sich bewegen, verändern sie sich ständig. Sie kriechen auf einer Unterlage fort, indem sie in beliebiger Richtung lappenförmige Scheinfüßchen ausfließen lassen. Der Rest des Zellkörpers fließt dann nach, rundet sich wieder und so geht es fort. Amöben nehmen ihre Nahrung (Bakterien, Algen) auf, indem sie sie umfließen. In der Regel pflanzen sie sich durch Zweiteilung fort. Sie leben vor allem in Teichen und Tümpeln, manche als Parasiten. Bestimmte tropische Arten können im menschlichen Darm die **Amöbenruhr** erregen, die mit blutig-schleimigen Durchfällen einhergeht. Man sollte daher in tropischen Ländern nur abgekochtes Wasser trinken.

Amphibienfahrzeug

Amor, bei den Römern der Liebesgott, der in der lateinischen Poesie **Cupido** genannt wurde. Bei den Griechen hieß der Liebesgott →Eros.

Ampere [ampär, nach dem französischen Physiker und Mathematiker André Marie Ampère, *1775, †1836], Einheitenzeichen **A,** Einheit für die elektrische →Stromstärke I.

Früher war die Definition dieser Stromstärke sehr anschaulich: Man schickte durch eine wässrige Lösung von Silbernitrat einen Strom. Wenn dieser Strom in einer Sekunde eine Masse von 1,118 mg Silber abschied, so hatte er die Stromstärke 1 Ampere = 1 A. Benötigte er 2 Sekunden zur Abscheidung der gleichen Menge, so betrug die Stromstärke nur 1/2 Ampere = 0,5 A.

Heute definiert das ›Gesetz über Einheiten im Messwesen‹ die Einheit 1 A mit der magnetischen Wirkung des →elektrischen Stroms. Das Ampere ist eine Basiseinheit des Internationalen Einheitensystems (→Einheiten).

Amperemeter [ampärmeter], Gerät zur Messung des elektrischen Stroms, der in →Ampere angegeben wird. Es handelt sich meist um ein →Drehspulinstrument.

Amphibien [griechisch ›Doppellebige‹], die →Lurche.

Amphibienfahrzeuge, schwimmfähige Fahrzeuge, die auf dem Land und im Wasser einsetzbar sind. In der Regel sind dies Kraftwagen (Pkw/Lkw), die einen wasserdichten Unterbau haben. Im Wasser bewegen sie sich mithilfe eines Propellers ähnlich der Schiffsschraube fort, auf dem Lande mit Rädern oder Ketten. Auch **Luftkissenboote** sind Amphibienfahrzeuge. Besonders im militärischen Bereich werden schwimm- und tauchfähige Amphibienfahrzeuge als Luftkissenlandungsboote und Schwimmpanzer für Landeunternehmen an Küsten (›amphibische Unternehmen‹) eingesetzt.

Amphitheater heißt das Theater der Römer. Es war ein ovaler Bau, in dessen Mitte sich ein freier Platz, die **Arena,** befand; rund um die Arena waren die Sitzreihen in Stufen ansteigend angeordnet. In den Amphitheatern fanden Schaukämpfe zwischen →Gladiatoren, bei denen es um Leben oder Tod ging, und Tierhetzen statt, bei denen Gladiatoren mit Löwen kämpften. Während der Zeit der Christenverfolgung wurden hungrige wilde Tiere auf unbewaffnete Menschen losgelassen. Das gewaltigste Amphitheater der antiken Welt war das Kolosseum in Rom mit 48 000 Sitz- und 5 000 Stehplätzen; es wurde mit hunderttägigen Spielen 80 n. Chr. eingeweiht.

Viele Amphitheater sind so gut erhalten, dass noch heute Veranstaltungen (z. B. Theateraufführungen, Stierkämpfe) dort stattfinden, so z. B. in Verona (Italien), in Nîmes und Arles (Frankreich).

Amplitude [griechisch ›Weite‹], **Schwingungsweite, Scheitelwert,** die größte Auslenkung aus der Ruhelage bei einer →Schwingung.

Amputation [zu lateinisch amputare ›ringsum abschneiden‹], Abtrennung eines Körperteils. Wenn bei einem Unfall Gliedmaßen (Arm, Unterschenkel) völlig zertrümmert werden oder sich Eiterherde in Wunden an der Hand oder am Fuß gebildet haben, müssen diese Glieder häufig durch eine Operation entfernt werden **(chirurgische Amputation),** damit das gesunde Gewebe erhalten werden kann. Von einer **traumatischen Amputation** spricht man, wenn bei einem Unfall (Auto, Säge) ein Körperteil abgetrennt wird. Diese amputierten Gliedmaßen können heute in einer langwierigen Operation wieder angenäht werden; gelingt das nicht, müssen sie später durch eine →Prothese ersetzt werden.

Amsel. Oft schon im Februar hört man den melodisch flötenden Gesang der Amsel. Das Männchen dieser zu den →Drosseln gehörenden Singvögel ist pechschwarz (daher auch **Schwarzdrossel**) und hat einen orangegelben Schnabel; das Weibchen und das Junge sind bräunlich mit dunklem Schnabel. Der Schwanz ist, anders als beim ähnlichen, aber kleineren Star, ziemlich lang. Die Amsel, früher ein scheuer Waldvogel, baut heute ihr napfförmiges Nest außer im Wald vor allem in Parks und Gärten. Man findet es am Boden, in Sträuchern und Bäumen, manchmal auch an Gebäuden. Mit schnellen Schritten laufend und hüpfend sucht die Amsel nach Würmern und Schnecken; sie frisst auch Beeren und Samen. Ursprünglich ein Zugvogel, bleibt die Amsel heute im Winter im Brutgebiet.

Amsterdam, rund 940 000 Einwohner (mit Randgemeinden), Hauptstadt der Niederlande, nicht aber Regierungssitz und königliche Residenz (→Den Haag), liegt an der Mündung der Amstel in das Ij, eine lang gestreckte Bucht des Ijsselmeers. Es ist die größte Stadt und nach Rotterdam der größte Hafen und wichtigste Handelsplatz der Niederlande. Der Hafen ist über Kanäle für Seeschiffe erreichbar; er ist mit dem Rhein ebenfalls verbunden. Der alte Stadtkern ist auf Hunderttausenden von Pfählen errichtet und wird von ringförmig angelegten Kanälen, ›Grachten‹, durchzogen. Amsterdam ist eine Kulturstadt von hohem Rang: Weltruf genießen das Rijksmuseum (Reichsmuseum) mit Werken der niederländischen Malerei, so der ›Nachtwache‹ von Rembrandt, und das neue Rijksmuseum mit zahlreichen Gemälden von Vincent van Gogh.

Amtsgericht, die unterste Instanz im Gefüge der Zivil- und Strafgerichtsbarkeit. In Zivilsachen sind die Amtsgerichte im Wesentlichen für alle Streitigkeiten zuständig, deren Streitwert unter DM 5 000 liegt, und für Mietstreitigkeiten sowie für Familien- und Vormundschaftssachen. Sie führen ferner die Grundbücher, stellen Erbscheine aus und führen die Zwangsvollstreckung durch. In Strafsachen beschäftigen sich die Amtsgerichte mit Straftaten von geringerem Gewicht. Eine höhere Strafe als 3 Jahre Freiheitsentzug darf das Amtsgericht nicht aussprechen.

Amun, Ammon, ursprünglich der Luft- und Windgott der alten Ägypter, wurde besonders in der Hauptstadt Theben, später als Reichsgott verehrt. Dort weihten ihm die Ägypter ihre gewaltigste Tempelanlage: den Amuntempel, dessen Ruinen bei dem heutigen Ort →Karnak zu finden sind.

Amundsen. Der norwegische Polarforscher **Roald Amundsen** wurde 1872 geboren und ist im

Amphitheater: Kolosseum in Rom; 80 n. Chr. eingeweiht

Amsel

Amun

Amur

Juni 1928 auf einem Flug nach Spitzbergen verschollen. Ihm gelang es 1903–06 erstmalig, mit seinem Schiff ›Gjöa‹ vom Nordatlantischen Ozean entlang der kanadischen Nordküste bis in den nördlichen Pazifischen Ozean vorzudringen (›Nordwestpassage‹). Im Dezember 1911 erreichte er kurz vor Robert F. Scott als Erster den Südpol und entdeckte die Königin-Maud-Kette, ein Gebirge der Antarktis. 1918–22 stieß er, als Zweiter nach Adolf Nordenskiöld, vom Europäischen Nordmeer entlang der sibirischen Nordküste bis zum Pazifischen Ozean vor (›Nordostpassage‹). Im Mai 1926 überflog er im Luftschiff ›Norge‹ zusammen mit Umberto Nobile und Lincoln Ellsworth den Nordpol.

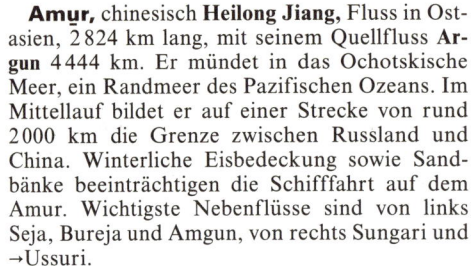

Amur, chinesisch **Heilong Jiang,** Fluss in Ostasien, 2 824 km lang, mit seinem Quellfluss **Argun** 4 444 km. Er mündet in das Ochotskische Meer, ein Randmeer des Pazifischen Ozeans. Im Mittellauf bildet er auf einer Strecke von rund 2 000 km die Grenze zwischen Russland und China. Winterliche Eisbedeckung sowie Sandbänke beeinträchtigen die Schifffahrt auf dem Amur. Wichtigste Nebenflüsse sind von links Seja, Bureja und Amgun, von rechts Sungari und →Ussuri.

Anachronismus [griechisch ›Verwechslung der Zeiten‹], die falsche zeitliche Einordnung von Sachen, Personen und Vorstellungen, manchmal auch die falsch zugeordneten Dinge selbst. Wenn z. B. in einem Roman, der im Mittelalter spielt, Raketen vorkommen, so ist dies ein Anachronismus; er kann vom Autor bewusst eingesetzt worden sein, um eine komische Wirkung zu erzielen oder um die Gegenwartsbedeutung des älteren Stoffes zu betonen.

Anakonda, große ungiftige →Schlange.

Analyse [griechisch ›Auflösung‹], allgemein die Zerlegung eines Ganzen in seine Teile. In der Chemie versteht man unter Analyse die Ermittlung von Art (qualitative Art) und Menge (quantitative Art) der Bestandteile eines Stoffes, aber auch deren Abtrennung aus Gemischen (Wasser- oder Blutproben, Erze). Dazu müssen diese Stoffe zunächst in einfachere aufgespalten werden, häufig durch völlige Auflösung. Sie lassen sich dann einzeln mit chemischen, physikalischen oder biologischen Methoden selbst in geringsten Konzentrationen nachweisen.

Anämie [griechisch ›Blutlosigkeit‹], volkstümlich **Blutarmut,** Erkrankung, bei der zu wenig Blutfarbstoff (Hämoglobin) und zu wenig rote Blutkörperchen (Erythrozyten) im Blut vorhanden sind. Ursache kann z. B. sein, dass die Bildung der roten Blutkörperchen gestört ist oder dass sie durch eine Blutung verloren gegangen sind. Die Anämie kann auch als Folge anderer Krankheiten auftreten (z. B. bei Nierenschaden). Der an Anämie Leidende sieht blass aus, ist müde, neigt zu Schwindel, Ohnmacht, Ohrensausen und Herzklopfen.

Ananas, eine →Südfrucht. Sie wächst auf einer bis über 1 m hohen Staude, die wahrscheinlich aus Brasilien stammt und heute in vielen Tropengebieten auf Plantagen angebaut wird, vor allem auf Hawaii. Die derben, Wasser speichernden Blätter bilden eine Rosette, in deren Mitte sich die bis 4 kg schwere Ananas entwickelt. Sie besteht eigentlich aus vielen kleinen Früchten, die an dem stark verdickten Stängel sitzen.

Anapäst [griechisch ›der Zurückgeschlagene‹], dreiteiliger Versfuß (→Vers).

Anarchie [griechisch ›Herrschaftslosigkeit‹], ein gesellschaftlicher Zustand, in dem keine Gesetze zur Ordnung des Lebens mehr gelten. Niemand übt Herrschaft aus, jeder kann tun und lassen, was er will. In einem Staat, in dem Anarchie herrscht, wäre z. B. niemand berechtigt, Verbrechen wie Mord, Raub oder Plünderung zu verhindern oder zu bestrafen. Allerdings glauben die **Anarchisten,** so heißen die Anhänger des **Anarchismus** (der Lehre von der Anarchie), dass nach dem Aufhören jedes staatlichen Zwangs auch keine Verbrechen mehr begangen würden.

Anästhesie [griechisch ›Empfindungslosigkeit‹]. Bei Erkrankungen oder Verletzungen im Bereich des Nervensystems kann ein Mensch unempfindlich für Berührung und Schmerzreize werden. Er wird dadurch nicht mehr vor einer Verletzungsgefahr gewarnt. Bei einer Operation versucht der Arzt **(Anästhesist)** diese Unempfindlichkeit durch Medikamente zu erzeugen. Man unterscheidet die allgemeine Betäubung (→Narkose), bei der ein Schlafzustand herbeigeführt wird, und die örtliche Betäubung, bei der der Patient bei vollem Bewusstsein ist und nur ein örtlich begrenztes Gebiet schmerzunempfindlich gemacht wird. Das geschieht entweder oberflächlich **(Oberflächenanästhesie)** – z. B. kann man die Rachenschleimhaut betäuben, um ein Gerät einzuführen – oder das Mittel wird direkt in das zu operierende Gebiet gespritzt **(Infiltrationsanästhesie).** Die Schmerzempfindung kann auch an Körperteilen wie Arm und Bein durch **Leitungsanästhesie** ausgeschaltet werden. Dabei wird das Mittel in die Umgebung eines Nervs gespritzt.

Ananas

Anatoli|en [aus griechisch anatole ›Morgenland‹], die zwischen Schwarzem Meer und Mittelmeer nach Westen vorspringende Halbinsel →Kleinasien, der asiatische Teil der Türkei.

Anatomie, die Wissenschaft vom Aufbau des Körpers und von der Form und Lage der →Organe und einzelner Körperteile. Was mit dem bloßen Auge sichtbar ist, behandelt die **makroskopische Anatomie.** Die **mikroskopische Anatomie** beschäftigt sich mit dem Aufbau einzelner Organe, deren →Zellen und den aus ihnen aufgebauten →Geweben. Die **topographische Anatomie** beschreibt die Lage der Organe im Körper und ihre Beziehung zueinander; z. B. liegt die Leber rechts unter den Rippen und berührt nach oben das Zwerchfell und in der Mittellinie den Magen. Mit dem Zusammenhang zwischen dem Aufbau eines Körperteils und den sich daraus ergebenden Fähigkeiten befasst sich die **funktionelle Anatomie,** z. B. damit, welche Muskeln eingesetzt werden müssen, um einen Ball zu werfen.

Andalusi|en, Landschaft im Süden Spaniens. Sie gliedert sich in einen tief liegenden westlichen Teil – ein vom Guadalquivir durchflossenes welliges Hügelland – und einen gebirgigen östlichen Teil, der in der →Sierra Nevada 3 481 m Höhe erreicht und meist steil und mit tiefen Schluchten zur Mittelmeerküste abbricht. Das Klima der Küste ist mild, im Landesinnern ist es durch kühle Winter und heiße Sommer gekennzeichnet. Angebaut werden, meist mithilfe von Bewässerung, vor allem Weizen, Oliven, Wein und Südfrüchte. Auch die Tierzucht (Schafe, Pferde, Kampfstiere) ist von Bedeutung. Die größte Stadt ist **Sevilla;** daneben sind **Córdoba, Jaén** und **Granada** alte Kulturmittelpunkte. Der arabische Einfluss, der auf die jahrhundertelange Herrschaft der Araber (Mauren) zurückgeht, zeigt sich heute noch, z. B. in der Art und Weise, wie die Städte angelegt sind, in der Volksmusik und den Volkstänzen (Flamenco).

andante [italienisch ›gehend‹], musikalische Tempobezeichnung: ruhig, wie im Schritt. Das **Andante** ist ein Satz in diesem Tempo, z. B. in einer Sonate oder Sinfonie.

Anden, erdgeschichtlich junges Faltengebirge, das sich über eine Länge von 7 500 km von Norden nach Süden durch das ganze westliche Südamerika erstreckt. Die Anden bilden einen Teil der →Kordilleren. Sie sind am höchsten in Mittelchile und Westargentinien, wo der höchste Gipfel Amerikas, der Aconcagua, 6 959 m erreicht. Sie bieten ein sehr abwechslungsreiches Landschaftsbild. Nur wenige Verkehrswege überqueren das Gebirge, z. B. die Andenbahn von Argentinien nach Chile mit einem Tunnel in über 3 000 m Höhe.

Andersen. ›Des Kaisers neue Kleider‹, ›Die Prinzessin auf der Erbse‹, ›Das hässliche Entlein‹ und ›Die Schneekönigin‹ gehören zu den Märchen, die der dänische Dichter **Hans Christian Andersen** (*1805, †1875) geschrieben hat. Sie entstanden sowohl aus seiner Phantasie als auch nach dänischen, deutschen und griechischen Quellen, Volkssagen und nach Beobachtungen aus dem Alltagsleben. Die ersten erschienen 1835. Während der Dichter anfangs kurze und einfache Märchen für Kinder schrieb, wandte er sich später auch an Erwachsene. Eine Besonderheit sind die Märchen, in denen Gegenstände lebendig werden, z. B. ›Der standhafte Zinnsoldat‹. Andersen, der in armseligen Verhältnissen aufgewachsen war und Schule und Universität nur besuchen konnte, weil er vom dänischen König Friedrich IV. gefördert wurde, hatte mit seinen Märchen weltweit großen Erfolg. Bis heute wurden sie in etwa 80 Sprachen übersetzt.

Hans Christian Andersen

Andorra
Fläche: 453 km²
Einwohner: 47 000
Hauptstadt: Andorra la Vella
Amtssprache: Katalanisch
Nationalfeiertag: 8. 9.
Währung: span. Peseta (Pta) und Frz. Franc (FF)
Zeitzone: MEZ

Andorra, Kleinstaat in den östlichen Pyrenäen, eingebettet in das Gebirgsmassiv zwischen Spanien und Frankreich. Lange und schneereiche Winter machen die Verbindungswege schwer passierbar. Haupterwerbsquelle der Bevölkerung sind Fremdenverkehr und Handel. Je ein Vertreter Frankreichs und des Bischofs von Seo de Urgel in Spanien nehmen die Verwaltung des Landes wahr. (KARTE Band 2, Seite 202)

Äneas, nach der griechischen Sage ein Sohn der Göttin Aphrodite. Er war einer der tapfersten Helden von Troja und konnte mit wenigen Gefährten aus der von den Griechen zerstörten Stadt fliehen. Nach langen Irrfahrten erreichte er Italien und gründete die Stadt Lavinium in der Landschaft Latium. Nach römischer Sage wurde er zum Stammvater Roms, deren Gründer Romulus und Remus von ihm abstammen.

Andorra

Staatswappen

Staatsflagge

Anek

Anemonen:
Berghähnlein

Angola
Staatswappen

Staatsflagge

Anekdote [griechisch ›das Unveröffentlichte‹], ursprünglich eine mündlich überlieferte Geschichte, die, manchmal aus Rücksicht gegenüber den darin vorkommenden Personen, nicht schriftlich veröffentlicht wurde. Seit dem 17./18. Jahrh. versteht man unter Anekdote eine kurze, oft witzige oder zumindest heitere Erzählung, in der z. B. ein ungewöhnliches Ereignis, eine geschichtliche Persönlichkeit, eine Gesellschaftsschicht oder Epoche geschildert wird. Oft endet die sorgfältig aufgebaute Geschichte mit einer unerwarteten Wendung oder Pointe. Der Inhalt einer Anekdote muss nicht wahr, aber geschichtlich möglich sein. Übergänge zu anderen Formen wie z. B. der →Kurzgeschichte, der →Fabel und dem →Schwank sind bei vielen Anekdoten erkennbar; bekannte Anekdotendichter sind Johann Peter Hebel und Heinrich von Kleist.

Anemonen, Frühlingsblumen, die vor allem in Wäldern wachsen; einige sind auch Gartenblumen. Alle sind mehr oder weniger **giftig.** Das häufig vorkommende **Buschwindröschen** hat weiße, sternförmige Blüten, die außen oft rötlich überhaucht sind. Das **Berghähnlein** wächst auf Gebirgsmatten. Die blau blühenden **Leberblümchen** haben dreilappige Blätter, die in der Form einer Leber ähneln und früher als Arznei gegen Leberleiden verwendet wurden.

Angel, Gerät zum Fischfang und zum Casting (→Sportfischen), das aus einer elastischen Rute besteht, an der eine Rolle mit Schnur befestigt ist. Am Ende der Schnur hängt ein Haken mit Köder, vor dem ein Grundblei oder Schwimmer befestigt sein kann.

Angelsachsen, die germanischen Stämme der Angeln, Sachsen und Jüten, die seit dem Beginn des 5. Jahrh. von Schleswig-Holstein und dem nördlichen Niedersachsen aus die Eroberung →Britanniens begannen und die dort ansässigen →Kelten nach Westen abdrängten. Teilweise unter skandinavischem Einfluss bildeten sich 100 Jahre später die 7 angelsächsischen Königreiche Kent, Sussex, Essex, Wessex, Eastanglia, Mercia, Northumbria; erst König Egbert von Wessex (*802, †839) legte in seinem Reich die Grundlagen für einen englischen Einheitsstaat. Mönche aus Irland, Schottland und vom Festland hatten 596 begonnen die Angelsachsen zum Christentum zu bekehren; schon bald gingen angelsächsische Missionare zu den Germanen. Gleichzeitig beeinflusste die Kunst der Angelsachsen diejenige auf dem Festland.

Angestellte, Personen, die in einem abhängigen Arbeitsverhältnis stehen, im Gegensatz zu den Selbstständigen, die in eigener Verantwortung für eigene Rechnung arbeiten. Angestellte bekommen für ihre Arbeit, die meist geistiger Art ist (im Unterschied zum →Arbeiter, der körperliche Arbeiten verrichtet), ein monatliches Gehalt ausgezahlt. Spitzenkräfte in der Wirtschaft, die in gehobenen oder in Führungspositionen beschäftigt sind, nennt man **leitende Angestellte.**

Angina [zu lateinisch angere ›verengen‹], entzündliche Vorgänge im Rachen (›Halsentzündung‹), besonders an den Mandeln. Bei Nachlassen der Abwehrkräfte des Körpers vermehren sich die ständig vorhandenen Keime stark und führen zu einer Entzündung. Es kommt zu Halsschmerzen, Schluckbeschwerden, Fieber und kloßiger Sprache. Die Mandeln schwellen an, zeigen oft Beläge oder gelbliche Stippchen: Sie vereitern. Häufig müssen die Mandeln entfernt werden, weil die Gefahr besteht, dass sie ständig Erreger in den Körper abgeben, die andere Organe erkranken lassen.

anglikanische Kirchengemeinschaft, Vereinigung der selbstständigen protestantischen Kirchen, die aus der →Kirche von England hervorgegangen sind. Ihr gleichen sie auch in Gottesdienst, Lehre und innerer Ordnung. Besonders stark verbreitet ist die anglikanische Kirchengemeinschaft in den Gebieten des ehemaligen Britischen Weltreichs. Insgesamt zählt sie rund 75 Millionen Mitglieder. Oberhaupt (›Primas‹) ist der Erzbischof von Canterbury.

Angola
Fläche: 1 246 700 km^2
Einwohner: 9,88 Mio.
Hauptstadt: Luanda
Amtssprache: Portugiesisch
Nationalfeiertag: 11. 11.
Währung: 1 Neuer Kwanza (NKz) = 100 Lwei (Lw)
Zeitzone: MEZ

Angola, Republik in Westafrika, die im Westen an den Atlantischen Ozean, im Norden an das Kongobecken, im Osten an den Sambesi und im Süden an die Kalahari grenzt. Das Klima ist vorwiegend tropisch. Der Pflanzenwuchs ist vielgestaltig und reicht von Regenwaldgebieten im Norden über Savannen im Hochland bis zu den Wüstensteppen der Kalahari und Namib.

Das Land ist dünn besiedelt; die Bevölkerung besteht aus Bantustämmen. Mehr als die Hälfte lebt von der Landwirtschaft. Hauptanbauprodukte sind Zuckerrohr, Kaffee, Sisal, Mais, Maniok, Citrusfrüchte. Neben den bereits heute ausgebeuteten Rohstoffvorkommen (Erdöl, Diamanten, Eisenerz) gibt es im Binnenland noch reiche Lager an Kupfererz, Eisenerz, Gold, Uran und anderen Bodenschätzen. Voraussetzung für den Abbau ist die Verbesserung der bis heute noch geringen Verkehrserschließung.

Die ehemalige portugiesische Kolonie wurde 1975 unabhängig; in einem Bürgerkrieg setzte sich die von der Sowjetunion und Kuba gestützte marxistische Unabhängigkeitsbewegung durch, die auch nach Einführung des Mehrparteiensystems 1991 die Regierung stellt. (KARTE Band 2, Seite 194)

Anguilla [ängwila], Insel der Kleinen →Antillen. Sie gehört zu Großbritannien und ist Teil der ›Westindischen Assoziierten Staaten‹. Wegen ihrer gewundenen Form heißt die Insel englisch **Snake Island** (›Schlangeninsel‹).

Anion, zur Anode wanderndes, negativ geladenes Ion in Elektrolyten (→Elektrolyse).

Anis, →Gewürzpflanzen.

Ankara, 2,6 Millionen Einwohner, Hauptstadt der Türkei, liegt im Anatolischen Hochland.

Anker, 1) Gerät zum Festlegen von Schiffen. **2)** der Teil einer elektrischen Maschine, in dessen Wicklungen von einem Magnetfeld Spannungen induziert werden. Bei Gleichstrommaschinen ist der Anker meist der bewegliche Teil (›Läufer‹), bei Synchronmaschinen meist der feststehende (›Ständer‹). Auch der bewegliche, mit Schaltkontakten versehene Teil eines Relais wird als Anker bezeichnet.

Anklage. Verstöße gegen die Strafgesetze werden in einem formellen Gerichtsverfahren behandelt. Solch ein Gerichtsverfahren wird durch die **Anklageerhebung** des →Staatsanwalts eingeleitet. Dies geschieht, indem er dem Gericht die **Anklageschrift** übersendet, in der der Beschuldigte und die ihm zu Last gelegte Tat genau bezeichnet und Beweismittel angegeben werden.

Anlasser, zwar noch übliche, aber veraltete Bezeichnung für →Starter.

Anleihe. Der Staat, öffentliche Körperschaften (z. B. die Gemeinden) und private Unternehmen können sich für eine längere Zeit eine größere Geldsumme beschaffen, indem sie Anleihepapiere ausgeben. Ein **Anleihepapier** ist ein Wertpapier, das dem Geldgeber **(Gläubiger)** einen festen Zinsertrag einbringt. Die Rückzahlung (Tilgung) der Leihschuld durch den **Schuldner** erfolgt nach längerer ›Laufzeit‹ (meist nach mehreren Jahren) entweder durch eine einmalige Gesamtrückzahlung oder in mehreren Teilbeträgen in regelmäßigen Abständen.

Annalen [zu lateinisch annus ›Jahr‹], Jahrbücher, Aufzeichnungen in denen die Ereignisse in der Aufeinanderfolge der Jahre geschildert werden. Sie stellen eine besonders im Altertum und Mittelalter übliche Form der Geschichtsschreibung **(Annalistik)** dar.

Annexion [zu lateinisch annectere ›verknüpfen‹], die durch Krieg oder Gewaltandrohung erzwungene Einverleibung von Gebietsteilen eines fremden Staats.

Anno Domini [lateinisch ›im Jahre des Herrn‹], Abkürzung **A. D.,** Zusatz zu Jahreszahlen für die Angabe ›nach Christi Geburt‹.

Anode, die mit dem Pluspol einer Stromquelle verbundene →Elektrode.

Anordnung von Zahlen. Neben dem Steigrohr eines Thermometers befindet sich eine Skala, die z.B. von −30°C bis +40°C reicht (BILD 1). An ihr kann man die Temperatur (z.B. +15°C) ablesen. Man kann aber auch Temperaturen miteinander vergleichen. So liegt eine umso höhere Temperatur vor, je höher die Flüssigkeitssäule im Steigrohr steht.

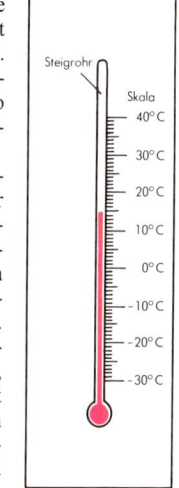

Ähnlich wie bei der Temperaturmessung benutzt man in der Mathematik solche Skalen zur Darstellung und zum Größenvergleich von Zahlen. Man zeichnet dazu eine meist waagrecht liegende Gerade. Auf dieser Geraden markiert man den **Nullpunkt** (0). Der Nullpunkt teilt die Gerade in einen positiven und einen negativen Teil. Der positive Teil wird durch eine Pfeilspitze markiert. Man wählt nun eine Einheit, z.B. 1 cm. Im Abstand dieser Einheit markiert man vom Nullpunkt der Zahlengeraden aus nach beiden Seiten hin Stellen, die man auf dem positiven Teil der Geraden mit +1, +2, +3 usw. und auf dem negativen Teil mit −1, −2, −3 usw. bezeichnet. Die so erhaltene Gerade heißt **Zahlengerade** (BILD 2).

Will man auf dieser Zahlengeraden die Zahl −5 darstellen, so sagt das negative →Vorzeichen, dass die Zahl im negativen Teil der Zahlengeraden liegt. Der →Betrag 5 der Zahl gibt an, dass der Abstand der Zahl vom Nullpunkt 5 Einheiten beträgt. Man erhält so:

Anordnung von Zahlen

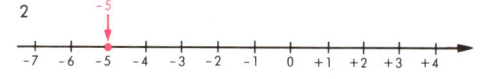

Anor

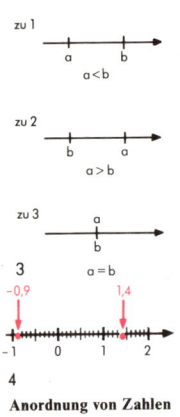

Für die Lage zweier Zahlen *a* und *b* auf der Zahlengeraden gibt es 3 Möglichkeiten (BILD 3).
1. Die Zahl *a* liegt links von der Zahl *b*. In diesem Fall sagt man: Die Zahl *a* ist **kleiner** als die Zahl *b*; man schreibt abkürzend: $a < b$.
2. Die Zahl *a* liegt rechts von der Zahl *b*. In diesem Fall sagt man: Die Zahl *a* ist **größer** als die Zahl *b*; man schreibt abkürzend: $a > b$.
3. Die Zahl *a* liegt auf der Zahl *b*. In diesem Fall sagt man: Die Zahl *a* ist **gleich** der Zahl *b*; man schreibt abkürzend: $a = b$.

Für 2 Zahlen *a* und *b* gilt stets nur eine der obigen Beziehungen. Man sagt: Die Zahlen sind **angeordnet**. Auch →Dezimalzahlen lassen sich auf der Zahlengeraden darstellen. Hierzu muss man die Einheiten weiter unterteilen (BILD 4).

anorganische Chemie, Teilgebiet der Chemie, das sich mit dem Verhalten der Elemente, ihrer Verbindungen und Legierungen befasst mit Ausnahme des größten Teils der Verbindungen des Kohlenstoffs, die in der →organischen Chemie behandelt werden. Insgesamt kennt man rund 6 Millionen organische Verbindungen gegenüber weniger als 100 000 anorganischen.

Anouilh [anuj]. Seine größten Erfolge hatte der französische Dramatiker **Jean Anouilh** (*1910, †1987) während des Zweiten Weltkriegs und in der Nachkriegszeit. Er inszenierte viele seiner Stücke selbst und wegen seiner Suche nach immer neuen Ausdrucksformen galt er als Schrittmacher des modernen Theaters. Anouilhs bekanntestes Schauspiel ist die ›Antigone‹ nach der antiken Vorlage von Sophokles (→Antigone). In der Form ist dieses Drama zeitgenössisch, das heißt, die Personen tragen moderne Kleidung und sprechen die Sprache des 20. Jahrh. Das Stück soll das Geschehen als unerbittliches Schicksal zeigen, das der Mensch nicht beeinflussen kann. Bei der Uraufführung 1944 in Paris sahen viele Zuschauer die ›Antigone‹ als Symbolfigur des Widerstandes gegen die Staatsgewalt und damit gegen die deutsche Besatzung während des Zweiten Weltkriegs.

ansteckende Krankheiten, Infektionskrankheiten werden von einer sehr großen Zahl von Erregern (→Bakterien, →Virus, →Pilze) ausgelöst. Die Übertragung (**Infektion**) geschieht meist durch Berühren von Mensch zu Mensch, durch Anfassen von infizierten Gegenständen (**Kontaktinfektion**) oder durch Einatmen der Erreger (**Tröpfcheninfektion**). Auch Tiere können Infektionskrankheiten übertragen, z. B. die Tollwut. Zwischen dem Eindringen der Erreger und dem Auftreten erster Krankheitszeichen vergeht eine bestimmte Zeit, die man **Inkubationszeit** nennt. In dieser Zeit vermehren sich die Erreger im Körper; manche erzeugen auch Gifte. Zunächst können diese Vorgänge von den →Abwehrkräften des Körpers bekämpft werden. Überwiegen jedoch die schädigenden Einflüsse, bricht die Krankheit aus. Bildet der Körper während der Erkrankung gegen diesen bestimmten Erreger Abwehrstoffe, so kann er ihn beim nächsten Kontakt abwehren: Der Körper ist gegen die Erkrankung **immun** geworden. Manche Krankheiten (z. B. Masern) hinterlassen eine lebenslange Immunität. Die Immunschwächekrankheit →AIDS ist bisher nicht heilbar.

Eine große Rolle für die Behandlung von Infektionskrankheiten spielen die →Antibiotika. Bei vielen Infektionskrankheiten ist es sinnvoll, bei manchen sogar vorgeschrieben, Vorbeugungsmaßnahmen zu treffen. Dazu gehören: kein Kontakt mit Kranken (z. B. bei Scharlach), Schutzkleidung, Isolierung der Kranken (→Quarantäne, z. B. bei Pocken) und Impfungen (z. B. bei Diphterie, Kinderlähmung). Einige Infektionskrankheiten müssen beim Gesundheitsamt gemeldet werden (z. B. Tollwut, Wundstarrkrampf).

Antananarivo, 802 000 Einwohner, Hauptstadt von Madagaskar, in 1 200–1 400 m Höhe im zentralen Hochland gelegen.

Antarktis, die Land- und Meergebiete um den Südpol (→Polargebiete). KARTE Band 2, Seite 208.

Antenne, 1) aus Metallstäben aufgebautes Gitter- oder Stabgebilde zum Senden und Empfangen von elektromagnetischen Wellen. Beim Rundfunk werden Töne in elektrische Signale umgeformt. Sie werden dann auf Trägerwellen (Schwingungen mit hoher Frequenz) gesetzt, verstärkt und vom Sender über Kabel zur Sendeantenne geleitet. Von dort werden sie in den freien Raum ausgestrahlt und über Empfangsantennen wieder aufgefangen. Beim Fernsehen sind es elektrische Ton- und Bildsignale, die zum Empfänger übertragen werden. Je nach Art der Signale gibt es verschiedene Formen von Antennen. Beim Rundfunk unterscheidet man nach der Frequenz zwischen Kurz-, Mittel- und Langwelle, ferner gibt es die Ultrakurzwelle (UKW). Beim Fernsehen wird entweder mit sehr hohen Frequenzen (VHF) oder mit ultrahohen Frequenzen (UHF) gearbeitet. **Sendeantennen** für Rundfunk und Fernsehen sind meist z. B. Eisenmasten, die auf einem Isolator stehen. Dieser Antennentyp wird Rundstrahler genannt, weil er die elektromagnetischen Wellen nach allen Seiten abstrahlt. Sollen

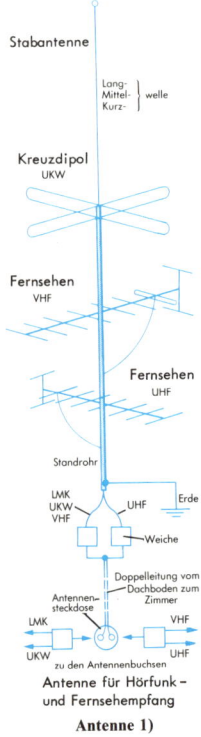

Wichtige ansteckende Krankheiten des Menschen

Krankheit	Übertragungsweise	Zeit zwischen Ansteckung und Auftreten der ersten Erscheinungen	Wichtige Krankheitszeichen
AIDS	Wundinfektion	0,5–5 Jahre	Immunschwäche gegen Krankheiten
Aussatz (Lepra)	wahrscheinlich durch Berühren	1/2 Jahr bis zu Jahrzehnten	Hautknoten, Hautzerfall
Cholera	Verschlucken, Berühren	1–4 Tage	wässriger Durchfall, Erbrechen, Schock
Diphtherie	Einatmen, Berühren	2–4, selten bis 10 Tage	Fieber, Rachenbelag, Atmungserschwerung
Grippe	Einatmen	1–3 Tage	Fieber, katarrhalische Erscheinungen
Herpes	Berühren	1–2 Tage	kleine Bläschen meist im Gesicht (Lippen, Nase) oder an den Geschlechtsorganen
Keuchhusten	Einatmen, Berühren	1–3 Wochen	Krampfhusten mit pfeifender Einatmung
Kinderlähmung, spinale	Einatmen, Verschlucken	7–14 Tage	Fieber, Lähmung
Lungenentzündung	Einatmen	2–14 Tage	Fieber, erschwerte Atmung
Malaria	Stich der Mücke Anopheles	8–17 Tage auch –10 Monate	Wechselfieber
Masern	Einatmen	11 Tage	Fieber, Schnupfen, Lichtscheu, Hautflecke
Milzbrand	Berühren, Einatmen	1–3 Tage	Fieber, Bildung von Karbunkeln
Mumps	Berühren	14–21 Tage meist 18	schmerzhafte Schwellung der Ohrspeicheldrüse
Pest	Flohstich, Einatmen	2–5 Tage	Fieber, Kopfschmerzen, Benommenheit, vereiterte Drüsenschwellungen, Hautbeulen oder Lungenentzündung
Röteln	Einatmen	14–21 Tage	Lymphknotenschwellung, heller, feinfleckiger Hautausschlag
Rückfallfieber	Stich von Zecken Wanzen usw.	5–8 Tage	Kreuz- und Gliederschmerzen, Fieber von 4–7 Tagen Dauer, 6–10 Tage Fieberfreiheit, dann zweiter Anfall
Ruhr	Berühren, Verschlucken	2–6 Tage	blutiger Durchfall, Fieber
Scharlach	Berühren, Einatmen	2–8, meist 4–7 Tage	Fieber, Halsentzündung, Himbeerzunge, flächenhaft zusammenfließende rote Hautstippchen
Schlafkrankheit, afrikanische	Stich der Fliege Glossina palpalis	14–21 Tage	Fieber, Drüsenschwellung, Teilnahmslosigkeit, Schlafsucht
Starrkrampf	Wundverunreinigung	4–14 Tage, selten länger	sehr schmerzhafte Muskelkrämpfe
Syphilis, Lues	Berühren	14–23 Tage	anfangs Geschwüre an der Ansteckungsstelle mit Drüsenschwellung, später rote Hautflecke
Tripper	Berühren	2–3 Tage	eitriger Ausfluss, Brennen in der Harnröhre
Tuberkulose	Einatmen	Wochen bis Monate	bei Lungentuberkulose: Lungenkatarrh, Abmagerung
Typhus (Unterleibstyphus)	Berühren, Verschlucken	10–14 Tage	Fieber, Hautflecke besonders auf dem Bauch, Benommenheit, Durchfall
Weicher Schanker	Berühren	1–2 Tage	Geschwürbildung, Drüsenvereiterung
Windpocken	Einatmen, Berühren	14–21 Tage	Fieber, stark juckende Hautbläschen

die Wellen dagegen bevorzugt in eine Richtung ausgesandt werden, verwendet man Richtstrahler, z. B. im Überseeverkehr. Antennen werden möglichst hoch aufgestellt, damit die Signale nicht durch hohe Gebäude, Berge oder andere Hindernisse gestört werden.

Empfangsantennen unterscheiden sich ebenfalls nach der Art der Radiowellen. Für Kurz-, Mittel- und Langwellenrundfunk werden Stabantennen benutzt, die auf dem Dach des Hauses angebracht werden. Fernsehempfangsantennen und Antennen für UKW-Empfang sind komplizierter gebaut, sie werden als Dipol bezeichnet.

Eine elektronische oder aktive Antenne ist durch Transistoren verstärkt. Deshalb ist sie wesentlich kleiner als übliche Antennen. Sie wird als Auto- oder Flugzeugantenne verwendet.

Für den Satellitenfunk werden Mikrowellen benutzt. Diese Signale mit höchster Frequenz werden von **Spiegelantennen** (Parabolantennen) aufgefangen, die weniger als einen Meter Durchmesser haben.

2) Name für die gegliederten →Fühler von Insekten, Krebstieren, Tausendfüßern und Stummelfüßern. Sie sind Träger von Geruchs- und Tastsinnorganen.

Anth

Antigua und Barbuda

Staatswappen

Staatsflagge

Anthropologie [griechisch ›Menschenkunde‹], die Wissenschaft vom Menschen. Viele Einzelwissenschaften tragen mit ihren Forschungen dazu bei, die Stellung des Menschen in der Welt zu beschreiben. Eine der wichtigsten Aufgaben fällt hier der Biologie zu. Sie untersucht mit naturwissenschaftlichen Methoden, auf welche Weise sich der Mensch aus dem Tierreich entwickelte (→Evolution) und welche Unterscheidungsmerkmale (Körperbau, Körpergröße, Blutgruppen) die einzelnen Menschenrassen prägen. Über das Verhalten des Menschen in der Gruppe und als Einzelwesen (›Individuum‹) geben Soziologie und Psychologie Aufschluss.

antiautoritäre Erziehung. In den 1960er-Jahren fanden in Deutschland die Vorstellungen des englischen Erziehers Alexander Neill weite Verbreitung. Seine Schule ›Summerhill‹ in England stellte einen Versuch dar bei der Erziehung der Kinder auf Zwang und Unterdrückung zu verzichten. Den Kindern wurde größtmögliche Freiheit gewährt, die nur durch Rücksicht auf die Rechte des anderen begrenzt ist.

Antiautoritäre Erziehung greift zum Teil die Gedanken Neills auf. Sie versteht sich auch als Kritik an einer Erziehung, die von den Kindern Gehorsam fordert und mit Strafen oder Strafdrohung verbunden ist. So will antiautoritäre Erziehung die Selbstbestimmung des Kindes und seine Fähigkeit, Schwierigkeiten und Konflikte selbst zu überwinden, fördern.

Antibabypille [-be̱bi-], umgangssprachliche Bezeichnung für hormonhaltige Mittel, die der →Empfängnisverhütung dienen.

Antibiotika, im Stoffwechsel von verschiedenen Organismen wie Bakterien und Pilzen erzeugte Substanzen, die andere Kleinstlebewesen (Mikroorganismen) abtöten oder in ihrer Entwicklung und Vermehrung behindern. Antibiotika werden zur Bekämpfung von Infektionskrankheiten eingesetzt. Ein **Breitbandantibiotikum** richtet sich gegen eine Vielzahl von Krankheitserregern gleichzeitig. Das erste Antibiotikum, das Penicillin, wurde aus dem Schimmelpilz ›Penicillium notatum‹ gewonnen. Heute können einige Antibiotika künstlich nachgebildet, das heißt synthetisch hergestellt werden.

Antigone, in der griechischen Sage die Tochter des Ödipus. Sie beerdigte gegen das Verbot ihres Onkels Kreon, des Königs von Theben, den Leichnam ihres aufständischen Bruders Polyneikes. Dafür wurde sie auf Anordnung Kreons lebendig eingemauert. Der griechische Dichter →Sophokles gestaltete ihr Schicksal in 2 Tragödien. Auch im 20. Jahrh. wurde das Thema behandelt, so z. B. von dem Dichter Jean →Anouilh und dem Komponisten Carl →Orff.

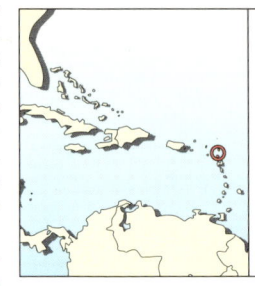

Antigua und Barbuda
Fläche: 442 km²
Einwohner: 66 000
Hauptstadt: Saint John's
Amtssprache: Englisch
Nationalfeiertag: 1. 11.
Währung: 1 Ostkarib. $ (EC $) = 100 Cents
Zeitzone: MEZ – 5 Stunden

Antigua und Barbuda, zum Commonwealth gehörender, seit 1981 unabhängiger Staat; er umfasst die Inseln Antigua, Barbuda und Redonda (nicht bewohnt) der Kleinen →Antillen. Die Einwohner sind überwiegend Nachkommen schwarzafrikanischer Sklaven. Wichtigstes Erzeugnis ist Baumwolle. (Karte Band 2, S. 197)

Antike [zu lateinisch antiquus ›alt‹], das griechisch-römische Altertum, →griechische Geschichte, →griechische Kunst, →römische Geschichte, →römische Kunst.

Antikörper dienen der Krankheitsabwehr im Körper und bestimmen die →Abwehrkräfte.

Antillen, mittelamerikanische Inselgruppe, die sich in weitem, nach Osten ausholendem Bogen über 4 000 km zwischen dem Karibischen Meer und dem Atlantischen Ozean erstreckt. Die Antillen bilden einen Teil →Westindiens. Man unterscheidet: die **Großen Antillen** mit den Inseln →Kuba, →Jamaika, →Hispaniola und →Puerto Rico, die sich im nördlichen Karibischen Meer von Westen nach Osten erstrecken, und östlich und südlich davon die **Kleinen Antillen**; diese werden in die ›Inseln über dem Winde‹ (Virgin Islands bis Trinidad) und die ›Inseln unter dem Winde‹ (vor der Küste Venezuelas) eingeteilt. Die Antilleninseln sind meist gebirgig; der höchste Gipfel ist der Pico Duarte im Osten der Insel Hispaniola mit 3 175 m. Auf →Martinique, →Guadeloupe und →Saint Vincent gibt es noch tätige Vulkane. Das Klima ist tropisch. Mit Ausnahme von Trinidad und den ›Inseln unter dem Winde‹ werden die Inseln häufig von Wirbelstürmen heimgesucht. (Karte Band 2, Seite 197)

Antilopen, horntragende →Huftiere, die mit Rindern, Ziegen, Schafen und Gämsen verwandt sind. Sie können so klein wie Hasen, aber auch so groß wie Rinder sein. Antilopen leben meist in

Rudeln, häufig gemeinsam mit Zebras, und bewohnen vor allem die Steppen Afrikas und Südasiens. Sie können schnell laufen, auf Felsen geschickt klettern und weit und hoch springen. Bei einer Dürre ziehen sie umher, um Futter zu suchen. Die Hörner, die oft nur das Männchen trägt, sind bei den zierlichen **Gazellen** (auch **Springantilopen**) schraubenartig gedreht und geschwungen und bei den nur in Afrika lebenden **Gnus** hakig gebogen.

Antimon, Zeichen Sb [von lateinisch stibium], ein →chemisches Element, ÜBERSICHT, mit metallischen und nichtmetallischen Eigenschaften, das als härtesteigernder Legierungsbestandteil z. B. für Glockenmetall dient. **Antimonverbindungen** werden zur Herstellung von Zündhölzern und Farbstoffen verwendet.

Antisemitismus, die Abneigung oder Feindschaft gegen Juden. Der Ausdruck ist eine Fehlbildung, denn unter Semiten versteht man nicht nur die Juden, sondern auch Araber, Äthiopier und andere Völker, die mit diesen eine Sprachgemeinschaft bilden.

Die Feindschaft gegen Juden kam in früheren Jahrhunderten vielfach in Ausschreitungen zum Ausdruck, die man auch **Pogrome** nennt. Sie gipfelte in der systematischen Ausrottung der europäischen Juden durch das nationalsozialistische Deutschland.

Die Gründe für die Judenverfolgung waren unterschiedlich. In der Antike war es ihr Glaube an einen einzigen Gott, der den Juden untersagte, den römischen Kaiser als Gott zu verehren. Im Mittelalter machte man die Juden als Volk für die Kreuzigung Jesu verantwortlich. Man sah in ihnen die Verursacher der Pest (Brunnenvergiftung) und sie wurden als Wucherer verfolgt, weil sie Geld gegen Zinsen verliehen. Sie zählten zu den sozial Verachteten und mussten in besonderen Stadtteilen, den **Gettos,** wohnen.

Die rechtliche Gleichstellung der Juden, die seit dem Zeitalter der Aufklärung immer wieder gefordert und im 19. Jahrh. verwirklicht wurde, rief im 19. und 20. Jahrh. jedoch als Gegenbewegung einen neuen, besonders rassisch begründeten Antisemitismus hervor.

Dieser **Rassenantisemitismus** führte im nationalsozialistischen Deutschland zur Ausbürgerung der deutschen Juden durch die Nürnberger Rassengesetze (1935), zu den Ausschreitungen der →Reichskristallnacht (1938) und schließlich zur planmäßigen Ermordung von Millionen Juden in den Konzentrationslagern (›Endlösung der Judenfrage‹ seit 1942).

Antilopen: Weißbartgnu, Kaama, Großer Kudu, Elenantilope, Impala, Ellipsenwasserbock, Zebraducker, Rappenantilope, Klippspringer

Anto

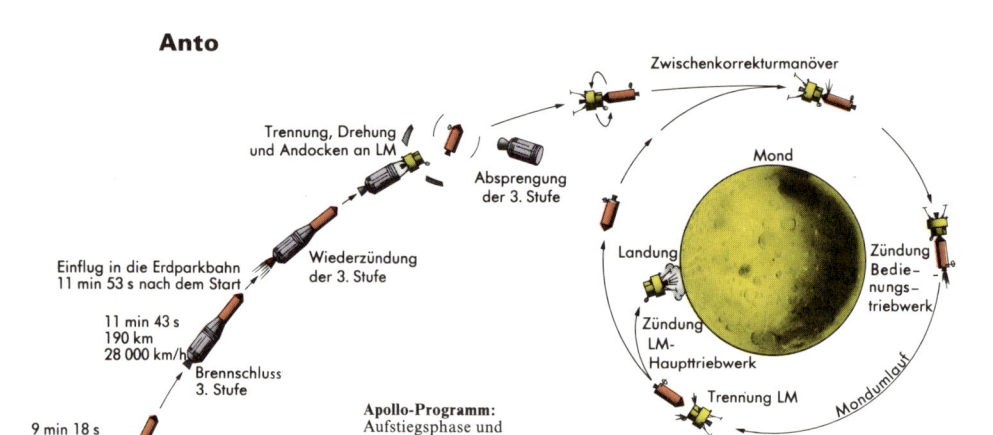

Apollo-Programm: Aufstiegsphase und Mondlandung

(Bildbeschriftungen Trägerrakete, von oben nach unten:)
Zwischenkorrekturmanöver
Trennung, Drehung und Andocken an LM
Absprengung der 3. Stufe
Wiederzündung der 3. Stufe
Einflug in die Erdparkbahn 11 min 53 s nach dem Start
11 min 43 s / 190 km / 28 000 km/h
Brennschluss 3. Stufe
9 min 18 s / 189 km / 24 900 km/h / Zündung 3. Stufe
Trennung der 2./3. Stufe
9 min 15 s / 189 km / 24 900 km/h
3 min 16 s / 94,5 km / 10 450 km/h / Absprengen des Rettungsturmes
2 min 42 s / 68,5 km / 9 878 km/h / Zündung der 2. Stufe
Absprengung der 1. Stufe / 2 min 41 s / 66,5 km / 9 880 km/h
Start der Trägerrakete

(Mondumlauf:) Mond, Landung, Zündung LM-Haupttriebwerk, Trennung LM, Zündung Bedienungstriebwerk, Mondumlauf

Antonius. Das Leben des Römers **Marcus Antonius** und seine Beziehung zu der ägyptischen Königin Kleopatra haben zahlreiche Dichter in vielen Jahrhunderten zu Romanen und Dramen angeregt. Antonius wurde um 82 v. Chr. geboren und begann seine politische Laufbahn als Anhänger Caesars. Nach dessen Ermordung einigte er sich zunächst mit Octavian (→Augustus) und erhielt den Osten des Römischen Reiches. Hier gab er sich wie ein orientalischer Alleinherrscher. 37 v. Chr. heiratete er Kleopatra. Später verfeindete er sich mit Octavian und es kam zum Krieg zwischen beiden. Die Niederlage des Antonius bei Aktium (31 v. Chr.) beendete seine Machtstellung im Osten. Als Octavians Truppen im Jahr 30 v. Chr. Alexandria bedrohten, begingen Antonius und Kleopatra Selbstmord.

Antwerpen, 468 000 Einwohner, Provinzhauptstadt in Belgien, nach Rotterdam, Marseille und Le Havre der größte Seehafen des europäischen Festlands. Die Stadt liegt 88 km von der Nordsee entfernt an der hier 450 m breiten Schelde. Seeschiffe gelangen über 5 Schleusen zu den modernen Hafenanlagen, deren Bau der Stadt seit 1960 zu einem großen Aufschwung verhalf. Antwerpen war im 16. Jahrh. die bedeutendste Handelsstadt Europas. Aus dieser Zeit stammen viele der schönen Bauten der Altstadt wie Kathedrale und Rathaus. In Antwerpen lebte der Maler Peter Paul Rubens. Heute ist die Stadt der kulturelle Mittelpunkt der →Flamen.

Aorta, größte Arterie des Körpers, die Hauptschlagader. Aus ihr gehen alle kleineren Arterien (→Adern) hervor, die das Blut zu den Organen (einschließlich Haut und Gliedern) bringen. Sie beginnt an der linken Herzkammer, beschreibt einen Bogen und verläuft entlang der Wirbelsäule. Im Bereich des Beckens teilt sie sich und geht in 2 kleinere Arterien über (BILD Blutkreislauf).

Aostatal, großes Tal in den italienischen Westalpen. Aosta, die Hauptstadt des Gebiets, ist Ausgangspunkt der Passstraßen zum Großen und Kleinen Sankt Bernhard sowie der Straße zum Montblanctunnel. Im Tal werden Obst, Wein und Kartoffeln angebaut. Neben der Metallindustrie ist der Fremdenverkehr, besonders der Wintersport, eine der Haupteinnahmequellen. Das Aostatal kam um die Mitte des 19. Jahrh. gegen den Willen der überwiegend Französisch sprechenden Bevölkerung zu Italien.

Apachen [apatschen], Angehörige einiger früher umherziehender Indianerstämme im Südwesten der USA. Besonders in Arizona und Nordwestmexiko leisteten sie den weißen Siedlern erbitterten Widerstand, bis sie 1886 besiegt wurden. Heute leben die meisten Apachen in →Indianerreservationen und ernähren sich hauptsächlich von Viehzucht und Jagd.

Apartheid [afrikaans ›Trennung‹]. Bezeichnung für die Politik der Rassentrennung (Weiße, Schwarze, Asiaten und Mischlinge) in der Republik Südafrika. Sie war durch Gesetz verordnet. In den Städten ließ die Regierung für Schwarze, Asiaten und Mischlinge eigene Stadtteile (englisch **Townships**) einrichten. Darüber hinaus wurden den Schwarzen bestimmten **Heimatgebieten** (englisch **Homelands**) zugewiesen, die über das ganze Staatsgebiet →Südafrikas verstreut waren. Durch einen streng gehandhabten Ausweiszwang setzten die südafrikanischen Regierungen seit 1948 die Apartheidpolitik durch. Die Trennung der genannten Gruppen z. B. in Schulen, Universitäten, Krankenhäusern oder Verkehrsmitteln wurde aber in den 1970er- und 1980er-Jahren etwas gelockert.

Apol

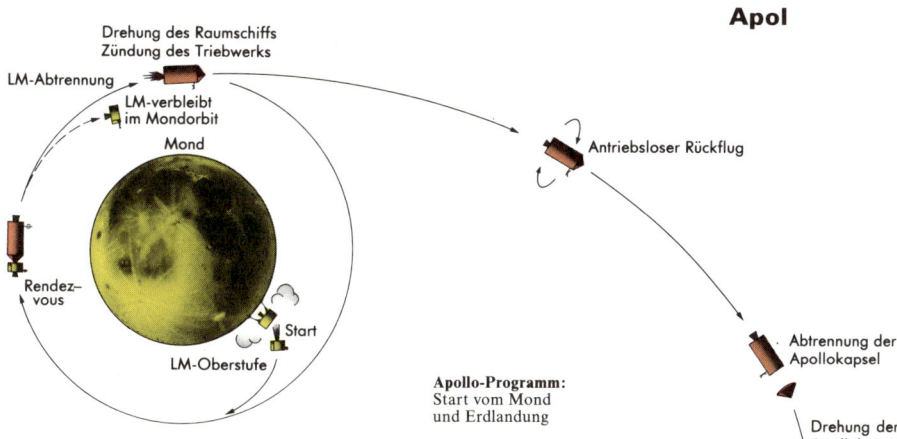

Apollo-Programm: Start vom Mond und Erdlandung

Die Apartheidpolitik festigte die Vorherrschaft des aus Europa stammenden weißen Bevölkerungsteils. Während die Befürworter der Apartheid unter den Weißen, besonders die →Buren, diese vor allem aus der Geschichte Südafrikas begründeten, wurde die Politik der Rassentrennung von den nichtweißen Bevölkerungsgruppen meist als unmenschlich abgelehnt. Bekämpft wurde die Apartheidpolitik vor allem von dem 1960–90 verbotenen ›Afrikanischen Nationalkongress‹ (ANC). Seit 1990 wurden einzelne Apartheidgesetze aufgehoben und 1992 entschied sich die weiße Bevölkerung in einer Volksabstimmung für die Abschaffung der Apartheid, die mit dem In-Kraft-Treten der Verfassung von 1993 endgültig außer Kraft gesetzt wurde.

Apennin, Gebirge, das die italienische Halbinsel vom Ligurischen Golf bis zur Kalabrischen Halbinsel durchzieht. Es besteht überwiegend aus wasserdurchlässigem Kalkgestein und ist schon seit römischer Zeit fast ganz entwaldet (ein Grund dafür war wohl, dass die Römer für den Bau ihrer Kriegs- und Handelsschiffe viel Holz benötigten). So weisen die meist in Mittelgebirgshöhe liegenden Gebirgszüge häufig nur noch dornigen Buschwald (Macchie) auf. Der **Gran Sasso** in den Abruzzen bildet mit 2 914 m den höchsten Punkt.

Apfel, die Frucht des weiß bis rosa blühenden Apfelbaums, das am häufigsten angebaute Obst. Den ursprünglich in Asien heimischen wilden oder Holzapfelbaum gibt es zuweilen noch in deutschen Laubwäldern. Aus seinen kleinen, harten und bitteren Früchten hat man in jahrtausendelanger Züchtung die großen, saftigen Äpfel entwickelt. Dabei sind mehrere Hundert Sorten entstanden, die sich nach Geschmack, Farbe, Größe und Form unterscheiden, z. B. Golden Delicious, Gravensteiner, Cox Orange, Boskoop. Ein Apfelbaum kann über 200 Jahre alt werden. Geriebene rohe Äpfel sind ein Mittel gegen durchfallartige Darmerkrankungen.

In der Mythologie und im Volksglauben ist der Apfel ein Symbol der Fruchtbarkeit und Liebe. Er gilt auch als Sinnbild der Weltherrschaft (›Reichsapfel‹). In der Bibel ist er Symbol des Sündenfalles (›Eva mit dem Apfel‹).

Apfelsine, eine →Citrusfrucht.

Aphrodite [griechisch ›die Schaumgeborene‹], bei den Griechen die Göttin der Liebe und Schönheit. Beim Streit mit den Göttinnen Hera und Athene um den Preis der Schönheit sprach →Paris ihr den Preis zu. Die Sagen berichten, dass sie aus den Wellen des Meeres aufgetaucht oder die Tochter des Göttervaters Zeus sei. Aphrodite liebte den König Anchises, der mit ihr den trojanischen Helden Äneas zeugte, und den Kriegsgott Ares, durch den sie Mutter des Liebesgottes Eros wurde. Von den Römern wurde Aphrodite der **Venus** gleichgesetzt.

Apokalypse [griechisch ›Enthüllung‹], Schrift, die Voraussagen und Vorstellungen über die Ereignisse des Weltendes enthält. Apokalypsen waren vom 2. Jahrh. v. Chr. bis zum Ende des 1. Jahrh. n. Chr. im Judentum und im Christentum verbreitet. Ein spätes Zeugnis ist über das Neue Testament in der ›Offenbarung des Johannes‹ überliefert. Angesichts niederdrückender Verhältnisse ihrer Gegenwart verkündeten die Verfasser apokalyptischer Schriften, die **Apokalyptiker,** in schwer zu deutenden Bildern das baldige Ende der Welt und sehnten den Jüngsten Tag als den Tag des Gerichts Gottes herbei.

Apoll, Apollo, Sohn des Zeus und Zwillingsbruder der Jagdgöttin Artemis. Apoll war der griechische Gott des Lichtes, der mit seinen Pfei-

Apol

Appenzell-Außerrhoden
Halbkantonswappen

Appenzell:
Wappen des Gesamtkantons Appenzell und des Halbkantons Appenzell-Innerrhoden

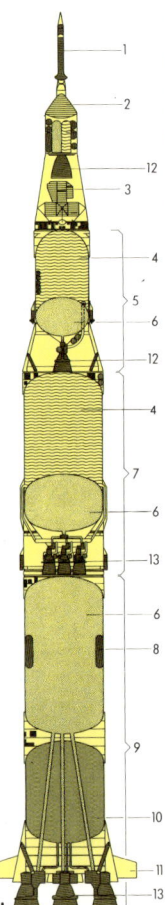

len die Mächte der Dunkelheit vernichtete. Als Gott der Künste wurde er zum Führer der →Musen, als Heilgott wendete er Unheil ab. In seinem Heiligtum in ›Delphi‹ sagte er den Menschen durch den Mund einer Priesterin die Zukunft voraus. Apoll wurde meist als schöner Jüngling mit Bogen und Köcher sowie einer Lyra (einem antiken Saiteninstrument) dargestellt.

Apollo-Programm, eines der großartigsten Unternehmen der Menschheitsgeschichte, das zum ersten Mal Menschen auf einen anderen Himmelskörper beförderte. Die **Mondlandung** mithilfe der bemannten →Raumfahrt bewerkstelligten die Amerikaner sechsmal zwischen 1969 und 1972. Voraussetzung dafür war die größte je gebaute Rakete, die ›Saturn‹, die Wernher von Braun entwickelt hatte. Sie trug in ihrer Spitze die Apollo-Raumkapsel und jeweils 3 Mann Besatzung, die →Mondlandefähre (im Bild mit LM bezeichnet) und die Betriebs- und Versorgungseinheit, die über 18 t Treibstoff enthielt. Nach einer ausgeklügelten Abfolge von Flugmanövern (BILD) setzte die Mondlandefähre mit jeweils 2 Mann auf dem Mond auf, während der dritte Mann in der Kommandokapsel den Mond umkreiste, um zum Beginn des Rückflugs die beiden anderen wieder aufzunehmen. Am 21. 7. 1969 betrat als erster Mensch **Neil Armstrong** den Mond (Apollo 11, →Raumfahrt, Tabelle). Nicht so glücklich war die Besatzung von Apollo 13, die infolge der Explosion eines Sauerstofftanks das Unternehmen abbrechen, den Mond trotzdem umfliegen musste und unversehrt zurückkehrte. Auf eine Mondlandung verzichten mussten auch im Rahmen der programmgemäßen Vorbereitungsflüge die Besatzungen von Apollo 8 und 10, die den Mond nur umkreisen. (Weitere BILDER S. 56 und 57)

Apostel [griechisch ›Sendbote‹], im Neuen Testament die Jünger Jesu, die er aussandte seine Lehre zu verkünden. Es waren: Petrus, Johannes, Andreas, Jakobus der Ältere, Philippus, Bartholomäus, Matthäus, Thomas, Jakobus, Thaddäus, Simon und Judas. Für Judas, der Jesus verriet, kam später Matthias hinzu. Die Apostel lebten gemeinsam mit Jesus und wurden Zeugen seines Leidens und Sterbens, seiner Auferstehung und Himmelfahrt. Auch Paulus wird zu den Aposteln gerechnet, obwohl er nicht wie die anderen unmittelbarer Zeuge war. Ihm erschien Jesus nach der Auferstehung auf dem Weg nach Damaskus und sandte ihn aus die ›Heiden‹, also die Nichtjuden, zu bekehren. Paulus wird deshalb auch als ›Heidenapostel‹ bezeichnet.

Appalachen, Gebirge an der Ostseite Nordamerikas. Die Appalachen erstrecken sich von Alabama im Süden der USA über 2 600 km bis nach Neufundland in Kanada. Das auch teilweise als **Blue Mountains** (›Blaue Berge‹) bezeichnete 200–300 km breite Gebirge zeigt vorwiegend runde Formen wie die deutschen Mittelgebirge, erreicht aber im Süden mit 2 037 m (Mount Mitchell) eine beachtliche Höhe. Die im Norden von Nadelwald, im Süden von Laubwald bedeckten Appalachen sind reich an Bodenschätzen, besonders Kohle, Erdgas und Eisenerz.

Appenzell, zwei Schweizer Halbkantone, die sich vom Nordhang des Säntis, eines Gipfels der Alpen, bis fast zum Bodensee erstrecken; die Bevölkerung ist deutschsprachig. Appenzell, seit 1513 ein Kanton, spaltete sich 1597 im Zeitalter der Gegenreformation in 2 Halbkantone:

Appenzell-Außerrhoden (243 km², rund 53 400 vorwiegend protestantische Einwohner) mit dem Hauptort Herisau umfasst das **Appenzeller Hügelland** zwischen Alpenrhein und Bodensee. Wichtige Erwerbsquellen sind Seiden- und Baumwollweberei.

Appenzell-Innerrhoden (173 km², rund 14 500 meist katholische Einwohner) mit dem Hauptort Appenzell nimmt den Nordhang des Säntis ein. Der Fremdenverkehr im malerischen Hauptort ist ein bedeutender Erwerbszweig; in den höheren Lagen herrscht Almwirtschaft (Käse) vor.

Aprikose, Marille, pfirsichähnliche Steinfrucht. Der ursprünglich in Asien heimische, nur etwa 5 m hohe Aprikosenbaum mit weißen bis rosa Blüten wächst in Europa nur in wärmeren Lagen. Das säuerlich-süße Fruchtfleisch und die Haut der Aprikose sind kräftig orangegelb.

Aprilwetter, Wetter mit raschem Wechsel von Sonnenschein und Regenschauern, oft vermischt mit Schnee oder Graupeln und begleitet von starken Böen. Es wird verursacht durch →Zyklonen, die im Frühjahr in großer Zahl über Mitteleuropa hinwegziehen. Diese Zeit stellt den Übergang zwischen winterlich kaltem und frühlingshaft warmem Wetter dar.

Apsis [griechisch ›Wölbung‹], →Basilika.

Apulien, Landschaft im Südosten Italiens. Sie erstreckt sich vom Monte Gargano, dem

Apollo-Programm: Trägerrakete ›Saturn 5‹ des Apollo-Mondlandeprogramms (Höhe 111 m, Startgewicht über 2 700 t); 1 Rettungsrakete, 2 Apollo-Kapsel, 3 Mondfähre, 4 Flüssigwasserstofftank, 5 dritte Stufe, 6 Flüssigsauerstofftank, 7 zweite Stufe, 8 Heliumtank, 9 erste Stufe, 10 Kerosintank, 11 Leitwerksflosse, 12 ein Triebwerk, 13 fünf Triebwerke

Sporn des italienischen ›Stiefels‹, bis zur Südostspitze des Landes. Apulien ist ein Tafelland, das sich allmählich zur Küste hin absenkt. Im trockenen, siedlungsarmen Inneren findet man fast nur Schafweiden, während die fruchtbare Küstenebene mit den Hafenstädten **Bari** und **Brindisi** einen ausgedehnten Getreide-, Wein-, Mandel- und Olivenanbau aufweist.

Aqua destillata, →destilliertes Wasser.

Aquädukt [lateinisch ›Wasserleitung‹], brückenartiges Bauwerk, das so angelegt ist, dass auf ihm in einer Rinne Wasser fließen kann. Die Römer führten ihre oft viele Kilometer langen Wasserleitungen mit Aquädukten auch über Täler hinweg in die Städte. Das Wasser floss mit natürlichem Gefälle. Eine eindrucksvolle Ruine eines Aquädukts ist der Pont du Gard bei Nîmes (Frankreich).

Aquaplaning, deutsch **Wasserglätte,** das ›Schwimmen‹ eines Fahrzeugreifens auf regennasser Straße und bei höherer Geschwindigkeit, sodass keine Bodenhaftung, kein Kontakt mit der Fahrbahn besteht. In diesem Zustand lässt sich das Fahrzeug weder bremsen noch lenken.

Aquarell [zu lateinisch aqua ›Wasser‹], ein mit Wasserfarben (Aquarellfarben) auf trockenes oder angefeuchtetes holzfreies Papier, Pergament oder Seide gemaltes Bild. Im Unterschied zur →Gouachemalerei wird beim Aquarell ohne Deckweiß gemalt und mit den hellen Farbtönen begonnen. Die Durchsichtigkeit der Wasserfarben lässt den Malgrund durchscheinen, der auch weiß ausgespart bleiben kann; so entstehen sehr helle Lichteffekte. Schon die Ägypter beherrschten diese Technik. Die mittelalterlichen Buchmaler wandten sie neben der Deckfarbentechnik an. In ihrer Zeit und noch lange danach unerreicht blieben die Landschaftsaquarelle von **Albrecht Dürer.** Die neuere Entwicklung ging um 1800 von England aus **(William Turner).** Im 20. Jahrh. schufen die Expressionisten einen neuen Stil der Aquarellmalerei, gekennzeichnet durch großflächig aufgetragene, kräftige, manchmal grelle Farben.

Aquarium [zu lateinisch aqua ›Wasser‹], Wasserbehälter, in dem Wasserpflanzen und -tiere gehalten werden. Aquarien sind meist aus Glas, damit die Wasserpflanzen Licht bekommen und die Wassertiere beobachtet werden können. Der Boden des Behälters wird einige Zentimeter hoch mit lehmigem Kiesboden bedeckt, mit Sand überschichtet, mit Wasser (Süß- oder Meerwasser) gefüllt und mit passenden Pflanzen bestückt. In den Aquarien der zoologischen Gärten und Museen werden meist natürliche Lebensräume nachgebildet. Als Wassertiere werden Muscheln, Schnecken, Krebse und vor allem Fische gehalten. Wichtig für die Wasserpflanzen und -tiere sind die richtige Wassertemperatur, die Wasserhärte, der Salzgehalt und die Durchlüftung des Wassers. Meistens werden Wasserfilter benötigt, damit das Wasser nicht trüb wird. Je nach Größe des Aquariums muss dieses mehrmals im Jahr gereinigt und das Wasser erneuert werden. Man kann **Aquarienfische** mit Fertigfut-

Aquädukt: Pont du Gard

Aquarell: William Turner; Genfer See mit Dent d'Oche; um 1841 (London, Britisches Museum)

Äqua

ter füttern, aber auch mit Wasserflöhen und Rädertieren, die man mit einem feinen Sieb aus Tümpeln und Teichen fischt. Diese Lebendfütterung hat allerdings den Nachteil, dass Fischkrankheiten eingeschleppt werden können. Der Vorteil ist, dass sich kein Futter am Boden absetzt und das Wasser trübt. Die Pflanzen braucht man nicht künstlich zu düngen, da sie ihre Nährstoffe aus den Exkrementen der Fische beziehen. Eine Überdüngung des Aquariums erkennt man am starken Algenbewuchs der Wände. Einige Schneckenarten weiden die Algen ab und eignen sich deshalb gut als Aquarientiere.

Bei der Auswahl der Fischarten sollte man darauf achten, dass diese sich untereinander vertragen. Das Revierverhalten vieler Fische bedingt, dass ein Aquarium nicht zu dicht besetzt sein sollte und dass es genügend Versteckmöglichkeiten bietet. Diese kann man mithilfe von Steinen oder Pflanzen schaffen.

Äquator [lateinisch ›Gleichmacher‹]. Als größter Breitenkreis teilt der Äquator die Erde in eine Nord- und eine Südhalbkugel. Seine Länge beträgt rund 40 075 km. Von jedem Punkt des Äquators sind die beiden Pole gleich weit entfernt. Neben diesem **Erdäquator** gibt es auch einen **Himmelsäquator** (→Ekliptik).

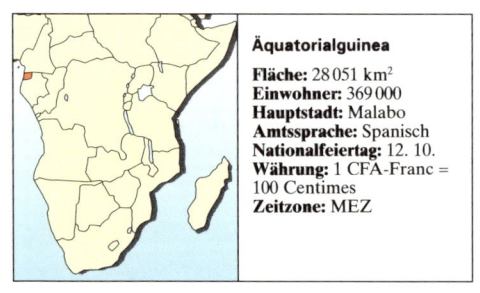

Äquatorialguinea
Fläche: 28 051 km²
Einwohner: 369 000
Hauptstadt: Malabo
Amtssprache: Spanisch
Nationalfeiertag: 12. 10.
Währung: 1 CFA-Franc = 100 Centimes
Zeitzone: MEZ

Äquatorialguinea, Republik am Golf von Guinea in Westafrika. Sie umfasst die Inseln Bioko (früher Fernando Póo) vor der Küste Kameruns und Pagalu (Annobón) vor der Küste Gabuns sowie auf dem Festland das zwischen Kamerun und Gabun gelegene Gebiet Mbini. Das Land ist weitgehend von tropischem Regenwald bedeckt. Haupterwerbsquelle der vorwiegend auf dem Festland lebenden Einwohner ist der Ackerbau. Kakao, Kaffee und tropische Hölzer sind die wichtigsten Exportgüter. Nach einer 10-jährigen Gewaltherrschaft, die das Land zu einem der ärmsten Staaten Afrikas machte, regiert seit 1979 ein Militärrat. (KARTE Band 2, Seite 194)

Äquivalenz [lateinisch ›Gleichwertigkeit‹], Mathematik:

1) Äquivalenz von Aussagen. Gilt für 2 Aussagen A und B sowohl aus A folgt B, als auch aus B folgt A, so sagt man: Die beiden Aussagen sind **logisch äquivalent** (in Zeichen: $A \Leftrightarrow B$).

> Beispiel:
> Gegeben seien die beiden folgenden Aussagen: Aussage A: Das Dreieck besitzt 3 gleich große Winkel. Aussage B: Das Dreieck ist gleichseitig.
> Es gilt folgender Zusammenhang: Besitzt das Dreieck 3 gleich große Winkel, so ist es gleichseitig. Aus der Aussage A folgt somit die Aussage B (in Zeichen: $A \Rightarrow B$). Umgekehrt gilt aber auch: Ist das Dreieck gleichseitig, so besitzt es 3 gleich große Winkel. Also folgt aus der Aussage B auch die Aussage A (in Zeichen: $B \Rightarrow A$).

2) Äquivalenz von Termen. Zwei →Terme T_1 und T_2 heißen **äquivalent,** wenn die →Gleichung $T_1 = T_2$ allgemeingültig ist.

> Beispiele:
> 1) Gegeben sind die beiden Terme $T_1 = (2+x)^2$ sowie $T_2 = 4 + 4x + x^2$; Grundmenge: $G = \mathbb{R}$ ($\mathbb{R}$ Menge der reellen Zahlen).
> Es gilt: $T_1 = T_2$, da die Gleichung $(2+x)^2 = 4 + 4x + x^2$ gültig ist für alle Einsetzungen aus $\mathbb{R}$. Die beiden Terme sind somit äquivalent.
> 2) Gegeben sind die beiden Terme $T_1 = 2x + 1$ sowie $T_2 = 2(x+1)$; Grundmenge: $G = \mathbb{R}$.
> Da für $x = 1$ gilt: $T_1 = 3$ und $T_2 = 4$, sind die beiden Terme nicht äquivalent.

Äquivalenz|umformung, Mathematik: Umformung einer →Gleichung in eine andere mit derselben Lösungsmenge (Zeichen ⇔).

Zu den Äquivalenzumformungen gehören:

1) Addition oder Subtraktion gleicher Zahlen oder Terme auf beiden Seiten der Gleichung.

> Beispiele:
> $$x - 3 = 7 \Leftrightarrow x - 3 + 3 = 7 + 3 \Leftrightarrow x = 10,$$
> $$x + 4a = -5a \Leftrightarrow x + 4a - 4a = -5a - 4a \Leftrightarrow x = -9a$$

2) Multiplikation oder Division gleicher Zahlen oder Terme, die nicht Null sind, auf beiden Seiten der Gleichung.

> Beispiele:
> $$\frac{x}{2} = 4 \Leftrightarrow 2 \cdot \frac{x}{2} = 2 \cdot 4 \Leftrightarrow x = 8,$$
> $$3a \cdot x = 4a^2 \Leftrightarrow \frac{3a \cdot x}{3a} = \frac{4a^2}{3a} \Leftrightarrow x = \frac{4}{3},$$
> falls $a \neq 0$.

Keine Äquivalenzumformung ist das Quadrieren:

> Beispiel:
> Die Gleichung $x = 2$, Grundmenge $G = \mathbb{Z}$ ($\mathbb{Z}$ Menge der ganzen Zahlen), hat die Lösungsmenge $L = \{2\}$.
> Hingegen hat die Gleichung $x^2 = 4$, $G = \mathbb{Z}$, die Lösungsmenge $L = \{-2; 2\}$.

Ar, Einheitenzeichen **a,** gesetzliche Flächeneinheit (→Einheiten). Es gilt 1 a = 100 m².

Aquatorialguinea
Staatswappen

Staatsflagge

Ara, Art der →Papageien.

Araber, ursprünglich nur die Bewohner der Arabischen Halbinsel, heute alle, die Arabisch als Muttersprache sprechen. Der Begriff umfasst also auch die Völker jener Gebiete, die die Araber als Träger des →Islam seit dem 7. Jahrh. eroberten, in denen sie ihre Kultur und Sprache verbreiteten und in denen sie sich behaupten konnten (Zweistromland, Syrien, Palästina, Nordafrika). Außerdem leben Araber z. B. in der Sudanzone und an der Küste Ostafrikas. Man schätzt ihre Gesamtzahl heute auf 113 Millionen. Lebensgrundlage der Araber war ursprünglich Jagd oder Viehzucht (→Beduinen); inzwischen wurden aber immer mehr Stämme, die früher als →Nomaden von einem Weideplatz zum anderen zogen, sesshaft.

Nach dem Sturz des Osmanischen Reichs 1918 (→Türkei) bildeten sich auf dessen Boden arabische Staaten (z. B. Syrien, Libanon, Irak, Saudi-Arabien). Bemühungen, einen gesamtarabischen Staat zu schaffen, scheiterten besonders an Plänen Großbritanniens und Frankreichs, sich im arabischen Raum Einflussgebiete zu schaffen; daneben traten Gegensätze zwischen den arabischen Staaten selbst auf (z. B. zwischen rohstoffarmen und rohstoffreichen, vor allem erdölfördernden Ländern). Alle Versuche, die 1918/19 entstandenen Grenzen zugunsten größerer Staatenbildungen zu überwinden, scheiterten. Seit dem Rückzug der europäischen Kolonialmächte aus ihren Einflussgebieten im arabischen Raum (1944/45) steht die Auseinandersetzung mit dem 1948 entstandenen Staat →Israel im Brennpunkt arabischer Politik (→Nahostkonflikt).

Arabeske, ein Ornament an Bauten der Antike, bei dem Ranken plastisch herausgearbeitet sind. Die Arabeske wurde in flächenhafter, stilisierter Form von der islamischen Kunst übernommen: fortlaufende, rhythmisch geschwungene, einander überschneidende Ranken, die große Flächen bedecken können (Wände, Kuppeln), aber auch zur Verzierung von Handschriften dienen. Durch Vorlagebücher für Ornamentstiche verbreitete sich die Arabeske in der Renaissance auch nördlich der Alpen.

Arabien, Halbinsel in Vorderasien. Sie ist rund 3,5 Millionen km² groß und sehr dünn besiedelt. Den größten Anteil an der Halbinsel hat Saudi-Arabien, daneben bestehen kleinere Staaten wie Jemen, Kuwait und Oman sowie Teile von Jordanien und Irak. Arabien gleicht einer nach Nordosten sanft abfallenden Tafel. Im Süden ist sie am stärksten herausgehoben (bis 3 760 m) und bricht steil zum Roten Meer hin ab. Den zentralen Teil der Arabischen Tafel nehmen die **Große Arabische Wüste** (das größte Sandmeer der Erde) und die Wüsten **Nefud** und **Dahna** ein. Das Klima ist trocken und heiß mit großen Temperaturschwankungen zwischen Tag und Nacht sowie zwischen Sommer und Winter. Wegen der geringen Niederschläge kann die Wüste oder Wüstensteppe fast nur von Hirtennomaden genutzt werden. Nur in den wenigen Oasen und

Aquarium: Aquarientiere. **1** Schwertträger; **2** Kampffisch; **3** Skalar; **4** Neon-Salmler; **5** Platy; **6a** und **6b** Zwergfadenfisch, **a** Männchen, **b** Weibchen; **7** Schleierschwanz; **8** Kugelfisch

Arabeske

Araber: Beduinenfrau aus Palmyra

Arab

feuchten Randgebirgen ist Feldbau möglich. Arabiens Hauptbedeutung liegt in seinem Reichtum an Erdöl. (KARTE Band 2, Seite 194)

arabische Ziffern, die heute gebräuchlichen →Ziffern.

Aralsee, flacher See ohne Abfluss östlich des Kaspischen Meeres. Seine ursprüngliche Fläche von 64 100 km² hat sich durch die verstärkte Entnahme von Wasser aus seinen Zuflüssen von 1960 bis 1983 um fast die Hälfte auf 33 600 km² verringert. (KARTE Band 2, Seite 207)

Arbeit, Physik: Bei einem Umzug werden Kisten und Möbel von Möbelträgern aus dem einen Haus heraus- und in ein anderes Haus hineingetragen. Durch ihre Muskelkraft überwinden die Möbelträger die Schwerkraft der Erde, die sich in dem Gewicht der Kisten und der Möbel bemerkbar macht. Je schwerer die Möbel sind, die sie tragen, desto mehr →Kraft müssen sie aufwenden, desto mehr müssen sie ›arbeiten‹. Tragen sie die Möbel bis zum 2. Stock, so arbeiten sie mehr, als wenn ihr Weg nur bis zum 1. Stockwerk führt.

Man sagt, **mechanische Arbeit** wird dann verrichtet, wenn ein Körper durch eine Kraft längs eines Weges verschoben wird:

$$\text{oder} \quad \begin{array}{c} \text{Arbeit} = \text{Kraft} \cdot \text{Weg} \\ W = F \cdot s \end{array}$$

Misst man die Kraft F in →Newton (N) und den Weg s in Metern (m), so ergibt sich die Einheit der Arbeit als N·m. Diese Einheit nennt man auch →Joule (J), 1 N·m = 1 J.

Bringt ein Möbelträger eine Kiste mit einer Gewichtskraft von 500 N in ein 3 m hoch gelegenes Stockwerk, dann verrichtet er also eine Arbeit von $W = 500\,\text{N} \cdot 3\,\text{m} = 1\,500\,\text{J}$.

Das Wort Arbeit ist in der Physik ein genau festgelegter Begriff, im täglichen Leben aber sehr vieldeutig. So darf man aus der Ermüdung der Muskeln nicht auf die Größe der verrichteten Arbeit schließen. Hält man z. B. eine schwere Last längere Zeit in der Hand, so ermüdet man durch die Anstrengung der Muskeln. Im Sinne der Physik hat diese Arbeit aber den Wert Null, da beim Halten eines Körpers in gleicher Höhe der zurückgelegte Weg Null ist.

In der Elektrizitätslehre spricht man von **elektrischer Arbeit.** Sie berechnet sich als das Produkt aus elektrischer Spannung U, elektrischer Stromstärke I und Zeit t:

$$W = U \cdot I \cdot t.$$

Ihre Einheit ist ebenfalls das Joule. Es gilt: 1 J = 1 V · A · s = 1 W · s, wobei V = Volt = Einheit der elektrischen Spannung, A = Ampere = Einheit der elektrischen Stromstärke, s = Sekunde = Einheit der Zeit und W = Watt = Einheit der →Leistung (Arbeit/Zeit) ist.

Arbeiter, Personen, die in staatlichen oder privaten Betrieben abhängig beschäftigt sind und meist körperliche Arbeiten verrichten (im Unterschied zu den →Angestellten).

Je nach ihrer Ausbildung und ihrem beruflichen Einsatz kann man unterscheiden zwischen **Hilfsarbeitern** ohne Berufsausbildung, **angelernten Arbeitern,** die eine betriebliche Anlernzeit von mehreren Monaten durchlaufen haben, und **Facharbeitern** mit abgeschlossener Lehre und weitergehender Ausbildung, z. B. zum Industriemeister. Arbeiter, die aus anderen Ländern kommen, nennt man ausländische Arbeitnehmer (›Gastarbeiter‹).

Arbeiterbewegung. Mit der Entwicklung der Industrie entstand im 19. Jahrh. eine neue Gesellschaftsschicht, die der Arbeiter. Man sprach auch vom **vierten Stand,** den →Proletariern. Die Durchsetzung der gesellschaftlichen und politischen Gleichberechtigung dieser gesellschaftlichen Gruppe mit den übrigen war das Anliegen der Arbeiterbewegung. In Deutschland wurde die Arbeiterbewegung zuerst vom Allgemeinen Deutschen Arbeiterverein (1863) und dann von der Sozialdemokratischen Partei (der SPD) und den Gewerkschaften getragen. Eine starke geistige Antriebskraft der Arbeiterbewegung waren vor allem die Lehren von **Karl Marx.** Daneben entwickelte sich eine von christlichen Anschauungen bestimmte Arbeiterbewegung.

Arbeitgeber, Eigentümer von Betrieben, die andere gegen Gehalts- oder Lohnzahlung als Arbeitnehmer beschäftigen.

Arbeitnehmer, Angestellte oder Arbeiter, die gegen Entgelt in dem Betrieb eines selbstständigen Arbeitgebers oder in staatlichen Betrieben beschäftigt sind.

Arbeitsamt, staatliche Behörde für Arbeits- und Ausbildungsplatzvermittlung, Betreuung der →Arbeitslosen, Berufsberatung, Förderung der beruflichen Bildung, Abwicklung der Arbeitslosenversicherung, Zahlung von Kindergeld.

Arbeitskampf. Kommen im Fall von Verhandlungen über Löhne und Arbeitsbedingungen (→Tarifvertrag) Arbeitgeber und Arbeitnehmer oder deren Vertreter (Arbeitgeberverbände, Gewerkschaften) nicht zu einer Einigung, so kann ein Arbeitskampf entstehen. Die Arbeitnehmer **streiken,** indem sie nicht zur Arbeit antreten (dabei versuchen Streikposten Arbeitswillige am Arbeiten zu hindern). Die Arbeitgeber können ihrerseits als (äußerstes) Gegenmittel zum Streik die Arbeitnehmer **aussperren,** indem sie keinen Zutritt zum Arbeitsplatz zulassen.

Arbeitslose, Personen, die den Willen und die Fähigkeit, nicht aber die Möglichkeit zur Ausübung ihres erlernten Berufes oder einer anderen bezahlten Tätigkeit im Rahmen eines Arbeitsvertrages haben. Man kann aus verschiedenen Gründen arbeitslos sein. Wenn sich z. B. die wirtschaftliche Lage eines Landes, eines Wirtschaftszweiges oder eines einzelnen Betriebes verschlechtert, können Arbeitnehmer entlassen werden.

Das Ausmaß der **Arbeitslosigkeit** wird durch die **Arbeitslosenquote** erfasst; sie gibt an, wie viel Prozent aller unselbstständigen Erwerbspersonen (alle beschäftigten und arbeitslosen Arbeiter, Angestellte und Beamte) arbeitslos und als Arbeitsuchende beim Arbeitsamt gemeldet sind. Um die wirtschaftlichen und sozialen Auswirkungen der Arbeitslosigkeit (z. B. Verringerung des Lebensstandards) abzumildern, haben Arbeitslose Anspruch auf Zahlung von Arbeitslosengeld und Arbeitslosenhilfe.

Arbeitslosengeld in Höhe von 60, in manchen Fällen von 67% des letzten Netto-Arbeitsentgelts (Lohn oder Gehalt abzüglich Steuern und Beiträgen zur Sozialversicherung) erhält, wer während der letzten 3 Jahre mindestens 12 Monate beschäftigt war. Arbeitslosengeld wird bis zu 1 Jahr gezahlt (nach Vollendung des 54. Lebensjahres unter bestimmten Bedingungen bis zu 3 Jahren). Hat ein Arbeitsloser danach noch keine Beschäftigung gefunden, erhält er **Arbeitslosenhilfe** (mindestens 56% des letzten Netto-Arbeitsentgelts), wenn er seinen Lebensunterhalt nicht auf andere Weise (z. B. durch Zahlungen der Eltern) bestreiten kann.

Die Arbeitslosigkeit, von der besonders Personen ohne abgeschlossene Berufsausbildung, ältere Arbeitnehmer, Berufsanfänger, aber auch Jugendliche betroffen sind, ist in fast allen Staaten in den vergangenen Jahren zu einem großen Problem geworden.

Arbeitsmarkt, Zusammentreffen von Angebot und Nachfrage nach menschlicher Arbeitsleistung. Anbieter am Arbeitsmarkt sind alle Personen, die einer bezahlten Tätigkeit nachgehen wollen; sie bieten damit ihre Arbeitsleistung den Unternehmen oder Behörden (Arbeitgeber) an. Die Arbeitgeber als Nachfrager am Arbeitsmarkt suchen Arbeitskräfte, um Güter herstellen und Dienstleistungen anbieten zu können. Der Arbeitsmarkt kann in Teilmärkte für bestimmte Berufs- und Wirtschaftszweige sowie Regionen (z. B. Ruhrgebiet) eingeteilt werden. Ist die Zahl der Arbeitskräfte größer als die Zahl der zur Verfügung stehenden Arbeitsplätze, entsteht Arbeitslosigkeit (→Arbeitslose). Den ausgeglichenen Zustand zwischen Angebot und Nachfrage auf dem Arbeitsmarkt nennt man **Vollbeschäftigung.**

Das **Arbeitsentgelt** (Lohn und Gehalt) als Preis für die Arbeitsleistung und die Arbeitsbedingungen wird von den Beteiligten ausgehandelt. Zur Durchsetzung ihrer Forderungen haben sich Arbeitnehmer in Gewerkschaften, Arbeitgeber in Arbeitgeberverbänden zusammengeschlossen (→Tarifvertrag).

Arber, höchste Berggruppe des Böhmerwaldes mit Großem Arber (1456 m) und Kleinem Arber (1384 m), in Bayern gelegen.

archaisch [von griechisch archaios ›alt‹], altertümlich, aus alter Zeit stammend. In der →griechischen Kunst bezeichnet man den Stil des 7. und 6. Jahrh. v. Chr. als **archaischen Stil.** Sein Kennzeichen bei den bildhauerischen Werken ist die strenge Haltung der Gestalten.

Archäologie, deutsch **Altertumskunde,** Wissenschaft vom Altertum, die aus erforschten Denkmälern, Bodenfunden und Schriftquellen versucht auf die Lebensbedingungen, Wirtschaftsformen und religiösen Vorstellungen in untergegangenen Kulturen zu schließen. Die älteste Methode ist die **Ausgrabung.** Ursprünglich stand dabei die Suche nach Schätzen und Kunstwerken im Vordergrund. Im 19. Jahrh. entwickelte sich die Archäologie zu einer Wissenschaft und die Erhaltung der freigelegten Altertümer wurde eine wichtige Aufgabe. Heute helfen die moderne Technik und die Naturwissenschaften den Archäologen. Zum Beispiel lassen Luftbilder Grundrisse von Gebäuden sichtbar werden und, wo schriftliche Hinweise fehlen, kann mithilfe physikalischer und chemischer Methoden das Alter von Funden bestimmt werden. Die **Unterwasserarchäologie** befasst sich mit der Vermessung von untergegangenen Schiffen und der Bergung von Funden. (BILD Seite 65)

Arche [von lateinisch arca ›Kasten‹], nach der alttestamentlichen Erzählung im 1. Buch Mose das Schiff, in dem sich **Noah** und seine Familie zusammen mit Tieren vor der →Sintflut retteten. Früher glaubte man, die Arche sei auf dem Berg **Ararat** in der heutigen Türkei gelandet. Der biblische Text bezieht sich jedoch nicht auf diesen

Arch

Berg, sondern auf das Land Ararat, dessen Lage nicht bekannt ist.

Archimedes gilt als der größte Mathematiker und Physiker der Antike. Er wurde um 285 v. Chr. in Syrakus geboren, wohin er nach dem Studium in Alexandria wieder zurückkehrte. Unter anderem berechnete er den Inhalt krummliniger Flächen und Körper und entdeckte den **Schwerpunkt**, das **Hebelgesetz**, den statischen →Auftrieb und die **Wichte**. Er baute ein Planetarium. Als Mechaniker erfand er während der Belagerung von Syrakus durch die Römer Kriegsmaschinen. Es heißt, bei der Eroberung der Stadt (212 v. Chr.) habe Archimedes grübelnd vor Figuren gesessen, die er in den Sand gezeichnet hatte; dem römischen Soldaten, der ihn tötete, habe er noch zugerufen: »Störe meine Kreise nicht!«

Archipel, Inselgruppe im Weltmeer, z. B. der Malaiische Archipel in Südostasien.

Architektur, deutsch **Baukunst.** Sie ist die am meisten zweckgebundene der bildenden Künste. Nomaden haben keine Architektur; diese setzt den Willen der Menschen voraus sesshaft zu werden und sich eine dauerhafte Bleibe zu schaffen. Bauten entstanden lange nur aus natürlichen Werkstoffen wie Holz, Lehm, der zu Ziegeln gepresst wurde, und behauenen Steinen. In der Neuzeit sind Glas, Stahl, Beton und Kunststoff hinzugekommen. Eng mit der Geschichte der Architektur verknüpft ist die Entwicklung von Technik und Mathematik. Je kühner die Konstruktionen der Baumeister (Architekten) wurden, desto sorgfältiger mussten sie berechnet und nach den Plänen ausgeführt werden.

Nach dem Zweck unterscheidet man **Sakralbauten** (Tempel, Kirchen) und **Profanbauten** (Wohnhäuser, Paläste, Wehranlagen, Grabbauten). Soweit wir wissen, entwickelten sich Kunst und Technik der Architektur zuerst an Sakralbauten. Der Kult um den gottähnlichen Herrscher führte in den frühen Hochkulturen dazu, dass Paläste und Grabbauten (so die Pyramiden in Ägypten) den Rang sakraler Architektur erreichten. Die griechische Architektur wird größtenteils durch den Tempelbau bestimmt, während die Römer auch herausragende Zweckbauten errichteten: Badeanlagen (Thermen), Brücken, Aquädukte, Platz- und Stadtanlagen. Im Mittelalter standen Kirchen (Dome) und Burgen gleichgewichtig nebeneinander. Höchstes Ziel der Renaissance-Baumeister war neben bedeutenden Einzelbauten der Städtebau. Gewaltige Schloss- und Kirchenbauten brachte die Barockzeit hervor. Das 19. Jahrh. hat zwei Gesichter: Einerseits kopierten die Architekten die Stile früherer Epochen (Neugotik, Neurenaissance, Neubarock), eine Haltung, die mit dem Begriff ›Historismus‹ gekennzeichnet wird, andererseits suchten sie nach neuen Lösungen. Die umwälzenden Fortschritte der Ingenieurtechnik gaben ihnen neue Hilfsmittel und Materialien an die Hand (Stahlbau); die gesellschaftlichen Veränderungen durch die industrielle Revolution stellten sie vor neue Aufgaben: Die vielen Menschen, die in die wachsenden Städte strömten, brauchten geeignete, preiswerten Wohnraum; Industrieanlagen und Bahnhöfe mussten gebaut werden. Weltweit entstanden nun Straßenzeilen mit ›Mietskasernen‹, Hochhäuser (›Wolkenkratzer‹) und Wohnsiedlungen (›Schlafstädte‹) von oftmals gleichförmigem Charakter, heute meist aus industriell vorgefertigten Bauteilen errichtet. Daneben entstanden (entstehen) öffentliche Bauten (Kultur-, Einkaufszentren, Bürohäuser), bei denen eher als bei den Wohnsiedlungen künstlerische Vorstellungen sichtbar werden.

Archiv [von griechisch archaion ›Behörde‹], Sammlung von Akten, Dokumenten, Urkunden und anderem Schrift-, Bild- und Tonmaterial; auch das Gebäude, der Raum, in dem die Sammlung verwahrt wird. Das Archivgut **(Archivalien)** ist aufbewahrungswürdig, weil es für die verschiedensten Bereiche, z. B. für Politik, Wirtschaft und Wissenschaft, für die Dokumentation von Rechten oder allgemein als Kulturgut von Bedeutung ist. Archive gibt es bei allen Völkern, seit Amtsangelegenheiten schriftlich festgehalten werden, so schon in Mesopotamien (3. Jahrtausend v. Chr.), bei Griechen und Römern.

ARD, Abk. für Arbeitsgemeinschaft der öffentlich-rechtlichen **R**undfunkanstalten der Bundesrepublik **D**eutschland, gegründet 1950 von allen Rundfunkanstalten der Länder für gemeinsame Aufgaben in Funk und Fernsehen. Von der ARD wird seit 1954 das 1. Fernsehprogramm produziert. (→ZDF)

Ardennen, die westliche Fortsetzung des Rheinischen Schiefergebirges in Luxemburg, Belgien und Nordfrankreich. Sie sind ein leicht hügeliges, waldreiches Hochland, das im Süden im Hohen Venn 694 m erreicht. Am Nordrand, entlang den Flüssen Sambre und Maas, liegen reiche Steinkohlelager.

Arena, →Amphitheater.

Areopag [griechisch ›Hügel des Ares‹], Hügel in Athen westlich der Akropolis. Hier tagte der älteste Rat Athens, der nach ihm benannt wur-

Unterwasser-**Archäologie:** Bergungsarbeiten an einem antiken Wrack

de. Nach dem Ende der Königsherrschaft im 8. Jahrh. v. Chr. war der Areopag das höchste Regierungs- und Gerichtsorgan, seit der Verfassung Solons (594 v. Chr.) oblag ihm die Überwachung der Beamten und die politische Gerichtsbarkeit. In römischer Zeit wurde er erneut höchstes Staatsorgan. Auch heute heißt der oberste Gerichtshof Griechenlands Areopag.

Ares, der griechische Gott des Krieges. Seine Begleiter sind Eris (Streit), Deimos (Schrecken) und Phobos (Furcht). Die Römer nannten ihren Kriegsgott →Mars.

Argentini|en, größter Staat Südamerikas nach Brasilien, eine Republik. Das Land erstreckt sich über fast 4000 km von Norden nach Süden und über mehr als 1500 km von den Anden im Westen bis zum Atlantischen Ozean im Osten. Kerngebiet ist das fruchtbare Tiefland der →Pampa am unteren Paraná und am Rio de la Plata.

Das Klima ist überwiegend gemäßigt; im Norden finden sich subtropische Wald- und Buschsavannen, im Süden ist das Klima rau. Entsprechend den unterschiedlichen Landschaf-

Argo

Argentinien
Fläche: 2 780 092 km²
Einwohner: 33,100 Mio.
Hauptstadt: Buenos Aires
Amtssprache: Spanisch
Nationalfeiertage: 25. 5., 10. 6. und 9. 7.
Währung: 1 Argentin. Peso (arg$) = 100 Centavos (c)
Zeitzone: MEZ – 5 Stunden

Argentinien 
Staatswappen 
Staatsflagge

ten ist die Bevölkerung ungleich verteilt. Die Pampa im Süden und Südwesten von Buenos Aires ist vergleichsweise dicht besiedelt, Patagonien im Süden ist dagegen fast menschenleer. Der größte Teil der Bevölkerung ist europäischer, vor allem italienischer und spanischer Abstammung.

Argentinien gehört zu den wichtigsten Erzeugern landwirtschaftlicher Produkte. Fast zwei Drittel der Ausfuhrgüter stammen aus der Landwirtschaft. In der Pampa werden Weizen, Mais und Ölfrüchte angebaut. Außerdem spielen Wein, Baumwolle und Tabak eine große Rolle. Nach den USA ist Argentinien größter Rindfleischproduzent der Erde. 60 Millionen Rinder und mehr als 30 Millionen Schafe weiden in der Pampa und im Süden.

Die Industrie ist besonders um die Hauptstadt Buenos Aires angesiedelt. Viele Fleisch- und Konservenfabriken verarbeiten die landwirtschaftlichen Produkte. Eine immer größere Rolle spielt die Stahlindustrie.

Geschichte. Argentinien wurde im 16. Jahrh. von Spaniern erobert. 1816 wurde es unabhängig. Im 19. Jahrh. erhielt Argentinien, mehrfach von Bürgerkriegen erschüttert, seine heutige Gestalt. Die demokratische Verfassung von 1853 wurde durch Diktatoren bis ins 20. Jahrh. hinein oft außer Kraft gesetzt (zuletzt 1976–83). Nach 1945 sollten Reformen das Los der ärmsten Schichten, der ›Descamisados‹ (deutsch ›Hemdlose‹), verbessern. 1982 unterlag Argentinien Großbritannien im Krieg um die Falklandinseln. (KARTE Band 2, Seite 197)

Argon, →chemisches Element, ÜBERSICHT.

Argonauten, Helden der griechischen Sage, die unter der Führung des thessalischen Königssohnes Iason auf dem Schiff ›Argo‹ nach Kolchis am Schwarzen Meer segelten. Dort raubten sie mithilfe der Königstochter Medea das →Goldene Vlies, das von einem Drachen bewacht wurde.

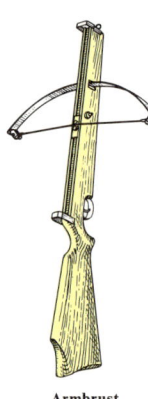

Armbrust

Argus, in der griechischen Sage ein vieläugiger Riese, den Hera, die Frau des Zeus, zum Wächter von Io, der Geliebten des Zeus, bestimmte. – Noch heute bezeichnet man allgemein scharf beobachtende Augen als **Argusaugen.**

Ariadne, in der griechischen Sage die Tochter des Königs Minos, der auf Kreta lebte. Sie gab →Theseus das Garnknäuel, mit dem er aus dem Labyrinth herausfand **(Ariadnefaden).**

Arie [von italienisch aria], Gesangsstück, das ein einzelner Sänger (Solist), der von Instrumenten begleitet wird, in einer →Oper, einer Kantate oder einem Oratorium vorträgt.

Arier [aus Sanskrit ›Herr‹, ›Edler‹], Völker des indoarischen Zweigs der indogermanischen Sprachfamilie (Meder, Perser, Inder). Die im 12. Jahrh. v. Chr. in Nordwestindien einwandernden Indogermanen nannten sich ›arya‹. Die Sprachwissenschaft nannte deshalb ihre Sprache **arisch.** Da besonders Verfechter des →Antisemitismus seit dem 19. Jahrh. annahmen, dass diese Indogermanen nordisch-germanische Völker gewesen seien, bezeichneten sie die Germanen und unter ihnen vor allem die Deutschen als ›Arier‹. Diese wurden dabei, vor allem in der Zeit des Nationalsozialismus, als ›Herrenrasse‹ der ›minderwertigen jüdischen, semitischen Rasse‹ (→Semiten) gegenübergestellt.

Aristokratie [griechisch ›Herrschaft der Besten‹], Staatsform, bei der ein Stand (→Stände) die Regierungsgewalt innehat, der sich durch vornehme Herkunft oder Besitz von der übrigen Bevölkerung abhebt.

Aristoteles, der Erzieher Alexanders des Großen, wurde 384 v. Chr. in Makedonien geboren und ging achtzehnjährig nach Athen, um ein Schüler Platons zu werden. Später wurde er selbst Lehrer an der von Platon gegründeten ›Akademie‹. Seine Schriften umfassen fast das gesamte Wissen des Altertums und haben bis in die Neuzeit gewirkt. Er starb 322 v. Chr. auf der Insel Euböa. Aristoteles gilt als Begründer der →Logik und →Metaphysik. Er arbeitete auch auf dem Gebiet der →Ethik. Er formulierte den sittlichen Grundsatz, dass es für den Menschen am besten sei, Extreme zu vermeiden und einen Mittelweg zu wählen.

Arithmetik, Teilgebiet der Mathematik, das sich mit den Zahlen und dem Rechnen mit Zahlen befasst.

Arktis [von griechisch arx ›Bär‹], die Land- und Meergebiete um den Nordpol (→Polargebiete). KARTE Band 2, Seite 208.

Armada [spanisch ›bewaffnete Streitmacht‹], die für unbesiegbar gehaltene spanische Flotte **Philipp II.,** die 1588 von der englischen Flotte unter **Francis Drake** besiegt wurde. Dieser Sieg leitete Englands Aufstieg zur Seemacht ein.

Armbrust, eine Schusswaffe, die in der Antike entwickelt und vor allem im Mittelalter als Kriegswaffe eingesetzt wurde. Heute findet sie noch als Sportgerät Verwendung.

Arme, die beiden vorderen Gliedmaßen (›Extremitäten‹) des Menschen und der Affen. Weil der Mensch aufrecht geht, kann er die Arme zusammen mit den Händen zum Greifen und Halten benutzen und ist dadurch fähig geworden Werkzeuge zu verwenden.
Der Arm ist über das Schultergelenk mit dem Schultergürtel und dem Rumpf verbunden. Durch das bewegliche Schulterblatt und das flach ausgeprägte →Gelenk hat der Arm den größtmöglichen Bewegungsraum. Am Skelett des Arms unterscheidet man den **Oberarmknochen** und die beiden **Unterarmknochen** (Elle und Speiche). Verbunden sind Ober- und Unterarm durch das **Ellenbogengelenk.** Zur Bewegung des Arms findet man am Oberarm den **Deltamuskel** (Hebung), den **Bizeps** (Beugung) und an der Rückseite den **Trizeps** (Streckung). Am Unterarm und der Hand entspringen eine große Zahl von Muskeln, die die Bewegungen der →Hand ermöglichen.

Armee, bei den Landstreitkräften großer Staaten Truppenverband in Stärke von 100 000 bis 250 000 Mann. Eine Armee verfügt je nach Größe über 3–4 Armeekorps mit zusammen 9 bis 16 Divisionen. Unter Armee wird oft auch die Landstreitmacht eines Landes verstanden.

Ärmelkanal, die Verbindung von Atlantischem Ozean und Nordsee zwischen der Küste Nordfrankreichs und Südenglands. Die Meeresstraße ist an der engsten Stelle zwischen Dover und Calais nur 32 km breit. Der seit 1987 im Bau befindliche Eisenbahntunnel unter dem Ärmelkanal wurde 1994 eröffnet.

Armeni|en, Staat in Vorderasien, eine Republik. Das Land ist ungefähr so groß wie Belgien. Armenien ist ein erdbebengefährdetes Gebirgsland (Kleiner Kaukasus). Das Klima ist kontinental geprägt.
Neben den Armeniern, die der christlichen Kirche angehören, leben dort zahlreiche Nationalitäten (Aserbaidschaner, Kurden, Russen). Die ungünstigen natürlichen Voraussetzungen schränken die landwirtschaftliche Nutzung Armeniens ein. Angebaut werden Wein, Obst, Baumwolle und Getreide. Große wirtschaftliche Bedeutung hat der Bergbau (Kupfer, Aluminiumrohstoffe).
Im 1. Jahrh. v. Chr. bestand ein großarmenisches Reich unter der Dynastie der Artaxiden. Noch unter römischer Herrschaft breitete sich im 4. Jahrh. n. Chr. der christliche Glaube aus. Im Mittelalter war Armenien zwischen Arabern und Byzantinern, später zwischen Persern und Türken umkämpft. Im 19. Jahrh. eroberte Russland Teile Armeniens; hier entstand 1936 eine selbstständige Unionsrepublik innerhalb der Sowjetunion, während andere Landesteile unter türkischer Herrschaft verblieben. Das sowjetische Armenien erklärte 1990 seine Unabhängigkeit als Republik und schloss sich 1991 der Gemeinschaft Unabhängiger Staaten an. Seither steigerten sich die Auseinandersetzungen mit dem islamisch geprägten Aserbaidschan zu einem blutigen Bürgerkrieg; dieser entzündete sich immer wieder um das in Aserbaidschan liegende, aber mehrheitlich von Armeniern bewohnte Gebiet Bergkarabach. (KARTE Bd. 2, Seite 199)

Armenien
Fläche: 29 800 km²
Einwohner: 3,489 Mio.
Hauptstadt: Jerewan
Amtssprache: Armenisch
Nationalfeiertage: 28. 5. und 23. 8.
Währung: 1 Dram (ARD) = 100 Luma (Lm)
Zeitzone: MEZ + 3 Stunden

Armenien
Staatswappen

Staatsflagge

Arme: Ansicht von vorn; a Schlüsselbein, b dreieckiger Oberarmheber (Deltamuskel), c langer, d kurzer Bizepskopf, e Endsehne des Bizeps, f oberflächliches Sehnenband des Bizeps, g Oberarmspeichenmuskel, h daumenseitiger Handstrecker, i Daumenballen, k kleine Fingermuskeln, l Sehnenplatte der Hohlhand, m Kleinfingerballen, n Handwurzelband, o oberflächlicher Fingerbeuger, p Spanner der Hohlhandsehnenplatte, q daumenseitiger Handbeuger, r Einwärtsdreher, s Band, t tiefer Armbeugemuskel, u Trizeps (dreiköpfiger Muskel), v Rabenschnabeloberarmmuskel, w breiter Rückenoberarmmuskel, x Schulterblattmuskel

Armfüßer, die →Brachiopoden.

Arminius, * wohl 16 v. Chr., † wohl 21 n. Chr., Fürst aus dem germanischen Stamm der Cherusker. Wie viele vornehme Germanen trat er in das römische Heer ein, wo er zum Führer germanischer Truppen aufstieg, und erhielt das römische Bürgerrecht. In die Heimat zurückgekehrt bereitete er den Aufstand der Cherusker und benach-

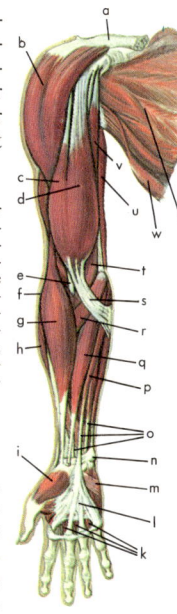

Arm

Arni

barter Stämme gegen die Römer vor. 9 n. Chr. wurden 3 römische Legionen unter dem Feldherrn Varus auf dem Marsch von der Weser zum Rhein in unwegsames Waldgelände gelockt und in 3 Tagen fast völlig vernichtet (**Schlacht im Teutoburger Wald**). Arminius wurde von Verwandten, denen er zu mächtig geworden war, ermordet. Im 17. Jahrh. kam die Bezeichnung **Hermann (der Cherusker)** für ihn auf. 1875 wurde ihm in der Nähe von Detmold ein Denkmal gesetzt.

Arnika, Heilpflanze, die auf Bergwiesen wächst. Aus ihren Blüten werden Tee und Tinkturen bereitet, die entzündungshemmend und wundheilend wirken. (BILD Heilpflanzen)

Aronstab, in feuchten Laubwäldern und dichten Gebüschen wachsende Pflanze; sie trägt im Spätsommer leuchtend rote Beeren, die dicht gedrängt am Blütenkolben sitzen. Die Beeren sind **sehr giftig.**

Arrest, eine Form der Haft. Der Arrest findet sich in verschiedenen Bereichen des Rechts. So kann jemand aufgrund richterlicher Anordnung in Arrest genommen werden, um die Vollstreckung von Geldforderungen, die ein anderer gegen den Betreffenden hat, zu sichern. Jugendliche können wegen leichter Vergehen zu Arreststrafen bis zu 4 Wochen verurteilt werden. Als mildeste Freiheitsstrafe kann gegen Soldaten Strafarrest von 2 Wochen bis 6 Monaten verhängt werden. Arreststrafen werden nicht in das →Strafregister eingetragen.

Arsen, Zeichen **As,** ein →chemisches Element, ÜBERSICHT, mit metallischen und nichtmetallischen Eigenschaften, das in Spuren in fast allen Lebewesen vorkommt. Arsen dient als härtesteigernder Legierungszusatz und zur Herstellung von Halbleitern sowie von therapeutisch verwendeten Arsenpräparaten. **Arsenik,** das Arsentrioxid, früher ein bekanntes Gift, ist wichtiges Ausgangsprodukt für Arsenverbindungen.

Art, lateinisch **Spezies,** die natürliche Grundeinheit im →biologischen System der Pflanzen und Tiere. – Die Mitglieder einer Art ähneln sich in allen wesentlichen Merkmalen und können sich miteinander paaren und Nachkommen zeugen. Vertreter verschiedener Arten paaren sich dagegen in der Regel nicht miteinander und wenn dies im Ausnahmefall bei nah verwandten Arten doch geschieht, sind ihre Nachkommen (**Artbastarde**) meist unfruchtbar (steril). Auf diese Weise bleiben die Arten getrennt. Einige Artkreuzungen wurden vom Menschen absichtlich herbeigeführt, z. B. Pferdehengst mit Eselstute ergibt Maulesel; Eselhengst mit Pferdestute ergibt Maultier; beide sind unfruchtbar. – Bei Pflanzen kann eine Fremdbestäubung auch zu voll fortpflanzungsfähigen Artbastarden (**Hybriden**) führen.

Jede Tier- oder Pflanzenart bekommt einen Namen, der aus 2 lateinischen Wörtern besteht, z. B. ›Homo sapiens‹ für die Art Mensch. Hinter einem lateinischen Artnamen steht oft in Klammern ein Name und eine Jahreszahl oder nur ein Großbuchstabe. Es handelt sich dabei um den Namen desjenigen Forschers, der die Art zuerst beschrieben und ihr den Namen gegeben hat (z. B. ›Viola canina L.‹ für das Hundsveilchen, zuerst beschrieben von Carl von Linné).

Hat ein Tier oder eine Pflanze 3 Namen, z. B. Capra aegagrus hircus, die Hausziege, so handelt es sich um eine Unterart oder →Rasse.

Artemis, die Tochter des Göttervaters Zeus und der Leto, Zwillingsschwester des Lichtgottes Apoll, war die griechische Göttin der Jagd und Herrin der wilden Tiere. Sie konnte auch heilen und wurde als Geburtsgöttin verehrt. Bei den Römern entsprach ihr die Göttin **Diana.**

Artenschutz, Maßnahmen zum Schutz, zur Pflege und zur Wiederansiedlung seltener oder vom Aussterben bedrohter Tier- und Pflanzenarten. Grundlage ist das Washingtoner Artenschutzübereinkommen von 1973 und in Deutschland die Bundesartenschutzverordnung. Dadurch wird der Handel mit Exemplaren gefährdeter Arten frei lebender Tiere und Pflanzen (erfasst z. B. in der ›Roten Liste‹) verboten bzw. kontrolliert.

Arterien, Schlagadern, alle Gefäße (→Adern), die das Blut vom Herzen wegführen und im Körper verteilen.

artesischer Brunnen, →Brunnen.

Artikel [aus lateinisch articulus ›Gelenk‹, ›Glied‹], **Geschlechtswort,** zeigt das grammatische Geschlecht der Substantive an. Der **bestimmte Artikel** steht, wenn die Sache oder Person genau bestimmt ist, der **unbestimmte Artikel** bezeichnet irgendeine Sache oder irgendeine Person. Unbestimmte Substantive haben keine Pluralform für den Artikel. Im Plural steht bei bestimmten Artikeln für alle 3 Geschlechter **die**.

	Artikel				
Geschlecht	bestimmter Artikel		unbestimmter Artikel		
	Singular	Plural	Singular		Plural
maskulin (männlich)	der Zirkus	die Zirkusse	ein Zirkus		–
feminin (weiblich)	die Manege	die Manegen	eine Manege		–
neutral (sächlich)	das Orchester	die Orchester	ein Orchester		–

Aser

Artillerie, mit Artilleriegeschützen (→Geschütze) ausgestattete Truppengattung, die nach der Erfindung des Schießpulvers mit der Entwicklung von Feuerwaffen im 14. Jahrh. entstand.

Die Artillerie veränderte zunächst das Befestigungswesen und später das gesamte Kriegswesen. Die mittelalterlichen Burgen verloren ihre Bedeutung, weil sie dem Beschuss durch Artilleriegeschütze nicht lange standhalten konnten. Als man etwa ab dem 15. Jahrh. leicht bewegliche Geschütze auf Fahrgestellen (Lafetten) entwickelte, konnte die Artillerie in Feldschlachten eingesetzt werden. Im 18. Jahrh. setzte sie sich endgültig als dritte Truppengattung neben Infanterie und Kavallerie durch; bis heute ist sie einer der wichtigsten Bestandteile eines Heeres.

Artus, auch **Arthur,** sagenhafter Herrscher über den Stamm der Kelten in Britannien, der um 500 erfolgreich gegen die in England eindringenden Sachsen gekämpft haben soll. Schwer verwundet suchte er Heilung auf der Feeninsel Avalon. Im Sagenkreis um Artus scharten sich um ihn ritterliche Helden (z. B. Erec, Iwein, Lanzelot, →Parzival, →Tristan), die die Tafelrunde des König Artus bildeten.

Aruak, Arawak, eine der größten und am weitesten verbreiteten Völker- und Sprachfamilien der Indianer Südamerikas.

Arzneimittel, Medikamente, Mittel, die Schmerzen lindern, Krankheiten heilen, bestimmten Krankheitserscheinungen vorbeugen sollen oder Stoffe enthalten, die dem Körper fehlen und deshalb ersetzt werden müssen (z. B. Insulin bei der Zuckerkrankheit). Sie werden aus Pflanzen oder von Tieren gewonnen oder chemisch hergestellt. Die **Pharmazie** befasst sich mit der Zusammensetzung der Arzneimittel und stellt sie her (pharmazeutische Industrie). In der **Pharmakologie** wird die Wirkungsweise der Medikamente erforscht, wie sie sich im Körper verteilen, wie sie verändert werden und worauf sie Einfluss haben.

Arzneipflanzen, die →Heilpflanzen.

ASA, Maß für die →Lichtempfindlichkeit von fotografischem Material.

Asbest [zu griechisch asbestos ›unzerstörbar‹], Bezeichnung für eine Gruppe faseriger Mineralien, die sich leicht auftrennen und miteinander verweben oder verflechten lassen. Sie werden zu feuer- und säurefestem Material, zur Schalldämmung und Elektroinstallation verarbeitet. Asbestreste dienen der Herstellung von Asbestzementplatten. Asbeststaub ist sehr gesundheitsschädlich.

Aschoka lebte im 3. Jahrh. v. Chr. und war seit 273 oder 268 v. Chr. Kaiser in Nordindien. Sein Großvater Tschandragupta hatte den ersten Großstaat in Indien gegründet, der von Aschoka durch Eroberungen bis ins heutige Afghanistan ausgedehnt wurde. Aschoka wurde Anhänger des Buddhismus, den er in seinem eigenen Land und durch Missionare über die Grenzen hinaus förderte. Er ließ in vielen Inschriften auf Felsen und aufgestellten Säulen die buddhistische Lehre verkünden. Sie sind für die Erforschung der indischen Sprache wichtige Quellen.

Äschylus, griechischer Dichter, →Aischylos.

Asen, altgermanisches Göttergeschlecht, das nach dem Glauben der Germanen seinen Wohnsitz im himmlischen Land **Asgard** hatte. Der oberste Gott der germanischen Göttersage war der einäugige Wanderer, den die Südgermanen →Wotan, die Nordgermanen Odin nannten. Er war zugleich Kriegsgott und Gott der Dichtkunst. Seine Frau, →Frija oder Frigg, war die Beschützerin von Ehe und Familie, ihr Sohn der Lichtgott Baldur. Zu den Asen gehörten außerdem der Himmels- und Donnergott →Donar oder Thor und der Kriegsgott →Tyr oder Tiu. Die germanische Göttersage erzählt auch vom Untergang der Götter im Kampf mit den Mächten der Finsternis (→Götterdämmerung). – Die Göttersagen wurden von den →Skalden verbreitet. Von ihren Liedern hat sich manches in 2 Werken der isländischen Literatur, der →Edda, erhalten.

3 Wochentage erinnern an altgermanische Götter: Der Dienstag hat seinen Namen von Tiu, der Donnerstag von Donar und der Freitag von Frija.

Asepsis, Keimfreiheit, die durch Desinfektion und Sterilisation angestrebt wird.

König Artus: Kopf aus Sandstein; Ende 14. Jahrh. (Nürnberg, Germanisches Nationalmuseum)

Aserbaidschan
Fläche: 86 600 km²
Einwohner: 7,283 Mio.
Hauptstadt: Baku
Amtssprache: Aserbaidschanisch
Nationalfeiertag: 28. 5.
Währung: 1 Aserbaidschan-Manat (A.M.) = 100 Gepik (G)
Zeitzone: MEZ + 3 Stunden

Aserbaidschan, Staat in Transkaukasien (Südwestasien) am Kaspischen Meer, eine Re-

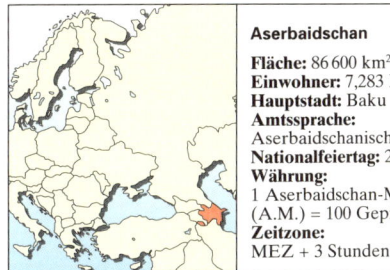

Aserbaidschan

Staatswappen

Staatsflagge

Asie

publik. Aserbaidschan ist ungefähr so groß wie Österreich. Es hat Anteil am Kaukasus; je nach Höhenlage ist das Klima gemäßigt-kalt oder subtropisch-feucht.

Die Bevölkerung setzt sich zum größten Teil aus den den Türken nahe stehenden Aserbaidschanern, die sich zum Islam bekennen, sowie aus Russen und Armeniern zusammen.

Die Landwirtschaft erzeugt in den Niederungen Baumwolle, Wein, Gemüse, Reis und Tabak; 7/10 der Nutzfläche müssen jedoch bewässert werden. Die einst wirtschaftsbestimmenden Erdöl- und Erdgaslagerstätten bei Baku sind weitgehend erschöpft.

In das von den Römern ›Albania‹ genannte Gebiet drangen seit dem 7. Jahrh. n. Chr. arabische und türkische Stämme ein. Seit 1603 gehörte Aserbaidschan zu Persien. Zu Beginn des 19. Jahrh. fiel der nördliche Teil des Landes an Russland; hier wurde nach 1936 eine eigenständige Unionsrepublik innerhalb der Sowjetunion errichtet. Nach der Unabhängigkeitserklärung von 1991 suchte Aserbaidschan die Zusammenarbeit mit den islamischen Nachbarstaaten. Ein offener Krieg gegen Armenien entbrannte 1991 um Bergkarabach, ein Gebiet mit einer armenisch-christlichen Bevölkerungsmehrheit auf dem Territorium Aserbaidschans. Aserbaidschan ist Mitglied der Gemeinschaft Unabhängiger Staaten. (KARTE Band 2, Seite 199)

Asien. Als größter Erdteil umfasst Asien mit 44,4 Millionen km^2 etwa 3/10 der Landfläche der Erde. Im Norden grenzt es an das Nördliche Eismeer, im Osten an den Pazifischen und im Süden an den Indischen Ozean. Im Westen fehlt eine natürliche Grenze gegen Europa; deshalb werden die beiden Erdteile häufig auch zusammenfassend als **Eurasien** bezeichnet. Die herkömmliche Abgrenzung bilden der Ural, das Kaspische und das Schwarze Meer sowie der Kaukasus. Mit Afrika steht Asien über die Landenge von Suez in Verbindung, nach Australien leitet die Inselbrücke des Malaiischen Archipels hinüber, nach Amerika die Beringstraße und die Inselkette der Aleuten. Inselgruppen sind dem Festland vorgelagert: Japan, die Philippinen und die Malaiischen Inseln.

Gliederung. Das asiatische Festland gliedert sich in mehrere Großlandschaften. Im Innern liegt das **Hochland von Tibet**, das eine mittlere Höhe von mehr als 4 000 m aufweist. Seine Randgebirge tragen die höchsten Gipfel der Erde: das ›Dach der Welt‹, wie der Pamir genannt wird, den Karakorum und den Himalaya (Mount Everest, 8 872 m). Sie bilden die westliche, der Kunlun die nördliche Begrenzung dieses Hochlandes. Große Becken und Hochebenen schließen sich nach Norden und Nordosten an, ebenfalls umrahmt von Gebirgszügen. Den Nordteil Asiens nehmen im Westen Tiefländer, in der Mitte das **Sibirische Bergland** und im Osten die Gebirgsbö-

Asien: Staatliche Gliederung (1992)

Land	Staatsform	km²	Einwohner in 1 000	Hauptstadt
Afghanistan	Republik	652 090	19 062	Kabul
Armenien	Republik	29 800	3 489	Jerewan
Aserbaidschan	Republik	86 600	7 283	Baku
Bahrain	Emirat	678	533	Al Manama
Bangladesh	Republik	143 998	119 288	Dhaka
Bhutan	Königreich	47 000	1 612	Thimbu
Birma (Myanmar)	Republik	676 578	43 668	Rangun (Yangon)
Brunei	Sultanat	5 765	270	Bandar Seri Begawan
China	Republik	9 560 980	1 160 017	Peking
Georgien	Republik	69 700	5 471	Tiflis
Indien	Republik	3 287 590	879 548	Delhi
Indonesien	Republik	1 904 569	191 170	Jakarta
Irak	Republik	434 924	19 290	Bagdad
Iran	Republik	1 648 000	61 565	Teheran
Israel	Republik	20 770	5 131	Jerusalem
Japan	Kaiserreich	377 801	124 491	Tokio
Jemen	Republik	527 968	12 535	Sana
Jordanien	Königreich	97 740	4 291	Amman
Kambodscha	Republik	181 035	8 774	Phnom-Penh
Kasachstan (einschl. europ. Teil)	Republik	2 717 300	17 048	Alma-Ata
Katar	Emirat	11 000	453	Ad Dauha
Kirgisien	Republik	198 500	4 518	Bischkek
Korea (Nord)	Republik	120 538	22 618	Pjongjang
Korea (Süd)	Republik	99 016	44 163	Seoul
Kuwait	Emirat	17 818	1 970	Kuweit
Laos	Republik	236 800	4 469	Vientiane
Libanon	Republik	10 452	2 838	Beirut
Malaysia	Wahlmonarchie	329 749	18 792	Kuala Lumpur
Malediven	Republik	298	227	Malé
Mongolei	Republik	1 565 000	2 310	Ulan-Bator
Nepal	Königreich	147 181	20 577	Katmandu
Oman	Sultanat	212 457	1 637	Maskat
Pakistan	Republik	796 095	124 773	Islamabad
Philippinen	Republik	300 000	65 186	Manila
Russland (einschl. europ. Teil)	Republik	13 660 320	149 003	Moskau
Saudi-Arabien	Königreich	2 200 000	15 922	Ar Riad
Singapur	Republik	626	2 769	Singapur
Sri Lanka	Republik	65 610	17 666	Colombo
Syrien	Republik	185 180	13 276	Damaskus
Tadschikistan	Republik	143 100	5 587	Duschanbe
Taiwan	Republik	36 000	20 455	Taipeh
Thailand	Königreich	513 115	56 129	Bangkok
Türkei (einschl. europ. Teil)	Republik	804 199	58 357	Ankara
Turkmenistan	Republik	488 100	3 861	Aschchabad
Usbekistan	Republik	447 400	21 453	Taschkent
Vereinigte Arabische Emirate	Föderation	83 600	1 670	Abu Dhabi
Vietnam	Republik	331 689	69 485	Hanoi
Zypern	Republik	9 251	716	Nikosia

Abhängige Gebiete	Staatsform	km²	Einwohner in 1 000	Hauptstadt
Großbritannien: Hongkong	Kolonie	1 045	5 800	Victoria
Portugal: Macao	Überseeprovinz	17	492	Macao

Asien

gen Ostsibiriens ein. In Westasien zieht ein Gürtel von Faltengebirgen vom Himalaya über Iran bis in die Türkei. Nördlich dieses Gebirgszuges dehnt sich die riesige Senke des Kaspischen Meeres und Aralsees aus, südlich schließt sich die **Arabische Halbinsel** an. Im südlichen Asien ist Vorderindien durch das große **Indus-Ganges-Tiefland** und das **Hochland von Dekhan** bestimmt, Hinterindien durch in Nord-Süd-Richtung verlaufende Kettengebirge und ausgedehnte Tieflandbecken. Die asiatischen Inseln sind teilweise durch Vulkanismus geprägt. Die Gewässer der großen Becken im Innern fließen zum Kaspischen Meer (Wolga und Ural) und zum Aralsee (Syrdarja und Amudarja), andere verdunsten oder enden in Salzsümpfen.

Klima. Das Klima Innerasiens ist gekennzeichnet durch große tägliche und jahreszeitliche Temperaturschwankungen. Infolge seiner riesigen Ausdehnungen – 8 500 km in Nord-Süd-, 11 000 km in West-Ost-Richtung – hat Asien Anteil an allen Klimazonen. Ostsibirien weist im Winter äußerst niedrige Temperaturen auf: Hier liegt der **Kältepol** der Nordhalbkugel mit −70 °C; die Sommer sind mäßig warm. Arabien und Mittelasien haben heiße Sommer mit großer Trockenheit. Das Klima Vorderasiens ist gemäßigt (**Mittelmeerklima** im Nordwesten). Die Niederschläge fallen meist im Winter. Die südlichen, südöstlichen und östlichen Teile Asiens stehen unter dem Einfluss der **Monsune** (Wechsel von Regen- und Trockenzeit). Hier fallen teilweise sehr hohe Niederschläge: im Nordosten Indiens bis über 10 000 mm pro Jahr (würde das Wasser nicht abfließen, wäre das Land 10 m hoch mit Wasser bedeckt). Die Südspitze von Hinterindien (Halbinsel Malakka) und Sri Lanka (Ceylon) sowie die Malaiischen Inseln haben größtenteils heißes, immerfeuchtes **Tropenklima.**

Pflanzen. Die klimatische Vielfalt spiegelt sich im Wuchs der Pflanzen wider. Im Norden, entlang der Eismeerküste, erstreckt sich eine bis 1 000 km breite, baumlose Steppe **(Tundra)** mit Moosen, Flechten und Zwergsträuchern. Nach Süden schließt sich der Gürtel des sibirischen Nadelwaldes **(Taiga)** an, durchsetzt von großen Sümpfen im Westsibirischen Tiefland. Mit Ausnahme der Gebirge und Küsten sind Vorder- und Mittelasien bis in die Mandschurei im Nordosten Chinas von **Steppen**, Salzsteppen und **Wüsten** durchzogen. In Süd- und Ostasien wechseln Steppen und Buschland mit zur Regenzeit grünen Laub- und Mischwäldern. In den heißen, feuchten Tropengebieten herrschen im äußersten Süden immergrüne **Regenwälder** vor.

Asien: Städte (Einwohner in 1 000)

Stadt	Land	Stadtgebiet	mit Vororten
Ahmedabad	Indien	2873	3298
Aleppo	Syrien	1445	
Amman	Jordanien	1213	
Ankara	Türkei		2600
Bagdad	Irak	3841	
Baku	Aserbaidschan	1081	
Bandung	Indonesien		1500
Bangalore	Indien	2651	4087
Bangkok	Thailand		5900
Beirut	Libanon		1500
Bombay	Indien		9910
Chengtu	China, VR[1]	1713	2740
Chittagong	Bangladesch	1364	
Chungking	China, VR[1]	2267	2750
Damaskus	Syrien	1378	
Delhi	Indien	7175	8375
Dhaka	Bangladesch		4470
Fukuoka	Japan	1249	
Haiphong	Vietnam	1448	
Hanoi	Vietnam	1090	2880
Harbin	China, VR[1]	2443	2930
Hiroshima	Japan	1090	
Ho-Chi-minh-Stadt[2]	Vietnam		3924
Hongkong	Britischer Besitz		5520
Hyderabad	Indien	2992	4280
Istanbul	Türkei		6620
Jakarta	Indonesien		7800
Kabul	Afghanistan	1424	
Kalkutta	Indien	4388	10916
Kanpur	Indien	1958	2111
Kanton	China, VR[1]	2914	
Kaohsiung	China (Taiwan)		1387
Karachi	Pakistan	5181	
Kawasaki	Japan	1187	
Kioto	Japan	1459	
Kitakyushu	Japan	1022	
Kobe	Japan	1489	
Lahore	Pakistan		2953
Lanchow	China, VR[1]	1195	
Madras	Indien	3795	5361
Manila	Philippinen	1587	7832
Medan	Indonesien	1730	
Nagoya	Japan	2159	
Nanking	China, VR[1]	2090	
Nowosibirsk	Russland	1446	
Omsk	Russland	1167	
Osaka	Japan	2613	
Peking	China, VR[1]	5770	10860
Poona	Indien	1560	2485
Pusan	Korea, Republik		3861
Pyöngyang	Korea, Demokratische VR[1]	2355	
Rangun	Birma		2513
Riad	Saudi-Arabien	1308	
Sapporo	Japan	7497	13370
Schanghai	China, VR[1]		10915
Seoul	Korea, Republik		4440
Shenyang	China, VR[1]		2792
Singapur	Singapur	2473	
Surabaya	Indonesien	2286	
Taegu	Korea, Republik	1720	4200
Taipei	China (Taiwan)	1534	2010
Taiyüan	China, VR[1]	2112	
Taschkent	Usbekistan	6043	5620
Teheran	Iran	4575	6040
Tientsin	China, VR[1]	1148	3640
Tokio	Japan	3284	8150
Tscheljabinsk	Russland	3251	
Wuhan	China, VR[1]		
Yokohama	Japan		

Die Zahlen in der Mitte lassen sich keiner Spalte eindeutig zuordnen.
[1] Volksrepublik; [2] früher Saigon; [3] Doppelstadt Lüshun (Port Arthur), Talien (Dairen)

Asie

Asien: Flüsse

Fluss	Länge in km	Einzugsgebiet in 1 000 km²	Einmündungsgewässer
Jangtsekiang	6 000	1 808	Ostchinesisches Meer
Hwangho	4 845	800	Gelbes Meer
Mekong	4 500	810	Südchinesisches Meer
Amur[1]	4 444	1 843	Ochotskisches Meer
Lena	4 400	2 490	Nördliches Eismeer (Laptewsee)
Ob (mit Katun)	4 338	2 975	Nördliches Eismeer (Karasee)
Irtysch	4 248	1 643	Ob
Jenissei (mit Angara)	4 092[2]	2 580	Nördliches Eismeer (Karasee)
Indus	3 200	960	Arabisches Meer
Syrdarja[3]	3 019	462	Aralsee
Brahmaputra	3 000[4]	670	Golf von Bengalen
Euphrat	2 700	673	Persischer Golf
Ganges	2 700[5]	1 125	Golf von Bengalen
Amudarja[6]	2 500	227	Aralsee
Salween	2 500	325	Indischer Ozean
Ural	2 428	220	Kaspisches Meer
Irawady	2 000	430	Indischer Ozean
Tigris	1 950	375	Persischer Golf
Angara	1 779	468	Jenissei

[1]) Mit Argun. [2]) Dazu Länge des Mündungstrichters 435 km. [3]) Mit Naryn. [4]) Benutzt das Mündungsdelta zum Teil mit dem Ganges gemeinsam. [5]) Benutzt das Mündungsdelta zum Teil mit dem Brahmaputra gemeinsam. [6]) Mit Pjandsch und Wachsch.

Bevölkerung. Asien ist nicht nur der größte, sondern auch der volkreichste Kontinent der Erde; hier leben etwa 3,3 Milliarden Menschen, fast die Hälfte der Erdbevölkerung. Zu den bevölkerungsreichsten Staaten zählen China, Indien und Indonesien. Die Verteilung der Bevölkerung ist sehr unterschiedlich. Große Gebiete – der kalte Norden, die Wüsten und Steppen West- und Mittelasiens und die Hochgebirge – sind infolge ihrer Unwirtlichkeit nahezu menschenleer. In Süd- und Ostasien dagegen und auf den Inseln ist die Bevölkerungsdichte sehr hoch, stellenweise über 1 000 Einwohner je km² (die Bundesrepublik Deutschland hat rund 240 Einwohner je km²). Der weite asiatische Kontinent ist von sehr vielen Stämmen und Völkern besiedelt, die hauptsächlich 2 Rassenkreisen angehören: dem europäischen im Westen und dem mongolischen im Osten. Auch Indianer und Eskimo haben in Asien ihren Ursprung.

Wirtschaft. Die wirtschaftliche Entwicklung Asiens konnte mit dem Bevölkerungswachstum nicht Schritt halten. Überdies erlitten Länder durch Naturkatastrophen (Überschwemmungen, Dürre) und Kriege (z. B. in Vietnam und Korea) schwere Einbußen ihrer ohnehin schwachen Wirtschaftskraft. Die **Landwirtschaft** reicht trotz verbesserter Anbaumethoden für die Nahrungsmittelversorgung der rasch steigenden Bevölkerung nicht aus. Hunger und Unterernährung stellen daher für viele Länder Asiens immer noch ungelöste Probleme dar. Daran hat auch die zunehmende Industrialisierung bislang wenig geändert. Große wirtschaftliche Bedeutung haben die **Bodenschätze.** Die reichsten Erdölvorkommen der Welt liegen in Vorderasien (Saudi-Arabien, Kuwait, Iran). Weitere Bodenschätze sind Zinn (Malaysia), Eisenerz (Indien, China) und Steinkohle (China, Russland). In der **industriellen Entwicklung** führend sind Russland, China, Indien und vor allem Japan, das sich zu einer der mächtigsten Industrienationen der Erde entwickelt hat.

Seit alters her unterhielten die europäischen Völker Handelsbeziehungen mit Indien und China. Vor allem Seide und Gewürze waren in Europa begehrte Waren, die auf dem Landweg herangeschafft wurden. Der **Handel** weitete sich aus, als die großen Seefahrernationen – zuerst Spanier und Portugiesen, dann Briten und Niederländer – in Asien Handelsniederlassungen gründeten. Um den Handel, der sich jetzt vor allem auf Lebensmittel (Tee, Kaffee, Speiseöl) und Bodenschätze (Zinn, Erdöl) erstreckte, zu sichern, machten die Europäer im 19. Jahrh. weite Teile Asiens zu **Kolonien.**

Geschichte. Schon sehr früh haben sich in Asien mehrere Hochkulturen entwickelt. Um 3500 v. Chr. entstanden die Kulturen der **Babylonier** und der **Assyrer** in Mesopotamien (an Euphrat und Tigris). Knapp 1 000 Jahre später, um 2600 v. Chr., entwickelte sich die **indische Kultur** am Indus und um 1500 v. Chr. entstand die **chinesische Hochkultur.** Aus diesen Kulturen gingen große Religionen hervor: in China der **Konfuzianismus** (→Konfuzius), in Indien **Buddhismus** und **Hinduismus,** in Vorderasien das **Judentum.**

Asien: Berge

Mount Everest	Himalaya	8 846 m
K₂ Chogori	Karakorum	8 607 m
Kangchendzönga	Himalaya	8 586 m
Lhotse	Himalaya	8 516 m
Makalu	Himalaya	8 463 m
Dhaulagiri	Himalaya	8 167 m
Manaslu	Himalaya	8 163 m
Cho Oyu	Himalaya	8 153 m
Nanga Parbat	Himalaya	8 126 m
Annapurna I	Himalaya	8 091 m
Gasherbrum I (Hidden-Peak)	Karakorum	8 068 m
Broad Peak	Karakorum	8 047 m
Gasherbrum II	Karakorum	8 035 m
Shisha Pangma (Gosainthan)	Himalaya	8 012 m
Ulugh Mustagh	Kun-lun	7 724 m
Tirich Mir	Hindukusch	7 690 m
Minya Konka	Bergland von Szechwan	7 556 m
Pik Kommunismus	Pamir	7 495 m
Pik Pobeda	Tien-shan	7 439 m
Elbrus	Kaukasus	5 642 m
Demawend	Elbursgebirge	5 604 m
Ararat	Araratkochland	5 137 m
Kinabalu	Borneo	4 101 m
Erciyas Dağ	Taurus	3 916 m
Fujisan	Japan	3 776 m

Christentum und **Islam** entstammen ebenfalls dem vorderasiatischen Raum. Die Geschichte Asiens wurde im Altertum bestimmt durch den Gegensatz zwischen den alten Hochkulturen und den Nomaden der innerasiatischen Steppen und Arabiens. Mehrfach stießen die aus Innerasien kommenden **Nomadenvölker** (Hunnen, Mongolen) bis nach Westeuropa vor. Vorderasien war seit Alexander dem Großen Mittelpunkt des →Hellenismus. Auch das Römische und das Byzantinische Reich umfassten Teile Vorderasiens.

Im Mittelalter vereinigte das Reich der **Mongolen** erstmals Vorder-, Mittel- und Ostasien. Die **Osmanen** (→Türkei) breiteten sich im 14./15. Jahrh. bis nach Südeuropa aus. Den Machtrückgang des Osmanischen Reichs seit dem 18. Jahrh. nutzte Russland, um seine eigene Macht in Asien zu stärken, vor allem auf Kosten Chinas. Die Chinesen, über Jahrtausende hinweg die Beherrscher Ostasiens, verloren im 19. Jahrh. große Teile ihres Gebiets an Russland. Auch Japan, das sich jahrhundertelang allen fremden Einflüssen verschlossen hatte, brachte in der ersten Hälfte des 20. Jahrh. Teile Chinas unter seine Herrschaft. In Südostasien führte die Ausdehnung des japanischen Machtbereichs zu Spannungen mit den europäischen Kolonialmächten und den USA, die schließlich im Zweiten Weltkrieg zu Kämpfen auch in diesem Teil der Welt führten. Das Streben nach Unabhängigkeit erhielt in den beiden Weltkriegen in Süd- und Südostasien großen Auftrieb. Mit dem oft erzwungenen Rückzug der europäischen Mächte aus ihren ehemaligen Herrschaftsgebieten entstanden dort neue Staaten. Nach 1945 stieg China unter kommunistischer Herrschaft zu einer bedeutenden Macht in Asien auf. Die Geschichte dieses Kontinents im 20. Jahrh. ist auch nach dem Zweiten Weltkrieg überschattet von einer Reihe von Kriegen, so in Korea, Vietnam und im Nahen Osten, seit dem Zerfall der Sowjetunion 1991 auch in einigen Republiken wie Armenien und Aserbaidschan. (KARTE Band 2, Seite 195)

Äskulap, im griechischen und römischen Götterglauben der Gott der Heilkunde, Sohn des Apoll. Dargestellt wurde er meist mit einem von einer Schlange umwundenen Stab, dem **Äskulapstab,** der heute das Zeichen des Ärztestandes ist. Angeblich erfuhr Äskulap von einer Schlange ein Mittel, um Tote zum Leben zu erwecken.

Äskulapnatter, eine ungiftige Schlange (→Nattern).

Äsop. Unter dem Namen Äsops ist eine große Anzahl von Fabeln **(Äsopische Fabeln)** überliefert. Nach einer frühgriechischen volkstümlichen Erzählung soll Äsop um 600 v. Chr. in Griechenland gelebt und diese Fabeln erzählt haben. In ihnen treten hauptsächlich Tiere auf; durch diesen Kunstgriff können anhand von Beispielen Wahrheiten ausgesprochen und Kritik geübt werden, ohne dass es verletzend wirkt.

Asseln, kleine →Krebse mit plattem, ovalem Körper, die vor allem im Wasser leben **(Wasserasseln),** aber auch an Land, besonders häufig in feuchten Kellern, Gewächshäusern, Ställen und Gärten. Die gut 1 cm langen, dunkelgrauen **Kellerasseln** haben eine wasserdurchlässige Körperdecke und trocknen daher schnell aus. Deshalb verlassen sie ihre Verstecke nur in kühlen, feuchten Nächten. Sie fressen faulende Pflanzenteile und Aas.

Assimilation [zu lateinisch assimilare ›angleichen‹], Biologie: allgemein die Umwandlung von körperfremden in körpereigene Stoffe, besonders die **Kohlenstoffassimilation** (→Photosynthese).

Assoziativgesetz. Mathematik: Für beliebige Zahlen a, b und c gilt das Assoziativgesetz der Addition $(a+b)+c = a+(b+c)$ und der Multiplikation $(a \cdot b) \cdot c = a \cdot (b \cdot c)$. →Grundrechenarten.

Assyrien. Schon im 4. Jahrtausend v. Chr. entwickelte sich am oberen Tigris eine vom südlichen Mesopotamien (→Babylonien) verschiedene Kultur. Zentrum war die nach dem Hauptgott **Assur** benannte Stadt am Tigris. Um 880 v. Chr. begann der eigentliche Aufstieg der **Assyrer.** Ganz Mesopotamien, Syrien, Phönikien, Palästina und Ägypten gehörten im 7. Jahrh. v. Chr. zum assyrischen Großreich. Inzwischen war **Ninive,** ebenfalls am Tigris gelegen, zur Hauptstadt Assyriens geworden. Sie wurde 612 v. Chr. durch Meder und Babylonier zerstört. Zu den bedeutendsten archäologischen Funden aus dieser Stadt gehört die große, aus 22 000 Tontafeln bestehende Keilschriftbibliothek des Königs **Assurbanipal** (669–627 v. Chr.); sie ist eine wichtige Quelle für die Kenntnis der assyrischen Kultur.

Astat, →chemische Elemente, ÜBERSICHT.

Asterix, Titelheld einer seit 1959 erscheinenden Serie französischer Comics von **René Goscinny** (*1926, †1977) und dem Zeichner **Albert Uderzo** (*1927). Seit 1968 werden die Hefte auch in deutscher Sprache herausgegeben. Das erste der Comichefte, ›Asterix der Gallier‹, führt in die Welt der Bewohner des letzten noch nicht von den Römern eroberten gallischen Dorfes in der

Asseln:
OBEN Wasserassel, Bauchseite;
UNTEN Kellerassel, Rückenansicht

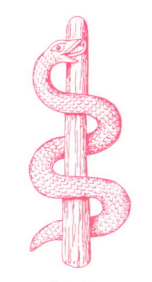

Äskulap: Äskulapstab

Aste

Bretagne ein. Der listige und einfallsreiche Asterix verteidigt zusammen mit seinem Gefährten **Obelix** und mithilfe eines Zaubertranks das Dorf gegen die Römer und hilft Freunden aus der Not; er reist auch in fremde Länder. Die Besonderheiten der verschiedenen Nationen, vor allem aber das Leben und die heutigen Ansichten der Franzosen, werden auf komische, teilweise spöttische Art dargestellt.

Astern blühen im Sommer und Herbst in vielen Gärten. Diese meist ein- bis mehrjährigen Zierblumen mit strahlenförmigen Blüten in den verschiedensten Farben stammen vor allem aus Nordamerika und Ostasien. Kleinere Arten wachsen auch in Deutschland wild, z. B. in den Alpen.

Asteroiden [griechisch ›sternähnlich‹], Himmelskörper, die →Planetoiden.

Ästhetik [griechisch ›Wahrnehmung‹], Teil der Philosophie, der sich mit der Frage nach Kunst und Schönheit beschäftigt. Der Begriff wurde 1735 von dem deutschen Philosophen Alexander Gottlieb Baumgarten geprägt als Bezeichnung für die neu zu gründende Wissenschaft vom sinnlichen Empfinden und Fühlen. Alles, was durch bloße Anschauung gefällt oder missfällt, z. B. Natureindrücke wie ein Sonnenuntergang oder Kunstwerke, kann Gegenstand des ästhetischen Begreifens werden.

Eine bis heute anerkannte Definition des Schönen gab der deutsche Philosoph Immanuel Kant. Er bestimmte es als ›interesseloses Wohlgefallen‹ an einer Sache, die, ohne den Verstand anzusprechen, Bewunderung erregt.

Asthma [griechisch ›Beklemmung‹], anfallsweise auftretende starke Atemnot. Die Schleimhaut der Luftwege (→Bronchien) reagiert überempfindlich auf bestimmte Reize wie Hausstaub oder Bettfedern. Weil die Schleimhaut anschwillt und die Bronchien verengt werden, ist die Atmung behindert. Die Kranken haben das Gefühl zu ersticken. Auch psychische Reize wie Aufregung und Angst können den Asthmaanfall auslösen. Oft entwickelt sich Asthma aus häufig wiederkehrenden Entzündungen der oberen Luftwege (Bronchitis), meist in Verbindung mit einer →Allergie. Die Behandlung mit speziellen Medikamenten richtet sich danach, wie schwer und wie häufig die Anfälle sind. Außerdem ist es wichtig vorzubeugen, z. B. durch Abhärtung, Klimaveränderung, Atemgymnastik, und vor allem die krank machenden Reizstoffe zu meiden oder die Empfindlichkeit des Körpers für sie stufenweise herabzusetzen (›Desensibilisierung‹).

Astern: Gartenaster

Astrologie [griechisch ›Sterndeutung‹], die Lehre vom angeblichen Einfluss der Gestirne auf irdisches Geschehen. Das Schicksal des Menschen, so sagen die Astrologen, könne aus der Stellung der Gestirne (Konstellation) vorhergesagt werden.

Astronaut [zu griechisch astron ›Stern‹ und nautes ›Seemann‹], im angloamerikanischen Sprachbereich ein Raumfahrer, im russischen Sprachgebrauch **Kosmonaut**, also ›Weltraumschiffer‹ genannt. Die Namen der bekanntesten Raumfahrer sind in der Tabelle →Raumfahrt zusammengestellt.

Astronomie, Himmelskunde, Sternkunde, Wissenschaft, die sich mit der Erforschung der Himmelskörper beschäftigt. Die Astronomen beobachten und analysieren die aus dem Weltraum kommenden Strahlungen und ziehen daraus Rückschlüsse auf die Beschaffenheit der die Strahlungen aussendenden kosmischen Strahlungsquellen. Zu diesen Quellen gehören die Körper des Sonnensystems (die Sonne, die Planeten, die Monde, die Planetoiden, die Kometen und die Meteorite), die Sterne des Milchstraßensystems (alle Sterne, die wir nachts mit bloßem Auge sehen können, sind entweder Planeten oder Sterne des Milchstraßensystems) und die anderen Sternsysteme (Galaxien) wie der Andromedanebel.

Während für Jahrtausende nur das von den Himmelskörpern ausgehende Licht untersucht wurde **(optische Astronomie),** werden heute auch die nicht sichtbaren Spektralbereiche der elektromagnetischen Strahlung als Informationsquellen genutzt **(Radioastronomie, Infrarotastronomie, Ultraviolettastronomie, Röntgenastronomie, Gammaastronomie).** Neben der elektromagnetischen Strahlung werden auch Teilchenstrahlungen analysiert, z. B. geben die von der Sonne ausgehenden Neutrinos Auskunft über Kernfusionsprozesse im Sonneninnern **(Neutrinoastronomie).** Die Anwendung physikalischer Methoden und Hilfsmittel bei der Beobachtung und Auswertung der Untersuchungsergebnisse führt in der **Astrophysik** unter anderem zu Aussagen über den inneren Aufbau der Himmelskörper, die Energieerzeugung im Sterninnern und den Lebenslauf der Sterne (Sternentwicklung). Von diesen Ergebnissen profitiert auch die →Kosmologie, die sich mit der Entstehung und Entwicklung des Weltalls als Ganzem befasst.

Geschichte. Himmelsbeobachtungen wurden seit Anbeginn der Menschheit angestellt. Um 3000 v. Chr. begannen die Chinesen, Inder,

Ägypter und Babylonier mit systematischen Beobachtungen. Die Babylonier führten unter anderem den zwölfteiligen Tierkreis ein. Griechische Gelehrte bemühten sich seit etwa 600 v. Chr. um Erklärung der Himmelserscheinungen (Kugelgestalt der Erde, Gestirnbewegungen, Entfernung von Sonne und Mond, Bestimmung des Erdumfangs). Um 150 n. Chr. schuf →Ptolemäus das ›ptolemäische Weltbild‹, das bis zum Mittelalter Geltung hatte. Nach dem Verfall der griechischen Wissenschaft führten arabische, persische und jüdische Gelehrte die Beobachtungen und Berechnungen fort.

Im Abendland nahm die Astronomie nach 1300 wieder neuen Aufschwung. Besondere Bedeutung haben die Arbeiten von Nikolaus Kopernikus, der die Grundlagen für das heliozentrische Weltbild schuf (nach dem sich die Erde und die anderen Planeten um die Sonne bewegen), von Tycho Brahe und von Johannes Kepler, der die 3 Bewegungsgesetze der Körper des Planetensystems fand und formulierte (→Kepler-Gesetze). Die Herstellung des Fernrohrs (1609) durch den Brillenschleifer Hans Lippershey ermöglichte weitere und genauere Beobachtungen (Entdeckung der Jupitermonde durch Galileo Galilei 1610, der Sonnenflecken durch Johannes Fabricius, Christoph Scheiner und Galilei 1611, des Andromedanebels durch Simon Mayr 1612). Die ersten Sternwarten wurden in Paris (1669) und Greenwich (1676) gegründet. 1675 bestimmte Ole Römer die Lichtgeschwindigkeit aus der Verfinsterung der Jupitermonde. Isaac Newton gab 1687 eine mathematische Darstellung der die Planetenbewegungen bestimmenden Kräfte. 1838 ermittelte Friedrich Wilhelm Bessel erstmals die Entfernung eines Fixsterns. 1924 konnte Edwin Hubble mit einem Spiegelteleskop zeigen, dass der Andromedanebel aus Sternen besteht.

Ein neues Zeitalter für die Astronomie begann mit dem Start des ersten künstlichen Erdsatelliten ›Sputnik‹ am 4. 10. 1957. Die **Satellitenastronomie** ermöglichte die Ausweitung astronomischer Beobachtungen auf den von der Erdoberfläche aufgrund der Absorption durch die Erdatmosphäre nicht registrierbaren Bereich der elektromagnetischen Strahlung. Neue Erkenntnisse brachten die Nahaufnahmen der Mondoberfläche durch die Ranger-, Lunik- und Surveyor-Sonden, die Marsfotos durch die Mariner-Sonden, die Venusuntersuchungen durch die Venus-Sonden und die bemannten Mondlandungen (seit 1969, →Apollo-Programm). Eine Fülle neuer Daten über die Planeten Jupiter und Saturn lieferten neben den Raumsonden Pioneer 10 und 11 vor allem die Voyager-Sonden.

Asunción, 608 000 Einwohner, Hauptstadt von Paraguay, liegt am linken Ufer des Paraguay an der Grenze zu Argentinien.

Asyl [aus griechisch asylon ›Freistatt‹]. Wer in seinem Heimatland aus weltanschaulichen oder rassischen Gründen verfolgt wird, kann in einem anderen Staat um Asyl, das heißt um schützende Aufnahme, bitten. In der Bundesrepublik Deutschland erhalten viele Menschen Asyl. Wer ein Verbrechen begangen hat und deshalb gesucht wird, kann das Asylrecht nicht in Anspruch nehmen. – Unterkünfte für Obdachlose werden ebenfalls als Asyl bezeichnet.

at, Einheitenzeichen für die technische →Atmosphäre.

Atatürk, Ehrenname des türkischen Politikers →Kemal Atatürk.

Atheismus [von griechisch atheon ›ohne Gott‹], eine Anschauung, die den Glauben an einen Gott als Person ablehnt. Für die **Atheisten** gibt es durchaus einen letzten Sinn in der Welt, aber keinen lebendigen Gott, den man erkennen und verehren kann. Die strengste Form des Atheismus vertritt der →Materialismus, der nur das für wirklich hält, was mit den Sinnen zu erfassen ist. Alles Religiöse wird als Folge eines veralteten Weltbildes angesehen.

Athen, 886 000, mit Vororten 3,03 Millionen Einwohner, Hauptstadt von Griechenland, liegt in Attika, eingerahmt von den Bergen Hymettos, Pentelikon und Parnes. Mit der Hafenstadt Piräus und vielen kleineren Städten ist es zusammengewachsen zu Groß-Athen. Jeder dritte Bürger Griechenlands wohnt hier. Athen ist der wirtschaftliche und kulturelle Mittelpunkt des Landes; im Altertum war die Stadt schon einmal die bedeutendste Griechenlands.

König Theseus soll nach der Sage die Gemeinden Attikas mit Athen als Hauptstadt vereinigt haben. Gegen Ende des 8. Jahrh. v. Chr. ging das Königtum in eine Adelsherrschaft über. Um 621 v. Chr. schrieb Drakon das erste Gesetzbuch; 594 gab Solon Athen die erste Verfassung, die das ganze Volk, allerdings in 4 Klassen eingeteilt, an der Regierung beteiligte. Mit der Verfassung des Kleisthenes (508 v. Chr.) bekamen alle Bürger unabhängig von ihrem Besitz und ihrer Herkunft die gleichen politischen Rechte. 480 v. Chr. zerstörten die Perser Athen. Danach erlebte die Stadt unter →Perikles ihre höchste Blütezeit; es entstanden die Bauten der →Akropolis; Athen

Athen

Stadtwappen

Athe

Athene
(Römische Kopie nach einem Original von Myron; Mitte 5. Jahrh. n. Chr.)

wurde zur führenden Macht des →Attischen Seebundes. 86 v. Chr. wurde es römisch. Kaiser Hadrian (117–138) erweiterte und verschönte die Stadt; dann begann allmählich der Niedergang. 1456 wurde Athen von den Türken erobert. Erst 1834, als Hauptstadt des unabhängigen Griechenland, erlangte Athen wieder Bedeutung.

Athene, auch **Pallas Athene,** im griechischen Götterglauben eine jungfräuliche Göttin von wehrhaftem, kämpferischem Geist, Tochter des Zeus, aus dessen Haupt sie entsprungen war. Sie war Schutzherrin der Paläste und Städte, des Handwerks, der Heilkunst, der Bildhauer und der Musiker. Meist wurde sie mit Helm, Schild und Speer, auch mit ihrem heiligen Tier, der Eule, dargestellt. Eine besondere Verehrung genoss sie in der Stadt Athen, deren Schutzgöttin sie war. Die Römer setzten sie ihrer Göttin **Minerva** gleich.

Äther, 1) Zu Beginn der Funktechnik im 19. Jahrh. stellte man sich unter Äther einen im gesamten Weltraum verbreiteten Stoff vor, in dem sich elektromagnetische Wellen ausbreiten können. Physikalische Versuche haben jedoch ergeben, dass ein derartiger Stoff nicht existiert.
2) Chemie: eine Gruppe von gasförmigen, flüssigen oder festen chemischen Stoffen, die als wichtige Lösungs- und Extraktionsmittel, einige auch als Narkosemittel oder Treibgase, verwendet werden. – Der Äther im eigentlichen Sinn ist eine farblose, rasch verdunstende, eigenartig riechende Flüssigkeit, die mit Luft explosionsgefährliche Gemische bildet. Er wird als Narkose- sowie als Lösungsmittel benutzt. **Ätherisch** werden sich leicht verflüchtigende Öle und Stoffe genannt.

Athiopien
Staatswappen

Staatsflagge

Äthiopien
Fläche: 1 104 500 km²
Einwohner: 49,881 Mio.
Hauptstadt: Addis Abeba
Amtssprache: Amharisch
Nationalfeiertag: 12. 9.
Währung: 1 Birr (Br) = 100 Cents (ct.)
Zeitzone: MEZ + 2 Stunden

Äthiopien, Gebirgsstaat im Nordosten Afrikas. Er grenzt an das Rote Meer. Die Hälfte des Landes liegt höher als 1 200 m, die höchsten Höhen ragen über 4 000 m auf. An den Rändern des Hochlands haben die Flüsse Nil, Omo und Takaze tiefe Täler gegraben. Vulkanische Gesteinsdecken bilden im Hochland fruchtbare Böden. Durch Äthiopien verläuft der ostafrikanische Grabenbruch, der sich nach Nordosten zum äthiopischen Tiefland, der Danakilsenke, öffnet.
K l i m a und V e g e t a t i o n sind vor allem durch die Höhenlage bestimmt. Außerhalb des Gebirges ist das Land trocken. Bis in 1 800 m Höhe herrscht tropisch heißes Klima. Urwälder und Sümpfe machen diese Gebiete für den Menschen schwer nutzbar. Darüber folgt bis in 2 400 m Höhe eine warmgemäßigte Zone. Hier wird Ackerbau betrieben. In Höhen über 2 400 m ist das Klima gemäßigt. Hier weiden auf waldlosen Grasflächen die Viehherden. Die Niederschlagsmenge schwankt zwischen 600 und 2 000 mm im Jahr.
Die B e v ö l k e r u n g Äthiopiens besteht hauptsächlich aus christlichen (etwa 60%) und islamischen Volksgruppen; die im Süden lebenden Schwarzen haben Naturreligionen. Der Bildungsstand ist niedrig. Fast zwei Drittel der Menschen können weder lesen noch schreiben. In Dürrejahren gibt es immer wieder Hungersnöte, die Tausende von Menschen, besonders Kindern, das Leben kosten.
Die L a n d w i r t s c h a f t wird auf einfache Weise betrieben. Kaffee- und Getreideanbau sowie Viehwirtschaft spielen eine große Rolle.
B o d e n s c h ä t z e wie Gold, Platin und Kaolin sind vorhanden, werden aber kaum gefördert. Das Straßen- und Schienennetz ist schlecht ausgebaut; vergleichsweise große Bedeutung hat der Flugverkehr.
G e s c h i c h t e. Seit dem 4. Jahrh. war Äthiopien ein christlicher Staat. An seiner Spitze stand ein Kaiser. Haile Selassie, Kaiser von 1930 bis 1974, versuchte, auf der Grundlage der bestehenden Gesellschaftsordnung (besonders ihrer Eigentumsverhältnisse) das Leben der Menschen durch Reformen zu verbessern. Nach seinem Sturz übernahmen Offiziere die Macht. Die Militärregierung leitete nach marxistischem Vorbild die Umgestaltung Äthiopiens in eine sozialistische Volksrepublik ein. Die Befreiungsfronten der Provinzen Eritrea und Tigre stürzten 1991 das Militärregime. 1993 wurde →Eritrea unabhängig. 1995 kam es in Äthiopien zu freien Wahlen. (KARTE Band 2, Seite 194)

Athos, griechisch **Hagion Oros** [›Heiliger Berg‹], die östliche Landzunge der Chalkidike-Halbinsel im Ägäischen Meer, gehört zu Griechenland. Höchste Erhebung ist der an der Südspitze gelegene **Berg Athos** mit 2 033 m. An seinen Hängen siedelten sich bereits im 10. Jahrh. Mönche an. Heute liegen hier 20 große und zahlreiche kleine Klöster der **Mönchsrepublik Athos** mit rund 1 700 Einwohnern. Frauen ist der Zutritt zum Athos verboten.

Atlantis, antiker Name einer sagenhaften Insel, deren Vorhandensein und Lage umstritten sind. Nach Angaben des griechischen Philosophen Platon soll sie westlich der Meerenge von Gibraltar im Atlantischen Ozean liegen.

Atlantischer Ozean, Atlantik, zweitgrößter der 3 Ozeane. Er trennt Nordasien, Europa und Afrika von Amerika. Zusammen mit den Nebenmeeren (z. B. Europäisches Nordmeer, Golf von Mexiko, Karibisches Meer, Europäisches Mittelmeer, Nord- und Ostsee) nimmt der Atlantik mit 106,57 Millionen km^2 rund 1/5 der Erdoberfläche ein. Er ist im Durchschnitt 3 293 m tief; der tiefste Punkt wird mit 9 219 m im Puerto-Rico-Graben erreicht. Der **Mittelatlantische Rücken,** ein zusammenhängendes, unterseeisches Gebirge, gliedert zusammen mit mehreren quer dazu verlaufenden Rücken und Schwellen den Atlantik in mehrere große Tiefseebecken. Winde, unterschiedliche Wassertemperaturen und Salzgehalte verursachen warme und kalte Meeresströmungen. Die wichtigsten sind der warme **Golfstrom** und der **Nordatlantische Strom,** der das Klima in West- und Nordeuropa beeinflusst, sowie verschiedene Äquatorial- und Polarströmungen. Die die Kontinente umgebenden **Schelfe** (Tiefe bis zu 200 m) des Atlantischen Ozeans sind als Lagerstätten von Erdöl und Erdgas sowie als Fanggebiete der Hochseefischerei von großer wirtschaftlicher Bedeutung. Besonders die Schelfe des Nordatlantik sind reich an Hering, Kabeljau, Seelachs, Rotbarsch und Schellfisch.

Atlas. 1) Nach der griechischen Sage stammte Atlas vom Göttergeschlecht der Titanen ab, das Zeus bekämpfte. Zur Strafe für die Teilnahme am Kampf gegen Zeus musste Atlas die Säulen stützen, die das Himmelsgewölbe tragen.

2) als Buch gebundene Sammlung von →Landkarten.

3) Gebirge im Nordwesten Afrikas zwischen der Atlantikküste Marokkos und dem Golf von Tunis. Der Gebirgskomplex gliedert sich in mehrere parallel zur Küste verlaufende Einheiten: im Norden das **Rif** (Marokko) und der **Tellatlas** (Algerien, Tunesien), südlich davon der **Mittlere Atlas** und der **Hohe Atlas** (Marokko) sowie der **Saharaatlas** (Algerien), im Süden der **Antiatlas** und der **Djebel Sarho.** Zwischen Tell- und Saharaatlas liegt das **Hochland der Schotts** (Salzsümpfe). Die Hänge des Gebirges tragen zum Teil Wald oder dornigen Buschwald (Macchie). Die Flüsse des Atlasgebirges bilden für die Bevölkerung in den trockenen Ebenen und Vorländern günstige Voraussetzungen für die Landnutzung.

atm, Einheitenzeichen für die physikalische →Atmosphäre.

Atmosphäre [griechisch ›Dunstkugel‹], 1) die Gashülle eines Planeten. Die Atmosphäre der Erde besteht aus einem Gasgemisch; davon sind 78 % Stickstoff und 21 % Sauerstoff. Das restliche 1 % setzt sich aus Kohlendioxid und Edelgasen zusammen. Die Atmosphäre der Erde wird durch die Erdanziehung zusammengehalten. Da sie in ihrem äußeren Bereich allmählich in den Weltraum übergeht, lässt sich keine genaue Obergrenze angeben.

Nach der Temperaturverteilung wird die Atmosphäre in einzelne Schichten gegliedert. Die unterste, die **Troposphäre,** reicht an den Polen bis in 8 km, am Äquator bis in 16–17 km Höhe. Dieser Unterschied ist dadurch zu erklären, dass sich die Lufthülle in ihrem unteren Bereich mit der Erdkugel dreht und durch die Fliehkraft am Äquator auseinander gezogen wird. Die Temperatur nimmt in der Troposphäre mit der Höhe ab, und zwar um etwa 6 °C je Kilometer. Sie beträgt an der Obergrenze dieser Schicht über den Polen zwischen −40 °C im Sommer und −65 °C im Winter, am Äquator zwischen −75 und −80 °C.

Darüber folgt die **Stratosphäre,** deren obere Grenze in etwa 40–50 km Höhe liegt. Die Luft enthält hier nahezu keine Feuchtigkeit mehr. Die Temperatur beträgt etwa −70 °C und ändert sich nur wenig. Erst im obersten Grenzbereich steigt sie auf +10 °C. Hier befindet sich auch die Ozonschicht. Sie ist für das Leben auf der Erde wichtig, weil sie den größten Teil der schädlichen ultravioletten Strahlung des Sonnenlichts schluckt. Eine Schädigung der Ozonschicht ist die Ursache des →Ozonlochs. In der sich daran anschließenden **Mesosphäre,** die bis in 80 km Höhe reicht, nimmt die Temperatur rasch wieder ab: bis auf −90 °C am Übergang zur nächsten Schicht, der **Ionosphäre.** Diese reicht bis in etwa 400 km Höhe und weist in ihrem oberen Bereich Temperaturen von +1 200 °C auf. In der Ionosphäre gibt es mehrere Schichten, die infolge der Sonneneinstrahlung elektrische Leitfähigkeit aufweisen. Sie haben für den Rundfunkempfang und den Funkverkehr auf der Erde Bedeutung, weil an ihnen Kurz-, Mittel- und Langwellen reflektiert werden. Die äußerste Schicht, die **Exosphäre,** stellt den Übergang zum Weltraum dar.

Obwohl die Troposphäre mit durchschnittlich 11 km Höhe die niedrigste Schicht ist, enthält sie etwa drei Viertel der gesamten Masse der Atmosphäre, weil die unteren Schichten durch das Ge-

Atmu

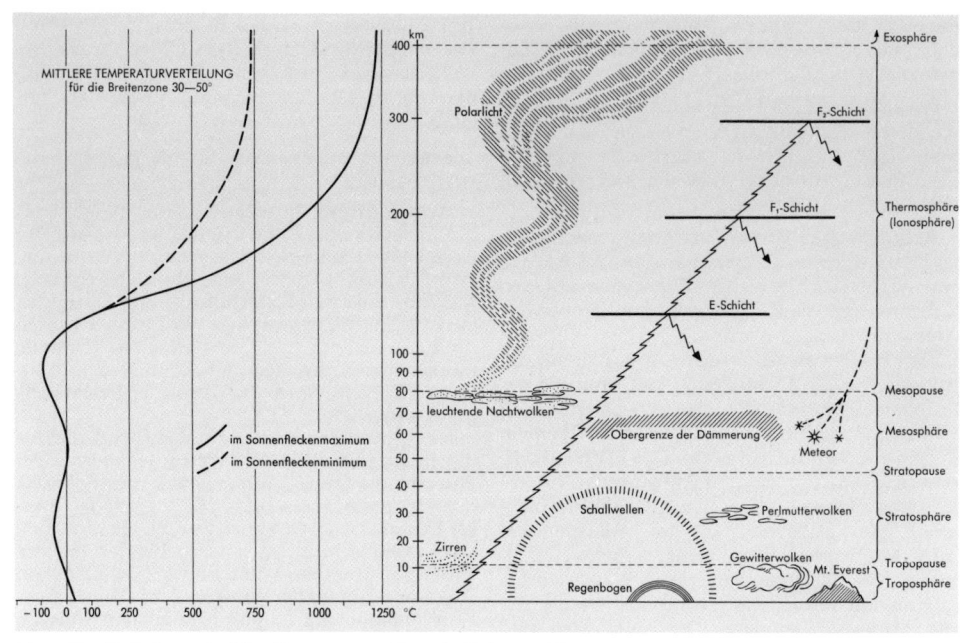

Atmosphäre 1): Aufbau und mittlere Temperaturverteilung der Erdatmosphäre

wicht der darüber liegenden sehr stark zusammengepresst werden. In der Troposphäre spielt sich das Wettergeschehen mit der Bildung von Wolken, Niederschlägen und Gewittern ab.

2) Druckeinheiten: Die Lufthülle der Erde übt am Erdboden einen →Druck aus, der als eine **physikalische Atmosphäre**, Einheitenzeichen **atm**, bezeichnet wurde:

1 atm = 760 Torr = 1,01325 Bar (bar) =
1 013,25 Millibar (mbar) = 101 325 Pascal (Pa) =
1 013,25 Hektopascal (hPa).

Dies ist ein Durchschnittswert, da der Luftdruck ständigen Schwankungen unterliegt.

In der Technik wurde als Druckeinheit die **technische Atmosphäre**, Einheitenzeichen **at**, benutzt:

1 at = 1 kp/cm^2 = 0,980665 bar = 98 066,5 Pa.

Die Einheiten atm, at, Torr, kp (Kilopond) und atü sind nicht mehr gesetzlich zulässig. Die Angabe 1 atü bedeutet, dass ein Überdruck von einer technischen Atmosphäre gegenüber dem Außendruck von 1 at herrscht, z. B. bedeutet die Angabe 1 atü bei einem Autoreifen, dass die Luft im Reifen einen Druck von 2 at aufweist. Die gesetzlichen Einheiten sind →Bar und →Pascal.

Atmung, ein für alle Organismen lebenswichtiger Vorgang, der mit Hilfe besonderer Atmungsorgane erfolgt. Bei den erwachsenen Lurchen, Kriechtieren, Vögeln und Säugetieren (auch dem Menschen) dient die Lunge der Atmung **(Lungenatmung).** Bei der Atmung wird Sauerstoff aufgenommen und in der Lunge an das Blut abgegeben. Gleichzeitig tritt aus dem Blut Kohlendioxid in die Lunge über und kann ausgeatmet werden. Diesen Vorgang bezeichnet man als **äußere Atmung (Respiration).** Der Sauerstoff wird mit dem Blut an alle Zellen herangebracht, sodass dort bestimmte Stoffe (z. B. Zucker) in Energie umgesetzt werden können **(innere Atmung** oder **Zellatmung).**

Zur Lungenatmung gehört die Bewegung des Brustkorbs durch Muskeln. Beim Einatmen werden die Rippen durch Muskelzug gehoben, das Zwerchfell flacht sich ab und erweitert den Brustraum nach unten. Die Lunge ist nicht fest mit der Brustwand verwachsen, sondern vom Brustfell überzogen, das wiederum aus 2 Abschnitten (Blätter) besteht, die durch einen Flüssigkeitsfilm getrennt sind. Dadurch haftet die Lunge an der Brustwand und folgt der Bewegung des Brustkorbs bei der Einatmung. So entsteht ein Unterdruck im Brustraum und Luft kann einströmen. Die Ausatmung geschieht mehr passiv, indem sich die elastischen Fasern der Lunge wieder zusammenziehen und der Brustkorb, der Schwere folgend, sich senkt. Unterstützt wird die Ausatmung von den Bauchmuskeln. Während die Luft durch Mund und Nase einströmt, wird sie angefeuchtet, erwärmt und von kleineren Teilchen gereinigt (Ruß, Staub).

Viele Tiere, die im Wasser leben, atmen mit Hilfe von →Kiemen Sauerstoff aus dem Wasser. Die Insekten atmen Luft mit ihren →Tracheen. Die Pflanzen atmen durch die Spaltöffnungen der →Blätter.

Ätna, mit 3 323 m der höchste und größte tätige Vulkan Europas, an der Ostküste Siziliens (Italien) gelegen. Häufig schon hat der Ätna durch seine Ausbrüche mit Ascheregen, glühenden Lavaströmen und heftigen Erdstößen Unheil und Verderben gebracht; der letzte große Ausbruch war 1986. Trotzdem kehrten die Sizilianer immer wieder in ihre Siedlungen am Fuße des Berges zurück, denn der fruchtbare vulkanische Boden bietet für den Anbau von Wein und Apfelsinen ideale Voraussetzungen.

Atoll, ein →Korallenriff, das die Form eines Ringes oder Kranzes hat. Es ist eine typische Inselform der Südsee. Der Ring umgibt ein seichtes Meeresbecken, eine →Lagune. Er ist meist nicht ganz geschlossen, sodass die Lagune an einigen Stellen mit dem offenen Meer verbunden ist. Die Oberfläche eines Atolls steigt nur wenige Meter über den Meeresspiegel empor. Sie ist meist mit einer dünnen Erdschicht bedeckt, auf der Palmen und andere tropische Pflanzen wachsen. Bei den Atollen handelt es sich ursprünglich um Saumriffe, die eine Vulkaninsel umgeben haben. Die Insel begann abzusinken, und zwar so langsam, dass das Wachstum des Riffs damit Schritt halten konnte. Schließlich bildeten die Korallen ein Wallriff um die Spitze der Insel und wurden, als die Insel ganz abgesunken war, zum Atoll.

Atom [zu griechisch atomos ›unteilbar‹]. Alle Stoffe sind aus kleinsten Teilchen aufgebaut. Diese nannte schon vor 2 500 Jahren der griechische Philosoph Demokrit Atome. Die Vorstellung ihrer Unteilbarkeit hatte bis zum Ende des 19. Jahrh. Bestand. Dann konnte man durch immer genauere Untersuchungsverfahren und neuartige Geräte beweisen, dass Atome spaltbar sind und daher aus noch kleineren Teilchen bestehen müssen.

Den Aufbau eines Atoms stellt man sich heute so vor: Im Zentrum befindet sich der Kern, der sich in seiner Größe zum Atom verhält wie eine Erbse zum Kölner Dom. In ihm befinden sich die positiv geladenen →Protonen und die ungeladenen →Neutronen. Durch Umwandlung mancher Atomkerne kann Energie gewonnen werden (→Kernenergie).

Atom, Größenvergleiche:	
Größe eines 3-jährigen Kindes:	100 cm
Größe einer Maus:	10 cm
Größe eines Flohs:	1 mm
Größe eines Sandkorns:	$\frac{1}{100}$ cm
Größe eines roten Blutkörperchens:	$\frac{1}{10\,000}$ cm
Größe eines Atoms:	$\frac{1}{100\,000\,000}$ cm

Um den Atomkern bewegen sich mit hoher Geschwindigkeit die negativ geladenen →Elektronen und bilden die Hülle.

Die Atome eines bestimmten →chemischen Elements haben jeweils die gleiche Anzahl von Protonen und unterscheiden sich höchstens durch die Anzahl der Neutronen (→Isotope). BILD Seite 80.

Atomenergie, →Kernenergie.

Atoll: Gardner-Atoll im Pazifischen Ozean

Atom

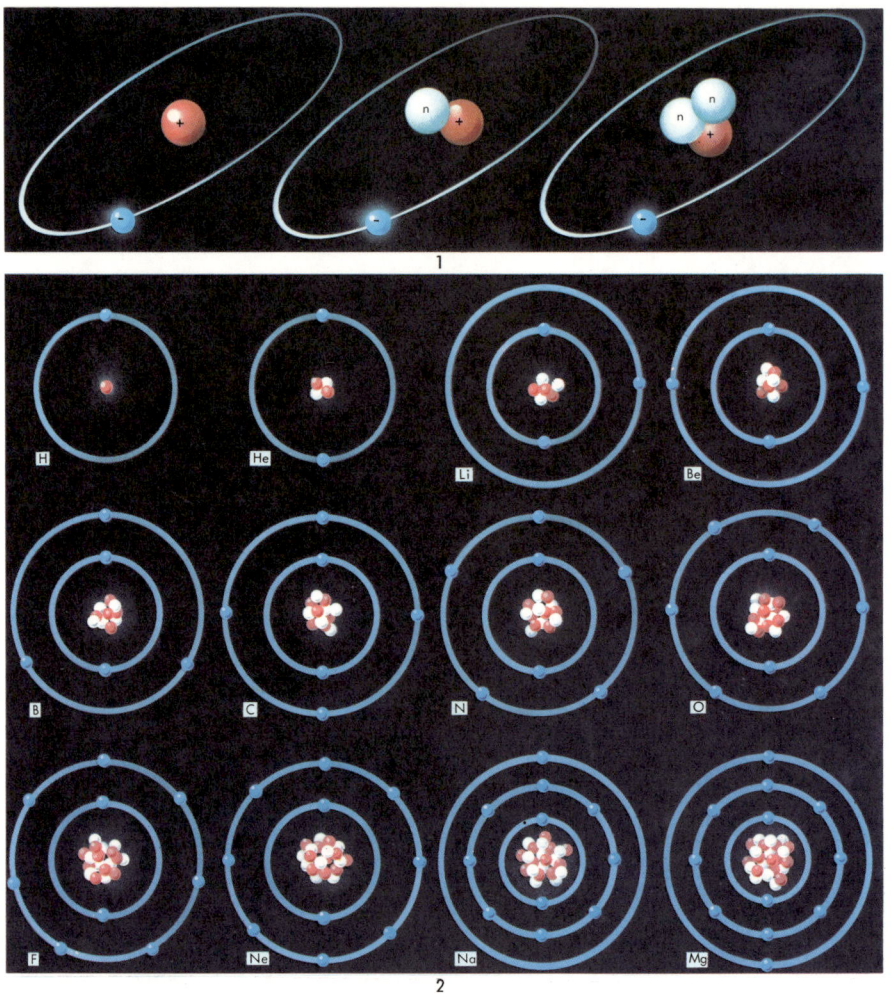

Atom: 1 Die drei Isotope des Wasserstoffs: links gewöhnlicher, in der Mitte schwerer (Deuterium), rechts überschwerer (Tritium) Wasserstoff (+ Proton, n Neutron, – Elektron). **2** Stark vereinfachte Modelle von Wasserstoff bis Magnesium; bei den Edelgasen Helium und Neon ist jeweils eine Elektronenschale abgeschlossen

Atomkraftwerk, →Kernkraftwerk.

Atommüll, radioaktiver Abfall, z. B. aus Kernkraftwerken, der teilweise noch über sehr lange Zeiträume radioaktive Strahlung abgibt (→Radioaktivität) und deshalb einer Langzeitlagerung (Endlagerung) zugeführt werden muss. Unterirdische Salzstöcke gelten zur Zeit als sicherste Lagerstätte.

Atomuhr, Zeitmessgerät höchster Genauigkeit (→Uhr).

Atomwaffen, →Kernwaffen; **Atomsperrvertrag,** →Kernwaffensperrvertrag.

Aton, altägyptische Gottheit, deren alleinige Verehrung der ägyptische Pharao Echnaton forderte. Aton wurde als Sonnenscheibe dargestellt, deren Strahlen in Händen enden, die dem Pharao das Zeichen des Lebens reichen.

atonal. Eine Musik, deren Töne und Klänge weder an einen Grundton noch an eine harmonische Kadenz gebunden sind, nennt man atonal.

Der Begriff wird vor allem mit der Musik Arnold Schönbergs und seiner Schule in Verbindung gebracht.

Atrium, im altitalischen Haus zunächst der Hauptwohnraum, in dem der Herd stand. Die Decke hatte eine viereckige Öffnung, der Boden ein Auffangbecken für Regenwasser. Später wurde der Wohnraum zum säulenumstandenen Wohnhof weiterentwickelt. Im Kirchenbau wird der von 3 oder 4 Säulenhallen umgebene Vorhof der Basilika Atrium oder Paradies genannt.

Im modernen Wohnbau ist das Atrium die nach außen geöffnete Halle im Erdgeschoss eines großen Gebäudes. Das **Atriumhaus,** dessen Grundriss dem römischen Haus ähnelt, hat einen zentralen Wohnhof.

Attika, Halbinsel im Südosten Griechenlands mit dem Hauptort Athen. Das niedrige Bergland hat meist dürren, steinigen Boden. In einigen fruchtbaren Ebenen gedeihen Wein, Oliven- und Feigenbäume.

Attila, König der →Hunnen, herrschte seit 434 mit seinem Bruder Bleda, nach dessen Tod (445) allein. Aus seinem Reich in der Donauebene, im Bereich der heutigen Staaten Ungarn und Rumänien, drang er mit seinem beweglichen, schlagkräftigen Reiterheer bis in das Gebiet des heutigen Frankreich vor und wurde erst an der Loire in der Schlacht auf den **Katalaunischen Feldern** 451 von Burgundern, Westgoten, Franken und Römern unter dem römischen Feldherrn Aetius geschlagen. Nach dem vergeblichen Versuch Rom zu erobern (452) zog Attila sich in sein Reich zurück. 453 starb er in der Hochzeitsnacht mit der germanischen Prinzessin Ildiko. In vielen Sagen lebte Attila fort. Im Nibelungenlied ist er der König **Etzel,** der die Burgunder vernichtet.

Attischer Seebund, Vereinigung der griechischen Städte an der Küste Kleinasiens unter der Führung Athens. Die Griechen fühlten sich von den Persern bedroht, obwohl sie 480 v. Chr. bei Salamis und 479 v. Chr. bei Plataä die Perser geschlagen hatten. Die Vormacht Athens wurde immer stärker, bis aus dem Bund fast ein Reich wurde, das von Athen aus regiert wurde. Dieser **1. Attische Seebund** bestand bis zum Sieg Spartas über Athen (404 v. Chr.). Ein **2. Attischer Seebund** bestand 378–355 v. Chr. und war gegen Sparta gerichtet.

Attribut [zu lateinisch attribuere ›zuteilen‹], **Beifügung,** Satzglied, das ein anderes Satzglied näher bestimmt. Es kann ein Substantiv (der Hund des Lehrers), ein Adjektiv (der große Hund) oder ein Adverb (der Hund dort) sein.

atü, veraltete Abkürzung für die technische →Atmosphäre, wobei der Überdruck gegenüber 1 at gemeint ist.

Audiovision [zu lateinisch audire ›hören‹ und videre ›sehen‹], Sammelbezeichnung für alle Systeme, Geräte und Verfahren, die gleichzeitiges Hören und Sehen ermöglichen. Dazu gehören vor allem die Informationsträger →Bildplatte und →Videoband mit den zugehörigen Abspielgeräten, die Informationssysteme →Bildschirmtext und →Videotext sowie →Fernsehen, →Tonfilm und Tonbildschau. Derartige Einrichtungen werden häufig im Unterricht und bei Lehrveranstaltungen eingesetzt (**audiovisueller Unterricht**).

Auerhühner, die größten in Europa lebenden →Hühnervögel. Sie bewohnen abgelegene Misch- und Nadelwälder des Mittel- und Hochgebirges, wo sie ihre Nester in Erdmulden errichten. In Deutschland nisten Auerhühner nur noch selten (Schwarzwald, Bayerischer Wald, Alpen). Das

Auerhühner: Hahn in Balzstellung

farbenprächtige Männchen (**Auerhahn**) wird etwa so groß und schwer wie eine Gans. Es ernährt sich vor allem von Fichten- und Kiefernadeln. Das viel kleinere, unauffällig braune Weibchen frisst Beeren, Samen, Würmer und Schnecken.

Auerochse, eine ausgestorbene Art der →Rinder.

Auferstehung der Toten, die religiöse Vorstellung, dass die Menschen am Ende der Welt mit Leib und Seele aus dem Grab auferstehen.

Atrium: OBEN Grundriss eines altrömischen Hauses (schematisch); a Fauces (Eingang), b Atrium, c Impluvium (Vertiefung im Boden), d Alae (Seitenräume), e Tablinum (Hauptraum); UNTEN Ansicht eines Atriums (schematisch)

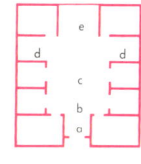

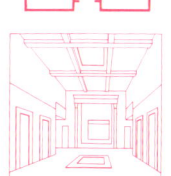

Aufg

Die **Auferstehung Christi,** wie sie im Neuen Testament durch dessen Erscheinen vor den Jüngern bezeugt ist, ist die grundlegende Aussage des christlichen Glaubens. Daraus entstand die christliche Gemeinde.

Aufgebot, gesetzlich vorgeschriebene öffentliche Bekanntgabe einer beabsichtigten Eheschließung. Sie hängt eine Woche beim Standesamt öffentlich aus und soll dazu beitragen, dass bei Ehehindernissen, z. B. einer Doppelehe, Einspruch erhoben wird (→Ehe).

Aufgusstierchen, verschiedene →Urtierchen, die sich in einem Aufguss von Wasser auf Heu, Stroh oder Ähnlichem entwickeln.

Aufklärung, geistesgeschichtliche Epoche, die im 18. Jahrh. ihren Höhepunkt erreichte. Aufklärung hat nach Immanuel Kant das Ziel, den Menschen aus seiner selbst verschuldeten Unmündigkeit herauszuführen, ihn vom Aberglauben und von Vorurteilen zu befreien. Die Aufklärung führte damals zum Vordringen der **Naturwissenschaften,** zur **Selbstständigkeit** des Denkens, zum Durchbruch des **bürgerlichen Weltbildes** und zur **Toleranzidee.** Der aufgeklärte Mensch soll auf die **Vernunft** gestellt und von starren Glaubenssätzen unabhängig werden. In der Aufklärung liegen die Wurzeln der →Französischen Revolution (1789) und der liberalen Ideen des 19. Jahrhunderts.

Auflösungszeichen, Zeichen der Notenschrift (→Versetzungszeichen).

aufrunden, Mathematik: →runden.

Aufsichtspflicht. Alle Personen, die mit der Betreuung von Minderjährigen oder körperlich und geistig Kranken betraut sind, haben den Betreuten gegenüber eine Aufsichtspflicht. Sie müssen darauf achten, dass die ihnen anvertrauten Menschen keinen Schaden erleiden oder anrichten. Zum Beispiel haben Eltern eine Aufsichtspflicht für ihre Kinder, Lehrer für Schüler. Fügt ein Kind einem Dritten widerrechtlich einen Schaden zu, so sind die jeweils Aufsichtspflichtigen zum Ersatz des Schadens verpflichtet. Die Ersatzpflicht entfällt nur, wenn der Schaden trotz entsprechender Aufsicht eingetreten ist.

Auftrieb. Es geht die Sage, dass der griechische Gelehrte →Archimedes einen betrügerischen Goldschmied überführte. Sein König Hieron II. ließ sich einen neuen goldenen Stirnreif anfertigen. Er übergab dem Goldschmied einen Klumpen aus reinem Gold und erhielt den aus dem Gold gefertigten Reif. Bald darauf kamen dem König jedoch Zweifel, ob er nicht betrogen worden war. Der Reif glänzte zwar wie Gold und hatte auch das Gewicht des Goldklumpens. Der König glaubte jedoch, der Schmied hätte im Innern des Bandes ein anderes Metall verwendet und so viel an Gold unterschlagen, wie der unechte Kern wog. Er beauftragte Archimedes, die Echtheit des Stirnreifes zu prüfen, ohne ihn zu zerstören. Dieser fand die Lösung im Bad.

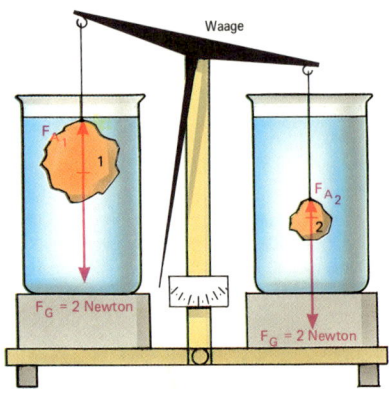

Auftrieb: Versuch des Archimedes: Von 2 Körpern mit der gleichen Gewichtskraft F_G (die Waage ist vor dem Eintauchen der starren Körper ins Wasser im Gleichgewicht) erfährt derjenige mit dem größeren Volumen (Körper 1) eine größere Auftriebskraft (F_{A_1}) als derjenige mit dem kleineren Volumen: $F_{A_1} > F_{A_2}$ (F_{A_2} = Auftriebskraft, die Körper 2 erfährt)

Setzt man sich in die Badewanne, so verdrängt unser Körper das Wasser, dessen Platz wir einnehmen. Das Wasser versucht seinen alten Platz wieder auszufüllen und hebt uns an. Es wirkt eine Kraft, die auf jeden Körper im Wasser und in allen anderen Flüssigkeiten wirkt und die den Körper nach oben drückt. Diese Kraft, die man Auftrieb nennt, sorgt dafür, dass ein in Wasser eingetauchter Körper scheinbar so viel von seiner Gewichtskraft verliert, wie die Gewichtskraft des verdrängten Wassers beträgt. Archimedes formulierte das nach ihm benannte Gesetz:
Der Auftrieb ist eine Kraft, die der Gewichtskraft eines ganz oder teilweise in eine Flüssigkeit getauchten Körpers entgegengerichtet ist. Der Auftrieb ist dem Betrag nach gleich der Gewichtskraft der vom Körper verdrängten Flüssigkeitsmenge.

Archimedes tauchte den ›goldenen‹ Reif und einen gleich schweren Klumpen reines Gold an einer Waage hängend in Wasser. Wenn Reif und Goldklumpen aus dem gleichen Material gewesen wären, hätte weiterhin Gleichgewicht bestehen müssen. Daraus, dass sich die Seite mit dem Stirnreif hob, schloss Archimedes, dass der Reif einen größeren Auftrieb erfuhr, das heißt, er verdrängte mehr Wasser und hatte somit ein größeres Volumen als der Goldklumpen. Somit war der Goldschmied überführt, einen Teil des Goldes unterschlagen und durch ein gleich schweres Stück Silber ersetzt zu haben. 1 g Silber hat nämlich ein Volumen von etwa 0,1 cm^3, 1 g Gold nur 0,05 cm^3.

Auch in **Gasen** wirkt eine Auftriebskraft auf einen Körper, die dem Betrag nach gleich der Gewichtskraft der vom Körper verdrängten Gasmenge ist. Wenn ein Ballon mit einem Gas gefüllt ist, das leichter als die umgebende Luft ist, dann steigt er, weil der Auftrieb größer ist als die Gewichtskraft. Da die Luft nach oben dünner wird, nimmt der Auftrieb mit der Höhe ab, das heißt, ein Ballon steigt nur so lange, bis die Gewichtskraft dem Auftrieb das Gleichgewicht hält.

Den bisher beschriebenen Auftrieb nennt man **statischen Auftrieb,** weil sich die Körper im Gleichgewicht befinden oder sich auf ein Gleichgewicht zu bewegen. Anders der **dynamische Auftrieb,** der erst durch eine Strömung am bewegten Körper entsteht. Er ist eine senkrecht zur Bewegungsrichtung gerichtete Kraft, die z.B. am Tragflügel eines →Flugzeugs der Gewichtskraft entgegenwirkt.

Aufwertung, die zur →Abwertung gegenläufige Bewegung des Wechselkurses.

Aufwind, eine aufwärts gerichtete Luftströmung. Aufwinde entstehen über Gebieten, die von der Sonne stark aufgeheizt worden sind, häufig auch über Großstädten und Industrieanlagen, wo die Luft von unten künstlich erwärmt wird. Berge und Gebirgsketten stellen natürliche Hindernisse dar, an denen die Luft zum Aufsteigen gezwungen ist. Aufwind führt häufig zur Bildung von Wolken. Die größte Geschwindigkeit – etwa 50 Meter in der Sekunde – erreichen Aufwinde an der Vorderseite von Gewittern. Aufwinde sind eine Voraussetzung zum Segelfliegen.

Auge, bei Menschen und Tieren das Sinnesorgan, das die Lichtreize aufnimmt. Das menschliche Auge ist, von Fettgewebe umgeben, in die knöcherne **Augenhöhle** eingebettet. **Augenlider** und **Wimpern** schützen es vor Fremdkörpern. Das Sekret der **Tränendrüse** und der Lidschlag verhindern, dass das Auge austrocknet.

Die Innenfläche der Lider wird von der **Bindehaut** ausgekleidet, die sich auf dem Augapfel bis zum Hornhautrand fortsetzt. Durch **Augenmuskeln** kann das Auge in alle Richtungen bewegt werden. Wenn das Gleichgewicht der Muskeln gestört ist, kommt es zum Schielen.

Die Lichtstrahlen treffen zunächst auf die durchsichtige **Hornhaut.** Dann gelangen sie über die vordere **Augenkammer,** die mit Flüssigkeit (Kammerwasser) gefüllt ist, und durch das Sehloch **(Pupille)** der Regenbogenhaut auf die Linse. Von zarten Muskeln der **Regenbogenhaut (Iris)** wird die Weite der Pupille und damit die Menge des einfallenden Lichts geregelt. Fällt viel Licht ein, so verengt sich die Pupille schnell, während sie sich im Dunkeln nur langsam erweitert. In der Regenbogenhaut eingelagerte Farbstoffteilchen (blau, braun) bestimmen die Augenfarbe.

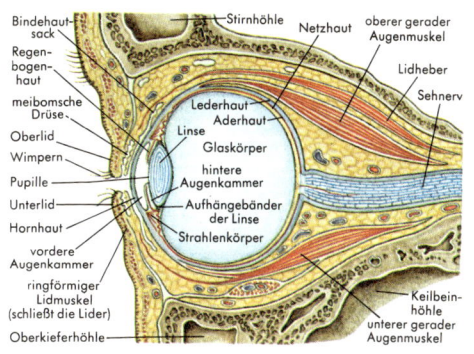

Auge: Schnitt durch die Augenhöhle des Menschen

In der Linse werden die Lichtstrahlen so gebrochen, dass sie sich, nachdem sie durch den gallertartigen Glaskörper gegangen sind, der das Innere des Augapfels ausfüllt, auf der Hinterwand des Auges **(Netzhaut)** zu einem scharfen Bild vereinigen. Die Linse kann ihre Form und damit ihre Brechkraft ändern. Dadurch kann sich das Auge auf nähere oder entferntere Gegenstände einstellen (Akkomodation).

In der Netzhaut finden sich 2 Arten von Sehzellen, die nach ihrer Form in Stäbchen und Zapfen unterschieden werden. Die Stäbchen ermöglichen das Hell-Dunkel-Sehen, während die Zapfen auf Farbe ansprechen. Wegen der geringen Lichtempfindlichkeit fallen die Zapfen in der Dämmerung aus, sodass wir keine Farben mehr unterscheiden können. Das Bild, das auf der Netzhaut entsteht, wird in den Sehzellen in chemische Signale umgesetzt und über den Sehnerv zum Gehirn geleitet. Nach verschiedenen Umschaltvorgängen wird das Bild dort wahrgenommen und durch Verschmelzen der Bilder beider Augen räumliches Sehen möglich.

Sehfehler wie Weitsichtigkeit oder Kurzsichtigkeit entstehen dadurch, dass der Augapfel zu lang oder zu kurz geraten ist, sodass das Bild auf

Augi

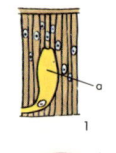

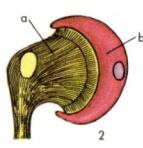

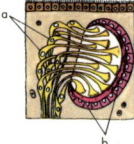

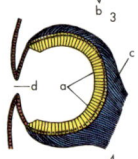

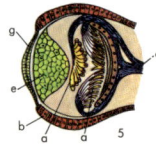

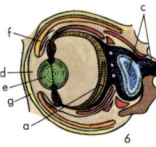

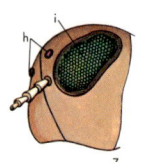

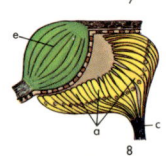

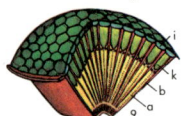

der Netzhaut nicht scharf abgebildet werden kann. Dies kann durch entsprechend geschliffene Brillengläser oder Kontaktlinsen ausgeglichen werden.

Komplex- oder **Facettenaugen** haben die Insekten und Krebstiere. Diese bestehen aus vielen wabenartig zusammengesetzten Einzelaugen, deren Anzahl bei den Libellen bis zu 28000 betragen kann. Dem Sehfeld eines Auges entspricht ein Bildpunkt, sodass sich das ganze von einem Facettenauge wahrgenommene Bild mosaikartig aus diesen Bildpunkten zusammensetzt. Die Insekten können mit ihren Facettenaugen auch Farben sehen, die der Mensch nicht mehr wahrnimmt, z. B. das ultraviolette Licht. Außerdem sind sie in der Lage, auch bei völlig bedeckter Sonne den Sonnenstand zu ermitteln, was besonders für die Bienen wichtig ist.

Viele Tiere haben **Grubenaugen,** mit denen sie keine Bilder, aber die Richtung des einfallenden Lichts bestimmen können, so z. B. einige Schnecken. Andere haben **Blasenaugen,** mit denen sie wie mit einer Lochkamera schwarzweiße Bilder, die auf dem Kopf stehen, sehen können. Aber nicht nur Mehrzeller, auch manche Einzeller sind in der Lage auf Licht zu reagieren.

Augias, einer antiken Sage nach König des griechischen Landes Elis. Der Held Herakles reinigte die großen Rinderställe des Königs (**Augiasställe**) an einem Tag, indem er einen Fluss hindurchleitete.

Augsburg, 258 300 Einwohner, Stadt in Bayern, am Zusammenfluss von Wertach und Lech. Augsburg wurde 15 v. Chr. von den Römern als Legionslager gegründet. Im 16. Jahrh. prägten die →Fugger die Stadt.

Augsburger Religionsfriede, 1555 auf dem Reichstag zu Augsburg verkündetes Gesetz. Darin wurde das **Augsburger Bekenntnis,** die Bekenntnisschrift für Anhänger Martin Luthers, anerkannt. Philipp Melanchthon hatte sie verfasst und 1530 auf einem früheren Augsburger Reichstag dem Kaiser überreicht. Der Augsburger Religionsfriede gestattete den Landesherren die freie Wahl ihrer Konfession. Durch ihre Wahl bestimmten sie die Konfession ihrer Untertanen (cuius regio, eius religio ›wessen das Land, dessen die Religion‹). Geistliche Fürsten, die zum Luthertum übertreten wollten, verloren ihr Amt.

Auguren, im alten Rom die Mitglieder einer Priesterversammlung, die bei wichtigen Staatshandlungen den Willen der Götter erkundeten, indem sie z. B. Besonderheiten des Vogelflugs als Antwort auf ihre Frage deuteten (→Orakel).

August II., der Starke, verdankt seinen Beinamen seiner ungewöhnlichen Körperkraft, die er durch Übung in den ritterlichen Künsten entwickelte. 1670 geboren, wurde er 1694 Kurfürst von Sachsen. 1697 bewarb er sich um die Krone Polens, dessen Könige von den Adligen in freier Wahl bestimmt wurden. Vorher war er zum Katholizismus übergetreten und hatte große Summen an Bestechungsgeldern gezahlt. Bei seiner Thronbesteigung versprach er, die an Schweden abgetretenen polnischen Gebiete zurückzugewinnen und zog dadurch Sachsen und Polen in den Nordischen Krieg, der ihn sogar vorübergehend die Krone kostete. Nach dem Ende des Krieges führte er eine aufwendige Hofhaltung und schmückte seine Residenzstädte Warschau und Dresden mit prachtvollen Bauten. Er starb 1733 in Warschau.

Augustinus. Der bedeutendste Kirchenlehrer des Altertums, **Aurelius Augustinus** (*354, †430), wurde 386 zum Christentum bekehrt und war seit 395 Bischof von Hippo Regius in Nordafrika; er starb während der Belagerung der Stadt durch die Wandalen. Seine Gedanken und Schriften wurden wegweisend für das christliche Denken in den folgenden Jahrhunderten. Die Regel des Augustinus für das Mönchtum ist die älteste des Abendlandes; sie schreibt Armut, Gehorsam und Verzicht auf die Ehe vor.

Augustus [lateinisch ›der Erhabene‹], Ehrenname des ersten römischen Kaisers, geboren 63 v. Chr. als Gaius Octavius. Er war Großneffe Caesars, der ihn mit 18 Jahren adoptierte und zum Erben einsetzte (danach nannte er sich **Gaius Iulius Caesar Octavianus**). Nach Caesars Tod (44 v. Chr.) behauptete er sich gegen Antonius, schloss mit diesem und Lepidus 43 v. Chr. das Triumvirat, durch das die Macht geteilt wurde, errang aber bis 30 v. Chr. die Alleinherrschaft.

Auge: Entwicklung der Lichtsinnesorgane der Tiere. Gemeinsame Bezeichnungen: a Sinneszelle, b Pigmentzellen, c Nervenzelle oder Nervenfortsatz der Sinneszelle, d Sehlochpupille, e Linse, f Regenbogenhaut (Iris), g Hornhaut (Cornea), h Punktauge (Ocellus), i Cornealinse, k Kristallkegel.
1 Lichtsinneszelle in der Haut des Regenwurms. 2 Sehzelle mit becherförmiger Pigmentzelle (Pigmentbecher-Ocellus) eines Strudelwurms. 3 Mehrzelliger Pigmentbecher-Ocellus eines Strudelwurms (Planarie), unter der Haut gelegen. 4 Lochkamera-Auge eines niederen Tintenfisches (Nautilus). 5 Auge aus dem Mantelrand der Kammmuschel (Pecten), man beachte das doppelte System von Sinneszellen. 6 Auge eines höheren Tintenfisches (Sepia), Bau dem des Wirbeltierauges in vieler Hinsicht ähnlich. Beispiel für konvergente Entwicklung. 7 Kopf einer Biene (Drohne) von der Seite mit Facettenaugen und Ocellen. 8 Stirnauge (Ocellus) einer Fliege (Helophilus). 9 Bau eines Facettenauges der Insekten (schematisch, rechts ein Stück herausgeschnitten)

Er strebte kein Königtum an, sondern wollte der ›Erste Bürger‹ (Princeps) im Staat sein. Als ›Imperator‹ hatte er den Oberbefehl über alle Truppen. Bis 23 v. Chr. war er Konsul, danach wurde er Volkstribun auf Lebenszeit, 12 v. Chr. ›Pontifex maximus‹ (oberster Priester). Dies alles waren Ämter aus der Zeit der Republik, aber da sie in einer Person vereint waren, bedeuteten sie eine große Machtfülle. Das höchste Ziel des Augustus war die Sicherung des Friedens. Seine Stiefsöhne Tiberius und Drusus eroberten das Gebiet nördlich der Alpen bis zur Donau. Allerdings misslang die Eroberung Germaniens, als der Feldherr Varus 9 n. Chr. von Arminius im Teutoburger Wald geschlagen wurde.

Im Innern stellte Augustus nach der Zeit der Bürgerkriege die Ordnung wieder her und regelte die Verwaltung. Er ließ prachtvolle Bauten in Rom und in den Provinzen errichten, und Kunst und Dichtung erlebten unter seiner Herrschaft eine Blüte, die sich mit dem Begriff ›Augusteisches Zeitalter‹ verbindet. Er starb 14 n. Chr.

A und O, →Alpha.

Aurora, bei den Römern die Göttin der Morgenröte, die die Griechen →Eos nannten.

Auschwitz, polnisch **Oświęcim,** 46 000 Einwohner, polnische Stadt westlich von Krakau. Im Zweiten Weltkrieg befand sich in Auschwitz eines der größten deutschen Konzentrations- und Vernichtungslager. Hier wurden Millionen Menschen, hauptsächlich Juden, planmäßig ermordet. Heute befindet sich auf dem Lagergelände eine Gedenkstätte für die Opfer der nationalsozialistischen Gewaltherrschaft.

Ausfuhr, Export, der Verkauf von Waren und Dienstleistungen an das Ausland im Rahmen des →Außenhandels.

Ausgleichsgetriebe, →Differenzialgetriebe.

Ausläufer, meist waagerecht wachsende Triebe von Pflanzen, die der ungeschlechtlichen Vermehrung dienen. Die Erdbeere z. B. bildet oberirdische Ausläufer, die sich in einiger Entfernung von der Mutterpflanze bewurzeln, Blätter bilden und unter Absterben des Zwischenteils zu einer selbstständigen Pflanze heranwachsen. Unterirdische Ausläufer haben rückgebildete Blätter (z. B. bei der Quecke).

Auslese, lateinisch **Selektion,** Biologie: die Auswahl an Organismen durch die Umwelt. Unter natürlichen Bedingungen überleben von jeder Pflanzen- oder Tierart nur diejenigen Individuen, die an die bestehenden Umweltverhältnisse am besten angepasst sind. Ändern sich die Umweltbedingungen (z. B. Klima, Nahrungsangebot), so sterben all jene, die nicht auf die neuen Bedingungen eingestellt sind. Da alle Umweltänderungen nicht vorhersehbar sind, ist auch die **natürliche Auslese** oder Selektion zufällig. Das Ergebnis der Auslese ist, dass eine Art über lange Zeiträume hinweg immer besser an die Umweltbedingungen angepasst wird, sofern die Umweltänderungen nicht zu einschneidend sind und nicht zu schnell aufeinander folgen (→Evolution).

Viele Umweltänderungen, der der Mensch bewirkt, sind jedoch so tief greifend, dass einigen Pflanzen- und Tierarten nicht genügend Zeit zur Anpassung bleibt; die Folge ist das Aussterben zahlreicher Arten. **Gerichtete Auslese** betreiben die Menschen bei der →Züchtung von Tieren und Pflanzen, da sie nur diejenigen zur weiteren Fortpflanzung auswählen, die ihren Vorstellungen entsprechen.

Aussage, mathematische Logik: Setzt man in die Gleichung $2 \cdot x + 1 = 5$ für die Variable x die Zahl 0 ein, so erhält man die falsche Aussage $2 \cdot 0 + 1 = 5$. Setzt man für x hingegen die Zahl 2 ein, so erhält man die wahre Aussage $2 \cdot 2 + 1 = 5$. Im Allgemeinen versteht man unter einer **Aussage** eine Äußerung, die entweder wahr oder falsch ist.

Beispiele:
1) Rom ist die Hauptstadt von Italien (wahre Aussage).
2) $8 \cdot 13 = 106$ (falsche Aussage).
3) Gib alle Teiler von 24 an! (keine Aussage, da hier eine Aufforderung vorliegt).
4) Ist 21 die Hälfte von 42? (keine Aussage, da hier eine Frage vorliegt).

Auch die Äußerung $2 \cdot x + 1 = 5$ ist keine Aussage, da die Frage nach wahr oder falsch erst dann beantwortet werden kann, wenn man für die Variable x eine Zahl einsetzt.

Äußerungen, die Variable enthalten und bei Einsetzungen in wahre oder falsche Aussagen übergehen, heißen **Aussageformen.**

Beispiele:
1) x ist durch 16 teilbar (Aussageform mit einem Platzhalter).
2) $x + y = 1$ (Aussageform mit zwei Platzhaltern).
3) $5y$ (keine Aussageform).

Die Menge der Dinge, die für die Variablen eingesetzt werden sollen, heißt **Grundmenge** G.

Beispiel: $2 \cdot x + 1 = 5$, $G = \{0; 2\}$.

Aussagen und Aussageformen können auch miteinander verknüpft werden.
1) Verknüpfung durch ›und‹.
x ist ein Teiler von 20 **und** x ist ein Vielfaches von 5. Grundmenge: $G = \{1, ..., 20\}$.

August II., der Starke

Augustus
(Rom, Vatikanische Museen)

Ausläufer

Auss

Hier liegen 2 Aussageformen vor, die durch ›und‹ verknüpft sind.
Erste Aussageform: x ist ein Teiler von 20.
Diese Aussageform ist wahr für die Einsetzungen $x = 1; 2; 4; 5; 10; 20$.
Zweite Aussageform: x ist ein Vielfaches von 5.
Diese Aussageform ist wahr für die Einsetzungen $x = 5; 10; 15; 20$.

Die Aussageverknüpfung ist dann aber für die Einsetzungen $x = 5; 10; 20$ wahr, da für diese Einsetzungen beide Aussageformen wahr sind. Die Verknüpfung von Aussagen durch ›und‹ (Zeichen ∧) wird als **Konjunktion** bezeichnet. Sie ist wahr, falls beide Teilaussagen wahr sind.

2) Verknüpfung durch ›oder‹.
Eine andere Art von Aussageverknüpfung liegt in folgendem Beispiel vor: x ist Teiler von 20 **oder** x ist ein Vielfaches von 5.
Grundmenge: $G = \{1, ..., 20\}$.
Die Verknüpfung von Aussagen durch ›oder‹ (Zeichen ∨) wird als **Disjunktion** bezeichnet. Sie ist wahr, falls mindestens eine Teilaussage wahr ist. Im Beispiel also für die Einsetzungen $x = 1; 2; 4; 5; 10; 15; 20$.

Das mathematische ›oder‹ schließt also auch den Fall ein, dass beide Aussagen zutreffen. Will man diesen Fall ausschließen, so verwendet man die Sprechweise ›entweder oder‹.

Eine Übersicht über die Gültigkeit der Verknüpfung mit ›und‹ sowie ›oder‹ liefert folgende Tabelle **(Wahrheitstafel).**

1. Teilaussage (A)	2. Teilaussage (B)	A ∧ B	A ∨ B
wahr	wahr	wahr	wahr
wahr	falsch	falsch	wahr
falsch	wahr	falsch	wahr
falsch	falsch	falsch	falsch

Außerdem kann man von Aussagen ihr Gegenteil bilden. Man spricht in diesen Fällen von einer **Negation.**

Beispiele:
1) Aussage: 3 ist eine Primzahl.
Negation: 3 ist keine Primzahl.
2) Aussage: 7 ist eine gerade Zahl.
Negation: 7 ist eine ungerade Zahl.

Demnach ist die Negation dann wahr, wenn die zugehörige Aussage falsch ist; sie ist falsch, wenn die zugehörige Aussage wahr ist.

Aussatz, →Lepra.

Außenhandel. Verkauft ein Land an das Ausland Waren und Dienstleistungen **(Ausfuhr, Export)** oder kauft es diese vom Ausland **(Einfuhr, Import),** betreibt es Außenhandel. Außenhandel kommt z. B. zustande, wenn ein Land mehr Güter herstellt, als von den inländischen Haushalten und Unternehmen verbraucht werden und wenn dieser Überschuss in andere Länder exportiert wird. Auch wenn ein Land bestimmte Waren billiger oder in besserer Qualität als andere Länder herstellen kann, landwirtschaftliche Produkte (Obst, Gemüse) erzeugt, die in anderen Ländern wegen des Klimas nicht wachsen, oder über Rohstoffe verfügt, die es in anderen Ländern nicht gibt, kann es zum Ausfuhrland solcher Güter werden. Als Außenhandel wird auch bezeichnet, wenn ein Land Güter aus dem Ausland importiert, die es selbst nicht oder nur teurer herstellen kann.

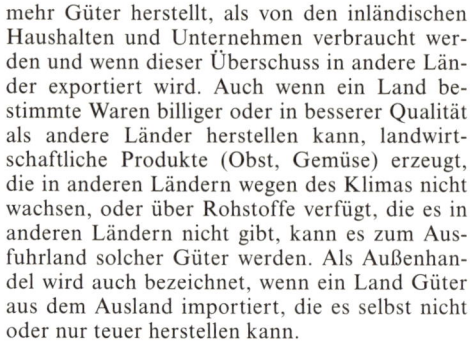

Von **Freihandel** oder **Außenhandelsfreiheit** spricht man, wenn es keinerlei Mengen- oder Preisbeeinflussungen für aus- und eingeführte Waren gibt. Soll dagegen die einheimische Wirtschaft vor zu hohen Einfuhrmengen aus dem Ausland durch staatliche Beschränkungen geschützt werden, können die im Ausland billigeren Waren bei der Einfuhr an der Landesgrenze durch Auferlegung eines →Zolls so verteuert werden, dass sich der Preisvorteil aufhebt oder die eingeführten Waren sogar noch teurer werden, als die im Inland hergestellten. Man spricht dann von **Handelshemmnissen.**

Aussperrung, →Arbeitskampf.

Austern, eine Art der →Muscheln.

Austernfischer, taubengroßer, schwarzweißer Vogel, der die Küsten und benachbarten Binnenseen Nordeuropas bewohnt. Er brütet zahlreich an der deutschen Nord- und Ostseeküste. Häufig hört man seine schrillen Rufe. Außerhalb der Brutzeit lebt er in großen Scharen. Der Austernfischer ernährt sich nicht, wie sein Name vermuten lässt, von den meist am Meeresgrund sitzenden Austern, sondern läuft am Strand umher und sucht – die Steine umdrehend – nach Würmern, Krabben, Schnecken und auch Muscheln, die er mit seinem gelbroten, meißelartigen Schnabel öffnet.

Australien, mit 7,68 Millionen km² Fläche der kleinste Erdteil. Er liegt auf der Südhalbkugel und umfasst das australische Festland, die Insel **Tasmanien** im Südosten und kleinere Inselgruppen vor der Küste. Das Festland und die Inseln bilden politisch den →Australischen Bund. Der Kontinent erstreckt sich beiderseits des südlichen Wendekreises zwischen Indischem und Pazifischem Ozean.

Oberflächenformen. Die Küsten Australiens sind wenig gegliedert. Nur die **Große Australische Bucht** im Süden und der Carpentaria-

Austernfischer

Australien: Städte	
Stadt	Einwohner in 1000
Adelaide	1024
Brisbane	1335
Melbourne	3002
Perth	1143
Sydney	3539

golf im Norden greifen tief ins Land ein. Vor der Nordostküste behindert das **Große Barriereriff**, ein 2000 km langes Korallenriff, die Schifffahrt. Im Norden und Süden Australiens bilden ehemalige Flusstäler, die später vom Meer überflutet wurden, ausgezeichnete Naturhäfen. Parallel zur Ostküste verläuft der Gebirgszug der **Australischen Kordillere** (Great Dividing Range), die im **Mount Kosciusko** 2230 m Höhe erreicht. Westlich der Kordillere schließt sich ein Tiefland mit der von den Flüssen **Murray** und **Darling** durchflossenen Senke an. Die Mitte und den Westen des Kontinents nimmt der Australische Schild ein mit weiten, von Mittelgebirgen durchsetzten **Flachländern** in unterschiedlicher Höhenlage.

Australien: Berge		
Mount Kosciusko	Australische Kordillere	2230 m
Round Mount	Australische Kordillere	1615 m
Mount Bartle Frère	Australische Kordillere	1611 m
Musgravekette	Zentralaustralien	1515 m
Macdonnellkette	Zentralaustralien	1510 m

Mehr als die Hälfte Australiens ist ohne Abfluss zum Meer. Die Seen trocknen in der Trockenzeit aus und bilden Salzpfannen, die meisten Flüsse führen nur sehr selten Wasser. Australien ist ein Kontinent mit großen **Trockengebieten** im Innern. Die Wasserarmut wird jedoch durch mehrere Becken gemildert, in denen Grundwasser in artesischen Brunnen an die Oberfläche gelangt.

Australien: Flüsse			
Fluss	Länge in km	Einzugsgebiet in 1000 km²	Einmündungsgewässer
Darling	2720	520	Murray
Murray	2589	1160	Große Australische Bucht

Klima, Pflanzenwuchs. Der südliche Wendekreis teilt Australien in ein tropisches Gebiet im Norden und ein subtropisches im Süden. Die der Küste im Südosten vorgelagerte Insel Tasmanien hat gemäßigtes Klima. Das Innere Australiens weist Wüsten und Buschland auf. Der Osten hat reichliche Niederschläge, der Südosten im Gebirge auch Schnee. Den **Regenwäldern** im Norden und Nordosten schließen sich Baum-, Busch- und Grassteppen an. Für Australien typische, ursprünglich nur dort vorkommende Pflanzenarten sind Eukalyptus und Akazien, ferner Flaschenbäume, die in ihren verdickten Stämmen Wasser speichern können, und Grasbäume mit grasförmigen, in Büscheln am Ende der Zweige stehenden Blättern. Die australische Tierwelt weist viele Arten auf, die für diesen Erdteil kennzeichnend sind, z. B. Dingo, Emu, Känguru, Koalabär, Schnabeltier.

Die Bevölkerung besteht im Wesentlichen aus europäischen Einwanderern; daneben gibt es noch eine kleine Zahl von Ureinwohnern (Aborigines) und Mischlingen.

Geschichte. Australien wurde wahrscheinlich Ende des Eiszeitalters von Asien aus besiedelt. Der Meeresspiegel lag damals etwa 100 m niedriger als heute. Zwischen den großen Inseln Indonesiens (Borneo, Java, Sumatra) und dem südostasiatischen Festland bestand eine Landverbindung. Die Wasserstraßen zwischen den kleineren indonesischen Inseln waren schmal und Neuguinea und Tasmanien gehörten zum australischen Festland. Durch das Ansteigen des Meeresspiegels nach der Eiszeit wurde Australien von der übrigen Welt abgeschnitten. So konnte sich mehrere Jahrtausende lang die Kultur der australischen **Ureinwohner** entwickeln, ohne von außen beeinflusst zu werden. Den **Europäern** war Australien lange Zeit unbekannt. Erst im 17. Jahrh. gelangte die Kenntnis von einem ›Südland‹ (lateinisch: terra australis) durch portugiesische, spanische und holländische Seefahrer nach Europa. Aber erst im 18. Jahrh. nahm Großbritannien den neuen Kontinent in Besitz, indem es zunächst Sträflinge dorthin bringen ließ. Im 19. Jahrh. wurden **Kolonien** gegründet, die sich Anfang des 20. Jahrh. zu einem selbstständigen Staat, dem Australischen Bund, zusammenschlossen.

Australischer Bund, sechstgrößter Staat der Erde. Er umfasst das Festland des australischen Kontinents, die Insel Tasmanien und klei-

Australischer Bund

Staatswappen

Staatsflagge

Größe und Bevölkerung (ohne Außenbesitzungen)				
Bundesstaaten und Bundesgebiet	km²	Einwohner in 1000 1974	1991	Hauptstadt
New South Wales	801 600	4 743,4	5 941	Sydney
Victoria	227 600	3 631,9	4 439	Melbourne
Queensland	1 727 200	1 967,9	3 000	Brisbane
South Australia	984 000	1 218,2	1 454	Adelaide
Western Australia	2 525 500	1 094,7	1 651	Perth
Tasmania	67 800	400,4	469	Hobart
Northern Territory	1 346 200	101,2	168	Darwin
Australian Capital Territory	2 400	180,5	293	Canberra
Australischer Bund	7 682 300	13 338,2	17 415	Canberra

Ausz

Australischer Bund
Fläche: 7 713 364 km²
Einwohner: 17,596 Mio.
Hauptstadt: Canberra
Amtssprache: Englisch
Nationalfeiertag: 26. 1.
Währung: 1 Austral.
Dollar ($A) =
100 Cents (c)
Zeitzone: MEZ + 7, 8
und + 9 Stunden
(von W nach O)

nere Inseln vor den Küsten. Der Australische Bund ist seit 1901 Mitglied des Britischen Commonwealth. Staatsoberhaupt ist die britische Krone. Ein Generalgouverneur vertritt die Königin. Das Land besitzt ein parlamentarisches Regierungssystem mit 2 Kammern, das weitgehend dem britischen Vorbild entspricht.

Die Bevölkerung lebt zu fast 9/10 in Städten. Im 19. Jahrh. und besonders nach dem Zweiten Weltkrieg förderte die Regierung die Einwanderung von Europäern. Australien ist auch heute noch ein begehrtes Einwanderungsland. Die eingeborene Bevölkerung (Aborigines), die auf der Stufe der Steinzeit lebte, wurde von den Europäern stark in ihrem Lebensraum eingeschränkt und gehört heute überwiegend zur sozial und wirtschaftlich schwachen Schicht.

Wichtigste Wirtschaftszweige sind die Landwirtschaft und der Bergbau. In den trockeneren Gebieten werden Schafe und Rinder gehalten. Mehr als ein Viertel der Wollerzeugung der Erde entfällt auf Australien. Besonders im feuchteren Südosten werden Weizen, Zuckerrohr, Reis, Baumwolle, Citrusfrüchte, Wein und Obst angebaut.

Im 19. Jahrh. wurden Goldfunde gemacht. Diese sind zurückgegangen, aber dafür werden große Mengen von Steinkohle, Braunkohle, Eisenerz, Erdöl, Erdgas und Bauxit gefördert. Die 1981 entdeckten Diamantvorkommen sind möglicherweise die größten der Erde. Die wichtigsten Städte des Landes, Sydney und Melbourne, haben sich zu großen Industriestädten entwickelt, in denen Fahrzeugbau, Maschinenbau, Elektroindustrie und chemische Industrie vertreten sind. (KARTE Band 2, Seite 198)

Auszubildende, Abkürzung **Azubi,** früher **Lehrlinge,** Personen, die in einer zwei- bis dreieinhalbjährigen Ausbildung stehen, um einen Beruf in Handwerk, Industrie, Landwirtschaft oder Dienstleistungsgewerbe zu erlernen. Die Ausbildungszeit (früher **Lehre**) beginnt meist nach der Schulzeit und umfasst neben der beruflichen Ausbildung im Betrieb den Unterricht in einer **Berufsschule** (›duales System‹). Das Arbeitsverhältnis zwischen dem Auszubildenden und dem Ausbilder beruht auf einem **Vertrag** (→Berufsausbildung). Die Berufsausbildung schließt mit einer Prüfung vor einer Kommission (im Handwerk zum **Gesellen** oder **Gehilfen**) ab.

Autarkie [griechisch ›Selbstgenügsamkeit‹], Wirtschaft: Ein Land ist **autark,** wenn es keinen →Außenhandel betreibt, sondern alle Bedürfnisse seiner Einwohner mit einheimischen Gütern deckt.

Auto, Abkürzung für **Automobil** [griechisch-lateinisch ›Selbstbeweger‹], →Kraftwagen.

Autobiographie [griechisch ›Darstellung des eigenen Lebens‹], →Biographie.

Autofocus, Einrichtung in Kameras und Diaprojektoren, die die Bilder automatisch scharf einstellen.

Automat [zu griechisch automatos ›sich selbst bewegend‹], mechanisches oder elektronisches Gerät, bei dem bestimmte Vorgänge selbsttätig ablaufen. Die einfachste Form sind die **Münzautomaten,** an denen man durch Einwurf eines bestimmten Geldstückes Waren (**Warenautomaten,** z. B. für Zigaretten oder Kaugummi) oder Berechtigungsnachweise (**Verkaufsautomaten,** z. B. für Briefmarken oder Fahrkarten) kaufen kann. Ein Automat kann auch Spiele ermöglichen (**Spielautomat**) oder Dienstleistungen erbringen (**Leistungsautomat,** z. B. Münzfernsprecher, Musikbox). In elektrischen Anlagen gibt es **Sicherungsautomaten,** die bei Kurzschluss oder Überlastung die Stromzufuhr unterbrechen. In **Rechenautomaten** (sowohl in →Computern wie auch in den früheren mechanischen Rechenmaschinen) laufen Rechenoperationen selbsttätig ab.

Mit **automatischen Werkzeugmaschinen** werden Arbeitsabläufe, die sich ständig wiederholen, durchgeführt. Sie werden immer häufiger durch **Handhabungsautomaten,** die man auch →Roboter nennt, unterstützt und ergänzt.

Automatik, technische Vorrichtung, die bestimmte Vorgänge selbsttätig, das heißt ohne menschliches Zutun, ablaufen lässt, sie steuert oder regelt. Bekannte Beispiele sind das automatische →Getriebe im Kraftwagen und die Belichtungs- oder Blendenautomatik der fotografischen Kamera.

Automobilsport, sportliche Wettbewerbe für Automobile auf speziell gebauten Bahnen

(z. B. Nürburgring, Hockenheimring), nur selten auf Straßen. Für den Schnelligkeitssieg gilt es entweder eine vorgeschriebene Strecke in der kürzesten Zeit zu fahren oder in einer festgelegten Zeit eine möglichst große Strecke zurückzulegen, z. B. beim 24-Stunden-Rennen von Le Mans in Frankreich. Die **Weltmeisterschaft der Fahrer** wird mit Formel-1-Rennwagen jährlich in mehreren Läufen in verschiedenen Ländern ausgetragen. Daneben gibt es Welt-, Europa- und nationale Meisterschaftsläufe für Sport- und Tourenwagen sowie Rennwagen in anderen Formeln.

Bei **Zuverlässigkeitsprüfungen** müssen die Fahrer besondere Bedingungen (z. B. Mindestzeiten) mit ihren Fahrzeugen erfüllen. Regelverstöße führen zu Strafpunkten. **Rallyes** sind Dauerprüfungen über mehrere Etappen mit Kontrollpunkten und Sonderprüfungen. Vergeben werden Weltmeistertitel an die erfolgreichste Automarke sowie den besten Fahrer. **Geschicklichkeitsprüfungen** führen über eine mit Hindernissen versehene Strecke. Hierbei entscheidet das fahrerische Können. Sonderwettbewerbe sind Autocross (Rundstreckenrennen im Gelände), Rallyecross (ähnlich dem →Motocross) sowie Wettbewerbe für Geländewagen.

Autopilot, automatische Flugzeugsteuerung, die den Piloten besonders bei Langstreckenflügen entlastet. Sie kann Fluglage und Flugbahn konstant halten und beeinflussen. Wichtigster Bestandteil ist der **Flugregler,** der vorgesehene Sollwerte mit den Istwerten vergleicht und entsprechende Ruderbewegungen auslöst.

Avignon [awinjõ], 92 000 Einwohner, Stadt in Südfrankreich. Mittelalterliche Baudenkmäler prägen das Stadtbild, z. B. der festungsartige Papstpalast, in dem die Päpste 1309–76 residierten. Wahrzeichen der Stadt ist die ›Brücke von Avignon‹ aus dem 12. Jahrhundert.

Avocados, birnenförmige, dunkelgrüne Früchte, die an 8–12 m hohen Bäumen wachsen. Ursprünglich in Mexiko heimisch, werden sie heute vor allem in Kalifornien, Südafrika und Israel angebaut, in Europa in Südspanien und auf den Kanarischen Inseln. Avocados enthalten viel Fett und schmecken schwach nussartig.

Axiom, in der Logik und der Mathematik ein Grundsatz, der nicht von anderen Sätzen abgeleitet, das heißt nicht bewiesen werden kann. Die Axiome sind unmittelbar einsichtig.

Ayatollah [arabisch ›Zeichen Allahs‹]. Im schiitischen Zweig des Islam in Iran ist Ayatollah der Titel führender Geistlicher, die im Rang nur noch von dem **Usma** übertroffen werden.

Azeton [zu lateinisch acetum ›saurer Wein‹], farblose, aromatisch riechende, feuergefährliche Flüssigkeit, die als Lösemittel, z. B. für Fette, Harze, Lacke, und als wichtiger Ausgangsstoff in der chemischen Industrie verwendet wird. Als Stoffwechselprodukt tritt Azeton bei Diabetikern und beim Fasten vermehrt im Harn auf.

Azetylen, farbloses Gas, das mit Luft ein explosionsgefährliches Gemisch bildet. Azetylen, das früher nur durch Zersetzung von Calciumcarbid mit Wasser (Karbidlampe) gewonnen wurde, wird heute z. B. aus Erdgas hergestellt. Die frühere Bedeutung von Azetylen als Grundstoff der chemischen Industrie wurde durch Produkte der Erdölchemie zurückgedrängt. Es wird noch als Brenngas zum Schweißen und Schneiden sowie zur Rußherstellung verwendet.

Azoren, vulkanische Inselgruppe im Atlantischen Ozean, etwa 1 400 km westlich von Portugal, dem sie auch staatlich zugehört. Die Inselgruppe hat 245 000 Einwohner und eine Fläche von 2 344 km², das entspricht etwa der Fläche des Saarlandes. Die 9 größeren Inseln der Azoren sind in 3 Gruppen angeordnet; die Hauptinsel **São Miguel** liegt im Osten. Mit 2 345 m bildet der Vulkan Pico Alto den höchsten Punkt der Azoren. Das Klima ist entsprechend der Breitenlage ozeanisch mild und feucht. Es herrschen oft stürmische Winde. Die Bewohner leben vor allem von der Landwirtschaft und führen Frühgemüse, Apfelsinen, Bananen, Ananas und Zuckerrüben aus. (KARTE Band 2, Seite 194)

Azorenhoch. Als ›Wetterküche Europas‹ wird ein Gebiet des Atlantischen Ozeans bezeichnet, in dem fast das ganze Jahr über hoher Luftdruck herrscht (→Hoch). Es liegt meist im Bereich der Azoren. Die Luft, die aus dem Azorenhoch nach Mitteleuropa fließt, ist vielfach bestimmend für das Wetter in Europa.

Azteken, Indianervolk, das zur Zeit der spanischen Eroberung weite Gebiete Süd- und Zentralmexikos beherrschte. Die Azteken waren, von Norden kommend, erst zu Beginn des 2. Jahrtausends n. Chr. in das Hochtal von Mexiko eingewandert und dehnten dann ihre Herrschaft immer weiter aus. Dem aztekischen Staat standen ein König und Kriegsführer sowie ein Oberpriester vor, der gleichzeitig die Rolle eines Friedensfürsten innehatte. Die aztekische Gesellschaft war gegliedert in Adlige, das Volk und Hörige, die meist von der voraztekischen Bevölkerung

Avocado:
OBEN Zweig mit Frucht;
UNTEN Frucht im Längsschnitt

Azteken:
Basaltstatue der Göttin Coatlicue

abstammten. Bei der Unterwerfung der zahlreichen vorher in Mexiko ansässigen Stämme kam es den Azteken weniger auf Landgewinn als auf Gefangene an. Diese dienten den Azteken bei ihren kultischen Handlungen als Menschenopfer, denen bei lebendigem Leibe das Herz herausgerissen und die Haut abgezogen wurde. Nach aztekischem Glauben forderten besonders der Sonnen-, der Frühlings- und der Kriegsgott eine hohe Zahl von Opfern. Viele ihrer Gottheiten hatten die Azteken von unterworfenen Stämmen übernommen; aber nicht nur in der Religion, sondern z. B. auch in ihrer Kunst ließen sie sich von anderen Völkern ihres Herrschaftsraumes beeinflussen (Pyramiden- und Tempelarchitektur, Gold- und Steinverarbeitung, Keramik). Wie diese kannten sie Eisen und Rad vor dem Kontakt mit den spanischen Eroberern nicht.

Grundlage ihrer Wirtschaft war der Feldbau, den man zum großen Teil auf bewässerten Terrassenanlagen betrieb. Angebaut wurden besonders Mais, Bohnen und Kürbis; andere Erzeugnisse tauschte man ein oder ließ sie sich von unterworfenen Stämmen abliefern. – Mithilfe einiger benachbarter Völker, die noch nicht von den Azteken unterworfen worden waren, eroberten die Spanier unter Hernando →Cortez zwischen 1519 und 1521 das aztekische Reich. Heute bilden die Nachkommen der Azteken einen Großteil der Landbevölkerung des mexikanischen Hochlands, aber auch der spanisch sprechenden Oberschicht.

B, der zweite Buchstabe des Alphabets, ein Konsonant. B ist auch das Zeichen für das chemische Element Bor. In der Musik ist B die um einen Halbton erniedrigte Note H; als Vorzeichen ♭ erniedrigt es jede Note um einen Halbton.

Babylon, hebräisch **Babel,** schon vor 2000 v. Chr. erwähnte Stadt am Euphrat. Seit 1700 v. Chr. wurde sie als Hauptstadt Babyloniens für viele Jahrhunderte der Mittelpunkt Vorderasiens, besonders im 7. und 6. Jahrh. v. Chr. Alexander der Große wollte Babylon zur Hauptstadt seines Weltreiches machen, doch nach seinem frühen Tod (323 v. Chr.) zerfiel die Stadt. Ausgrabungen legten unter anderem den Tempelturm (→Babylonischer Turm), das Ischtartor und Teile der Burg mit den Hängenden Gärten (→sieben Weltwunder) frei.

Babyloni|en, geschichtliche Landschaft im heutigen Staat Irak, zwischen den Unterläufen von Euphrat und Tigris (Zweistromland oder Mesopotamien), die Wiege früher Hochkulturen. Um 3000 v. Chr. entstanden hier die hoch entwickelten Stadtstaaten der **Sumerer.** Später wanderten semitische Stämme ein und der Herrscher Sargon von Akkad gründete um 2350 v. Chr. das erste semitische Großreich, in dem die Kultur der Sumerer fortlebte. Nach einer von Kleinstaaten bestimmten Zeit schuf Hammurapi um 1700 v. Chr. das **erste babylonische Reich** mit der Hauptstadt Babylon. Nach 1600 v. Chr. eroberten die Hethiter kurzfristig Babylon, es folgten die Kassiten, die 4 Jahrh. das Land beherrschten; im 1. Jahrtausend v. Chr. war Babylonien häufig von Assyrien abhängig. Unter Nebukadnezar II. (605–562 v. Chr.) wurde das **Neubabylo**nische Reich noch einmal Großmacht, bis es 539 v. Chr. an die Perser fiel.

Babylonische Gefangenschaft. 597 v. Chr. eroberte der babylonische König Nebukadnezar II. (605–562 v. Chr.) Jerusalem und zerstörte es 587 v. Chr. Bei beiden Gelegenheiten wurden viele Juden in die Gefangenschaft nach Babylon verschleppt. 538 v. Chr. erlaubte der Perserkönig Kyros II. den Juden die Heimkehr.

Babylonischer Turm, ein Tempelturm in Babylon, der wohl im 18.–16. Jahrh. v. Chr. erbaut und im 6. Jahrh. v. Chr. erneuert wurde. Aus den ausgegrabenen Resten lässt sich schließen, dass er stufenförmig und etwa 90 m hoch war. Nach dem Alten Testament war geplant, den Turm bis in den Himmel zu bauen. Wegen dieser Vermessenheit wurden die Menschen damit bestraft, dass sie statt in einer Sprache plötzlich in unterschiedlichen Sprachen redeten (›babylonische Sprachverwirrung‹). Weil sie sich nicht mehr verstanden, blieb der Bau unvollendet.

Bacchus [bachus], bei den Römern der Gott des Weines und der Fruchtbarkeit; der entsprechende griechische Gott war →Dionysos.

Bach. Der bedeutendste Vertreter des musikalischen Barock in Deutschland war **Johann Sebastian Bach** (*1685, †1750). Schon seit Generationen hatte die Familie ausgezeichnete Musiker hervorgebracht. Die ›Bach‹ waren in verschiedenen Städten des thüringischen und fränkischen Raumes als Stadtpfeifer, Organisten und Kantoren tätig. Nach dem frühen Tod der Eltern übernahm der älteste Bruder Johann Christoph (*1671, †1721), Organist in Ohrdruf, die musikalische Ausbildung Johann Sebastian Bachs.

Johann Sebastian Bach

Bade

1708–17 war Bach Hoforganist und Konzertmeister in Weimar, wo seine ersten großen Orgelwerke entstanden. 1717–23 lebte er als Hofkapellmeister in Köthen. Hier entstanden einige seiner bedeutendsten Werke wie das ›Wohltemperierte Klavier‹, 1. Teil, die 6 ›Brandenburgischen Konzerte‹, die ›Johannespassion‹ und das ›Notenbüchlein‹ für Anna Magdalena, seine zweite Frau. 1723 wurde er an die Thomaskirche nach Leipzig berufen, wo in den folgenden Jahren die ›Matthäuspassion‹, die ›h-Moll-Messe‹ und das ›Weihnachtsoratorium‹ entstanden. Zu seinen letzten Werken zählen die ›Goldberg-Variationen‹, das ›Wohltemperierte Klavier‹, 2. Teil, das ›Musikalische Opfer‹ und die ›Kunst der Fuge‹. Erblindet starb er 1750 in Leipzig.

Bach war eines der größten musikalischen Genies. Sein umfangreiches Schaffen, das durch Ausdruckskraft und Beherrschung der musikalischen Mittel geprägt ist, stellt sich als eine einzigartige Zusammenfassung jahrhundertealter abendländischer Musikentwicklung am Ende des Barockzeitalters dar. Bach verband die polyphone Technik, die von melodisch selbstständigen Stimmen geprägt ist, mit dem neuen Konzertstil seiner Zeit, in dem die Begleitstimmen den Melodiestimmen gegenübertraten. Die strenge kontrapunktische Form (→Kontrapunkt) der Fuge ist bei ihm am vollkommensten durchgebildet. Vier der Söhne Bachs, ebenfalls Musiker, zählten zu den Wegbereitern des klassischen Stils. **Carl Philipp Emanuel Bach** (*1714, †1788) war der Nachfolger Georg Philipp Telemanns als Organist in Hamburg; **Johann Christian Bach** (*1735, †1782) organisierte in London die ersten öffentlichen Konzerte. **Johann Christoph Friedrich Bach** (*1732, †1795) war Konzert- und Kapellmeister der Hofkapelle in Bückeburg, **Wilhelm Friedemann Bach** (*1710, †1784) wurde als Improvisator auf Klavier und Orgel bekannt.

Bache, weibliches Wildschwein (→Schweine).

Bachstelze, Singvogel mit langem Schwanz, der mit Vorliebe in Wassernähe unter Wurzeln nistet. Die schwarzweißgrau gefiederten Bachstelzen fliegen schnell und wippen beim trippelnden Lauf mit dem Schwanz. Einige Bachstelzen ziehen im Herbst bis nach Afrika, kehren aber schon im März nach Deutschland zurück.

Baden, der westliche Teil von →Baden-Württemberg, umfasst die Landschaften zwischen Main, Hochrhein und Bodensee. Baden war seit 1806 ein Großherzogtum und 1918–45 ein Land des Deutschen Reichs; bis 1952 bildete das südliche Baden ein Land der Bundesrepublik Deutschland.

Baden-Baden, 51 900 Einwohner, Kur- und Bäderstadt im nordwestlichen Teil des Schwarzwaldes, in Baden-Württemberg. Die heißen Quellen (68 °C) lindern rheumatische Erkrankungen. Baden-Baden ist Sitz des Rundfunksenders ›Südwestfunk Baden-Baden‹.

Baden-Württemberg wurde 1952 als Bundesland der Bundesrepublik Deutschland aus den Ländern Baden, Württemberg-Baden und Württemberg-Hohenzollern geschaffen.

Fläche: 35 751 km²
Einwohner: 10 149 000
Hauptstadt: Stuttgart

Baden-Württemberg ist alt besiedeltes Land mit reicher Kulturtradition; die traditionsreichen Universitätsstädte Freiburg, Tübingen und Heidelberg haben ein besonderen Ruf. Im Norden grenzt das Land an den hessischen Odenwald und das bayerische Mainfranken, im Osten weiter an Bayern; im Süden und Westen bilden Bodensee und Rhein die gemeinsame Grenze mit der Schweiz, Frankreich und im Nordwesten mit Rheinland-Pfalz.

Im Norden gliedert sich die Landschaft um Kraichgau und Hohenloher Ebene in zahlreiche Täler und Bergzüge, die aber selten über 500 m Höhe erreichen. Der Süden ist landschaftlich einheitlicher geformt: Aus der **Oberrheinebene** erhebt sich mächtig der **Schwarzwald,** der im 1 493 m hohen Feldberg seine größte Höhe erreicht; östlich davon ragt steil die **Schwäbische Alb** 300 bis 500 m über das nördlich vorgelagerte Unterland auf; hier stehen die Burgen Hohenstaufen und Hohenzollern. Die Schwäbische Alb fällt nach Südosten sanft zur Donau ab, die hier etwa der Grenze zwischen Alb und Alpenvorland folgt. In der Senke zwischen Schwarzwald und Schwäbischer Alb fließt der Neckar nach Norden und mündet bei Mannheim in den Rhein.

Die fruchtbarsten Gegenden mit ausgedehntem Anbau von Wein, Obst und Hopfenkulturen sind das Bodenseeufer, das Neckartal und die Rheinebene, wo der Frühling am zeitigsten beginnt. In diesen Gebieten ist auch die Besiedlung von jeher besonders dicht. Am mittleren Neckar hat sich um **Stuttgart** ein bedeutender Wirtschaftsraum entwickelt, in dem besonders Elektrotechnik, Mikroelektronik und Kraftfahrzeugbau angesiedelt sind. Ein zweites wirtschaftliches Ballungszentrum mit chemischer Industrie ist um **Mannheim** entstanden, das mit dem auf der anderen Rheinseite gelegenen Ludwigshafen zu

Baden-Württemberg
Landeswappen

Bachstelze:
Weiße Bachstelze

Badm

einer Stadtregion zusammengewachsen ist. Erdölraffinerien, die über Pipelines aus Marseille und Ingolstadt versorgt werden, stehen in **Karlsruhe.** Im Schwarzwald spielt neben der Forstwirtschaft der Fremdenverkehr eine hervorragende Rolle; die Schwäbische Alb hat ein raueres Klima, ist wasserarm und dünn besiedelt. Insgesamt ist Baden-Württemberg unter den Flächenstaaten das am stärksten industrialisierte deutsche Bundesland mit dem höchsten Ausländeranteil an der Wohnbevölkerung.

Badminton [bädmintn, englisch]. Im Freizeitsport ist Badminton unter dem Begriff **Federball** bekannt. Als Wettkampfsport wird es in der Halle für 2 (Einzel) oder 4 Spieler (Doppel) gespielt. Der Federball besteht aus einem runden, ungefähr 5 g schweren Kork, an dem 14–16 Naturfedern befestigt sind. Mit einem Schläger (ähnlich dem Tennisschläger) wird der Federball über ein Netz (1,55 m über dem Boden) gespielt. Gespielt wird mit 2 Siegsätzen bis zu 15 Punkten bei den Herren und bis zu 11 Punkten bei den Damen. Bei einem Punktgleichstand 1 oder 2 Punkte vor dem Punktendstand kann der Spieler, der zuerst diese Punktzahl erreicht, wählen, ob das Spiel um 3 oder 5 Punkte verlängert wird.

BAföG, Abkürzung für **B**undes**a**usbildungs**f**örderungs**g**esetz. Das BAföG regelt die staatliche Förderung der Schul- und Hochschulausbildung. Die Unterstützung richtet sich nach der Höhe des Einkommens der Eltern, des Ehepartners und des Auszubildenden. Der Höchstförderungssatz beträgt (1995) monatlich 990 DM in den alten Bundesländern und 980 DM in den neuen. Gefördert werden 1. die Ausbildung an bestimmten schulischen Einrichtungen und an Hochschulen sowie 2. Maßnahmen der beruflichen Bildung. Ab 1996 haben auch angehende Handwerkermeister, Techniker, Fachkaufleute und sonstige Fachkräfte, die sich auf vergleichbare Abschlüsse vorbereiten, Anspruch auf Zuschüsse und Darlehen (›Meister-BAföG‹). Die Förderung wird zur Hälfte als Darlehen, das nach Abschluss des Studiums zurückgezahlt werden muss, zur Hälfte als Zuschuss gewährt.

Bagdad [iranisch ›Gottesgeschenk‹], mit Vororten 3,84 Millionen Einwohner, Hauptstadt des Irak (seit 1920), liegt im Landesinneren am Tigris. Ihre Blütezeit erlebte die Stadt von 762 bis ins 13. Jahrh. als Sitz des Kalifen. Bagdad war damals Mittelpunkt der islamischen Welt.

Bahai, Angehöriger der **Bahairegion.** Diese Religionsgemeinschaft versteht sich als Zusammenfassung aller bestehenden Religionen. Sie wurde im 19. Jahrh. gegründet. Ihre Ziele sind allgemeiner Friede, Ausbreitung einer Weltsprache und die Gründung eines überstaatlichen Gerichtshofes, dem sich alle Staaten unterwerfen sollen. An jedem Monatsersten (die Bahai teilen das Jahr in 19 Monate zu 19 Tagen ein) versammeln sie sich zur Lektüre von Bibel, Koran und anderen religiösen Schriften.

Bahamas
Fläche: 13 878 km²
Einwohner: 264 000
Hauptstadt: Nassau
Amtssprache: Englisch
Nationalfeiertag: 10. 7.
Währung:
1 Bahama-Dollar (B $) = 100 Cents (c)
Zeitzone:
MEZ – 6 Stunden

Bahamas, Bahamainseln, Gruppe von 700 Inseln und 2 400 Riffen, die sich über 1 000 km von der Südwestspitze Floridas bis zum Ostzipfel Kubas am Rande des Atlantischen Ozeans erstrecken. Nur 22 Inseln sind bewohnt. Auf der Insel San Salvador betrat Christoph Kolumbus 1492 zum ersten Mal amerikanischen Boden. Die Bahamas waren 1718–1973 britische Kolonie, heute sind sie ein unabhängiger Staat im Commonwealth of Nations; Staatsoberhaupt ist die britische Königin.

Die Einwohner sind meist Schwarze und Mischlinge; nur jeder 10. Bahamaner ist Weißer. Zwei Drittel der arbeitenden Bevölkerung sind im Fremdenverkehr beschäftigt, der den Haupterwerbszweig der Bahamas darstellt. Die schönen Sandstrände und das im Winter und Frühjahr angenehme und gesunde Klima ziehen viele Touristen, besonders aus den USA, an. Im Sommer regnet es allerdings oft und im Herbst ziehen häufig verheerende Wirbelstürme über die Inseln. (KARTE Band 2, Seite 196)

Bahnengolf wird mit einem dem Golfschläger ähnlichen Schläger auf eigens dafür hergestellten Bahnen gespielt. Das vom Golf abgeleitete Zielspiel wird volkstümlich meist **Minigolf** genannt. Mit dem Schläger soll der Ball mit möglichst wenigen Schlägen vom Abschlag der Bahn über oder durch Hindernisse in das Loch gespielt werden. Es muss so lange vom Abschlag gespielt werden, bis das Bahnhindernis überwunden ist. Danach wird von der Stelle weitergespielt, an der der Ball liegen blieb. Erreicht der Spieler nicht mit 6 Schlägen das Loch, erhält er einen Zusatzpunkt angerechnet und muss die nächste Bahn spielen. Sieger ist, wer für die insgesamt 18 Bahnen die wenigsten Schläge benötigt.

Im organisierten Wettkampfsport unterscheidet man 4 Spielarten: **Miniaturgolf, Cobigolf, Sterngolf** und **Kleingolf**. Sie unterscheiden sich vor allem durch die Art und Anzahl der Hindernisse und durch die Länge, Breite und Oberflächenbeschaffenheit der Bahnen.

Bahrain
Fläche: 678 km²
Einwohner: 533 000
Hauptstadt: Menama
Amtssprache: Arabisch
Nationalfeiertag: 16. 12.
Währung: 1 Bahrain Dinar (BD) = 1000 Fils
Zeitzone: MEZ + 3 Stunden

Bahrain, Inselgruppe und selbstständiges arabisches Emirat im Persischen Golf. Bahrains wirtschaftlicher Aufschwung begann 1932 mit der Erdölförderung. Da die Erdölvorräte vermutlich noch in diesem Jahrhundert zu Ende gehen werden, baut das mit Saudi-Arabien verbündete Land eine Industrie auf (Aluminiumhütte, chemische Industrie, Werften). Dazu wurden viele Gastarbeiter ins Land geholt, sodass fast ein Drittel der Einwohner Ausländer sind. Neben der Industrialisierung soll der Ausbau der Hauptstadt Menama zu einem Handels- und Finanzzentrum die Zukunft des Landes sichern.

Baiern, Bajuwaren, germanischer Volksstamm, der aus verschiedenen germanischen Volksgruppen entstanden ist; sie siedelten seit dem 4. Jahrh. im Raum südlich der Donau. Die Bildung des Stammes der Baiern war um 550 abgeschlossen. Aus dem Siedlungsgebiet zwischen den Alpentälern im Süden und der Oberpfalz im Nordwesten entstand das Herzogtum →Bayern.

Baikalsee, größter Gebirgssee Asiens in Ostsibirien, einer der wasser- und fischreichsten Süßwasserseen der Erde. Er bedeckt eine Fläche von 31 500 km² und ist damit größer als Belgien. Der Seespiegel liegt in 456 m Höhe, die größte gemessene Tiefe beträgt 1 620 m (tiefster Binnensee der Erde). Von Ende Dezember bis Anfang Mai ist der Baikalsee zugefroren.

Bakteri|en [von griechisch bakterion ›Stäbchen‹] gehören zu den →Mikroorganismen. Es sind winzige Lebewesen, die nur aus einer Zelle bestehen und erst unter dem Mikroskop sichtbar werden. Sie haben keinen Zellkern und vermehren sich durch Querteilung des Zellleibs, was sehr schnell vor sich gehen kann. Es gibt sehr viele verschiedene Bakterien, die sich z. B. durch die Form in stäbchenförmige **(Bazillen),** kugelförmige **(Kokken)** und schraubenförmige **(Spirochäten)** Bakterien unterscheiden lassen.

Bakterien kommen in der Erde, im Wasser und in der Luft vor. Sie sorgen dafür, dass tierische und pflanzliche Abfälle zerfallen **(Fäulnis),** und bewirken, dass bestimmte Substanzen unter Gasbildung abgebaut werden **(Gärung).** Manche leben im Darm und unterstützen die Verdauung, indem sie Nahrungsstoffe spalten und damit für den Körper verwertbar machen. Andere Bakterien besiedeln ständig die Haut oder die Mundhöhle des Menschen; man bezeichnet das als normale **Bakterienflora.** Erst wenn diese Bakterien an eine andere Stelle im Körper gelangen, können sie Krankheiten hervorrufen.

Balalaika, russisches Zupfinstrument aus Holz mit dreieckigem Schallkörper, langem Hals und 3 Darmsaiten, die durch eine Schlagfeder oder mit der Hand angerissen werden. 2 der Saiten sind immer auf denselben Ton gestimmt, die dritte eine Quarte höher. Die Balalaika wird in 6 nach Größe und Stimmung verschiedenen Typen gebaut, sodass aus dieser Instrumentenfamilie ganze Orchester gebildet werden können.

Baldrian, sehr alte Heilpflanze, die wild auf feuchten Wiesen, an Bächen und in lichten Wäldern wächst, aber auch angebaut wird. Aus der getrockneten Wurzel werden leichte Beruhigungsmittel gewonnen, die als Tee, Tinktur, Tropfen usw. verwendet werden. Besonders die Wurzel riecht intensiv nach Katzenhaaren, ein Geruch, der Katzen anlockt (daher auch ›Katzenkraut‹ genannt). BILD Heilpflanzen.

Baldur, der germanische Gott des Lichtes.

Balearen, gebirgige, 5 014 km² große Inselgruppe im westlichen Mittelmeer. Auf den zu Spanien gehörenden Inseln leben 685 000 Einwohner. Die Hauptinsel ist **Mallorca** mit der Hauptstadt Palma; ferner gehören dazu das kleinere **Menorca,** die Inseln **Ibiza** und **Formentera** und mehrere kleine Felseninseln. Das Klima bietet ideale Voraussetzungen für den Fremdenverkehr. (KARTE Band 2, Seite 202)

Bali, westlichste der Kleinen Sundainseln. Die Hauptstadt ist Denpasar. Bali gehört zu Indonesien und ist mit 5 561 km² etwa doppelt so groß

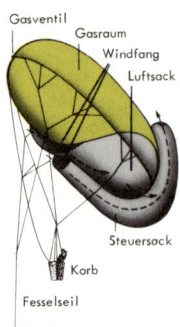

Balk

wie das Saarland. Die Insel hat 1,9 Millionen Einwohner. Der nördliche Teil Balis besteht überwiegend aus Vulkanen (bis zu 3 142 m) und tief zertalten Gebirgsketten und ist nur dünn besiedelt; der Südteil weist eine ausgedehnte Ebene auf, die mit ihrem Niederschlagsreichtum und ihren guten Böden hervorragende Voraussetzungen für die Landwirtschaft bietet. Hier lebt der größte Teil der überwiegend Reisanbau betreibenden Balinesen. (KARTE Band 2, Seite 195)

Balkan, Gebirge in Bulgarien. Der nach Norden offene Bogen des Gebirges erstreckt sich über 600 km von der Donau im Nordwesten bis zum Schwarzen Meer im Osten. Der Balkan gliedert sich in **Westbalkan, Hohen Balkan** und **Ostbalkan** und erreicht im **Botew** mit 2 376 m seinen höchsten Punkt. Zahlreiche Pässe verbinden die durch das Gebirge getrennten Landesteile Bulgariens (das nördliche Donaubulgarien und das südliche Hochbulgarien).

Nach dem Balkan ist die östlichste der 3 großen Halbinseln Südeuropas, die **Balkanhalbinsel,** benannt. Sie umfasst Griechenland, Albanien, Bulgarien, den europäischen Teil der Türkei, Makedonien, Serbien, Montenegro, Bosnien-Herzegowina und Teile von Kroatien und Slowenien. Die Halbinsel ist vorwiegend gebirgig. Nur die Flüsse Donau, Save und Maritza schufen größere Ebenen, in denen Wein, Oliven und Südfrüchte angebaut werden.

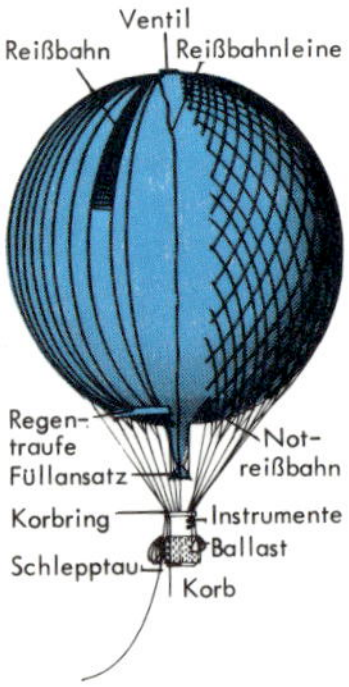

Ballade [zu lateinisch ballare ›tanzen‹], erzählendes Gedicht, das für den öffentlichen Vortrag bestimmt ist. Ursprünglich waren Balladen in romanischen Ländern gesungene Tanzlieder mit Refrain. Bei der Verbreitung der Lieder ins nördlichere Europa wurde die Form mit epischen Stoffen verbunden. So entstanden die **Volksballaden,** Erzähllieder, deren Verfasser, im Gegensatz zur **Kunstballade,** unbekannt sind. Die französische Literatur des 14. und 15. Jahrh. ist von den Balladendichtungen der Troubadoure geprägt.

Die deutsche Volksballade, mit Stoffen aus der Geschichte und der Heldensage, hatte ihre Blütezeit zwischen 1250 und 1450. Um 1770 entstand, angeregt von englisch-schottischen Geisterballaden, eine deutsche Kunstballadendichtung, in der die Stilmerkmale der Volksballade übernommen wurden. Verfasser sind z. B. Goethe, Schiller, Ludwig Uhland und Conrad Ferdinand Meyer. Bert Brecht, der an den Bänkelsang anknüpfte, wurde zum Schöpfer der politischen Ballade (z. B. Wolf Biermann, Peter Hacks, Günter Kunert). In Amerika wird die Volksballade, zur Gitarre gesungen, als **Folksong** bezeichnet.

Ballett [aus italienisch ballo ›Tanz‹], Bezeichnung für künstlerischen Bühnentanz, für die Gruppe der ausführenden Tänzer und für das dargebotene Werk. Das Ballett entwickelte sich im 15./16. Jahrh. aus der Schauspielkunst, die an italienischen Fürstenhöfen gepflegt wurde. Das erste eigenständige Ballett kam 1581 am französischen Königshof in Paris zur Aufführung und bestimmte die Entwicklung dieser Kunstrichtung auch in den übrigen europäischen Hauptstädten. Im 17. Jahrh. verfeinerte man die Tanztechnik; auch Frauen waren nun zum Bühnentanz zugelassen. 100 Jahre später wurde der **Spitzentanz** üblich und die Zeit der großen Ballerinen (z. B. Fanny Elssler) begann. Kopenhagen und St. Petersburg waren die neuen Zentren des Balletts. Hier entstanden klassische Meisterwerke wie ›Schwanensee‹ und ›Der Nussknacker‹. Im 20. Jahrh. erneuerte sich unter dem Einfluss des russischen Balletts die westeuropäische Tanzkunst. Musik und Handlung waren inzwischen weniger

Ballett: ›Don Quichote‹, getanzt von Rudolf Nurejew und Lucette Aldons, choreographiert von Nurejew; 1973

wichtig geworden; im Vordergrund stand der Entwurf der Tanzschritte **(Choreographie)** als Ausdruck einer dramatischen Situation. Gleichzeitig entwickelte sich, zunächst im Gegensatz zum klassischen Ballett, der freie Tanz (Ausdruckstanz, Modern Dance). Heute gehört im weiteren Sinn ebenso zum Ballett wie Darbietungen von Folklore- und **Jazz-Dance-Truppen** oder das **Tanztheater,** das Elemente des Schauspiels mit tänzerischen Abläufen verbindet.

Ballistik [zu griechisch ballein ›werfen‹], die Lehre von der Bewegung geworfener, geschossener oder durch Rückstoß angetriebener Körper, solange sie sich im lufterfüllten Raum befinden. Die Ballistik befasst sich hauptsächlich mit der Geschossbewegung.

Ballon [balõ, französisch], gasdichte Hülle, die mit einem Gas gefüllt werden kann. Die be-

---

Ballon:
Fesselballon
(System Parseval-Sigsfeld)
Gasventil, Gasraum, Windfang, Luftsack, Steuersack, Korb, Fesselseil

Ballon:
Freiballon
Ventil, Reißbahn, Reißbahnleine, Regentraufe, Füllansatz, Notreißbahn, Korbring, Instrumente, Ballast, Schlepptau, Korb

Ballon:
Freiballon OBEN
Wasserstoffballon UNTEN
Heißluftballon
Reißbahn, Ventil, Brennerplattform, Propanbrenner, Korb

kannteste Form ist der **Luftballon.** Wird er statt mit Luft mit einem anderen Gas (Stadtgas, Helium, Wasserstoff) gefüllt, das leichter als Luft ist, oder mit Heißluft, so steigt er auf. Größere Ballons sind Luftfahrzeuge. **Fesselballons** werden durch ein Seil an einem Ort festgehalten; meist dienen die von ihnen mitgeführten Instrumente wetterkundlichen Messungen. **Freiballons** können sich frei im Luftraum bewegen und, wenn an ihnen eine Gondel befestigt ist, auch Passagiere mitnehmen. Nach ihren Erfindern, den Brüdern Montgolfier, wird ein **Heißluftballon** auch Montgolfière, nach Jacques Charles ein **Wasserstoffballon** (seltener) Charlière genannt. Der erste bemannte Ballon der Brüder Montgolfier stieg 1783 in Paris auf und nur wenige Wochen später der von Jacques Charles.

Die Richtung, in der sich ein Ballon bewegt, ist nur von der Windrichtung abhängig und kann nicht beeinflusst werden. Es ist jedoch möglich, die Flughöhe zu steuern und so verschiedene Luftströmungen auszunutzen. Ein Wasserstoffballon steigt, wenn Ballast, z. B. Sand, abgeworfen wird, und er sinkt, wenn man über ein Ventil Gas ablässt. Bei dem mit einem Gasbrenner ausgerüsteten Heißluftballon wird das Steigen und Sinken durch Aufheizen und Abkühlen der Luft im Ballon erreicht.

Ballspiele sind weltweit verbreitet und werden nach international festgelegten Regeln gespielt. Manche Ballspiele sind auf wenige Länder beschränkt; dazu gehören z. B. Football (Nordamerika), Pelota (Spanien, auch im französischen Baskenland, Lateinamerika) und Boule (Frankreich). Die Ursprünge der Ballspiele reichen bis in die frühe Menschheitsgeschichte zurück. Aus China, Ägypten, Mesopotamien und der griechisch-römischen Antike sind Bild- und Wortzeugnisse über vielerlei Ballspiele bekannt, die zum Teil schon Vorformen heutiger Ballspiele darstellen. Ebenso vielfältig wie die Spiele sind die dazu benötigten Bälle. In der Frühzeit bestanden sie meist aus Pflanzenfasern, Naturgummi, Lederhüllen mit Füllungen, Tierblasen oder waren aus Holz. Heute unterscheidet man zwischen Vollbällen unterschiedlichster Füllung (z. B. Medizinball: mit Sand gefüllte Lederhülle) und elastischen Hohlbällen (z. B. Fußball).

Ballungsgebiet, Agglomeration, Gebiet, in dem viele Menschen dicht beieinander wohnen und eine große Zahl von Arbeitsstätten (Industrie, Gewerbebetriebe) vorhanden ist. Die Städte in einem Ballungsgebiet liegen oft so dicht beisammen, dass sie fast ineinander übergehen.

Nach G. Isenberg spricht man in Deutschland von einem Ballungsgebiet, wenn mehr als eine halbe Million Menschen bei einer Wohndichte von rund 1 000 Einwohner je km² auf zusammenhängender Fläche leben. Das größte Ballungsgebiet in Deutschland ist das Gebiet um Rhein und Ruhr, etwa begrenzt durch die Städte Hamm, Bonn, Mönchengladbach und Wesel. An zweiter Stelle folgt das Rhein-Main-Gebiet.

Baltikum, zusammenfassende Bezeichnung für das Gebiet der Staaten Estland und Lettland und Litauen.

Balz, das Verhalten vieler Tiere vor der →Begattung. Dabei werben meist die Männchen um die Weibchen durch besondere Rufe (z. B. die Vögel durch Gesang), durch das Zurschaustellen von bestimmten Körperteilen (z. B. das Rad beim Pfau) und durch andere auffällige Verhaltensweisen (z. B. die Flugspiele der Waldschnepfe).

Balzac [balsak]. Der französische Schriftsteller **Honoré de Balzac** (*1799, †1850) beobachtete und beschrieb Menschen, die von Leidenschaften und Machtstreben beherrscht waren. In der Romanreihe ›Die menschliche Komödie‹ stellt er sie vor dem Hintergrund der sozialen und politischen Umwälzungen seiner Zeit dar. Bekannte Romane sind z. B. ›Eugénie Grandet‹ (1833) und ›Vater Goriot‹ (1834/35). Balzac gilt als einer der Begründer des gesellschaftskritischen →Realismus im modernen französischen Roman.

Bamberg, 70 600 Einwohner, Stadt in Bayern, an der Regnitz, nicht weit von ihrer Mündung in den Main. Die Stadt ist eine alte Kaiser- und Bischofsresidenz. Sie entstand seit dem 11. Jahrh. an der Stelle einer früheren Burg der Grafen von Bamberg. Der Dom wurde im 13. Jahrh. im spätromanischen und frühgotischen Stil erbaut; er enthält bedeutende Bildwerke, darunter den ›Bamberger Reiter‹, der als das früheste erhaltene Reiterstandbild seit der Antike gilt.

Bambus, ein tropisches →Gras, das besonders in den Dschungeln Südostasiens heimisch ist. Die hohlen, knotigen Stängel wachsen sehr schnell (pro Tag bis 1 m) und werden bis 40 m hoch. Sie verholzen und sind dann sehr fest, aber doch leicht. Dieses **Bambusrohr** dient z. B. zum Bau von Hütten, Brückenstegen und Möbeln. Aus den Blättern werden Körbe, Matten und Stricke geflochten. Die jungen Triebe sind ein wohlschmeckendes Gemüse.

Bananen, Südfrüchte, deren Heimat vermutlich in tropischen Gebieten Südostasiens liegt. Bananen gehören zu den ältesten Kulturpflanzen

Bambus

Bananen: Bananenstaude mit Blüte und beginnender Fruchtbildung (oben)

Band

und werden heute in allen tropischen Ländern auf großen Plantagen gezogen, besonders in Mittelamerika, im nördlichen Südamerika und in Westindien. Die Bananenpflanze sieht fast wie ein Baum aus, ist aber eine riesige, 3–10 m hohe Staude, die aus Blattscheiden einen bis 30 cm dicken Scheinstamm bildet. Auf diesem Stamm sitzt ein Schopf aus etwa 20 über 2 m langen Blättern. Der traubige Fruchtstand besteht aus mehreren ›Händen‹ mit bis zu 16 Früchten. Weil sich die einzelnen ›Finger‹ beim Wachsen dem Licht zuwenden, ist die Banane ›krumm‹. Eine Staude kann bis zu 150 Früchte tragen. Die reifen Früchte sind sehr empfindlich; daher werden Bananen unreif (›grün‹) gepflückt, in Kühlschiffe verladen und reifen dann in Lagerhäusern. Aus den Faststrängen des Scheinstammes einer Bananenart gewinnt man eine sehr feste Faser (›Manilahanf‹), aus der Schiffstaue, Seile und Netze hergestellt werden.

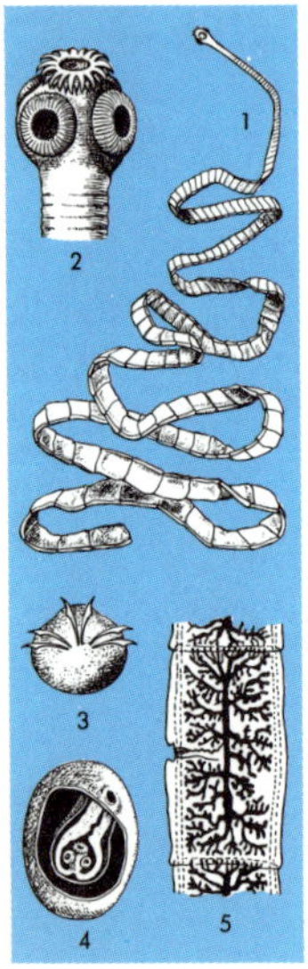

Band, 1) →Tonband; **2)** →Videoband.

Band [bänd, englisch], Kapelle, die Unterhaltungsmusik und besonders Jazz spielt. Eine **Jazzband** setzte sich ursprünglich aus der Rhythmusgruppe (Schlagzeug, Klavier, Bass, Gitarre) und der Melodiegruppe (Trompete, Posaune, Klarinette) zusammen (→Jazz). Heute gibt es für die Band keine feste Besetzung mehr. Besonders die elektronischen Instrumente bestimmen immer mehr ihren Charakter. Den Leiter einer Band nennt man **Bandleader**.

Bandkeramik, die älteste Kultur der →Jungsteinzeit in Mittel- und Südeuropa (4500–3500 v. Chr.). Die Menschen dieses Kulturkreises pflegten ihre Keramikgefäße mit Bandverzierungen zu versehen.

Bandoneon. Um 1840 erfand Heinrich Band aus Krefeld diese nach ihm benannte Abart des →Akkordeons. Das Gehäuse ist meist achteckig; im Bassregister wird von jedem Knopf ein Ton erzeugt (nicht ein Akkord wie beim Akkordeon). Der Tonumfang beträgt mindestens 88, meist aber 144 Töne. Besondere Bedeutung hat das Bandoneon beim Tango in der argentinischen Musik.

Bandscheibe, Zwischenwirbelscheibe, knorpelige Verbindung zwischen 2 Wirbelkörpern (→Wirbelsäule). Die Bandscheibe besteht aus einem bindegewebigen Faserring und einem Gallertkern. Sie trägt die Last des Körpers und ermöglicht die Beweglichkeit der Wirbelsäule. Die elastische Verformbarkeit des Gallertkerns hilft Stöße abzupuffern (z. B. beim Radfahren über einen holprigen Weg). Da der Gallertkern mit zunehmendem Alter an Elastizität verliert, wird der Druck, der auf der Wirbelsäule lastet, ungleichmäßig verteilt und es kann leicht zur Schädigung von Wirbelkörpern kommen. Zerreißt der äußere Faserring, kommt es zum **Bandscheibenvorfall**.

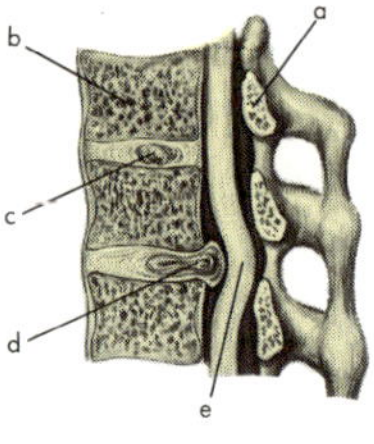

Bandwürmer, als →Parasiten lebende Würmer, die lang und flach wie ein Band sind. Die erwachsenen Tiere können nur im Darm von Tier und Mensch leben (›Endwirte‹). Sie ernähren sich von deren Darmsäften, die sie durch die Haut aufnehmen. Der weißliche Wurm, der bis zu 10 m lang werden kann, besteht aus einem stecknadelgroßen Kopf, dessen Saugnäpfe oder Hafthaken in der Darmwand verankert werden, und aus 3 bis mehreren Tausend Einzelgliedern. Diese Glieder, die laufend neu gebildet werden, enthalten die männlichen und weiblichen Geschlechtsorgane und befruchten sich (da der Wurm in Windungen liegt) wechselseitig. Die mit befruchteten Eiern prall gefüllten Endglieder gehen mit dem Kot des Wirts ab und gelangen ins Wasser oder als Dünger auf Felder und Wiesen. Wird nun ein Ei von einem Fisch oder Weidetier (›Zwischenwirt‹) gefressen, entwickelt sich in dessen Darm eine Larve. Diese wandert z. B. in die Muskeln und bildet dort die blasige ›Finne‹, in der sich dann ein oder mehrere Bandwurmköpfe entwickeln. Isst nun ein Mensch das rohe Fleisch dieser Tiere, gelangt die Finne in seinen Darm und ein neuer Bandwurm wächst heran. Bandwürmer verursachen Übelkeit, Mattigkeit und Koliken.

Besonders gefährlich ist der bei Katzen und Hunden vorkommende **Hundebandwurm,** der z. B. durch Lecken auf seine Zwischenwirte – Pflanzen fressende Säugetiere oder den Menschen – übertragen wird. Bei diesen bildet er in Leber und Gehirn fast faustgroße Finnen, die die befallenen Organe stark schädigen und zum Tod führen können. Deshalb ist es wichtig, z. B. durch Händewaschen nach dem Berühren von Tieren einer Übertragung vorzubeugen.

Bangkok, 5,9 Millionen Einwohner, Hauptstadt von Thailand, am Menam, 33 km oberhalb der Mündung in den Golf von Siam. Im 18. Jahrh., nachdem die frühere Hauptstadt zerstört worden war, wurde Bangkok Hauptstadt des damaligen Königreichs Siam. Viele farbenprächtige Paläste und Tempel prägen das Stadtbild.

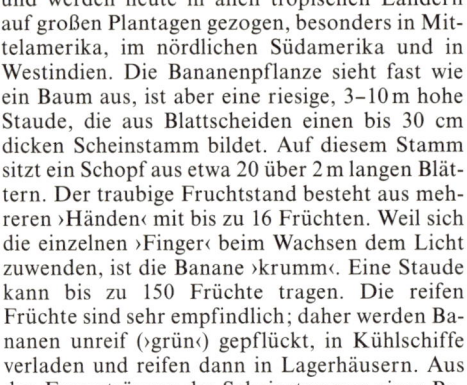

Bandwürmer:
1 Schweinebandwurm, 2 Kopf, 3 Ei, 4 Finne, 5 reifes Glied

Bandscheibe: oben Bandscheibe normal, unten Bandscheibenvorfall; a Wirbelbogen (durchtrennt), b Wirbelkörper, c Kern der Bandscheibe, d Vorfall, e verdrängtes Rückenmark

Bangladesh

Fläche: 143 998 km²
Einwohner: 119,288 Mio.
Hauptstadt: Dhaka
Amtssprache: Bengali
Nationalfeiertag: 26. 3.
Währung: 1 Taka (Tk.) = 100 Poisha (ps.)
Zeitzone: MEZ + 5 Stunden

Bangladesh [bangladẹsch], Republik im Nordosten des indischen Subkontinents, etwas kleiner als Griechenland. Das Land besteht zum größten Teil aus den Deltagebieten der Flüsse Ganges und Brahmaputra. Die Bewohner sind fast ausschließlich Bengalen. Der Islam ist Staatsreligion.

Bangladesh hat ein feuchtes und warmes Klima mit winterlicher Trockenzeit. Besonders im Sommer zur Zeit des Südwestmonsuns fallen reichliche Niederschläge. Wenn gleichzeitig Monsun und Hochwasser auftreten, kann es zu großen Überschwemmungskatastrophen kommen, die Tausende von Menschen das Leben kosten und die Ernten vernichten. Bangladesh gehört zu den am dichtesten besiedelten Ländern der Erde. Die Bevölkerung wächst trotz Maßnahmen zur Geburtenregelung sehr schnell. Der Anbau von Reis, Jute und Zuckerrohr reicht nicht aus, um die Menschen zu ernähren. Verbesserte Anbaumethoden sollen hier höhere Erträge ermöglichen. Die Industrialisierung ist schwach ausgeprägt.

Nach Beendigung der britischen Kolonialherrschaft über Indien kam bei dessen Teilung das heutige Bangladesh (unter dem Namen **Ostpakistan**) 1947 zu Pakistan. Aufstände gegen die Zentralregierung in Westpakistan führten mithilfe Indiens in einem Krieg 1971 zur Unabhängigkeit. Nach mehreren Militärputschen kehrte Bangladesh mit der Verfassung von 1991 zur parlamentarischen Demokratie zurück. Seit Beginn der 1990er-Jahre prägt der islamische Fundamentalismus zunehmend das politische Klima. (KARTE Band 2, Seite 195)

Banjo [bändscho], Zupfinstrument westafrikanischer Herkunft, das aus einem Resonanzkörper in der Art einer Trommel besteht. Es hat einen langen Hals, einen runden Schallkörper, der mit Fell bezogen ist, und 5 bis 7, manchmal sogar 9 Saiten, die mit dem Finger gezupft werden. Das Banjo wird vor allem im Jazz und in der Countrymusic verwendet.

Bänkelsang, seit dem 17. Jahrh. geübte Vortragsform von Liedern **(Moritaten)** auf Jahrmärkten. Oft hatten diese Lieder Schauergeschichten, Familientragödien oder Naturkatastrophen zum Thema, die sich gerade irgendwo ereignet hatten. Der Bänkelsänger vermittelte von Drehorgelmusik begleitet zeitgebundene ›Nachrichten‹. Er stand dabei auf einer Bank und wies während der Darbietung mit einem Stab auf einfache Wachstuchbildtafeln, die den Liedtext illustrierten. Fast immer war damit eine belehrende Absicht verbunden, daneben auch das Interesse, Handzettel mit Texten und Bildern zu verkaufen. Mitte des 18. Jahrh. begannen auch Schriftsteller den Bänkelsang als literarische Form zu übernehmen und ihn zu →Balladen weiterzuentwickeln. Im 20. Jahrh. verfasste man in dieser Tradition Texte für das Kabarett.

Banken, →Kreditinstitute.

Bankleitzahl, Abkürzung **BLZ,** die Kennzeichnung eines Kreditinstituts, eine achtstellige Zahl, die mithilfe der elektronischen Datenverarbeitung die Abrechnung der Banken untereinander erleichtert.

Banknoten, Geldscheine aus Papier **(Papiergeld),** die auf einen runden Betrag lauten, in der Bundesrepublik Deutschland auf 5, 10, 20, 50, 100, 200, 500 und 1 000 Deutsche Mark. Sie werden im Auftrag des Staates von einer dafür bestimmten Bank, der →Notenbank, ausgegeben. Bei der Herstellung von Banknoten wird ein besonderes Papier mit Textilfasern verwendet. Um Fälschungen zu vermeiden, sind in vielen Banknoten ein metallähnlicher Sicherheitsfaden und ein **Wasserzeichen** eingearbeitet, das eine auf der Vorderseite vorhandene Abbildung auf der Rückseite seitenverkehrt als durchscheinende Zeichnung im Papier zeigt.

Bann, →Acht und Bann.

Bantamgewicht, eine →Gewichtsklasse.

Bantu [Bantusprachen ›Menschen‹], die Stämme und Völker im südlichen und mittleren Afrika, die **Bantusprachen** sprechen, etwa 90 Millionen Menschen. Ihrer Herkunft und Kultur nach bilden sie keine Einheit; zu den Bantu gehören z. B. die Ambo, Herero, Kongo, Tswana und Zulu.

Baptisten, Anhänger einer christlichen Glaubensgemeinschaft. Der Name, der im Griechischen ›Täufer‹ bedeutet, verweist auf ein besonderes Merkmal: Es werden nur Erwachsene getauft, da sich der Täufling bewusst zum Glauben an Christus bekennen soll. Die Gemein-

Bangladesh

Staatswappen

Staatsflagge

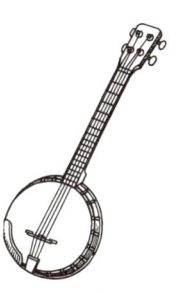

Banjo

Bar

schaft entstand im 17. Jahrh. in England und ist heute besonders in den USA verbreitet.

Bar, Einheitenzeichen **bar,** neben dem →Pascal (Pa) eine gesetzliche →Einheit des →Druckes; es gilt: 1 bar = 100 000 Pa. Es herrscht ein Druck von 1 bar, wenn auf eine Fläche von 1 cm^2 eine Kraft von 10 Newton (N) wirkt. Der normale Luftdruck beträgt 1,013 bar = 10,13 N/cm^2 = 1 013 mbar (Millibar), das heißt, die Lufthülle der Erde übt infolge ihrer Gewichtskraft auf 1 cm^2 der Erdoberfläche eine Kraft von etwas mehr als 10 N aus. Seit 1. 1. 1984 wird vom Deutschen Wetterdienst der Luftdruck nicht mehr in Millibar, sondern in Hektopascal (hPa) angegeben. Es gilt: 1 hPa = 1 mbar.

Barbados
Fläche: 430 km^2
Einwohner: 259 000
Hauptstadt: Bridgetown
Amtssprache: Englisch
Nationalfeiertag: 30. 11.
Währung:
1 Barbados-Dollar
(BDS $) = 100 Cents (c)
Zeitzone:
MEZ – 5 Stunden

Barbados
Staatswappen

Staatsflagge

Barbados, östlichste Insel der Kleinen Antillen, seit 1966 unabhängiger Staat im britischen Commonwealth of Nations. Die Bevölkerung besteht hauptsächlich aus Schwarzen und Mulatten. Barbados ist wirtschaftlich abhängig vom Zuckerrohranbau; auch der Fremdenverkehr spielt eine Rolle. (KARTE Band 2, Seite 197)

Barbaren, bei den alten Griechen alle Menschen, die nicht griechisch sprachen. Die Römer nannten so die Völker, die nicht an der griechisch-römischen Lebensweise teilhatten. Später nahm das Wort die Bedeutung ›rohe, ungebildete Menschen‹ an.

Barbarossa [italienisch ›Rotbart‹], Beiname des deutschen Kaisers →Friedrich I.

Barcelona, 1,68 Millionen Einwohner, zweitgrößte Stadt Spaniens. Sie liegt im Nordosten des Landes am Mittelmeer und ist eine bedeutende Handels- und Industriestadt (Textilerzeugung, Eisenverarbeitung, Schiffbau). Der Hafen gehört zu den Haupthäfen des Mittelmeers. In einem Hafenbecken liegt eine Nachbildung der Santa Maria, des Schiffs, mit dem Kolumbus Amerika entdeckte. Barcelona hat eine hervorragende Verkehrslage: Die aus dem Innern und von der Südostküste kommenden Verkehrslinien laufen hier zusammen und führen am Ostrand der Pyrenäen nach Frankreich weiter.

Barden, keltische Sänger und Hofdichter, etwa vom 7. bis 15. Jahrh. in Wales, Irland, Schottland und Gallien, die bei Festen die von ihnen verfassten Kampf- und Preislieder sangen.

Bären sind die größten Landraubtiere. Sie fressen nicht nur Fleisch wie die meisten anderen Raubtiere, sondern hauptsächlich Früchte und Wurzeln, Pilze und Gräser und den Honig wilder Bienen. Bären haben einen dicken, zottigen Pelz und einen Stummelschwanz. Sie sind geschickte Kletterer, können gut schwimmen und rasch laufen. Den Winter über bleiben sie in einem Versteck. Dort bringt die Bärin 1 bis 3 Junge zur Welt, die über ein Jahr von ihr betreut werden. Außerhalb der Paarungszeit sind Bären Einzelgänger.

Braunbären, die bis 2,20 m lang werden, gab es früher in fast ganz Europa. Wegen ihres schönen Pelzes und aus Angst und Aberglaube wurden sie fast vollständig ausgerottet. Braunbären leben heute noch in Skandinavien, Russland, auf dem Balkan und sehr selten in den italienischen Alpen. In Nordamerika (vor allem in Alaska) sind der **Schwarzbär** und der 2,50 m lange, braune **Grizzlybär** heimisch. Die nördlichen Polargebiete bewohnt der **Eisbär** mit weißem bis gelblichem Fell, der bis zu 2,80 m lang wird; er kann hervorragend schwimmen (auch im Zoo braucht er ein Wasserbecken) und erbeutet Robben, seine Hauptnahrung, oft im Wasser. Der **Kragenbär** lebt im Himalaya bis in Höhen von 4 000 m. In den Dschungeln Vorderindiens und Ceylons ist der **Lippenbär** zu finden, der sich von Insekten ernährt. Unter den Großbären ist der in Hinterindien, auf Borneo und Sumatra lebende **Malaienbär** (Körpergröße 1,40 m) der kleinste.

Mit den großen Bären verwandt sind die **Kleinbären.** Zu ihnen gehören der amerikanische **Waschbär** und der **Panda** aus den Gebirgen Chinas und Tibets. Der Name des Waschbären geht darauf zurück, dass er seine Nahrung vor dem Fressen in Wasser taucht und abwäscht. Sein Fell ist als Pelz sehr begehrt. In Wäldern der Eifel und einigen Gebieten Hessens leben heute Waschbären, die aus Zuchtfarmen entlaufen sind; sie haben sich in den letzten Jahren stark vermehrt. In der Färbung ähneln Waschbären dem größeren, nicht verwandten Dachs; sie haben auch eine schwarzweiße Gesichtszeichnung, aber dunkle Ringe auf dem buschigen Schwanz.

Der auffallend schwarzweiß gefärbte **Bambusbär** (da er sich vor allem von Bambussprossen ernährt) oder **Große Panda** gehört zu den am stärksten vom Aussterben bedrohten Tierarten. Die etwa 1 000 Tiere, die noch in chinesischen Bergregionen leben, stehen unter strengem Schutz.

Der Beutelbär (→Koala) gehört nicht zu den Bären, sondern ist ein →Beuteltier.

Bariton [zu griechisch barytonos ›volltönend‹], →Stimmlagen.

Barium, Zeichen **Ba,** metallisches →chemisches Element (ÜBERSICHT), dessen wasserlösliche Verbindungen **giftig** sind. Bariumverbindungen werden z. B. als Malerfarben und in der Feuerwerkerei verwendet.

Barlach. Der Bildhauer, Grafiker und Dichter **Ernst Barlach** (*1870, †1938) kannte als Künstler nur ein Thema: den Menschen. In seinen Bildwerken aus Holz oder Bronze stellte er ihn meist in halber Lebensgröße dar, in knappen, blockhaften Formen. Seine schlichten Gestalten erscheinen wie von innerer Kraft erfüllt. Auf einer Russlandreise (1906) hatte ihn die Begegnung mit dem einfachen, gläubigen, meist in elenden Verhältnissen lebenden Volk tief beeindruckt und als Künstler geprägt. Als Grafiker schuf Barlach Holzschnitte und Lithographien, oft mit religiöser Thematik; mit ihnen illustrierte er auch seine Dichtungen (Schauspiele, Romane). Er stand dem Expressionismus nahe und wurde nach 1933 von den nationalsozialistischen Machthabern als Vertreter der →entarteten Kunst verfolgt. (BILD Expressionismus)

Bärlappe, kleine, moosähnliche Pflänzchen, die oft meterlang über den Waldboden ›dahinkriechen‹. Sie werden auch **Schlangenmoose** genannt, sind aber mit den →Farnen verwandt. An ihren schlanken, gabelig verzweigten Sprossen sitzt eine große Zahl immergrüner, nadel- oder schuppenförmiger Blätter. Die Sprosse tragen kolbenartige Ähren mit Sporenblättern, die am Grund eine große Sporenkapsel haben. Die unzähligen winzigen Sporen bilden ein feines, gelbliches Pulver. Die Entwicklung von der Spore bis zur Sporen bildenden Pflanze dauert mehrere Jahrzehnte. Der Name ›Bärlapp‹ bezieht sich auf die weichen Stängelspitzen, die mit der Form einer Bärentatze vergleichbar sind. Alle in Deutschland heimischen Bärlappgewächse stehen unter Naturschutz.

Barock, eine Ausdrucksform der bildenden Kunst. Sie kam gegen Ende des 16. Jahrh. im Anschluss an den Manierismus auf und wurde im 18. Jahrh. von Rokoko und Klassizismus abge-

Baro

Barock:
Gian Lorenzo Bernini,
David; 1623 (Rom,
Galleria Borghese)

löst. Der Name Barock kommt von portugiesisch barroco ›unregelmäßig‹ und war zunächst abwertend gemeint, denn die barocke Kunst galt lange als schwülstig und überladen, gemessen an der Kunst der Antike und der Renaissance. Erst seit der Mitte des 19. Jahrh. begann man den Barock als eigenständige Epoche zu würdigen, die auch Literatur und Musik umfasst.

Die Barockzeit ist die Epoche der allein regierenden Herrscher (Absolutismus) und der Gegenreformation. Förderer der Kunst waren besonders der Adel und die katholische Kirche. Es entstanden repräsentative Schlossanlagen (Würzburger Residenz, Nymphenburg bei München), schlossähnliche Klöster (Stift Melk in Österreich) und prunkvolle Kirchen (Wallfahrtskirche Vierzehnheiligen in Franken); ferner auch städtebauliche Gesamtanlagen (Petersplatz in Rom).

Die Barockarchitektur ging von Italien aus (Gian Lorenzo →Bernini und Francesco Borromini in Rom); eine eher klassizistische Richtung knüpfte an die Bauten Andrea Palladios (in und um Venedig und Vicenza) an, z. B. in England (St. Paul's Cathedral in London). In Frankreich entstanden Schlossbauten in gemäßigtem, ›klassischem Stil‹ mit streng ausgerichteten Gartenanlagen (Versailles). Im deutschen Raum entfaltete sich die Barockkunst erst seit etwa 1700: In Österreich bauten Johann Bernhard Fischer von Erlach (Karlskirche in Wien), Johann Lukas von Hildebrandt (Schloss Belvedere in Wien), Jakob Prandtauer (Stift Melk), in Böhmen und Franken die Familie Dientzenhofer, ebenfalls in Franken Johann Balthasar →Neumann (Würzburg, Vierzehnheiligen), in Berlin Andreas Schlüter (Schloss), in Dresden Georg Bähr (Frauenkirche) und Matthäus Daniel Pöppelmann (Zwinger).

Die Hauptmerkmale der barocken Architektur sind: starke Bewegtheit durch geschwungene Formen, auch im Grundriss, Betonung der Vertikalen, oft durch ›kolossale‹ Säulenordnungen an den Fassaden; reicher plastischer Schmuck und malerische Gestaltung in den Innenräumen, die dadurch festlich wirken. Wand- und Deckenmalereien lassen die Räume viel weiter und höher erscheinen, als sie tatsächlich sind. Besonders die in Wirklichkeit oft recht flachen Decken können durch die perspektivische Malerei wie ins Unendliche geöffnete Himmelsgewölbe wirken. In diesen scheint sich ein unübersehbares, bunt bewegtes Geschehen abzuspielen; meist sind es religiöse oder mythologische Themen und Allegorien. Ein bedeutender Maler in diesem Sinn

Barock:
A. Schlüter,
Fenster-Kartusche
mit dem Kopf eines
sterbenden Kriegers

Barock: Wallfahrtskirche Vierzehnheiligen; 1743–72 von Johann Balthasar Neumann erbaut

war der Venezianer Giovanni Battista Tiepolo, der Teile der Würzburger Residenz ausmalte.

In der Tafelmalerei und der Bildhauerkunst (die Architekten Gian Lorenzo Bernini und Andreas Schlüter waren auch bedeutende Bildhauer) des Barock findet sich eine ähnlich freie, oft stark bewegte Art der Gestaltung wie in der Architektur; besondere Lichteffekte (Helldunkelmalerei, erstmals bei dem italienischen Maler Michelangelo da Caravaggio) kommen in der Malerei hinzu. Dargestellt werden biblische und antike Stoffe, Landschaften und häusliche Szenen (Genrebilder) sowie Porträts. Bedeutende Maler: in Italien die Familie Carracci, in Frankreich Nicolas Poussin und Claude Lorrain, in den Niederlanden →Rembrandt und Frans →Hals, in Flandern Peter Paul →Rubens und Anthonis van →Dyck, in Spanien Diego →Velázquez.

Das barocke Lebensgefühl war von großen Spannungen und Gegensätzen geprägt: einerseits Sinnlichkeit, Lebensfreude, Prunk, andererseits tiefe Religiosität und Beschäftigung mit dem Tod (in Deutschland eine Nachwirkung der Schrecken des Dreißigjährigen Krieges); in der Kunst ein Formenreichtum, der maßlos und übersteigert wirkt, doch dahinter ein streng durchdachtes Konzept. Alle Einzelheiten sind einem Ganzen untergeordnet; Architektur, Malerei und Bildhauerkunst werden aufeinander abgestimmt und bilden ein Gesamtkunstwerk.

Dichtung. Für die barocken Dichter (17. Jahrh.) bestimmten die Gegenkräfte Leben und Tod, Zeit und Unendlichkeit, Weltfreude und religiöse Ekstase das menschliche Dasein. Darüber schrieben sie in einer kräftigen, bilderreichen, oft übersteigert wirkenden Sprache, zunächst hauptsächlich Lyrik, später auch Dramen und Romane (›Simplicissimus‹ von Johann Jakob Christoffel von →Grimmelshausen).

In der Musik (etwa 1600–1750) kamen neue Musikgattungen zu erster Blüte: die Oper (Claudio Monteverdi in Italien), die Kantate, das Oratorium, das geistliche Konzert, das weltliche Lied. Herausragende Komponisten waren Johann Sebastian →Bach und Georg Friedrich →Händel, Antonio →Vivaldi und Henry Purcell.

Barometer, Messgerät zur Bestimmung des Luftdrucks. Das erste Barometer wurde 1643 von dem italienischen Mathematiker und Physiker Evangelista Torricelli gebaut. Er füllte ein einseitig geschlossenes Glasrohr mit Quecksilber und tauchte das offene Ende senkrecht in eine mit Quecksilber gefüllte Glasschale. Das Glasrohr entleerte sich nicht vollständig in die Schale; auch nach mehreren Versuchen blieb immer der gleiche Abstand l (BILD) zwischen den Flüssigkeitsoberflächen bestehen. Die Ursache konnte nur der Druck sein, den die Luft auf die Quecksilberoberfläche in der Schale ausübte. Torricelli brachte an seinem Glasrohr eine Skala an und konnte nun jederzeit den jeweils herrschenden Luftdruck ablesen. Die Einheit dieser Skala wurde später mit 1 Torr (= 1 mm Quecksilbersäule) festgelegt. Heute wird der Luftdruck in Hektopascal (hPa), früher wurde er in Millibar (mbar) angegeben (→Bar), wobei 4 hPa oder 4 mbar etwa 3 Torr entsprechen.

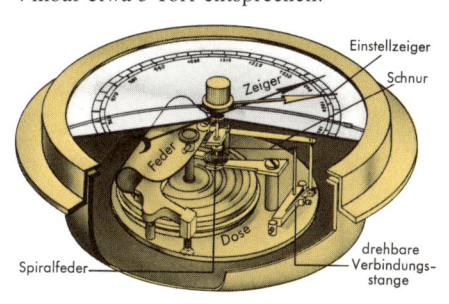

Barometer: Aneroidbarometer

Weit verbreitet ist heute das **Aneroidbarometer,** das im Unterschied zum Quecksilberbarometer aus einer luftleeren Metalldose besteht, deren Deckel sich bei Änderungen des Luftdrucks verformt. Die Verformung wird mechanisch auf den Zeiger übertragen, wobei die Reibung eine genaue Druckanzeige verhindert. Durch Klopfen auf das Sichtglas verringert sich augenblicklich die hemmende Reibung, und der Zeiger gelangt in die richtige Stellung vor der Skala.

Baron, ein Adelstitel (→Adel), entspricht dem →Freiherrn.

barrel [bärel, engl. ›Fass‹], amerikanisches Hohlmaß für Erdöl: 1 barrel = 42 gal (→gallon) = 158,987 Liter.

Barsche, mittelgroße Süsswasserfische mit stacheliger Rückenflosse. In Europa leben sie in klaren Seen, Flüssen und Bächen. Barsche fressen Fische, Würmer, Krebse und Frösche. Viele dieser zum Teil sehr bunten Fische sind Speisefische, einige auch Aquarienfische. Zu den Barschen gehört auch der bis 1 m lange **Zander.** Der **Goldbarsch** (auch **Rotbarsch**) ist ein Meeresfisch; er bewohnt die Küsten der Nordsee und des Mittelmeers. (BILD Fische)

Barteln, Bartfäden, lange Hautanhänge am Mund vieler Fische (Störe, Karpfen, Welse), die Tast- und Geschmacksorgane tragen.

Bartholomäusnacht: die Mordnacht vor der Hochzeit →Heinrichs IV. von Frankreich.

Bartók [ungarisch bọrtohk]. Der ungarische Komponist **Béla Bartók** (*1881, †1945) erhielt seine musikalische Ausbildung in Pressburg und Budapest. Durch seine ausgedehnten Volksliedforschungen in Ungarn, auf dem Balkan, in der Türkei und Nordafrika erhielt er Anregungen für sein eigenes Schaffen; sie wirken in seiner Melodik und in der ausgeprägten rhythmischen Form seiner Werke fort. 1907–34 war er Professor für Klavier an der Budapester Musikakademie. Die politischen Verhältnisse veranlassten ihn 1940 zur Auswanderung in die USA. Er komponierte Bühnenwerke (darunter die Oper ›Herzog Blaubarts Burg‹, 1911), Orchesterstücke, Konzerte, Klavierwerke (z. B. ›Mikrokosmos‹, 1926–37), Lieder und Chöre.

Basalt, häufig vorkommendes vulkanisches Gestein, aus dem z. B. große Teile des Vogelsbergs und der Rhön bestehen. Unverwittert sind Basalte dunkelgrau bis schwarz. Sie entstehen aus glutheißen, silikatischen Gesteinsschmelzen (Magma), die aus dem Bereich des Erdmantels aufsteigen und an der Erdoberfläche oder unter-

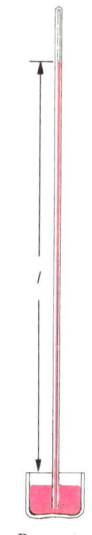

Barometer

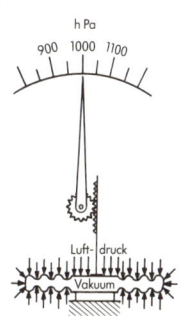

Barometer (schematische Darstellung)

Béla Bartók

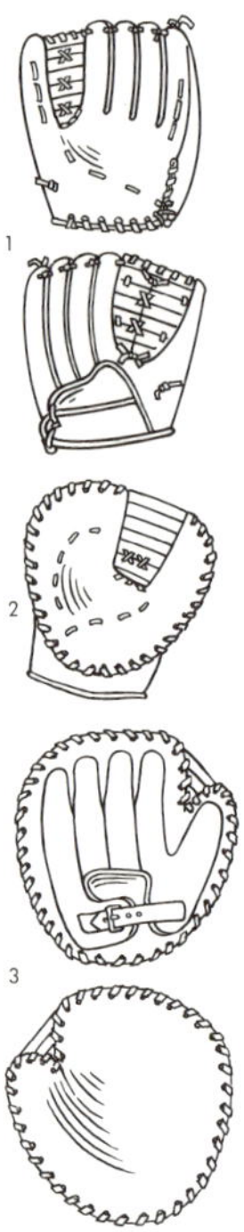

Basa

meerisch abkühlen; hierbei bildet der Basalt häufig Säulen, die senkrecht zur Abkühlungsfläche stehen. Basalte werden bevorzugt zu Schotter und Split, manchmal auch als Baumaterial verarbeitet.

Basar [persisch ›Markt‹], in orientalischen Städten die Marktstraße und das Stadtviertel, in denen Händler ihre Waren anbieten.

Baseball [bęsbol], amerikanisches Schlagballspiel, das mit 9 Spielern je Mannschaft gespielt wird. Ein Ball aus Kork und Hartgummi, ummantelt mit einer Lederhülle, ein keulenförmiger Holzschläger sowie übergroße Lederhandschuhe werden dazu benötigt. Gespielt wird auf einem Hartplatz von 175 × 125 m mit einem quadratischen Innenfeld von je 27,47 m Seitenlänge (BILD). An einer Ecke des Innenfelds befindet sich das Wurfmal, von dem aus der Pitcher (Werfer) den Ball dem Batter (Schläger) der Gegenmannschaft zuwirft. Dieser versucht den Ball möglichst hoch und weit ins Feld zurückzuschlagen, um anschließend über die Bases (Male) an den anderen Ecken des quadratischen Spielfelds das Home Base neben dem Schlagmal zu erreichen. Erreicht er es, bevor die gegnerische Mannschaft ihn abfängt, hat er einen Punkt für seine Mannschaft erzielt. Verfehlt er den Ball, fängt diesen der Catcher und gibt ihn an den Baseman weiter. Je nach Spielsituation kann der Run (Lauf) an jedem Base unterbrochen und bei einem neuen Schlag fortgesetzt werden. Bei besonders hohen und weiten Schlägen ins Feld kann es vorkommen, dass der Läufer sowie die auf den 3 ersten Bases wartenden Mitspieler das Home Base erreichen und somit 4 Spieler Punkte erzielen. Die Gegenmannschaft versucht den Läufer zwischen den Bases mit dem Ball zu berühren. Gelingt das, scheidet dieser Spieler aus. Es werden 9 Innings (Durchgänge) gespielt. Sieger ist die Mannschaft, die in ihren Innings die meisten Läufe ins Home Base geschafft hat.

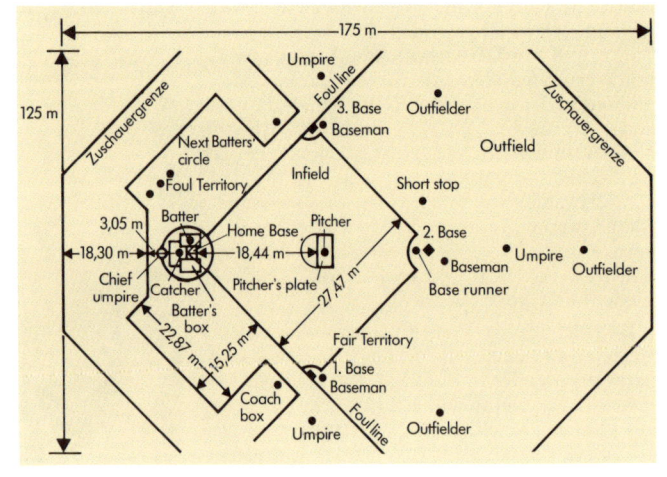

Basel, Stadt und 2 Halbkantone in der Schweiz. Die **Stadt Basel,** 178 400 Einwohner, zweitgrößte Stadt der Schweiz, liegt beiderseits des Rheins am Südende der Oberrheinischen Tiefebene. Der linksrheinische Teil heißt Groß-, der rechtsrheinische Kleinbasel. Aus dem Römerlager Basilia hervorgegangen, trat Basel 1501 dem Eidgenössischen Bund bei und erlebte im 19. und 20. Jahrh. einen starken Aufschwung als Handelsplatz und Industriezentrum. Es besitzt die älteste Universität der Schweiz (Gründung 1460) und ein im Kern romanisches Münster. Die chemisch-pharmazeutische Industrie bildet eine wichtige Erwerbsquelle.

Basel-Stadt Halbkanton der Schweiz Fläche: 37 km² Einwohner: 196 600	**Basel-Landschaft** Halbkanton der Schweiz Fläche: 428 km² Einwohner: 233 200

Basel-Stadt Kantonswappen   Basel-Landschaft Kantonswappen

Der Halbkanton **Basel-Stadt** umfasst auf der linken Rheinseite Großbasel als Hauptstadt, auf der rechten Kleinbasel und das untere Wiesental.

Der Halbkanton **Basel-Landschaft** mit seinem Hauptort Liestal hat, wie auch der Halbkanton Basel-Stadt, deutschsprachige und zur Hälfte protestantische, zur Hälfte katholische Bewohner. Die südlichen, stark industrialisierten Vororte der Stadt Basel bilden den Bezirk Arlesheim. Östlich schließt sich das **Baselbiet** als Bauernland an. Im Jura bestimmen Uhrenindustrie und Fremdenverkehr das Wirtschaftsleben.

Basen, Verbindungen, die mit →Säuren durch →Neutralisation Salze bilden oder in wässriger Lösung Hydroxidionen (OH⁻) abspalten. Der Name ist von griechisch basis ›Grundlage‹ abge-

Baseball:
1 Handschuhe der Feldspieler,
2 Handschuh des 1. Baseman,
3 Handschuh des Catchers

Baseball: Spielfeld

leitet, weil bei der Neutralisation nichtflüchtige Metalloxide und -hydroxide unter Salzbildung flüchtige Säuren binden.

Wässrige Lösungen von Basen (sogenannte Laugen) zeigen alkalische (basische) Reaktion; ihr →pH-Wert liegt zwischen 8 und 14. Sie färben Indikatoren roten Lackmus blau und farbloses Phenolphthalein rot.

Beim Umgang mit Basen muss man vorsichtig sein, denn sie wirken **ätzend** auf die Haut (besonders die Hornhaut des Auges ist gefährdet) und zerstörend auf Kleidung.

Basilika [griechisch ›Königshalle‹], in der römischen Antike Markthalle und Gerichtsgebäude: eine lang gestreckte Halle mit hohem Mittelschiff und niedrigeren Seitenschiffen, die durch Säulen oder Pfeiler vom Hauptraum getrennt waren. Die Fenster lagen an den Mittelschiffwänden über den Seitenschiffen. Die Basilika konnte eine flache Decke oder einen ›offenen‹ Dachstuhl (ohne Zwischendecke) haben; später wurde sie auch überwölbt. Die dem Haupteingang gegenüberliegende Schmalseite hatte oft einen halbrunden, nischenartigen Anbau (Apsis) als Platz für den Richter oder ein Götterbild.

Die christliche Basilika (seit dem 4. Jahrh.) war gleichzeitig Versammlungsraum der Gemeinde und Kirche. Die Apsis (meist im Osten gelegen) war dem Priester und dem Altar vorbehalten. Zwischen Apsis und Langhaus schob sich oft ein Querschiff. Dem Eingang konnte eine Vorhalle (Narthex) oder ein Vorhof (Atrium oder Paradies) vorgelagert sein. Die Basilika wurde zur bevorzugten Grundform für den mittelalterlichen Kirchenbau.

Basilikum, →Gewürzpflanzen.

Basis [griechisch ›Grundlage‹], in der Geometrie die Grundlinie einer geometrischen Figur (z. B. eines gleichschenkligen Dreiecks), manchmal auch die Grundfläche eines Körpers. In der Algebra wird bei der Potenz a^x die Grundzahl a auch Basis genannt.

Basken, Volk, das nach Herkunft und Sprache nicht zu den →Indogermanen gehört und sich bis in die Steinzeit zurückverfolgen lässt. Die Basken leben zum Teil in Spanien, zum Teil in Frankreich am Golf von Biscaya. Etwa ein Drittel der Bevölkerung spricht baskisch (in Spanien 600 000, in Frankreich 80 000). Das **Baskenland** ist heute stark industrialisiert. Eine reiche Volkskultur hat sich erhalten. Der Wunsch der Basken nach Eigenständigkeit steigerte sich im Verlauf des 20. Jahrh. besonders in Spanien zur Forderung nach größeren Selbstverwaltungsrechten. Die im spanischen Baskenland wurzelnde baskische Untergrundbewegung ETA (baskische Abkürzung für ›Euzkadi Ta Azkatasuna‹, deutsch: Das Baskenland und seine Freiheit) sucht mit gewalttätigen Mitteln ihre Ziele zu erreichen.

Basketball, schnelles Mannschaftsspiel für Damen und Herren. 5 Feld- und bis zu 7 Auswechselspieler bilden eine Mannschaft. Beide Mannschaften versuchen den Ball in den gegnerischen Korb (englisch basket) zu werfen. Der Korb besteht aus einem unten offenen Netz, das an einem Brett 3,05 m über dem Spielfeld angebracht ist. Um den Korbmittelpunkt befindet sich mit einem Radius von 6,25 m die Dreipunktelinie. Die Spielfeldgröße beträgt meist 26×15 m. Auf der Mittellinie ist ein Mittelkreis von 1,80 m Durchmesser gezogen. Um diesen Mittelkreis stellen sich die Spieler der beiden Mannschaften zu Spielbeginn auf. Einer der Schiedsrichter wirft im Mittelkreis den Ball hoch und ein Spieler jeder Mannschaft versucht seine Mannschaft in Ballbesitz zu bringen. Ein Spiel dauert 2-mal 20 Minuten mit einer Pause dazwischen. Ein Spieler, der im Ballbesitz ist, darf mit dem Ball, wenn er nicht dribbelt, nur 2 Schritte laufen, dann muss er abspielen. Innerhalb von 30 Sekunden muss die Mannschaft, die im Ballbesitz ist, einen Korbwurf versuchen. Der Ball ist innerhalb von 10 Sekunden aus der eigenen Spielfeldhälfte herauszuspielen. Diese Zeitregeln machen das Spiel sehr schnell. Im normalen Spielablauf kann eine Mannschaft nur in Ballbesitz gelangen, wenn einem gegnerischen Spieler bei der Ballabgabe ein Fehlwurf unterläuft oder ein Spieler sehr schnell zwischen einen Wurf springt und den Ball abfängt. Körperkontakt mit einem gegnerischen Spieler gilt als Foul. Fouls und andere Regelverstöße werden häufig mit einem Freiwurf geahndet, der von der Freiwurflinie auf den Korb ausgeführt wird. Ein Spieler scheidet nach 5 Fouls aus. Ein Korbtreffer, bei dem der Schütze vor der Dreipunktelinie stand, zählt 3 Punkte, sonst 2 Punkte. Der Freiwurf bringt bei einem Korbtreffer einen Punkt. Der hoch hängende Korb und das oftmals hohe Springen nach dem Ball begünstigt Spieler mit größerer Körperlänge. Basketball ist seit 1936 olympische Disziplin. In seiner heutigen Form wurde Basketball 1891 in Kanada als Spiel in der Halle entwickelt.

Bass [von italienisch basso ›tief‹], 1) →Stimmlagen. 2) Musikinstrument, →Kontrabass.

Basset [bassä], eine Rasse der →Hunde.

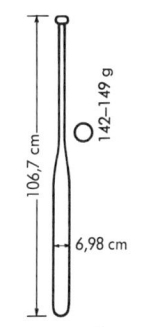

Baseball: Schlagkeule mit Ball

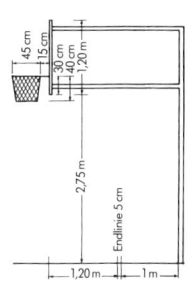

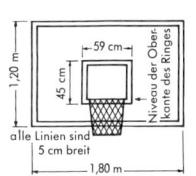

Basketball: OBEN Korbständer (von der Seite) UNTEN Korbbrett (von vorn)

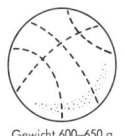

Basketball: Ball
Gewicht 600–650 g
Umfang 75–78 cm

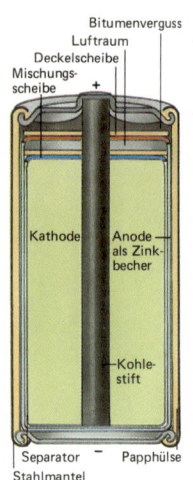

Bast

Bitumenverguss
Luftraum
Deckelscheibe
Mischungsscheibe
Kathode
Anode als Zinkbecher
Kohlestift
Separator
Papphülse
Stahlmantel

Batterie: Einzelzelle einer Taschenlampenbatterie

Bastard, Hybride, Nachkomme von Eltern verschiedener Rassen, bei Hunden z. B. das Junge eines Schäferhundes und einer Setterhündin. Bastarde entstehen auch bei der →Kreuzung von verschiedenen Sorten von Kulturpflanzen. Sie sind oft besonders widerstandsfähig gegen Krankheiten und Schädlinge.

Bastille [bastij], Festung in Paris, die als Gefängnis diente. Als Sinnbild der Willkürherrschaft des Königs wurde sie am 14. Juli 1789 von einer Volksmenge gestürmt. Der Tag wurde zum französischen Nationalfeiertag.

Batik [aus dem Malaiischen, eigentlich ›Sprenkel‹], aus Java und Indien stammendes, sehr altes Verfahren Stoff farbig zu mustern. Dabei wird das Baumwoll- oder Seidengewebe mit heißem, flüssigem Wachs überzogen, getrocknet und geknittert, sodass im Wachs feine, unregelmäßige Risse entstehen. Durch diese Risse dringt beim anschließenden Färben der Farbstoff. Bei einem anderen Verfahren wird der Stoff nur teilweise durch Wachs abgedeckt (›reserviert‹) und anschließend an den nicht abgedeckten Teilen gefärbt. Dieser Vorgang wird mehrmals wiederholt, indem nach Ablösen der jeweiligen Wachsschicht immer wieder andere Stoffteile durch Wachs abgedeckt werden; so entstehen flächendeckende, vielfarbige Muster.

Batterie, 1) Physik und Technik: Die Taschenlampenbatterie, die Radiobatterie und die Autobatterie (→Akkumulator) bestehen aus einem oder mehreren gleich gearteten →galvanischen Elementen. Häufig wird das 1865 von dem französischen Chemiker G. Leclanché entwickelte Zink-Kohle-Element benutzt.

Vom Zink treten positive →Ionen (Zn⁺) in die Lösung. Diese Ladungstrennung ergibt eine →Spannung von 1,5 Volt. Dabei ist die Kohle der Plus-, das Zink der Minuspol. Wenn Strom fließt, wird das Zink allmählich aufgelöst und in Zinkchlorid überführt. Dabei erschöpft sich die Batterie. Die Kohle ist mit Braunsteinpulver überzogen, das den hier entstandenen Wasserstoff zu Wasser oxidiert. Heute verwendet man häufiger Batterien, die andere →Elektroden und →Elektrolyte enthalten, z. B. Lithium- oder Silberoxidbatterien als Knopfzellen in Taschenrechnern, Fotoapparaten oder Digitaluhren.

2) Militär: die kleinste geschlossene Einheit der Artillerie und der Flugabwehrtruppe. Sie entspricht der →Kompanie bei anderen Truppengattungen. Die Batterie besteht heute meist aus 100–150 Soldaten und ist mit 4–6 Geschützen ausgerüstet.

Bauch, Teil des Körpers zwischen Brust und Becken. Er umschließt die **Bauchhöhle** mit ihren Organen wie Magen, Leber, Milz, Darm, Blase. Das Zwerchfell trennt die Bauchhöhle vom Brustraum. Die **Bauchmuskeln** halten die Eingeweide an ihrem Platz und unterstützen viele Tätigkeiten, so die Atmung, das Heben und Pressen (z. B. beim Stuhlgang). Ihre Spannung beeinflusst die Haltung eines Menschen.

Bauchschmerzen, Leibschmerzen begleiten die verschiedensten Erkrankungen. Meist entstehen sie durch krampfartiges Zusammenziehen oder starke Dehnung der Muskulatur von Hohlorganen wie Magen, Darm, Harnleiter. Sie treten auch als Folge von Blähungen und Stuhlverstopfung oder bei Durchfallerkrankungen auf. Sind diese Vorgänge sehr heftig, spricht man von einer →Kolik (Nieren-, Gallenkolik). Häufig sind die Ursache für Bauchschmerzen Entzündungen im Bauchraum, vor allem die ›Blinddarmentzündung‹. Bauchschmerzen treten aber auch bei ansteckenden Krankheiten (z. B. Lungenentzündung), Stoffwechselkrankheiten (z. B. Zuckerkrankheit) und Herzinfarkt auf.

Bauchspeicheldrüse, längliches Organ, das im Bauchraum hinter dem Magen quer vor der Wirbelsäule liegt. Es bildet einen Verdauungssaft, der in den Darm abgegeben wird **(äußere Sekretion)** und →Enzyme enthält, die Fett, Eiweiß und Kohlenhydrate aus der Nahrung in kleinere Elemente spalten, sodass sie in den Körper aufgenommen werden können (Resorption). Der Ausführungsgang für diesen Verdauungssaft mündet mit dem Gallengang in den Zwölffingerdarm. Außerdem werden von der Bauchspeicheldrüse in bestimmten Zellen 2 Hormone, Insulin und Glukagon, erzeugt, die direkt ins Blut abgegeben werden **(innere Sekretion).** Wenn das Insulin fehlt, kommt es zur Zuckerkrankheit.

Bauernbefreiung. Bis ins 18. Jahrh. gab es in Europa die →Leibeigenschaft. Seit Ende des 18. Jahrh. wurden in vielen Ländern Gesetze erlassen, durch die die Leibeigenen die persönliche Freiheit erhielten und ihren Gutsbesitzern keine Abgaben und Frondienste mehr leisten mussten. Einschneidend waren in Preußen die Reformen der Minister vom Stein und von Hardenberg 1807–16. In Frankreich war die Bauernbefreiung ein Ergebnis der Revolution von 1789. In Russland wurde sie erst 1861 durchgeführt.

Bauchspeicheldrüse

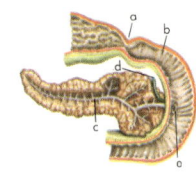

Bauchspeicheldrüse von hinten gesehen (schematisch): a Magenausgang, b Zwölffingerdarm, c Ausführungsgang der Bauchspeicheldrüse, d Gallengang, e gemeinsame Einmündung von c und d in den Zwölffingerdarm

Bauernkrieg. 1524–26 kam es im Schwarzwald, im Elsass, im Odenwald, in Franken, Hessen, Westfalen, aber auch im Allgäu und in Tirol zu Aufständen der Bauern gegen ihre Grundherren. Die Bauern wehrten sich gegen stets neue Abgaben und Dienste und verlangten die Aufhebung der →Leibeigenschaft. Führer der Aufstände, die nach dem mit Riemen um den Knöchel gebundenen Bauernschuh ›Bundschuh‹ genannt wurden, waren unter anderen Florian Geyer, Götz von Berlichingen und Thomas Müntzer. Die Aufstände wurden vom Heer der Landesherren grausam niedergeschlagen.

Bauernregeln, Merksprüche, die wie Sprichwörter klingen und wie diese allgemeine Erfahrungen wiedergeben. Sie beziehen sich meist auf die Vorhersage des Wetters und seiner Auswirkungen auf die Ernte; daher werden sie auch als ›Wetterregeln‹ bezeichnet. Den oft sehr alten Bauernregeln liegen Wetterbeobachtungen zugrunde, die von Generation zu Generation weitergegeben wurden. So lautet eine, die sich auf die Bedeutung des Regens für die Pflanzen bezieht: ›Mairegen auf die Saaten, dann regnet es Dukaten‹ (das heißt, die Ernte wird reichlich ausfallen und dem Bauern viel Geld einbringen).

Bauhaus. Das **Staatliche Bauhaus** war eine Schule mit Werkstätten für gestaltendes Handwerk, Architektur und andere bildende Künste. Es wurde von dem Architekten **Walter Gropius** 1919 in Weimar gegründet, 1925 nach Dessau verlegt und 1933 aufgelöst. Am Bauhaus lehrten neben Gropius unter anderem der Architekt **Ludwig Mies van der Rohe,** die Maler **Wassily Kandinsky, Lionel Feininger, Paul Klee** und **Oskar Schlemmer** sowie der Bildhauer **Gerhard Marcks.** Für Gropius war die Idee grundlegend, dass alle bildenden Künste eine Einheit bilden sollten unter Führung der Baukunst. Als Voraussetzung des künstlerischen Schaffens galt ihm das solide handwerklich-technische Können. So wurden die Bauhaus-Künstler vielfach auch vorbildlich für die industrielle Formgestaltung von Gegenständen des täglichen Gebrauchs.

Baukunst, die →Architektur.

Bäume, vieljährige Holzgewächse. Man unterscheidet →Nadelhölzer und →Laubhölzer. Ein Baum besteht aus den Wurzeln, dem verholzten →Stamm, der sich erst in bestimmter Höhe verzweigt, und den Ästen und Zweigen, an denen Blätter und Blüten sitzen. Äste und Zweige bilden die für jede Baumart charakteristische Krone, nach der man verschiedene Baumformen unterscheidet (BILDER).

Bäume können über 100 m hoch (Mammutbaum, Eukalyptusbaum) und bis zu 4 000 Jahre alt werden (Mammutbaum, Affenbrotbaum, Borstenkiefer). Das genaue Alter kann man beim gefällten Baum aus der Anzahl der →Jahresringe bestimmen. Den größten Stammumfang erreicht der Affenbrotbaum (über 40 m). Baumwuchs ist nur unter bestimmten klimatischen Bedingungen möglich, wobei Feuchtigkeit und Temperatur eine Rolle spielen. Wo es zu trocken oder zu kalt ist, wachsen keine Bäume mehr, wie in den Ländern um den Nord- und Südpol und im Hochgebirge (→Baumgrenze). Ebenso sind Trockensteppe und Wüste baumlos.

Bäume liefern →Holz und bewirken als ›grüne Lunge‹ die Anreicherung der Luft mit Sauerstoff. Außerdem fangen sie Staub auf, verdunsten viel Wasser und sorgen somit auch für die Reinheit und Feuchtigkeit der Luft. Bäume spielen damit eine wichtige Rolle beim Umweltschutz.

Sträucher sind ebenfalls Holzgewächse. Sie haben holzige Zweige, von denen sich die stärksten dicht über dem Boden bilden. Sträucher haben also keinen eigentlichen Stamm und keine typische Krone. Sie bleiben auch wesentlich niedriger als Bäume und werden nicht so alt.

Baumgrenze, Grenzzone, oberhalb der die Lebensbedingungen für Bäume nicht mehr gegeben sind. Ihre Lage hängt von Niederschlagshöhe, Temperatur und Bodenbeschaffenheit ab. In den deutschen Mittelgebirgen wie im Harz liegt sie bei etwa 1 050 m über dem Meeresspiegel und steigt in den Alpen bis auf 2 400 m an. Im Himalaya erreicht sie eine Höhe von 4 500 m. Sie ist von der →Waldgrenze zu unterscheiden.

Baumwolle wird aus den feinen, schneeweißen Samenhaaren des **Baumwollstrauches** gewonnen, der in subtropischen und tropischen Ländern auf großen Plantagen angepflanzt wird. Hauptanbauländer sind die USA, China, Russland und Indien. Baumwolle ist die wichtigste Textilfaser (Anteil an der Welttextilproduktion um 50 %). Aus den meist gelben Blüten entwickeln sich walnussgroße, braune Kapseln mit zahlreichen Samen. Diese Samen tragen die 1–5 cm langen Haare, die Baumwollfasern, die bei Wildformen der Verbreitung durch den Wind dienen. Zur Reifezeit platzen die Kapseln auf und die Haare quellen heraus. Früher pflückte man Baumwolle mit der Hand, heute meist mit Maschinen, die mit vielen Saugarmen oder drehenden Spindeln ausgerüstet sind. Nach dem Trocknen wird die Baumwolle in Maschinen von den Samenkernen befreit. Aus den Samen wird

Baux

Öl gewonnen. Die **Baumwollfaser** lässt sich gut färben und kochen. Sie eignet sich daher besonders zur Herstellung von Leib-, Tisch- und Bettwäsche.

Baumwolle: **a** Zweig mit Blüte, **b** unreife und **c** reife geöffnete Kapsel

Bauxit, wichtiger Rohstoff zur Aluminiumgewinnung, der aus einem (je nach Eisengehalt) weißgrauen, gelben bis rotbraunen Mineralgemenge besteht. Der Name leitet sich vom Fundort Les Baux in Südfrankreich ab. Bauxite entstanden unter tropischem Wechselklima auf tonerdereichen oder kalkigen Gesteinen, wobei Kieselsäure weggeführt wurde.

Bayerischer Wald, waldreiches Mittelgebirge im Südosten Bayerns. Es ist ein Teil des →Böhmerwalds und erhebt sich als **Vorderer Wald** zwischen Donau und Regen. Im Einödriegel erreicht er 1 121 m. Unter der Bezeichnung Bayerischer Wald versteht man auch den bis zur tschechischen Grenze reichenden **Hinteren Wald** mit dem Großen Arber (1 456 m) und Rachel (1 452 m). Die Besiedlung begann erst im Mittelalter. Große Bedeutung haben die Glashütten.

Bayern. Das alte Herzogtum und spätere Königreich ist heute als **Freistaat Bayern** das größte deutsche Bundesland, zugleich aber auch – nach Niedersachsen – das am dünnsten besiedelte. Das Gebiet zwischen Donau und Alpen ist alter Siedlungsraum der →Baiern, zwischen Main und Donau hingegen sind die →Franken und im Südwesten die →Schwaben beheimatet.

Fläche: 70 553 km²
Einwohner: 11,5 Millionen
Hauptstadt: München

Bayern grenzt im Westen an Baden-Württemberg und hat dort im Süden Anteil am Bodensee mit der Stadt Lindau. Im Osten grenzt das Land mit dem Fichtelgebirge, dem Oberpfälzer Wald und dem Bayerischen Wald an die Tschechische Republik; im Südosten bilden die Flüsse Salzach und Inn die Grenze zum österreichischen Innviertel. Im Norden reicht Bayern über den Main hinaus und grenzt mit Spessart und Rhön, Hassbergen und Frankenwald an Hessen, Thüringen und Sachsen. Über 300 km weiter südlich bilden die Nördlichen Kalkalpen die Grenze zu Österreich. Das **Allgäu,** die **Bayerischen Alpen** und das **Berchtesgadener Land** sind Deutschlands einzige Hochgebirgslandschaften; die 2 962 m hohe **Zugspitze** im Wettersteingebirge ist Deutschlands höchster Berg. Vor dem Gebirgsrand liegen zahlreiche Seen wie **Ammersee, Tegernsee, Starnberger See, Chiemsee.** In dieser Landschaft erbaute Ludwig II. von Bayern seine Schlösser Neuschwanstein, Linderhof und Herrenchiemsee. Oberbayern ist heute das bedeutendste Fremdenverkehrsgebiet Deutschlands.

Die wasserreichen Alpenflüsse, die alle in die Donau münden, durchqueren das ziemlich ebene **Alpenvorland** mit seinen Moorflächen, die hier ›Moos‹ oder ›Ried‹ genannt werden. Am Lech liegt **Augsburg,** im Mittelalter Heimat der Kaufmannsgeschlechter der Welser und Fugger; **München** an der Isar ist nach Berlin und Hamburg die dritte deutsche Millionenstadt. An der Donau liegen **Ingolstadt** sowie die Universitäts- und Bischofsstädte **Regensburg** und **Passau.** Die Donau durchströmt Bayern von West nach Ost und trennt das Alpenvorland von den fränkischen Mittelgebirgen der nördlichen Landeshälfte. In einer Senke zwischen Frankenhöhe und Steigerwald im Westen und der Fränkischen Alb im Osten haben sich **Nürnberg, Fürth** und **Erlangen** zu einem geschlossenen Wirtschaftsraum entwickelt; zwischen Fürth und Nürnberg verkehrte 1835 die erste deutsche Eisenbahn. In dieser Talung verläuft als Teil des Rhein-Main-Donau-Großschifffahrtsweges der Main-Donau-Kanal. Westlich der Frankenhöhe liegt an der von Würzburg kommenden Romantischen Straße das mittelalterliche **Rothenburg ob der Tauber;** die im Zentrum der fränkischen Weinbauregion am Main gelegene Universitätsstadt **Würzburg** hat vor allem kulturell überregionale Bedeutung.

Alle bisher genannten Städte, besonders aber München, sind in dem städtearmen Land zu Wirtschafts- und Verwaltungszentren und zu Industriestandorten geworden. In Ingolstadt entstanden Erdölraffinerien, in denen Pipelines aus Marseille und Triest zusammenlaufen. In der Oberpfalz ist besonders die Glas- und Keramik-

Bayern
Landeswappen

herstellung beheimatet. Neben der vielfältigen Industrieproduktion spielt die Landwirtschaft noch immer eine große Rolle, im Gebirge und Alpenvorland besonders die Milchviehwirtschaft, im übrigen Land Getreideanbau und die Pflege von Hopfenkulturen (in der Hallertau). Wälder und Forsten bedecken etwa 1/3 des Landes.

Geschichte. Das ursprüngliche Herzogtum Bayern hatte sich bis Kärnten und Tirol erstreckt, bis Österreich 1156 ebenfalls Herzogtum wurde und sich zum mächtigeren Staatswesen entwickelte. Dafür gelangte über das Haus der Wittelsbacher, die Bayern von 1070 bis ins 20. Jahrh. regierten, die Rheinpfalz in bayerischen Besitz und blieb es fast ohne Unterbrechung bis zum Ende des Zweiten Weltkriegs. Als das Land zu Beginn des 19. Jahrh. als Verbündeter Napoleons I. große Gebiete hinzuerwerben konnte, wurde es zum **Königreich Bayern.** Es stand später politisch zwischen Preußen und Österreich, trat aber 1871 in das neu gegründete Deutsche Reich ein, in dem es als Königreich weiterbestand. 1919 wurde Bayern Republik (Freistaat) und verlor weitgehend seine Eigenstaatlichkeit.

Bayreuth, 72 400 Einwohner, Stadt in Bayern, liegt zwischen Fränkischer Alb und Fichtelgebirge am Roten Main. In dem Festspielhaus, das Richard Wagner 1872–76 erbauen ließ, finden jährlich die **Bayreuther Festspiele** statt, bei denen ausschließlich Opern von Richard Wagner aufgeführt werden.

Bazillen [von spätlateinisch bacillus ›Stäbchen‹], stäbchenförmige →Bakterien.

Beagle [bigl], Rasse der →Hunde.

Beamte, Personen, die beim ›Staat‹, im öffentlichen Dienst, also in Behörden von Bund, Ländern oder Gemeinden arbeiten oder in einem staatlichen Betrieb beschäftigt sind. Die Tätigkeit des Beamten dient staatlichen, gemeinschaftlichen Zwecken, z. B. dem geordneten Zusammenleben und der Sicherheit der Bürger (Polizei, Bundeswehr), der Versorgung mit Verkehrswegen und -mitteln, Bildungseinrichtungen (Kindergärten, Schulen, Universitäten) und Kulturveranstaltungen (Theater).

Beamte legen gegenüber ihrem Dienstherren einen Diensteid ab und haben bestimmte Voraussetzungen und Pflichten für ihre Berufung zu erfüllen. Sie müssen ihre Tätigkeit zum Wohl der Allgemeinheit und unparteiisch ausüben, verschwiegen sein und für die Erhaltung der freiheitlich-demokratischen Grundordnung eintreten. Sie dürfen nicht streiken. Daneben gibt es eine Reihe von Rechten, Vergünstigungen und Beihilfen, z. B. erhalten Beamte ein Altersruhegeld (Pension).

Neben den Beamten beschäftigt der öffentliche Dienst auch Angestellte und Arbeiter.

Beat [bit, englisch ›Schlag‹], **1)** im Jazz der von der Rhythmusgruppe (z. B. Schlagzeug, Banjo, Kontrabass) geschlagene, gleichmäßige Grundrhythmus.

2) Als Beat oder **Beatmusik** bezeichnet man auch die um 1960 in Großbritannien entstandene Form der Popmusik, die vor allem durch die ›Beatles‹ und die ›Rolling Stones‹ bekannt wurde.

Bebel. Der Drechslermeister **August Bebel** (*1840, †1913) setzte sich schon früh für eine Verbesserung der Lage der Arbeiter ein; er wandte sich dabei dem Sozialismus zu. 1867 wurde er Vorsitzender des Verbands der deutschen Arbeitervereine. 1869 gründete er mit Wilhelm Liebknecht die ›Sozialdemokratische Arbeiterpartei‹. Im deutschen Kaiserreich stieg er zum Führer der Sozialdemokratie auf, zugleich trat er im Reichstag als scharfer Kritiker der Reichsregierung hervor. Nach Erlöschen des Reichsgesetzes, mit dem die Reichsregierung seit 1878 die sozialdemokratischen Organisationen zu unterdrücken suchte, beteiligte er sich 1890 in Erfurt maßgeblich an der Gründung der ›Sozialdemokratischen Partei Deutschlands‹. Sein Buch ›Die Frau und der Sozialismus‹ (1883) fand eine sehr große Leserschaft.

Becken, 1) Anatomie: bei Mensch und höheren Wirbeltieren der Knochengürtel, der die Beine mit der Wirbelsäule verbindet. Das Becken besteht aus den beiden Hüftbeinen und dem Kreuzbein. Diese Knochen bilden einen geschlossenen, kräftigen Knochenring, der die Last des Rumpfes über das →Hüftgelenk auf die Beine überträgt. Die Hüftbeine, die sich jeweils aus Darmbein, Sitzbein und Schambein zusammensetzen, besitzen eine nur wenig bewegliche Verbindung mit dem zur Wirbelsäule gehörigen Kreuzbein.

2) Musik: Schlaginstrument, das aus 2 tellerartigen Scheiben (30–35 cm Durchmesser) aus Bronze oder Messing besteht. Die Ränder dieser in der Mitte gewölbten Scheiben erzeugen den Klang, der nicht an eine bestimmte Tonhöhe gebunden ist. Die Becken werden entweder gegeneinander oder, an Schlaufen aufgehängt, mit Paukenschlägeln, harten Stöcken oder (im Jazz) mit einem Stahlbesen geschlagen.

Beckmann. Der Maler und Grafiker **Max Beckmann** (*1884, †1950) malte in seiner Früh-

Bedu

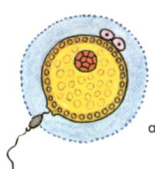

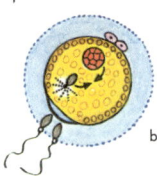

Befruchtung (schematische Darstellung): **a** Auftreffen des Spermiums auf das Ei; **b)** Kopf und Zwischenstück des Spermiums sind eingedrungen, das Ei hat eine Befruchtungsmembran ausgeschieden

zeit Landschaften und Figurenbilder im Stil des →Impressionismus. Unter dem Eindruck seiner Erlebnisse im Ersten Weltkrieg wandelte er seine Ausdrucksform. Von nun an setzte er sich ausdrucksstark im Sinn des →Expressionismus mit Themen wie Zerstörung und Gewalt, menschlicher Grausamkeit und Brutalität auseinander. Er wollte nicht nur die Schrecken des Krieges, sondern auch die von ihm so empfundenen Schrecken der modernen Zivilisation zeigen. Auf seinen Bildern sieht man oft groteske, verzerrte menschliche Gestalten. Zwischen 1930 und 1950 entstanden 9 jeweils dreigeteilte Bilder (Triptychen), die als Hauptwerke der zeitkritischen Kunst des 20. Jahrh. gelten. Er schuf auch viele Porträts und Selbstporträts sowie als Grafiker außer zahlreichen Einzelblättern auch Illustrationen und Zyklen. Von den Nationalsozialisten angefeindet, verließ er 1937 Deutschland und lebte seit 1947 in den USA. (BILD Holzschnitt)

Beduinen [arabisch ›Wüstenbewohner‹], umherziehende arabische Stämme in Iran, in der Sudanzone, in Westturkestan und vor allem auf der Arabischen Halbinsel. Die Beduinen leben in Großfamilien zusammen. Oberhaupt eines Stammes ist der Scheich, der die wirtschaftliche Fürsorge für die Stammesangehörigen trägt. Lebensgrundlagen für die Beduinen sind, wahrscheinlich schon seit dem 3. Jahrtausend v. Chr., Kamelzucht, Wanderweidetum und Herstellung von Dauernahrung aus Milchprodukten.

Beecher-Stowe [bitsche stou]. Ihren Roman ›Onkel Toms Hütte oder Aus dem Leben der Negersklaven‹ (1852) schrieb die amerikanische Schriftstellerin **Harriet Beecher-Stowe** (*1811, †1896) zu einer Zeit, als in den Südstaaten der USA noch Sklaven gehalten wurden. Sie beschreibt darin das Leben des Schwarzen Onkel Tom, der von seinem Herrn verkauft und zuletzt von einem skrupellosen Plantagenbesitzer getötet wird. Die Entrüstung der Schriftstellerin über die Sklavenhaltung und die zum Teil gefühlvolle Art der Darstellung machte vielen Lesern das Schicksal der Sklaven bewusst. Die zu dieser Zeit in den Nordstaaten bestehende Bewegung zur Abschaffung der Sklaverei benutzte das Buch, um neue Anhänger für ihre Ziele zu gewinnen. Das Werk wurde ein Welterfolg.

Beeren, eine Form der →Frucht.

Beethoven. Das Werk dieses Komponisten bildet den Abschluss der ›Wiener Klassik‹ (1781–1827) genannten Epoche der Musikgeschichte. **Ludwig van Beethoven** (*1770, †1827), dessen Vorfahren väterlicherseits aus Flandern

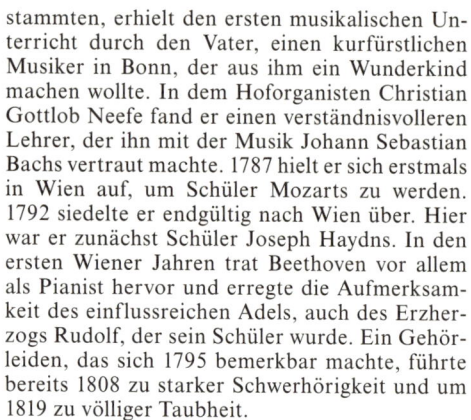

Ludwig van Beethoven

stammten, erhielt den ersten musikalischen Unterricht durch den Vater, einen kurfürstlichen Musiker in Bonn, der aus ihm ein Wunderkind machen wollte. In dem Hoforganisten Christian Gottlob Neefe fand er einen verständnisvolleren Lehrer, der ihn mit der Musik Johann Sebastian Bachs vertraut machte. 1787 hielt er sich erstmals in Wien auf, um Schüler Mozarts zu werden. 1792 siedelte er endgültig nach Wien über. Hier war er zunächst Schüler Joseph Haydns. In den ersten Wiener Jahren trat Beethoven vor allem als Pianist hervor und erregte die Aufmerksamkeit des einflussreichen Adels, auch des Erzherzogs Rudolf, der sein Schüler wurde. Ein Gehörleiden, das sich 1795 bemerkbar machte, führte bereits 1808 zu starker Schwerhörigkeit und um 1819 zu völliger Taubheit.

Beethoven beherrschte alle kompositorischen Mittel. Sein Schaffen umfasst alle Gattungen der Musik. Seine Werke sind durch Reichtum und Kühnheit der thematischen Verarbeitung und die Kraft der rhythmischen Bewegung gekennzeichnet. Besonders hervorzuheben sind seine 9 Sinfonien, darunter die 3. (Eroica, ›die Heldische‹, 1804), die 6. (Pastorale, ›die Ländliche‹, 1808), die 9. mit dem Schlusschor nach Friedrich Schillers Ode ›An die Freude‹ (1823), die Streichquartette, die Klaviersonaten, die ›Missa solemnis‹ und seine einzige Oper ›Fidelio‹ (1805; 1806 und 1814 umgearbeitet).

Befehlsform, →Imperativ.

Befreiungskriege, →Freiheitskriege.

Befruchtung, Vereinigung einer weiblichen und einer männlichen Geschlechtszelle bei Mensch, Tier und Pflanze. Dabei verschmilzt zuerst das →Plasma der beiden Zellen, anschließend vereinigen sich die beiden Zellkerne; im weiteren Verlauf des Befruchtungsvorgangs vereinigen sich die mütterlichen und väterlichen Erbanlagen.

Beim Menschen und beim Tier vollzieht sich die Befruchtung durch das Eindringen einer **Samenzelle (Spermium)** in eine **Eizelle.** Die aktiv beweglichen Samenzellen, von denen sich viele Millionen (z. B. beim Menschen) in einem Samenerguss (Ejakulat) befinden können, wandern zur Eizelle. So bewegen sich die Samenzellen z. B. beim Menschen durch die Gebärmutter bis in den Eileiter, wo sie auf eine Eizelle stoßen, die nach Eireifung und Eisprung aus dem Eierstock in den Eileiter gelangt ist. An der Stelle, an der die Samenzelle die Eizelle berührt, lösen Enzyme die Eimembran auf. Nur einer einzigen Samenzelle gelingt es mit ihrem Kopf, der den Zellkern

Bein

enthält, in das Ei einzudringen. Der Schwanzteil der Samenzelle wird abgeworfen und im Eileiter aufgelöst. Durch Verfestigung der Membran schützt sich das Ei vor dem Eindringen weiterer Samenzellen. Nach Ablösung des Schwanzteiles der Samenzelle und dem Eindringen des Kopfes quillt dieser zum männlichen Vorkern auf, dem der Eikern aktiv entgegenwandert. Die Membran des Samen- und des Eikerns löst sich auf, die →Chromosomen werden sichtbar, es kommt unter Vereinigung der väterlichen und mütterlichen Erbanlagen zu einer Ausgangszelle (**Ursprungszelle** oder **Zygote**) für das neue Lebewesen.

Die Zygote beginnt durch Zellteilungen, die äußerlich an der Furchung erkennbar sind, sogleich mit ihrer Entwicklung.

Bei den Samenpflanzen geht der Befruchtung die Bestäubung, das heißt die Übertragung des Pollens auf die Narbe der Blüte, voraus. Die weibliche Keimzelle (Eizelle) der Samenpflanzen liegt in der Samenanlage, die im Fruchtknoten eingeschlossen ist, die männliche Keimzelle im Blütenstaub oder Pollenkorn. Sobald der Pollen auf die Narbe der Blüte gelangt, keimt er und bildet einen Pollenschlauch aus. Dieser wächst durch den Griffel und Fruchtknoten hindurch bis zur Eizelle. Durch den Pollenschlauch gelangen die männlichen Kerne zur Eizelle und es kommt auf diese Weise zur Befruchtung.

Begattung, Kopulation, körperliche Vereinigung zweier Lebewesen verschiedenen (weiblichen und männlichen) Geschlechts. Sie wird beim Menschen auch als Koitus (Beischlaf) bezeichnet (→Geschlechtsverkehr). Die Begattung dient der Übertragung der männlichen Geschlechtszellen (Samenzellen) in die weiblichen Geschlechtswege. Sie geht der →Befruchtung voraus. Zur Übertragung der Samenzellen dienen in der Regel besondere Paarungsorgane. Diese bestehen bei männlichen Säugetieren aus dem Penis, der in die Scheide (Vagina) des Weibchens eingeführt wird.

Begnadigung, der Verzicht auf Bestrafung im Einzelfall. Wird die Strafe mehreren Personen zugleich erlassen, spricht man von →Amnestie. (→Bewährung.)

Begonie, Pflanze der tropischen Urwälder mit wachsüberzogenen, stark wasserhaltigen Blättern. Wegen ihres Blütenreichtums, ihrer Farbenpracht und ihrer langen Blütezeit wird sie als Garten- und Zimmerpflanze geschätzt, besonders die **Knollenbegonie.**

Behinderte, Menschen, die dauerhaft geistig, seelisch oder körperlich beeinträchtigt sind.

Behinderungen können ererbt, angeboren oder durch körperliche und seelische Gewalteinwirkung (Verletzung, Schock) entstanden sein. Viele Behinderte sind nicht in der Lage ihren Lebensunterhalt zu verdienen und können nur unter erschwerten Bedingungen am Leben in der Gesellschaft teilnehmen. Deshalb bedürfen sie besonderer Fürsorge. Zu ihrer Ein- oder Wiedereingliederung in die Gesellschaft erhalten die Behinderten Hilfsgeräte, finanzielle Zuwendungen, eine ihrer Behinderung angepaßte Schul- und berufliche Ausbildung oder lebenslange Betreuung in hierfür geschaffenen Einrichtungen.

Beichte, in der christlichen Religion das reumütige Bekenntnis der Sünden. In der katholischen Kirche legt der Gläubige das Sündenbekenntnis im Beichtstuhl oder bei einem **Beichtgespräch** vor dem Priester, dem **Beichtvater,** ab. Dieser ist verpflichtet über das, was er während einer Beichte hört, strengstes Stillschweigen zu bewahren (**Beichtgeheimnis**). In der katholischen Kirche ist diese Form der Beichte, die **Ohrenbeichte,** ein Sakrament. In den evangelischen Kirchen ist die Beichte ein allgemeines Sündenbekenntnis vor dem Abendmahl, das der Gläubige vor Gott ablegt.

Beifügung, →Attribut.

Beine, Gliedmaßen, die dem Menschen und den meisten Wirbeltieren, aber auch den Insekten, Spinnen und Krebsen zur Fortbewegung dienen. Das Skelett des menschlichen Beins besteht aus dem **Oberschenkelknochen,** den beiden Unterschenkelknochen (**Schienbein** und **Wadenbein**) sowie dem **Fuß.** Der Oberschenkelknochen ist der stärkste Röhrenknochen des Körpers. Sein Schaft ist zum Becken hin winklig abgesetzt; er geht in den Schenkelhals mit dem Oberschenkelkopf über. Das **Hüftgelenk,** ein Kugelgelenk, verbindet das Bein mit dem Rumpf. Oberschenkel und Unterschenkel sind durch das Kniegelenk verbunden. Die Kniescheibe ist in die Sehne des Oberschenkelmuskels (Quadrizeps) eingebettet und bildet den Abschluss des Kniegelenks nach vorn. Die Muskulatur des Beins ist sehr kräftig ausgebildet und ermöglicht es zu laufen, zu springen und den Körper immer wieder ins Gleichgewicht zu bringen. An fast allen Bewegungen sind die Beinmuskeln beteiligt.

Begonie

Beine

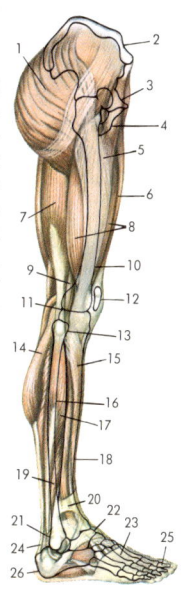

Beine: **1** Großer Gesäßmuskel, **2** Beckenschaufel, **3** Schambein, **4** Sitzbein, **5** sehnige Muskelhaut des Oberschenkels, **6** gerader Schenkelmuskel (langer Kopf des vierköpfigen Schenkelmuskels), **7** zweiköpfiger Schenkelmuskel, langer Kopf, **8** äußerer Schenkelmuskel, **9** zweiköpfiger Schenkelmuskel, kurzer Kopf, **10** Oberschenkelbein, **11** Kniegelenk, **12** Kniescheibe, **13** Kopf des Wadenbeins, **14** Zwillingswadenmuskel, **15** vorderer Schienbeinmuskel, **16** Wadenbein, **17** langer Wadenbeinmuskel, **18** Schienbein, **19** kurzer Wadenbeinmuskel, **20** Querbänder, **21** äußerer Knöchel, **22** Fußwurzelknochen, **23** Mittelfußknochen, **24** Achillessehne, **25** Zehenglieder, **26** Fersenbein

Beir

Beirut, 1,5 Mill. Einwohner, Hauptstadt des Libanon, auf einer Halbinsel am östlichen Mittelmeer. Bis zum libanesischen Bürgerkrieg (seit 1975) war Beirut eine bedeutende Hafen-, Handels- und Finanzstadt im Vorderen Orient.

Beischlaf, →Geschlechtsverkehr.

Beize, Jagd mit →Falken und →Habichten.

Bekassine, eine →Schnepfe.

Bekennende Kirche, seit 1934 die Bewegung innerhalb der evangelischen Kirchen in Deutschland, die sich der Politik des Nationalsozialismus widersetzte. Die Nationalsozialisten hatten schon vor der Machtübernahme versucht die evangelischen Kirchen unter ihre Kontrolle zu bringen. Mit der von ihnen unterstützten Gründung der Deutschen Christen war ihnen dies auch teilweise gelungen. Gegen die Deutschen Christen, die eng mit dem Staat zusammenarbeiteten und beispielsweise das Alte Testament als ›jüdisch‹ ablehnten, wandte sich zunächst der 1933 von Pastor Martin Niemöller gegründete ›Pfarrernotbund‹. Aus ihm ging 1934 die Bekennende Kirche hervor, deren Ziele in der ›Barmer Erklärung‹ festgehalten sind. Trotz Verfolgung durch die nationalsozialistische Regierung hielt die Bekennende Kirche an ihrem Widerstand gegen die nationalsozialistische Kirchenpolitik fest und wuchs über die Bedeutung einer rein kirchlichen Bewegung hinaus.

Belagerung. In den Kriegen früherer Jahrhunderte boten dicke Mauern guten Schutz vor Waffen wie Schwert, Pfeil oder Lanze. Deshalb zogen sich zahlenmäßig unterlegene Truppen oft hinter Stadtmauern oder in Burgen zurück. Erlaubte es die allgemeine Kriegslage, belagerte der Gegner die Befestigung; die Stadt oder Burg wurde mit Truppen umstellt und somit von der Außenwelt abgeschnitten. Vielfach versuchte man die Eingeschlossenen auszuhungern und so zur Übergabe zu zwingen. Wenn der Belagerten rechtzeitig vorgesorgt hatten, konnte dies monatelang dauern. Manchmal bestand, z. B. durch Brunnenschächte oder unterirdische Gänge, Verbindung nach außen und damit die Möglichkeit der Versorgung mit Lebensmitteln; eine solche Anlage ist heute noch in Dilsberg (bei Neckargemünd) zu besichtigen. In den meisten Fällen versuchte man die Stadt oder Burg mit Waffengewalt zu stürmen. Die Belagerer setzten zu diesem Zweck Belagerungsgeräte wie Steinschleudern oder Rammböcke ein. War die Festung ›sturmreif‹ geschossen und eine Bresche in die Verteidigungsanlagen geschlagen, wurde die Stadt oder Burg meist sehr schnell erobert.

Es kam aber auch häufig vor, dass die Belagerung aufgehoben werden musste, z. B. wenn die Eingeschlossenen durch eigene Truppen von außen befreit wurden oder wenn die Belagerer selbst so große Versorgungsschwierigkeiten hatten, dass sie abziehen mussten.

Belau, →Palau.

Belemniten [aus griechisch belemnon ›Geschoss‹], ausgestorbene Kopffüßer, z. B. Tintenfisch (›Sepia‹), Kalmar, Krake. Sie leiten sich von frühen, noch lang gestreckten Ammoniten ab und sind als Fossilien seit dem Karbon bis in die Kreide bekannt. Meist ist nur ein bis 0,5 m langer kegelförmiger Teil der Schale (Rostrum, Donnerkeil, Teufelsfinger) erhalten.

Beleuchtung, →Lichtstärke.

Belfast [bɛlfaːst], 296 900 Einwohner, Hauptstadt Nordirlands, liegt an der Ostküste und hat einen Seehafen. Belfast wurde im 12. Jahrh. als normannische Burg gebaut, erlangte 1613 Stadtrechte und wurde im 17./18. Jahrh. Handelszentrum für Nordostirland.

Belgien
Fläche: 30 518 km²
Einwohner: 9,998 Mio.
Hauptstadt: Brüssel
Amtssprachen: Französisch, Niederländisch, Deutsch
Nationalfeiertag: 21. 7.
Währung: 1 Belg. Franc (bfr) = 100 Centimes (c)
Zeitzone: MEZ

Belgien

Staatswappen

Staatsflagge

Belgien, Staat in Westeuropa, nach den Niederlanden das am dichtesten besiedelte Land Europas. Es zählt zu den Staaten mit der höchsten Bevölkerungsdichte der Erde (rund 320 Einwohner je km²).

Belgien gliedert sich in 3 Großlandschaften. **Niederbelgien,** eine große, weite Tiefebene im Norden, umfasst Flandern und das Kempenland. Es grenzt an die Nordsee, deren Küste geradlinig verläuft und kaum günstige Hafenplätze bietet. Die alten Hafenstädte Antwerpen und Brügge liegen heute landeinwärts; künstlich angelegt wurden die modernen Häfen Ostende und Zebrugge. Hinter einem Dünenwall und hinter Deichen folgen landwirtschaftlich intensiv genutztes Marsch- und Geestland und östlich der Schelde eine unfruchtbare Sandebene, die durch ihre unterirdischen Steinkohlelager wirtschaftliche Bedeutung gewann.

Im Süden schließt sich **Mittelbelgien** an, ein Hügelland, das von Norden nach Süden von 50 m auf 200 m ansteigt und Brabant, den Hennegau und den Haspengau umfasst. Hier werden die sandig-lehmigen Böden, die im Süden von Löss bedeckt sind, als Acker- und Weideland genutzt.

Südlich der Linie, die die Täler der beiden Flüsse Sambre und Maas bilden, beginnt **Hochbelgien.** Die Ardennen, die den größten Teil dieses Gebiets einnehmen, erreichen im Hohen Venn mit 694 m ihre größte Höhe und bestehen vor allem aus dünn besiedeltem Waldland. Im äußersten Süden grenzen die Ardennen an die lothringische Schichtstufenlandschaft, die geographisch dem Pariser Becken (→Frankreich) zugerechnet wird; auf ihren guten Böden wird Obst- und Ackerbau betrieben.

Der Einfluss des Atlantischen Ozeans prägt das Klima Belgiens: Es ist im Winter eher mild und im Sommer kühl. Westwinde herrschen vor und sorgen für regelmäßige Niederschläge das ganze Jahr hindurch.

Die überwiegend katholische Bevölkerung Belgiens besteht aus 3 sprachlich verschiedenen Gruppen: den **Flamen** im Norden, den **Wallonen** im Süden und der kleinen Gruppe der deutsch Sprechenden im Osten. Mehr als die Hälfte der Belgier spricht flämisch; diese Bevölkerungsgruppe setzt sich seit der Staatsgründung dafür ein, dass ihre zum Niederländischen gehörende Sprache durch das Französische der Wallonen nicht aus dem öffentlichen Leben verdrängt wird. Brüssel, wo sich ein Zehntel der Bevölkerung konzentriert, ist eine zweisprachige Insel im flämischen Sprachraum.

Die Wirtschaft Belgiens ist hoch entwickelt. Der bedeutendste Wirtschaftszweig ist die verarbeitende Industrie (vor allem Eisen- und Stahl-, Textil-, chemische Industrie). Die Landwirtschaft deckt etwa zwei Drittel des Eigenbedarfs an Nahrungsmitteln (Weizen, Gemüse, Gerste, Hafer, Kartoffeln, Zuckerrüben), beschäftigt aber weniger als 3% der Erwerbstätigen. Daneben hat der Dienstleistungssektor große Bedeutung, bedingt vor allem durch die Behörden der Europäischen Union wie auch durch den Reise- und Durchgangsverkehr. Über die Hälfte der Erwerbstätigen ist in diesem Bereich tätig.

Unter den Industriestaaten ist Belgien das am meisten vom Außenhandel abhängige Land. Etwa 3/4 des Außenhandels werden mit den EU-Staaten abgewickelt, darunter an erster Stelle Deutschland, gefolgt von den Niederlanden.

Geschichte. Belgien hat lange Zeit das Schicksal der →Niederlande geteilt, bis ihre nördlichen Provinzen sich 1581 von Spanien lossagten, während die südlichen Provinzen, das heutige Belgien, spanisch blieben. 1714–90 gehörte dieses Gebiet zu Österreich und in der Zeit der Französischen Revolution zu Frankreich; 1815–30 war es Teil des Königreichs der Vereinigten Niederlande.

Belgien wurde als konstitutionelle Monarchie geschaffen; Staatsoberhaupt ist der König, der allerdings heute nur noch Repräsentationsbefugnisse besitzt. Der Premierminister ist dem Parlament verantwortlich. Am 27. 7. 1831 legte der erste König der Belgier, Leopold I., den Eid auf die Verfassung ab. Dieser Tag wird als Nationalfeiertag begangen. In beiden Weltkriegen wurde Belgien von deutschen Truppen besetzt.

Nach dem Zweiten Weltkrieg strebte Belgien mit den Niederlanden und Luxemburg eine Wirtschafts- und Zollunion an. Mit diesen schloss es sich den Europäischen Gemeinschaften an. 1960 entließ es seine Kolonie Belgisch-Kongo, das heutige Zaire, in die Unabhängigkeit (KARTE Band 2, Seite 200).

Belgrad [serbisch ›weiße Burg‹], 1,56 Mill. Einwohner, Hauptstadt Jugoslawiens und der Republik Serbien, liegt im Mündungswinkel zwischen Save und Donau. Die Stadt wurde in ihrer Geschichte mehrfach von Österreich besetzt und von der Türkei zurückerobert. Bis 1867 gab es eine türkische Besatzung in der Belgrader Festung Kalemegdan.

Belichtungsmesser. Um beim Fotografieren und Filmen richtig belichtete Aufnahmen zu erhalten, verwendet man oft einen Belichtungsmesser. Dieses Instrument enthält ein photoelektrisches Bauelement, das Licht in elektrische Spannung umwandelt. Die Spannung bewirkt, dass der Zeiger des zum Belichtungsmesser gehörigen Messinstruments ausschlägt und auf einen bestimmten Skalenwert zeigt. Auf der Skala lässt sich dann ablesen, welche →Blende und welche Verschlusszeit (→Verschluss) am Fotoapparat eingestellt werden müssen. In die meisten Kameras ist der Belichtungsmesser bereits eingebaut. Die von ihm gelieferten Messwerte werden meist im Sucher des Fotoapparats angezeigt. Bei Automatikkameras kann der Belichtungsmesser über eine elektronische Schaltung die Belichtung der Aufnahme automatisch steuern, sodass man nur noch auf den Auslöseknopf zu drücken braucht.

Belichtungsmesser: a Messzelle, b Sucher, c Film, d Spiegel, e Prisma, blau = Strahlengang für Sucherbild, rot = Strahlengang für Messlicht

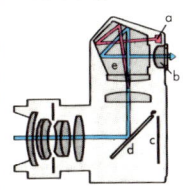

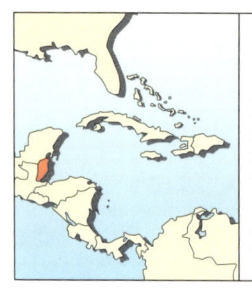

Beli

Belize
Fläche: 22 965 km²
Einwohner: 198 000
Hauptstadt: Belmopan
Amtssprache: Englisch
Nationalfeiertage: 10. 9. und 21. 9.
Währung: 1 Belize-$ (Bz $) = 100 Cents (c)
Zeitzone: MEZ – 7 Stunden

Belize

Staatswappen

Staatsflagge

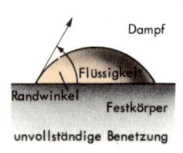

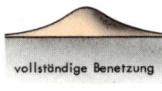

Dampf
Flüssigkeit
Randwinkel
Festkörper
unvollständige Benetzung

vollständige Benetzung

vollständige Nichtbenetzung

Benetzung

Belize [belis], früher **Britisch-Honduras**, seit 1981 unabhängiger Staat an der Ostküste Zentralamerikas. Es grenzt im Norden an Mexiko, im Westen und Süden an Guatemala, im Osten an das Karibische Meer. Den Norden des Landes bildet ein vielfach sumpfiges Tiefland, den Süden eine von vielen Tälern zerschnittene Hochebene (Maya Mountains, bis 1 122 m hoch). Vor der etwa 320 km langen Küste liegen zahlreiche Korallenriffe und kleine Inseln. Mehr als die Hälfte der Einwohner lebt in den Küstenstädten; es sind meist Schwarze und Mulatten. Im dünner besiedelten Landesinnern, das von tropischem Regenwald bedeckt ist, leben Indianer.

Haupterwerbszweig ist die Landwirtschaft. Wichtige Ausfuhrprodukte sind Edelhölzer, vor allem Mahagoni, sowie Citrusfrüchte und Zucker. – Seit etwa 1638 ließen sich an der Küste des heutigen Belize englische Siedler nieder. Sie gründeten 1667 die erste feste Siedlung: Belize City; 1862 wurde das Land mit der Hauptstadt Belize City britische Kronkolonie. 1970 übernahm Belmopan, 1967 gegründet, ihre Aufgaben. Dennoch blieb Belize City wirtschaftlicher Mittelpunkt und größte Stadt (39 800 Einwohner) des Landes. (KARTE Band 2, Seite 196)

Bellinzona, 16 900 Einwohner, Hauptstadt des Schweizer Kantons Tessin, liegt an der Gotthardbahn und ist kultureller Mittelpunkt der italienischen Schweiz.

Benediktiner, katholischer Mönchsorden mit dem weiblichen Zweig der **Benediktinerinnen,** der auf →Benedikt von Nursia zurückgeht. Seine Regel war bis ins 12. Jahrh. für das gesamte abendländische Mönchtum bestimmend. Sie verpflichtet Mönche und Nonnen zu Armut, Gehorsam gegenüber dem Abt und Ehelosigkeit. Sie verlangt ferner ein ausgeglichenes Verhältnis von Gebet und Arbeit. Deshalb wurde ›ora et labora!‹ (›bete und arbeite!‹) zum Leitspruch der Benediktiner. Die Ordenskleidung ist schwarz, mit Gürtel, vielfach mit Kapuze. Auch heute noch unterhalten die Benediktiner Schulen und widmen sich besonders der Missionstätigkeit.

Benedikt von Nursia wurde um 480 bei Nursia nördlich von Rom geboren. Über sein Leben berichtete Papst Gregor I. Nach dieser Schilderung zog Benedikt sich für einige Jahre als Einsiedler in eine Höhle zurück. Um 529 gründete er auf dem Berg Montecassino zwischen Rom und Neapel mit einer Gruppe von Mönchen ein Kloster, das die Keimzelle des **Benediktinerordens** wurde. Benedikt starb 547. Für die Katholiken ist er seit 1964 der Patron Europas.

Benelux-Staaten, Sammelname für **Bel**gien, **N**ederland (Niederlande) und **Lux**emburg, die auf wirtschaftlichem und kulturellem Gebiet zusammenarbeiten (seit 1960 Wirtschaftsunion).

Benetzung, die unterschiedliche Neigung einer Flüssigkeit an der Oberfläche fester Körper zu haften (BILD), bewirkt durch unterschiedliche →Adhäsion und →Kohäsion (→Meniskus).

Bengalen, fruchtbare Landschaft im Nordosten Vorderindiens. Politisch gehört der westliche Teil zu →Indien; der größere, östliche bildet das Territorium von →Bangladesh. Auch die Einwohner dieses Gebietes werden als Bengalen bezeichnet.

Ben Gurion, *1886, †1973, einer der Gründer des Staates Israel. Er war sozialistisch eingestellt und trat schon früh für den →Zionismus ein. 1906 wanderte er aus Polen nach Palästina aus. 1930–65 führte er die Mapai, eine sozialistisch orientierte Partei. Als Leiter der ›Jüdischen Vertretung für Palästina‹ nahm er eine Schlüsselstellung im Kampf um die Errichtung eines selbstständigen jüdischen Staates in Palästina ein.

Am 14. 5. 1948 rief Ben Gurion den Staat Israel aus, an dessen Selbstbehauptung er als erster Ministerpräsident und Verteidigungsminister (1948–53, 1955–65) entscheidenden Anteil hatte. Angesichts der von der nationalsozialistischen deutschen Regierung zwischen 1933 und 1945 an Juden begangenen Verbrechen schloss die Bundesrepublik Deutschland mit seiner Regierung ein Wiedergutmachungsabkommen.

Benin, bis 1975 **Dahomey,** Staat von der Größe Bulgariens an der Küste Westafrikas, eine Republik. Im Osten grenzt sie an Nigeria, im Westen an Togo. Die Bevölkerung lebt überwiegend vom Anbau von Mais, Maniok und Yamswurzeln. Hauptausfuhrgüter sind Baumwolle, Palmkerne und Kakaobohnen. Benin ist eines der am wenigsten entwickelten Länder in Westafrika. Das ehemalige Königreich Dahomey war

Benin

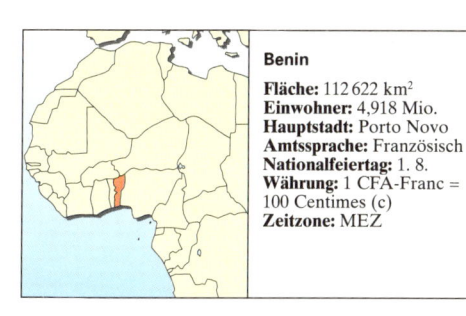

Fläche: 112 622 km²
Einwohner: 4,918 Mio.
Hauptstadt: Porto Novo
Amtssprache: Französisch
Nationalfeiertag: 1. 8.
Währung: 1 CFA-Franc = 100 Centimes (c)
Zeitzone: MEZ

1904-58 französische Kolonie. (KARTE Band 2, Seite 194)

Benn. Der Dichter **Gottfried Benn** (*1886, †1956) lebte als Arzt in Berlin. In seinen frühen expressionistischen Gedichten und Novellen (→Expressionismus), in denen er Krankheit und Hinfälligkeit des Menschen beschrieb, verbinden sich medizinische Fachbegriffe und harte Ausdrucksweise mit gefühlsbetont-rauschhaften Elementen. Vorübergehend trat Benn, z. B. in einigen Aufsätzen, für Ideen des Nationalsozialismus ein, wandte sich jedoch bald wieder davon ab und erhielt 1938 Schreibverbot. Der Hoffnungslosigkeit, die sich in späteren Werken ausdrückt, stellte er ein Bekenntnis zu Form und Stil im Kunstwerk gegenüber.

Benz. Als Schüler schon hatte **Carl Friedrich Benz** (*1844, †1929) von einem Fahrzeug geträumt, das nicht von Pferden gezogen werden musste. Vom Schlosserlehrling arbeitete er sich bis zum Ingenieur hinauf und gründete 1883 eine Gasmotorenfabrik in Mannheim. Zunächst konstruierte er einen Zweitakt-Gasmotor und 1885, unabhängig von Gottlieb →Daimler, einen Einzylinder-Viertakt-Benzinmotor. Diesen Motor baute er in einen Wagen ein und schuf damit das erste Kraftfahrzeug. Der Wagen hatte 3 Räder, leistete ungefähr 1 PS und erreichte eine Geschwindigkeit von 12 km/h.

Benzin, ein Gemisch aus mehr als 150 verschiedenen →Kohlenwasserstoffen, die aus →Erdöl gewonnen werden und zwischen 30 und 215 °C sieden. Es wird vor allem als Motorkraftstoff verwendet. Dabei wird es im Motor mit Luft zu einem explosiven Gemisch vermengt und verbrannt. Die nun frei werdende Energie treibt den Motor an.

Benzin kann durch Destillation von Erdöl zwischen 40 und 200 °C gewonnen werden. Allerdings beträgt die Ausbeute nur etwa 15 bis 20 %. Diese wird auf 40 bis 60 % erhöht durch Kracken des Erdöls, einen hochkomplizierten petrochemischen Prozess. **Synthesebenzin** lässt sich durch Kohleverflüssigung oder aus Synthesegas nach bestimmten chemischen Verfahren erzeugen.

Um das Klopfen des Motors aufgrund ungleichmäßigen Verbrennens des Luft-Kraftstoff-Gemisches zu verhindern, werden dem Benzin klopffeste Kraftstoffkomponenten oder Antiklopfmittel zugesetzt. Damit wird erreicht, dass die →Oktanzahl zunimmt, die auch die beiden in der Bundesrepublik Deutschland angebotenen Benzinqualitäten **Normal** und **Super** unterscheidet. Die Zumischung von Bleiverbindungen als Antiklopfmittel ist auf maximal 0,15 g Blei pro Liter begrenzt. Bei der Nachverbrennung der Autoabgase durch →Katalysatoren zur Reinigung der Gase ist **bleifreies Benzin** erforderlich.

Benzineinspritzung, →Einspritzmotor.

Benzol, Stammsubstanz der ringförmigen organischen Verbindungen (Aromate) der Formel C_6H_6. Die farblose, Licht brechende Flüssigkeit, die mit stark rußender Flamme brennt, ist ein wichtiges chemisches Zwischenprodukt bei der Herstellung von Kunststoffen und der Synthese von Kautschuk und anderen Stoffen. Benzol wird heute vor allem aus Erdölfraktionen gewonnen. Konzentrierte Benzoldämpfe führen beim Einatmen in kurzer Zeit zu Bewusstlosigkeit und Tod. Aber auch verdünnte Dämpfe sind sehr **giftig.** Darüber hinaus wirkt Benzol **Krebs erregend.**

Benzopyren, veraltet **Benzpyren,** als **Krebs erregend** angesehene, organische chemische Verbindung, die im Steinkohlenteer und bei unvollständiger Verbrennung organischer Substanzen vorkommt, z. B. in Zigarettenrauch, Auto- und Industrieabgasen, Grillprodukten aus dem Rauch von Holzkohle und Kiefernzapfen.

Beowulf, der Sage nach ein Gotenkönig. Er erschlägt das Meerungeheuer Grendel und tötet 50 Jahre später einen gefährlichen Drachen; dabei stirbt er durch den giftigen Atem des Untiers. Der Stoff dieser Sage geht auf Ereignisse aus der ersten Hälfte des 6. Jahrh. im Reich der Goten zurück. Im 8. Jahrh. entstand daraus das altenglische Epos ›Beowulf‹.

Berber, Sammelname für die Bevölkerung Nordafrikas, die bis zur Zeit der arabischen Eroberungen im 7. Jahrh. das Gebiet von den Kanarischen Inseln bis nach Westägypten bewohnte. Heute lebt der größte Teil der etwa 9 Millionen Berber in Algerien und im marokkanischen Atlasgebirge. Die Kultur der Berber ist stark von den Arabern bestimmt; die meisten Berber bekennen sich zum Islam.

Benin

Staatswappen

Staatsflagge

Berb

Berberitze, Sauerdorn, dorniger Strauch mit rutenförmig überhängenden Zweigen, auf denen die Blätter in Büscheln sitzen. Die gelben Blüten hängen in Trauben herab. Die scharlachroten, sehr vitaminreichen Früchte schmecken säuerlich. Berberitzen wachsen an Waldrändern und in Hecken.

Beresina, rechter Nebenfluss des Dnjepr, 613 km lang, davon 500 km schiffbar. Bekannt wurde die Beresina durch ihre verlustreiche Überquerung durch die Große Armee Napoleons I. 1812 auf dem Rückzug von Moskau.

Berg, einzelne Erhebung, die sich von einem Hügel durch größere Höhe unterscheidet. In der Regel ist ein Berg Teil eines Gebirges; einzeln aus der Ebene aufragende Berge sind selten. Man benennt Berge oft nach ihrer Form. Eine Platte oder Tafel ist z. B. ein Berg, der oben eine Fläche aufweist. Kuppen oder Rücken nennt man Berge mit runden Formen, während steile, spitze Formen als Zinnen, Zacken oder Spitzen bezeichnet werden. Vulkane sind häufig als Kegel ausgebildet. Berge galten in vielen Religionen als Sitz von Göttern oder Geistern, z. B. der Olymp in Griechenland und der Brocken (auch Blocksberg) im Harz. Viele Sagen berichten auch von Gestalten, die sich in der Tiefe von Bergen aufhalten. – Übersichten über die höchsten Berge der Kontinente findet man bei den Artikeln →Afrika, →Amerika, →Asien, →Australien, →Europa.

Berg: Bergformen: Pyramide, Horn, Kegel, Zinnen, Kuppe, Tafel

Bergbahn, Transportmittel zur Beförderung von Personen und Lasten auf größeren Steigungen zu hoch gelegenen Ortschaften, auf Berggipfel und in Skisportgebiete. Bergbahnen werden als →Zahnradbahnen oder →Seilbahnen gebaut.

Bergbau, Wirtschaftszweig, der sich mit dem Aufsuchen, Gewinnen und Aufbereiten von Bodenschätzen befasst. Entweder sind es feste Rohstoffe wie Kohle, Metallerze, Salze oder Edelsteine, nach denen geschürft, das heißt gegraben wird, oder man bohrt nach flüssigen oder gasförmigen Bodenschätzen wie Erdöl und Erdgas. Befindet sich die Lagerstätte des Rohstoffs an der Erdoberfläche oder dicht darunter, wie meist die Braunkohlenlager, so wird im **Tagebau** abgebaut. Dabei wird die Lagerstätte schichtweise und in Absätzen abgetragen; die Braunkohle gelangt auf Förderbändern zur weiteren Verarbeitung; der Abraum wird mit weit über 100 m langen Großgeräten, den Absetzern oder Abraumförderbrücken, zu Abraumkippen aufgeschüttet. Beim Voranschreiten der bis zu 350 m tiefen Tagebaugruben wird die Landschaft völlig zerstört; nach der Nutzung bilden sich in den Gruben Seen, die mit den Rekultivierungsanlagen (Erdbewegungen, Anpflanzungen, Wegebau) ein verändertes Landschaftsbild ergeben.

Haben geologische Untersuchungen und Messungen eine lohnenswerte Lagerstätte in größerer Tiefe (bergmännisch ›Teufe‹) festgestellt, so gewinnt man den Lagerstätteninhalt im **Untertagebergbau**. Die Anlage dafür nennt man **Bergwerk, Zeche** oder **Grube**. Sie ist im Durchschnitt etwa 1 000 m tief, in Südafrika, einem der wichtigsten Bergbauländer, bis zu 4 000 m. Von einem senkrecht hinabgetriebenen (›abgeteuften‹) Schacht werden waagerechte Strecken mithilfe sehr großer fahrbarer Bohrmaschinen vorgetrieben (›Streckenvortriebe‹), bis über Querschläge und Richtstrecken die Lagerstätte, das Kohlenflöz, erreicht ist und abgebaut werden kann. Der Bergmann früherer Zeiten hatte als Werkzeuge dafür Schlägel und Eisen, die heute noch Symbol für den Bergbau sind. Heute besorgen im Kohlenbergwerk Schrämmaschinen (Kohlenhobel) und Kettenkratzförderer den Abbau; im Erzbergbau werden auf Gleisketten fahrbare hydraulische Bohrwagen und Hämmer eingesetzt. Vor dem drohenden Hereinbrechen von Gestein schützt der schreitende Schildausbau, das ist ein automatisch dem Streckenvortrieb folgendes Abstützen der Wandungen mit hydraulischen Stempeln und Schilden.

Das Fördergut gelangt auf Förderbändern, Schienenwagen, die ganze Züge bilden, oder gleislosen Fahrzeugen zum Förderschacht, in dem es auf die Erdoberfläche, man sagt ›nach über Tage‹, gehoben wird. Dies geschieht in Förderkörben, gewaltigen Lastenaufzügen, die, an Seilen hängend, von der elektrischen Fördermaschine über Seiltrommeln im Förderturm bewegt werden. Außer dem Förderschacht gibt es weitere Schächte, z. B. Blindschächte und Wetterschächte. Durch diese wird Luft herangeführt, die zum Atmen und gegen die Ansammlung gefährlicher Grubengase (→Schlagwetter) nötig ist. Daher ist es unter Tage sehr zugig. Weiterhin muss die Grube vor eindringendem Oberflächen- und Grundwasser und vor Wasser führenden Schichten im Gebirge geschützt werden. Dazu gibt es Ableitungen zu tieferen Sammelstellen (›Sumpf‹) oder Pumpen zur Übertageförderung. Gegen die mit der Tiefe zunehmende Wärme gibt es keinen Schutz; die Zunahme beträgt im Mittel 1 °C je 33 m (in Südafrika nur etwa je 100 m).

Lagerstätten flüssiger oder gasförmiger Rohstoffe werden durch Bohrlöcher erschlossen, durch die anschließend auch die Förderung erfolgt, entweder durch Pumpen oder durch den in

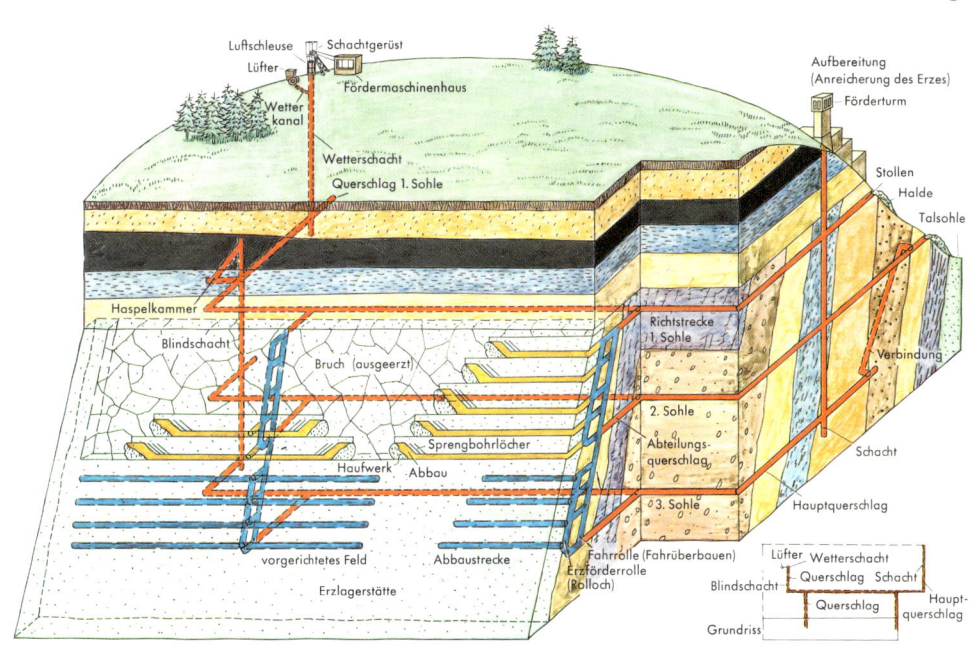

Bergbau: Schematische Darstellung der Untertageanlage eines Bergwerks

der Lagerstätte herrschenden Druck. Dies gilt auch für die Erdöl- und Erdgasförderung durch die →Bohrinseln.

Der **Meeresbergbau** oder marine Erzbergbau in der Tiefsee hingegen richtet sich auf Mangan, Kobalt und andere Erze.

Schon der Mensch der Steinzeit betrieb Bergbau, indem er nach dem damals lebenswichtigen Feuerstein grub, und zwar in bis zu 15 m tiefen Gruben, die er mit Steinen und Hirschgeweihen als Werkzeug aushob, in die er mit Leitern einstieg und von deren Sohle aus er niedrige Gänge ausschaufelte.

Bergfink, ein Finkenvogel (→Buchfink).

Bergkristall, besonders reine, glasartig durchscheinende Form des Minerals →Quarz. Er tritt oft in Kristalldrusen auf, aber auch in Form großer, bis 5,5 t schwerer Einzelkristalle. Er wird als Schmuckstein und zur Herstellung von dekorativen Gegenständen, z. B. Trinkgefäßen, verwendet. Die in der optischen (Linsen, Quarzlampen) und elektrotechnischen Industrie (Schwingquarze, Kristallmikrofone) verwendeten Bergkristalle werden meist synthetisch erzeugt.

Bergpredigt, Aussprüche von Jesus, die in der Bibel im Matthäusevangelium (5.–7. Kapitel) in Form einer Rede überliefert sind. Diese Rede enthält die wesentlichen Gedanken der Botschaft Jesu. Er fordert z. B. von seinen Anhängern unbedingte Nächstenliebe bis hin zur Feindesliebe.

Bergsteigen, Alpinismus, sportliche Betätigung, die neben Mut, Kraft und Ausdauer vor allem auch viel Verantwortungsgefühl erfordert. Die leichteste Form des Bergsteigens, das **Bergwandern** oder **Gehen,** kann von den meisten Menschen, wenn sie gesund sind, betrieben werden. Hochgebirgstouren führen über Hütten- und Passwege. Trittsicherheit und Schwindelfreiheit sind erforderlich. Hochgebirgstouren sollte man nicht allein unternehmen, sondern sich einer Gruppe unter Leitung eines erfahrenen Bergführers anschließen. Die erforderliche Ausrüstung sind wetterfeste Kleidung, Bergschuhe, Rucksack und Eispickel.

Das **Klettern im Fels** erfordert den ständigen Einsatz von Armen und Beinen. Die Schwierigkeiten reichen bis zum Erklettern von senkrechten oder gar überhängenden Wänden. Jede kleine Unebenheit, jeder Riss im Fels wird als Haltemöglichkeit genutzt. Zur Ausrüstung gehören Hammer, Felshaken aus Stahl und ein 30–50 m langes Seil. Der Kletterer schlägt die Haken in den Fels und sichert sich mit dem Seil gegen

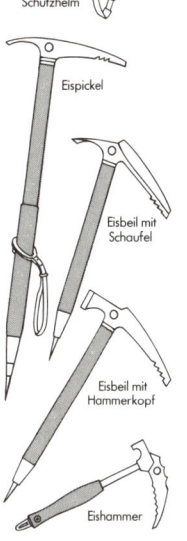

Bergsteigen: Ausrüstungsgegenstände

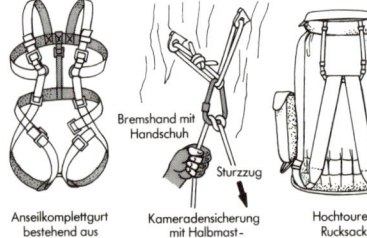

Beri

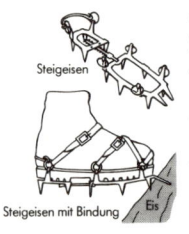

Bergsteigen: Ausrüstungsgegenstände

einen Absturz. Er trägt einen Schutzhelm gegen Steinschlag. Mithilfe einer mitgeführten Biwakausrüstung kann er notfalls auch an einer senkrechten Wand die Nacht verbringen, falls z. B. ein Wettersturz das Weiterklettern für Stunden unmöglich macht.

Hat der Bergsteiger Eiswände zu überwinden, wird dies als **Eisklettern** bezeichnet. Als zusätzliche Ausrüstung benötigt er Eishaken, mehrzackige Steigeisen für die Schuhe, eine Steigleiter, Sonnenschutzbrille gegen Schneeblindheit und Gletscherbrandsalbe gegen Hautverbrennungen, die durch Ultraviolettstrahlung hervorgerufen werden. Eistouren unternehmen Bergsteiger meist in Zweier- oder Dreiergruppen (Seilschaften), wobei sie sich gegenseitig sichern. Verantwortungsbewusste Bergsteiger wagen niemals Klettertouren, die ihr Können übersteigen.

Beringstraße, die nach dem dänischen Seefahrer **Vitus Jonassen Bering** (*1680, †1741) benannte Meeresstraße zwischen Alaska und Sibirien. Bering stand im Dienst des Zaren von Russland, als er 1728 diese Meerenge entdeckte. Sie verbindet das Beringmeer und das Nordpolarmeer. An ihrer engsten Stelle hat sie nur eine Breite von 85 km und ist 50–90 m tief.

Berkelium, Zeichen **Bk,** →chemische Elemente, ÜBERSICHT.

Berlichingen, →Götz von Berlichingen.

Berlin. Vom Jahr der Reichsgründung (1871) bis zum Ende des Zweiten Weltkriegs (1945) war Berlin die Hauptstadt des Deutschen Reichs und ist seit 1991 die Hauptstadt und ein Land der Bundesrepublik Deutschland.

Berlin
Fläche: 889 km²
Einwohner: 3,46 Millionen

Berlin liegt in einem eiszeitlichen Urstromtal und der es umgebenden Grundmoränenlandschaft. Die Stadt wird von der Havel, der Spree sowie der Panke durchflossen.

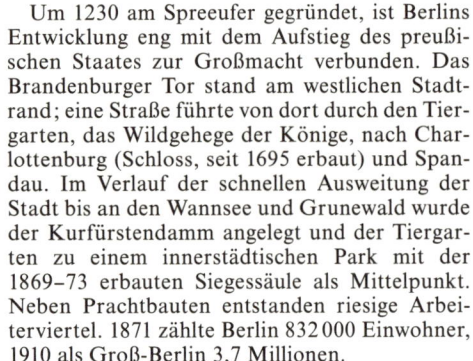

Um 1230 am Spreeufer gegründet, ist Berlins Entwicklung eng mit dem Aufstieg des preußischen Staates zur Großmacht verbunden. Das Brandenburger Tor stand am westlichen Stadtrand; eine Straße führte von dort durch den Tiergarten, das Wildgehege der Könige, nach Charlottenburg (Schloss, seit 1695 erbaut) und Spandau. Im Verlauf der schnellen Ausweitung der Stadt bis an den Wannsee und Grunewald wurde der Kurfürstendamm angelegt und der Tiergarten zu einem innerstädtischen Park mit der 1869–73 erbauten Siegessäule als Mittelpunkt. Neben Prachtbauten entstanden riesige Arbeiterviertel. 1871 zählte Berlin 832 000 Einwohner, 1910 als Groß-Berlin 3,7 Millionen.

Nach dem Ende des Zweiten Weltkriegs teilten die alliierten Mächte Berlin in 4 Sektoren: Die Sowjetunion erhielt den Ostteil der Stadt, der größere Westteil fiel an die USA, Großbritannien und Frankreich. Am 24. Januar 1948 sperrten sowjetische Streitkräfte sämtliche Zufahrtsstraßen und Wasserwege zu den Westsektoren (›Blockade‹); zu ihrer Versorgung organisierten die Westmächte eine ›Luftbrücke‹. Als die Blockade am 12. Mai 1949 aufgehoben wurde, war die Teilung der Stadt in einen West- und einen Ostteil vollzogen. 1950 wurde Groß-Berlin nach der Berliner Verfassung und dem Grundgesetz der Bundesrepublik ein Land der Bundesrepublik Deutschland; die Deutsche Demokratische Republik hingegen betrachtete Berlin als Ganzes als ihre Hauptstadt und trennte den Ostteil 1961 durch eine 45 km lange Mauer vom Westteil der Stadt ab.

Eine ungeahnte Ausmaße annehmende Fluchtbewegung im Sommer und Herbst 1989 sowie anhaltende Massenproteste vor allem in Leipzig und Berlin (Ost), führten am 9. 11. 1989 zur Öffnung der Berliner Mauer (am 22. 12. 1989 des Brandenburger Tores) und damit zu einem ungehinderten Zugang nach Berlin (West). Nach den ersten freien Kommunalwahlen in Berlin (Ost) am 7. Mai 1990 entwickelte sich eine verstärkte Zusammenarbeit beider Stadtteile auf vielen Gebieten.

Im Zuge der Vereinigung der beiden deutschen Staaten (1. Juli 1990 Aufhebung der Grenzkontrollen; 2. Okt. 1990 Suspendierung der alliierten Hoheitsrechte; 3. Okt. 1990 Staatsakt zum Beitritt der DDR zum Grundgesetz vor dem Reichstagsgebäude) wurde auch die Einheit Berlins wiederhergestellt. Am 20. Juni 1991 beschloss der Bundestag, den Sitz von Parlament und Regierung nach einer Übergangszeit von Bonn nach Berlin zu verlegen.

Berlin besitzt mehrere Dorfkirchen aus dem 13. Jahrhundert. Das Jagdschloss Grunewald blieb im Kern als Renaissanceschloss (1542) erhalten. Der preußische Barock kam unter A. Schlüter zu großer Blüte. Sein bedeutendster Bau war das Berliner Stadtschloss (1950 abgebrochen). Unter Friedrich d. Gr. entstanden zahlreiche Rokokobauten: Hofoper (heutige Deutsche Staatsoper), Schloss Charlottenburg, Hedwigskathedrale. Aus der Zeit des Klassizismus stammen u. a. das Brandenburger Tor und die Neue Wache. Einheitlichstes Bauensemble ist der Platz der Akademie (früher Gendarmenmarkt) mit Schinkels Schauspielhaus, flankiert von Deutschem und Französischem Dom. Im 19. Jahrhundert entstanden das Reichstagsgebäude und der Dom (1894–1905). Ein einmaliges Bauensemble bietet die Museumsinsel mit Altem Museum von Schinkel, Neuem Museum, Nationalgalerie, Bodemuseum, Pergamonmuseum. Nach 1933 entstanden der Flughafen Tempelhof, das Olympiastadion, die Waldbühne sowie die Bauten der ehemaligen Reichskanzlei (zerstört). Nach dem Zweiten Weltkrieg entstanden zur Interbau 1957 das Hansaviertel am Tiergarten, die Unité d'habitation ›Typ Berlin‹ (von Le Corbusier) und die Kongresshalle (von H. A. Stubbins). E. Eiermann baute neben die Turmruine der Kaiser-Wilhelm-Gedächtniskirche 1959–63 einen Kirchenraum und einen sechseckigen neuen Kirchturm. Zu den wichtigsten Einzelbauten gehören die Philharmonie, die neue Nationalgalerie (1965–68 von L. Mies van der Rohe) und die neue Staatsbibliothek.

Berliner Kongress, 1878, die Zusammenkunft leitender Staatsmänner der europäischen Großmächte und der Türkei in Berlin unter dem Vorsitz von Bismarck als ›ehrlichem Makler‹. Das Übergewicht des russischen Einflusses auf dem Balkan wurde zugunsten Österreichs vermindert, die Schwächung der Türkei für kurze Zeit aufgehalten. Die Erbitterung Russlands über seine Machtminderung belastete den europäischen Frieden und legte den Grund zur Spaltung Europas in 2 Bündnislager (→Zweibund, →Tripelentente) vor dem Ersten Weltkrieg.

Berlioz [bärljos]. Der französische Komponist **Hector Berlioz** (*1803, †1869) war ein Vertreter der Programmusik, der er in der Ausnutzung instrumentaler Klangfarben im Orchester neue Wege wies. *Sinfonien:* Harold in Italien (1834); Romeo und Julia (1839). *Chorwerke mit Orchester:* Requiem (1837); Die Kindheit Christi (1854); Te Deum (1855).

Bermudainseln, Gruppe von etwa 360 kleinen Inseln im Nordatlantik. Ihre Gesamtfläche beträgt 53 km². Auf den Inseln, die zu Großbritannien gehören, leben etwa 58 000 Menschen. Grundlage der Wirtschaft ist der Fremdenverkehr. (KARTE Band 2, Seite 196)

Bern, Stadt und Kanton im Zentrum der Schweiz. Die in einer Aareschleife gelegene Altstadt von Bern wurde 1191 gegründet und besitzt malerische Brunnen, Bürgerhäuser mit Arkaden und Türme. Durch 7 Aarebrücken ist sie mit den äußeren Stadtteilen verbunden. 1848 wurde Bern Bundesstadt der Schweiz. Die Stadt ist auch Hauptstadt des zweitgrößten Kantons, der sich im Norden bis in den Schweizer Jura erstreckt und im Chasseral 1 607 m Höhe erreicht. In diesem Teil des Kantons spricht man französisch, in den restlichen Gebieten deutsch. 80% der Bevölkerung sind protestantisch, 20% katholisch. Das hügelige Mittelland zwischen Aare und Emme ist dicht besiedelt und stößt im Süden an das →Berner Oberland. Wichtige Seen sind der Bieler, Thuner und Brienzer See; um diese Seen und im Berner Oberland liegen viele Fremdenverkehrsorte. Wichtige Erwerbszweige sind im Jura die Uhrenindustrie, im Mittelland die Viehwirtschaft und im Oberland Heimarbeit wie Schnitzerei und Weberei. – Die Stadt Bern trat 1353 dem Eidgenössischen Bund bei und unterwarf sich allmählich das umliegende Land. 1528 führte man im Kanton die Reformation ein. 1979 wurde der äußerste französischsprachige Nordwestteil abgetrennt und bildet seitdem den neuen Kanton Jura.

Stadt: 135 600 Einwohner
Kanton: Fläche: 5 932 km² Einwohner: 953 500

Bern Kantonswappen

Bernadotte [bernadọt]. 1819 wurde der französische Marschall **Jean Baptiste Bernadotte** (*1763, †1844), der mit der Familie Bonaparte verschwägert war, zum schwedischen Kronprinzen gewählt und von König Karl XIII. adoptiert. Bernadotte kämpfte in den Befreiungskriegen gegen Frankreich, erzwang die Vereinigung Norwegens mit Schweden und regierte 1818–44 als **Karl XIV. Johann.** Er war verheiratet mit der Marseiller Kaufmannstochter Désirée Clary und wurde der Stammvater der schwedischen Dynastie Bernadotte.

Berner Oberland, Berner Alpen, Teil der schweizerischen Hochalpen. Das Gebiet gliedert sich in den von den Diablerets bis zum Wildstrubel reichenden Westteil und den von der Finsteraarhorngruppe beherrschten Ostteil. Es gibt

Bern

große Gletscher (z. B. Aletschgletscher) und steil aufragende Gipfel (Jungfrau, Eiger) mit über 4000 m Höhe; Orte wie Interlaken, Wengen und Grindelwald sind Mittelpunkte des internationalen Fremdenverkehrs.

Bernhardiner, eine Rasse der →Hunde.

Bernhard von Clairvaux [-klärwo], *um 1090, †1153, Kirchenlehrer aus Burgund, der als Mönch des Klosters Cîteaux zur Gründung eines Klosters in Clairvaux (1115) ausgesandt wurde. Von da aus wurden zahlreiche neue Klöster gegründet, die dem Orden der **Zisterzienser** (auch **Bernhardiner**) zu großer Verbreitung und Blüte verhalfen. Bernhard war maßgeblich an der Vorbereitung des 2. Kreuzzugs (1147–49) beteiligt.

Bernini. Einer der bedeutendsten europäischen Künstler war der italienische Baumeister, Bildhauer und Maler **Gian Lorenzo Bernini** (*1598, †1680). Als ein Hauptmeister des italienischen →Barock hatte er großen Einfluss auf Skulptur und Architektur des 17. und 18. Jahrh. Das Stadtbild von Rom in seiner heutigen Form hat er entscheidend mitgeprägt. So schuf er die Kolonnaden des Petersplatzes vor der Peterskirche, den Vierströmebrunnen auf der Piazza Navona, Stadtpaläste und Kirchen (San Andrea al Quirinale).

Kennzeichnend für Berninis Bildhauerkunst ist die Bewegtheit seiner Skulpturen, auch ihr intensiver Ausdruck, der sich nicht nur in den Gesichtern, sondern auch in der Körperhaltung und den Gewändern zeigt, besonders augenfällig bei der Marmorgruppe ›Verzückung der heiligen Theresia‹ in einer Kapelle der römischen Kirche Santa Maria della Vittoria. Plastik und umgebende Architektur scheinen zu einer Gesamtkomposition zu verschmelzen, wie erstmals beim Bronzebaldachin für den Papstaltar des Petersdoms. Herausragend sind auch seine Porträtbüsten (z. B. König Ludwig XIV. von Frankreich) und seine Papstgrabmäler im Petersdom. Als Maler weniger bedeutend, war Bernini jedoch einer der größten Zeichner der abendländischen Kunst. (BILD Barock)

Bernstein, gelbes bis braunes, durchsichtiges bis durchscheinendes, erhärtetes fossiles →Harz, das über 35 Millionen Jahre alt ist. Bernstein kommt in nahezu allen Kontinenten vor. Lagerstätten finden sich z. B. an der Ostseeküste (vor allem auf der ostpreußischen Halbinsel Samland), an der Nordsee (Niederlande, Großbritannien) und in der Karibik. Im samländischen Bernstein sind viele tierische und pflanzliche Fossilien eingeschlossen, die oft in kleinste Körperstrukturen erhalten sind. Die größte Bernsteinsammlung mit mehr als 11 000 in Bernstein eingebetteten Tieren dürfte die der Universität Königsberg gewesen sein. Bernstein wird vor allem zu Schmuck verarbeitet.

Berufsausbildung, Vermittlung von Fertigkeiten und Kenntnissen, die für die Berufsausübung erforderlich sind. Hierbei wird die praktische Ausbildung in einem Betrieb oder einer überbetrieblichen Ausbildungsstätte durch den theoretischen Unterricht in einer **Berufsschule** ergänzt (duales System).

Damit die 2–3½-jährige Ausbildung geordnet verläuft, schließt der Ausbildende (Lehrherr, z. B. der Betriebsinhaber) mit dem Auszubildenden (Lehrling) einen schriftlichen **Berufsausbildungsvertrag** (Lehrvertrag) ab, der Rechte und Pflichten der Vertragspartner regelt. Der Auszubildende muss regelmäßig die Berufsschule besuchen. Der ausbildende Betrieb muss den Schulbesuch ermöglichen und überwachen sowie die Ausbildungsvergütung bezahlen. Wenn der Auszubildende noch nicht volljährig ist, müssen die Eltern den Berufsausbildungsvertrag mit unterschreiben.

Berufsberatung, Information und Beratung durch Arbeitsämter über Berufswahl, Aus- und Weiterbildungsmöglichkeiten sowie beruflichen Aufstieg. Der Berufsberater soll den Jugendlichen über die Situation des Arbeitsmarktes für die einzelnen Berufe aufklären, damit die Berufschancen abgeschätzt werden können. Ebenso müssen sich die Jugendlichen über ihre Interessen und Begabungen klar werden, damit ein geeigneter Beruf gefunden werden kann.

Zu den Aufgaben der Berufsberatung gehört auch die Vermittlung von Ausbildungsstellen. Ein großes Problem bei der Berufsberatung besteht darin, dass sich die Berufswünsche auf verhältnismäßig wenige ›Traumberufe‹ der insgesamt 432 staatlich anerkannten Ausbildungsberufe beschränken.

Berufsgeheimnis, das Wissen, das jemand im Zusammenhang mit einem ausgeübten Beruf erhält und vertraulich behandeln muss. Wer Berufsgeheimnisse unberechtigt weitererzählt, kann sich strafbar und schadensersatzpflichtig machen. Wichtig ist die **Schweigepflicht** vor allem bei Ärzten, Anwälten, Banken, Beamten und Geistlichen.

Berufsschule, →Berufsausbildung.

Berufung. Fällt ein Gericht erster Instanz, z. B. ein Amtsgericht, in einem Rechtsstreit oder

Bernstein mit Insekteneinschlüssen

Strafverfahren ein Urteil, können die Beteiligten, die damit nicht einverstanden sind, als Rechtsmittel Berufung einlegen. Die Sache kommt dann vor das Gericht nächsthöherer Instanz, z. B. ein Landgericht, und wird dort neu verhandelt; dabei werden sowohl die Tatsachen als auch die rechtliche Beurteilung überprüft. (→Revision)

Beryll, durchsichtiges oder durchscheinendes, meist durch Verunreinigungen gefärbtes hartes Mineral (Berylliumaluminiumsilikat). Berylle kristallisieren vor allem in groß- bis riesenkörnigen Mineralbildungen in Spalten bei der Erstarrung des →Magmas sowie in kristallinen Schiefern. Der weißlich gelbe **gemeine Beryll** kann meterlange Säulen bilden, die bis 200 t schwer werden. Er wird zur Berylliumgewinnung verwendet. Die durchsichtigen, besonders schön gefärbten Edelberylle sind beliebte Edelsteine, so der tiefgrüne **Smaragd,** der blassblaue bis meergrüne **Aquamarin,** der leuchtend gelbe bis grünlich gelbe **Goldberyll** und der rosenrote **Morganit.**

Im Mittelalter war die vergrößernde Wirkung des Berylglases bekannt. Aus ›Beryll‹ leitet sich das Wort ›Brille‹ ab.

Beryllium, Zeichen **Be,** metallisches →chemisches Element (ÜBERSICHT). Das stahlgraue, harte Leichtmetall wird in der Luft- und Raumfahrt, Raketen- und Röntgentechnik sowie in Kernreaktoren verwendet. Wegen ihrer Bruch- und Biegefestigkeit sind Legierungen mit Kupfer und Nickel wichtig. Beryllium und seine Verbindungen sind **giftig.**

Beschleuniger, Teilchenbeschleuniger, Geräte und Anlagen zur Beschleunigung von geladenen Elementarteilchen und Ionen. Beschleuniger werden verwendet für die Untersuchung von Atomkernen durch Auslösung von Kernreaktionen, für die Erforschung der Eigenschaften der Elementarteilchen und deren Wechselwirkungen sowie für die Herstellung von radioaktiven Isotopen und für Bestrahlungen. Die Beschleunigung beruht grundsätzlich auf der Wirkung elektrischer Felder auf elektrische Ladungen.

Einige Beschleunigungswerte:

	a in $\frac{m}{s^2}$
Elektrische Lokomotive	0,25
Schnellbahn	1
Pkw	3
Kraftrad	4,5
Rennwagen	7 bis 10
Geschoss im Lauf	500 000

Beschleunigung. Beim Anfahren mit dem Fahrrad muss man kräftig in die Pedale treten, um schnell in Bewegung zu kommen. Dabei wächst die →Geschwindigkeit des Rades ständig an.

Eine solche Bewegung, bei der sich die Geschwindigkeit eines Körpers mit der Zeit ändert, nennt man eine beschleunigte Bewegung. Die Größe der Beschleunigung a erhält man, wenn man die Änderung der Geschwindigkeit durch die für die Änderung benötigte Zeit dividiert:

$$\text{Beschleunigung } a = \frac{\text{Änderung der Geschwindigkeit}}{\text{benötigte Zeit}}$$

Bei der einfachsten beschleunigten Bewegung ändert sich die Geschwindigkeit in jeder Sekunde um den gleichen Betrag, die Beschleunigung a hat dann immer denselben Wert.

Die Einheit der Beschleunigung wird aus der Einheit der Geschwindigkeit v und der Einheit der Zeit t gewonnen:

$$\text{Einheit von } a = \frac{\text{Einheit von } v}{\text{Einheit von } t} = \frac{\frac{m}{s}}{s} = \frac{m}{s^2}$$

Ein Eisenbahnzug, der 15 s nach dem Anfahren eine Geschwindigkeit von 7,5 $\frac{m}{s}$ hat, ist mit einer Beschleunigung angefahren von

$$a = \frac{7,5 \frac{m}{s}}{15 s} = 0,5 \frac{m}{s^2}$$

Beschneidung. Bei vielen Völkern gibt es den Brauch in einem bestimmten Alter den Knaben die Vorhaut des Gliedes ab- oder einzuschneiden. Bei einigen Völkern gibt es auch die Beschneidung der Mädchen; dabei werden die Klitoris (→Geschlechtsorgane) oder die kleinen Schamlippen entfernt. Die Beschneidung ist meist eine Kulthandlung, mit der das Kind oder der Heranwachsende in die Gemeinschaft aufgenommen wird. Im Judentum werden die Knaben am 8. Tag nach der Geburt beschnitten. Die Beschneidung gilt als Zeichen des Bundes zwischen Jahwe und seinem Volk. Auch wer zum Judentum übertritt, muss sich ihr unterziehen. Im Islam ist die Beschneidung der Knaben kurz nach der Geburt oder später, zum Teil erst bei Eintritt der Geschlechtsreife, üblich, jedoch nicht verbindlich. Hier gibt es auch die heute kaum noch vorgenommene Beschneidung von Mädchen.

Bestäubung, Übertragung von Blütenstaub (Pollen, Pollenkörner) auf die Narbe einer Blüte. Man unterscheidet **Selbstbestäubung** und **Fremd-**

Bestäubung

Bestäubung: Die Pollenkörner (a) auf der Narbe (b) treiben Pollenschläuche, von denen einer (d) durch den Griffel (c) in den Fruchtknoten (e), die Samenanlage (f) und in den Keimsack mit der Eizelle (h) dringt. g becherförmige Hüllen des Keimsackes, k Staubbeutel

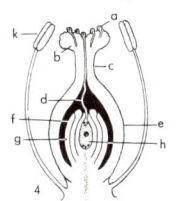

Best

bestäubung. Bei der Selbstbestäubung gelangen die Pollenkörner einer Pflanze auf die Narbe ihrer eigenen Blüte, bei Fremdbestäubung auf die Narbe einer anderen Blüte der gleichen Art.
Die Pollen können durch den Wind, durch Tiere oder Wasser übertragen werden. Für die **Windbestäubung** (Windblütler) ist Voraussetzung, dass die Pflanzen eine große Pollenmenge erzeugen und die Narben ihrer Blüten möglichst groß sind und frei liegen. Windblütler sind z. B. der Haselstrauch und die Birke. Die **Tierbestäubung** wird vorwiegend durch Insekten, besonders Bienen, ausgeführt; sie werden durch farbige, duft- und nektarreiche Blüten angelockt. Wenn sie den Nektar aus den oft versteckt angebrachten Drüsen saugen oder Pollen sammeln, berühren sie die Staubgefäße und einige Pollenkörner bleiben an ihrem Körper hängen. Streifen sie nun an der klebrigen Narbe dieser oder der nächsten Blüte vorbei, bleiben Pollenkörner haften; die Blüte ist bestäubt. Viele Pflanzen werden auch von Schmetterlingen und Hummeln, manche von Vögeln (Kolibris) und Fledermäusen bestäubt. **Wasserbestäubung** kommt nur bei einigen unter Wasser lebenden Wasserpflanzen vor. Das Seegras z. B. entlässt seine Pollen in das Wasser, die so an die Narbe der Pflanze getragen werden.

Bestrahlung, die Einwirkung natürlicher oder künstlich erzeugter Strahlung auf den Körper. Die Bestrahlung wird angewendet, um Krankheiten zu erkennen und zu behandeln. Mithilfe der →Röntgenstrahlen entstehen Bilder, auf denen krankhafte Veränderungen im Körper sichtbar werden. Die natürliche Lichteinwirkung (Sonnenbad) wie auch die Bestrahlung mit einer Quarzlampe (Handelsname ›Höhensonne‹) wirkt auf das vegetative (nicht dem Willen unterworfene) Nervensystem, vermindert die Anfälligkeit für Erkältungskrankheiten und ist notwendig zur Bildung von Vitamin D. Bei der Bestrahlung mit Kurz- und Mikrowellen (→Wellen) entsteht Wärme, die eine bessere Durchblutung bewirkt. Besonders energiereiche Strahlen, z. B. bestimmte Röntgen- oder Gammastrahlen, werden zur Zerstörung krankhafter Zellen (z. B. bei bösartigen Geschwülsten) im menschlichen Körper benutzt. Bei allen Bestrahlungen darf eine bestimmte Strahlenmenge (**Strahlendosis**) nicht überschritten werden. Schon im einfachsten Fall, bei zu langem Sonnenbad, kann ein Sonnenbrand entstehen.

Beta (B, β), der zweite Buchstabe des griechischen Alphabets. β wird in der Geometrie zur Bezeichnung eines Winkels verwendet.

Betastrahlung, β-Strahlung, eine Teilchenstrahlung, die bei der natürlichen und künstlichen →Radioaktivität auftritt. Sie besteht aus negativ geladenen Elektronen (**Betateilchen, $β^-$-Teilchen**), die aus den radioaktiven Atomkernen herausgeschleudert werden. Die spontane Umwandlung eines radioaktiven Atomkerns durch Aussendung eines $β^-$-Teilchens heißt **Betazerfall ($β^-$-Zerfall**). Manche künstlich hergestellten Kerne senden positiv geladene Positronen ($β^+$-**Teilchen**) aus. Man spricht dann vom $β^+$-**Zerfall.**

Bethel [hebräisch beth-el ›Haus Gottes‹], Krankenanstalten in einem Ortsteil von →Bielefeld.

Bethlehem, 30 000 Einwohner, Kleinstadt im israelisch besetzten Westjordanland, etwa 10 Kilometer südlich von Jerusalem. Nach dem Neuen Testament ist Bethlehem der Geburtsort Jesu. Man nimmt an, dass eine Grotte die Geburtsstätte war; über ihr wurde 326 zur Zeit Kaiser Konstantins des Großen eine Kirche errichtet, die ›Geburtskirche‹. Sie ist die älteste erhaltene christliche Kirche. Auch König David soll in Bethlehem geboren sein.

Beton [betõ, französisch], künstlicher Stein, dessen Grundbestandteile Zement, Kies, Sand und Wasser zu einem Brei gemischt werden; dieser wird dann in Formen oder Schalungen gegossen oder gepresst, wo er erhärtet. Zement wirkt dabei als Bindemittel. Beton ist besonders beständig gegen Druck, daneben auch gegen Verschleiß, Feuer und Verwitterung. So eignet er sich gut zu massiven Fundamenten und Pfeilern, als Straßendecke, zu Schutzraumbauten sowie zu Tunnel- und Schachtauskleidungen. Damit Hochhäuser, Fernsehtürme und weit spannende Brücken gebaut werden können, muss man den Beton auch gegen Zug- und Biegekräfte widerstandsfähig machen. Das geschieht durch Einbetonieren eines Geflechts von Stahlstäben, die mit dem Beton beim Erhärten einen Verbund bilden. Dieser **Stahlbeton** lässt sich noch stärker beanspruchen, wenn die Stahleinlage (die Bewehrung oder Armierung) in einer genau berechneten Weise und Richtung vorgespannt wird, sodass die Spannung der Belastung durch Wind, Schnee, Verkehrsmittel entgegenwirkt (**Spannbeton**). Schon die Römer verwendeten im 1. Jahrh. n. Chr. Beton. Spannbeton wurde seit den 1920er-Jahren entwickelt.

Betrag. Mathematik: Der Abstand einer Zahl auf der Zahlengeraden (→Anordnung von Zahlen) vom Nullpunkt heißt Betrag dieser Zahl.

Man bezeichnet den Betrag einer Zahl *a* abgekürzt mit: $|a|$; gelesen › Betrag von *a* ‹.

Es gilt z. B.: $|+4| = 4$; $|-3| = 3$; $|0| = 0$.

Somit ist der Betrag einer Zahl *a* gleich *a*, falls *a* positiv ist und gleich $-a$, falls *a* negativ ist. Er ist gleich 0, falls $a = 0$ ist.

Die wichtigsten Gesetze für den Betrag lauten:
1) $|a \cdot b| = |a| \cdot |b|$ und
2) $|a + b| \leq |a| + |b|$ (Dreiecksungleichung).

Betriebsrat, →Mitbestimmung.

Betrug. Täuscht jemand einen anderen absichtlich so, dass der Getäuschte einen Sach- oder Geldverlust erleidet, nennt man diese Handlungsweise Betrug. Auf Betrug steht Freiheitsstrafe bis zu 5 Jahren oder Geldstrafe.

Bettelorden, katholische Orden, deren Mitglieder ursprünglich von Almosen lebten. Die 4 wichtigsten Bettelorden, alle im 13. Jahrh. gegründet, waren Franziskaner, Dominikaner, Karmeliter und Augustinereremiten. Heute bestreiten die Mönche und Nonnen dieser Orden ihren Lebensunterhalt aus dem Ertrag ihrer Arbeit.

Beugung, →Flexion.

Beuteltiere, Säugetiere, deren Entwicklung sich zum größten Teil in einem Brutbeutel am Bauch der Mutter vollzieht. Im Unterschied zu höher entwickelten Säugetieren haben Beuteltiere einen kaum ausgebildeten →Mutterkuchen. Ihre Jungen werden deshalb nach sehr kurzer Tragzeit in noch wenig entwickeltem Zustand geboren. So bringt das Riesenkänguru nach 39 Tagen Tragzeit ein Junges zur Welt, das kleiner und leichter als ein Daumen ist. Dieser winzige Embryo kriecht aus eigener Kraft in den Brutbeutel. Er saugt aber die Muttermilch nicht selbst, sondern sie wird ihm eingespritzt. Sein Mund passt genau um die Zitze. 6–8 Monate bleiben solche ›Frühgeburten‹ im Beutel und kehren, auch wenn sie schon größer sind, bei Gefahr dorthin zurück. Einige Arten haben statt eines Beutels nur eine Hautfalte; bei meist sehr kleinen Arten hängen die Jungen auch frei an der Zitze.

Beuteltiere lebten bereits in der Kreidezeit (vor 80–90 Millionen Jahren), im frühen Tertiär waren sie weit verbreitet. Heute bewohnen sie nur noch Australien und einige benachbarte Inseln sowie in wenigen Arten Südamerika bis zum südlichen Nordamerika, weil sie von den höher entwickelten Säugetieren verdrängt wurden. Beuteltiere sind von sehr verschiedenartiger Gestalt und Größe. Sie haben sich vielfältigen Lebensweisen angepasst und ähneln vielfach in

Beuteltiere

Beutelteufel

Bänder-Langnasenbeutler

Beutelwolf

Nordopossum

Bennett-Baumkänguru

Koala

Großer Gleithörnchenbeutler

Rotes Riesenkänguru (Weibchen: blau-grau)

Bewä

Körperform und Verhalten höher entwickelten Säugetieren. Dies wird auch in ihren Namen deutlich (z. B. Beutelratte, Beutelwolf, Beutelmaulwurf). Am bekanntesten sind das Pflanzen fressende →Känguru, das in über 40 Arten vorkommt, und der →Koala (auch Beutelbär), der nur von Eukalyptusblättern lebt. Der hundeähnliche, Fleisch fressende **Beutelwolf** mit schwarzen Querstreifen auf dem Rücken, daher auch **Tasmanischer Tiger** genannt, gilt heute als ausgerottet. Der etwa 1 m lange, plumpe **Wombat** gräbt mit seinen Grabekrallen wie ein Maulwurf unterirdische Baue. Das etwa katzengroße, auf Bäumen lebende **Opossum** ist das bekannteste der in Amerika vorkommenden Beuteltiere; sein Fell ist als Pelz begehrt.

Bewährung. Freiheitsstrafen bis zu einem Jahr (in Ausnahmefällen bis zu 2 Jahren) können zur Bewährung ausgesetzt werden. Das bedeutet, dass der verurteilte Straftäter die Haft nur dann antreten muss, wenn er innerhalb der Bewährungszeit erneut Straftaten begeht. Dann nämlich hat er sich nicht bewährt, also das in ihn gesetzte Vertrauen nicht gerechtfertigt, er werde die Verurteilung als Warnung begreifen und fähig sein, künftig straffrei zu leben. Die Länge der Bewährungszeit und die der Freiheitsstrafe sind nicht gleich. Die Bewährungszeit beträgt 2 bis 5 Jahre, bei Jugendstrafen bis 4 Jahre. Während dieser Zeit wird dem Verurteilten ein **Bewährungshelfer** zugeteilt, der ihm helfen soll, ein sozial geordnetes Leben zu führen. Strafaussetzung zur Bewährung ist auch bei Tätern möglich, die bereits einen Großteil ihrer Freiheitsstrafe verbüßt haben und erwarten lassen, dass sie außerhalb der Haft keine Straftaten mehr begehen werden.

Bewusstlosigkeit, schlafähnlicher Zustand, bei dem das Bewusstsein ausgeschaltet ist. Dabei gibt es verschiedene Grade der Bewusstseinsstörung, deren Übergänge fließend sind. Bewusstlose Menschen sind nicht ansprechbar, reagieren nicht auf Geräusche, Licht oder Schmerzreize. Je tiefer die Bewusstlosigkeit ist, desto mehr Fähigkeiten und Reaktionen fallen aus. Bei der schwersten Form **(Koma)** bleiben nur die lebenswichtigen Vorgänge wie Atmung und Herzschlag erhalten. Eine kurzzeitige Bewusstlosigkeit nennt man **Ohnmacht.**

Es gibt viele Ursachen, die eine Bewusstlosigkeit auslösen können: Gehirnerschütterung, Vergiftung durch Schlafmittel, Stoffwechselgifte durch Leberausfall oder Nierenschaden, Zuckermangel, mangelnde Durchblutung des Gehirns, aber auch Erregung. Häufig ist der Atemablauf bei tiefer Bewusstlosigkeit verändert. Nach dem Erwachen aus der Bewusstlosigkeit fehlt meist die Erinnerung an das Geschehene.

BGB, Abkürzung für Bürgerliches Gesetzbuch.

Bhagwan-Bewegung, auch **Neo-Sannyas-Bewegung,** religiöse Bewegung um den indischen Sektengründer und →Guru Rajneesh Chandra Mohan (*1931, †1990), der seit 1969 zunächst in Bombay und Poona, seit 1981 in den USA zahlreiche Anhänger um sich versammelte. Von ihnen ließ er sich als ›Bhagwan‹ (›göttlicher Herr‹) verehren. Die totale Bindung seiner Anhänger (›Sannyasin‹) an ihn wird verdeutlicht durch das Überreichen einer Holzperlenkette mit seinem Bild (›Mala‹), die orangefarbene oder rote Kleidung und die Übergabe eines neuen Namens. Durch Selbsterfahrung und Meditation soll der Einzelne sein wahres Ich finden und offen werden für das Göttliche. Negative Auswirkungen sind nach Berichten ehemaliger Anhänger: Verlust der Persönlichkeit, seelische Verwirrung, Ausbeutung. Weltweit verfügt die Bhagwan-Bewegung über mehr als 200 000 Mitglieder. Auch in Deutschland haben sich einige Zentren gebildet. Hier wird über eigene Teestuben und Diskotheken versucht, junge Menschen mit der Bewegung bekannt zu machen.

Bhutan
Fläche: 47 000 km²
Einwohner: 1,612 Mio.
Hauptstadt: Thimphu
Amtssprache: Dzongkha
Nationalfeiertag: 17. 12.
Währung: 1 Ngultrum (NU) = 100 Chetrum (CH, Ch.)
Zeitzone: MEZ + 4,5 Stunden

Bhutan

Staatswappen

Staatsflagge

Bhutan, Staat im östlichen Himalaya, eine Monarchie. Bhutan ist etwas größer als Dänemark und reicht von Dschungelgebieten im niedrig gelegenen Süden bis zu Höhen von mehr als 7 000 m. Der Monsun bringt an den Berghängen hohe Niederschläge. Die Einwohner sind überwiegend buddhistisch. Hauptsächlich wird Reis, Hirse und Obst angebaut. (KARTE Band 2, Seite 195)

Biathlon [griechisch ›Doppelkampf‹], Winterwettbewerb (seit 1960 olympisch), der aus Skilanglauf mit eingeschobenen Schießübungen besteht. Für Herren gibt es folgende Wettbewerbe: 10 km, 20 km, 4×7,5-km-Staffel. Damenwettbewerbe, die nicht olympisch sind, führen über 5 km, 10 km und 3×5 km. Beim 10-km-Lauf schießt der Läufer im liegenden und stehenden Anschlag jeweils 5 Schuss auf 50 m entfernte Zielscheiben aus Metall, die bei einem Treffer hochklappen. Je Fehlschuss muss eine Strafrunde von 150 m gelaufen werden. Beim 20-km-Lauf werden viermal je 5 Schuss in der Reihenfolge liegend, stehend, liegend, stehend auf die Scheiben abgegeben. Fehlschüsse werden mit Strafzeiten, die der Laufzeit zugerechnet werden, geahndet. Beim Staffelwettbewerb schießt der Läufer wie beim 10-km-Lauf. Pro Schießübung stehen ihm aber 3 zusätzliche Patronen zu. Trifft er seine 5 Ziele nicht mit 8 Schuss, muss er pro Fehlschuss eine Strafrunde (150 m) laufen. Bei den Damenwettbewerben werden über 5 km sowie in der Staffel 2 Schießübungen ausgeführt, über 10 km 3. Das Gewehr muss der Läufer während des gesamten Wettbewerbs mit sich führen. Die Langlaufski kann er beim Schießen ablegen. Sieger ist der Läufer mit der kürzesten Gesamtzeit. – Biathlon entwickelte sich aus der in Skandinavien gepflegten Skijagd.

Bibel [ursprünglich Plural zu griechisch biblion ›Buch‹], **Heilige Schrift,** die von den christlichen Kirchen als Wort Gottes anerkannte Sammlung von Schriften. Sie besteht aus 2 Hauptteilen, dem Alten und dem Neuen Testament. Beide sind in Abschnitte, die ›Bücher‹, unterteilt; die Bücher sind in Kapitel und die Kapitel in Verse gegliedert. Mithilfe dieser Angaben können Bibelstellen in jeder Bibelausgabe nachgeschlagen werden: So findet man im Alten Testament 1. Buch Samuel, 17. Kapitel, Vers 41–54 (in Kurzform: 1. Sam. 17, 41–54) die Geschichte vom Kampf zwischen David und Goliath. Die Bücher des Alten wie die des Neuen Testaments lassen sich in Geschichtsbücher, Lehrbücher und prophetische Bücher ordnen.

Das **Alte Testament** (Abkürzung **A.T.**) ist ursprünglich hebräisch geschrieben; es ist eine der Grundlagen des christlichen wie des jüdischen Glaubens. Die Geschichtsbücher des Alten Testaments beginnen mit den 5 Büchern Mose. Diese enthalten die Schöpfungsgeschichte, Berichte über die Sintflut, über das Leben der Patriarchen (Abraham, Isaak und Jakob) und über den Bund, den Gott mit Abraham schloss. Sie erzählen vom Zug der Söhne Jakobs nach Ägypten und von der Zurückführung der 12 Stämme Israels durch Moses ins Gelobte Land (Palästina). Dazu kommt die Gesetzgebung des Moses. Die weiteren Geschichtsbücher (das Buch Josua, das Buch der Richter, 2 Bücher Samuel, 2 Bücher der Könige, 2 Bücher der Chronik sowie die Bücher Ruth, Esra, Nehemia, Tobit und Ester) berichten unter anderem von der Besitznahme des Heiligen Landes, vom Kampf gegen die Philister, von der Gründung des Königreichs in Jerusalem durch Saul und David, vom Bau des Tempels durch Salomo, vom Niedergang des jüdischen Staats, von der →Babylonischen Gefangenschaft des Volkes Israel und von seiner Rückkehr. Die Lehrbücher des Alten Testaments sind das Buch Hiob, die Psalmen, das Buch der Sprichwörter, Kohelet, das Hohelied, das Buch der Weisheit, Jesus Sirach. – In den prophetischen Büchern ermahnen die 4 großen Propheten (Jesaja, Jeremia, Ezechiel und Daniel) sowie die 12 kleinen Propheten das auserwählte Volk der Juden immer wieder an seinem Bund mit Gott festzuhalten.

Das **Neue Testament** (Abkürzung **N.T.**) ist ursprünglich griechisch geschrieben. Die Geschichtsbücher sind die 4 Evangelien nach Matthäus, Markus, Lukas und Johannes, in denen vom Leben und Wirken Jesu Christi berichtet wird, sowie die Apostelgeschichte; sie enthält die Erzählung von der Verbreitung des christlichen Glaubens durch die Apostel. Die Lehrbücher sind die Briefe des Paulus und anderer Apostel; in ihnen wird die Lehre Christi erläutert. – Den Abschluss bildet das prophetische Buch der Offenbarung (Apokalypse) des Johannes.

Das Alte Testament ist in einem Zeitraum von mehr als 1 000 Jahren entstanden. Die ältesten erhaltenen Handschriften von Teilen des Alten Testaments stammen aus dem 2. Jahrh. v. Chr. Sie wurden in der Schatzkammer der Synagoge von Kairo und in den Höhlen von Qumran am Toten Meer gefunden. Das Neue Testament ist im Wesentlichen im 1. Jahrh. n. Chr. entstanden; die ältesten erhaltenen Handschriften von Teilen des Neuen Testaments stammen aus dem 2. Jahrh. n. Chr.

Die Bibel liegt heute in über 1 100 Sprachen vor. Besonders wichtig für die Verbreitung der Heiligen Schriften waren die Übersetzung des Alten Testaments ins Griechische **(Septuaginta)** und die Übersetzung des Alten und Neuen Testaments ins Lateinische **(Vulgata).** Bibelübersetzungen sind oft das erste Schriftdenkmal eines Volkes. Die deutsche Sprache und Literatur stehen heute noch unter dem Einfluss der Bibelübersetzung Martin Luthers, der als Erster die Bibel aus dem hebräischen und griechischen Urtext ins Deutsche übersetzt hat. 1986 erschien eine evangelisch-katholische Einheitsübersetzung.

Biber, die größten europäischen →Nagetiere, sind wahre Künstler des Dammbaus. Diese bis zu 1 m langen und 30 kg schweren Tiere bewohnen außer Europa kühlere Gebiete Asiens und Nordamerikas. Sie leben gesellig an Gewässern, können gut tauchen (bis zu 15 Minuten) und sehr gewandt schwimmen, wobei sie mit dem platten, schuppigen Schwanz steuern; die Hinterfüße tragen Schwimmhäute. An flachen Ufern bauen Biber aus Reisig, Borke und kleinen Bäumen eine bis 3 m hohe Burg, die sie mit Schlamm verdichten; an Steilufern graben sie ihren Bau in die Erde hinein. Der Eingang liegt stets unter Wasser, damit keine Raubtiere in den Bau eindringen und die Jungen fressen. Um die Burg errichtet der Biber aus gleichem Material Dämme, um den Wasserstand so regulieren zu können, dass der Wohnkessel nicht überflutet und der Eingang nicht freigelegt wird. Bei Hochwasser öffnet der Biber daher die Dämme, bei Niedrigwasser dichtet er sie ab. Diese Dämme können einige Meter hoch und über 100 Meter lang sein; zum Teil arbeiten mehrere Generationen daran. Die früher zahlreichen Biber haben manche Landschaft mitgestaltet, z.B. größere Seen aufgestaut und Waldgebiete überflutet (Auwald), die zu den heute sehr seltenen Feuchtgebieten wurden und vielen anderen Tieren (z.B. Lurchen) Lebensraum boten. Meist in der Dämmerung und während der Nacht gehen Biber auf Nahrungssuche. Sie fressen vor allem die frische, grüne Rinde bestimmter Laubbäume (Weiden). Dazu fällen sie ziemlich starke Bäume (bis zu 60–80 cm Durchmesser), indem sie sie von allen Seiten benagen (die Schnittstellen sehen wie riesige gespitzte Bleistifte aus). Die Äste und Zweige schleppen sie als Baumaterial zur Burg oder stecken sie in den Gewässergrund, um auch bei geschlossener Eisdecke Nahrung zu haben. Biber bekommen bis zu 4 Junge. Sie werden etwa 15 Jahre alt. Da ihr kastanienbraunes Fell mit seidenartigem, bläulich grauem Unterhaar als Pelz sehr begehrt ist, wurden Biber vielfach gejagt. Außerdem wurde ihr Lebensraum immer mehr eingeengt; so sind sie in Mitteleuropa sehr selten geworden, in Deutschland fast ausgerottet. In Bayern (an Inn und Donau, in Mittelfranken), im Elsass und in Österreich versucht man Biber wieder anzusiedeln.

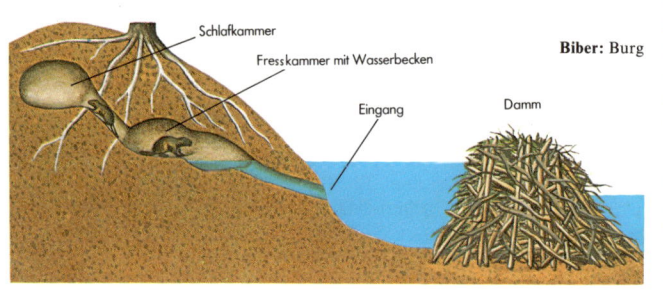

Biberratte, auch **Nutria,** ein →Nagetier mit wertvollem Pelz.

Bibliothek [griechisch ›Aufbewahrungsort für Bücher‹], planmäßig angelegte Büchersammlung, auch das Gebäude, in dem sie untergebracht ist. Im Gegensatz zu den meisten Privatbibliotheken sind die öffentlichen Bibliotheken der Allgemeinheit zugänglich. Man unterscheidet **wissenschaftliche Bibliotheken,** die vor allem für Studenten und Wissenschaftler eingerichtet sind, und **öffentliche Büchereien** (z.B. Stadtbüchereien), die ihre Bücher jedermann zur Information, Bildung und Unterhaltung zur Verfügung stellen.

Bickbeere, die →Heidelbere.

Bicycle Motocross [beißikl moutokros, englisch], Abkürzung **BMX,** ein radsportlicher Hinderniswettbewerb im Gelände, der von Jugendlichen ausgetragen wird. Das ungefederte BMX-Rad ohne Gangschaltung ist besonders stabil gebaut. Rahmen und Lenker sind gepolstert. Die bis 20 Zoll großen Räder tragen Reifen mit grobstolligem Profil. BMX-Räder dürfen nicht auf öffentlichen Straßen gefahren werden, da sie den Anforderungen der Straßenverkehrsordnung nicht entsprechen (z.B. fehlende Beleuchtung).

Biedermeier. Mit dem Spottnamen Biedermeier wollte man Mitte des 19. Jahrh. den bürgerlichen, unpolitischen, ganz der privaten Behaglichkeit zugewandten Lebensstil der Zeit zwischen 1815 und 1848 kennzeichnen und kritisieren. Als die ›gute alte Zeit‹, in der noch Geborgenheit und Ruhe herrschte, galt die Biedermeierzeit dagegen um 1900. Heute denkt man bei dem Wort **Biedermeierstil** als erstes an die Wohnkultur dieser Zeit. Die Möbel waren schlicht, doch zierlich und bequem; auf gute handwerkliche Arbeit legte man Wert. Die Maler stellten mit naturgetreuem Realismus beschauliche Szenen aus dem Privatleben dar. Genrebilder in diesem Sinn, aber humoristisch gefärbt, malte z. B. Carl Spitzweg (›Der arme Poet‹); vor allem Buchillustrator war Ludwig Richter.

Auch die Dichtung der Biedermeierzeit ist gekennzeichnet durch Streben nach Harmonie, die Neigung zur Idylle, zum Humor, die Wendung zum Kleinen, aber auch zum genauen Beobachten. Biedermeierliche Züge finden sich z. B. bei Adalbert Stifter und in den Gedichten von Eduard Mörike und Annette von Droste-Hülshoff.

Biedermeier: Georg Friedrich Kersting, ›Am Stickrahmen‹; 1827 (Kiel, Kunsthalle)

Bielefeld, 320 000 Einwohner, Stadt in Nordrhein-Westfalen, liegt am Teutoburger Wald und ist wirtschaftliches und kulturelles Zentrum in Ostwestfalen. Im Ortsteil Gadderbaum liegen die evangelischen Krankenanstalten **Bethel,** die 1867 gegründet wurden und nach 1872 unter der Leitung des Pastors **Friedrich von Bodelschwingh** (*1831, †1910), seines Sohnes, der die Kranken vor der Tötung durch die Nationalsozialisten schützte, und seines Enkels standen. Die Häuser für Epileptiker, seelisch Kranke, Nichtsesshafte, Jugendliche und Schwerbehinderte sind auch unter dem Namen **Bodelschwinghsche Anstalten** bekannt.

Bienen, weltweit verbreitete Hautflügler, die in Mitteleuropa in über 500 Arten vorkommen. Die meisten Bienen leben einzeln wie fast alle →Insekten. Sie bauen ihr Nest in Sandböden, Mauerritzen, hohlen Pflanzenstängeln und Baumstämmen oder Felsnischen. Die **Honigbienen** leben in Völkern (→Tierstaat) zusammen. Zu einem Volk gehören neben einigen Hundert Männchen (den **Drohnen**) nur Weibchen: eine **Königin (Weisel)** und viele Tausend Arbeitsbienen, auch **Arbeiterinnen** genannt; im Sommer sind es 40 000–70 000. Die Königin ist die größte Biene im Stock, etwa 2 cm lang, und das einzige fruchtbare Weibchen. Je nachdem, wie viel Futter vorhanden ist, legt sie im Sommer täglich bis zu 3 000 Eier – also insgesamt 400 000–750 000 Stück in ihrem 3–5 Jahre dauernden Leben. Aus diesen Eiern schlüpfen die Larven (›Maden‹), die sich zu Puppen einspinnen, aus denen dann meist die kleinen Arbeitsbienen kriechen. Ihre gesamte Entwicklung dauert etwa 3 Wochen. Die Arbeitsbienen füttern die Königin und verrichten alle übrigen Arbeiten im Stock nach genau festgelegtem Ablauf. In den ersten Lebenstagen reinigen sie die Zellen (denn nur in eine saubere Zelle legt die Königin ein Ei). Danach übernehmen sie die Brutpflege. Sie füttern die Larven mit einem in besonderen Drüsen erzeugten Saft, der für ältere Larven mit Honig und dem eiweißreichen Pollen vermischt wird. Eine ›königliche‹ Larve erhält mehr und besonders vitaminreichen Saft (Gelée royale‹), der bewirkt, dass aus einem normalen Ei eine Königin entsteht.

Wenn sie älter sind, bauen Arbeitsbienen **Waben,** wozu sie aus Drüsen Wachsblättchen absondern, die sie mit den Kiefern modellieren. In den sechseckigen Wabenzellen wird die Brut aufgezogen; in anderen Zellen werden Honig und Pollen als Vorrat für den Winter gespeichert.

Erst im letzten Lebensabschnitt fliegen die Arbeitsbienen aus, um Wasser zu holen und Nahrung zu sammeln, vor allem süßen Blütensaft (›Nektar‹) und Blütenstaub (›Pollen‹). Bei ihren Flügen von Blüte zu Blüte bestäuben die Bienen die Blüten (→Bestäubung). Der Pollen bleibt an ihrem pelzigen Körper haften. Sie ›bürsten‹ ihn meist in besondere ›Körbchen‹ an den Hinterbeinen, um ihn so zum Stock zu transportieren. Den Nektar saugen sie mit ihrem Rüssel auf, verzehren einen Teil davon und speichern den Rest im Honigmagen, wo schon auf dem Heimflug die Verarbeitung beginnt. Im Stock würgt die Biene die Masse wieder heraus. Diese wird von den ›Honigbereiterinnen‹ viele Male von Zelle zu Zelle umgelagert und wandert so durch viele Bienenmägen. Dabei wird jedes Mal Wasser entzogen und jede Biene fügt beim Hinunterschlucken

Bienen: a Königin, b Arbeiterin, c Drohne

Bienen: Verständigungstänze der Honigbiene; OBEN Rundtanz, UNTEN Schwänzeltanz

Bier

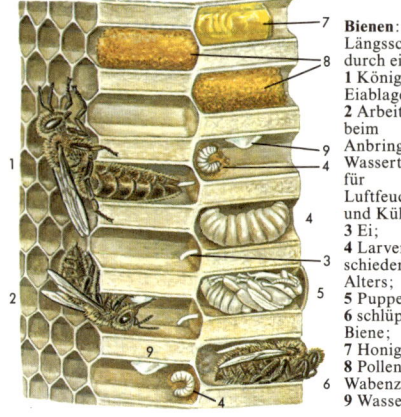

Bienen: Längsschnitt durch eine Wabe. 1 Königin bei der Eiablage; 2 Arbeiterin beim Anbringen eines Wassertropfens für Luftfeuchtigkeit und Kühlung; 3 Ei; 4 Larven verschiedenen Alters; 5 Puppe; 6 schlüpfende Biene; 7 Honig; 8 Pollen in Wabenzellen; 9 Wassertropfen

körpereigene Fermente (Eiweißstoffe) hinzu. So entsteht allmählich der →Honig.

Auf einem Flug besucht eine Biene Hunderte von Blüten, sie startet viele Male am Tag. Sie stirbt nach nur 6–7 Wochen Lebensdauer. Arbeitsbienen, die im Herbst schlüpfen, überwintern.

Jedes Jahr, wenn das Volk zu groß wird, sucht sich ein Teil davon ein neues Heim: Die Bienen ›schwärmen‹. Immer verlässt die alte Königin den Stock. Zuvor werden neue Königinnen herangefüttert. Wenn die Erste schlüpft, ersticht sie die anderen mit ihrer glatten Stechborste und verlässt mit einigen Drohnen für wenige Stunden zur Paarung, auch ›Hochzeitsflug‹ genannt, den Stock. Eine Königin wird in ihrem Leben nur einmal befruchtet. Sie speichert den Samen in einer Körpertasche. Aus Eiern, die von ihr nicht befruchtet werden, schlüpfen die gedrungenen Drohnen. Nach dem Hochzeitsflug werden diese nicht mehr gefüttert und von den Arbeitsbienen aus dem Stock gezerrt (›Drohnenschlacht‹).

Bienen haben ihre eigene ›Sprache‹, das sind tanzartige Bewegungen. Hat eine Biene eine gute Nahrungsquelle entdeckt, kehrt sie zum Stock zurück und tanzt auf den Waben z. B. den Schwänzeltanz, eine Figur ähnlich einer Acht. Je schneller sie tanzt, desto dichter liegt die Futterquelle am Stock. Die Richtung, in der sie auf der geraden Linie mit dem Hinterleib zitternd läuft (›schwänzelt‹), gibt – bezogen auf den Stand der Sonne – die Richtung an, in der die anderen Bienen fliegen müssen. Welches Futter und wie viel es dort gibt, erfahren sie aus Spuren von Nektar und Pollen, die die Kundschafterin austeilt.

Die Arbeitsbienen besitzen einen Stachel, mit dem sie, im Unterschied zu den Wespen, nur stechen, um den Stock zu verteidigen (z. B. gegen Wachsmotten) oder wenn sie gereizt werden und sich bedroht fühlen. Der Stachel besteht aus 2 Stechborsten, die an der Spitze winzige Widerhäkchen tragen und mit einer Giftdrüse verbunden sind. Beim Stechen in die elastisch schließende Haut des Menschen und anderer Wirbeltiere bleibt der Stachel hängen. Versucht die Biene ihn herauszuziehen, wird der ganze Stachelapparat aus ihrem Körper herausgerissen, eine Verletzung, an der die Biene stirbt.

Mit den Bienen nah verwandt sind die →Hummeln.

Bier, alkoholhaltiges Getränk, das nach einer bereits im 16. Jahrh. in Bayern erlassenen Vorschrift (Reinheitsgebot) nur aus Wasser, Malz, Hopfen und Hefe hergestellt werden darf.

Das wichtigste Ausgangsprodukt ist das **Gerstenmalz.** Gereinigte Gerstenkörner werden 2–3 Tage in Wasser geweicht, wobei sie zu keimen anfangen. Auf diese Weise erhält man **Grünmalz,** bei dem die Stärke nur in geringem Umfang in Zucker zerlegt worden ist. Durch Trocknen und langsames Erwärmen auf über 105 °C gewinnt man das dunklere **Darrmalz.** Dieses wird, geschrotet und mit heißem Wasser vermischt, zur **Maische,** in der sich die restliche Stärke vollständig in löslichen Zucker umwandelt. Die Maische wird gefiltert und diese Flüssigkeit, die **Würze,** anschließend mit Hopfen gekocht. Dabei wird das Bier keimfrei gemacht und erhält seinen leicht bitteren Geschmack. Zur Gärung wird diese gehopfte Würze mit Hefe versetzt, wobei

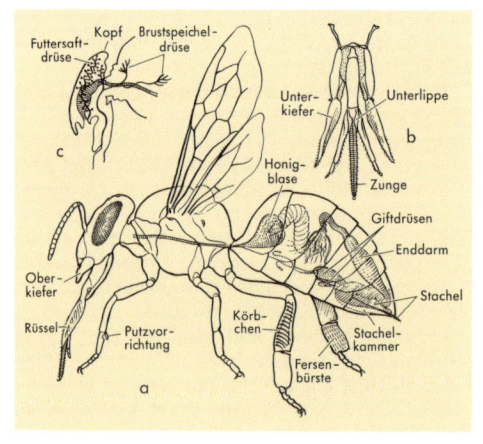

Bienen: Arbeiterin; **a** Seitenansicht nach Entfernen der Haare (Darm und Stachelapparat eingezeichnet); **b** Saugrüssel von vorn gesehen, ausgebreitet; **c** Längsschnitt durch den Kopf (Vorderdarm und die wichtigsten Drüsen eingezeichnet)

Alkohol und Kohlendioxid entstehen. Oben schwimmende Hefen bilden leichtere, obergärige Biere wie Berliner Weiße oder Süßbiere, unten schwimmende Hefen erzeugen gehaltvolleres, untergäriges Bier, z. B. Pils. Der Alkoholgehalt schwankt zwischen 2 und 16%. **Malzbier** ist ein schwach gehopftes, süßes Bier, dem nach der Gärung noch Zucker zugesetzt wird.

Bigamie, deutsch **Doppelehe,** strafbare Handlung, die begeht, wer eine Ehe schließt, obwohl er schon verheiratet ist, oder wer mit einem Verheirateten die Ehe schließt. In anderen Kulturkreisen (z. B. im Islam) ist die Mehrehe zum Teil noch erlaubt.

Bilanz [aus lateinisch bilanx ›Waagschalen im ausgeglichenen Zustand‹], eine Aufstellung über das Vermögen sowie über Eigenkapital und Schulden eines Betriebes. Das Vermögen ergibt sich aus der Summe aller Wirtschaftsgüter, die der Betrieb angeschafft oder hergestellt hat, für das er sein Geld ausgegeben (investiert) hat (Kapitalverwendung). Dazu gehören die Betriebsgebäude und -grundstücke (unbewegliches **Anlagevermögen**), die hergestellten Waren und die dafür notwendigen Einsatzstoffe, z. B. Maschinen, aber auch das Geldvermögen des Betriebes (Bargeld in der Kasse, Guthaben bei der Bank und bei den Kunden, die Forderungen). Diese Vermögensteile nennt man im Gegensatz zum Anlagevermögen **Umlaufvermögen.** Diese Seite der Bilanz ist die **Aktivseite;** die Positionen werden auch als **Aktiva** bezeichnet. Auf der anderen Seite, der **Passivseite,** erscheint die Herkunft des investierten Geldes: das **Eigenkapital,** das der Unternehmer selbst in seinen Betrieb eingezahlt hat, und das **Fremdkapital,** das sind vor allem die Verbindlichkeiten, die ein Unternehmen gegen eine Bank oder einen Lieferanten hat (Kapitalherkunft). Zu den Positionen auf der Passivseite, die auch **Passiva** genannt werden, gehört außerdem der **Bilanzgewinn** des Betriebes, der sich aus der **Gewinn- und Verlustrechnung** ergibt. Sollte der Betrieb in dem betreffenden Geschäftsjahr einen Verlust erzielt haben, so erscheint dieser in der Bilanz als ausgleichender Betrag auf der Aktivseite. Gewinn oder Verlust bilden also immer einen Ausgleich zwischen den Posten der Kapitalverwendung und der Kapitalherkunft, sodass sich wie bei einer Waage die Beträge der Aktiv- und der Passivseite der Bilanz entsprechen.

Die Bilanz kann in Form einer **Steuerbilanz** für das Finanzamt zur Ermittlung der Steuerschuld des Betriebes aufgestellt werden. Außerdem ist jeder Kaufmann zur Aufstellung einer **Handelsbilanz** verpflichtet, die Einblick in die Vermögens- und Ertragslage des Betriebes ermöglicht.

Bilche, →Nagetiere mit langem, buschigem Schwanz. Die in Mitteleuropa heimischen Bilche halten einen langen Winterschlaf (daher auch **Schläfer**). Sie leben auf Bäumen und in Büschen. Im Unterschied zu anderen Nagetieren fressen sie auch Früchte, Insekten und Schnecken, sogar junge Vögel und Vogeleier. Zu den Bilchen gehören z. B. **Gartenschläfer,** →Siebenschläfer und →Haselmaus.

bildende Kunst, zusammenfassende Bezeichnung für →Architektur, →Bildhauerkunst, →Malerei, →Grafik und →Kunsthandwerk, im Unterschied zu Literatur und Musik.

Bilderschrift, eine Vorform der Schrift: Auf Felsen, Steinen, Holz, Rinde, Knochen, Leder und anderen Materialien wurden Geschehnisse in Bildern oder Symbolen dargestellt. Bilderschriften, die nicht ›gelesen‹, sondern deren Zeichen gedeutet wurden, entwickelten sich z. B. bei Naturvölkern (Eskimo, Indianer, Aborigines in Australien) und in früheren Hochkulturen (Azteken, Maya). Auf Bildzeichen gehen die altägyptischen →Hieroglyphen und die →Keilschrift zurück.

Bildfernsprecher, →Bildtelefon.

Bildfunk, andere Bezeichnung für die drahtlose Form der →Bildtelegrafie.

Bildhauerkunst, die Kunst, aus festen Stoffen wie Stein, Knochen, Holz, Metall oder Gips körperliche Gebilde zu schaffen. Nach der Form unterscheidet man die **Voll-** oder **Rundplastik,** also die frei im Raum stehende Figur, von dem **Relief,** bei dem die Figur aus der Fläche nur teilweise hervortritt; nach der Größe unterscheidet man **Klein-** und **Monumentalplastik.** Die Arbeit des Bildhauers hängt vom Stoff ab. Der Stein wird gehauen, das Holz geschnitzt. Eine Form entsteht hier dadurch, dass vom Werkstoff etwas weggenommen wird. Die so entstandenen Werke nennt man **Skulpturen.** Entsteht das Bildwerk aber aus Materialien, die geformt oder gegossen werden können, wie Ton, Gips oder Metall, nennt man sie **Plastiken.**

Der steinzeitliche Mensch verwendete leicht zu bearbeitende Stoffe wie Ton und Knochen. Stein konnte man erst sehr viel später richtig bearbeiten. Die kleinen Götter- und Tierfiguren hatten noch keinen festen Standort. Erst im 3. Jahrtausend v. Chr. wurde im Alten Orient und in Ägypten die **Statue** (das **Standbild**) erfunden, die einen festen Platz im Tempel oder Palast in-

Bilche: Gartenschläfer

Bilderschrift: Sumerische Bildzeichen: **1** Wasser, **2** Feld, **3** Brunnen, **4** Kopf, **5** Auge, **6** Geheimnis

Bild

nehatte. Meist waren die Statuen aber nur von 3 Seiten zu beschauen und blieben mit ihrer Rückseite an die architektonische Umgebung gebunden. Frei stehende Skulpturen und Plastiken schufen die Griechen. Ihre Krieger- und Göttergestalten sollten ›ideale‹ Schönheit verkörpern. Die Römer kopierten die griechischen Meisterwerke, die wir oft nur durch diese Kopien kennen; ihre eigenständigen Leistungen waren Porträts und Reliefs an Triumphbögen, Säulen oder Sarkophagen.

Der Islam verbot den Künstlern Rundplastiken zu schaffen. Auch die byzantinische und frühchristliche Kunst kannte fast nur Reliefs. Hauptaufgabe der mittelalterlichen Bildhauer waren die Bauplastik (an romanischen und gotischen Domen) und das Grabmal. In der Spätgotik (um 1500) erreichte die Holzbildhauerei einen Höhepunkt (Schnitzaltäre von Tilman Riemenschneider und Veit Stoß). Die Renaissance (15./16. Jahrh.) schuf nach dem Vorbild der Antike wieder die rundplastische Gestalt. Größter Bildhauer dieser Zeit war Michelangelo. In der Renaissance entstand ferner das Denkmal, das auch im Barock (17./18. Jahrh.) sowie im 19. Jahrh. zur wichtigen Aufgabe der Bildhauer wurde. Daneben kamen im 17. Jahrh. plastisch gestaltete Brunnen auf (Gian Lorenzo Bernini in Rom). Seit dem 18. Jahrh. verlor die Bildhauerkunst gegenüber der Malerei an Bedeutung. Einzelne große Künstler waren unter anderen: um 1800 (Klassizismus) der Italiener Antonio Canova und der Däne Bertel Thorvaldsen, im 19. Jahrh. der Franzose Auguste Rodin, im 20. Jahrh. der Franzose Aristide Maillol, der Deutsche Ernst Barlach, der Engländer Henry Moore. Im 20. Jahrh. experimentierten die Künstler zum Teil mit neuen Materialien (Beton, Stahl, Aluminium, Kunststoff) und neuen, zum Teil abstrakten Formen. (BILDER Romanik, Gotik, Renaissance, Barock, abstrakte Kunst.)

Bildnis, das →Porträt.

Bildplatte, Videoplatte, scheibenförmiger Speicher für Fernsehbilder. Sie wird mit einem Bildplattenspieler über das Fernsehgerät abgespielt. Dabei werden die winzigen Vertiefungen, die die Bild- und Toninformationen darstellen, nicht von einem Tonarm, sondern von einem Lichtstrahl (Laser) auf der Unterseite der Platte abgetastet. Das hat den Vorteil, dass die Bildqualität nicht durch Kratzer oder Staub auf der Plattenoberfläche beeinträchtigt werden kann. Nachteilig gegenüber dem Videoband ist allerdings, dass es nur bespielte Bildplatten gibt, dass

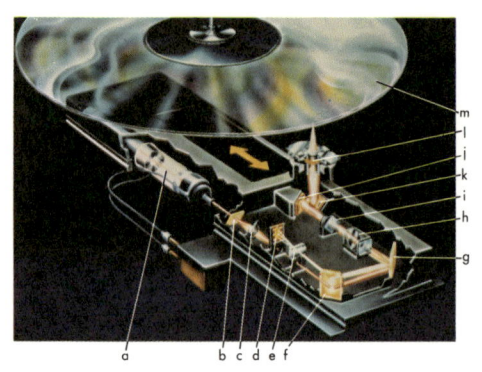

Bildplatte: schematisierter Aufbau und Strahlengang eines Plattenspielers zur optischen Abtastung einer Bildplatte; a = Laser, b = Strahlenteiler, c = Zwischenlinse, d = Photodiode, e = Zylinderlinse, f und g = Umlenkspiegel, h = dreiteiliges Prisma, i = Viertel-Lambda-Platte, j = radialer Drehspiegel, k = tangentialer Drehspiegel, l = Objektiv, m = Bildplatte

also keine eigenen Aufnahmen mit Bildplatten gemacht werden können.

Bildröhre, eine →Elektronenstrahlröhre. Sie wandelt elektrische Signale in ein sichtbares Bild um, das der Zuschauer auf dem Bildschirm (Leuchtschirm) der Röhre betrachten kann. Bildröhren sind eingebaut in Fernsehgeräten, Datensichtgeräten (Monitoren) für Computerbetrieb, Radarsichtgeräten und Oszilloskopen für messtechnische Zwecke.

Mit einer Farbfernsehbildröhre können alle Farben, die in der Natur vorkommen, durch Überlagerung (additive Mischung) der 3 Farben Rot, Blau und Grün erzeugt werden. Aus diesem Grund wird das Bildsignal, das in einem Farbfernsehgerät ankommt, zunächst in 3 einzelne Signale für rotes, blaues und grünes Licht zerlegt. Die 3 Signale steuern dann je einen der 3 Elektronenstrahlen der Bildröhre. Ablenkplatten lenken die 3 Elektronenstrahlen, die Zeile um Zeile den gesamten Bildschirm abtasten. Dieser Vorgang läuft sehr schnell ab. In einer Sekunde durchläuft der Elektronenstrahl alle 625 Zeilen eines Bildschirmes 25-mal.

Die Vorderseite der Bildröhre ist der **Bildschirm.** Auf seiner Innenseite ist er mit sehr vielen Punkten oder Streifen bedeckt. Sie bestehen aus 3 verschiedenen Phosphorverbindungen. Wird ein Punkt von einem der 3 Elektronenstrahlen getroffen, so leuchtet er rot, blau oder grün auf. Die Helligkeit eines Punktes ist abhängig von der Stärke des Elektronenstrahls. Für das menschliche Auge vermischen sich die 3 Farben dann entsprechend ihrer Intensität zu den Farben, die auf dem Bildschirm zu sehen sind.

Bildschirmtext, Abkürzung **Btx,** ein von der Deutschen Bundespost betriebener Informationsdienst, bei dem Nachrichten und Daten über das Fernmeldenetz (Telefonleitungen) übertragen und auf dem Bildschirm eines Fernsehapparats sichtbar gemacht werden. Im Unterschied zum →Videotext, der wie ein Fernsehprogramm empfangen wird, benötigt man beim Btx das Fernsehgerät nur zur Darstellung der Informationen. Zu diesem Zweck ist im Fernsehapparat ein besonderes Gerät **(Decoder)** eingebaut. Außerdem braucht der Btx-Teilnehmer für seinen Telefonanschluss ein Modem. Dieses übersetzt die ankommenden Informationen für den Decoder, sodass er sie entschlüsseln und als Buchstaben oder Grafik auf den Bildschirm bringen kann. Während des Empfangs von Btx ist der Telefonanschluss besetzt.

Die Informationen für Btx werden von Zeitungen, Verbänden, Parteien und Firmen geliefert. Man kann z. B. über den Bildschirm Waren bestellen oder durch Banken, die an das System angeschlossen sind, Bankgeschäfte erledigen.

Bildtelefon, Bildfernsprecher, Übertragung von bewegten Bildern der Fernsprechteilnehmer während des Ferngesprächs. Man verwendet es z. B. bei Konferenzschaltungen für Gespräche zwischen mehreren Teilnehmern an verschiedenen Orten, so bei Geschäftskonferenzen und Fernsehgesprächsrunden.

Bildtelegrafie, Fernübertragung von Bildern und Schriftstücken. Das Verfahren ist ähnlich wie beim Fernsehen. Das Bild wird zeilenweise durch einen Lichtstrahl abgetastet. Ein lichtempfindliches Element (z. B. Photodiode) verwandelt die Lichtenergie der einzelnen Bildpunkte in elektrische Signale, die über Fernsprechleitungen oder über Funk **(Bildfunk)** zum Empfänger übertragen werden. Dort werden die elektrischen Signale einer Kerr-Zelle (nach dem englischen Physiker John Kerr benannt) zugeführt, die diese Signale (elektrische Spannungsschwankungen) in entsprechende Lichtschwankungen umwandelt. Der so in seiner Intensität gesteuerte Lichtstrahl belichtet dann Punkt für Punkt ein Fotopapier, sodass eine Kopie des Originals entsteht. Die Bildtelegrafie wird z. B. von der Polizei für Fahndungsbilder oder von Nachrichtendiensten für Pressefotos angewendet.

Bildwirkerei, die Kunst, Gewebe mit ornamentalen oder bildlichen Darstellungen herzustellen, zu ›wirken‹. Verschieden gefärbte Schussfäden (die Querfäden beim Weben) werden durch so viele Kettfäden (die in Längsrichtung gespannten Fäden) hin- und hergeführt, wie es das Farbmuster jeweils erfordert. Diese Technik unterscheidet sich vom Weben, bei dem die Schussfäden die Kettfäden immer von Webkante zu Webkante durchkreuzen, und vom Knüpfen, bei dem zwischen die Schussfadenreihen Knotenreihen eingelegt werden (→Teppich). Die so entstandenen Bildteppiche werden nach der Pariser Färberfamilie Gobelin auch **Gobelins** genannt. Im Mittelalter entstanden in Frankreich und Deutschland ganze Bildteppich-Serien mit religiösen Darstellungen, höfischen Szenen oder Sagenmotiven. Später wurde vor allem Brüssel ein Zentrum der Bildwirkerei. Gobelins wurden oft nach Vorlagen (Kartons) bedeutender Maler wie Raffael oder Peter Paul Rubens gewirkt.

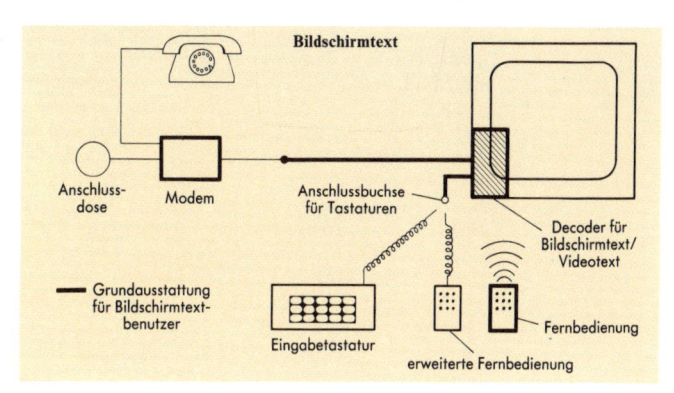

Billard [biljard, von französisch bille ›Kugel‹, ›Ball‹] wird mit 3 Elfenbein- oder Kunststoffbällen auf einem Billardtisch gespielt. Die Spielfläche ist 2,83 × 1,42 m groß. Sie besteht aus einer in einem Holzrahmen eingelassenen, plan geschliffenen Schieferplatte, die mit grünem Tuch überzogen ist. Rund um die Spielfläche laufen stoffbezogene Gummibanden. Die Spielbälle (1 roter, 2 weiße) haben einen Durchmesser von 62 mm. Einer der beiden weißen Bälle ist an 2 Achspunkten markiert.

Eine Billardpartie wird von 2 Spielern ausgetragen. Mit dem Spielstock, Queue genannt, wird versucht möglichst viele Karambolagen in Folge

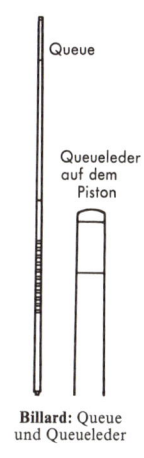

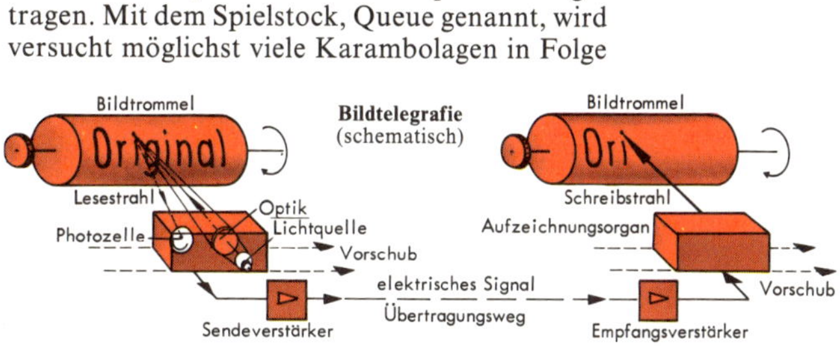

Bill

zu erzielen. Eine Karambolage ist dann geglückt, wenn der mit dem Queue angestoßene eigene Spielball den roten Ball und den des Gegners nach den Regeln der jeweiligen Spielart getroffen hat. Die Regeln und die zum Gewinn notwendigen Punktzahlen unterscheiden sich bei den 7 möglichen Spielarten. Eine gelungene Karambolage zählt einen Punkt. Der Spieler setzt sein Spiel so lange fort, bis eine Karambolage misslingt. Dann geht das Aufnahmerecht an seinen Gegner über. Wer die vorgeschriebene Punktzahl erreicht hat, gilt zunächst als Sieger. Er kann aber von seinem Gegner im Nachstoß noch eingeholt und übertroffen werden. Eine Sonderform des Billards ist das →Poolbillard.

Billion, 1 Million Millionen, 10^{12} (→Zahl).

Bimetall [lateinisch bi- ›zwei‹]. Werden 2 Streifen aus unterschiedlichen Metallen miteinander verschweißt oder fest aneinander geklebt, so nennt man eine solche Verbindung Bimetall. Die beiden Bänder eines Bimetallstreifens, z. B. aus Stahl und Messing, dehnen sich beim Erhitzen verschieden stark aus; der Streifen krümmt sich nach der Seite des Metalls, das die geringere Ausdehnung erreicht. Daher werden Bimetallstreifen häufig in Geräten verwendet, in denen elektrische Kontakte in Abhängigkeit von Temperaturänderungen zu steuern sind, z. B. in Zentralheizungen, Kühlschränken oder Bügeleisen.

Bims, durch vulkanisches Gas stark aufgeschäumte Lava. Sie wird bei heftigen vulkanischen Explosionen in kleinste Fetzen zerrissen, bis in große Höhen geschleudert und häufig viele Hundert Kilometer weit fortgetragen. Die Lavaklümpchen erstarren zu stark aufgeblähten, porigen Bröckchen, regnen noch glühend heiß zur Erde zurück und häufen oft meterdicke Schichten aus körnigem Bims auf, vermischt mit feiner Tuffasche. Bimsdecken kommen um die Maare in der Eifel und im Neuwieder Becken bei Koblenz vor. Bims wird in der Bauindustrie zur Herstellung von Hohlblocksteinen, Schwemmsteinen und Bimsbeton verwendet.

binär [aus lateinisch binarius ›zwei enthaltend‹], aus 2 Werten bestehend, z. B. ein Zahlensystem aus 2 Zeichen. (→Dualsystem)

Bindegewebe, ein →Gewebe.

Bindehaut, →Auge.

Bindewort, →Konjunktion.

Binnenmeer, ein Meeresteil, der fast vollständig vom Festland umgeben ist und nur eine schmale Verbindung zum Ozean hat, z. B. die Ostsee, das Schwarze Meer.

Binnensee, genauere Bezeichnung für einen →See, wenn man ihn z. B. vom Meer unterscheiden will. Einige große Binnenseen werden allerdings auch als Meer bezeichnet, z. B. das Kaspische Meer, das Tote Meer.

binomische Formeln [zu lateinisch bi- ›zwei‹ und nomen ›Name‹]. Aufgabe: Löse die Gleichung: $(x+3)^2 = 6x+18$.

Die Gleichung wird gelöst, indem man zunächst den Term $(x+3)^2$ berechnet. Dazu dienen die binomischen Formeln. Mit **Binom** bezeichnet man in der Mathematik eine Summe mit 2 Gliedern, z. B. $a+b$ oder $a-b$. Die binomischen Formeln geben nun die Produkte und Potenzen solcher Binome an.

Es gilt z. B.:
1) $(a+b)^2 = a^2 + 2ab + b^2$,
2) $(a-b)^2 = a^2 - 2ab + b^2$,
3) $(a+b) \cdot (a-b) = a^2 - b^2$.

Mithilfe der 1. Formel gilt für obige Aufgabe:

$(x+3)^2 = x^2 + 2x \cdot 3 + 3^2 = x^2 + 6x + 9$.

Somit ergibt sich:

$(x+3)^2 = 6x + 18 \Leftrightarrow x^2 + 6x + 9 = 6x + 18 \Leftrightarrow x^2 = 9$,

also ist die Lösungsmenge: $L = \{-3; 3\}$. (Zeichen ⇔; →Äquivalenzumformung).

Will man z. B. den Term $(a+b)^5$ berechnen, so ist der Rechenaufwand ziemlich hoch. Zur raschen Ermittlung der Faktoren vor den Größen a^5, $a \cdot b^4$, $a^2 \cdot b^3$ ..., den **Binominalkoeffizienten**, dient das **Pascal-Dreieck** (BILD). Es wird wie folgt aufgebaut: An die Spitze des Dreiecks schreibt man wegen $(a+b)^0 = 1$ eine 1. Dreieckförmig darunter wird wegen $(a+b)^1 = 1 \cdot a + 1 \cdot b$ zweimal die 1 geschrieben. Die weiteren Zeilen beginnen und enden nun stets mit einer 1. Die anderen Zahlen einer Zeile entstehen, indem die benachbarten Zahlen der darüber liegenden Zeile addiert werden. Somit lautet die 3. Zeile: 1, 2, 1. Vergleiche mit:

$(a+b)^2 = 1 \cdot a^2 + 2 \cdot ab + 1 \cdot b^2$.

Somit ergibt sich mithilfe des Pascal-Dreiecks:

$(a+b)^5 = 1 \cdot a^5 + 5 a^4 b + 10 a^3 b^2 + 10 a^2 b^3 + 5 ab^4 + 1 b^5$

(siehe 6. Zeile im Pascal-Dreieck).

Zu beachten ist dabei, dass sich die Hochzahlen der Größe a von Summand zu Summand jeweils um 1 verringern, während die Hochzahlen der Größe b jeweils um 1 ansteigen. Die Summe der Hochzahlen in jedem Glied beträgt für das Beispiel $(a+b)^5$ immer 5.

Binsen, grasähnliche Pflanzen, die an feuchten Standorten wachsen. Ihre röhrenförmigen, oft mit weißem Mark gefüllten Stängel haben

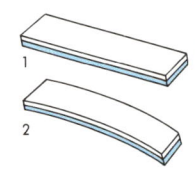

Bimetall:
1 Bimetallstreifen in Ruhelage, 2 bei Temperaturänderung (Dehnung der hellen oder Schrumpfung der blauen Metallschicht)

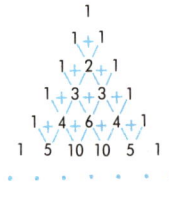

Pascal-Dreieck

binomische Formeln

keine Knoten. Die unscheinbaren Blüten bilden an der Spitze der Stängels oder etwas darunter Blütenstände (Rispe, Knäuel). Die Blätter sind lang und schmal, oft auch zäh und hart; vielfach sind sie nur wenig entwickelt. Stängel und Blätter mancher Arten werden zur Herstellung von Flechtarbeiten verwendet.

Biochemie [zu griechisch bios ›Leben‹], Bezeichnung für das wichtige Grenzgebiet zwischen Chemie, Medizin und Biologie. Die Biochemie beschäftigt sich mit der chemischen Zusammensetzung und Struktur sowie dem Auf- und Abbau der Stoffe (Fette, Kohlenhydrate, Eiweiße, Hormone), die in den lebenden Organismen vorkommen. Weiter untersucht sie die in den Zellen auftretenden chemischen Vorgänge wie Änderungen der Stoffzusammensetzung, Reaktionsabläufe in den Zellen, in den Geweben und Organen. Die Biochemie versucht biologische Sachverhalte, z. B. auch Krankheiten, als Folge chemischer Reaktionen zu erklären.

Biographie [griechisch ›Lebensbeschreibung‹], Beschreibung des Lebenswegs einer Person, in der nicht nur die äußeren Ereignisse, sondern auch ihre geistige und seelische Entwicklung sowie ihre Wirkung auf die Umwelt dargestellt werden. Biographien von bedeutenden Persönlichkeiten, z. B. von Herrschern, Heiligen, Entdeckern, Wissenschaftlern und Künstlern, gibt es schon seit der Antike. Eine **Autobiographie** ist die Beschreibung des eigenen Lebens.

Biologie [griechisch ›die Lehre vom Lebendigen‹], jene Naturwissenschaft, die, je nach Forschungsgegenstand, in **Mikrobiologie** (Einzellerkunde), **Botanik** (Pflanzenkunde), **Zoologie** (Tierkunde) und **Anthropologie** (Menschenkunde) eingeteilt wird.

Sie erforscht Eigenschaften der Lebewesen, so ihre Baustoffe (Biochemie und Physiologie), Gestalt und Entwicklung (Morphologie), Vererbung (Genetik), verwandtschaftliche Beziehung (Systematik), Verhalten (Verhaltensforschung), die Beziehungen von Lebewesen untereinander und zu ihrer Umwelt (Ökologie) sowie das biologische Gleichgewicht (→ökologisches Gleichgewicht). Biologen arbeiten in allen Bereichen der Biologie, der Medizin, aber auch in der Nahrungsmittelherstellung, im Gartenbau, in der Landwirtschaft, in der Pflanzen- und Tierzüchtung, im Natur- und Umweltschutz und auf vielen anderen Gebieten.

Bereits in der Antike haben sich Naturforscher bemüht die Vielfalt der Lebewesen zu ordnen: Man unterschied zwischen den →Pflanzen und den →Tieren, zu denen auch der Mensch gerechnet wurde, und ordnete die Lebewesen nach Ähnlichkeiten (→biologisches System).

biologisches System, biologische Systematik, Teilgebiet der Biologie, das die verwandtschaftlichen Beziehungen der Lebewesen untersucht. Sie werden nach ihrer Ähnlichkeit in verschiedene systematische Gruppen eingeteilt; die Stammesgeschichte dieser Gruppen wird zurückverfolgt.

Die Lebewesen werden in 2 große Reiche geteilt, das **Tierreich (Fauna)** und das **Pflanzenreich (Flora)**. Die weitere Abfolge der Gruppen von der umfangreichsten bis zur kleinsten sei an einem Beispiel (in Klammer) aus dem Tierreich erläutert: **Abteilung** (Vielzeller), **Stamm** (Gliederfüßer), **Klasse** (Insekten), **Ordnung** (Zweiflügler), **Familie** (Stechmücken), **Gattung** (Culex), **Art** (Culex pipiens, Stechmücke). So wird eine Klasse in eine Vielzahl von Ordnungen, eine Ordnung in Familien bis zur niedrigsten Untereinheit, der Art, eingeteilt. Dabei ist jede Gruppe stets eine Teilmenge der nächsthöheren. In manchen Fällen werden weitere Untergliederungen vorgenommen, indem mithilfe der Vorsilben ›Unter-‹ und ›Über-‹ zusätzliche Gruppen eingeschoben werden. So kann sich z. B. eine Ordnung in mehrere Unterordnungen gliedern, diese wiederum in mehrere Überfamilien.

Alle Tiere oder Pflanzen jeder dieser Gruppen sind miteinander verwandt. Die engste Verwandtschaft besteht zwischen den Mitgliedern einer →Art oder Unterart (→Rasse).

Biotop [zu griechisch bios ›Leben‹ und topos ›Ort‹], der Lebensraum einer bestimmten Lebensgemeinschaft von Pflanzen und Tieren. Der (oder das) Biotop hat eine einheitliche Beschaffenheit und ist gegenüber seiner Umgebung abgrenzbar (z. B. der Teich, das Moor, der Buchenwald). Viele Biotope sind heute gefährdet und müssen daher geschützt werden (→Naturschutz).

Birken, Laubbäume mit weißer Borke, die sich in papierdünnen Blättchen abziehen lässt, und langen, peitschenartigen Zweigen, die man zu Besen binden kann. Man findet diese Bäume mit Blütenkätzchen vor allem in Gärten und Parks. Sie werden bis 25 m hoch und nur selten älter als 80–100 Jahre. Das Holz eignet sich zum Tischlern. Aus dem Harz werden Haarpflegemittel hergestellt.

Birkhuhn, etwa haushuhngroßer →Hühnervogel mit gefiederten Läufen, lebt auf Heiden und Mooren Europas und ernährt sich von Beeren und Knospen. Im Frühjahr treffen sich die

Binsen: Spitzblütige Binse

Birken: Weißbirke; Zweig mit einem weiblichen und zwei männlichen Blütenständen (Kätzchen), links Fruchtstand

Birm

stahlblau glänzenden Männchen auf Wiesen und Feldern zu gemeinsamer Balz. Mit gesträubtem Gefieder, gefächertem Schwanz und hängenden Flügeln, begleitet von lautem Kollern und eigenartigen Sprüngen, kämpfen sie um die braun gesprenkelten Weibchen. Birkhühner nisten in Deutschland nur noch selten (Bayerischer Wald, Alpen).

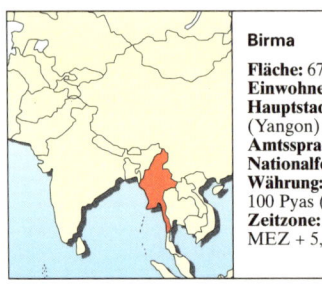

Birma
Fläche: 676 578 km²
Einwohner: 43,668 Mio.
Hauptstadt: Rangun (Yangon)
Amtssprache: Birmanisch
Nationalfeiertag: 4. 1.
Währung: 1 Kyat (K) = 100 Pyas (P)
Zeitzone: MEZ + 5,5 Stunden

Birma

Staatswappen

Staatsflagge

Birma, amtlich **Myanmar,** Staat im Nordwesten Hinterindiens am Golf von Bengalen, eine Republik, etwa doppelt so groß wie Italien. Von Norden nach Süden erstreckt sich das Land über 2 000 km. Im Westen und im Osten wird Birma von bis zu 5 000 m hohen Gebirgen begrenzt, im Süden und Südwesten vom Indischen Ozean. Wichtigster Teil des Landes ist das Stromtiefland des Irawadi. An seinem Delta liegt die Hauptstadt Rangun. Die Bevölkerung ist überwiegend buddhistisch.

Niederschläge und Pflanzenwuchs sind in den einzelnen Landesteilen sehr unterschiedlich: Es finden sich sowohl tropischer Regenwald als auch Trockensteppen. Wichtigster Wirtschaftszweig ist die Landwirtschaft; an erster Stelle steht der Anbau von Reis, der auch das wichtigste Ausfuhrgut darstellt. Daneben werden Zuckerrohr, Erdnüsse und Jute angebaut. Teakholz und andere Harthölzer sind wichtige Exportgüter. Die Industrie ist noch im Aufbau.

Birma, das im 19. Jahrh. zum britischen Kolonialreich gehörte, erlangte 1948 die staatliche Unabhängigkeit als sozialistische Republik. 1988 übernahm eine Militärjunta die Macht. (KARTE Band 2, Seite 195)

Birmingham [bömingem], 993 000 Einwohner, zweitgrößte Stadt Großbritanniens, Zentrum der britischen Metallindustrie. Birmingham hat 2 Universitäten.

Birnen, ein Kernobst, die Früchte des weiß blühenden, bis 20 m hohen Birnbaums. Wilde, dornige Birnbäume wachsen in den Wäldern Europas und Asiens. Man hat aus ihnen viele Nutzformen gezüchtet. Das Fleisch der glocken- oder flaschenförmigen Frucht enthält oft unverdauliche Steinzellen. Ein Birnbaum kann bis 300 Jahre alt werden. Aus dem Holz werden Möbel und Zeichengeräte hergestellt.

Bisamratten, in Nordamerika heimische, mit den →Mäusen verwandte Nagetiere. Sie wurden erst vor 80 Jahren wegen ihres wertvollen Fells in Europa angesiedelt. Die gesellig lebende Bisamratte, die ohne den langen, schuppigen Schwanz fast so groß wie ein Kaninchen wird, bewohnt Teiche, Seen und Flüsse. Mit ihrem seitlich zusammengedrückten Ruderschwanz schwimmt und taucht sie sehr gut, unterstützt von den Schwimmhäuten an den Hinterfüßen. Sie frisst Wasserpflanzen, Muscheln und Schnecken. Ihren Bau errichtet sie, ähnlich wie der Biber, in Ufernähe, indem sie Bäume, Deiche und Dämme unterwühlt. Da in Europa die natürlichen Feinde der Bisamratte fehlen, hat sie sich stark vermehrt.

Bischof [von griechisch episkopos ›Aufseher‹], in den christlichen Kirchen der leitende Geistliche eines größeren Bezirks. Ein solcher Bezirk heißt in der katholischen Kirche **Bistum** oder **Diözese,** der Bischof **Diözesanbischof.** Es gibt auch Bischöfe ohne eigene Diözese; sie werden **Titularbischöfe** genannt und sind meist als Mitarbeiter des Papstes oder des Diözesanbischofs tätig.

Die katholische Kirche versteht die Bischöfe als Nachfolger der Apostel. Sie werden vom Papst ernannt und mit der Bischofsweihe in ihr Amt eingeführt. Äußere Zeichen der Bischofswürde sind Stab, Mitra und Ring. Meist unterstehen mehrere Bischöfe einem **Metropoliten** oder **Erzbischof,** der aber auch selbst einer eigenen Diözese vorsteht. Alle Bischöfe zusammen bilden das Bischofskollegium, das mit dem Papst als Oberhaupt die höchste Verantwortung in der Kirche trägt. Auch in der orthodoxen Kirche gelten die Bischöfe als Nachfolger der Apostel; sie kommen oft aus dem Mönchsstand.

In den evangelischen Kirchen Deutschlands und Österreichs wird der oberste Geistliche einer Landeskirche meist Bischof genannt; im Rheinland und in Westfalen heißt er **Präses,** in Hessen-Nassau und in der Pfalz **Kirchenpräsident.** Im Unterschied zur katholischen Kirche wird er in sein Amt gewählt.

Bismarck. Zu Beginn seiner politischen Laufbahn war **Otto von Bismarck** (*1815, †1898) lange Zeit als preußischer Diplomat tätig, beson-

Otto Fürst von Bismarck (Gemälde von Lenbach)

ders als Gesandter beim Frankfurter Bundestag (1851–59). 1862 ernannte ihn König Wilhelm I. zum preußischen Ministerpräsidenten. Im Streit mit der liberalen Parlamentsmehrheit um die Finanzierung des Heeres regierte er bis 1866, ohne dass der Haushalt vom Parlament genehmigt wurde. Er verband die Frage nach einem einheitlichen deutschen Staat mit dem Ziel, in Auseinandersetzung mit Österreich die Vorherrschaft Preußens in Deutschland zu stärken. Nach dem siegreichen Krieg gegen Österreich (Deutscher Krieg von 1866) förderte er die Gründung (1866/67) des von Preußen geführten Norddeutschen Bundes; nach der Niederlage des französischen Kaiserreichs (1870) im Deutsch-Französischen Krieg 1870/71 trug er maßgeblich zur Gründung des Deutschen Reichs (1871) bei, in dem Preußen eine entscheidende Rolle spielte. 1871 wurde er in den Fürstenstand erhoben.

Als Reichskanzler (seit 1871) war er nur dem Kaiser verantwortlich. In der Auseinandersetzung seiner Regierung mit der katholischen Kirche (Kulturkampf) suchte er deren Einfluss zu mindern. Mit dem Sozialistengesetz (1878) zielte er darauf hin, die Sozialdemokratie als eine revolutionäre Kraft auszuschalten. Eine Sozialgesetzgebung (1881–89) mit Kranken- und Altersversicherung sollte stattdessen die Unzufriedenheit besonders der unter ihren Lebensbedingungen leidenden Industriearbeiter abbauen.

Die Politik Bismarcks nach außen war seit 1871 auf Sicherung des Deutschen Reichs mit friedlichen Mitteln gerichtet; dabei sollte Frankreich als möglicher Gegner des Deutschen Reichs durch ein ausgedehntes Bündnissystem mit Österreich, Italien und Russland isoliert werden. Auf dem Berliner Kongress (1878), dessen Vorsitz er führte, bemühte er sich, als ›ehrlicher Makler‹ Gegensätze zwischen den damaligen Großmächten vor allem auf dem Balkan auszugleichen.

1890 entließ Kaiser Wilhelm II., Sohn Friedrichs III. und Enkel Wilhelms I., Bismarck als preußischen Ministerpräsidenten und Reichskanzler aufgrund sachlicher und persönlicher Gegensätze.

Bisons, wilde →Rinder mit kleinen, starken Hörnern und einem gewaltigen, fast 2 m hohen Vorderkörper. In riesigen Herden (insgesamt etwa 60 Millionen Tiere) zogen sie früher durch die weiten Prärien Nordamerikas, um Gras zu weiden. Ihr zottiges, rötlich dunkelbraunes Fell, das zu einer Mähne und zu einem ›Bart‹ verlängert ist, schützte sie gut gegen die Hitze des Sommers und die eisigen Stürme des Winters. Der Bison war das Jagdwild der Indianer; er lieferte vor allem Fleisch und Leder. Gleichzeitig verehrten ihn die Indianer. Sie nannten den Bison ›Büffel‹ (›Buffalo‹). Weiße Siedler erlegten die Tiere in großer Zahl bei der Landnahme Nordamerikas, sodass der Bison gegen Ende des 19. Jahrh. fast ausgerottet war. In Schutzgebieten hat sich der Bestand wieder auf etwa 50 000 Tiere vermehrt. Mit dem Bison verwandt ist der europäische →Wisent.

Bisons: amerikanische Bisons

Bissau, 125 000 Einwohner, Hauptstadt von Guinea-Bissau in Westafrika.

Bit [aus englisch **bi**nary dig**it** ›Dualziffer‹], eine Binärziffer, die entweder den Wert 0 oder den Wert 1 hat. In der Computersprache lassen sich alle Zahlen und Buchstaben durch eine Kombination dieser 2 Zeichen darstellen. Eine Folge von 8 Bits bezeichnet man als **Byte.** Einheit für den Informationsgehalt in der Nachrichtentechnik ist 1 bit.

Bitterling, kleiner, karpfenähnlicher Fisch, der wegen seiner ungewöhnlichen Fortpflanzungsweise gern im Aquarium gehalten wird. Das Weibchen legt 40 Eier mithilfe einer 5 cm langen Legeröhre in die Kiemen der Teichmuschel. Die Jungen verlassen die Muschel erst, wenn sie voll ausgebildet sind.

Bitterling

Bitumen [lateinisch ›Erdpech‹], dickflüssige bis harte, dunkle Rückstände der Erdöldestillation. Bei höheren Temperaturen wird Bitumen weich bis zähflüssig, sodass es gut verarbeitet werden kann. Es dient als Zusatz zum Asphalt und wegen seines guten Klebevermögens zur Herstellung von Dachpappen. Außerdem wird Bitumen als Isoliermaterial und zum Abdichten gegen Wasser verwendet.

Bizeps [lateinisch ›zweiköpfig‹], Muskel am →Arm, der mit 2 Sehnen am Schulterblatt entspringt. Er liegt an der Vorderseite des Ober-

Bize

arms, bewegt aber den Unterarm und leistet dabei die Hauptarbeit. Mit seiner Hilfe kann man schwere Gegenstände heben und tragen. Sein Gegenspieler, der Trizeps, streckt den Unterarm und liegt an der Rückseite des Oberarms.

Bizet [bisɛ]. Der französische Komponist **Georges Bizet** (*1838, †1875) wurde zuerst durch seine Orchestersuite ›L'Arlésienne‹ (1872) bekannt. Seine Opern fanden dagegen ursprünglich nur wenig Anklang. Erst kurz vor seinem Tod gelangte 1875 mit ›Carmen‹ jene Oper zur Aufführung, die zu einer der erfolgreichsten aller Zeiten werden sollte. Mit ihren temperamentvollen Rhythmen, schwärmerischen Melodien und ihrer farbigen Instrumentation wurde sie zu einem Inbegriff des Spanischen in der Musik.

BKA, Abkürzung für →**B**undes**k**riminal**a**mt.

Blankvers, reimloser, jambischer →Vers.

Blase, 1) Anatomie: Hohlorgan, das Flüssigkeit aufnehmen kann, z. B. die →Harnblase, die Gallenblase und die Fruchtblase.

2) Pathologie (Krankheitslehre): **Hautblasen** entstehen durch Ablösung in den obersten Hautschichten. Der sich dabei bildende Hohlraum ist mit Flüssigkeit gefüllt. Die Größe der Blasen oder Bläschen ist sehr unterschiedlich. Hervorgerufen werden sie durch Verbrennung (z. B. Sonnenbrand), durch Infektion (z. B. Windpocken), als allergische Reaktion (z. B. auf Brennnesseln) oder durch Druck oder Reibung.

Blasinstrumente, alle Musikinstrumente, deren Ton durch den menschlichen Atem erzeugt wird. Man unterscheidet nach der Art der Tonbildung, nicht nach dem Material, zwischen Holz- und Blechblasinstrumenten.

Bei den **Holzblasinstrumenten** wird die Tonhöhe verändert, indem die Luftsäule im Innern des Instruments verkürzt wird; dazu werden mehr oder weniger Seitenlöcher geschlossen. Zu den Holzblasinstrumenten zählen →Flöte, →Oboe, →Klarinette, →Schalmei, →Englischhorn, →Saxophon, →Blockflöte und →Fagott.

Bei den **Blechblasinstrumenten** wird der Ton durch Anblasen eines Mundstücks aus Metall erzeugt und durch unterschiedliche Spannung der Lippen beeinflusst. In diese Gruppe gehören das →Horn, das →Kornett, die →Trompete, die →Posaune, die →Tuba und das →Alphorn.

Blasrohr, Röhre aus Holz oder Bambus, durch die Pfeile, Tonkugeln oder andere Geschosse geblasen werden. Volksstämme in Südostasien, in Süd- und Mittelamerika benutzen Blasrohre als Jagdwaffen.

Blätter, Organe aller Pflanzen mit Ausnahme von Pilzen, Algen und Flechten. Sie dienen der Ernährung, denn in ihnen befindet sich das Blattgrün, das die Pflanzen zur →Photosynthese befähigt. Meist sind Blätter flächenhaft ausgebreitet (Laubblatt), doch auch die Nadeln der Nadelhölzer sind Blätter. Die Fläche eines Laubblatts ist von verzweigten oder parallelen **Blattadern** (auch **Nerven** oder **Rippen** genannt) durchzogen. Diese wirken als Stütze und leiten Wasser und Nährstoffe. Vor allem die Blattunterseite (bei Schwimmpflanzen die Oberseite) enthält Millionen winziger **Spaltöffnungen,** durch die das für die Photosynthese erforderliche Kohlendioxid ins Blattinnere gelangt und Sauerstoff, ein Nebenprodukt der Photosynthese, in die Luft entweicht. Außerdem kann über die Spaltöffnungen Wasser verdunsten. Ein großer Baum gibt auf diesem Weg täglich über 1 000 l Wasser in Form von Wasserdampf ab. Das Ausmaß der Verdunstung hängt unter anderem von der Temperatur und Luftfeuchtigkeit der Umgebung ab. Häufig, besonders bei Pflanzen heller, trockener Standorte, trägt die Blattoberfläche z. B. eine filzige Behaarung als Verdunstungsschutz; die gleiche Funktion haben Wachsschichten.

Die Form der Laubblätter, die Ausbildung des Blattrandes und die Anordnung der Blätter an der Sprossachse können zur Kennzeichnung einer Pflanzenart beitragen. Die Blattfläche kann aus einem oder aus mehreren Flächenstücken bestehen. Diese Stücke (**Blättchen**) sind entweder alle nebeneinander am Ende des Blattstiels angefügt (**gefingertes Blatt**) oder entlang der Mittelrippe, die die Verlängerung des Blattstiels darstellt, angeordnet (**gefiedertes Blatt**). Sind die Teilblättchen selbst wieder gefiedert, so liegt ein **doppelt, drei-** oder **mehrfach gefiedertes Blatt** vor. Ein Blatt ist **paarig gefiedert,** wenn ein Endblättchen auf der Mittelachse fehlt, und **unpaarig** gefiedert, wenn ein Endblättchen vorhanden ist. Ein Blatt, das aus 3 Teilblättchen besteht, also gefiedert und gefingert ist, nennt man **dreiteilig.** Häufig sind die Teilblättchen nicht gut getrennt, sondern die Blattfläche zeigt nur Einschnitte (**handförmiges** oder **gelapptes Blatt**).

Übernehmen Blätter eine andere Funktion, sind sie umgestaltet, z. B. zu einer **Ranke** (Erbse, Wicke), einem **Dorn** (Akazie, Berberitze) oder einer Art Falle (→tierfangende Pflanze). Eine besondere Rolle spielen Blätter als Speicherorgane, z. B. für Wasser bei Kakteen, für Reservestoffe bei der Zwiebel. Der Herkunft nach blattartig sind auch die verschiedenen Blätter einer →Blüte. Zierpflanzen mit großen dekorativen Blättern,

---

Blattformen

kreisrund (Zitterpappel)
eiförmig (Faulbaum)
nierenförmig (Haselwurz)
herzförmig (Bohne)
spießförmig (Melde)
pfeilförmig (Pfeilkraut)
gefingert (Rosskastanie)
dreiteilig (Klee)
unpaarig gefiedert (Robinie)
handförmig (Spitzahorn)
paarig gefiedert (Erbsenstrauch)
mehrfach gefiedert (Hundspetersilie)

Blattränder

ganzrandig (Flieder)
einfach gesägt (Brennnessel)
doppelt gesägt (Hainbuche)
gekerbt (Veilchen)
gezähnt (Hortensie)
gebuchtet (Eiche)

Blätter

aber unauffälligen Blüten nennt man im Unterschied zu den Blumen **Blattpflanzen.**

Blattgrün, →Chlorophyll.

Blattläuse, Insekten, die oft zu Hunderten auf Blättern und Stängeln von Pflanzen sitzen. Sie leben von Pflanzensäften, die sie mit ihrem kleinen Stechsaugrüssel aufnehmen. Wenn sie in Massen auftreten, verkümmern die befallenen Pflanzen. Einige Arten übertragen auch Pflanzenkrankheiten. Blattläuse vermehren sich sehr rasch; sie pflanzen sich nicht nur geschlechtlich fort, sondern die oft flügellosen Weibchen bilden auch Eier und Larven ohne Befruchtung (›Jungfernzeugung‹). Natürliche Feinde der Blattläuse sind Marienkäfer, Wanzen, Schwebfliegen, Florfliegen und deren Larven.

Blattläuse scheiden flüssigen Kot aus, der viel Zucker enthält. Dieser ›Honigtau‹ wird von Ameisen und anderen Insekten gern aufgeleckt. Die →Ameisen halten sich oft regelrechte Blattlausherden (→Symbiose).

Blaualgen. An Wassergräben, Mauern warmer Gewächshäuser und auf der Oberfläche von Tümpeln und Seen treten oft blaugrüne bis bräunliche Beläge auf. Untersucht man sie im Mikroskop, findet man winzige einzellige oder wenigzellige, fadenförmige Pflanzen, die man Blaualgen nennt. Der Bau ihrer Zellen, die keinen echten Zellkern besitzen, steht dem der Bakterien näher als den Algen. Ihre Zellen enthalten blauen, manchmal auch roten Farbstoff und Blattgrün (Chlorophyll), das sie zur →Photosynthese befähigt. Die Blaualgen vermehren sich ungeschlechtlich durch Zweiteilung. (BILD Algen)

Blaubeere, die →Heidelbeere.

Blauer Reiter, Name einer Künstlervereinigung des →Expressionismus.

Bläulinge, mittelgroße →Schmetterlinge.

Blausäure, farblose, bittermandelartig riechende, sehr **giftige Flüssigkeit** der Formel HCN (Cyanwasserstoff); sie kommt z. B. in Mandeln und Pflaumenkernen vor. Blausäure ist ein bedeutendes chemisches Zwischenprodukt und wird zur Herstellung von Farbstoffen sowie gasförmig als Schädlingsbekämpfungsmittel in Speichern oder auf Schiffen verwendet.

Blechblasinstrumente, alle →Blasinstrumente, die mit einem Kesselmundstück aus Metall angeblasen werden.

Blei, Zeichen Pb [von lateinisch plumbum], ein →chemisches Element, ÜBERSICHT, das als eines der ältesten Gebrauchsmetalle bereits 3000 v. Chr. in Ägypten und Vorderasien gewonnen wurde. Als bläulich graues, weiches, gut verformbares Metall diente es zum Beispiel den Römern für Wasserleitungsrohre oder Küchengeräte, im Mittelalter für Dachabdeckungen und, nach der Erfindung der Schusswaffen, als Kugeln (›blaue Bohnen‹). Heute wird es bei der Herstellung von Akkumulatoren, chemischen Apparaten, Munition, auch noch als Zusatz von Benzin verwendet.

Blei und seine Verbindungen sind **giftig**; es wird nur zum geringen Teil im Harn ausgeschieden, der größere besonders in den Knochen gespeichert, wo es anstelle von Calcium eingebaut wird. Deshalb wird durch Verbot der Verwendung bleihaltiger Pflanzenschutzmittel, der Herstellung von Geschirr aus bleihaltigen Legierungen sowie durch Herabsetzung des Bleigehaltes in Benzin versucht den Anstieg des Bleigehaltes zu vermindern.

Blende, Teil des →Objektivs einer Kamera. Die Blende begrenzt die Lichtmenge, die durch das Objektiv auf den Film gelangt. Sie ist entweder von Hand einstellbar oder wird von einer elektronischen Kameraautomatik selbsttätig eingestellt. Eine große Zahl (z. B. Blende 11) bedeutet dabei, dass die Blende nur wenig Licht durchlässt. Ist ein kleiner Wert eingestellt (z. B. Blende 2,8), fällt viel Licht auf den Film, da das Objektiv weit geöffnet ist. Die Lichtmenge halbiert sich jedes Mal, wenn die Blende um eine Stufe geschlossen wird. Die Stufen sind international als **Blendenzahlreihe** (siehe Tabelle) festgelegt. Die jeweils eingestellte Blende hat maßgeblichen Einfluss auf die →Schärfentiefe der Aufnahme.

| 0,7 | 1 | 1,4 | 2 | 2,8 | 4 | 5,6 | 8 | 11 | 16 | 22 |

Blende: Blendenzahlreihe

Blesshühner, Blässhühner, nicht mit den Hühnern verwandte, sondern zu den →Rallen gehörende schwarze Wasservögel. Sie sind nach ihrem weißen Stirnschild (›Blesse‹) benannt. In Deutschland nisten sie häufig an Seen und Teichen. Im Winter versammeln sie sich in größerer Zahl auf eisfreien Gewässern. Am Bodensee, wo sie auch ›Belchen‹ genannt werden, überwintern sie zu Tausenden. Blesshühner flattern mit flügelschlagend dicht über dem Wasser, wobei sie mit Füßen und Flügelspitzen eine Spur hinterlassen. Sie tauchen nach Schnecken, Muscheln, Insekten und Pflanzenteilen.

Blinddarm, der nicht weiterführende, deshalb ›blinde‹, sackförmige Teil des Dickdarms im rechten Unterbauch. Oberhalb des Blinddarms mündet der Dünndarm in den Dickdarm. An die-

Blattläuse:
OBEN Erbsenblattlaus,
UNTEN Schwarze
Bohnenblattlaus

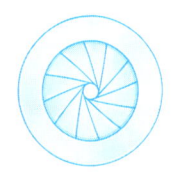

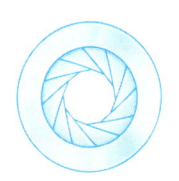

Blende (Irisblende):
OBEN fast geschlossen,
UNTEN teilweise
geöffnet

Blesshuhn

Blinser Stelle bilden Schleimhautfalten eine Klappe, sodass der Darminhalt normalerweise nur in Richtung Dickdarm weitertransportiert werden kann.

Ein Anhängsel des Blinddarms ist der **Wurmfortsatz,** der sich in Form, Größe und Lage bei den einzelnen Menschen sehr unterscheidet. **Blinddarmentzündung** ist die volkstümliche Bezeichnung für die Entzündung des Wurmfortsatzes, wobei der Blinddarm selbst meist gar nicht betroffen ist. Wenn sich Darminhalt in dem Fortsatz staut, kann es leicht zu einer Entzündung und später zu Eiterbildung kommen. Meist muss dann der Wurmfortsatz durch Operation entfernt werden.

Blindenschrift, Schrift, die entwickelt wurde, um blinden Menschen das Lesen zu ermöglichen. Die Grundform der Blindenschrift besteht aus 6 Punkten, die in dickes Papier eingedrückt sind und mit den Fingern ertastet und so gelesen werden können. Jeder Buchstabe des Alphabets entspricht einer bestimmten Anordnung und Anzahl von Punkten. Nach dem Franzosen Louis Braille, der die Blindenschrift 1829 erfunden hat, heißt sie auch **Brailleschrift.** Mittlerweile gibt es für Blinde spezielle Schreibmaschinen, Bücher und Zeitungen.

Blindflug, Instrumentenflug, Flug ohne Sicht, z. B. bei Nebel oder bei Nacht, nur mithilfe der Bordinstrumente und der Überwachung durch eine Flugleitstelle. Fast alle Flugzeuge sind mit den nötigen Instrumenten für den Blindflug ausgerüstet. Aus Sicherheitsgründen ist der Blindflug in der Verkehrsluftfahrt auch bei guter Sicht üblich.

Blindheit, fehlendes Sehvermögen, das angeboren ist oder sich infolge innerer Krankheiten (z. B. Zuckerkrankheit), Verletzungen oder Erkrankungen des Auges entwickelt. Die Pupille ist starr und reagiert nicht auf Lichteinfall. Da der Blinde nichts sieht, muss er sich mithilfe anderer Sinne zurechtfinden. Besonders das Gehör und der Tastsinn blinder Menschen werden geschult und dienen der Orientierung. Blinde brauchen ein gutes Gedächtnis und müssen ihre Aufmerksamkeit auf Dinge richten (bestimmte Geräusche, Gerüche), die den Sehenden meist entgehen. Ein eigens ausgebildeter Hund **(Blindenhund)** und der weiße, gut sichtbare Stock helfen dem Blinden sich zu orientieren. An manchen Ampelanlagen gibt es heute auch akustische Signale für Blinde. Viele Einrichtungen (z. B. Schulen) wurden speziell für Blinde geschaffen (→Blindenschrift).

Blindschleiche

Blindschleichen sind →Echsen mit zurückgebildeten Beinen. Im Unterschied zu Schlangen haben sie z. B. bewegliche Augenlider und, wie die verwandten →Eidechsen, die Fähigkeit bei Gefahr den Schwanz abzuwerfen und neu zu bilden. Die bis 45 cm langen Blindschleichen, deren Färbung von rötlich über graubraun bis schwarz sein kann, kommen in Europa, Westasien und Algerien vor. Sie leben an schattigen, feuchten Waldrändern und in Hecken. Vor allem Regenwürmer und Nacktschnecken sind ihre Nahrung. Das Weibchen bringt bis zu 12 Junge zur Welt; diese sind noch von einer Eihülle umgeben, die sie aber sofort sprengen. Blindschleichen können bis zu 50 Jahre alt werden.

Blitz, hell aufleuchtende Funkenentladung beim →Gewitter, die meist als gezackte und verästelte Linie sichtbar wird. Deshalb bezeichnet

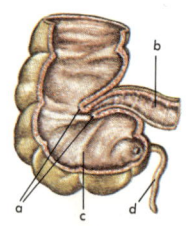

Blinddarm:
a bauhinsche Klappe,
b Dünndarm,
c Blinddarm,
d Wurmfortsatz

Blindenschrift: LINKS Alphabet, Satzzeichen, Ziffern; RECHTS Ausschnitt aus einem Stadtplan (Marburg) mit Straßenrelief und Namen in Blindenschrift

man sie auch als **Linienblitz.** Die durch den Blitz erhitzte Luft dehnt sich explosionsartig aus, was als →Donner zu hören ist. In einer Gewitterwolke entstehen elektrische Ladungen: Im unteren Bereich sammeln sich die negativen, an der Spitze die positiven Ladungen. Zwischen diesen Bereichen und auch zwischen Wolke und Erdboden entstehen elektrische Spannungen. Sie sind umso größer, je höher die Ladungen sind. Wenn diese Spannungen einen bestimmten Wert überschreiten, springt ein Funke aus der Wolke zur Erde (**Erdblitz**) oder innerhalb der Wolken (**Wolkenblitz**) über. – Die Blitze beim Gewitter haben so viel Energie, dass sie Menschen und Tiere töten, Bäume und Gebäude in Brand setzen und zerstören können. Die Temperatur eines Blitzes liegt meist über 25 000 °C. Meist werden hoch aufragende Kirchtürme, hohe Bäume, Bergspitzen, aber auch einzeln stehende Gebäude vom Blitz getroffen. Deshalb soll man, wenn man im Freien von einem Gewitter überrascht wird, nicht unter Bäumen Schutz suchen und auf offenem Feld nicht stehen bleiben, sondern sich ganz klein machen. Gebäude, in denen sich Menschen aufhalten, sind heutzutage meist durch einen →Blitzableiter geschützt.

Neben den Linienblitzen werden seltener auch andere Formen beobachtet. **Perlschnurblitze** bestehen aus einer Anzahl heller Punkte, die wie Perlen auf einer Schnur hintereinander aufgereiht sind. Möglicherweise handelt es sich dabei um Linienblitze, die an den Knickpunkten ihrer Bahn besonders hell leuchten.

Eine eigentümliche Erscheinung sind die **Kugelblitze**, die meist gegen Ende eines schweren Gewitters auftreten. Sie haben die Form einer leuchtenden Kugel von der Größe eines Tennisballs bis zu der eines Fußballs und bewegen sich – etwa so schnell wie ein Mensch im langsamen Dauerlauf – rollend oder springend in einer unregelmäßigen Bahn nahe dem Erdboden fort. Nach 4–5 Sekunden erlischt eine solche Kugel geräuschlos oder sie zerplatzt mit lautem Knall. Eine eindeutige Erklärung über die Entstehung der Kugelblitze gibt es bisher nicht.

Blitzableiter, Blitzschutzanlage an Gebäuden zum Auffangen von Blitzen und zum gefahrlosen Ableiten der Blitzströme zur Erde. Der Blitz sucht sich in der Regel einen gut leitenden Weg über aufragende metallische oder feuchte Gegenstände, z. B. nasse Bäume, zur Erde. Zum Schutz vor Blitzen befinden sich auf Gebäuden Auffangeinrichtungen, deren Aufgabe es ist, dem Blitz einen Einschlagpunkt anzubieten. Die Auffangeinrichtungen sind über Ableitungen mit der Erdungsanlage verbunden, sodass der Blitz außen am Haus entlang ins Erdreich abgeführt wird und keinen Schaden anrichtet.

Blitzlicht, beim Fotografieren unter ungünstigen Lichtverhältnissen verwendetes Licht, das für Bruchteile von Sekunden aufleuchtet. Im **Kolbenblitz** entsteht es durch Verbrennung dünner Metalldrähte in Sauerstoff, mit dem der Kolben der Lampe gefüllt ist. Viele Blitze hintereinander kann man mit einem **Elektronenblitzgerät** erzeugen, das aus einer Gasentladungslampe mit Reflektor und einer Batterie oder einem Akkumulator besteht. Hierbei bringt ein elektrischer Funke, der bei etwa 10 000 Volt das Gas in der Röhre durchschlägt, das Gas zum Leuchten.

Blizzard [blĭsəd, englisch], in Nordamerika ein von Norden kommender, plötzlich auftretender Schneesturm.

Blockflöte, Holzblasinstrument, dessen Name sich von seinem schnabelförmigen Mundstück herleitet, einem Holzblock, in den ein Schlitz, der Kernspalt, eingelassen ist. Durch diesen Schlitz wird die Luft gegen eine scharfe Kante geblasen, bevor sie in ein Rohr mit 8 Grifflöchern weitergeleitet wird. Der Tonumfang einer Blockflöte beträgt 2 Oktaven. Je nach Größe und Grundton unterscheidet man Sopran-, Alt-, Tenor- und Bassblockflöte. Der Klang ist sanft, aber relativ leise und wenig variabel. Daher wurde die Blockflöte im 18. Jahrh. von der →Querflöte verdrängt. Dennoch nimmt die Blockflöte heute wieder einen festen Platz in der Hausmusik und bei der stilgerechten Aufführung alter Musik ein. (BILD Seite 138)

Blockmeer, das →Felsenmeer.

Blücher. Während des →Siebenjährigen Krieges stand **Gebhard Leberecht von Blücher** (*1742, †1819) zuerst in schwedischen, ab 1760 in preußi-

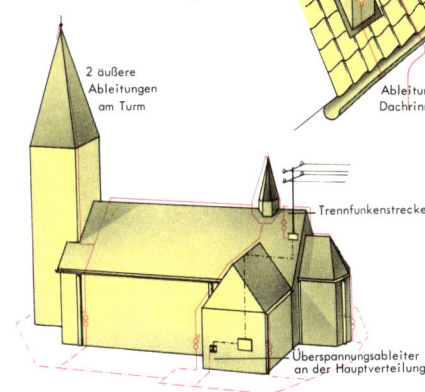

Blitz: Linienblitz

Blitzableiter: Blitzschutzanlage OBEN Bei einem Satteldach sind die Dachrinnen an die Blitzschutzanlage angeschlossen, der Schornstein ist mit einer Auffangeinrichtung versehen; MITTE Der Schornstein liegt in der Nähe der Dachrinne, die Ableitung wird an die Dachrinne angeschlossen; UNTEN Blitzschutzanlage an einer Kirche ohne elektrische Anlage im Turm

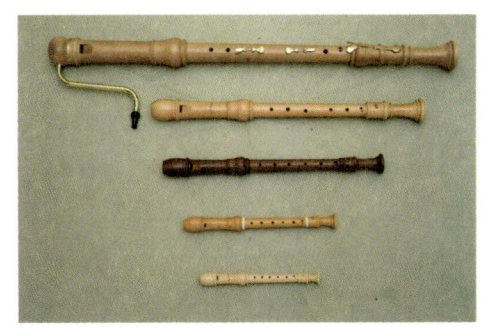

Blockflöte: Bass (Gesamtlänge 94 cm); Tenor (Gesamtlänge 60,5 cm); Alt (Gesamtlänge 47,5 cm); Sopran (Gesamtlänge 31 cm); Sopranino (Gesamtlänge 24 cm)

schen Diensten. Zusammen mit →Gneisenau errang er in den Befreiungskriegen (→Freiheitskriege) als Oberbefehlshaber der schlesischen Armee und des preußischen Heeres entscheidende Siege über die Franzosen. Von den Russen erhielt er den Namen ›Marschall Vorwärts‹. In der Neujahrsnacht 1813/14 überschritt er mit der preußischen Armee den Rhein bei Kaub. Mit dem englischen Feldmarschall Wellington besiegte er 1815 Napoleon I. bei Waterloo. Blücher war der volkstümlichste Feldherr der Befreiungskriege. 1814 wurde er als **Fürst Blücher von Wahlstatt** in den Fürstenstand erhoben.

Blues [blus], das weltliche Lied der Schwarzen in Nordamerika, im Gegensatz zu ihrem religiösen Lied, dem →Negrospiritual. Es war ursprünglich ein improvisiertes Lied, das vom Leben und den Problemen der Schwarzen handelte. Später entwickelte sich daraus auch eine instrumentale Musizierform, die eine entscheidende Rolle bei der Entstehung des Jazz spielte. Charakteristisch für den Blues sind die zwölftaktige **Bluesformel,** die sich in 3 viertaktige Teile gliedert, und die Verwendung der **Blue Notes** (Töne auf der erniedrigten 3., 5. und 7. Stufe der Tonleiter).

Blumen, einzelne, besonders auffallende →Blüten einer Pflanze und Pflanzen, die solche Blüten tragen.

Blut, aus roten und weißen Blutkörperchen, Blutplättchen und Blutplasma bestehende rote Körperflüssigkeit, die durch die Adern kreist. Die gesamte Blutmenge beim Menschen beträgt etwa 1/12 seines Körpergewichts. Das reicht aber nicht aus, um alle Gebiete des Körpers ständig bestmöglich zu versorgen. Als Ausgleich können beträchtliche Verschiebungen der Gesamtblutmenge stattfinden, um den Organen bei Bedarf genügend Blut zur Verfügung zu stellen; so sind z. B. die Gefäße des Magen-Darm-Kanals während der Verdauung besonders gut durchblutet. Nur die Gehirndurchblutung ist ziemlich gleich bleibend.

Das **Blutplasma** setzt sich aus Wasser, Salzen, Eiweißen, Nährstoffen (Zucker) und Abfallprodukten des Stoffwechsels zusammen. Zu den Eiweißen gehört auch das Fibrinogen. Hieraus entsteht unter Einwirkung eines Enzyms das Fibrin, das die Blutgerinnung einleitet.

Die **roten Blutkörperchen (Erythrozyten)** sind kernlos, scheibchenförmig und in der Mitte eingedellt. Sie enthalten den roten Blutfarbstoff, das **Hämoglobin.** Er bindet den Sauerstoff, transportiert ihn zum Gewebe und gibt ihn dort ab. Dafür nimmt er Kohlendioxid auf, das zur Lunge gebracht wird, damit es dort abgeatmet werden kann. In 1 mm^3 Blut sind etwa 5 Millionen rote Blutkörperchen enthalten; bei Frauen sind es weniger. Wenn die Energiereserven der roten Blutkörperchen nach etwa 120 Tagen aufgebraucht sind, gehen sie zugrunde und müssen im Knochenmark neu gebildet werden. Sehr viele Erkrankungen (z. B. Anämie) gehen mit Veränderungen von Menge, Größe und Form der roten Blutkörperchen einher.

Die **weißen Blutkörperchen (Leukozyten)** gehören dem Abwehrsystem des menschlichen Körpers an. 1 mm^3 Blut enthält etwa 6 000 bis 8 000 weiße Blutkörperchen. Man unterscheidet sie nach ihrer Größe, Färbbarkeit und Körnelung. Sie sind beweglich und können dadurch die Blutgefäße verlassen und in das Gewebe eindringen. Bakterien und Fremdkörper können von den Leukozyten einverleibt und mithilfe von Enzymen zersetzt werden. Im Gewebe bildet sich dann ein Eiterherd, der aus weißen Blutkörperchen und eingeschmolzenen Zellen besteht. Die kleinsten der weißen Blutkörperchen nennt man **Lymphozyten,** weil sie zum überwiegenden Teil in lymphatischen Organen (Lymphknoten) vorkommen; zum anderen Teil sind sie im strömenden Blut zu finden. Ihre Aufgabe liegt in der spezifischen Krankheitsabwehr als Vorläufer der Antikörper. Bei Entzündungen steigt die Zahl der weißen Blutkörperchen an.

Die **Blutplättchen (Thrombozyten)** beeinflussen die Blutgerinnung. Bei einer Verletzung sorgen sie für einen schnellen Wundverschluss, indem sie sich aneinander lagern. Dabei werden auch Substanzen freigesetzt, die die Gerinnung einleiten. Die Anzahl der Thrombozyten beträgt pro 1 mm^3 etwa 300 000.

Blüt

Bei starkem Blutverlust kann es notwendig werden Blut zu übertragen. Dabei muss aber das Blut des Spenders und das des Empfängers der passenden →Blutgruppe angehören.

Eine weitere Aufgabe des Blutes ist die ›Pufferung‹; hierdurch soll im Stoffwechsel ein Gleichgewicht von sauren und basischen Substanzen erhalten bleiben.

Blutdruck, der im Herzen und im Gefäßsystem herrschende Druck, also die Kraft, die auf die Gefäßwände einwirkt. Die Höhe des Blutdrucks ist nicht überall gleich, sondern nimmt in den kleinen Adern, besonders den Kapillaren (Haargefäßen), deutlich ab. Der Blutdruck unterliegt einem komplizierten Regelsystem und ist abhängig von der Schlagkraft des Herzens, von der Anzahl der Herzschläge, von der zirkulierenden Blutmenge und der Spannung (Tonus) der Gefäßwände. Besonders bei allen Lageveränderungen, z. B. sportlichen Tätigkeiten oder wenn man sich aus dem Liegen erhebt, muss sich der Blutdruck blitzschnell anpassen; er ändert sich aber auch bei Aufregung. Mithilfe einer Manschette, die um den Arm gelegt wird, lässt sich der Blutdruck messen. Dabei erhält man 2 Blutdruckwerte, den höheren systolischen (bei der Zusammenziehung des Herzens) und den niedrigeren diastolischen (bei der Entspannung des Herzens). Im Alter steigt der Blutdruck, weil die Gefäße nicht mehr so elastisch sind.

Blutegel, Würmer, die meist Blut saugen. Sie leben in Teichen, Tümpeln und Seen; in Deutschland sind sie selten geworden. Der bis zu 20 cm lange **Medizinische Blutegel** heftet sich mit dem Saugnapf seines hinteren Körperendes an Säugetieren und Fischen fest, setzt dann den vorderen Saugnapf auf die Haut und schneidet mit den sägeartig kleinen Zähnen eine Wunde. Dabei sondert er eine Flüssigkeit ab, die die Gerinnung des Blutes hemmt. Dadurch blutet die Wunde sehr lange. Blutegel werden bis zu 27 Jahre alt. Man setzte sie früher zur Blutentziehung ein (›Aderlass‹).

Blüten, Sprosse der Samenpflanzen zur Fortpflanzung. Alle Blüten sind nach dem gleichen Muster aufgebaut. Die männlichen und weiblichen Geschlechtszellen ruhen in umgewandelten Blütenblättern, die auf dem **Blütenboden** stehen. In der Mitte befinden sich die **Fruchtblätter** mit den Samenanlagen und in diesen die weiblichen Geschlechtszellen, die Eizellen. Bei den Nacktsamigen liegen die Samenanlagen frei auf dem Fruchtblatt, bei den Bedecktsamigen sind die Fruchtblätter zum **Fruchtknoten** verwachsen, in dem die Samenanlage ruht. Der Fruchtknoten trägt meist einen säulenförmigen **Griffel,** an dessen Spitze ein ›Köpfchen‹, die klebrige, oft behaarte **Narbe,** sitzt. Diese fängt die **Pollenkörner** auf, die von Wind, Wasser oder Insekten mitgebracht werden. Diesen Vorgang nennt man →Bestäubung. Aus dem Fruchtknoten entwickelt sich die →Frucht, die den →Samen enthält. Die **Pollenkörner,** auch **Pollen** oder **Blütenstaub,** worin sich die männlichen Geschlechtszellen befinden, reifen in den **Staubbeuteln** heran. Die Staubbeutel sitzen an dünnen **Staubfäden,** beide zusammen bilden die **Staubblätter,** auch **Staubgefäße,** die im Kreis um den **Stempel** stehen; dieser wird aus Fruchtknoten, Griffel und Narbe gebildet. Viele Blüten schließen sich bei schlechtem Wetter, um den Pollen vor Kälte und Feuchtigkeit zu schützen. Andere (z. B. Glockenblumen) sind so gebaut, dass der Pollen sicher und trocken aufbewahrt ist.

Einfache Blüten wie die der Gräser bestehen nur aus Staub- und Fruchtblättern. Sie werden durch Wind und Wasser bestäubt. Viele Blüten haben außerdem eine Blütenhülle, auch **Blütenkrone.** Diese Hülle schützt Staub- und Fruchtblätter und lockt durch Farbe, Form und Duft Insekten an, die auf der Suche nach →Nektar sind. Sie besteht meist aus derberen, grünen Kelchblättern und zarten, weißen oder farbigen Blütenblättern, auch Kronblätter genannt. Diese Hüllblätter können frei stehen oder verwachsen sein, zum Teil zu sehr komplizierten Gebilden wie beim Frauenschuh. Sie können alle die gleiche Form haben wie bei der Heckenrose oder unterschiedlich geformt sein (→Lippenblütler, →Schmetterlingsblütler). Die größte Blüte (1 m Durchmesser) besitzt die auf Sumatra heimische ›Riesenrafflesie‹.

Die für eine Pflanzenfamilie typische Anordnung der Blütenteile wird in einem **Blütendiagramm** dargestellt. Man sieht alle Teile im Querschnitt von oben betrachtet. Die Blüten stehen entweder einzeln am Ende eines Stängels oder ordnen sich zu →Blütenständen. Viele Blüten enthalten Staub- und Fruchtblätter, sie sind zwittrig. Manche haben nur Staubblätter (männliche Blüten), andere nur Fruchtblätter (weibliche Blüten). Befinden sich männliche und weibliche Blüten auf derselben Pflanze (›in einem Haus‹), nennt man diese **einhäusig** (z. B. Kiefer, Hasel, Mais). Trägt eine Pflanze nur männliche oder

Blütenformen

asymmetrisch (Hahnenfußgewächse)

strahlig (Nelkengewächse)

achsensymmetrisch (Schmetterlingsblütler)

achsensymmetrisch (Lippenblütler)

dreizählig (Liliengewächse)

achsensymmetrisch (Knabenkrautgewächse)

Blüten

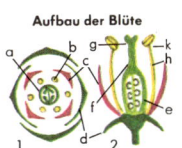

Aufbau der Blüte

Blüte

Blüte: 1 Blütengrundriss eines Kreuzblütlers; a Stempel, b Staubgefäße, c Blütenblätter, d Kelchblätter. 2 Blütenlängsschnitt; e Fruchtknoten, f Griffel, g Narbe, h Staubfaden, k Staubbeutel

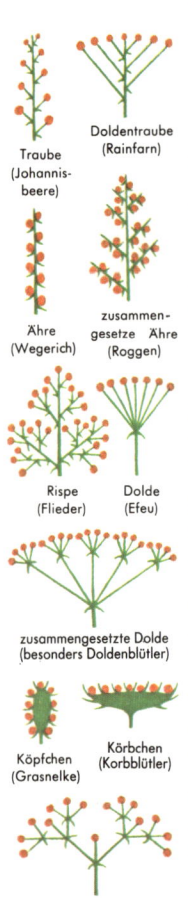

Blüt

nur weibliche Blüten, heißt sie **zweihäusig** (z. B. Weide, Eibe, Hopfen). Viele Blütenpflanzen pflanzen sich auch durch ungeschlechtliche Vermehrung (z. B. Ausläufer, Knollen) fort.

Blütenstand, Vereinigung mehrerer Blüten. Ein **einfacher** Blütenstand ist unverzweigt und trägt an der Hauptachse, der ›Spindel‹, nur die Blüten oder kurze Seitenachsen, die mit Blüten abschließen. Verzweigen sich die Seitenachsen weiter, so liegt ein **zusammengesetzter** Blütenstand vor. Reiche Verzweigung erhöht die Blütenzahl und verkleinert meist die einzelnen Blüten. Die bekanntesten einfachen Blütenstände sind **Traube** (Spindel gestreckt, Blüten gestielt), **Ähre** (Blüte sitzend), **Kolben** (Ähre mit fleischiger Achse, z. B. Aronstab), **Zapfen** (Ähre mit holziger Achse, z. B. Tannenzapfen), **Kätzchen** (hängende Ähre aus unscheinbaren Blütchen, die als Ganzes abfallen, z. B. Haselnusskätzchen). Das **Köpfchen** hat sitzende Blüten auf einer verkürzten kegelförmigen oder kolbigen Achse. Wird diese Achse scheibenförmig und trägt sie einen Hüllkelch, so entsteht ein **Körbchen**. Eine **Dolde** besteht aus einer Anzahl gestielter Blüten, die dicht gedrängt aus einer verkürzten Spindel entspringen. Die bekanntesten zusammengesetzten Blütenstände sind **Rispe** (zusammengesetzte Traube, das heißt an der Traubenspindel wiederum Trauben), **zusammengesetzte Ähre** (an einer Ährenspindel Ähren) und **zusammengesetzte Dolde** (anstelle der Einzelblüten einfache Dolden). Die **Scheindolde** (auch **Trugdolde**) ist ein zusammengesetzter Blütenstand, der einer Dolde ähnelt. Im Unterschied zur echten Dolde verläuft die Aufblühfolge nicht spitzenwärts, sondern von der Gipfelblüte zu den Randblüten.

Blütenstaub, der Pollen (→Blüten).

Bluterguss, eine Ansammlung von Blut im Gewebe, die sich als blaurote Verfärbung der Haut (›blauer Fleck‹) zeigt. Er entsteht meist bei Sportverletzungen, Knochenbrüchen oder Stürzen. Es kommt dabei zur Zerreißung von Gefäßen, sodass Blut in das Gewebe austreten kann. Man unterscheidet flächenhafte oder punktförmige Blutungen, die oberflächlich oder tief im Gewebe gelegen sein können. Bei den tief gelegenen Blutaustritten dauert es oft einige Tage, bis sie auf der Haut sichtbar werden. Das ausgetretene Blut wird im Laufe der Zeit abgebaut, was an der Farbänderung von Grün zu Braun und Gelb erkennbar ist. Einen Bluterguss unter der obersten Hautschicht nennt man **Blutblase**.

Blutgruppe, erbliches Unterscheidungsmerkmal im Blut aller Menschen. Die Blutgruppe kann aus dem Blut bestimmt werden. Es gibt die Blutgruppen 0 (Null), A, B und AB, wobei noch sehr viele Untergruppen (→Rhesusfaktor) unterschieden werden. Die Blutgruppen beruhen auf bestimmten Eigenschaften, die an die Oberfläche der roten Blutkörperchen geknüpft sind. Da sich ungleichartige Blutgruppen nicht miteinander vertragen und ihre Vermischung schwere Krankheitserscheinungen (Zerfall der Blutkörperchen, Blutungen) zur Folge hat, müssen sie vor der **Blutübertragung** bei Spender und Empfänger bestimmt werden. In der Rechtsmedizin dienen die Blutgruppen als Grundlage für den Nachweis von Vaterschaften. Während bei Schwangerschaften der Rhesusfaktor eine große Rolle spielt, sind es bei der Übertragung körperfremder Organe (Transplantation) mehr die an bestimmte weiße Blutkörperchen (Lymphozyten) gebundenen Eigenschaften des Blutes. Werden diese Merkmale nicht beachtet, stößt der Körper die eingepflanzten Organe ab.

Bluthund, eine Rasse der →Hunde.
Blutkörperchen, →Blut.
Blutkreislauf, das Strömen des Blutes durch die →Adern, angepasst an die Bedürfnisse des Organismus, z. B. Verdauung oder Schlaf, und

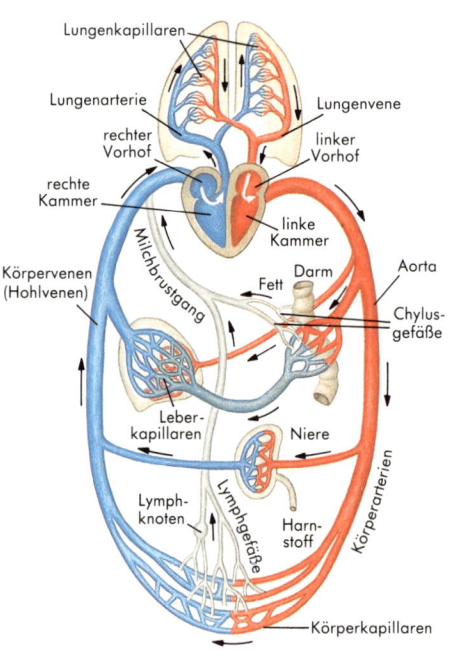

Blutkreislauf: Schematische Darstellung; blau = venöses Blut, rot = arterielles Blut

seine Aufgaben, z. B. Transport von Nährstoffen. Angetrieben wird dieser Umlauf des Blutes durch die regelmäßige Zusammenziehung und Erschlaffung des Herzens. Von der linken Herzkammer wird das Blut in den großen Blutkreislauf **(Körperkreislauf)** ausgeworfen. Auf diesem Weg werden das Gehirn, die Organe, die Arme und Beine versorgt. Über die →Venen kehrt das Blut zum Herzen zurück. Es erreicht hier über den rechten Vorhof die rechte Herzkammer, von wo es in den kleinen Blutkreislauf **(Lungenkreislauf)** gelangt. In der Lunge wird es mit Sauerstoff angereichert. Der Weg des Blutes führt jetzt wieder zum Herzen zurück. Nachdem es den linken Vorhof und die linke Kammer passiert hat, erreicht es die →Aorta und der Kreislauf beginnt von neuem.

Beim Kind im Mutterleib hat der Blutkreislauf einen anderen Verlauf; so fließt z. B. wenig Blut durch den Lungenkreislauf, da das Kind mit Sauerstoff und Nährstoffen aus dem mütterlichen Kreislauf versorgt wird.

Blutrache, Form der Vergeltung, die sich in menschlichen Gemeinschaften mit sehr einfachen Rechtsgrundsätzen findet. Sie war teilweise bis ins 20. Jahrh. hinein auf Sizilien und Korsika, in Montenegro, Albanien und im Kaukasus üblich. Bei Tötung oder Ehrverletzung eines Familienangehörigen ist die Sippe nach den ungeschriebenen Gesetzen der Blutrache verpflichtet den Schuldigen oder einen seiner Verwandten zu töten, was zu einer Kette von Gewalttaten führen kann.

Blutvergiftung, volkstümlich für **Sepsis** (Blutfäulnis). Dabei dringen aus einer entzündeten Wunde Krankheitserreger und deren Gifte in die Blut- und Lymphbahnen ein und überschwemmen den ganzen Körper. Es kommt zu einem Kampf zwischen den Abwehrkräften und den Erregern. Erste Anzeichen für eine Blutvergiftung sind hohes Fieber und Schüttelfrost. Die Patienten fühlen sich schwer krank. Im weiteren Verlauf kann es zu gefährlichen Herz- und Kreislaufstörungen kommen. Aus dem Blut des Kranken lassen sich die Erreger bestimmen, sodass man sie mit Medikamenten bekämpfen kann.

Blyton [blaitn]. Die englische Schriftstellerin **Enid Mary Blyton** (*1896, †1968) gehört zu den meistgelesenen Jugendbuchautorinnen. Unter ihren fast 400 Büchern gibt es Serien wie ›Hanni und Nanni‹, in der die turbulente Internatszeit eines Zwillingspaares beschrieben wird. Hauptsächlich aber schrieb Enid Blyton spannende Abenteuergeschichten, in denen Kinder Geheimnissen auf die Spur kommen und Verbrecher zur Strecke bringen. In Reihen wie ›Fünf Freunde‹, ›Die Schwarze Sieben‹ und ›Die Arnoldkinder‹ werden Kinder dargestellt, die klüger als die Erwachsenen sind und alle Gefahren bestehen.

BMX, Abkürzung für →Bicycle Motocross.

Bö, Böe, heftiger Windstoß, wie er besonders bei Schauern und Gewittern auftritt.

Boa constrictor, auch **Abgottschlange,** eine große ungiftige →Schlange.

Bobsport. Im schweizerischen Sankt Moritz kam im Winter 1889/90 der Engländer W. Smith auf den Gedanken, 2 Schlitten mit einem Sitzbrett so zu verbinden, dass man das Gefährt mit dem vorderen Schlitten lenken konnte. Er nannte seine Konstruktion ›Bob‹. Rasch hat sich daraus ein windschlüpfrig verkleideter, hinten offener Rennschlitten entwickelt. Die vorderen Kufen sind beweglich befestigt und werden über einen Seilzug gesteuert. Auf abschüssigen Eisbahnen, deren Kurven stark überhöht sind, werden mit Bobs Rennen gefahren, bei denen Geschwindigkeiten von über 100 km/h erreicht werden. Es gibt 2 Disziplinen mit jeweils 4 Läufen: Zweierbob (Steuermann und Bremser), Viererbob (Steuermann, Bremser und 2 Beisitzer). Es gilt, die bei internationalen Rennen mindestens 1 500 m lange Eisbahn in möglichst kurzer Zeit zu durchfahren. Seit 1924 ist der Bobsport olympische Disziplin.

Boccaccio [bokatscho]. Das ›Decamerone‹ (entstanden 1348–53), eine Sammlung von 100 ernsten und humorvollen Novellen, ist das Hauptwerk des italienischen Dichters **Giovanni Boccaccio** (*1313, †1375). Thema der 100 Geschichten, die sich 7 Damen und 3 Herren an 10 Tagen auf einem Landgut bei Florenz zur Zeit der Pest von 1348 erzählen, ist die Liebe. Das ›Decamerone‹, in dem die Freude am irdischen Leben zum Ausdruck kommt und damit eine Abkehr vom Lebensgefühl des Mittelalters vollzogen wird, wurde zum Vorbild vieler nachfolgender Novellensammlungen. Gemeinsam mit dem befreundeten italienischen Dichter Francesco Petrarca bemühte sich Boccaccio um die Wiederbelebung der lateinischen und auch der griechischen Studien. Er veranlasste die erste vollständige Übersetzung Homers ins Lateinische. Über den von ihm bewunderten Dante Alighieri schrieb Boccaccio eine Biographie.

Boccia [botscha], ein aus Italien stammendes Kugelspiel. Jede Spielpartei (2 oder 4 Spieler) er-

Bock

Bockkäfer:
OBEN Moschusbock,
UNTEN Pappelbock

hält 4 Spielkugeln, die in die Richtung einer kleineren ›Setzkugel‹ geworfen werden. Gespielt wird auf festen, 24 × 3 m großen Bocciabahnen. Gewonnen hat die Partei, deren Kugeln der Setzkugel am nächsten liegen. Es ist erlaubt die Kugel eines Mitspielers, die nahe der Setzkugel liegt, anzuschießen und möglichst wegzustoßen. Ähnliche, ebenfalls beliebte Freizeitspiele in Frankreich sind **Pétanque** und **Boule**.

Bock, das Männchen einiger Tierarten, die Hörner oder ein Geweih tragen (Gämsen, Rehe, Schafe, Ziegen), auch das Männchen der Kaninchen.

Bockkäfer, Käferfamilie mit rund 26 000 Arten; sie leben besonders in den Tropen und Subtropen, z. B. der südamerikanische **Riesenbockkäfer,** mit 16 cm Länge einer der größten Käfer. Charakteristisch sind die sehr langen Fühler, die z. B. beim heimischen **Zimmermannsbock** fünfmal so lang wie der Körper werden. Die Larven ernähren sich von Holz, die Käfer benagen Blüten, junge Triebe, Rinden und Nadeln. Daher gehören viele Bockkäfer zu den Schädlingen des Waldes.

Böcklin. Der schweizerische Maler **Arnold Böcklin** (*1827, †1901) verbrachte viele Jahre in Italien, wo er in Neapel und Pompeji auch die antike Malerei kennen lernte. Er malte hauptsächlich Landschaftsbilder, zunächst in dumpfen Tönen, später, unter dem Eindruck seiner Italienaufenthalte, in hellen, leuchtenden Farben. In seinen Landschaften sieht man häufig Ruinen, einsame Häuser sowie Gestalten der antiken Mythologie. Deshalb wirken seine Bilder oft märchenhaft oder geheimnisvoll, so das Gemälde ›Toteninsel‹ (1880; Basel, Kunstmuseum). Die antiken Götter, Halbgötter und Helden, die er auch in Figurenbildern darstellte, waren für Böcklin Sinnbilder der in der Natur wirkenden Kräfte.

Bodelschwingh, ein Adelsgeschlecht aus Westfalen, dem die Leiter der Bodelschwinghschen Anstalten in Bethel entstammen (→Bielefeld).

Bodenreform, Veränderung des Eigentumsrechts an Grund und Boden. Meist hat sie zum Ziel, landwirtschaftlich genutzten Boden neu zu verteilen (**Agrarreform**) und dabei eine gleichmäßigere Verteilung des Grundeigentums zu erreichen; das geschieht vor allem durch Enteignung von Großgrundbesitzern und Zuweisung des Landes an Kleinbauern und Landarbeiter. Dem gleichen Zweck soll die Umwandlung von Pacht in Eigentum dienen. Daneben soll besonders in den Entwicklungsländern die Agrarreform meist auch eine Steigerung der Ernteerträge bewirken. Dazu werden dort die Bauern über verbesserte Anbaumethoden unterrichtet, ihnen werden Maschinen, Saatgut und Düngemittel zur Verfügung gestellt oder sie erhalten günstige Kredite. Häufig schließen sie sich zu Genossenschaften zusammen.

Politisch und rechtlich ist besonders jene Art der Bodenreform umstritten, bei der die bisherigen Besitzer ohne Entschädigung (z. B. finanzieller Art) enteignet werden. Sie wird vor allem von den Anhängern des Marxismus (z. B. den Kommunisten) und anderer sozialrevolutionärer Lehren gefordert.

Die z. B. nach der Oktoberrevolution (1917) in der Sowjetunion und nach dem Zweiten Weltkrieg in der Deutschen Demokratischen Republik durchgeführte Bodenreform hatte zunächst das Ziel den Großgrundbesitz aufzuteilen. Später hat der Staat die so entstandenen kleineren bäuerlichen Betriebe zwangsweise zu Landwirtschaftlichen Produktionsgenossenschaften (LPG) zusammengefasst: Die Bauern wurden entschädigungslos enteignet, ihr Land wurde zu großen Betrieben zusammengelegt und von den Bauern gemeinsam bewirtschaftet.

Bodensee, nach der karolingischen Kaiserpfalz **Bodman** benannter größter deutscher See mit einer Fläche von 572 km². Angrenzende Länder sind neben Deutschland noch Österreich und die Schweiz. Der See ist bis zu 252 m tief und gliedert sich in das Hauptbecken im Osten, den **Obersee,** im Westen in den **Untersee** (mit der Insel Reichenau) und den **Überlinger See** (mit der Insel Mainau). Das milde Klima des Bodenseegebiets begünstigt Wein- und Obstbau und den Anbau von Frühgemüse. Die Ufer sind dicht besiedelt, in den Orten herrscht lebhafter Fremdenverkehr. Große Bedeutung hat der Bodensee für die Wasserversorgung des Hinterlands (Fernleitung nach Sankt Gallen und Stuttgart). Der Rhein durchfließt den auch als **Schwäbisches Meer** bezeichneten See und versorgt ihn ständig mit frischem Wasser.

Der Bodensee liegt in einer alten Kulturlandschaft mit zahlreichen Siedlungsspuren aus der Mittelsteinzeit. Meist aus der späteren Jungsteinzeit und der frühen Bronzezeit stammen die ›Pfahlbauten‹, die überwiegend im nordwestlichen Bereich des Sees liegen. Sie waren meist auf Moorgrund errichtet; es gab aber auch Pfahlbauten, die zeitweise oder ständig im Wasser standen.

Bogenschießen, Wettkampfsport mit Pfeil und Bogen, der bereits in der Antike aus dem Umgang mit Kriegs- und Jagdbogen erwuchs. Heute zählt es zu den olympischen Disziplinen. Damen und Herren tragen einen Vierkampf aus. Damen schießen dabei je 36 Pfeile auf eine 70, 60, 50 und 30 m entfernte Zielscheibe, Herren je 36 Pfeile über 90, 70, 50 und 30 m. Die Zielscheiben haben je nach Entfernung verschiedene Durchmesser (90–60 m: 1,22 m; 50–30 m: 80 cm). Auf der Scheibe sind 10 verschieden bewertete Ringe aufgebracht, wobei, vom Zentrum aus gesehen, jeweils 2 Ringe zu einer Farbzone zusammengefasst sind. Bei Weltmeisterschaften und Olympischen Spielen wird eine Doppelrunde des Vierkampfes mit 288 Pfeilen ausgetragen.

Bogotá, 3,97 Millionen Einwohner, Hauptstadt von Kolumbien in Südamerika.

Böhmen, Beckenlandschaft in der Tschechischen Republik, die von Gebirgen (Böhmerwald, Fichtel- und Erzgebirge, Sudeten, Böhmisch-Mährische Höhe) umgeben ist. Elbe, Moldau und Eger fließen durch die fruchtbare Landschaft, die bis 1918 zu Österreich-Ungarn gehörte. Danach bildete Böhmen mit der Hauptstadt Prag das Kernland der Tschechoslowakei, heute der Tschechischen Republik.

Böhmerwald, dicht bewaldetes Mittelgebirge im Grenzbereich Deutschlands, der Tschechischen Republik und Österreichs. Der Böhmerwald gliedert sich in den **Oberpfälzer Wald** im nördlichen Teil, den **Vorderen Wald** (→Bayerischer Wald) und den **Hinteren Wald.** Die höchste Erhebung ist mit 1 456 m der Große Arber.

Böhmflöte, von Theodor Böhm (*1794, †1881) verbesserte Form der →Querflöte.

Bohr. Der dänische Physiker **Niels Bohr** (*1885, †1962) gehört zu den herausragenden Physikern des 20. Jahrh. Das nach ihm benannte **Bohr-Atommodell,** das er 1913 entwickelte und das die Vorstellung vom Bau der Atome wesentlich verbesserte, war grundlegend für die weitere Entwicklung der Physik.

Bohrinsel. Erdöl- und Erdgaslagerstätten in küstennahen Meeresgebieten oder im offenen Meer (z. B. in der Nordsee) werden mithilfe von Bohrinseln erschlossen. Es handelt sich dabei um Plattformen mit fest stehenden Pfeilern oder auf Schwimmkörpern. Sie ruhen so hoch über der Meeresoberfläche, dass sie auch von den höchsten Wellen nicht erreicht werden. Bohrinseln ermöglichen die Ölsuche und -förderung in Wassertiefen bis zu 300 m.

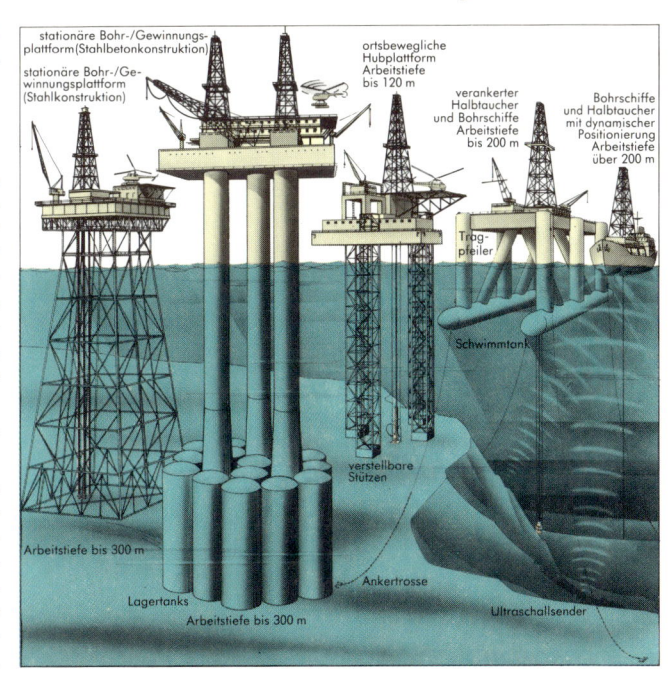

Bohrinseln

Bohrium, Zeichen **Bo,** Bezeichnung sowjetischer Forscher für das Element 105 (→chemische Elemente, ÜBERSICHT), das auch Unnilpentium, Hahnium und Nielsbohrium genannt wird.

Bohrturm, 30–40 m hohes Stahlgerüst, das das Bohrgestänge zum Niederbringen von Bohrungen nach Erdöl oder Erdgas trägt. Meist steht der Turm auf einer Arbeitsbühne, in die ein Drehtisch eingebaut ist. Durch ihn werden die Bohrmeißel an einem Bohrgestänge in kreisende Bewegung gebracht und dringen so in den Boden ein. Durch stetiges Verlängern des Bohrgestänges kann heute schon bis in Tiefen von mehr als 10 000 m gebohrt werden. Das zermahlene Gestein wird durch Wasser aus dem Bohrloch herausgespült. Trifft der Bohrkopf auf ein Erdöl- oder Erdgaslager, so verhindern Gummidichtungen am Gestänge das Austreten des nach oben strömenden Öls oder Gases. (BILD Seite 145)

Bojar, im mittelalterlichen Russland der Gefolgsmann des Fürsten, der aufgrund seines ererbten Besitzes auch politischen Einfluss besaß. Die Bojaren bildeten eine Adelsschicht, die besonders von →Iwan IV., dem Schrecklichen, grausam bekämpft wurde. Später war Bojar nur

Boje

noch der höchste russische Adelstitel; dieser wurde von Peter dem Großen abgeschafft.

Boje, verankerter, tonnenförmiger Schwimmkörper aus Stahl oder Kunststoff, der für die Schifffahrt Fahrrinnen kennzeichnet.

Bolívar. Der südamerikanische General und Staatsmann **Simón de Bolívar** (*1783, †1830) gilt bis heute als Befreier des nördlichen Südamerika von der spanischen Herrschaft. Nach ihm ist die Republik →Bolivien benannt. Bolívar erstrebte die Einigung aller ehemals spanischen Kolonien Südamerikas zu einem Staatenbund. Er war 1819–30 Präsident von Großkolumbien, das die späteren Republiken Ecuador, Kolumbien, Venezuela und Panama, vorübergehend auch Bolivien und Peru, umfasste. 1830 musste Bolívar abdanken. Der von ihm geschaffene Staatenbund zerfiel rasch.

Bolivien
Fläche: 1 098 581 km²
Einwohner: 7,524 Mio.
Hauptstadt: Sucre
Regierungssitz: La Paz
Amtssprachen: Spanisch, Ketschua, Aimara
Nationalfeiertag: 6. 8.
Währung: 1 Boliviano (Bs) = 100 Centavos (c)
Zeitzone: MEZ – 5 Stunden

Bolivien

Staatswappen

Staatsflagge

Bolivien, Staat im Westen Südamerikas, eine Republik. Das Land ist dreimal so groß wie Deutschland. Es hat im Westen Anteil am Hochgebirge der Anden, das hier seine größte Breite erreicht. Die höchsten Berge sind Sajama (6 520 m) und Illampu (6 550 m). Der Osten Boliviens ist tropisches Tiefland. Zwischen den beiden Hauptketten der Anden liegt das ausgedehnte Hochland des Altiplano, ein abflussloses Becken zwischen 3 600 und 4 000 m Höhe.

Auf der Hochebene fallen nur geringe Niederschläge. Nach Süden hin wird das Land zunehmend trockener. Mehr als die Hälfte der Bevölkerung sind Indios; nur etwa jeder Achte ist ein Nachkomme der spanischen Eroberer. Fast alle Bolivianer sind katholisch.

Am dichtesten ist das Hochland besiedelt. Hier betreiben die Indios eine wenig ertragreiche Landwirtschaft mit dem Anbau von Weizen, Gerste, Kartoffeln und Mais. In den tiefer gelegenen, heißeren Gebieten werden Zuckerrohr, Baumwolle und Kaffee angebaut. Wichtig ist auch die Tierzucht, vor allem Lamas und Alpakas, die Wolle liefern und zum Tragen von Lasten benutzt werden.

Der Bergbau spielt für die Ausfuhr eine große Rolle. Bolivien ist einer der wichtigsten Zinnproduzenten der Erde. Daneben werden Blei, Zink, Kupfer, Silber und weitere Erze abgebaut.

Geschichte. Das heutige Bolivien gehörte zum Inkareich und wurde 1538 von den Spaniern erobert. Besonders die Silbervorkommen von Potosí wurden von Spanien ausgebeutet. 1825 erkämpfte die Bevölkerung die Unabhängigkeit und nannte das Land nach dem südamerikanischen Freiheitshelden Simón de Bolívar. Als Bundesgenosse Perus nahm Bolivien 1879/80 am Krieg gegen Chile teil. Dabei verlor es den Zugang zum Pazifischen Ozean. 1977 erhielt Bolivien einen kleinen Streifen Land von Chile, um seine Güter auf dem Seeweg ein- und ausführen zu können. (KARTE Band 2, Seite 197)

Böll. Der Schriftsteller **Heinrich Böll** (*1917, †1985) schrieb anfangs Romane und Erzählungen über die Zeit des Nationalsozialismus, den Krieg und die Nachkriegszeit. Realistisch schildert er die seelischen und wirtschaftlichen Nöte des Menschen. Ein Beispiel hierfür ist sein Antikriegsroman ›Wo warst du, Adam?‹ (1951). In späteren Werken kritisiert er bestimmte Züge der Gesellschaft wie Wohlstandsdenken, Angepasstheit (Konformismus), Oberflächlichkeit und Heuchelei und setzt sich mit der katholischen Kirche auseinander (z.B. ›Ansichten eines Clowns‹, 1963). Seine Sympathie gilt einfachen Menschen und unbürgerlichen Außenseitern. In der Erzählung ›Die verlorene Ehre der Katharina Blum‹ (1974) greift er die Sensationspresse an. Die Gesellschaft vor, in und nach dem Zweiten Weltkrieg stellt er in ›Gruppenbild mit Dame‹ (1971) dar. Außer Romanen und sachlich-strengen Kurzgeschichten hat Böll Satiren und zahlreiche Hörspiele geschrieben, war als Übersetzer tätig und nahm zu politischen Fragen Stellung. 1972 erhielt er den Nobelpreis für Literatur.

Bologna [bolọnja], 411 800 Einwohner, Stadt in Norditalien am Nordrand des Apennins. Die 1119 gegründete Universität ist die älteste Europas.

Bolschewiki, der von →Lenin geführte Flügel der russischen Sozialdemokratie. Nach einem Abstimmungssieg auf dem Parteitag von 1903 nannten sich die Anhänger Lenins ›Mehrheitler‹ (russisch ›Bolschewiki‹) und hoben sich dabei bewusst von den Unterlegenen, den ›Minderheitlern‹ (russisch ›Menschewiki‹) ab. Die Bolschewiki behielten diese Bezeichnung als Beinamen auch später bei, nachdem sie sich zu einer selbstständigen Partei, der ›Kommunistischen Partei‹ entwickelt hatten. Von ihm leitet sich der Begriff **Bolschewismus** als Bezeichnung für die Ideen und Ziele der russischen Kommunisten ab.

Bombardon [bõbardõ, französisch], die in der Militärmusik benutzte Bass- oder Kontrabasstuba.

Bombay [bọmbeh], 9,9 Millionen Einwohner, zweitgrößte Stadt (nach Kalkutta) und bedeutendster Hafen in Indien. Der Kern der Stadt liegt auf einer Insel vor der Westküste; um ihn herum ziehen sich auf dem Festland große Slumgebiete (Elendsviertel) und Industriezonen. Die Stadt beherbergt die größte Baumwollbörse Indiens. Bei Bombay steht der erste indische Kernreaktor.

Bọmbe [von griechisch bombos ›dumpfes Geräusch‹], vom 15. bis 19. Jahrh. ein eiserner Hohlkörper mit Sprengladung und Zünder. Diese Bomben, Vorläufer der heutigen Artilleriegranaten (→Granate), wurden aus den Geschützen der Artillerie verfeuert. Heute versteht man unter Bombe sowohl eine Sprengladung als auch die Fliegerbombe, die von Kampfflugzeugen abgeworfen wird. Die **Fliegerbombe** ist ein Metallhohlkörper, der mit Splittern und Sprengstoff oder mit brennbarem Material gefüllt ist.

Bonaparte [bonapart, französisch], Familienname des französischen Kaisers →Napoleon I. Die Familie stammt aus dem oberitalienischen Ligurien und kam im 16. Jahrh. nach Korsika. Sie schrieb sich italienisch **Buonaparte.**

Bọngo, lateinamerikanisches Trommelinstrument, das mit der flachen Hand oder den Fingerspitzen geschlagen wird. Der Tonkörper ist zylinderförmig, oben mit Fell bespannt und unten offen. Bongos werden meist paarweise in verschiedener Tonhöhe verwendet.

Bonifạtius, ursprünglich **Winfried,** angelsächsischer Benediktinermönch, dessen Lebenswerk die Verbreitung des Christentums unter den Germanen im deutschen Raum war; er erhielt deshalb den Beinamen **Apostel der Deutschen.** 672 oder 673 im heutigen England geboren, kam er 716 nach Deutschland. Der Papst weihte ihn 722 zum Bischof und ernannte ihn 732 zum Erzbischof für Deutschland. Bonifatius gründete mehrere Klöster, unter anderem 744 das Kloster Fulda. 747 erhielt er das Bistum Mainz. Auf einer Missionsreise durch Friesland wurde er 754 von Anhängern des alten Götterglaubens erschlagen. Sein Grab befindet sich im Dom zu Fulda.

Bọnn, 294 300 Einwohner, Regierungssitz der Bundesrepublik Deutschland seit 1949, auch Sitz

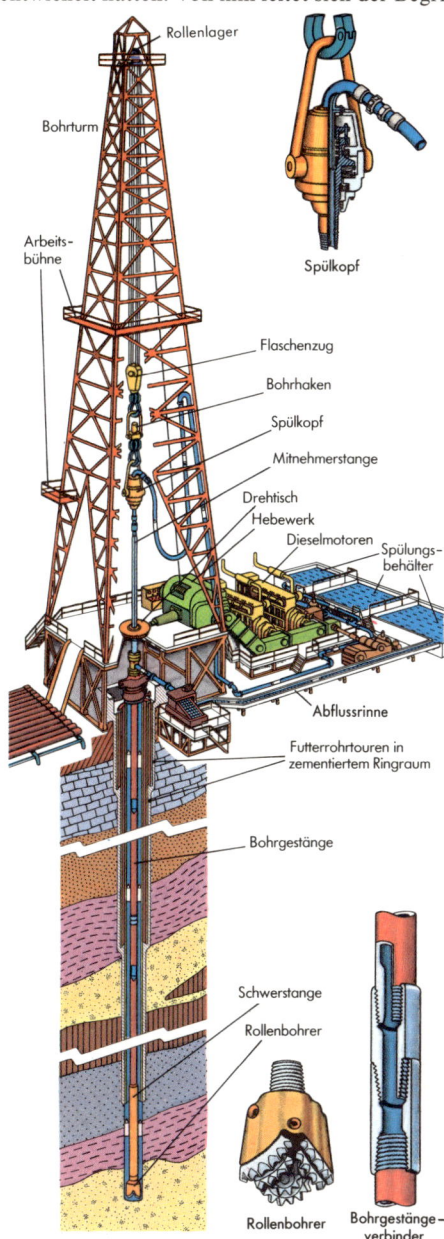

Bohrturm: Drehbohranlage (Rotaryverfahren)

Bongo

Bons

von Bundestag und Bundesrat (bis zur Verlegung nach Berlin). Die Stadt liegt in Nordrhein-Westfalen nordwestlich des Siebengebirges am Rhein. Sehenswert sind das Geburtshaus Beethovens und das ehemalige Stadtschloss, in dem heute die Universität untergebracht ist.

Bonsais, in kleine Gefäße gepflanzte Zwergbäume, die die Formen des natürlichen Baumes verkleinert wiedergeben. Dabei ist die Schönheit des Baumes und seine Harmonie mit dem Gefäß entscheidend. Die Bonsaikunst kam vor mehr als 1 000 Jahren in China auf und wurde später in Japan weiterentwickelt. Hier werden ganze Miniaturlandschaften aus verschiedenen Baumarten zusammengestellt, die im Sommer blühen und im Winter kahl sind. Bonsais wurden Gegenstand der Verehrung und Meditation.

Boom [bum], englische Bezeichnung für eine Belebung der Gesamtwirtschaft oder eines einzelnen Wirtschaftszweiges, z. B. Aufschwung in der Automobilindustrie.

Boot, kleines Wasserfahrzeug ohne größeren Aufbau. Boote können aufblasbar, faltbar oder starr sein. Sie werden aus Stahl, Leichtmetall, Kunststoff, Holz oder gummiertem Segeltuch hergestellt. Angetrieben werden sie entweder durch Paddel, Ruder, Segel oder einen Motor. Die Urform des Bootes ist der **Einbaum,** der aus einem ausgehöhlten Stamm besteht. Bei der **Piroge** ist die Bordwand des Einbaums durch Planken erhöht. Besteht ein Boot nur aus zusammengefügten Einzelbrettern, spricht man von einem **Bretter-** oder **Plankenboot.**

In Gebieten, in denen es keine geeigneten Bäume zum Bau von Einbäumen gab, wurde die Bootswandung aus Tierhäuten **(Fellboot)** oder Baumrinde **(Rindenboot)** gefertigt und über einen Holzrahmen gezogen. **Korbboote** stellte man aus einem Korbgeflecht her, das mit Erdpech abgedichtet wurde. Viele dieser schon vor Tausenden von Jahren bekannten Bootstypen werden bis in unsere Zeit verwendet. In Südamerika z. B. stellen die Indios noch heute ihre Boote aus Schilfbündeln her. **Auslegerboote** sind in Ozeanien (z. B. Hawaii), Indonesien und auf den Philippinen verbreitet. Es sind schmale Boote mit einem oder 2 Schwimmbalken (Auslegern), die durch Stangen am Boot befestigt sind; sie verhindern, dass die Boote kentern.

Bor, Zeichen B, nichtmetallisches →chemisches Element (ÜBERSICHT). Es wird zur Herstellung von Halbleitern sowie von **Boriden** verwendet; diese dienen z. B. als Schleifmittel und hoch temperaturbeständige Werkstoffe. Bor ist ein wichtiges natürliches Spurenelement. **Borwasser** ist eine 3- bis 4-prozentige Borsäurelösung, die als keimtötendes Mittel angewendet wurde.

Bordcomputer [bɔrdkɔmpjuhter], Rechenanlagen, die überwiegend in Luft- oder Raumfahrzeugen eingesetzt werden. In sehr kurzen Zeitabständen erfassen sie alle für die Navigation erforderlichen Daten und werten sie aus. Damit soll die Flugzeugbesatzung von Routineaufgaben entlastet werden. In besonderen Situationen, die den Piloten unter Umständen überfordern, können Bordcomputer auch Überwachungs- und Flugregelungsaufgaben übernehmen.

Immer häufiger findet man Bordcomputer auch in Kraftfahrzeugen zur Unterstützung des Fahrers. Sie nehmen Motor-, Fahr- und Verbrauchsdaten auf und werten sie aus, sodass sich der Fahrer über den aktuellen Stand des Benzinverbrauchs, die durchschnittliche Fahrgeschwindigkeit und andere Daten informieren kann.

Borgia [bɔrdʃa], Adelsgeschlecht, das im 15. Jahrh. aus Spanien nach Italien kam und die Päpste Calixtus III. und Alexander VI. stellte. **Cesare Borgia** (*1475, †1507), der Sohn Alexanders VI., war Erzbischof und Kardinal, dann Herzog von Valence und eroberte als ›Gonfaloniere‹ (›Bannerträger‹, das heißt Beschützer) der Kirche Gebiete in Mittelitalien. Nach einem wechselvollen Schicksal fiel er im Kampf. Seine Schwester **Lucrezia Borgia** (*1480, †1519) förderte als Herzogin von Ferrara Dichter und Gelehrte. Ihr schlechter Ruf beruht auf Verleumdung.

Borke, ein Teil der pflanzlichen Rinde (→Stamm).

Borkenkäfer. Löst man im Wald von einer Fichte oder Kiefer ein Stück Rinde ab, so kann man häufig viele kleine, runde Löcher erkennen. Es sind die Fluglöcher des winzigen, braunen Borkenkäfers. Die Fraßgänge der Larven sind auf der Innenseite der Rinde und darunter auf dem Stamm deutlich zu sehen. Borkenkäfer können bei starkem Befall auch gesunde, erwachsene Bäume zum Absterben bringen, da sie die Saft führende Rindenschicht zerstören. Sie richten so im Wald großen Schaden an. Natürliche Feinde sind vor allem die Spechte. Heute stellt man auch spezielle Fallen auf. Jede Art der Borkenkäfer hat charakteristische Fraßbilder, z. B. der **Buchdrucker,** mit 5,5 mm der größte heimische Borkenkäfer, dessen Fraßbild an Druckzeilen erinnert.

Borretsch, →Gewürzpflanzen.

Borkenkäfer:
OBEN Buchdrucker;
UNTEN Fraßbild des Buchdruckers

Börse, der Ort, an dem sich regelmäßig Händler und Kaufleute treffen, um Geschäfte mit Wertpapieren **(Wertpapier-** oder **Effektenbörse),** Geld **(Devisenbörse)** oder bestimmten Waren, meist Rohstoffen wie Baumwolle, Kupfer, Weizen **(Produkten-** oder **Warenbörse),** abzuschließen. Die Börse entwickelte sich aus der ›Burse‹, dem Versammlungsraum der Zünfte im Mittelalter, benannt nach ›Van der Burse‹, einem Haus in der belgischen Stadt Brügge; hier trafen sich regelmäßig Kaufleute, um über Geschäfte zu sprechen und Nachrichten auszutauschen. Die bekannteste deutsche Wertpapier- und Devisenbörse ist in Frankfurt am Main.

Borstentiere, in der Umgangssprache die →Schweine.

Bosch. Der niederländische Maler **Hieronymus Bosch** (*um 1450, †1516), der eigentlich **van Aken** hieß, schuf viele religiöse Bilder, in denen er mit grausamer Phantasie und bösem Witz z. B.

Hieronymus Bosch: Ausschnitt aus dem rechten Seitenflügel des Triptychons ›Der Garten der Lüste‹ (1503–04; Madrid, Prado)

die Höllenstrafen bis ins Einzelne ausmalte oder das Jüngste Gericht und die Todsünden auf abschreckende Weise vorführte. Die Bildszenen zeigen bösartige, spukhafte Fabelwesen von seltsamer Teufels- oder Tiergestalt, die die Menschen quälen und martern. Diese Fabelwesen geben auch heute noch Rätsel auf. Es gibt widerstreitende Meinungen darüber, was der Künstler mit diesen Bildern ausdrücken wollte. Er wurde sogar verdächtigt ein Ketzer gewesen zu sein. Bosch gilt auch als Ahnherr der niederländischen Landschaftsmalerei, die sich im 17. Jahr. voll entfaltete.

Bosni|en und Herzegowina, Staat in Südosteuropa, eine Republik. Das Land ist etwas

Bosnien und Herzegowina
Fläche: 51 129 km²
Einwohner: 4,366 Mio.
Hauptstadt: Sarajevo
Amtssprache: Bosnisch
Nationalfeiertag: 29. 2. bzw. 1. 3.
Währung: Bosnisch-Herzegowinischer Dinar (BHD)
Zeitzone: MEZ

größer als Niedersachsen. Mit Ausnahme des Anteils an der Savenniederung, einem fruchtbaren Acker- und Obstbauland im Norden, wird Bosnien und Herzegowina von Gebirgsland eingenommen. Bosnien wird von kontinentalem, die Herzegowina von mediterranem Klima bestimmt. Die Bevölkerung besteht zu etwa 45% aus Bosniaken (Muslime), zu 30% aus orthodoxen Serben und zu 17% aus römisch-katholischen Kroaten.

Hauptanbaufrüchte der Landwirtschaft sind Mais, Weizen, Kartoffeln und Tabak. Das Land ist reich an Bodenschätzen (Eisen, Kohle, Salz, Bauxit) und an Wasserkraft.

Das Gebiet gehörte seit 9 n. Chr. zur römischen Provinz Dalmatien. In den folgenden Jahrhunderten stritten sich das Oströmische Reich, Serben, Kroaten und Ungarn um das im 14. Jahrh. selbstständige Reich. Nach der Eroberung durch die Osmanen (seit 1463) orientierte sich das Land stärker an der islamischen Kultur. Die Aneignung durch Österreich führte 1908 zu einer Krise, die nach dem Attentat von Sarajevo im Ersten Weltkrieg mündete. Seit 1918 im neu gegründeten Königreich Jugoslawien, bildeten Bosnien und Herzegowina nach 1946 eine Teilrepublik Jugoslawiens. 1992 erklärte Bosnien und Herzegowina seine Unabhängigkeit, was zum Bürgerkrieg zwischen den kroatischen und muslimischen Teilen der Bevölkerung sowie serbischen Verbänden führte. 1994 einigten sich die kroatischen und muslimischen Bevölkerungsteile auf einen gemeinsamen Bundesstaat. Am 12. 10. 1995 unterzeichneten Bosnien und Herzegowina, Kroatien und Jugoslawien einen Friedensvertrag, der die staatliche Einheit und Souveränität des Landes wahrt. (KARTE Band 2, Seite 201)

Botanik [zu griechisch botanikos ›Kräuter betreffend‹], **Pflanzenkunde,** die Wissenschaft von Pflanzen. Sie ist ein Teilgebiet der Biologie.

botanischer Garten, große Gartenanlage mit oft mehreren Tausend Pflanzenarten. Diese

Bosnien und Herzegowina

Staatswappen

Staatsflagge

Bots

sind nach ihrer verwandschaftlichen Beziehung geordnet und dienen der Forschung und dem Unterricht. In vielen botanischen Gärten werden auch natürliche Biotope und Lebensgemeinschaften von Pflanzen nachgebildet, z. B. in den **Alpengärten,** die man in vielen Orten der Alpenländer findet.

Botswana

Fläche: 581 730 km²
Einwohner: 1,313 Mio.
Hauptstadt: Gaborone
Amtssprachen: Englisch, Tswana
Nationalfeiertag: 30. 9.
Währung: 1 Pula (P) = 100 Thebe (t)
Zeitzone: MEZ + 1 Stunde

Botswana

Staatswappen

Staatsflagge

Botswa̱na, Binnenstaat im südlichen Afrika, eine Republik. Das Land ist doppelt so groß wie Italien und umfasst den größten Teil der Kalaharisteppe. Es besitzt ein trockenes und heißes Klima, mit hohen Temperaturschwankungen im Winter. Der größte Teil Botswanas wird von Dornbuschsteppe bedeckt.

Die Bevölkerung besteht überwiegend aus Bantus und konzentriert sich im Südosten, wo Ackerbau möglich ist. In der Steppe leben noch etwa 20 000 nichtsesshafte Buschmänner als Jäger und Sammler.

Wichtigster landwirtschaftlicher Erwerbszweig ist die Viehzucht. Mehr als 3 Millionen Rinder liefern Fleisch und Felle für den Export. Botswana ist der größte Fleischlieferant Afrikas. Die größte wirtschaftliche Bedeutung hat der Bergbau. Wichtigstes Ausfuhrgut sind Diamanten. Außerdem werden Kupfer, Nickel, Mangan und Steinkohle abgebaut. Der Fremdenverkehr gewinnt an Bedeutung; Hauptanziehungspunkte sind die 8 National- und Wildparks.

In der 2. Hälfte des 19. Jahrh. errichtete der Brite Cecil Rhodes eine britische Schutzherrschaft über das von Bantuvölkern bewohnte Gebiet. 1966 erhielt das Land die Unabhängigkeit von Großbritannien. (KARTE Band 2, Seite 194)

Botticelli [botitsche̱li]. Der italienische Maler **Sandro Botticelli** (*1445, †1510), eigentlich **Alessandro di Mariano Filipepi,** ein gelernter Goldschmied, kam erst durch die Schüler des Florentiner Malers und Karmelitermönch Fra Filippo Lippi zur Malerei. Eines seiner Hauptwerke ist eine sinnbildliche Darstellung (Allegorie) des Frühlings (um 1478), auf der Venus als Frühlingsgöttin zu sehen ist, bei ihr die Blumengöttin Flora und der Windgott Zephir, außerdem die tanzenden Grazien und der Gott Merkur. Über ihnen fliegt der Liebesgott Amor und schießt seine Pfeile ab. Im selben Saal der Uffizien (Museum in Florenz) hängt das Gemälde ›Geburt der Venus‹. Wie auf diesen Bildern malte Botticelli oft Figuren der antiken Göttersage, aber auch viele Madonnen. Wirklichkeitsnähe und große Schönheit der Gestalten zeichnen seine Bilder aus; er gilt als bedeutender Maler der →Renaissance.

Bourbonen [burbo̱nen], französisches Herrscherhaus, das 1589 mit Heinrich von Navarra (Heinrich IV.) auf den französischen Thron kam und bis zur Französischen Revolution (Absetzung Ludwigs XVI. 1792) sowie 1814/15–48 regierte. Der letzte französische König Louis Philippe (1830–48) entstammte der bourbonischen Nebenlinie Orléans.

1700 gelangte ein Enkel des französischen Königs Ludwig XIV., Philipp von Anjou, als Philipp V. auf den spanischen Thron. Er wurde zum Stammvater der spanischen Bourbonen. Auch der seit 1975 amtierende König Juan Carlos entstammt diesem Hause. Nebenlinien regierten in Neapel-Sizilien und Parma-Piacenza.

Bourgeoisie [burschoasi̱, von französisch bourgeois ›Bürger‹], ursprünglich, vor allem im Französischen, die wohlhabende städtische Bürgerschaft; heute versteht man darunter das Bürgertum im Gegensatz zum Proletariat (→Proletarier). Nach der Geschichtsauffassung von Karl Marx ist die Bourgeoisie die führende ›Klasse‹ der kapitalistischen Gesellschaft; zwischen ihr und dem Proletariat bestünden unüberbrückbare Gegensätze, die durch eine ›proletarische Revolution‹ überwunden werden sollten.

Bowdenzug [ba̱udenzug], nach dem englischen Industriellen Sir H. Bowden benanntes Drahtseil, das in einem Metallschlauch verschiebbar ist und bei Hebelbetätigung zur Übertragung von Zugkräften dient. Bowdenzüge werden z. B. als Bremsseil an der Handbremse von Fahrrädern verwendet, in Kraftfahrzeugen als Öffnungsvorrichtung für die Motorhaube. Beim **Flexballzug** wird statt des Drahtes eine dünne Stahlschiene eingezogen, mit der auch Druckkräfte übertragen werden können.

Boxen, ein überwiegend von Männern ausgetragener Faustzweikampf, der mit gepolsterten Handschuhen ausgeführt wird. Schläge sind auf alle vorderen Teile des Körpers, einschließlich des Kopfes, oberhalb der Gürtellinie gestattet. Es gilt, den Gegner mit korrekten Schlägen zu treffen und gegnerische Schläge möglichst zu vermeiden. Sieger ist, wer den Gegner kampfunfähig geschlagen oder die höhere Punktzahl erreicht hat. Über die Punktzahl entscheiden Punktrichter, die Boxtechnik und regelgerechtes Verhalten der beiden Boxkämpfer durch Punkte bewerten. Ein Sieg ist auch durch Knock-out (K.-o.-Sieg) möglich. Ein K.-o.-Sieg liegt dann vor, wenn der Gegner niedergeschlagen wird und der Ringrichter mit jeweils einer Sekunde Abstand bis 10 zählt, ohne dass sich der niedergeschlagene Gegner wieder erhoben hat. Ein Sieg kann auch durch Abbruch des Kampfes wegen Unterlegenheit oder Verletzung eines Boxers (technischer K.-o.) oder durch Disqualifizierung wegen schwerer Regelverstöße gegeben sein. Schwere Regelverstöße liegen vor, wenn mit Kopf, Armen oder Beinen gestoßen, getreten oder auf verbotene Körperpartien geschlagen wird. Die Einhaltung der Regeln wird vom Ringrichter überwacht.

Geboxt wird im Boxring, der 4,10 × 4,10 m groß und ringsum durch straff gespannte Seile begrenzt ist. Boxer tragen leichte, halbhohe Schnürschuhe, kurze Hosen und ein ärmelloses Leibchen. Berufsboxer boxen mit freiem Oberkörper. Die gepolsterten, ledernen Boxhandschuhe haben bei den Amateuren ein Gewicht von 8 Unzen (228 g). Die Boxhandschuhe der Berufsboxer sind leichter, die Schläge damit härter. Die Kampfdauer beträgt heute bei den Amateuren, bei Jugendlichen und Junioren 3 Runden zu je 2 Minuten, bei den Senioren 3 Runden zu je 3 Minuten. Bei den Berufsboxern kann ein Kampf bis zu 15 Runden zu je 3 Minuten dauern. Da Boxkämpfe nur zwischen annähernd gleich schweren Gegnern zugelassen werden, gibt es bei den Amateuren wie bei den Berufsboxern eine Einteilung in →Gewichtsklassen.

Der Boxsport gehört zum olympischen Programm und ist eine sehr alte Sportart. Schon bei den Griechen wurden Boxkämpfe als sportliche Wettbewerbe ausgetragen. Der kürzeste Boxkampf, der je ausgetragen wurde, dauerte 1957 in Wales 10 Sekunden; der längste Kampf fand 1893 in den USA statt (7 Stunden, 19 Minuten).

Boxer, eine Rasse der →Hunde.

Boxermotor, Form des →Verbrennungsmotors, bei dem die Zylinder einander flach gegenüberliegen und die Pleuelstangen, vergleichbar nacheinander schlagenden Fäusten zweier Boxkämpfer, abwechselnd die Kurbelwelle antreiben. Boxermotoren beanspruchen nur geringe Einbauhöhe und sind deshalb als Unterflurmotoren (unter dem Karosserieboden eingebaute Motoren) für Kraftfahrzeuge geeignet. Auch für leichte Flugmotoren ist die flache Bauweise vorteilhaft.

Bozen, 100 400 Einwohner, Stadt in Südtirol in Italien, liegt im Etschtal und ist der politische Mittelpunkt der mehrheitlich deutsch sprechenden Bevölkerung in der Provinz Bozen.

Brachiopoden, deutsch **Armfüßer,** muschelähnliche Meerestiere, die mit einem Stiel auf festem oder schlammigem Meeresboden fest sitzen. Sie haben je eine kalkige Rücken- und Bauchschale. Ihre Mundöffnung ist mit spiralig eingerollten, bewimperten Armen besetzt, mit denen sie Nahrung (Plankton) herbeistrudeln. Im Erdaltertum waren diese Tiere sehr häufig, heute gibt es nur noch wenige Arten.

Brachvogel. Der **Große Brachvogel** ist ein den →Schnepfen verwandter Vogel.

Brahma [zu altindisch brahman ›Gebet‹, ›Zauberformel‹], in den alten indischen Religionen, vor allem im →Hinduismus der Schöpfer und Lenker der Welt. Dargestellt wird er mit 4 Köpfen und 4 Armen auf einem Schwan oder einer Lotosblume sitzend.

Brahmaputra, wasserreicher, rund 3 000 km langer Strom in Südasien. Er entspringt an den nördlichen Abhängen des Himalaya in rund 6 000 m Höhe und fließt im Oberlauf, wo er auch **Tamchok, Matsang** und **Tsangpo** genannt wird, weit nach Osten. Dann wendet er sich nach Süden und durchbricht als **Dihang** das gewaltige Gebirge des Osthimalaya. Im Mittellauf, in der fruchtbaren Ebene von Assam (Nordostindien), wendet sich der Brahmaputra nach Westen, bevor er in Bangladesh zusammen mit dem Ganges in den Golf von Bengalen mündet.

Brahms. Bereits im Alter von 10 Jahren trat der Komponist **Johannes Brahms** (*1833, †1897) als Pianist öffentlich auf. Er unternahm mehrere Konzertreisen, die zu den entscheidenden Begegnungen mit dem Geiger Joseph Joachim sowie mit Robert und Clara Schumann führten. 1862 siedelte er nach Wien über. Auf zahlreichen Reisen trat er als Dirigent eigener Werke auf. In seinen Kompositionen verbinden sich die Stil- und Ausdrucksmittel seiner Zeit mit denen der Klassik und des Barock. Sie zeigen sangliche Melodik und Reichtum in Rhythmik und Harmonik. Die Kammermusik und das strophische Lied haben bei Brahms zentrale Bedeutung. Außerdem schrieb er Sinfonien, Klavierwerke und das Chorwerk ›Ein Deutsches Requiem‹ (1868).

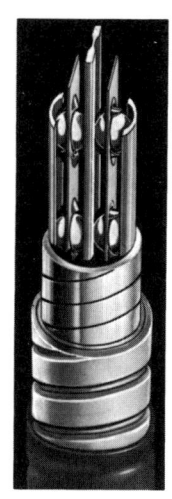

Bowdenzug: Aufbau eines Flexballzugs

Johannes Brahms

149

Bran

Brandenburg

Brandenburg Landeswappen

Fläche: 29 476 km²
Einwohner: 2 543 000
Hauptstadt: Potsdam

Brandenburg wurde 1990 als Bundesland der Bundesrepublik Deutschland aus den Bezirken Cottbus, Frankfurt und Potsdam der ehemaligen Deutschen Demokratischen Republik gebildet. Brandenburg liegt im Bereich des Norddeutschen Tieflandes. Den größten Teil nehmen die Urstromtäler ein mit seenartig erweiterten Flüssen (Havel, Spree, Rhin, Dahme). Das Klima ist kontinental. In der Niederlausitz sind große Braunkohlevorkommen.

Neben der deutschstämmigen Bevölkerung lebt im Süden der Niederlausitz die nationale Minderheit der Sorben.

In Brandenburg überwiegt Landwirtschaft. Bei Potsdam entstand ein bedeutendes Obstbaugebiet. In den Feuchtgebieten Spreewald und Oderbruch herrscht Gemüsebau vor. Wichtigstes Industriegebiet ist die Stadtrandzone von Berlin mit Eisenhüttenindustrie, Maschinenbau, Elektrotechnik. Braunkohlenindustrie, Großkraftwerke und chemische Industrie befinden sich in der Niederlausitz. Bedeutende Einzelstandorte sind Eisenhüttenstadt, Brandenburg/Havel und Oranienburg mit Eisenhüttenindustrie.

Seen und waldreiche Landschaften werden als Erholungsgebiete genutzt (Ruppiner Schweiz, Seenlandschaft um Templin, Schorfheide mit Werbellinsee, Scharmützelsee, Märkische Schweiz, Spreewald).

Seit 1415 wurde Brandenburg von den Hohenzollern regiert, durch die es zum Kernland des Königreichs Preußen wurde. Als Land bestand Brandenburg seit 1945; 1952 wurde es in Bezirke aufgeteilt.

Brandgänse, Brandenten, bewohnen die Küsten Europas, auch häufig die deutsche Nordsee- und Ostseeküste. Diese mit Gänsen und Enten verwandten großen Vögel sind Zugvögel. Mit Vorliebe nisten sie in einem verlassenen Kaninchenbau. Zur Mauser versammeln sich die bunten Brandgänse mit dem charakteristischen braunroten Brustband zu Tausenden im Wattenmeer vor der Elbe- und Wesermündung.

Brandgans

Brandt. Der sozialdemokratische Politiker **Willy Brandt** (*1913, †1992) wurde in Lübeck als Herbert Ernst Karl Frahm geboren; auf der Flucht vor der nationalsozialistischen Terrorherrschaft nahm er im Widerstandskampf seinen späteren Namen an. Bereits in seiner Zeit als Regierender Bürgermeister von Berlin (West) zwischen 1957 und 1966, dann als Außenminister (1966 bis 1969) und Bundeskanzler (1969 bis 1974) setzte sich Brandt nachdrücklich für die Aussöhnung mit den osteuropäischen Nachbarn der Bundesrepublik Deutschland ein. Für seine Verdienste um die europäische Annäherung wurde er 1971 mit dem Friedensnobelpreis ausgezeichnet. 1964-87 war Brandt Bundesvorsitzender der SPD, zudem 1976-92 Vorsitzender der Sozialistischen Internationale.

Brandung, die auf eine Küste auftreffenden, sich überstürzenden Wellen. Durch ihre Kraft, die von den Wind- und Strömungsverhältnissen auf dem Meer abhängt, kann sie die Form der Küste allmählich verändern (Abrasion). An Flachküsten werden die ankommenden Wellen im seichten Wasser abgebremst, sodass sich als ›Brecher‹ überschlagen. Beim Auslaufen lagern sie mitgeführten Sand ab und bauen so mit der Zeit einen sanft ansteigenden Wall auf. Das ablaufende Wasser strömt am Boden zurück ins Meer. Diese Sogströmung kann für Badende gefährlich werden. Sie wird von neu ankommenden Brandungswellen abgebremst, sodass sich ein Stück vor der Küste ein weiterer Teil des mitgeführten Sandes ablagert. So entsteht allmählich ein Sandriff (→Riff), das durch einen Streifen tieferen Wassers vom Strand getrennt ist.

An Steilküsten wirkt die Brandung zerstörend auf das Gestein. Durch den Schlag der Wellen, die teilweise auch Gesteinsbrocken mitreißen, wird die Steilwand, das Kliff, unterhöhlt. Auf diese Weise bilden sich **Brandungshöhlen,** die zu lang gestreckten **Brandungshohlkehlen** zusammenwachsen können. Nach einiger Zeit stürzen die überhängenden Felsen ins Meer. Dieser Vorgang wiederholt sich ständig, sodass die Küstenlinie immer weiter zurückwandert. Das zurückströmende Wasser nimmt die Gesteinstrümmer mit ins Meer und schleift damit den Untergrund vor der Steilwand ab. Dabei entsteht eine schwach geneigte Ebene, die **Brandungsplattform.** Eindrucksvolle Formen an manchen Steilküsten sind die **Brandungstore.** Sie entstehen, wenn Brandungshöhlen einen vorspringenden

Brandung — Kliff — Brandungshohlkehle — Schuttkegel — Brandungsplattform mit Geröll — Flut — Ebbe

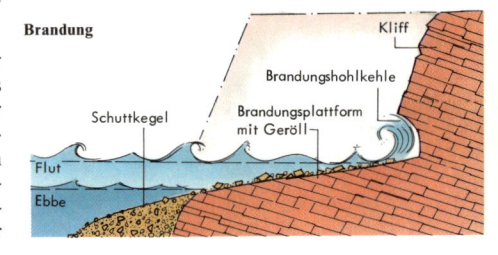

Felsen von der Seite her durchnagt haben (z. B. bei Le Havre, Höhe 70 m).

Brandungskraftwerk, eine neue, zur Energieversorgung an Küsten mit starker Brandung genutzte Einrichtung.

Branntwein, klares Getränk mit hohem Alkoholgehalt. Es wird durch Destillation (›Brennen‹) aus gegorenen Flüssigkeiten hergestellt. Die meisten europäischen Branntweine werden aus Getreide gewonnen, z. B. **Kornbranntwein** und **Whisky.** Aus vergorenen Weintrauben gewinnt man **Weinbrand,** aus Kirsch- oder Zwetschgensaft das **Kirsch-** oder **Zwetschgenwasser. Trinkbranntwein** ist ein Gemisch von Alkohol und Wasser mit Aromastoffen (z. B. Anisöle).

Brasília, 1,84 Millionen Einwohner, Hauptstadt von Brasilien (seit 1960), liegt im Hochland von Goiás rund 1 000 km von der Küste entfernt im Landesinnern. Die Stadt wurde seit 1957 erbaut; mit ihrem zentralen Standort soll die Erschließung Innerbrasiliens angeregt werden.

Brasilien
Fläche: 8 511 965 km²
Einwohner: 154,113 Mio.
Hauptstadt: Brasília
Amtssprache: Portugiesisch
Nationalfeiertag: 7. 9.
Währung: 1 Real (R$) = 100 Centavos (c)
Zeitzone: MEZ – 4 bis – 6 Stunden (von O nach W)

Brasili|en, südamerikanischer Bundesstaat, der fünftgrößte Staat der Erde, eine Republik. Sie nimmt fast die Hälfte der Fläche Südamerikas ein. Den überwiegenden Teil des Landes bildet das **Brasilianische Bergland,** das durchschnittlich zwischen 500 und 1 100 m hoch liegt. Nach Süden und Südwesten senkt es sich zum **La-Plata-Tiefland** hin ab. Fast der gesamte Norden wird vom **Amazonasbecken** mit dem größten Flusssystem der Erde eingenommen. Im äußersten Norden hat Brasilien Anteil am Bergland von Guayana. Die wichtigsten Flüsse sind der Amazonas, der Rio Paraná und der Rio São Francisco. Die größten Städte sind São Paulo mit 11,1 Millionen, Rio de Janeiro mit 5,62 Millionen, Belo Horizonte mit 2,1 Millionen und Salvador mit 1,5 Millionen Einwohnern.

In Brasilien herrscht im nördlichen Teil tropisches, im Süden subtropisches Klima. Bei hohen Temperaturen fallen hohe Niederschläge, im Amazonastiefland und an der Südostküste bis über 3 000 mm im Jahr. Die von der Küste weiter entfernten Gebiete im Nordosten sind wesentlich trockener und durch Dürreperioden gefährdet. In der Hoffnung, in der Industrie Arbeit zu finden und so ihre Notsituation zu verbessern, ziehen viele Menschen in die Städte. Dort müssen sie jedoch häufig in Elendsvierteln am Stadtrand (Favelas) leben.

Die Bevölkerung besteht zu etwa 54 % aus Weißen, zu rund 40 % aus Mulatten, Caboclos (aus der Verbindung zwischen Weißen und Indianern) und Cafusos (aus der Verbindung zwischen Indianern und Schwarzen) sowie zu 5 % aus Schwarzen; die Zahl der Indianer wird auf 350 000 geschätzt. Im Amazonasgebiet leben kleine Gruppen von Indianern, die bisher nur wenig Kontakt mit der Zivilisation der Weißen hatten.

Wirtschaft. Brasilien ist ein Land mit großen natürlichen Reichtümern. Mitte des 19. Jahrh. erzeugte Brasilien mehr als die Hälfte der Weltproduktion von Kaffee. Noch heute hat der Kaffee an der Ausfuhr einen Anteil von rund einem Viertel. Brasilien ist der Welt wichtigster Erzeuger von Bananen und Sisal und der zweitwichtigste Erzeuger von Zuckerrohr, Kakao und Citrusfrüchten. Große Bedeutung hat auch der Anbau von Sojabohnen. Die Hauptanbaugebiete liegen im Südosten. Ein Drittel des landwirtschaftlichen Einkommens wird von der Viehzucht erwirtschaftet. Im Regenwaldgebiet des Amazonastieflands werden große Rinderfarmen angelegt, die Fleisch für den Export erzeugen.

Brasilien verfügt über riesige, zum Teil noch unerschlossene Vorkommen an Bodenschätzen. Eisenerze mit sehr hohem Metallgehalt sind ein wichtiges Ausfuhrgut. Weitere für hochwertige Industriegüter wichtige Bodenschätze wie Mangan, Nickel, Zinn, Blei, Chrom, Wolfram, Titan und Uran werden abgebaut. Die Erdölförderung ist gering, sodass fast die Hälfte der gesamten Einfuhr des Landes aus Rohöl besteht.

Brasilien gehört zu den am stärksten industrialisierten Ländern Südamerikas. Mehr als drei Viertel der Industriebetriebe liegen in den südöstlichen Bundesstaaten São Paulo, Minas Gerais und Rio de Janeiro. Dabei handelt es sich vorwiegend um Betriebe der Stahlerzeugung, des Kraftfahrzeugbaus, des Maschinenbaus, der petrochemischen und der Elektroindustrie.

Die notwendige Energie wird zum größten Teil in Wasserkraftwerken erzeugt. Bei Itaipú entstand das größte Wasserkraftwerk der Erde. Um

Brasilien

Staatswappen

Staatsflagge

Brat

den Erdölverbrauch zu verringern, wird aus Zuckerrohr Treibstoff für Motoren erzeugt. Das riesige Land ist in weiten Teilen noch unerschlossen. Fernstraßenbau ist deswegen eine wichtige Aufgabe. Die ›Transamazônica‹, die das Amazonastiefland durchquert, hat eine Länge von rund 5600 km. Wichtigste Seehäfen sind Rio de Janeiro und Santos. Manaus im Amazonastiefland, etwa 1500 km von der Mündung des Amazonas entfernt, kann von Seeschiffen erreicht werden.

Geschichte. Brasilien wurde 1500 von Portugal in Besitz genommen. 1822 erklärte es seine Unabhängigkeit von Portugal und wurde Kaiserreich. Nach dem Sturz des Kaisertums (1889) erhielt das Land 1891 eine republikanische Verfassung. Im 20. Jahrh. lösten demokratische und diktatorische Regierungssysteme einander ab. (KARTE Band 2, Seite 197)

Bratislava, slowakischer Name von →Pressburg.

Bratsche, der deutsche Name für die **Viola.** Aus ihr entwickelte sich im 16. Jahrh. die gesamte heutige Violinfamilie, in der sie heute den Platz des Altinstruments, klanglich zwischen →Geige und →Violoncello, einnimmt. Die Bratsche ist größer als die Geige, wird aber wie diese gespielt. Ihre 4 Saiten sind eine Quinte tiefer als die der Geige in C G D A gestimmt; sie klingt eine Oktave höher als das Violoncello. Ihre Stimme wird in einem speziellen Schlüssel, dem **Alt- oder Bratschenschlüssel,** notiert. Die Bratsche, im Orchester nach den ersten und zweiten Geigen die 3. Streichergruppe, gehört auch zur Besetzung des Streichquartetts. Als Soloinstrument ist sie selten anzutreffen. (BILD Streichinstrumente)

Wernher von Braun

Braun. Der deutsch-amerikanische Raketen- und Raumfahrtpionier **Wernher von Braun** (*1912, †1977) konnte die Raumfahrt seit ihrer Frühzeit miterleben und mitgestalten. Schon als knapp Zwanzigjähriger experimentierte er in Berlin mit Raketen, seine Doktorarbeit schrieb er über Flüssigkeitsraketen. 1942 war er führend bei der Konstruktion der ersten Großrakete A4 tätig, der späteren V2. Mit vielen seiner Mitarbeiter kam Wernher von Braun 1945 in amerikanische Gefangenschaft. Er wurde 1955 amerikanischer Staatsbürger, hatte Gelegenheit weiterzuforschen und entwickelte die Jupiter-C-Rakete, mit der 1958 der erste amerikanische Satellit (›Explorer‹) gestartet wurde. Damit gelang es den USA, den Vorsprung in der Raketentechnik, den die Sowjetunion mit dem Start von Sputnik bewiesen hatte, einzuholen. Als Krönung seines Schaffens kann der Bau der großen Saturn-Rakete gelten, mit der Wernher von Braun mit die Voraussetzungen für die spätere amerikanische Mondlandung schuf (→Apollo-Programm). 1970 wurde er Leiter der Planungsabteilung der NASA.

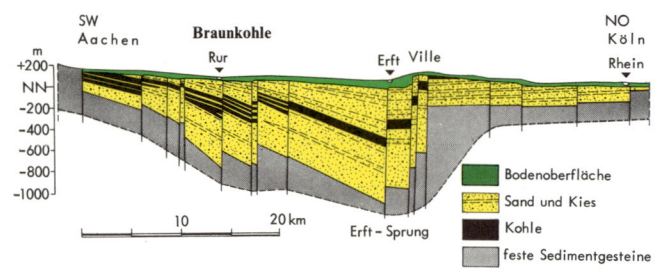

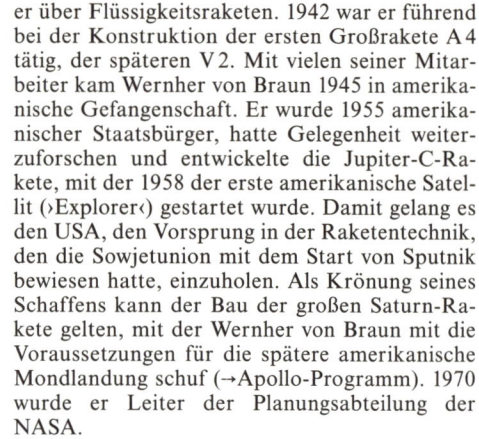

Braunkohle, Kohle von hellbrauner bis tiefschwarzer Farbe und meist mit hohem Wassergehalt (bis 60%). Sie ist zwischen Torf und Steinkohle einzuordnen. Der Unterschied liegt im Grad der Inkohlung (→Kohlen). Bei der Bildung von Braunkohle entstehen nacheinander Erdbraunkohle, Weichbraunkohle und Hartbraunkohle (Matt- und Glanzbraunkohle). Je nach Inhaltsstoff gibt es noch Schwelkohle (mit Wachs), Salzkohle sowie Bitumenkohle (vor allem aus Eiweiß- und Fettstoffen). Braunkohlen werden meist im Tagebau (→Bergbau) abgebaggert. Die meisten sind erdgeschichtlich nicht sehr alt. Sie stammen hauptsächlich aus dem Tertiär und lagern in Kohleflözen von mehreren 100 m Ausdehnung und bis 100 m Mächtigkeit. In Deutschland verläuft ein breiter Braunkohlegürtel längs des Erzgebirges sowie von Altenburg (südöstlich von Leipzig) bis Braunschweig; die bedeutendsten Vorkommen liegen in der Leipziger Bucht, in der Niederlausitz und westlich von Köln. Braunkohle ist heute noch ein wichtiger Energierohstoff für Kraftwerke.

Braunschweig, 258800 Einwohner, Stadt in Niedersachsen, nördlich des Harzes an der Oker. Braunschweig ist um die Burg Dankwarderode entstanden; sie war Residenz →Heinrichs des Löwen, der 1173–95 den Dom erbauen ließ.

Brazzaville [brasawịl], 760000 Einwohner, Hauptstadt der Republik Kongo in Afrika, liegt am rechten Ufer des Kongo fast 500 km von der Küste des Atlantischen Ozeans entfernt gegenüber von Kinshasa.

Brechkraft, Brechwert. Ein Optiker benutzt den Kehrwert der →Brennweite *f*, um die optischen Eigenschaften einer Linse zu beschreiben. Diese Größe heißt die **Brechkraft** D einer Linse und ist definiert:

$$D = \frac{1}{f}.$$

Die Einheit der Brechkraft heißt →Dioptrie (Einheitenzeichen dpt).

Brillengläser werden durch ihre Brechkraft gekennzeichnet. Ein Glas von +2 Dioptrien ist eine Sammellinse der Brennweite 0,5 m $\left(+2 = +\frac{1}{0,5}\right)$; sie erhöht bei einem weitsichtigen Menschen die Brechkraft der Augenlinse.

Ein Glas von −2,5 Dioptrien ist eine Zerstreuungslinse mit der negativen Brennweite von −40 cm, sie schwächt bei einem kurzsichtigen Menschen die Brechkraft der Augenlinse ab.

Brecht. Dramen, Gedichte, Lieder und Prosaarbeiten, die das Gesamtwerk **Bert(olt)** (eigentlich Eugen Berthold Friedrich) **Brechts** (*1898, †1956) umfasst, weisen ihn als einen der vielseitigsten Schriftsteller des 20. Jahrh. aus. Seinen ersten großen Erfolg hatte Brecht, der seit 1924 in Berlin lebte, mit der ›Dreigroschenoper‹ (1928, Musik von Kurt Weill). Darin wird die bürgerliche Gesellschaft verspottet. Ende der 1920er-Jahre wandte sich Brecht dem Marxismus zu, unter dessen Einfluss die ›Lehrstücke‹ (›Der Jasager‹ und ›Der Neinsager‹, 1929/30; ›Die Maßnahme‹, 1930) entstanden; sie sind in einer kargen Sprache geschrieben. Als 1933 die Nationalsozialisten die Macht ergriffen, ging Brecht ins Ausland. In dieser Zeit entstanden seine Hauptwerke ›Leben des Galilei‹ (1938/39, mehrfach bearbeitet), ›Mutter Courage und ihre Kinder‹ (1939), ›Herr Puntila und sein Knecht Matti‹ (1940), ›Der gute Mensch von Sezuan‹ (1942) und ›Der kaukasische Kreidekreis‹ (1945). In ihnen stellt Brecht den Zwiespalt zwischen Glücksverlangen der Menschen und sozialer Gerechtigkeit dar, verbunden mit der Notwendigkeit für den Einzelnen Opfer zu bringen. 1948 kehrte der Schriftsteller nach Berlin (Ost) zurück, wo er 1949 das ›Berliner Ensemble‹ gründete. Brechts bereits in den 1920er-Jahren entworfene Theorie des mit Verfremdungen (Songs, Spruchbänder) arbeitenden ›epischen Theaters‹ bestimmte die Inszenierungen dieser Bühne. Sie sollten die Zuschauer zum Mitdenken anregen und kritisches Bewusstsein wecken. Brechts Gedichte (z. B. ›Hauspostille‹, 1927), die sich zunächst nur gegen das Bürgertum richteten, lassen später entschieden revolutionäre Absichten erkennen. Wie in den Dramen spielt auch in Brechts Lyrik neben der sozialen Kritik das Mitleid mit dem geschundenen Menschen eine Rolle.

Beispiele seiner Prosaarbeiten sind die ›Geschichten von Herrn Keuner‹ (1930, 1949) und die ›Kalendergeschichten‹ (1949).

Brechung, lateinisch **Refraktion,** Richtungsänderung, die Wellen und Strahlen (z. B. Licht) erfahren, wenn sie aus einem Medium 1 (z. B. Luft) in ein Medium 2 (z. B. Wasser) übertreten (BILD 1), in dem sie eine andere Ausbreitungsgeschwindigkeit haben. Der Winkel zwischen einfallendem Strahl (Wellennormale) und Einfallslot heißt **Einfallswinkel** α_1, der Winkel zwischen gebrochenem Strahl und Einfallslot **Brechungswinkel** α_2. Einfallswinkel und Brechungswinkel folgen dem **Snellius-Brechungsgesetz:** Das Verhältnis des Sinus des Einfalls-

Brechung 1: Brechung an einer Wasseroberfläche; G Grenzfläche zwischen zwei Medien, $L_1 L_2$ Einfallslot, A_1 einfallender, A_2 gebrochener Strahl, α_1 Einfallswinkel, α_2 Brechungswinkel, δ Abweichung von der geradlinigen Ausbreitung

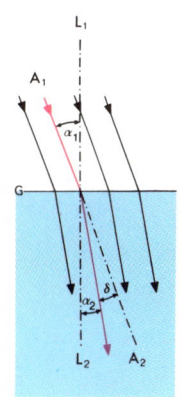

winkels und des Sinus des Brechungswinkels ist gleich dem Verhältnis der Ausbreitungsgeschwindigkeiten c_1 und c_2 in beiden Medien, dem umgekehrten Verhältnis der **Brechzahlen** (ältere Bezeichnung **Brechungskoeffizient, Brechungsindex**) n_1 und n_2, $\sin \alpha_1 / \sin \alpha_2 = c_1/c_2 = n_2/n_1$. Einfallender Strahl, Einfallslot und gebrochener Strahl liegen in einer Ebene, der Einfallsebene. Wellen verschiedener Wellenlänge werden verschieden stark gebrochen **(Dispersion);** hierauf beruht z. B. die Zerlegung weißen Lichts in seine Bestandteile bei der Brechung durch ein Glasprisma (→Farbe).

Brechung 2: Brechung in einem Medium mit von oben nach unten stetig zunehmender Dichte (z. B. die Erdatmosphäre)

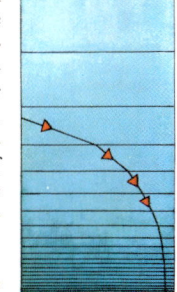

Bregenz, 27 100 Einwohner, Hauptstadt des österreichischen Bundeslandes Vorarlberg, liegt am Ostufer des Bodensees. Seit 1946 finden hier die **Bregenzer Festspiele** mit Aufführungen auf der Seebühne statt.

Brehm. Der Zoologe **Alfred Edmund Brehm** (*1829, †1884) unternahm zahlreiche Reisen nach Afrika, Spanien, Skandinavien und Sibirien. Dabei entdeckte er viele Tiere, die man in Deutschland nicht kannte. Diese beschrieb er sehr anschaulich in seinem sechsbändigen Werk ›Tierleben‹. Viele seiner Vorstellungen von den verwandtschaftlichen Beziehungen und dem Verhalten der Tiere haben sich heute als unrichtig erwiesen. Dies schmälert seine Arbeit jedoch nicht, denn er war der Erste, der seine Erkenntnisse über Tiere einer breiten Öffentlichkeit in verständlicher Sprache zugänglich machte. Brehm

Brei

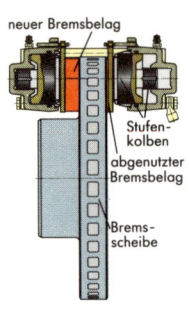

war Direktor des Zoologischen Gartens in Hamburg und gründete in Berlin ein Aquarium, das er bis 1875 leitete.

Breite. Die geographische Breite gibt an, wie weit ein Ort vom Äquator entfernt ist. Sie wird in **Breitengraden** von 0° bis 90° ausgedrückt und nördlich des Äquators als **nördliche Breite** (Abkürzung **n. Br.**), südlich davon als **südliche Breite** (Abkürzung **s. Br.**) bezeichnet. Orte gleicher geographischer Breite liegen auf einem Breitenkreis.

Breitenkreise, gedachte Linien, die zusammen mit den →Meridianen das →Gradnetz der Erde bilden. Alle Breitenkreise verlaufen parallel und werden deshalb auch als **Parallelkreise** bezeichnet. Auf Landkarten oder auf dem Globus verlaufen sie waagerecht in westöstlicher Richtung. Ausgehend vom Äquator auf 0° geographischer Breite, dem größten Breitenkreis, zählt man nach Norden und nach Süden jeweils 90 Breitenkreise, die zu den Polen hin immer kleiner werden. Die beiden letzten auf 90° geographischer Breite sind nur noch Punkte: der Nord- und der Südpol. Der Abstand zwischen den einzelnen Breitenkreisen beträgt etwa 110 km.

Bremen, Stadt an der Unterweser und nach Hamburg der bedeutendste deutsche Seehafen, obgleich die Mündung der Weser in die Nordsee noch über 100 km entfernt ist. Vor allem Tabak und Kaffee gelangen über den Hafen in die Stadt und werden dort verarbeitet. Mittelpunkt ist der Marktplatz mit dem Denkmal der Märchenfiguren der ›Bremer Stadtmusikanten‹ und der ›Rolandsäule‹. Um diesen Platz blieben trotz großer Zerstörungen während des Zweiten Weltkriegs unter anderem der Dom aus dem 11. Jahrh. und das Rathaus aus dem 15. Jahrh. erhalten. Seit 1967 ist Bremen Universitätsstadt.

Schon 845 wurde Bremen Sitz eines Erzbischofs; von hier nahm die Bekehrung der nordeuropäischen Länder zum Christentum ihren Ausgang. Die Stadt entwickelte sich in den folgenden Jahrhunderten zu einer Handelsstadt, die 1358 dem Städtebund der Hanse beitrat und bald eines seiner wichtigsten Mitglieder war. 1646 wurde Bremen auch Freie Reichsstadt. Das Recht der Selbstverwaltung bewahrte die Stadt bis heute; sie wurde mit dem Namen **Freie Hansestadt Bremen** 1949 das kleinste deutsche Bundesland. Zu diesem Stadtstaat gehört auch Bremerhaven, das 1827 als Bremer Vorhafen für größere Seeschiffe gegründet worden war. Nach hanseatischer Tradition wird der Ministerpräsident des Landes Bürgermeister genannt, die Minister heißen Senatoren, der Landtag wird als Bürgerschaft bezeichnet.

Stadt
Fläche: 327 km²
Einwohner: 552 300
Land
Fläche: 404 km²
Einwohner: 683 900

Bremerhaven, 133 800 Einwohner, Stadt im Bundesland Freie Hansestadt →Bremen an der Mündung der Geeste in die Weser. Sie ist größter Fischereigroßhafen auf dem europäischen Festland. Bekannt ist das Schifffahrtsmuseum.

Bremse, Vorrichtung zur Verringerung von Geschwindigkeiten und zum Anhalten von beweglichen Maschinenteilen und von Fahrzeugen. Bei einer **Felgenbremse** am Fahrrad werden 2 Bremsklötze, die mit dem Bremsbelag versehen sind, durch Hebel und Bowdenzug von den Seiten her gegen die Felge des Rades gedrückt. Die dabei entstehende Reibung verbraucht die Bewegungsenergie des Fahrrads. Eine **Scheibenbremse** am Kraftfahrzeug arbeitet ähnlich, nur werden die Bremsklötze nicht gegen die Felgen, sondern gegen Bremsscheiben gedrückt, die fest mit den Rädern verbunden sind. Bei einer **Backenbremse** drücken die Bremsbeläge von außen oder innen unmittelbar gegen das Rad oder gegen eine Bremstrommel **(Trommelbremse)**. Scheiben- und Trommelbremsen sind Kraftfahrzeugbremsen. Durch Betätigen des Bremspedals wird im Hauptbremszylinder ein Kolben bewegt, der der Bremsflüssigkeit in den Bremsleitungen, die zu jedem Rad führen, in die Bremszylinder presst. Die Kolben im Bremszylinder übertragen den Druck auf die Bremsbacken und pressen den Bremsbelag gegen die Bremsscheiben (-trommeln), sodass durch die Reibung die Räder gleichmäßig abgebremst werden. Solche Flüssigkeitsbremsen nennt man auch **hydraulische Bremsen.** Die Eisenbahn bevorzugt **Druckluftbremsen,** bei denen die Bremsbacken durch Federn angezogen, durch Druckluft aber offen gehalten werden. Elektrische Bahnen haben elektromagnetisch wirkende **Wirbelstrombremsen, Kurzschlussbremsen** oder **Gegenstrombremsen,** die dem Elektromotor Strom in umgekehrter Richtung zuführen.

Bremsen, Name einiger →Fliegen.

Bremsklappen, kleine Flächen am Rumpf oder an den Tragflächen eines Flugzeugs, die ausgeklappt (ausgefahren) werden können. Dadurch wird der Luftwiderstand des Flugzeugs erhöht und im Zusammenwirken mit den Landeklappen die Geschwindigkeit eines landenden Flugzeugs verringert.

Brennelemente, in Kernkraftwerken die meist quadratische Anordnung von jeweils etwa

Bremse:
Schnitt durch eine Scheibenbremse

Bremen
Landeswappen

50 Metallstäben, die mit spaltbarem Uran (→Kernspaltung) gefüllt sind. Ungefähr 500–600 Brennelemente bilden im Reaktorkern die Gesamtmenge an Kernbrennstoff zur Erzeugung von →Kernenergie.

Brennnesseln, 0,5–1,5 m hohe Stauden, die in Wäldern, Gebüschen und auf Abfallplätzen wachsen. Ihre Blätter und Stängel sind mit winzigen Härchen bedeckt, die bei leichtester Berührung abbrechen und wie eine Nadel in die Haut eindringen. Dabei fließt das Nesselgift aus, das ein ziemlich starkes Brennen und Jucken hervorruft. Besonders das junge, noch nicht ›brennende‹ Kraut dient als Futter, Würzmittel und Gemüse sowie als Heilpflanze. Obwohl die grünlich weißen Blüten sehr klein und unauffällig sind, locken sie zahlreiche Schmetterlinge an.

Brennnesseljauche, Wasser, in das Brennnesseln eingelegt werden, dient als Düngemittel und zur biologischen Schädlingsbekämpfung.

Brennglas, in die Sonne gehaltene Sammellinse (→Linse), deren Glas die auftreffenden parallelen Sonnenstrahlen bricht und hinter sich in einem Punkt, dem →Brennpunkt, sammelt. Da die auf der Linsenfläche auftreffende Sonnenenergie sich im Brennpunkt vereinigt, wird es dort sehr heiß. Ein Stück Papier, auf dem der Brennpunkt als heller Fleck erscheint, entzündet sich an dieser Stelle.

Brennpunkt, Fokus. Lichtstrahlen, die parallel auf eine Sammellinse (→Linse) oder einen Hohlspiegel (→Spiegel) auftreffen, vereinigen sich in einem Punkt, dem Brennpunkt F.

Brennweite, der Abstand des →Brennpunkts von der Mitte eines gekrümmten Spiegels oder vom optischen Mittelpunkt einer Linse oder eines Linsensystems.

Das Normalobjektiv eines Fotoapparats (→Objektiv) hat z. B. eine Brennweite f von 50 mm; die bei einer Brille zur Korrektur einer geringen Kurzsichtigkeit verwendete Zerstreuungslinse $f = -1$ m, was einer →Brechkraft von $D = -1$ dpt (→Dioptrie) entspricht.

Brentano. Der Dichter **Clemens Brentano** (*1778, †1842) zählt zu den Hauptvertretern der deutschen Romantik. Während seines Studiums in Jena lernte er die Frühromantiker Friedrich von Schlegel und Ludwig Tieck kennen. Die zwischen 1806 und 1808 mit dem Dichter Achim von Arnim herausgegebene Liedersammlung ›Des Knaben Wunderhorn‹ ist ein Beispiel für das damals wieder erwachte Interesse am Volk, besonders an mündlich überlieferten Liedern, Sagen und Bräuchen, und für das romantisierte und verklärte deutsche Mittelalter. Brentano verfasste Gedichte, volkstümliche und doch kunstvolle Erzählungen wie die ›Geschichte vom braven Kasperl und dem schönen Annerl‹ (1817) sowie Märchen, die gesammelt erst nach seinem Tod erschienen. Das Märchen ›Gockel, Hinkel und Gackeleia‹ (1837) zeigt seine phantasievolle Darstellungskunst.

Breslau, polnisch **Wrocław,** 643 000 Einwohner, Stadt in Polen, vor 1945 Hauptstadt der damaligen deutschen Provinz Schlesien, liegt in der niederschlesischen Tiefebene beiderseits der Oder. Die einzelnen Stadtteile sind durch über 80 Brücken verbunden; viele im Zweiten Weltkrieg zerstörte Bauwerke der Gotik und des Barock sind wieder aufgebaut. Schon vorgeschichtliche Funde weisen Breslau als bedeutenden Handelsplatz aus. Die Stadt war 1163–1335 Residenz der schlesischen Herzöge, wurde später Mitglied der Hanse und kam 1335 an Böhmen, 1526 an Habsburg und 1741/42 zusammen mit Schlesien zu Preußen.

Bretagne [bretanje], nordwestliche Halbinsel Frankreichs mit der Hauptstadt Rennes. Geprägt wird die Bretagne von einem bis zu 400 m hohen Rumpfgebirge mit tief eingeschnittenen Tälern. Die Küste ist reich an Inseln und Buchten. Das Innere der Halbinsel ist meist von Heide, Mooren und Wäldern bedeckt und nur schwach besiedelt. Das milde Klima der Küstenebene ermöglicht intensiven Obst- und Gemüsebau. Daneben finden viele Bretonen Arbeit in der Fischerei (Muscheln und Austern). Kriegshäfen sind Brest und Lorient. Seebäder bieten vielfältige Erholungsmöglichkeiten. Im 5. und 6. Jahrh. ließen sich Briten (Bretonen) in der Bretagne nieder. Sie behaupteten weitgehend ihre keltische Sprache, Kultur und politische Selbstständigkeit. 1297 wurde die Bretagne Herzogtum, das 1532 mit Frankreich vereinigt wurde.

Bretonen, keltischer Stamm, der im 5. und 6. Jahrh. von anderen Volksstämmen wie den Angeln und Sachsen aus Cornwall (England) verdrängt wurde und sich im Gebiet der heutigen Bretagne (Frankreich) niederließ. Dort sind Überlieferungen und kultische Bräuche aus der Keltenzeit zum Teil noch erhalten.

Briand [briã]. Der mehrfache Außenminister und Ministerpräsident Frankreichs **Aristide Briand** (*1862, †1932) bemühte sich, nach dem Ersten Weltkrieg die Sicherheit seines Landes gegen einen Angriff von außen durch Absprachen mit den Nachbarstaaten zu festigen. Höhepunkte

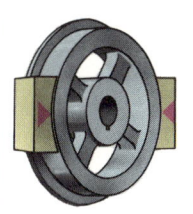

Backenbremse

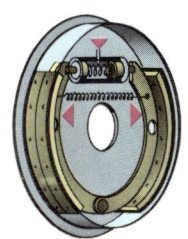

Trommelbremse

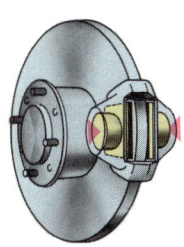

Scheibenbremse
Bremse

Brennnesseln:
Große Brennnessel
(Höhe bis 1,5 m)

Brie

dieser Politik waren die deutsch-französische Annäherung in den Locarnoverträgen (1925, benannt nach dem Schweizer Konferenzort Locarno) und die Ächtung des Angriffskriegs im Briand-Kellogg-Pakt (1928, benannt nach Briand und dem amerikanischen Außenminister Frank Kellogg). Für ihre Verdienste um den Abschluss der Locarnoverträge erhielten Briand und der deutsche Außenminister Gustav →Stresemann 1926 den Friedensnobelpreis.

Briefmarken, amtlich **Postwertzeichen,** aufklebbare, bei Postkarten aufgedruckte Wertzeichen zum Freimachen von Postsendungen. Damit wird die Beförderungsgebühr im Voraus bezahlt. Die ersten Briefmarken wurden 1840 in Großbritannien herausgegeben; 1849 führte das Königreich Bayern die ersten Briefmarken in Deutschland ein; 1872 erschienen die ersten Marken der Deutschen Reichspost. Während die Marken im 19. Jahrh. meist nur den aufgedruckten Verkaufspreis und den Kopf des Staatsoberhauptes des jeweiligen Herausgeberlandes als Markenbild zeigten, wurden sie im 20. Jahrh. immer vielgestaltiger. Die Markenbilder zeigen heute auch Motive wie Blumen, Tiere und zeitgeschichtliche Ereignisse. Wenn man viele zu unterschiedlichen Zeitpunkten herausgekommene Marken eines Landes betrachtet, kann man einiges über das Land erfahren.

Schon bald nach ihrem ersten Erscheinen wurden die rechteckigen, quadratischen, manchmal auch dreieckigen Briefmarken ein beliebtes Sammelobjekt. Das Sammeln und die wissenschaftliche Beschäftigung mit Briefmarken heißt **Philatelie.** Der Wert einer historischen Marke richtet sich meist nach ihrer Seltenheit. Ganz seltene Marken, z. B. die ›blaue Mauritius‹ (aus einer Serie englischer Kolonialpostwertzeichen von 1847), haben einen Wert von mehreren 100 000 DM. Auch Sondermarken, die von den Postverwaltungen neben den Dauerserien nur kurzzeitig aus bestimmtem Anlass herausgegeben werden, erreichen oft einen hohen Wert. Dazu gehören auch die Zuschlagmarken, bei denen neben dem regulären Portowert noch ein zusätzlicher Betrag aufgedruckt ist, den der Käufer der Marke bezahlen muss. Diesen Zuschlag gibt die Post an Organisationen für gemeinnützige Zwecke weiter (**Wohlfahrtsmarken**).

Brief-, Post- und Fernmeldegeheimnis. Niemand darf fremde Briefe öffnen oder Telefongespräche abhören. Dies garantiert Artikel 10 des Grundgesetzes. Nur in Einzelfällen, in denen Straftaten aufgeklärt werden müssen, dürfen auf richterliche Anordnung hin die Postsendungen eines Beschuldigten beschlagnahmt und bei schweren Straftaten, z. B. Raub, seine Telefongespräche abgehört werden. Da die Betroffenen häufig nichts von diesen Vorgängen wissen, müssen sie nach Abschluss der Untersuchungen benachrichtigt werden.

Brieftauben, eine Rasse der Haustauben (→Tauben).

Brillant [briljant, französisch], geschliffener →Diamant.

Brille [zu Beryll], Sehhilfe, die seit dem 13. Jahrh. bekannt ist. Mit ihr lassen sich Sehfehler ausgleichen. Die Brillengläser (Linsen) unterstützen die Augenlinsen, die einfallenden Lichtstrahlen zu brechen und auf der Netzhaut ein Bild der Umgebung zu erzeugen. Bei der angeborenen **Weitsichtigkeit** ist das Auge verhältnismäßig zu kurz gebaut, sodass ein scharfes Bild erst hinter der Netzhaut entsteht. Eine **Konvexlinse (Sammellinse)** sorgt dafür, dass das Licht stärker gebrochen wird und die Strahlen sich auf der Netzhaut zu einem scharfen Bild vereinigen. Bei der angeborenen **Kurzsichtigkeit** ist dagegen das Auge zu lang gebaut, sodass das Bild zu weit vor der Netzhaut erscheint. Hier braucht man Brillengläser, die die Lichtstrahlen zerstreuen (**Konkavlinse, Zerstreuungslinse**). Mit zunehmendem Alter lässt die Elastizität der Augenlinse und damit ihre Brechkraft nach. Die Folgen entsprechen den angeborenen Sehfehlern und können ebenfalls durch eine Brille oder →Kontaktlinsen ausgeglichen werden.

Brillenschlange, die indische →Kobra.

Britannien, seit der Antike gemeinsamer Name für England, Wales und Schottland.

Briten, die heutigen Bewohner Großbritanniens und Nordirlands, auch die →Kelten, Pikten und andere Stämme, die im Altertum in Britannien lebten.

Britische Inseln, Inselgruppe in Nordwesteuropa. Sie besteht aus den Hauptinseln Großbritannien und Irland, den Inseln Man, Anglesey und Wight, den Hebriden, den Shetlandinseln und den Orkneyinseln sowie einer Vielzahl kleinerer Inseln. Auf über 315 000 km² leben etwa 60 Millionen Menschen.

Britisches Reich, englisch **British Empire** oder kurz **Empire,** früher die Bezeichnung für das Vereinigte Königreich von →Großbritannien und Nordirland einschließlich der von Großbritannien abhängigen Gebiete, besonders der Kolonien. Diese sind heute zum größten Teil unab-

Briefmarken:
1 Großbritannien 1840, 1 Penny, erste Briefmarke der Welt; 2 Preußen 1850, 1 Silbergroschen; 3 Österreich 1856, 6 Kreuzer zinnober, Zeitungsmarke; 4 Mauritius 1847, 2 Pence, dunkelblau (›blaue Mauritius‹); 5 Bayern 1849, 1 Kreuzer, erste Briefmarke Deutschlands

hängig, aber im **Commonwealth of Nations** mit Großbritannien noch locker verbunden.

British Indian Ocean Territory [britisch indjen ŏuschn teritori], Inselgruppe im Indischen Ozean mit einer Fläche von nur 44 km². Auf den Inseln leben etwa 1 000 Menschen. Die britische Kolonie wurde 1965 geschaffen; seit 1976 besteht sie nur noch aus den Tschagosinseln, nachdem einige Inseln in den unabhängigen Staat der Seychellen eingegliedert wurden.

Brocken, höchster Berg im Harz, 1 142 m, eine weithin sichtbare, kahle Granitkuppe. Er liegt in Sachsen-Anhalt. Der häufig nebelverhangene Brocken, volkstümlich auch **Blocksberg** genannt, ist Schauplatz zahlreicher Volkssagen.

Brockhaus, Verlegerfamilie. **Friedrich Arnold Brockhaus** (*1772, †1823) gründete 1805 in Amsterdam eine Buchhandlung und kaufte 1808 ein 1796 begonnenes Konversationslexikon, das er bis 1811 in insgesamt 8 Bänden veröffentlichte. Seit 1817 war die Firma in Leipzig ansässig und gab dort viele Nachschlagewerke heraus; dort erschien auch der ›Große Brockhaus‹ bis zur 15. Auflage. Nach dem Zweiten Weltkrieg setzte der Verlag seine Tätigkeit in Wiesbaden fort; 1984 fusionierte er mit dem Bibliographischen Institut zur Firma Bibliographisches Institut und F. A. Brockhaus AG, Sitz Mannheim; dort erschien neben vielen neuen Lexika die ›Brockhaus Enzyklopädie‹ in der 19. Auflage.

Brom [von griechisch bromos ›übler Geruch‹], Zeichen **Br,** sehr reaktionsfähiges, nichtmetallisches →chemisches Element (ÜBERSICHT), das bei Zimmertemperatur eine dunkelrotbraune, schwere Flüssigkeit darstellt. Seine beißend-unangenehm riechenden **giftigen Dämpfe** reizen stark die Schleimhäute. Brom wird verwendet zur Herstellung von lichtempfindlichen Schichten in der Fotografie, von Farbstoffen sowie von Arznei- und Pflanzenschutzmitteln.

Brombeeren, Sträucher in lichten Wäldern und Gebüschen. Die stacheligen Zweige klettern, hängen oder ranken am Boden. Die weißen bis rosaroten Blüten sind in Trauben oder Rispen angeordnet. Die schwarzroten bis schwarzen, süßsauren Früchte reifen sehr spät im Herbst.

Bronchi|en, Äste der Luftröhre, die aus den beiden **Stammbronchien** hervorgehen. Diese verzweigen sich in der →Lunge immer mehr **(Lappenbronchien),** wobei die einzelnen Äste immer kleiner und feiner werden **(Bronchiolen),** bis sie in die Lungenbläschen münden.

Bronze [brŏße, von italienisch bronzo ›bräunlich‹], Sammelbezeichnung für Legierungen mit mehr als 60% Kupfer, die außerdem noch z. B. Zinn, Blei, Aluminium, Phosphor oder Silicium enthalten. Die klassische Bronze der Bronzezeit setzte sich aus 90% Kupfer und 10% Zinn zusammen. Bronzen haben bessere Eigenschaften als die Ausgangsmetalle, vor allem sind sie leichter schmelzbar als Kupfer und dennoch härter.

Bronzezeit [brŏße-]. Die Steinzeitmenschen hatten mit einer großen Schwierigkeit zu kämpfen: Ihre Steinwerkzeuge und -waffen waren nur mit viel Mühe herzustellen und zerbrachen bei großer Belastung schnell. Da lernten sie um 2000 v. Chr. durch das Erhitzen von metallhaltigen Steinen an Lagerfeuern zufällig das Metall Kupfer kennen. Dies konnte in flüssigem Zustand gegossen und in weichem Zustand leicht bearbeitet werden. So ließen sich kunstvolle Geräte und scharfe Waffen herstellen. Zerbrach nun z. B. eine Klinge, konnte sie eingeschmolzen und aus dem Material etwas Neues hergestellt werden. Doch das Kupfer war zu weich für die Belastungen, denen man es aussetzte. So versuchten die Menschen, das Kupfer durch Beimischen anderer Materialien härter zu machen. Dies gelang durch Zugabe von etwa einem Teil Zinn auf 9 Teile Kupfer. Das daraus entstandene Metall war die Bronze. Diese löste allmählich den Stein ab und damit ging die Steinzeit in die **Metallzeit,** zunächst in die Bronzezeit, über.

Während der Bronzezeit entstanden aus den Sippen und Dorfgemeinschaften der Jungsteinzeit Stämme und Völkerschaften, die von den Forschern in Kulturgruppen eingeteilt werden.

Brombeere: Blüten mit Blättern (oben) und Früchten (unten)

Bronzezeit: LINKS Goldener Halskragen von Gleninshin (Irland), etwa 14. Jahrh. v. Chr.; RECHTS Kegel von Schifferstadt, etwa 13. Jahrh. v. Chr.

Brille 1: Linsenformen; **1** und **2** sphärische Linsen. **1** Konvex-(Sammel-)Linsen; a plankonvex, b bikonvex, c periskopisch, d Halbmuschelglas (Meniskus). **2** Konkav-(Zerstreuungs-)Linsen; a plankonkav, b bikonkav, c periskopisch, d Halbmuschelglas (Meniskus)

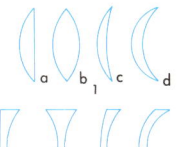

Brot

Bronzezeit:
OBEN Armschmuck aus Mettenheim, etwa 15. Jahrh. v. Chr.;
UNTEN Kopf einer Radnadel, etwa 15. Jahrh. v. Chr.

Sie tragen keine Namen, sondern werden nach besonderen Kennzeichen (z. B. ›Hügelgräberkultur‹) oder ihrem Siedlungsgebiet (z. B. Lausitzer Kultur) benannt. Die Bronzezeit endete in Mitteleuropa zwischen 1000 und 800 v. Chr. und ging in die →Eisenzeit über.

Brot, Gebäck aus Mehl, Wasser, Salz und einem Auflockerungsmittel (Hefe, Backpulver, Sauerteig). Der Brotteig wird je nach Gewicht bei 200–250 °C gebacken. Im Innern der Brote steigt die Backtemperatur selten über 100 °C, dabei werden jedoch alle Bakterien abgetötet. Wenn das Brot später schimmelt, geschieht dies durch Schimmelpilze, die nach dem Backen die Brotoberfläche befallen.

Weißbrot wird aus Weizenmehl unter Zusatz von Hefe oder Backpulver hergestellt. Für **Schwarz-** oder **Graubrot** verwendet man gröberes Mehl, meist Roggenmehl. **Vollkornbrot** enthält alle Bestandteile des ungeschälten Getreidekorns. **Pumpernickel** ist ein Roggenbrot, das bei niedriger Temperatur 16–24 Stunden gebacken wird. Dabei erhält es seine dunkle Farbe und den süßlichen Geschmack. **Knäckebrot** wird aus ziemlich flüssigem Teig bei hoher Temperatur gebacken und lässt sich aufgrund seines niedrigen Wassergehalts sehr lange lagern.

Brüche, Mathematik: Zahlen, die Teile des Ganzen beschreiben. So bezeichnet der Bruch $\frac{1}{2}$ die Hälfte, der Bruch $\frac{1}{4}$ ein Viertel des Ganzen. Ein Bruch hat die Form $\frac{a}{b}$. Hierbei sind a und b ganze Zahlen, wobei aber die Zahl b nicht →Null sein darf.

Die Zahl a wird **Zähler,** die Zahl b **Nenner,** der Strich zwischen Zähler und Nenner **Bruchstrich** genannt. Anstelle von $\frac{a}{b}$ (oder a/b) kann man auch $a:b$ schreiben. Deshalb ist es möglich jeden Bruch auch als →Dezimalzahl zu schreiben.

Zähler und Nenner sollen bei den folgenden Ausführungen natürliche Zahlen sein.

Es gibt verschiedene Arten von Brüchen.

1) **Echte Brüche** sind Brüche, bei denen der Zähler kleiner ist als der Nenner.

Beispiele: $\frac{1}{4}, \frac{2}{7}, \frac{3}{8}, \frac{7}{8}$.

2) **Unechte Brüche** sind Brüche, bei denen der Zähler größer ist als der Nenner.

Beispiele: $\frac{4}{3} = 1\frac{1}{3}, \frac{7}{4} = 1\frac{3}{4}, \frac{73}{14} = 5\frac{3}{14}$.

Die Schreibweise $1\frac{1}{3}, 1\frac{3}{4}, 5\frac{3}{14}$ bezeichnet man als gemischte Zahl (siehe unten).

3) **Uneigentliche Brüche** sind Brüche, bei denen sich der Zähler durch den Nenner ohne Rest teilen lässt. Solche Brüche sind daher eigentlich natürliche Zahlen.

Beispiele: $\frac{4}{2} = 2, \frac{72}{12} = 6, \frac{9}{1} = 9, \frac{4}{4} = 1$.

4) **Stammbrüche** sind Brüche mit dem Zähler 1.

Beispiele: $\frac{1}{2}, \frac{1}{3}, \frac{1}{17}, \frac{1}{30}$.

Beim Rechnen mit Brüchen ist es oft notwendig Brüche so zu verändern, dass sie ihren Wert beibehalten. Dies geschieht durch **Erweitern** oder **Kürzen.**

Ein Bruch wird erweitert, indem man Zähler und Nenner mit der gleichen Zahl, der **Erweiterungszahl,** multipliziert.

Beispiel: $\frac{4}{7} = \frac{4 \cdot 2}{7 \cdot 2} = \frac{8}{14}$, Erweiterungszahl: 2.

Ein Bruch wird gekürzt, indem man Zähler und Nenner durch die gleiche Zahl, die **Kürzungszahl,** teilt.

Beispiel: $\frac{16}{24} = \frac{16:8}{24:8} = \frac{2}{3}$, Kürzungszahl: 8.

Damit der Bruch vollständig gekürzt ist, verwendet man als Kürzungszahl zweckmäßigerweise den größten gemeinsamen →Teiler (ggT) von Zähler und Nenner.

Beim Rechnen mit Brüchen sind folgende Regeln zu beachten.

1) Addition und Subtraktion von Brüchen: Zwei Brüche werden addiert oder subtrahiert, indem man sie durch Erweitern auf einen gemeinsamen Nenner bringt, die Zähler addiert oder subtrahiert und den gemeinsamen Nenner beibehält. Der gemeinsame Nenner zweier Brüche heißt **Hauptnenner.** Um die Zahlenwerte nicht zu groß werden zu lassen, wählt man als Hauptnenner das kleinste gemeinsame →Vielfache (kgV) der beiden Nenner.

Beispiele:
a) $\frac{3}{4} + \frac{2}{3} = \frac{3 \cdot 3}{4 \cdot 3} + \frac{2 \cdot 4}{3 \cdot 4} = \frac{9}{12} + \frac{8}{12} = \frac{17}{12}$.
b) $\frac{3}{4} - \frac{2}{3} = \frac{3 \cdot 2}{4 \cdot 2} - \frac{3}{8} = \frac{6}{8} - \frac{3}{8} = \frac{3}{8}$.

2) Multiplikation zweier Brüche: Zwei Brüche werden multipliziert, indem man Zähler mit Zähler und Nenner mit Nenner multipliziert. Es ist sinnvoll vor der Multiplikation zu kürzen.

Beispiele:
a) $\frac{8}{12} \cdot \frac{2}{7} = \frac{8:4}{12:4} \cdot \frac{2}{7} = \frac{2}{3} \cdot \frac{2}{7} = \frac{4}{21}$.
b) $\frac{7}{24} \cdot \frac{16}{21} = \frac{7:7}{24:8} \cdot \frac{16:8}{21:7} = \frac{1}{3} \cdot \frac{2}{3} = \frac{2}{9}$.

3) **Division zweier Brüche:** Bei der Division zweier Brüche benutzt man den **Kehrbruch.** Aus dem Bruch $\frac{2}{3}$ erhält man den Kehrbruch, indem man Zähler und Nenner vertauscht. Somit lautet der Kehrbruch $\frac{3}{2}$. Die Rechenregel für die Division zweier Brüche lautet: Man dividiert durch einen Bruch, indem man mit seinem Kehrwert multipliziert.

Beispiele:
a) $\frac{4}{3} : \frac{7}{6} = \frac{4}{3} \cdot \frac{6}{7} = \frac{4}{3:3} \cdot \frac{6:3}{7} = \frac{4}{1} \cdot \frac{2}{7} = \frac{8}{7}.$

b) $2 : \frac{2}{3} = \frac{2}{1} : \frac{2}{3} = \frac{2}{1} \cdot \frac{3}{2} = \frac{2:2}{1} \cdot \frac{3}{2:2} = \frac{1}{1} \cdot \frac{3}{1} = 3.$

In der Bruchrechnung kennt man auch noch den Begriff der **gemischten Zahl.** Gemischte Zahlen sind Summen aus einer natürlichen Zahl und einem Bruch.

Beispiele:
$2\frac{1}{2} = 2 + \frac{1}{2}, \; 3\frac{3}{7} = 3 + \frac{3}{7}, \; 9\frac{7}{8} = 9 + \frac{7}{8}.$

Mit gemischten Zahlen kann man wie mit Brüchen rechnen, wenn man die gemischte Zahl zunächst in einen Bruch umwandelt. Dies geschieht, indem man die Zahl vor dem Bruch mit dem Nenner multipliziert und den Zähler zu diesem Produkt addiert. Das Ergebnis ist der Zähler des Bruches. Der Nenner wird beibehalten.

Beispiele:
$2\frac{1}{2} = \frac{2 \cdot 2 + 1}{2} = \frac{5}{2}, \; 3\frac{3}{7} = \frac{3 \cdot 7 + 3}{7} = \frac{24}{7},$

$9\frac{7}{8} = \frac{9 \cdot 8 + 7}{8} = \frac{79}{8}.$

Brücke, oberirdische Konstruktion zur Überwindung von Tälern, Gewässern, Verkehrswegen. Die ältesten Brücken sind **Holzbrücken;** als kurze Balkenbrücken gibt es sie noch heute überall, als **Seilbrücken** in zivilisationsfernen Gegenden. Schon die Römer bauten Steinbrücken, deren Gewölbebögen bis zu 40 m überspannten. Holz und Stein blieben das Brückenbaumaterial bis in das 19. Jahrh. hinein. Dann begann die Zeit der **Stahlbrücken,** darauf die der **Stahlbeton-** und **Spannbetonbrücken,** mit denen Hunderte von Metern überbrückt werden können.

Bei jeder Brücke unterscheidet man den **Unterbau,** der aus dem Fundament, den Pfeilern (Stützen) und Widerlagern besteht, von dem auf ihm ruhenden **Oberbau** oder **Tragwerk.** Dieses überträgt alle Lasten, das Eigengewicht, die Verkehrslasten, Wind und Schnee, über die Auflager auf den Unterbau. Die **Balkenbrücke** wird bei Belastung auf Biegung beansprucht; sie kann daher keine großen Entfernungen überspannen. Bei der **Bogenbrücke** aus Stahl oder Spannbeton, deren Tragweite in einem Bogen von einem Lager zum anderen führt, entstehen überwiegend Druckspannungen; die Lasten werden als vertikale und horizontale Kräfte an die Auflager abgegeben. Daher kann die Bogenbrücke eine größere Spannweite haben. Häufig gebaut werden **Schrägseilbrücken,** deren Balken durch schräg geführte Stahlseile gegen einen Pylon (hohe Stütze) abgespannt werden. Spannweiten von über einem Kilometer erzielt man mit **Hängebrü-**

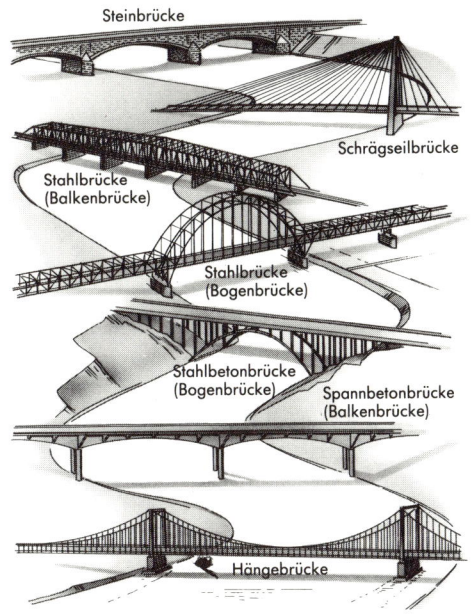

BRÜCKEN			
Name	erbaut	Spann-weite	Gesamt-länge
Stahlbeton- und Spannbetonbrücken			
Balkenbrücke über den Pontchartrain-See, Louisiana, USA	1956	17 m	38 600 m
Rheinbrücke, Bendorf (Balkenbrücke)	1965	208 m	1 029 m
Parramatta-Brücke, Sydney, Australien (Bogenbrücke)	1963	305 m	580 m
Stahlbrücken			
Europabrücke, Innsbruck, Österreich (Balkenbrücke)	1963	198 m	785 m
Bogenbrücke über den Fehmarnsund	1963	248 m	964 m
Köhlbrand-Brücke, Hamburg (Schrägseilbrücke)	1974	325 m	3 940 m
Fleher Rheinbrücke, Düsseldorf (Schrägseilbrücke)	1979	368 m	1 147 m
Golden-Gate-Brücke, San Francisco, USA (Hängebrücke)	1937	1 280 m	2 150 m
Humber-Brücke, Kingston upon Hull, England (Hängebrücke)	1981	1 410 m	2 220 m

Brüc

Brunei

Staatswappen

Staatsflagge

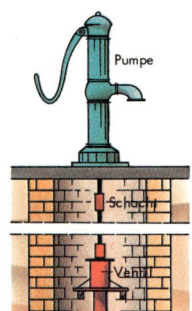

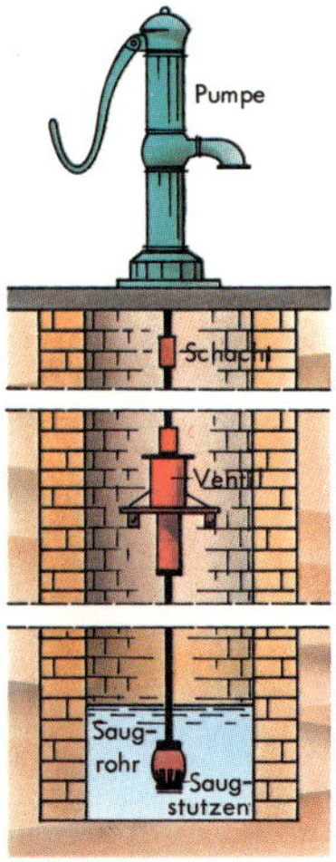

Schachtbrunnen

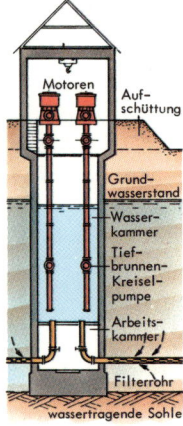

Horizontalbrunnen

Brunnen

cken, deren Fahrbahn an Stahlseilen zwischen hohen Pylonen hängt; der tragende Teil wird hier nur auf Zug beansprucht. Die Spann- oder Stützweite, der Abstand zwischen den Pfeilern, ist der technisch interessante Wert einer Brücke.

Bewegliche Brücken benutzt man, wenn die Durchfahrtshöhe unter der Brücke, z. B. für Schiffe, nicht groß genug ist. Die Durchfahrt wird dadurch ermöglicht, dass der Überbau seitlich geschwenkt **(Drehbrücke)**, hochgeklappt **(Klappbrücke)** oder hochgehoben wird **(Hubbrücke)**.

Brücke, Name einer Künstlervereinigung des →Expressionismus.

Bruckner. Der österreichische Komponist **Anton Bruckner** (*1824, †1896) ist eine der herausragenden Musikerpersönlichkeiten des 19. Jahrh. Aus seinen gewaltigen, farbenprächtigen Tonschöpfungen sprechen tiefe Religiosität und inniges Naturgefühl. 1824 als Sohn eines Dorfschullehrers in Ansfelden bei Linz (Oberösterreich) geboren, wurde er 1837 Sängerknabe im nahen Stift Sankt Florian. Später war er Organist in Sankt Florian und seit 1856 Domorganist in Linz. 1868 wurde er als Hoforganist und Professor nach Wien berufen. Seit 1875 lehrte er auch Musiktheorie an der dortigen Universität. Sein Schaffen umfasst 11 Sinfonien, Messen, das ›Requiem‹ und das ›Te Deum‹ sowie viele kleinere Werke, darunter Motetten, Psalmen, Hymnen.

Bruegel [breugl]. Der Stammvater der niederländischen Malerfamilie Bruegel war **Pieter der Ältere** (* um 1525/30, †1569). Er wurde **Bauernbruegel** genannt, weil er häufig Ereignisse aus dem Leben der Bauern malte, z. B. Bauernhochzeit, Bauerntanz, Heuernte. Die Menschen werden dabei oft mit derbem Witz gezeichnet, wild und ausgelassen herumspringend, gierig essend und trinkend oder betrunken herumliegend. Mit seinen Landschaftsbildern, die auf genauem Naturstudium beruhen, beeinflusste er die niederländische Landschaftskunst des 17. Jahrh. grundlegend.

Sein Sohn **Pieter der Jüngere** (*1564, †1638), genannt **Höllenbruegel**, ahmte mit Spukszenen, Bauernkirmessen und Winterlandschaften den Stil seines Vaters nach. Sein Bruder **Jan der Ältere** (*1568, †1625), der **Blumenbruegel** oder **Samtbruegel,** malte Blumenstillleben und miniaturhaft feine Landschaftsbilder mit Figuren.

Brügge, 117 900 Einwohner, Stadt in Belgien, etwa 15 km von der Nordseeküste entfernt in Flandern. Die Stadt, die von vielen Kanälen durchzogen wird, wird das ›Venedig des Nordens‹ genannt. Im Mittelalter war Brügge Hansestadt und größter Nordseehafen, bis der Seehafen seit etwa 1450 versandete.

Brunei
Fläche: 5 765 km²
Einwohner: 270 000
Hauptstadt: Bandar Seri Begawan
Amtssprache: Malaiisch
Nationalfeiertag: 15. 7.
Währung: 1 Brunei-Dollar (BR $) = 100 Cents (¢)
Zeitzone: MEZ + 7 Stunden

Brunei, Sultanat im Nordosten Borneos in Südostasien. Das Land ist etwa doppelt so groß wie das Saarland. Früher stand Brunei unter britischer Schutzherrschaft; seit 1984 ist es unabhängig. Bedeutende Erdölvorkommen sind die Grundlage des Reichtums des Landes. Brunei hat eines der höchsten Einkommen je Kopf der Bevölkerung in Ostasien. (KARTE Band 2, Seite 195)

Brunhild, nach der deutschen und nordischen Heldensage eine der →Walküren, eine Dienerin des Hauptgottes Odin mit großen Zauberkräften. Im →Nibelungenlied war sie die zaubermächtige Königin von Island; nur wer sie im Kampf besiegte, konnte sie zur Frau gewinnen. Insgeheim hoffte sie, dass der starke und mutige Siegfried ihr Mann würde. Um ihre Hand bewarb sich jedoch der Burgundenkönig Gunther. Da er zu schwach für einen Kampf gegen sie war, überredete er seinen durch eine Tarnkappe unsichtbar gemachten Freund Siegfried für ihn zu kämpfen. Als Brunhild von Siegfrieds Frau →Kriemhild erfuhr, wer sie besiegt hatte, stiftete sie →Hagen von Tronje zum Mord an Siegfried an.

Brunnen. Um sich mit Wasser zu versorgen, legen die Menschen seit Jahrtausenden Brunnen an. Alle Brunnen sind so gebaut, dass sich in ihnen →Grundwasser sammelt; durch Pumpen oder mit Schöpfgefäßen wird es dann nach oben gebracht.

Der einfachste Brunnen ist der **Schachtbrunnen.** Er besteht aus einem meist runden, gemauerten oder betonierten Schacht. Die meisten der heutigen Brunnen sind **Bohrbrunnen.** Sie sind viel enger als Schachtbrunnen und reichen oft tief in die Erde hinab, sodass auch Grundwasser aus tieferen Schichten gefördert werden kann. Das Bohrloch ist mit Rohren ausgekleidet. Ne-

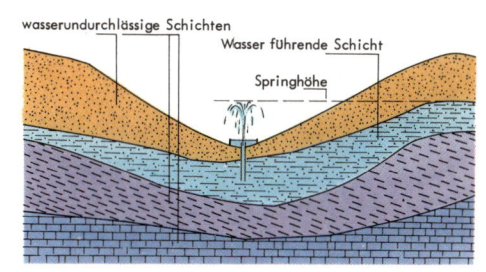

Brunnen: artesischer Brunnen

ben den senkrecht nach unten führenden Bohrbrunnen gibt es die **Horizontalbrunnen**. Bei ihnen wird von einem weiten Schacht aus sternförmig nach den Seiten gebohrt. In diese waagerecht liegenden Bohrlöcher dringt Grundwasser ein, das sich dann im Schacht sammelt. Solche Brunnen werden z. B. bei einem nicht sehr tief liegenden Grundwasserspiegel angelegt. Mit ihnen kann das Wasser eines größeren Gebiets gefördert werden.

Im Unterschied zu den bisher genannten Brunnen gelangt das Wasser beim **artesischen Brunnen** von selbst an die Oberfläche. Dies geschieht dann, wenn das Grundwasser unter Druck steht: Es befindet sich zwischen 2 undurchlässigen Schichten in flachen Mulden und steigt empor, wenn die oberste dieser undurchlässigen Schichten durchbohrt wird.

Brunst, Brunft, bei Tieren die Zeit vor der Begattung. Sie ist bei den meisten Tieren an eine bestimmte Jahreszeit gebunden. Dadurch ist sichergestellt, dass die Jungen zu einer für ihre Entwicklung günstigen Zeit geboren werden. Tageslänge, Tagestemperatur sowie Regenzeiten und andere Umweltfaktoren haben Einfluss darauf, wann die Brunst auftritt; sie bewirken, dass sich im Körper der Tiere Geschlechtshormone (→Hormone) entwickeln, die bei beiden Geschlechtern das Verhalten ändern. Bei den Weibchen wird durch die Hormone der Eisprung und damit die Empfängnisbereitschaft ausgelöst.

Brüssel, 136 000, mit Vororten rund 960 000 Einwohner, Hauptstadt von Belgien, liegt beiderseits der Senne und ist durch den Brüsseler Seekanal zur Schelde mit Antwerpen verbunden. Die Stadt ist gegliedert in die wallonische Oberstadt mit Park und königlichem Schloss und in die flämische Unterstadt oder Altstadt; hier findet das Geschäftsleben statt. In der Umgebung des Marktplatzes (Grand' Place), der zu den schönsten alten Plätzen Europas zählt, stehen viele Baudenkmäler, z. B. das spätgotische Rathaus mit 96 m hohem Turm sowie der zu einem Wahrzeichen gewordene Brunnen ›Manneken-Pis‹. Den Brunnen mit der Figur eines ›pinkelnden‹ Jungen gab es bereits im 15. Jahrh. Über den Ursprung gibt es nur Vermutungen, z. B., dass ein Bürger, dessen Kind weggelaufen war, die Statue gestiftet habe. Anlässlich der Weltausstellung 1958 wurde das ›Atomium‹ gebaut, eine 110 m hohe Darstellung eines Eisenkristalls. Zur gleichen Zeit entstanden mehrere Verwaltungsgebäude; in Brüssel befindet sich der Sitz der Kommission der Europäischen Union und das Hauptquartier der NATO. Von den Industrien ist unter anderen die Textilindustrie (**Brüsseler Spitzen**) bemerkenswert.

Brustkorb, knöchernes Gerüst, das die Brusthöhle umgibt. Der Brustkorb setzt sich aus der Brustwirbelsäule, den Rippen und dem Brustbein zusammen. Das Zwerchfell, der Hauptatemmuskel, schließt die Brusthöhle zum Bauchraum ab. Im Brustkorb liegen unter anderem die beiden Lungenflügel und das Herz. Zum Brustkorb gehören 12 Rippenpaare, von denen die 5 untersten keine direkte Verbindung zum Brustbein haben; deswegen bezeichnet man sie auch als unechte Rippen. Die Rippen sind mit den Brustwirbeln durch ein Gelenk verbunden; nur die oberen 7 Rippenpaare haben über einen Knorpel Verbindung zum Brustbein. Dadurch besitzt der Brustkorb eine gewisse Elastizität und Beweglichkeit, die zum Schutz der Organe und für die Atmung notwendig sind. Auf den Brustkorb aufgelegt ist der Schultergürtel.

Brustschwimmen, älteste sportliche Bewegungsart im Schwimmen, im Vergleich zu anderen Schwimmstilen (Kraul-, Rücken-, Schmetterlingsschwimmen) zugleich die langsamste. Brustschwimmen ist über 100 m und 200 m für Damen und Herren olympische Disziplin.

Brut, alle gleichzeitig gelegten Eier bei Insekten, Fischen, Lurchen, Kriechtieren und Vögeln sowie die Embryonen und Jungtiere eines Wurfs der Säugetiere. Eier werden ausgebrütet durch ständiges Warmhalten über einen bestimmten Zeitraum. **Brutpflege** betreiben besonders die Ameisen und Bienen, die Vögel und Säugetiere. Sie suchen den **Brutplatz** aus, füttern und betreuen die Jungen, bis diese selbstständig geworden sind. (→Nesthocker)

Brustkorb: a Brustbein, b 1. Rippe, c 1. Brustwirbel, d Schlüsselbein, e Schulterhöhe, f Schulterblatt, g Knochen-Knorpelgrenze der Rippen, h Rippenbogen, i 11. Rippe, k 12. Rippe, l 12. Brustwirbel

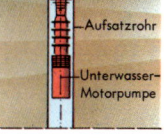

Bohrbrunnen
Brunnen

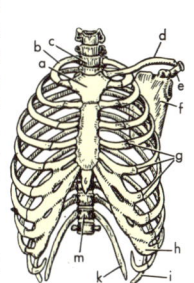

Brustkorb

Brut

Brutreaktor, Brüter, ein Kernreaktor (→Kernspaltung), der mehr spaltbares Material erzeugt, als er verbraucht.

brutto [italienisch ›roh‹], ohne Abzug, mit Verpackung. Das **Bruttogewicht** ist das Gewicht einer Ware einschließlich der Verpackung; der **Bruttolohn** ist der Lohn ohne die Abzüge (Steuern, Versicherungen usw.); der **Bruttopreis** eines Gutes nennt den Preis einschließlich Mehrwertsteuer und ohne Rabattabzug. Im Gegensatz dazu bedeutet **netto** ›rein, nach Abzug‹ von Verpackung, Steuern, Preisnachlässen usw.

Bruttosozialprodukt, →Sozialprodukt.

Brutus. Marcus Junius **Brutus** (*85 v. Chr., †42 v. Chr.) gehörte zu den Römern, die sich der Alleinherrschaft Caesars widersetzten. Er führte 44 v. Chr. die Verschwörung gegen Caesar an und war am 15. März (›Iden des März‹) einer der Mörder. Doch seine Hoffnung, nach Caesars Tod die Republik wiederherstellen zu können, erfüllte sich nicht. Ende 42 v. Chr. tötete er sich selbst.

Btx, Abkürzung für →Bildschirmtext.

Buch, größeres Schrift- oder Druckwerk aus miteinander verbundenen Blättern. Die Blätter werden vom Buchbinder entweder als Doppelblätter mit Fäden in einen festen Leinen- oder Ledereinband geheftet (gebunden) oder als Einzelblätter geklebt (vor allem Taschenbücher). In einem Buch wird geistiges Gut schriftlich festgehalten und einem größeren Kreis zugänglich gemacht. Das Wissen und die Errungenschaften einer Zeit können so erhalten und der Nachwelt überliefert werden.

Papier, aus dem heute Bücher gemacht werden, ist im Abendland erst seit dem 13./14. Jahrh. gebräuchlich. Babylonier, Assyrer und andere Völker des Alten Orients schrieben auf Tontafeln, die Inder auf Palmblätter; Ägypter, Griechen und Römer benutzten den aus dem Mark der Papyrusstaude gewonnenen Papyrus. Seit dem 3. Jahrh. v. Chr. kam, wohl in Kleinasien, das aus Tierhäuten hergestellte Pergament auf, das lange Zeit der einzige Beschreibstoff blieb. War bisher die Buchrolle üblich gewesen, so entstand seit dem 1./2. Jahrh. n. Chr. die flache, viereckige Buchform aus Lagen von gefalteten Pergamentblättern. Weil das Pergament teuer war, wurde häufig die erste Schrift wieder entfernt, damit das Blatt noch einmal benutzt werden konnte. Erst das Papier verbilligte die Buch-

herstellung. In der Antike wurden Bücher von Sklaven, im Mittelalter von Mönchen in Klöstern, später auch von Lohnschreibern vervielfältigt, indem sie in langwieriger Arbeit abgeschrieben, auch ausgemalt (→Buchmalerei) wurden. Da dies teuer war, konnten sich nur wenige Menschen Bücher leisten. Die Erfindung des Buchdrucks mit Einzelbuchstaben durch Johannes →Gutenberg und der Einsatz moderner Druckverfahren trugen entscheidend dazu bei, dass sich das Buch zum Massenartikel entwickelt hat.

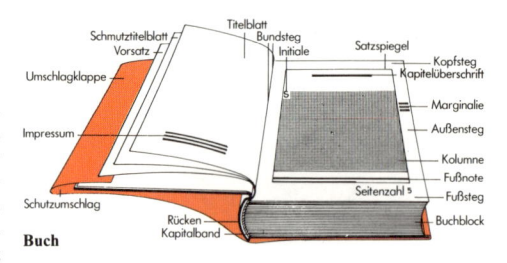

Buchen, mitteleuropäische Laubbäume. Man erkennt die bis über 40 m hohe **Rotbuche** an ihrem ziemlich gleichmäßig runden Stamm mit der glatten, silbergrauen Rinde und den eiförmigen Blättern, die im Frühjahr hellgrün sind und sich vor dem Abfallen im Herbst goldbraun färben. Weibliche und männliche Blüten sitzen auf demselben Baum. Die stacheligen Fruchtbecher öffnen im Herbst ihre 4 Klappen und je 2 dreikantige, rotbraune Nüsse fallen heraus. Diese **Bucheckern** werden von vielen Tieren (Eichhörnchen, Waldmäusen, Vögeln) gefressen. Man gewinnt daraus auch Speiseöl. Eine Rotbuche wird bis 300 Jahre alt. Ihr rötlich weißes, sehr hartes Holz ist gutes Brennholz und wird zur Herstellung von Sperrholz und Werkzeugen verwendet. Eine Gartenform ist die rotblättrige **Blutbuche**.

Die mit Birken verwandte **Hainbuche** (auch **Weißbuche**) ähnelt der Rotbuche durch ihre glatte, graue Rinde. Der Stamm hat aber unregelmäßig geformte Wülste und Furchen und besteht oft aus mehreren Stämmen wie ein Strauch. Die Früchte werden an einem blattartigen Anhängsel vom Wind fortgetrieben.

Buchfink, einer der häufigsten heimischen →Finkenvögel. Er baut sein Nest überall dort, wo es Bäume, Büsche und Hecken gibt. Zur Brutzeit kann man den ›Finkenschlag‹ des Männchens, eine Folge von Pfeiftönen, hören. Im bunten Gefieder des Männchens herrschen rotbraune Farben vor, beim Weibchen überwiegt grau. Buchfinken fressen Insekten und Sämereien. In größe-

Buchen: OBEN Rotbuche mit männlichen (rechts) und weiblichen (links) Blütenständen. UNTEN Buchecker; links einzelne Nuss, rechts Fruchtbecher mit zwei Nüssen

ren Schwärmen fliegen sie ins afrikanische Winterquartier. Ältere Männchen bleiben meist zurück und kommen ans Futterhaus. Der sehr ähnliche **Bergfink** nistet in Skandinavien und kommt nur im Winter in großen Schwärmen nach Deutschland.

Buchführung. Jeder Geschäftsbetrieb macht über seine Geschäftsvorfälle genaue Aufzeichnungen, z. B. über Käufe und Verkäufe von Waren, Geldeinzahlungen in die Kasse, Kauf von Maschinen und Kreditaufnahmen. Diese Aufzeichnungen werden zeitlich in Form von Konten geordnet; jede Aufzeichnung muss durch einen Beleg überprüfbar sein.

Auf einem **Konto** werden Bestände und ihre Veränderungen, in Geldeinheiten ausgedrückt, eingetragen (›verbucht‹). Grundsatz der **doppelten Buchführung** ist, dass jeder Geschäftsvorgang immer auf mindestens 2 verschiedenen Konten, also doppelt, verbucht wird. Dabei wird die Buchung auf dem einen Konto auf der **Soll**seite (linke Seite), auf dem anderen auf der **Haben**seite (rechte Seite) vorgenommen. Ein Warenkauf wird z. B. als Zugang auf dem Warenkonto auf der Sollseite erfasst; dagegen bedeutet er bei Barzahlung einen Abgang auf dem Konto ›Kasse‹ (Habenseite).

Am Ende eines Geschäftsjahres werden die Konten jeweils zusammengefasst und ihre Salden (Differenz zwischen Soll- und Habenseite) auf die entsprechenden Abschlussrechnungen (→Bilanz, Gewinn- und Verlustrechnung) übertragen.

Buchmalerei, Malerei oder Zeichnung in Handschriften und Büchern. Sie wird auch **Miniaturmalerei** genannt nach der im frühen Mittelalter oft verwendeten roten Mennigfarbe (lateinisch minium). Bedeutende Handschriften sind schon aus der Antike und später aus Byzanz überliefert. Das früheste, vollständig ausgemalte Evangelienbuch (›Book of Durrow‹) entstand um 680 in Irland oder in England. Unter Karl dem Großen und den sächsischen Kaisern (Ottonen) bildeten sich regelrechte Malschulen, meist in den Schreibstuben der großen Klöster. Zu den Evangelientexten schufen die Maler (Miniatoren) zierliche Federzeichnungen oder malten mit Deckfarben und Gold, seltener mit Aquarellfarben. Verziert wurden meist die Anfangsbuchstaben (Initialen) eines Kapitels, die Blattränder, aber auch ganze Seiten. Unter den nichtreligiösen Werken der Buchmalerei ragt die Große Heidelberger oder Manessische Liederhandschrift aus dem 14. Jahrh. hervor; sie enthält 137 ganzseitige Darstellungen von mittelhochdeutschen Dichtern in höfischen Szenen. Gebetbücher (›Stundenbücher‹) für den französischen Herzog von Berry schufen im 15. Jahrh. die niederländischen Brüder Limburg in einem wirklichkeitsnahen Stil. Mit der Verbreitung des Buchdrucks löste der Holzschnitt die Buchmalerei ab. – Im Orient blühte die Buchmalerei vor allem im 15. bis 17. Jahrh. in Persien, seit dem 16. Jahrh. in Indien.

Büchner. Obwohl er nur wenig geschrieben hat, gilt der Schriftsteller **Georg Büchner** (*1813, †1837) als geniales Talent. Während seines Studiums der Naturwissenschaften, Medizin und Philosophie schloss sich Büchner 1834 in Hessen einer politischen Gruppe an, die die Herrschaft des Kurfürsten Wilhelm I. beseitigen wollte und eine vom Volk gewählte Regierung anstrebte. Unter dem Motto ›Friede den Hütten, Krieg den Palästen‹ verfasste Büchner im selben Jahr die erste sozialistische Kampfschrift. Während seiner Examensvorbereitungen schrieb er in 5 Wochen das Drama ›Dantons Tod‹ (1835), das vom Scheitern Dantons, eines Führers der Französischen Revolution, handelt. Kurz darauf wurde er als Verfasser der Kampfschrift entdeckt, floh nach Straßburg und entging so dem Gefängnis. 1836 wurde Büchner Privatdozent für Anatomie an der Universität in Zürich, wo er ein Jahr später an Typhus starb. Das Lustspiel ›Leonce und Lena‹, die Erzählung ›Lenz‹ und das nicht vollendete Drama ›Woyzeck‹ erschienen erst nach seinem Tod.

Georg Büchner

Buchsbaum, immergrüner Strauch mit glänzend-ledrigen Blättern; er ist im Mittelmeergebiet und in Westeuropa heimisch. In Mitteleuropa wird er zur Einfassung von Beeten und Gräbern gepflanzt. In barocken Gartenanlagen wurden Buchsbaumhecken kunstvoll beschnitten. Das gelbe, sehr harte und dichte Holz größerer Bäumchen eignet sich für Drechslerarbeiten.

Büchse, ein Gewehr für Jagd und Sport, mit der kleinere Kugelpatronen verschossen werden.

Buckel, die verstärkte Krümmung der Wirbelsäule nach hinten, häufig mit einer Seitenabweichung der Wirbelsäule verknüpft. Bei vielen Menschen, besonders bei Jugendlichen, findet sich als Haltungsfehler ein ausgeprägter **Rundrücken,** der durch Muskelarbeit noch ausgeglichen werden kann. Infolge entzündlicher Veränderungen, durch Formveränderung der Wirbelkörper und besonders im Alter kann der Rundrücken versteifen.

Bückling, ein geräucherter →Hering.

Buchsbaum: Zweige mit Blüten (oben) und Frucht (unten)

Buda

Budapest, 2,1 Millionen Einwohner, Hauptstadt von Ungarn, liegt beiderseits der Donau und entstand offiziell 1872 durch die Zusammenlegung der Gemeinden **Buda, Obuda** und **Pest.** Am rechten, bergigen Ufer liegt Buda mit historisch bedeutenden Bauten (Burg, Zitadelle, spätrömisches Amphitheater); am linken, flachen Ufer liegt Pest mit prachtvollen Bauwerken aus dem 19. Jahrh. (Parlament, Ungarisches Nationalmuseum).

Buddha, der Stifter der nach ihm **Buddhismus** genannten Religion. Sie gehört zu den großen Weltreligionen mit etwa 300 Millionen Gläubigen. – Im Himalayagebiet des heutigen Nepal wurde wahrscheinlich um das Jahr 560 v. Chr. **Siddharta** geboren, den seine Freunde auch **Gautama** nannten. Später gab man ihm den Titel **Buddha** (›der Erleuchtete‹ oder ›der Erwachte‹). Buddha wuchs als Sohn eines Fürsten auf und verließ mit 29 Jahren das väterliche Haus; er ließ alles zurück, was ihm bisher Glück und Freude bereitet hatte. Was ihn trieb, war die Begegnung mit Alter, Krankheit und Tod. Durch Meditation hatte er unter einem Feigenbaum sitzend ein Erlebnis, das er selbst als ›Erleuchtung‹ bezeichnete: Alles Dasein ist leidhaft, das Leid beruht vor allem auf der Daseinsgier (dem Daseinsdurst) der Wesen, die überwunden werden muss; letztes Ziel des Menschen ist das →Nirwana. Buddha zog nach Benares und legte dort in einer Predigt zum ersten Mal seine neuen Einsichten dar. Viele Menschen schlossen sich ihm an. Er gründete einen Mönchsorden, dem sich bald ein Kreis von Laien anschloss, die ohne mönchische Askese in ihrem weltlichen Beruf blieben. Buddha selbst durchzog lehrend und werbend Nordindien und starb um 480 v. Chr. an der Grenze von Nepal.

Buddhas Predigten wurden von seinen Jüngern zunächst mündlich, seit dem 1. Jahrh. v. Chr. auch schriftlich überliefert. Die Lebensgeschichte Buddhas ist später mit vielen Legenden über seine Geburt, seine Wunder und Erlebnisse ausgeschmückt worden.

Budget [büdsche], französische Bezeichnung für den staatlichen →Haushaltsplan.

Budo [aus japanisch bu ›Ritter‹ und do ›Weg‹, ›Grundsatz‹], Sammelbezeichnung für japanische Kampfsportarten, zu denen z. B. →Judo und →Karate gehören. Die mit Budo bezeichneten Sportarten sollen nach fernöstlicher Philosophie durch Ausübung des Kampfsports zu geistiger Reife führen. – Allen Budosportarten ist die Gürtelfarbe als Zeichen des jeweiligen Schüler- oder Meistergrades sowie die einheitliche Kleidung der Wettkämpfer gemeinsam.

Buenos Aires [spanisch ›gute Lüfte‹], 2,92 Millionen, mit Vororten 10 Millionen Einwohner, Hauptstadt von Argentinien, in der mehr als 1/3 der Gesamtbevölkerung des südamerikanischen Staates wohnt. Die Stadt liegt am Südwestufer des Río de la Plata fast 300 km vom Atlantischen Ozean entfernt; dennoch ermöglichen moderne Hafenanlagen auch Seeschiffen die Zufahrt.

Buffalo Bill [bafelou bil], eigentlich **William** (›**Bill**‹) **F. Cody** (*1846, †1917), amerikanischer Offizier und Abenteurer, der als einer der erfahrensten Kundschafter in den Indianerkriegen galt. Er war als Fleischlieferant für Eisenbahnbauarbeiter an der Vernichtung der indianischen Bisonherden beteiligt. Später arbeitete er als Schausteller und organisierte die erste ›Wildwestschau‹, die er 1887 auch nach Europa brachte.

Büffel, wilde Rinder in Afrika und Asien mit dünnem Haarkleid. Die rotbraunen bis schwarzen **Kaffernbüffel** bewohnen in größeren Herden afrikanische Steppen, Savannen und Wälder, mit Vorliebe in der Nähe von Wasser, in dem sie sich suhlen. Die besonders weit geschwungenen Hörner der bis zu 1,8 m hohen Bullen sind eine gefährliche Waffe. Die fast 2 m langen Hörner des massigen, schiefergrauen bis schwarzen **Wasserbüffels** biegen sich sichelförmig nach hinten. Er lebt im wassernahen Grasdschungel Süd- und Ostasiens und ruht tagsüber oft bis zum Kopf untergetaucht. Der aus diesem wilden Büffel gezüchtete **Hausbüffel** eignet sich besonders als Ar-

Büffel: Kaffernbüffel

beitstier auf den überschwemmten Reisfeldern; er liefert dem Menschen auch Fleisch und Milch. Der ›Büffel‹ der Indianer ist zoologisch ein →Bison.

Bühne, im weiteren Sinn jede klar abgegrenzte Spielfläche. Je nach ihrer Lage und Öffnung zum Zuschauerraum hin unterscheidet man verschiedene Bühnenformen. Um die ebenerdige **Arenabühne** herum sitzen die Zuschauer im Kreis oder in ansteigenden Sitzreihen (→Amphitheater). Ursprünglich wurden dort kultische Tanz- und Kampfspiele aufgeführt, aus denen das antike Theater hervorging. Wie dieses hatte das Theater des Mittelalters seine Anfänge in religiösen Kulthandlungen; Spielorte waren zunächst Kirchen, später dann Marktplätze oder Säle, also nichtkirchliche Räume. In den verschiedenen europäischen Ländern waren zu dieser Zeit unterschiedliche Bühnenformen üblich; allen war jedoch gemeinsam, dass sie mehrere neben- oder übereinander liegende Flächen hatten, auf denen gespielt werden konnte **(Simultanbühne).** Während zunächst meist **Flächenbühnen** mit geringer Raumtiefe benutzt wurden, veränderte im 16. Jahrh. die Einführung der tiefen **Kulissenbühne** das Theater. Die Entwicklung zur **Guckkastenbühne** des 19. Jahrh. mit ihrem dreiseitig abgeschlossenen Raum, der nur von der Zuschauerseite her eingesehen werden kann, setzte ein. Die meisten Theaterhäuser haben heute neben der Hauptspielfläche weitere Bühnenteile (Hinter-, Seiten-, Ober-, Unter-, Vorderbühne, Orchestergraben), die die Spielmöglichkeiten erweitern. Im Gegensatz dazu werden neue Theater vielfach als **Raumbühnen** entworfen, bei denen Bühne und Zuschauerraum ohne Abtrennung ineinander übergehen.

Bühnenbild. Für die künstlerische Ausgestaltung der Bühne, die damit für die Aufführung eines Stücks vorbereitet wird, ist der **Bühnenbildner** verantwortlich. Bestandteile seines Bühnenbilds können **Kulissen** sein, also Holzrahmen, die mit bemalter Leinwand, Pappe oder Papier bespannt sind und aus größerer Entfernung betrachtet die Vorstellung z. B. eines Walds oder eines Hauses auf der Bühne hervorrufen sollen. Auch die gemalten **Prospekte,** die den Bühnenhintergrund verdecken, gehören zum Bühnenbild, ebenso die **Requisiten** (in der Spielhandlung benötigte Gegenstände). Weiterhin beeinflussen **Kostüme** und **Masken** den äußeren Gesamteindruck. In modernen Bühnenbildern ist die **Beleuchtung** ein wesentliches Element der Gestaltung.

Bukarest, 2 Millionen Einwohner, Hauptstadt von Rumänien, liegt in der Walachei. Die Stadt ist kultureller und wirtschaftlicher Mittelpunkt Rumäniens. Sie gehörte seit dem 14. Jahrh. zeitweilig zu Ungarn, Österreich und zum Osmanischen Reich; im 15./16. Jahrh. war Bukarest Mittelpunkt der Walachei, seit 1861/62 ist es Hauptstadt Rumäniens.

Bulgarien
Fläche: 110 912 km²
Einwohner: 8,952 Mio.
Hauptstadt: Sofia
Amtssprache: Bulgarisch
Nationalfeiertag: 3. 3.
Währung: 1 Lew (Lw) = 100 Stotinki (St)
Zeitzone: MEZ + 1 Stunde

Bulgarien

Staatsflagge

Bulgari|en, Republik im Osten der Balkanhalbinsel. Das Land ist so groß wie Bayern und Baden-Württemberg zusammen. Im Norden wird es von der Donau und ihrem Tiefland begrenzt. Nach Süden folgt das in Ostwestrichtung verlaufende Balkangebirge. Die südliche Hälfte des Landes wird von Gebirgen und dazwischenliegenden Beckenlandschaften eingenommen. Bulgarien hat Kontinentalklima mit kalten Wintern und warmen Sommern; die Winter an der Schwarzmeerküste sind mild. Außer im Gebirge fällt nur mäßiger Niederschlag.

Die wichtigsten Städte sind Sofia, Plowdiw und Warna. Die Mehrzahl der Einwohner lebt in den Ebenen und Beckenlandschaften.

Neben den Bulgaren (rund 88 % der Bevölkerung) gibt es eine kleine türkische Minderheit. Zwei Drittel der Bevölkerung gehören der orthodoxen Kirche an. Die landwirtschaftliche Anbaufläche nimmt mehr als die Hälfte der Gesamtfläche ein. Weizen, Mais, Gerste, Zuckerrüben und Obst sind die wichtigsten Anbauprodukte. Wein, Obst, Tabak und Rosen (Rosenöl) werden für die Ausfuhr überwiegend in Bewässerungskulturen angebaut. Bulgarien verfügt über wichtige Bodenschätze, die den Aufbau einer Industrie ermöglicht haben. Dazu gehören Braunkohle, Steinkohle, Erdöl, Eisenerz. Sehr hochwertige Rohstoffe sind Chrom, Blei, Kupfer und Zink. Im Seeverkehr wird der größte Teil des bulgarischen Außenhandels in den Schwarzmeerhäfen Warna und Burgas umgeschlagen. Der Fremdenverkehr an der Schwarzmeerküste ist eine wichtige Einnahmequelle.

Bull

Eine 1. Reichsgründung der Bulgaren erfolgte um 700. Dieses Reich erreichte eine Höhepunkt an Machtentfaltung unter Zar Simeon I. (893–927) und wurde im 11. Jahrh. Provinz des Byzantinischen Reichs. Ein 2. Bulgarisches Reich entstand 1186. 1388 geriet es unter türkische Herrschaft. Der Berliner Kongress 1878 brachte die Befreiung. 1908 wurde Bulgarien ein unabhängiges Königreich. Ende des Zweiten Weltkriegs besetzte die Sowjetunion das Land und wandelte es zu einem kommunistischen Staat um. Nach dem Zerfall des Ostblocks gab sich Bulgarien 1991 eine neue Verfassung im Sinne eines demokratischen, sozialen Rechtsstaats mit politischem Pluralismus. (KARTE Band 2, Seite 205)

Bulldogge, eine Rasse der →Hunde.

Bulle [aus lateinisch bulla ›Kapsel‹], ein Siegel von etwa kreisrunder Form aus Gold, Silber oder Blei, das auf beiden Seiten geprägt und mit einem Seiden- oder Hanffaden an der Pergamenturkunde befestigt ist. Diese Siegel gibt es seit der Antike; heute werden sie noch von der päpstlichen Kanzlei verwendet. Seit dem Mittelalter wird auch die mit einem solchen Siegel versehene Urkunde als Bulle bezeichnet. Historisch bedeutsam ist die →Goldene Bulle von 1356.

Bulle, auch **Stier,** männliches Rind (→Rinder).

Bundesgenossenkrieg. Die seit dem 4. Jahrh. v. Chr. von den Römern unterworfenen italischen Stämme waren Bundesgenossen Roms, die Rom im Krieg unterstützen mussten, aber kein Bürgerrecht hatten. Um dieses zu erkämpfen, begannen sie 91 v. Chr. einen erbitterten Krieg, der erst endete, als ihnen Rom 88 v. Chr. das römische Bürgerrecht gewährte. Die Samniter kämpften bis 82 v. Chr. um dieses Recht.

Bundesgrenzschutz, Abkürzung **BGS,** eine 1951 errichtete Sonderpolizei, die dem Bundesinnenminister untersteht. Dem BGS gehören etwa 21 000 Mann an. Er erfüllt verschiedene Aufgaben: in Zusammenarbeit mit dem Zoll sichert er das Bundesgebiet gegen verbotene Grenzübertritte innerhalb eines 30 km tiefen Grenzstreifens und kontrolliert die Pässe, bewacht wichtige Bundesbehörden, z. B. den Bundespräsidenten und die Ministerien; er wirkt auch bei der Terrorismusbekämpfung mit; ferner wurden ihm die Aufgaben der Bahnpolizei und der Luftsicherheit übertragen. Im Verteidigungsfall ist der BGS Teil der Streitkräfte der Bundesrepublik Deutschland.

Bundesjugendspiele, sportliche Wettkämpfe, die seit 1951 von Schulen in der Bundesrepublik Deutschland veranstaltet werden. Sie umfassen in **Sommerspielen** leichtathletische Disziplinen und Schwimmen; in **Winterspielen** wird an Geräten geturnt. Die Wettkämpfe dienen dem sportlichen Leistungsvergleich der Jugendlichen. Gewertet wird nach einem auf das Alter bezogenen Punktesystem. Bei Erreichen festgesetzter Punktzahlen erhalten die Teilnehmer Sieger- oder Ehrenurkunden.

Bundeskanzler, in der Bundesrepublik Deutschland der Chef der →Bundesregierung. Er wird auf Vorschlag des Bundespräsidenten vom Bundestag gewählt. Dazu muss die Mehrheit der Abgeordneten für ihn stimmen. Der Bundeskanzler bestimmt die Richtlinien der Politik und trägt dafür die Verantwortung. Um Regierungskrisen zu vermeiden, hat er eine starke Stellung. Er kann nur dann gestürzt werden, wenn der Bundestag gleichzeitig mit dem Misstrauensantrag einen neuen Kanzler wählt. Ein Rücktritt ist aber jederzeit möglich. Bisher gab es 6 Bundeskanzler: 1949–63 Konrad Adenauer (CDU), 1963–66 Ludwig Erhard (CDU), 1966–69 Kurt-Georg Kiesinger (CDU), 1969–74 Willy Brandt (SPD), 1974–82 Helmut Schmidt (SPD), seit 1982 Helmut Kohl (CDU).

Auch in Österreich heißt der Vorsitzende der Bundesregierung Bundeskanzler, er wird vom Bundespräsidenten ernannt. Seit 1945 waren Bundeskanzler: 1945–53 Leopold Figl (ÖVP), 1953–61 Julius Raab (ÖVP), 1961–64 Alfons Gorbach (ÖVP), 1964–70 Josef Klaus (ÖVP), 1970–83 Bruno Kreisky (SPÖ), 1983–86 Fred Sinowatz (SPÖ), seit 1986 Franz Vranitzky (SPÖ). In der Schweiz ist der Bundeskanzler der Vorsteher der Bundeskanzlei. Er wird durch die →Bundesversammlung auf 4 Jahre gewählt.

Bundeskriminalamt, Abkürzung **BKA.** In der Bundesrepublik Deutschland untersteht die Polizei den Innenministern der einzelnen Bundesländer. Diesen obliegt die Verbrechensbekämpfung. Das BKA in Wiesbaden untersteht dem Bundesinnenminister und gewährleistet die Zusammenarbeit von Bund und Ländern bei der Strafverfolgung innerhalb der gesamten Bundesrepublik. Nur in gesetzlich geregelten Einzelfällen ermittelt das BKA selbst, z. B. bei Terrorismus und internationalen Verbrechen. Es unterhält Speziallabors und eine zentrale Fahndungskartei über gesuchte Straftäter und wertvolles Diebesgut, z. B. gestohlene Autos. Das BKA ist deutsches Zentralbüro von →Interpol.

Bund

Bundesliga, höchste Spiel- und Leistungsklasse für verschiedene Mannschafts- und Einzelsportarten in der Bundesrepublik Deutschland. In den Bundesligen wird der Deutsche Meister in der jeweiligen Sportart ermittelt. Viele Bundesligen haben eine Nord- und eine Südgruppe, deren erstplatzierte Mannschaften um den Deutschen Meistertitel kämpfen. Die bekannteste Bundesliga besteht im Fußball seit 1963. Seit 1974 gibt es eine 2. Fußball-Bundesliga, die aus den Spitzenvereinen der aufgelösten Regionalligen gebildet wurde.

Bundespräsident, das Staatsoberhaupt in der Bundesrepublik Deutschland, in Österreich und in der Schweiz.

In der Bundesrepublik Deutschland wird er nicht vom Volk, sondern von der →Bundesversammlung gewählt. Seine Amtszeit dauert 5 Jahre, Wiederwahl ist nur einmal zulässig. Der Bundespräsident darf keinen Beruf und kein bezahltes Amt ausüben. Er darf auch nicht Mitglied der Regierung sein und weder dem Bundestag noch einem Landtag angehören.

Der Bundespräsident repräsentiert den Staat und vertritt ihn völkerrechtlich. Zu seinen Aufgaben gehört es, meist mit Zustimmung des Bundestages, Verträge mit anderen Staaten abzuschließen und Titel und Orden zu verleihen. Für den Bund übt er das Begnadigungsrecht aus. Außerdem unterzeichnet er die Bundesgesetze und verkündet sie. Er ernennt und entlässt die Bundesminister auf Vorschlag des Bundeskanzlers. Die Bundespräsidenten der Bundesrepublik Deutschland: 1949–59 Theodor Heuss (FDP), 1959–69 Heinrich Lübke (CDU), 1969–74 Gustav Heinemann (SPD), 1974–79 Walter Scheel (FDP), 1979–84 Karl Carstens (CDU), 1984–94 Richard von Weizsäcker (CDU), seit 1994 Roman Herzog (CDU).

In Österreich wird der Bundespräsident als Staatsoberhaupt für die Dauer von 6 Jahren vom Volk gewählt. Eine Wiederwahl ist zulässig. Er ernennt die Bundesregierung, ist aber in seinem Handeln weitgehend an deren Vorschläge gebunden. Die Bundespräsidenten von Österreich (seit 1945): 1945–50 Karl Renner, 1951–57 Theodor Körner, 1957–65 Adolf Schärf, 1965–74 Franz Jonas, 1974–86 Rudolf Kirchschläger, 1986–92 Kurt Waldheim, seit 1992 Thomas Klestil.

In der Schweiz ist der Bundespräsident der auf ein Jahr von der Bundesversammlung gewählte Vorsitzende des →Bundesrats.

Bundesrat, die Interessenvertretung der Länder eines →Bundesstaates. Die Bundesrepublik Deutschland besteht aus 16 Bundesländern. Die Regierungen dieser Länder vertreten ihre Interessen bei der Verwaltung und Gesetzgebung des Bundes. Dies geschieht durch den Bundesrat. Seine Mitglieder gehören einer Landesregierung an und werden von dieser abgeordnet, also nicht unmittelbar vom Volk gewählt. Jedes Land entsendet mindestens 3 Vertreter. Größere Länder mit mehr als 2 Millionen Einwohnern dürfen 4, solche mit mehr als 6 Millionen Einwohnern 5 Vertreter, mit mehr als 7 Millionen 6 Vertreter entsenden.

Der Bundesrat hat verschiedene Mitwirkungsmöglichkeiten. So bedürfen manche Gesetze seiner Zustimmung, z. B. alle Grundgesetzänderungen. Aber auch gegen alle anderen Gesetze kann der Bundesrat Einspruch erheben, den der Bundestag mit Mehrheit verwerfen kann.

In Österreich ist der Bundesrat die Vertretung der einzelnen Bundesländer. Die Landtage wählen die 58 Bundesratsmitglieder, wobei sich die Anzahl der Vertreter nach der Einwohnerzahl des jeweiligen Landes richtet. Aufgabe des Bundesrates ist zusammen mit dem →Nationalrat die Gesetzgebung für den Bund. In der Schweiz nennt man die oberste leitende Regierungsbehörde Bundesrat. Er besteht aus 7 Mitgliedern, die von der →Bundesversammlung für 4 Jahre ernannt werden. Sein Vorsitzender ist der →Bundespräsident, der auf 1 Jahr gewählt wird.

Bundesregierung, die Regierung eines →Bundesstaates. In der Bundesrepublik Deutschland und in Österreich besteht die Bundesregierung vor allem aus dem Bundeskanzler und den Bundesministern; ihre Mitglieder werden auf Vorschlag des Bundeskanzlers vom Bundespräsidenten ernannt. In der Schweiz entspricht der →Bundesrat der Bundesregierung.

Bundesrepublik Deutschland, Bundesstaat in Mitteleuropa, →Deutschland.

Bundesstaat, der Zusammenschluss mehrerer Länder zu einem Gesamtstaat. Die Bundesrepublik Deutschland ist ein Bundesstaat. Dieser regelt alle Fragen, die für den Bestand des Gesamtstaats wichtig sind. Bei ihm liegt die Souveränität (Hoheitsgewalt), wozu auch die Außenpolitik gehört. Die einzelnen Gliedstaaten besitzen in einigen Bereichen Selbstständigkeit (z. B. die Kulturhoheit der Länder). Sie haben eigene Gesetze, die aber nicht im Gegensatz zu den Bundesgesetzen stehen dürfen. Jedes Land verfügt über eine eigene Verwaltung. Bundesstaaten sind z. B. Österreich, die Schweiz, die USA und Ka-

Bund

nada. In der deutschen Geschichte waren der Norddeutsche Bund 1867–71 und das Deutsche Reich 1871–1933 Bundesstaaten.

Vom Bundesstaat ist der **Staatenbund** zu unterscheiden, ein loser Zusammenschluss von Staaten, bei dem jeder Staat seine Souveränität behält (z. B. der Deutsche Bund, 1815–66).

B*u*ndestag, die Volksvertretung der Bundesrepublik Deutschland. Die Abgeordneten werden in allgemeiner, unmittelbarer, freier, gleicher und geheimer Wahl für 4 Jahre gewählt. Der Bundestag wählt den Bundeskanzler, berät und beschließt die Bundesgesetze, bewilligt den Haushaltsplan und kontrolliert die Regierung. Um eine gezielte Arbeit zu gewährleisten, werden für einzelne Aufgaben Ausschüsse gebildet, z. B. Haushaltsausschuss, Verteidigungsausschuss und Wirtschaftsausschuss. Im 19. Jahrh. galt die Bezeichnung Bundestag für die Bundesversammlung des Deutschen Bundes in Frankfurt am Main. Dem deutschen Bundestag entspricht in Österreich der →Nationalrat.

B*u*ndesverfassungsgericht, oberstes Gericht in der Bundesrepublik Deutschland mit Sitz in Karlsruhe. Es überwacht die Einhaltung der Bestimmungen des Grundgesetzes. Insbesondere entscheidet es über Meinungsverschiedenheiten zwischen Bund und Ländern hinsichtlich ihrer verfassungsmäßigen Rechte, die Verfassungsmäßigkeit politischer Parteien oder Verfassungsbeschwerden Einzelner, die sich in ihren →Grundrechten verletzt fühlen.

B*u*ndesversammlung, in der Bundesrepublik Deutschland eine Versammlung, die den Bundespräsidenten wählt. Dazu tritt sie alle 5 Jahre zusammen. Sie besteht aus den Abgeordneten des Bundestages und einer gleich großen Anzahl von Personen, die von den einzelnen Landtagen gewählt werden.

Im Deutschen Bund war die Bundesversammlung, auch Bundestag genannt, 1815–66 ein Kongress der Gesandten der in diesem Bund zusammengeschlossenen 38 einzelnen Staaten; Österreich hatte den Vorsitz.

In Österreich ist die Bundesversammlung das Gesamtorgan von →Bundesrat und →Nationalrat, in der Schweiz das Parlament des Bundes, bestehend aus dem →Nationalrat als Vertretung des Volkes und dem →Ständerat als Vertretung der Kantone.

B*u*ndeswehr, die Streitkräfte der Bundesrepublik Deutschland. Die Bundeswehr besteht aus den Teilstreitkräften **Heer, Luftwaffe** und **Marine** und umfasst im Frieden rund 340 000 Mann; daneben arbeiten bei der **Bundeswehrverwaltung** etwa 120 000 zivile Mitarbeiter. Die Befehls- und Kommandogewalt hat der Bundesminister der Verteidigung, im Verteidigungsfall der Bundeskanzler. Die Angehörigen der Bundeswehr sind **Wehrpflichtige,** die den Grundwehrdienst leisten (zur Zeit 10 Monate), **Freiwillige auf Zeit** (2–12 Jahre) oder **Berufssoldaten.**

B*u*ndschuh, bäuerlicher Schnürschuh, der von den Germanen und von den Bauern des Mittelalters getragen wurde. Im →Bauernkrieg (1524–26) war die **Bundschuhfahne** das Feldzeichen der aufständischen Bauern. Auch die Bauernaufstände selbst erhielten den Namen ›Bundschuh‹.

B*u*nsenbrenner, Laboratoriumsgasbrenner zum Erzeugen hoher Temperaturen. Das Gas strömt durch ein enges, metallenes Rohr und saugt dabei durch seitliche Öffnungen Luft an. Mithilfe einer drehbaren Messinghülse um das Rohr kann die Luftzufuhr verändert werden. Bei ausreichender Luftzufuhr hat die Flamme einen bläulichen Innenkegel bei etwa 300 °C. Der äußere Flammenkegel leuchtet nicht und kann bis 1500 °C heiß werden. Der Bunsenbrenner wurde von dem deutschen Chemiker **Robert W. Bunsen** (*1811, †1899) entwickelt.

B*u*ntmetall, Bezeichnung für alle in sich oder in ihren Legierungen farbigen →Schwermetalle mit Ausnahme von Eisen und Edelmetallen, z. B. Kupfer, Nickel, Zinn und Zink.

B*u*ntsandstein, untere Abteilung der im außeralpinen Mitteleuropa verbreiteten Trias (→Erdgeschichte). Die vor etwa 225 Millionen Jahren abgelagerte, bis mehr als 1 000 m mächtige Schichtenfolge besteht aus roten Sandsteinen sowie tonigen und sandigen Schichten, Steinsalz und seltenen kalkigen Schichten. Diese wurden durch Flüsse, zum Teil auch durch Wind zusammengetragen. Der Buntsandstein bildet einen mäßig guten Boden, ist ein ergiebiger Grundwasserträger und enthält gutes Baumaterial.

B*u*ren, die Nachkommen der seit 1652 in →Südafrika angesiedelten Holländer sowie hugenottischer und deutscher Siedler. An ihren Überlieferungen, ihrer Sprache, ihren Gebräuchen und dem niederländisch-reformierten Glaubensbekenntnis halten die Buren noch heute fest, nachdem sie sich im Lauf der Geschichte gegen Einflüsse und Eingriffe von außen immer wieder zur Wehr gesetzt haben (z. B. →Burenkrieg). Die Buren sind heute ein politisch tragendes Bevölkerungselement in der Republik Südafrika.

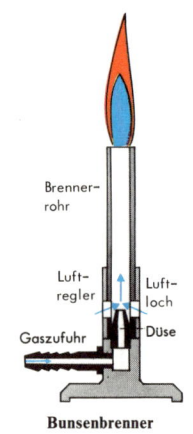

Bunsenbrenner
Brennerrohr
Luftregler
Luftloch
Gaszufuhr
Düse

Burenkrieg, der Krieg der südafrikanischen Burenrepubliken Transvaal und Oranje-Freistaat gegen Großbritannien, 1899–1902. Die Ursache war der Wunsch der Briten, ein zusammenhängendes Kolonialreich von Ägypten bis zum seit 1806 britischen Kapland zu schaffen. Sie bedienten sich teils friedlicher, teils militärischer Mittel. Die Gegenwehr der Buren mündete in einen Krieg, der 1900 zur Unterwerfung der Burenrepubliken durch die Briten führte. In dem bis 1902 andauernden Kleinkrieg wurde der Widerstandswille der Buren durch massives Vorgehen auch gegen die Zivilbevölkerung gebrochen.

Burg, mittelalterliche Befestigungsanlage, im engeren Sinn verteidigungsfähiger Wohnsitz **(Wohnburg)** des Adels. War die Landschaft hügelig, errichtete man eine **Höhenburg** auf einem möglichst steilen Berg und schützte sich so vor Angreifern. **Wasserburgen** waren entweder von natürlichen Gewässern oder von künstlich angelegten Wassergräben umgeben.

Burgenland. Das östlichste Bundesland Österreichs (3 965 km², rund 270 880 Einwohner) mit dem Hauptort Eisenstadt wird im Norden vom Fluss Leitha, im Westen von den Ausläufern der Ostalpen, im Süden vom Fluss Raab begrenzt und berührt im Osten ungarisches Gebiet. Im flachen Norden umfasst es mit dem größten Teil des →Neusiedler Sees ein wichtiges Fremdenverkehrsgebiet. In der Landwirtschaft betreibt man vor allem Ackerbau, am Neusiedler See auch Weinbau. Neben der Textilindustrie haben sich in den letzten Jahren Elektro- und chemische Industrie angesiedelt.

Bürger waren ursprünglich ›die im Schutz einer Burg Wohnenden‹. Bis zur Französischen Revolution (1789) nannte man die freien Einwohner einer Stadt Bürger. Die adeligen und geistlichen Stadtherrn und die Fernhandelskaufleute bildeten die bürgerliche Oberschicht **(Patrizier).** Auch als Bürger galten Handwerker, Krämer, Ackerbürger und Beamte. Nicht bürgerlich waren z. B. die ›unehrlichen‹ Berufe wie Henker und Dirnen. Seit der Französischen Revolution nennt man alle Glieder eines Staatsvolks (›Staatsangehörige‹) Bürger oder **Staatsbürger.**

Bürgerinitiative, Zusammenschluss von Bürgern, die sich gemeinsam für die Erreichung bestimmter Ziele einsetzen. Bürgerinitiativen greifen vor allem solche Themen auf, die nach Ansicht ihrer Mitglieder von den politischen Parteien und den öffentlichen Verwaltungen nicht ausreichend berücksichtigt werden. Häufig setzen sie sich für eine stärkere Beteiligung der Bürger bei behördlichen Planungen ein, z. B. bei der Verkehrsplanung, bei Planungen im Bildungs- und Gesundheitswesen. Ihr Ziel ist dabei meist, bestehende Lebensbedingungen zu erhalten oder zu verbessern. In den letzten Jahren führen zunehmend allgemeine Themen wie Umweltschutz, Frieden, Abrüstung zur Bildung von Bürgerinitiativen. Die Bürgerinitiativen wenden sich an die Öffentlichkeit, indem sie z. B. Flugblätter verteilen, Unterschriften sammeln, öffentliche Veranstaltungen und Demonstrationen durchführen. In Konflikt mit Parlament und Regierung entwickeln sie dabei oft den Anspruch, Entscheidungen in ihrem Sinne herbeizuführen.

Bürgerliches Gesetzbuch, Abkürzung **BGB,** die Zusammenfassung der wichtigsten Rechtsregeln, die die Rechtsbeziehungen von Privatpersonen (Bürgern) untereinander betreffen. Es gliedert sich in 5 große Abschnitte; sie enthalten 1) allgemeine Vorschriften z. B. über →Geschäftsfähigkeit, →Verjährung, →Vollmacht; 2) Regeln über die persönlichen Rechtsbeziehungen zweier oder mehrerer Beteiligter, besonders in Bezug auf →Verträge, z. B. Miete, Kauf, Auftrag; 3) das sogenannte Sachenrecht, das die Rechtsverhältnisse an Sachen regelt, z. B. →Eigentum, Pfand; 4) das Familienrecht, z. B. →Ehe, Scheidung, das Namensrecht, Verwandtschaft und Vormundschaft umfasst; 5) das Erbrecht. Das BGB wurde am 1. 1. 1900 in Kraft ge-

Burgenland
Landeswappen

Burg: Schematische Darstellung einer Burganlage; 1 Bergfried, 2 Verlies, 3 Zinnenkranz, 4 Palas, 5 Kemenate (Frauenhaus), 6 Vorratshaus, 7 Wirtschaftsgebäude, 8 Burgkapelle, 9 Torhaus, 10 Pechnase, 11 Fallgitter, 12 Zugbrücke, 13 Wachturm, 14 Palisade (Pfahlzaun), 15 Wartturm, 16 Burgtor, 17 Ringgraben, 18 Torgraben

Bürg

setzt. Es ist seither oft geändert und ergänzt worden, um es den gesellschaftlichen und rechtlichen Wandlungen anzupassen. Dem BGB entspricht in Österreich das **Allgemeine bürgerliche Gesetzbuch (ABGB)** von 1811, in der Schweiz das **Schweizerische Zivilgesetzbuch (ZGB)** von 1907.

Bürgerrechtsbewegung, in den USA zu Beginn des 20. Jahrh. entstandene Bewegung, die sich für die Gleichberechtigung der Schwarzen einsetzt; ein bekannter Führer war Martin Luther →King. – Seit etwa 1960 forderten in manchen Staaten des Ostblocks kleinere Gruppen und einzelne Persönlichkeiten – die **Bürgerrechtler** (z. B. Andrei Sacharow, Alexandr Solschenizyn) – die Beachtung der →Grundrechte des Bürgers; sie wurden von den staatlichen Organen verfolgt.

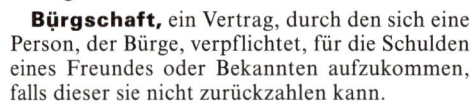

Bürgschaft, ein Vertrag, durch den sich eine Person, der Bürge, verpflichtet, für die Schulden eines Freundes oder Bekannten aufzukommen, falls dieser sie nicht zurückzahlen kann.

Burgund, französisch **La Bourgogne,** historische Landschaft mit dem Hauptort Dijon, in Ostfrankreich, zwischen dem Pariser Becken und dem Jura gelegen. Burgund ist seit jeher ein Durchgangsland: Kanäle, Bahnlinien und Straßen verbinden Rhein-, Seine-, Loire- und Rhônegebiet. Bekannt ist Burgund durch seine Rot- und Weißweine aus den Weinanbaugebieten um die Städte Dijon, Beaune und Mâcon.

Die Landschaft Burgund ist das Kernland des früheren **Herzogtums Burgund,** das, um Teile der Niederlande vergrößert, zwischen 1363 und dem Tod →Karls des Kühnen 1477 eine wichtige Rolle in der europäischen Geschichte spielte.

Außerdem bezeichnet man mit Burgund das Reich der →Burgunder zwischen Genf und Lyon, das 443–534 bestand, und das südostfranzösische Königreich mit der Hauptstadt Arles, das seit vom 10. Jahrh. vom Jura bis zur Provence reichte und lange Zeit zum deutschen Reich gehörte. An dieses Königreich Burgund erinnert heute noch der Name der französischen Landschaft Franche-Comté (deutsch ›Freigrafschaft Burgund‹).

Burgunder, Burgunden, Stamm der Germanen, von dessen Geschichte nur wenig bekannt ist. Im Verlauf der →Völkerwanderung sind die Burgunder im 1./2. Jahrh. als Bewohner des Landes zwischen Oder und Weichsel bezeugt und treten um 280 am oberen Main als Gegner der →Alemannen auf. In der Neujahrsnacht 406/407 setzten sie mit anderen Germanenstämmen über den Rhein und siedelten dann im linksrheinischen Raum zwischen Worms, Alzey und Mainz. 436 erlitten die Burgunder eine vernichtende Niederlage durch die Römer und die mit diesen verbündeten Hunnen. Dieses Ereignis fand im →Nibelungenlied seinen Niederschlag; die Sage hat allerdings das Geschehen nach Ungarn verlegt. Dem Rest des Burgundervolkes wiesen die Römer eine neue Heimat an der oberen Rhône, westlich des Genfer Sees, zu. Dort bestand ihr Königreich bis 534, als es dem →Fränkischen Reich angegliedert wurde.

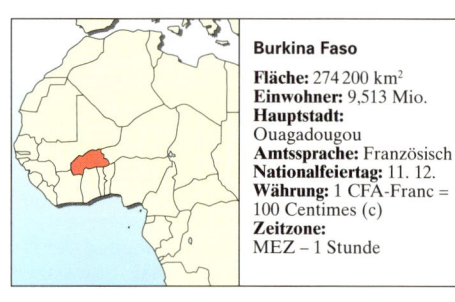

Burkina Faso
Staatswappen

Staatsflagge

Burkina Faso
Fläche: 274 200 km²
Einwohner: 9,513 Mio.
Hauptstadt: Ouagadougou
Amtssprache: Französisch
Nationalfeiertag: 11. 12.
Währung: 1 CFA-Franc = 100 Centimes (c)
Zeitzone: MEZ – 1 Stunde

Burkina Faso, bis 1984 **Obervolta,** Staat in Westafrika, eine Republik. Das Land ist ein Binnenstaat in der Sahelzone. Es hat wechselfeuchtes, tropisches Klima mit einer Regenzeit von Juli bis Oktober. Der größte Teil des Landes wird von Savannen und Halbwüsten eingenommen.

Die Bevölkerung besteht überwiegend aus Sudannegern, im Norden leben Fulbe und Tuareg als Nomaden. Ernährungsgrundlage ist ein kärglicher Hirseanbau. Für die Ausfuhr werden in feuchteren Gebieten Baumwolle, Erdnüsse und Tabak angebaut. Große Bedeutung als Ausfuhrgüter haben außerdem Vieh und Viehprodukte (Fleisch, Leder, Häute).

Burkina Faso gehört zu den am wenigsten entwickelten Ländern der Erde. 1896 wurde das Gebiet von Frankreich erobert; 1960 erhielt es die Unabhängigkeit. (KARTE Band 2, Seite 194)

Bürste, Elektrotechnik: Schleifkontakt aus Graphit für die Stromzuführung bei elektrischen Maschinen.

Burundi, Staat im ostafrikanischen Hochland am Nordostende des Tanganjikasees, eine Republik. Das Land ist etwas kleiner als Belgien und umfasst überwiegend ein bis 1 700 m hohes Hochland mit gemäßigt tropischem Klima.

Der größte Teil der Bevölkerung besteht aus Bantustämmen, die für den Eigenbedarf Bananen, Maniok, Mais und Süßkartoffeln anbauen. Kaffee ist wichtigstes Ausfuhrprodukt. Die

Burundi

Fläche: 27 834 km²
Einwohner: 5,823 Mio.
Hauptstadt: Bujumbura
Amtssprachen: Französisch, Rundi
Nationalfeiertag: 1. 7.
Währung: 1 Burundi-Franc (F. Bu.) = 100 Centimes
Zeitzone: MEZ + 1 Stunde

Hauptstadt Bujumbura ist die einzige größere Stadt des Landes (272 600 Einwohner).

Burundi, ehemals Teil des belgischen Treuhandgebiets Ruanda-Urundi, wurde 1962 als konstitutionelle Monarchie unabhängig. 1966 wurde die Republik ausgerufen. (KARTE Band 2, Seite 194)

Busch. Der deutsche Zeichner und Dichter **Wilhelm Busch** (*1832, †1908) ist der Schöpfer lustiger und handlungsreicher Bildergeschichten. Sie brachten ihm den Ruf ein, der volkstümlichste deutsche Humorist zu sein. Von seinen vielen Bildergeschichten, z. B. ›Hans Huckebein, der Unglücksrabe‹ (1867), ›Plisch und Plum‹ (1882) und ›Maler Klecksel‹ (1884), ist sein Erstlingswerk ›Max und Moritz‹ (1865) das bekannteste. Mit komischen, oft übertreibenden Zeichnungen und witzigen, knappen und einprägsamen zweizeiligen Reimen charakterisierte Busch Personen und Situationen. In den Bildergeschichten deckte er menschliche Schwächen auf und legte Fehler der Erwachsenen bloß. Busch wandte sich gegen das Spießbürgertum und dessen Selbstzufriedenheit, Bequemlichkeit und Scheinmoral. Die Geschichte ›Die fromme Helene‹ (1872) ist ein Angriff auf falsche Frömmigkeit. In Hannover gibt es ein Wilhelm-Busch-Museum, in Wiedensahl bei Hannover kann man Buschs Geburtshaus besichtigen.

Buschbabys [-bebihs], **Galagos,** →Halbaffen.

Buschmänner, Jäger- und Sammlervolk, das vor 12 000–15 000 Jahren im ganzen südlichen Afrika beheimatet war. Die Buschmänner wichen später vor den nach Süden drängenden Stämmen der →Bantu in Rückzugsgebiete aus und leben heute vorwiegend auf dem Gebiet der →Kalahari im südafrikanischen Landesinnern.

Buschneger, die Nachkommen entflohener Sklaven, die zum großen Teil im Innern Guayanas leben. Sie sprechen afrikanisierte Formen von Englisch, Niederländisch oder Französisch;

ihr Sozial- und Kulturleben ist noch deutlich von afrikanischen Ursprüngen geprägt.

Buschwindröschen, eine →Anemone.

Bussarde, den Adlern sehr ähnliche, in Europa weit verbreitete →Greifvögel. Sie sind etwa 50 cm lang, haben weniger starke Krallen als der Adler und einen schwächeren, von der Wurzel an gekrümmten Schnabel. Der **Mäusebussard** ist der häufigste heimische Greifvogel; Feldmäuse sind seine Hauptnahrung. Er nistet auf hohen Bäumen an Waldrändern in der Nähe von Feldern und Wiesen, über denen er stundenlang auf Beuteflug kreist. Dabei fallen seine breiten, massigen Flügel und sein kurzer, gedrungener Schwanz auf. Manchmal sind auch seine katzenartigen Schreie zu hören. Er ergreift seine Beute am Boden. – Der im hohen Norden brütende **Raufußbussard** mit bis zu den Zehen befiederten Läufen ist in Deutschland häufiger Wintergast; er gleicht dem Mäusebussard.

Der in lichten Wäldern nistende **Wespenbussard**, ein Zugvogel, ernährt sich vor allem von Wespen und deren Larven, die er wie ein Huhn mit Füßen und Schnabel aus der Erde scharrt.

Buße, für eine religiöse, sittliche oder rechtliche Schuld zu leistende Sühne. In den unterschiedlichen Kulturen und Zeiten haben sich die verschiedensten Bußformen herausgebildet: Die Juden des Alten Testaments opferten zur Tilgung ihrer Sünden einen Bock, den sogenannten ›Sündenbock‹, der symbolisch mit den Sünden des Volkes beladen und in die Wüste geschickt wurde; die Mönche des Mittelalters fügten sich körperliche Schmerzen zu (Selbstkasteiung). Im Christentum spielt die Buße eine wesentliche Rolle. Sie ist die Grundhaltung des christlichen Lebens überhaupt und damit die ständige Bereitschaft zur Umkehr zu einem besseren Leben. Darüber hinaus ist in der katholischen Kirche die Buße ein Teil der →Beichte.

Bußgeld, Form der Geldstrafe, →Ordnungswidrigkeit.

Butan, brennbarer, gasförmiger Kohlenwasserstoff, der verflüssigt in Stahlbehältern als Campinggas in den Handel kommt. (→Flüssiggase)

Butter, aus dem Fett der Milch (Rahm) hergestelltes Speisefett, in dem außerdem noch Wasser sowie geringe Mengen Eiweiß und Kochsalz enthalten sein dürfen.

Lässt man Vollmilch stehen, so sammelt sich nach einigen Tagen der leichtere Rahm, ein Gemisch aus viel Fett und wenig Wasser, an der Oberfläche. In der Molkerei gewinnt man das

Burundi

Staatswappen

Staatsflagge

Bussarde: Mäusebussard

Wilhelm Busch: Selbstbildnis; Federzeichnung, 1894

Butt

Milchfett in der Zentrifuge: Der Rahm bleibt zurück, während die schwerere **Buttermilch** am Rand austritt. Bei der Butterherstellung werden durch andauerndes Schlagen die feinen Fettteilchen zu größeren Klumpen vereinigt. Die Wassertröpfchen werden dabei in diese Fettmasse eingearbeitet. So erhält man aus etwa 35 l Vollmilch 1 kg Butter, die zu 81% aus Fett besteht.

Butterblume, die →Sumpfdotterblume.

Byte [bait, englisch], →Bit.

Byzantinisches Reich, das aus dem östlichen Teil des Römischen Reichs entstandene Reich. Kaiser Konstantin der Große erhob **Byzanz** unter dem Namen Konstantinopel zur zweiten Hauptstadt des Römischen Reichs und begünstigte damit dessen Zerfall in 2 Hälften. Nach dem Tod des Kaisers Theodosius (395) war die Trennung endgültig. Im Byzantinischen Reich, das unter Kaiser Justinian (527–565) seinen Höhepunkt hatte, verbanden sich römische Staats- und Rechtsauffassung, griechisch-hellenistische Kultur und christliche Religion. Das Vordringen der Araber (7. Jahrh.) leitete den äußeren Niedergang ein. Die Kaiserkrönung Karls des Großen (800) stellte auch den Anspruch des byzantinischen Kaisers infrage, Oberhaupt der Christenheit zu sein. 1054 trennte sich die Ostkirche (Orthodoxe) von der abendländischen. 1453 fiel Konstantinopel den Osmanen (Türken) in die Hände. Damit endete das Byzantinische Reich; das geistige Erbe wirkte jedoch im Abendland in Humanismus und Renaissance fort.

Die **byzantinische Kunst** ist die aus der Spätantike hervorgegangene Kunst im Herrschafts- und Einflussbereich des Byzantinischen Reichs, eine Weiterbildung der →frühchristlichen Kunst. In der kirchlichen Baukunst herrschte die mit Kuppeln bekrönte Kirche vor, deren Bauglieder sich um einen Mittelpunkt gruppierten (Zentralbau), im Unterschied etwa zur lang gestreckten Basilika. Langhaus- und Kuppelbau konnten sich zu einer Kuppelbasilika verbinden. Bauten aus dem 6. Jahrh. (Zeit Kaiser Justinians) finden sich z.B. in Konstantinopel (Hagia Sophia) und in Ravenna, Italien (Kirche San Vitale). Die Plastik blieb auf das Relief beschränkt (Elfenbeinschnitzerei). Die Malerei bevorzugte für die Ausschmückung der Kirchen das Mosaik (z.B. San Vitale, Ravenna); kennzeichnend ist der großflächige Goldhintergrund, der den dargestellten Figuren (Christus, Heilige) Erhabenheit verleiht. Hoch entwickelt waren die Buchmalerei und das Kunsthandwerk (Goldschmiedearbeiten, Emailkunst, Elfenbeinschnitzerei, Seidenweberei).

C, der dritte Buchstabe des Alphabets, ein Konsonant, und das römische Zahlzeichen für 100 (lateinisch centum; CC=200). C ist das Zeichen für das chemische Element Kohlenstoff (lateinisch **c**arboneum). °C ist das Einheitenzeichen für →Grad Celsius. Als Vorsatzzeichen bei →Einheiten steht c für Zenti (z.B. cm=Zentimeter). C ist das Einheitenzeichen für →Coulomb. In der Musik ist C der Grundton der C-Dur-Tonleiter.

Cadmium, Zeichen Cd, silberweißes, weiches, metallisches →chemisches Element (ÜBERSICHT), das **sehr giftig** ist. In den Körper gelangt es überwiegend mit der Nahrung, aber auch durch Zigarettenrauch. Es sammelt sich vorwiegend in Nieren und Leber an und kann zu Knochenveränderungen führen. Cadmium wird als Korrosionsschutz, für Spezialllegierungen, Halbleiter und Regelstäbe in Kernreaktoren, seine Verbindungen für Leuchtstoffe sowie Pigmente verwendet.

Caesar. Der römische Feldherr und Staatsmann **Gaius Julius Caesar** (*100 v.Chr., ermordet 44 v.Chr.) wurde zu einer Zeit geboren, als die römische Republik bereits von Unruhen und Bürgerkrieg erschüttert wurde. Von frühester Jugend an interessierte er sich für Politik und stieg in der Beamtenlaufbahn rasch auf. Um das höchste Staatsamt (Konsul) zu erringen, schloss er sich mit den beiden reichsten Männern Roms, Pompeius und Crassus, zu einer Regierung zu dritt **(Triumvirat)** zusammen; so wurde er 59 v.Chr. **Konsul.** Denn erst, nachdem er einmal Konsul gewesen war, konnte er eine Statthalterschaft in einer der römischen Provinzen anstreben. 58 v.Chr. erhielt er die ›Gallia‹ genannten Provinzen in Oberitalien und Südfrankreich. Von hier aus unterwarf Caesar das freie Gallien zwischen Rhein und Pyrenäen (58–51 v.Chr.). Durch diese Erfolge wurde er so mächtig, dass er nun mit seinem Heer nach Rom zog, das Gesetz missachtend, das einem Heerführer verbot, mit Truppen die Grenze nach Italien zu überschreiten. 49 v.Chr. überquerte er mit seinen Legionen den Rubikon, den Grenzfluss zu Italien. Er besiegte die Truppen des Pompeius und entmachtete den römischen Senat. Auch die Provinzen in Spanien, Nordafrika und Asien unterwarf er. In

Caesar
(Rom, Vatikanische Museen)

Ägypten gab er der ihm ergebenen Königin →Kleopatra die Herrschaft zurück. In Rom begann er mit einer Neuordnung des Reiches. Unter anderem führte er 46 v. Chr. einen neuen, julianischen Kalender ein, der im Abendland 600 Jahre lang gültig blieb.

Als Caesar 44 v. Chr. **Diktator auf Lebenszeit** wurde, warfen ihm viele vor, die Verfassung der römischen Republik beseitigt zu haben. Es kam zu einer Verschwörung von etwa 60 Männern, die Caesar während einer Senatssitzung an den Iden (15.) des März 44 v. Chr. ermordeten. Zum Erben hatte Caesar seinen Großneffen Gaius Octavius, den späteren →Augustus, bestimmt.

Caesars Werk, die Neuordnung des römischen Staatswesens, ist unvollendet geblieben. Dennoch ist seine Größe als Staatsmann und Feldherr unbestritten. Als Schriftsteller besaß Caesar die Gabe, seine Gedanken knapp und doch in vollendeter Form zu fassen. Noch heute lesen wir seine Berichte über den Krieg in Gallien (›De bello Gallico‹) und den Bürgerkrieg (›De bello civili‹).

Caesars Ermordung und seine Beziehung zu Kleopatra wurden in Theaterstücken (z. B. von Shakespeare und George Bernard Shaw), Filmen und Romanen behandelt. Georg Friedrich Händel schrieb darüber eine Oper.

cal, Einheitszeichen für →Kalorie.

Calais [kalä], 76 500 Einwohner, Hafenstadt in Nordfrankreich an der engsten Stelle des Ärmelkanals; bedeutender Übergangsort für den Reiseverkehr nach England. Calais blieb nach dem →Hundertjährigen Krieg noch bis 1558 in englischem Besitz.

Calcium [von lateinisch calx ›Kalkstein‹], Zeichen **Ca,** sehr reaktionsfähiges Metall, das als dritthäufigstes →chemisches Element (ÜBERSICHT) der Erde in vielen Mineralen und Gesteinen (Kalkstein, Dolomit, Gips) vorkommt. Im menschlichen und tierischen Organismus ist es für den Aufbau der Zähne und als Skelettbestandteil wichtig; für Pflanzen ist es unentbehrlicher Nährstoff. Calciumverbindungen werden z. B. als Dünger und Baustoffe verwendet.

Calderón de la Barca. Der spanische Dramatiker **Pedro Calderón de la Barca** (*1600, †1681) studierte Theologie und Jura, war Hofdramatiker des spanischen Königs Philipps IV. und Priester. Seine Dramen bilden einen Höhepunkt des spanischen Barocktheaters. Die etwa 120 weltlichen Schauspiele umfassen philosophische, geschichtliche und mythologische Stücke, Ehr- und Eifersuchtsdramen und Intrigenkomödien, z. B. ›Dame Kobold‹ (1636). Das geistliche Schauspiel (spanisch auto sacramental), ein Fronleichnamsspiel, in dessen Mittelpunkt das Geheimnis der Eucharistie steht, erreichte bei Calderón seine Vollendung (z. B. ›Das große Welttheater‹, 1645). Er verarbeitete auch antike Stoffe und hat z. B. Franz Grillparzer und Hugo von Hofmannsthal beeinflusst.

Californium, Zeichen Cf, →chemische Elemente, ÜBERSICHT.

Calvin, neben Martin Luther und Ulrich Zwingli einer der 3 großen Reformatoren. **Johannes Calvin** (*1509, †1564) studierte seit 1523 Jura in Paris. Daneben widmete er sich dem Studium der Bibel und setzte sich mit den reformatorischen Schriften Luthers auseinander. 1533 vertrat Calvin in einer Rede erstmals selbst reformatorische Gedanken und musste daraufhin 1534 Frankreich verlassen. Er floh nach Basel und gab dort 1536 eine Darstellung des christlichen Glaubens heraus, die sich eng an Luthers Lehren anlehnte. Seitdem wirkte er als evangelischer Lehrer in Genf, wurde aber 1538 wegen übergroßer Sittenstrenge ausgewiesen. Er ging nach Straßburg, nahm bis 1541 an mehreren Religionsgesprächen in Deutschland teil und machte sich mit der Weiterentwicklung der Reformation vertraut. Nach seiner Rückberufung nach Genf 1541 schuf er eine neue kirchliche Ordnung: Er verbannte Musik und Schmuck aus den Kirchen und forderte Sittenstrenge sowie unbedingten Bibelgehorsam. Diese Ordnung wurde vom Rat der Stadt angenommen. Der Kampf zwischen Anhängern und Gegnern Calvins endete nach zahlreichen Verbannungen und Hinrichtungen erst 1555 zugunsten Calvins. Seine Lehre, der **Kalvinismus,** entwickelte vor allem den Gedanken der Prädestination, der Vorbestimmung des Menschen zur Seligkeit oder Verdammnis. Calvin glaubte, zum Teil vom Erfolg des Menschen auf seine Erwählung schließen zu können. Der Kalvinismus hat in vielen Ländern die Entwicklung des Protestantismus wesentlich beeinflusst. (→reformierte Kirchen)

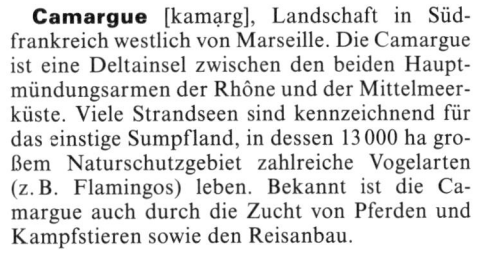

Johannes Calvin
(Kupferstich von H. Allardt)

Camargue [kamarg], Landschaft in Südfrankreich westlich von Marseille. Die Camargue ist eine Deltainsel zwischen den beiden Hauptmündungsarmen der Rhône und der Mittelmeerküste. Viele Strandseen sind kennzeichnend für das einstige Sumpfland, in dessen 13 000 ha großem Naturschutzgebiet zahlreiche Vogelarten (z. B. Flamingos) leben. Bekannt ist die Camargue auch durch die Zucht von Pferden und Kampfstieren sowie den Reisanbau.

Cambridge [kĕmbridsch], 90 600 Einwohner, englische Stadt am Cam. Die Universität ist nach →Oxford die älteste und bedeutendste in England. Sie wurde im 13. Jahrh. gegründet und bildet mit etwa 30 Colleges ein eigenes Gemeinwesen.

Camera obscura [lateinisch ›dunkle Kammer‹], eine **Lochkamera,** die einfachste Art eines Fotoapparats. Sie besteht nur aus einem lichtdichten Kasten mit einem kleinen Loch in einer Seitenwand. Auf der gegenüberliegenden Wand befindet sich eine Mattscheibe oder das fotografische Aufnahmematerial. Durch das Loch entsteht ein umgekehrtes und seitenvertauschtes Bild auf der Mattscheibe.

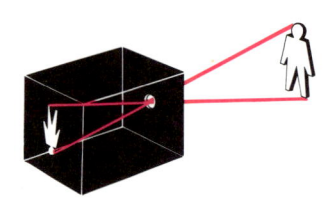

Camera obscura

Camorra, terroristischer Geheimbund im ehemaligen Königreich Neapel um die Mitte des 19. Jahrh. Seine Mitglieder, die ›Camorristi‹, wurden nach der Einigung Italiens zu einer kriminellen Vereinigung, die unter Mussolini weitgehend unterdrückt werden konnte, nach 1945 aber wieder auflebte.

Camus [kamü]. Der französische Schriftsteller **Albert Camus** (*1913, †1960) wird dem französischen →Existenzialismus zugerechnet. In seinen Werken stellt er den Menschen, der sich selbst überlassen ist, einer als absurd und sinnlos empfundenen Welt, in der es keinen Gott mehr gibt, gegenüber. Die Erfahrung des Absurden wird zur Grundlage und Ausgangsbasis für die Auflehnung (›Revolte‹) dagegen und für die Suche nach einem neuen Sinn. Dieser liegt nach Camus im Kampf gegen jede Form der Unterdrückung; er selbst gehörte im Zweiten Weltkrieg der Résistance (Widerstandsbewegung) an und war Mitbegründer ihrer Zeitung ›Combat‹. Zu seinen Hauptwerken gehören philosophische Essays (›Der Mythos von Sisyphos‹, 1942), die Romane ›Der Fremde‹ (1942), ›Die Pest‹ (1947) und die Dramen ›Caligula‹ (1942), ›Der Belagerungszustand‹ (1948). 1957 erhielt Camus den Nobelpreis für Literatur.

Canberra, 236 700 Einwohner, Hauptstadt des Australischen Bundes, liegt im australischen Bundesstaat Neusüdwales.

Candela [lateinisch ›Kerze‹], Einheitenzeichen **cd,** SI-Basiseinheit der →Lichtstärke.

Cannae, antike Stadt in Apulien (Unteritalien), am Aufidus (Ofanto). 216 v. Chr. wurden die Römer in einer Umfassungsschlacht von den Karthagern unter Hannibal besiegt.

Cañon [kanjon, spanisch ›Röhre‹], englisch **Canyon,** Talform in trockenen, pflanzenarmen Gebieten. Cañons entstehen, wenn ein Fluss ein enges Kerbtal einsägt und dabei mehrere, verschieden widerstandsfähige Schichten durchschneidet, wodurch die Hänge ein gestuftes Profil zeigen. Der großartigste ist der Grand Canyon des Colorado in Arizona (USA).

Canossa, Felsenburg in Oberitalien, →Heinrich IV.

Canterbury [känterböri], 34 400 Einwohner, Stadt im Südosten von England. Sie wurde 560 Hauptstadt der Könige von Kent. Die Kathedrale gilt als der erste Bau englischer Frühgotik. Canterbury ist Sitz eines anglikanischen Erzbischofs und hat ein mittelalterliches Stadtbild.

Cape Canaveral [kep kenäverel], Kap an der Ostküste von Florida, USA; Raketenteststartgelände und Zentrum für die bemannte Raumfahrt. (→Apollo-Programm)

Capri, italienische Insel am Südeingang des Golfs von Neapel. Die nur 10,4 km^2 große Insel ragt steil aus dem Meer heraus und erreicht im Monte Solaro eine Höhe von 589 m. Das milde Klima schafft günstige Voraussetzungen für einen artenreichen Pflanzenwuchs. Haupterwerbsquelle der rund 12 000 Inselbewohner aber ist der Fremdenverkehr. Die **Blaue Grotte,** eine der vielen Höhlen an der steilen Küste, ist eine Hauptattraktion der Insel.

Caracas, 1,29 Millionen Einwohner, Hauptstadt von Venezuela. Sie liegt in einem Hochtal des Küstengebirges und gehört zu den modernsten Städten Südamerikas.

Carbonate, Verbindungen der Kohlensäure.

Carlos. Der Enkel des römisch-deutschen Kaisers Karl V. und älteste Sohn des spanischen Königs Philipp II., **Don Carlos** (*1545, †1568), wurde wegen seiner schwachen Gesundheit von seinem Vater von der Thronfolge ausgeschlossen. Als ein Fluchtplan zu den aufständischen Niederlande entdeckt wurde, ließ Philipp II. ihn ins Gefängnis werfen, wo er 1568 starb. Sein Schicksal gestaltete Schiller frei in dem Drama ›Don Carlos‹ (1787). Darin geht es um die Forderung nach Freiheit für alle Menschen. Don Carlos soll die von Spanien beherrschten Niederlande der Macht seines Vaters entreißen und sie in die Freiheit führen. Er wird jedoch gefangen genommen und muss seiner Hinrichtung entgegensehen.

Carnac, Ort in der Bretagne (Frankreich), Mittelpunkt einer Gegend, in der sich viele vorgeschichtliche →Megalithgräber befinden. Die Hauptsehenswürdigkeit ist eine 4 km lange Steinallee, die von fast 3 000 →Menhiren gebildet wird. Diese vermutlich kultischen Denkmäler stammen aus der Zeit um 2000 v. Chr.

Casablanca [spanisch ›weißes Haus‹], 2,9 Millionen Einwohner, größte Stadt und Wirtschaftszentrum von Marokko, liegt an der Küste des Atlantischen Ozeans.

Cäsium, Zeichen Cs, metallisches →chemisches Element (ÜBERSICHT), das für Photozellen, Röhren und Lampen sowie als Raketentreibstoff verwendet wird.

Castor, einer der beiden →Dioskuren.

Castro. Der kubanische Politiker **Fidel Castro Ruz** (*1927), ursprünglich Rechtsanwalt, leitete 1953 einen Putschversuch gegen die Diktatur in Kuba, wurde verhaftet und musste ins Exil gehen. 1959 kehrte er mit einer Guerillaorganisation zurück und stürzte die Diktatur. 1959 wurde er Ministerpräsident und errichtete in Kuba eine Diktatur nach kommunistischem Muster.

Cato, Name zweier römischer Staatsmänner: **Marcus Porcius Cato** (*234, †149 v. Chr.), der zur Unterscheidung von seinem Urenkel später den Beinamen **Maior** (der Ältere) erhielt, bekämpfte in vielen Reden den Verfall der Sitten. Als gnadenloser Feind →Karthagos forderte er die Zerstörung der Stadt und beendete deshalb viele seiner Reden mit dem Ausspruch: ›Ceterum censeo Carthaginem esse delendam‹ (Im Übrigen bin ich der Meinung, dass Karthago zerstört werden muss). Sein Urenkel, **Marcus Porcius Cato** (*95, †46 v. Chr.), mit dem Beinamen **Minor** (der Jüngere) war als überzeugter Anhänger der republikanischen Verfassung Roms ein Gegner Caesars. Als Caesar endgültig die Macht an sich riss, beging er Selbstmord.

Catull, eingedeutschter Name des römischen Dichters **Gaius Valerius Catullus** (*um 84, †um 54 v. Chr.). Er gehörte zu den Dichtern, die ihre Kunst am Vorbild der griechischen Dichtkunst ausrichteten. Gelehrsamkeit und Lebensfreude sprechen aus seinen Gedichten. Carl Orff hat sie vertont (›Catulli Carmina‹, 1943).

Cayenne [kajän], 39 000 Einwohner, Hauptstadt von Französisch-Guayana, in Südamerika, liegt am Atlantischen Ozean. Bei Cayenne wird der Cayennepfeffer angebaut. Die Stadt war 1852–1948 französische Strafkolonie.

Caymaninseln [kemen-], drei kleine Koralleninseln im Karibischen Meer, südöstlich von Kuba, die zu Großbritannien gehören.

CB-Funk, Abkürzung für citizen band [englisch ›Bürgerwelle‹], **Jedermannfunk,** eine Form des Sprechfunks, das heißt, es werden gesprochene Nachrichten drahtlos übertragen. CB-Funk kann ohne Lizenz betrieben werden. Meist benutzen CB-Funker einen Zahlen- oder Wortcode, um die Unterhaltung möglichst kurz zu gestalten. Bei batteriebetriebenen Handgeräten hat man im Stadtbereich höchstens eine Reichweite bis zu 1,5 km und im freien Gelände bis zu 15 km. Autosprechfunkgeräte erreichen etwa die doppelte Entfernung. (→Mobilfunk)

cd, Einheitenzeichen für →Candela.

CD, Abkürzung für Compactdisc.

CD-ROM, optische Speicherplatte zur festen Datenspeicherung, die auf der Speichertechnik der Compactdisc beruht. CD-ROM werden mittels Laserstrahl ausgelesen und besitzen eine Speicherkapazität von bis zu einem Gigabyte. Sie dienen als Massenspeicher für große Datenverzeichnisse wie Telefonverzeichnisse, elektronische Lexika u. a. Ihre Daten können aber vom Benutzer nicht bearbeitet werden.

CDU, Abkürzung für **C**hristlich-**D**emokratische **U**nion (→christlich-demokratisch).

Cello [tschälo], Kurzwort für →Violoncello.

Cellulose [zu lateinisch cellula ›kleine Zelle‹]. Wie die Glieder einer Kette haben sich in der Cellulose, der in der Natur am weitesten verbreiteten Kohlenstoffverbindung, Traubenzuckermoleküle miteinander verbunden. Im Unterschied zur Stärke sind aber jeweils 2 benachbarte Glucosemoleküle unterschiedlich angeordnet. Cellulose dient wegen ihrer fadenartigen Struktur als Gerüst- und Stützsubstanz. Durch sie bekommen die Pflanzen einen festen Halt. – Gewebe wie Baumwolle, Hanf, Flachs und Jute bestehen überwiegend aus reiner Cellulose. Für die Papier- und Textilindustrie ist sie der wichtigste Rohstoff. Dazu muss die Cellulose der Ausgangsstoffe, z. B. Holzabfälle, durch Kochen mit Lauge von den Beimengungen abgetrennt werden.

Celsius. Der schwedische Wissenschaftler **Anders Celsius** (*1701, †1744) führte die 100-teilige Thermometerskala (→Thermometer), die **Celsiusskala,** ein (→Grad Celsius).

Cemb

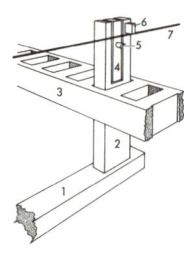

Cembalo:Mechanik:
1 Taste, 2 Docke oder Springer, 3 Springerrechen 4 Zunge, 5 Kiel, 6 Dämpfer, 7 Saite

Chamäleons:
Gewöhnliches Chamäleon in zwei unterschiedlichen Farbvarianten

Cembalo [tschämbalo, aus italienisch clavicembalo], ein Tasteninstrument, das seine größte Blüte in der Barockmusik erlebte. Hinter einer Tastatur sind die Stahlsaiten der Länge nach waagerecht angeordnet. Dadurch entsteht die dreieckige Flügelform: Die tiefste und längste Saite ist links angebracht, jede nach rechts folgende Saite ist kürzer und klingt einen Halbton höher. Wenn man eine Taste niederdrückt, wird die entsprechende Saite durch einen Federkiel angerissen und zum Schwingen gebracht. Der Ton ist klar und silbrig, er kann durch den Anschlag nicht beeinflusst werden. Um Veränderungen in Lautstärke und Klangfarbe zu ermöglichen, erfand man schon im 16. Jahrh. verschiedene Register, indem man die Zahl der Saiten vergrößerte und in Oktaven höher oder tiefer stimmte. Diese Register können durch Pedale zugeschaltet oder, auch durch eine zweite Tastatur bedient werden. Zur Abdämpfung gibt es z.B. einen speziellen Lautenzug, der eine der Laute ähnliche Klangfarbe hervorruft.

Cembali werden heute wieder gebaut, um die Werke von Komponisten des Barock, z.B. Bachs und Händels, stilgetreu aufführen zu können. Auch moderne Komponisten schreiben für das Cembalo.

Cer, Zeichen Ce, metallisches →chemisches Element (ÜBERSICHT), das vor allem als Bestandteil von Legierungen verwendet wird.

Cervantes. Der spanische Dichter **Miguel de Cervantes Saavedra** (*1547, †1616) gilt als einer der genialsten Erzähler. Sein Roman →Don Quijote (1605 und 1615), eine Satire auf die Ritterromane seiner Zeit, zählt zu den Hauptwerken der Weltliteratur. Cervantes, der in diesem Buch sehr lebendig über die Abenteuer eines armen Adligen berichtet, führte selbst ein aufregendes Leben. Als Soldat kämpfte er gegen die Türken und wurde 1571 in der Seeschlacht von Lepanto vor der Küste Griechenlands an der linken Hand verstümmelt. 1575 wurde Cervantes von algerischen Piraten gefangen genommen und erst nach mehreren vergeblichen Fluchtversuchen 1580 schließlich freigekauft. Seine 12 ›Exemplarischen Novellen‹ (1613) handeln vor allem von Liebe und Abenteuern. Cervantes schrieb auch ernste Schauspiele und Komödien.

Ceylon [tsailon], früherer Name von →Sri Lanka.

Cézanne [ßesan]. Der französische Maler **Paul Cézanne** (*1839, †1906) hat sehr viel zur Entwicklung der modernen Malerei beigetragen. Als junger Mann kam er aus Aix-en-Provence nach Paris und bildete sich selbst zum Maler, indem er im Louvre die Werke der großen Meister bis hin zum Barock studierte und von ihnen lernte. Eine Zeit lang arbeitete er im Kreis der Impressionisten, von denen er die helle Farbigkeit übernahm. Abgelehnt von den meisten Kritikern, zog er sich in seinen späteren Lebensjahren fast völlig vom Pariser Kunstbetrieb zurück und lebte meist in seiner Heimatstadt. Hier fand er zu seinem eigenen Malstil, der vor allem auf die Kontrastwirkung reiner Farben setzte, die ihm wichtiger waren als ›richtige‹ Perspektive oder oberflächenhafte Lichteffekte. Er äußerte einmal, die sichtbare Wirklichkeit lasse sich auf die geometrischen Grundformen reduzieren. Auf ihn beriefen sich deshalb später vor allem die Kubisten. Cézanne malte Landschaften, Stillleben, Figurenkompositionen, Porträts.

Chagall [schagal]. Der russisch-französische Maler und Grafiker **Marc Chagall** (*1887, †1985) lässt sich keiner bestimmten Kunstrichtung zuordnen, obwohl er in seiner Frühzeit dem Expressionismus und dem Kubismus nahe stand. Immer wiederkehrende Themen seiner Malerei sind Erinnerungen aus seiner russischen Heimat, besonders aus der Welt des Ostjudentums und der Märchen. In seinen oft wie Traumbilder anmutenden Darstellungen vermischt sich Wirkliches mit Unwirklichem, Erfundenem. So sieht man schwebende Tiere oder Fabelwesen, Kopf stehende Menschen oder Häuser, alles in starken, glühenden Farben gemalt. Mit diesen phantastischen Bildern hat Chagall den Surrealismus beeinflusst. Daneben schuf er Buchillustrationen (z.B. Radierungen zur Bibel), Decken- und Wandbilder (z.B. für die Pariser Oper) sowie Glasfenster (Kathedrale in Metz, Synagoge in Jerusalem, Kirche St. Stephan in Mainz, Fraumünster in Zürich).

Chamäleons [griechisch ›Erdlöwen‹], Familie kleiner →Echsen, die vor allem in Afrika leben. Chamäleons können bei Erregung ihre Körperfärbung verändern, so bei Licht, Wärme, Kälte, Hunger, Durst, Gefahr und Krankheit. Sie leben meist auf Bäumen und Sträuchern, wozu sie mit ihren Klammerfüßen und dem einrollbaren Greifschwanz gut gerüstet sind. Sie bewegen sich wenig und nur sehr langsam und können im Sitzen ihre Beute, vor allem Insekten, fangen. Dazu schleudern sie ihre körperlange, klebrige Zunge blitzschnell wie ein Katapult heraus. Die Beute bleibt nicht einfach daran haften, sondern wird von der Zungenspitze umfasst. Als weitere, sehr seltene Besonderheit können Chamäleons ihre Augen unabhängig voneinander bewegen. Während z. B. ein Auge nach hinten blickt, um einen Feind zu beobachten, richtet sich das andere nach vorn auf ein Insekt. Die Weibchen legen ihre Eier in selbst gegrabene Erdhöhlen, einige Arten bringen vollentwickelte Junge zur Welt.

Champagne [schapanj], Landschaft in Nordfrankreich, östlich von Paris. Sowohl im trockenen Westteil, von den Franzosen deshalb auch ›staubige Champagne‹ genannt, als auch im feuchten Ostteil wird auf großen Flächen intensiver Ackerbau, besonders Getreide- und Futteranbau, betrieben. Beide Landschaftsteile werden von hohen Geländestufen (Schichtstufen) begrenzt, an deren Rändern Weinbau zu finden ist. Unter den Weinbaugebieten nimmt die Champagne eine Sonderstellung ein. Aus einem großen Teil des Weins wird ein Schaumwein, der **Champagner,** hergestellt.

Champignon [schampinjõ], ein →Pilz.

Chanson [schãsõ, französisch ›Lied‹, freches, meist gesellschaftskritisches Lied, das in Text und Melodie anspruchsvoller als ein Schlager ist. – In der Musikgeschichte wendet man den Begriff vor allem auf das mehrstimmige französische Lied des 15.–17. Jahrh. an. Später wurde Chanson ein Sammelbegriff für Lieder, die in Strophen gegliedert sind. Ihr Inhalt kann heiter, gefühlsbetont oder auch politisch sein.

Charta [karta, lateinisch ›Pergament‹, ›Urkunde‹], eine Verfassungsurkunde, z. B. das wichtigste englische Grundgesetz, die Magna Charta von 1215, in der Kirche und Adel ihre Freiheit gegen Übergriffe der Krone schützten. Auch Satzungen von internationalen Organisationen (Charta der Vereinten Nationen, 1945) und Grundsatzerklärungen (Atlantikcharta, 1941) werden Charta genannt.

Chartres [schartr], 39 200 Einwohner, Stadt in Frankreich, südwestlich von Paris. Die Kathedrale von Chartres gehört zu den ersten gotischen Bauten des 12./13. Jahrh. Von dem reichen Figuren- und Reliefschmuck der Portale ging eine weit reichende, vorbildhafte Wirkung aus. Bedeutend ist die erhaltene Reihe von 150 farbigen Glasfenstern.

Charybdis [karübdis], in der griechischen Sage ein Seeungeheuer, das wie das Fabelwesen →Skylla vorüberfahrende Schiffer ins Verderben stürzte.

Chassis [schassi], das Fahrgestell bei Kraftwagen. Chassis kann auch soviel wie Montagegestell bedeuten.

Chemie [aus Alchimie], Gebiet der Naturwissenschaften, das die Eigenschaften →chemischer Elemente im freien und gebundenen Zustand, die Reaktionen der chemischen Elemente und ihrer Verbindungen, die Steuerung, Deutung und Anwendung dieser Reaktionen und die Grunderscheinungen und Kräfte der Natur hinsichtlich ihrer Anwendung auf Reaktionen und Analysen studiert. Die **Kernchemie** befasst sich mit den Ursachen und Wirkungen von Elektronenverteilung, -abgabe und -aufnahme zwischen Atomen und Molekülen. Die Anfänge der Chemie gehen auf die →Alchimie zurück.

Heute ist das Leben jedes Einzelnen von uns mit →chemischen Verbindungen sowie daraus hergestellten Produkten der chemischen Industrie verknüpft, die einerseits das tägliche Leben erleichtern und verschönern, andererseits aber vielfältige neue Gefahren mit sich bringen.

Zur Zeit sind 109 Elemente bekannt, von denen aber nur 90 in der Natur vorkommen. Die restlichen wurden künstlich hergestellt.

Die Häufigkeit der chemischen Elemente in der obersten, 16 km dicken Erdkruste (einschließlich der Wasser- und Lufthülle) ist sehr verschieden. Die 5 häufigsten Elemente Sauerstoff (49,50 %), Silicium (25,80 %), Aluminium (7,57 %), Eisen (4,70 %) und Calcium (3,38 %) machen bereits 91 Gewichtsprozente aus, die 12 häufigsten Elemente etwa 99,5 %. Der Mensch benötigt zum Leben mindestens 27 Elemente, darunter spurenhaft auch Gifte wie Chrom, Cadmium und Arsen.

Unter Normalbedingungen sind 11 Elemente gasförmig, 2 flüssig und die übrigen fest. Sie lassen sich aber alle durch Temperaturveränderung in die anderen →Aggregatzustände überführen.

Chemiefasern, Sammelbezeichnung für →Fasern, die entweder durch chemische Abwandlung von Naturstoffen (→Cellulose, →Eiweiße, Kautschuk), aus anorganischen Materialien wie Glas, Gestein, Kohlenstoff und Metall oder künstlich aus dem Erdöl oder der Kohle entzogenen Stoffen hergestellt werden.

Der Herstellungsprozess gliedert sich in 3 Abschnitte: Zuerst muss aus dem Rohstoff eine Spinnlösung hergestellt werden, aus der zweitens auf dem Weg des Pressens durch Metall-, Glas- oder Porzellandüsen feinste Einzelfäden gesponnen werden, die trocknen und aushärten. Je nach Spinndüse bilden sich 3 000–5 000 Endlos-Einzelfäden, von denen sich 15–100 zu je einem Chemiefaden zusammenschließen. Diese werden drittens zu kürzeren oder längeren Stücken zerschnitten, in Spinnereien zu Garn versponnen

Miguel de Cervantes Saavedra

Chartres: Ausschnitt aus einem Glasfenster der Kathedrale

Chem

oder in Webereien zu weichem, lufthaltigem Gewebe verarbeitet.

Wichtige Chemiefasern sind →Nylon und →Perlon.

chemische Elemente. Naturforscher versuchen schon seit fast 3000 Jahren, die Vielfalt der uns umgebenden Gegenstände durch die Annahme zu erklären, sie ließen sich auf die Veränderung oder Abwandlung einiger weniger ›Grundstoffe‹ zurückführen. Die alten Griechen zählten Wasser, Luft und Feuer dazu, später kamen Holz, Metall und Erde hinzu. Die Alchimisten des Mittelalters hielten Quecksilber, Schwefel und Salz für Elemente.

Erst im 17./18. Jahrh. kam man der heutigen Elementvorstellung näher und erkannte, dass es sich dabei um **Stoffe** handelt, **die nicht weiter zerlegbar sind.** So fand man, dass Wasser sich durch elektrischen Strom in die Elemente Wasserstoff und Sauerstoff zerlegen ließ, also kein Element sein konnte, wohl aber die beiden entstandenen Gase. Man unterscheidet daher heute zwischen Elementen oder Grundstoffen und daraus zusammengesetzten Verbindungen. (ÜBERSICHT Seite 180/181)

chemische Verbindungen, Stoffe, in denen mindestens 2 Atome verschiedener Elemente miteinander verbunden sind und die daher völlig andere Eigenschaften besitzen. Ein Beispiel dafür ist die in jedem Haushalt zu findende Verbindung Kochsalz (Natriumchlorid), die aus den giftigen und gefährlichen Elementen Natrium und Chlor hergestellt werden kann und lebensnotwendig ist.

Bekannt sind heute etwa 6 Millionen →organische Verbindungen und 100000 anorganische Verbindungen (→anorganische Chemie).

Chemnitz (1953–1990 **Karl-Marx-Stadt**), Stadt in Sachsen, 291000 Einwohner; sie liegt an den nördlichen Ausläufern des Erzgebirges. Chemnitz ist eine Industriestadt mit weltigtem Maschinen-, Fahrzeug- und Motorenbau. Seit dem 19. Jahrh. entwickelte sich eine bedeutende Textilindustrie. Um 1165 gegründet, erhielt Chemnitz 1216 Stadtrechte. Im Zweiten Weltkrieg schwer zerstört, wurden nur einige Gebäude restauriert: die Schlosskirche (15./16. Jahrh.), das Alte Rathaus (15.–17. Jahrh.), der Rote Turm (12. Jahrhundert).

Cheops, altägyptischer König, der etwa 2551–2528 v. Chr. regierte. Er ließ die größte der 3 Pyramiden von Giseh erbauen. Die **Cheopspyramide** ist heute noch 137 m hoch (einst 146,6 m).

Cherokee [tscheroki], nordamerikanischer Indianerstamm, der in den 1830er-Jahren aus dem südwestlichen Appalachengebirge nach Oklahoma vertrieben wurde, obwohl er sich politisch, wirtschaftlich und kulturell schon früh den Lebensformen der Weißen angeglichen hatte. Heute leben in Oklahoma, USA, etwa 65000 Cherokee-Indianer.

Cherusker, germanischer Volksstamm im Wesergebiet zwischen Teutoburger Wald und Harz. Die Cherusker gerieten 4 n. Chr. unter römische Herrschaft, die sie unter Führung von Arminius durch die **Schlacht im Teutoburger Wald** 9 n. Chr. abschütteln konnten. Ihr Name verschwand seit dem 2. Jahrh.; es scheint, dass sie in den Sachsen aufgegangen sind.

Cheyenne [tschajen], nordamerikanischer Indianerstamm, der sich ursprünglich vor allem durch Landwirtschaft, vom 18. Jahrh. an mit der Jagd auf Bisons ernährte. 1832 teilte sich der Stamm in die nördlichen und die südlichen Cheyenne, die heute in Montana und Oklahoma, USA, leben.

Chicago [tschikagou], 2,8 Millionen Einwohner, Stadt im Bundesstaat Illinois, USA, am Südwestufer des Michigansees; eines der größten Handelszentren sowie größter Eisenbahnknotenpunkt und größter Binnenhafen der Erde. Das Stadtbild wird von der modernen Architektur geprägt.

Chicoree [schikore], Salatpflanze, die besonders in Belgien angepflanzt wird. Von ihr werden die im Dunkeln getriebenen Blattknospen als Wintersalat gegessen. Stammpflanze ist die blau blühende **Wegwarte,** die im Spätsommer an warmen, trockenen Wegrändern blüht.

Chiemsee, mit 80 km² der größte See Bayerns, etwa 60 km südöstlich von München. Der in 518 m Höhe liegende See ist bis zu 69 m tief. Ebenso wie das ihn umgebende Hügelland, der **Chiemgau,** ist der Chiemsee durch eiszeitliche Gletscher entstanden. Viele Touristen besuchen alljährlich die im Westteil liegende **Herreninsel** mit Schloss Herrenchiemsee, das für den bayerischen König Ludwig II. nach dem Vorbild des Schlosses von Versailles erbaut wurde, und die **Fraueninsel** mit der Benediktinerinnenabtei.

Chile [tschile], Staat im Westen Südamerikas. Er erstreckt sich von Nord nach Süd über 4300 km und ist etwa doppelt so groß wie die Bundesrepublik Deutschland. Seine größte Breite zwischen der Küste des Pazifischen Ozeans und dem Hauptkamm der Kordillere beträgt nur 435 km. Das Land gliedert sich in die **Hochkordillere**

Chile

Staatswappen

Staatsflagge

Wörter die man unter Ch vermisst, suche man unter K, Kh, Sch oder Tsch

Chile

Fläche: 756 945 km²
Einwohner: 13,6 Mio.
Hauptstadt: Santiago de Chile
Amtssprache: Spanisch
Nationalfeiertag: 18. 9.
Währung: 1 Chilen. Peso (chil$) = 100 Centavos (c)
Zeitzone: MEZ – 5 Stunden

im Osten mit Höhen bis zu 6 900 m, die niedrigere **Küstenkordillere** und das dazwischenliegende **Große Längstal.** Der Norden wird von der Wüste **Atacama** eingenommen. Im Süden Mittelchiles endet das Große Längstal im Golf von Reloncaví. Südlich davon gliedern zahlreiche Golfe und Fjorde die Küste. Erdbeben und Vulkanausbrüche sind hier häufig.

Entsprechend der großen Nord-Süd-Ausdehnung ist das Klima sehr unterschiedlich. Auf die Wüste im Norden folgt in Mittelchile ein subtropisches Klima mit Niederschlägen im Winter und heißen Sommern. Südchile hat Niederschläge zu allen Jahreszeiten und ziemlich kühle Sommer. Im äußersten Süden trägt das Hochgebirge große Firn- und Eisfelder.

Die Bevölkerung besteht vorwiegend aus Mestizen. Der größte Teil der Chilenen lebt in Mittelchile. Der Norden, der Süden und die Hochgebirgsregionen sind fast menschenleer. Die meisten Bewohner gehören zur katholischen Kirche.

Wirtschaft. Landwirtschaftlicher Anbau ist fast nur im Großen Längstal möglich. Die wichtigsten Anbauprodukte sind Weizen, Gerste, Kartoffeln, Zuckerrüben, Hülsenfrüchte, Reis, Obst und Weintrauben. Im Süden wird Schafzucht betrieben. Obst, Wein und Wolle werden auch ausgeführt. Der Humboldtstrom des Pazifischen Ozeans begünstigt den Fischreichtum; Chile hat eine bedeutende **Fischindustrie.**

Der Bergbau ist der wichtigste Bereich der chilenischen Wirtschaft. An erster Stelle steht der **Kupferbergbau.** Chile gehört zu den größten Kupferproduzenten der Erde und hat noch beträchtliche Reserven. Im Norden wird Salpeter abgebaut, der früher das wichtigste Ausfuhrprodukt war. Chile verfügt außerdem über hochwertige Eisenerzvorkommen. Im Süden des Landes wird Erdöl gefördert. Die chilenische Industrie verarbeitet hauptsächlich Bergbauprodukte und landwirtschaftliche Erzeugnisse. Wichtigste Häfen sind Valparaíso, Antofagasta und Arica.

Geschichte. Chile wurde 1541 von Spanien erobert. 1818 erkämpfte es sich die Unabhängigkeit. Bis ins 20. Jahrh. hinein übte eine kleine Oberschicht großen Einfluss im Lande aus. 1964–70 versuchte der christlich-demokratische Präsident Eduardo Frei eine Landreform, die den Kleinbauern nicht genutzte Güter übertrug. 1970 wurde er von einer Volksfrontregierung unter dem Sozialisten Salvador Allende abgelöst. Dieser versuchte eine marxistische Umgestaltung von Wirtschaft und Gesellschaft. Damit brachte er die Mittelschichten gegen sich auf. Allende wurde 1973 von der Armee gestürzt und ermordet. 1974–89 stand Chile unter der Diktatur einer Militärregierung, die einer frei gewählten Regierung weichen musste. Fortschreitende Demokratisierung kennzeichnet das Land. (KARTE Band 2, Seite 197)

China, Republik China, →Taiwan.

China

Fläche: 9 560 980 km²
Einwohner: 1,16 Mrd.
Hauptstadt: Peking
Amtssprache: Chinesisch
Nationalfeiertag: 1. 10.
Währung: 1 Renminbi ¥uan (RMB.¥) = 10 Jiao = 100 Fen
Zeitzone: MEZ + 5 bis + 8 Stunden

China, Volksrepublik China, Staat in Ostasien, drittgrößter Staat der Erde, etwa 17-mal so groß wie Frankreich, also größer als Australien. In keinem anderen Land der Erde leben mehr Menschen. China erstreckt sich über mehr als 4 000 km von Norden nach Süden und über 4 400 km von Westen nach Osten. Nachbarstaaten im Norden sind Korea, Russland, die Mongolei, im Westen Kasachstan, Kirgisien, Tadschikistan, Afghanistan, Pakistan und Indien, im Süden Nepal, Bhutan, Birma, Laos und Vietnam. Im Südosten und Osten grenzt China an die Randmeere des Pazifischen Ozeans.

Ein großer Teil Chinas ist **Gebirgsland.** Das Hochland von Tibet im Westen wird umrahmt von Himalaya, Kun-lun und den Randgebirgen Osttibets. Auf der Grenze zu Nepal liegt der **Mount Everest,** mit 8 846 m der höchste Berg der Erde. Nördlich des Tarimbeckens erstreckt sich der Tien-shan, ein Gebirgszug mit höchsten Höhen über 7 000 m. Südchina ist ein stark zergliedertes, bis auf 2 000 m Höhe aufragendes Bergland. **Tiefländer** besitzt China im Nordosten in

China

Staatswappen

Staatsflagge

CHEMISCHE ELEMENTE

Name	Zeichen	Ordnungszahl	Relative Atommasse	Dichte g/cm³	Schmelzpunkt in °C	Siedepunkt in °C	Entdeckungsjahr	Entdecker
Actinium[1]	Ac	89	227,278	10,07	1050	3200±300[6]	1899 1902	Debierne Giesel
Aluminium[2]	Al	13	26,98154	2,6989 (20 °C)	660,37	2467	1825/27	Ørsted, Wöhler
Americium[3]	Am	95	(243)	13,67 (20 °C)	994±4	2607	1944	Seaborg, Ghiorso James, Morgan
Antimon	Sb	51	121,75	6,691 (20 °C)	630,74	1950	vor 5000 Jahren in China und Babylon bekannt	
Argon	Ar	18	39,948	1,7837 g/l[5]	−189,2	−185,7	1894	Ramsey und Rayleigh
Arsen[2]	As	33	74,9216	5,73	817 (28 bar)	613	1250	Albertus Magnus
Astat	At	85	(210)		302[6]	337[6]	1940	Corson, Mackenzie, Sergè
Barium	Ba	56	137,33	3,5 (20 °C)	725	1640	1808	Davy
Berkelium[3]	Bk	97	(247)	14[6]			1949	Seaborg, Thomson, Ghiorso
Beryllium[2]	Be	4	9,01218	1,848 (20 °C)	127±5	2970	1828	Wöhler, Bussy
Blei	Pb	82	207,2	11,35 (20 °C)	327,502	1740	um 550 v. Chr. in Griechenland	
Bohrium[3][4]	Bo	105						
Bor	B	5	10,81	2,34–2,37	2079	2550	1808	Gay-Lussac, Thénard, Davy
Brom	Br	35	79,904	3,12 (20 °C)	−7,2	58,78	1826	Balard
Cadmium	Cd	48	112,41	8,65 (20 °C)	320,9	765	1817	Stromeyer
Calcium	Ca	20	40,08	1,55 (20 °C)	839±2	1484	1808	Davy, Berzelius, Ponti
Californium[3]	Cf	98	(251)		−900		1950	Seaborg und andere
Cäsium	Cs	55	132,9054	1,873 (20 °C)	28,40±0,01	669,3	1860	Bunsen, Kirchhoff
Cer	Ce	58	140,12	6,657 (25 °C)	799	3426	1803	Klaproth, Berzelius, Hisinger
Chlor	Cl	17	35,453	3,214 g/l	−100,98	−34,6	1774	Scheele
Chrom	Cr	24	51,996	7,18–7,2	1857±20	2672	1797	Vauquelin
Curium[3]	Cm	96	(247)	13,51	1340±40	3110	1944	Seaborg, James, Ghiorso
Dysprosium	Dy	66	162,50	8,550 (25 °C)	1412	2562	1886	Lecoq de Boisbaudran
Einsteinium[3]	Es	99	(252)		860		1952	Thomson, Ghiorso und andere
Eisen	Fe	26	55,847	7,874 (20 °C)	1535	2750	Vorgeschichte	
Element 104[3] (Unnilquadiuum, Unq)			(261)				1964 1969	Dubna Ghiorso und andere
Element 105[3] (Unnilpentium; Unp)			(262)				1967? 1970	Dubna Ghiorso und andere
Element 106[3] (Unnilhexium; Unh)			(263)				1974 1974 1976	Dubna USA Dubna
Element 107[3] (Unnilseptium; Uns)			(262)				1981	GSI[7], Darmstadt
Element 108[3]			(265)				1084	GSI[7], Darmstadt
Element 109[3]			(266)				1982	GSI[7], Darmstadt
Erbium	Er	68	167,26	9,066 (25 °C)	159	2863	1842	Mosander
Europium	Eu	63	151,96	5,243 (25 °C)	822	1597	1901	Demarçay
Fermium[3]	Fm	100	(257)				1952	Ghiorso und andere
Fluor[2]	F	9	18,998403	1,696[5] (1 bar)	−219,62	−188,14 (1,01 bar)	1886	Moissan
Francium	Fr	87	(223)		27[6]	677[6]	1939	Perey
Gadolinium	Gd	64	157,25	7,9004 (25 °C)	1313±1	3266	1880	Marginac
Gallium	Ga	31	69,72	5,904 (29,6 °C)	29,78	2403	1875	Lecoq de Boisbaudran
Germanium	Ge	32	72,59	5,323 (25 °C)	937,4	2830	1886	Winkler
Gold[2]	Au	79	196,9665	18,88 (20 °C)	1064,43	3080	seit dem Altertum bekannt	
Hafnium	Hf	72	178,49	13,31 (20 °C)	2227±20	4602	1923	Coster, de Hevesy
Hahnium[3][4]	Ha	105						
Helium	He	2	4,00260	0,17846 g/l[5]	−272,2 (26 bar)	−268,934	1868	Jansen
Holmium[2]	Ho	67	164,9304	8,795 (25 °C)	1474	2695	1879	Cleve
Indium	In	49	114,82	7,31 (20 °C)	156,61	2080	1863	Reich, Richter
Iridium	Ir	77	192,22	22,42 (17 °C)	2410	4130	1803	Tennant
Jod	J	53	126,9045	4,93 (20 °C)	113,5	184,35	1811	Courtois
Kalium	K	19	39,0983	0,862 (20 °C)	63,25	760	1807	Davy
Kobalt[2]	Co	27	58,9332	8,9 (20 °C)	1495	2870	1735	Brandt
Kohlenstoff	C	6	12,011	3,51	−3550	4827	seit dem Altertum bekannt	
Krypton	Kr	36	83,80	3,733 g/l (0 °C)	−156,6	−152,30±10	1898	Ramsay und Travers
Kupfer	Cu	29	63,546	8,96 (20 °C)	1083,4±0,2	2567	seit dem Altertum bekannt	
Kurtschatowium[3][4]	Ku	104	(260)					
Lanthan	La	57	138,9055	6,145 (25 °C)	921	3457	1839	Mosander
Lawrencium[3]	Lr	103					1961	Ghiorso und andere
Lithium	Li	3	6,941	0,543 (20 °C)	180,54	1342	1817	Arfvedson
Lutetium	Lu	71	174,967	9,840 (25 °C)	1663	3395	1907	Urbain, Auer von Welsbach
Magnesium	Mg	12	24,305	1,738 (20 °C)	648,8±0,5	1090	1755	Black
Mangan[2]	Mn	25	54,9380	7,21–7,44	1244±3	1962	1774	Gahn
Mendelevium[3]	Md	101	(258)				1955	Ghiorso, Harvey, Seaborg und andere
Molybdän	Mo	42	95,94	10,22 (20 °C)	2617	4612	1781	Hjelm

CHEMISCHE ELEMENTE

Name	Zeichen	Ordnungszahl	Relative Atommasse	Dichte g/cm^3	Schmelzpunkt in °C	Siedepunkt in °C	Entdeckungsjahr	Entdecker
Natrium[2]	Na	11	22,98977	0,971 (20 °C)	97,81±0,03	882,9	1807	Davy
Neodym	Nd	60	144,24	6,80 und 7,007	1021	3068	1885	Auer von Welsbach
Neon	Ne	10	20,179	0,89990 g/l[5]	−248,67	−246,048 (1 bar)	1898	Ramsey und Travers
Neptunium[3][1]	Np	93	237,0482	20,25 (20 °C)	640±1	3902[6]	1940	McMillan, Abelson
Nickel	Ni	28	58,71	8,902 (25 °C)	1453	2732	1751	Cronstadt
Nielsbohrium[3][4]		105						
Niob[2]	Nb	41	92,9064	8,57 (20 °C)	2468±10	4742	1801	Hatchett
Nobelium[3]	No	102	(259)				1958	Seaborg, Ghiorso
Osmium	Os	76	190,2	22,57	3045±30	5027±100	1803	Tennant
Palladium	Pd	46	106,42	12,02 (20 °C)	1554	2970	1803	Wollaston
Phosphor[2]	P	15	30,97376	1,82 (weiß) 2,20 (rot)	44,1 (weiß)	280 (weiß)	1669	Brandt
Platin	Pt	78	195,08	21,45 (20 °C)	1772	3827±100	1735 1741	Ulloa Wood
Plutonium[3]	Pu	94	(244)	19,84 (25 °C)	641	3232	1940	Seaborg, McMillan und andere
Polonium	Po	84	(209)	9,32 (a)	254	962	1898	Marie Curie
Praseodym[2]	Pr	59	140,9077	6,773 (a)	931	3512	1885	Auer von Welsbach
Promethium[3]	Pm	61	(145)	7,22±0,02 (25 °C)	1168±6	2460	1945	Marinsky, Glendinin, Coryell
Protactinium[1]	Pa	91	231,0359	15,37	<1600		1918	Hahn, Lise Meitner
Quecksilber	Hg	80	200,59	13,546 (20 °C)	−38,842	356,58	seit dem Altertum bekannt	
Radium[1]	Ra	88	226,0254	5?	700	1140	1898	Marie u. P. Curie
Radon	Rn	86	(222)	9,73 g/l 4,4 (−62 °C)	−71	−61,8	1900	Dorn
Rhenium	Re	75	186,207	21,02 (20 °C)	3180	5627[6]	1925	Noddack, Tacke
Rhodium[2]	Rh	45	102,9055	12,41 (20 °C)	1966±3	3727±100	1803	Wollaston
Rubidium	Rb	37	85,4678	1,532 (20 °C)	38,89	686	1861	Bunsen, Kirchhoff
Ruthenium	Ru	44	101,07	12,41 (20 °C)	2310	3900	1844	Klaus
Rutherfordium[3][4]	Rf	104						
Samarium	Sm	62	150,36	7,520 (a)	1077±5	1791	1879	Lecoq de Boisbaudran
Sauerstoff	O	8	15,9994	1,429 g/l (0 °C)	−218,4	−182,962	1771/72	Scheele
Scandium[2]	Sc	21	44,9559	2,989 (25 °C)	1541	2831	1876	Nilson
Schwefel	S	16	32,06	1,957 (momoklin) 2,07 (rhombisch)	112,8 (rhombisch) 119,0 (monoklin)	444,674	seit dem Altertum bekannt	
Selen	Se	34	78,96	4,79 (grau)	217 (grau)	684,9±1	1817	Crawford
Silber	Ag	47	107,868	10,50 (20 °C)	961,93	2212	seit dem Altertum bekannt	
Silicium	Si	14	28,0855	2,33 (25 °C)	1410	2355	1824	Berzelius
Stickstoff	N	7	14,0067	1,2506 g/l 0,808 (−195,8 °C)	−209,86	−195,8	1772	Rutherford
Strontium	Sr	38	87,62	2,54	769	1384	1790	Crawford
Tantal	Ta	73	180,9479	16,654	2996	5425±100	1802	Eckeberg
Technetium[3]	Tc	43	(98)	11,50	2172	4877	1937	Perrier, Segrè
Tellur	Te	52	127,60	6,24 (20 °C)	449,5±0,3	989,8±3,8	1782	Müller von Reichenstein
Terbium[2]	Tb	65	158,9254	8,229	1356	3123	1843	Mosander
Thallium	Tl	81	204,383	11,85 (20 °C)	303,5	1457±10	1861	Crookes
Thorium[1]	Th	90	232,0381	11,72	1750	~4790	1828	Berzelius
Thulium[2]	Tm	69	168,9342	9,321 (25 °C)	1545±15	1947	1879	Cleve
Titan	Ti	22	47,88	4,54	1660±10	3287	1791	Gregor
(Unnilhexium[4])	(Unh)	106	(263)					
(Unnilpentium[4])	(Unp)	105	(262)					
(Unnilquadium[4])	(Unq)	104	(261)					
(Unnilseptium[4])	(Uns)	107	(262)					
Uran	U	92	238,0289	−18,95	1132,3±0,8	3818	1789	Klaproth
Vanadium	V	23	50,9415	6,11 (18,7 °C)	1890±10	3380	1830	Selfström
Wasserstoff	H	1	1,0079	0,08988 g/l 0,0708 (−253 °C)	−259,14	−252,87	1766	Cavendish
Wismut[2]	Bi	83	208,9804	9,747 (20 °C)	271,3	1560±5	1753	Geoffroy junior
Wolfram	W	74	183,85	19,3 (20 °C)	3410±20	5660	1783	d'Elhuyar
Xenon	Xe	54	131,29	5,887±0,009 g/l 3,52 (−109 °C)	−111,9	−107,1±3	1898	Ramsay und Travers
Ytterbium	Yb	70	173,04	6,965 (a)	819	1194	1878	de Marignac
Yttrium[2]	Y	39	88,9059	4,469 (25 °C)	1522±8	3338	1794	Gadolin
Zink	Zn	30	65,38	7,133 (25 °C)	419,58	907	6. Jh.	Persien
Zinn	Sn	50	118,69	5,75 (grau)	231,9681	2270	seit dem Altertum bekannt	
Zirkonium	Zr	40	91,22	6,506 (20 °C)	1852±2	4377	1824	Berzelius

Erläuterungen: [1] Element, dessen Atommassenwert der des Radioisotops mit der längsten Halbwertszeit ist; [2] Reinelement; [3] nur künstlich darstellbar; [4] siehe Element 104 bis 106; die Namensvorschläge Kurtschatowium/Rutherfordium und Hahnium, Bohrium sowie Nielsbohrium für die Elemente 104 und 105 sind von der IUPAC (International Union of Pure and Applied Chemistry) nicht angenommen; [5] Bestimmung bei 0 °C und 1 bar; [6] geschätzter Wert; [7] GSI (Gesellschaft für Schwerionenforschung). – Die in Klammern angegebenen relativen Atommassen sind die Massenzahlen der stabilsten Isotope.
Die relativen Atommassen nach der IUPAC-Liste von 1980.
Alle anderen Angaben nach ›Handbook of Chemistry and Physics‹ ([62]1981–82).

Chin

der Mandschurei und an den Unterläufen von Hwangho und Jangtsekiang. Die größten Flüsse sind Amur, Hwangho, Jangtsekiang und Sikiang.

Das K lima ist sehr vielfältig. Die westlichen Gebiete besitzen ausgeprägtes Kontinentalklima mit geringen Niederschlägen und großen Temperaturunterschieden zwischen Sommer und Winter. Steppen und Wüsten bestimmen den Charakter des unwirtlichen Gebirgslands.

In Südchina herrscht feuchtheißes Klima; die Wachtumszeit der Pflanzen dauert das ganze Jahr hindurch an und ermöglicht zum Teil 2–3 Ernten im Jahr. In Nord- und Mittelchina bringt der Wind im Winter kalte und trockene Luft aus dem Norden und Nordwesten; im Sommer weht er aus Süden und Südosten. Dann fallen die Niederschläge, die an der Küste oft mit gefährlichen **Taifunen** verbunden sind. Weil die Niederschläge stark schwanken, gibt es in manchen Jahren Dürren und in anderen verheerende Überschwemmungen.

Die Verteilung der Bevölkerung ist sehr ungleichmäßig. Der Westen ist sehr dünn, der Osten dicht besiedelt. Am unteren Jangtsekiang leben auf einem Quadratkilometer zum Teil mehr als 2000 Menschen. Wegen des starken Bevölkerungswachstums hat die Regierung strenge Vorschriften zur Geburtenregelung (nur ein Kind pro Familie) erlassen.

Fast 2/3 der Menschen arbeiten in der Landwirtschaft, jedoch wird nur 1/8 der Fläche Chinas landwirtschaftlich genutzt. In der Nordostchinesischen Tiefebene, die größer ist als die Bundesrepublik Deutschland, werden Sojabohnen, Mais und Sommerweizen angebaut, im Lössbergland Hirse und Winterweizen, am Unterlauf des Hwangho neben Winterweizen auch Baumwolle und Erdnüsse. In Südchina stehen Reis, Mais und Tee im Vordergrund. In den trockenen Gebieten des Westens spielt die Viehzucht die Hauptrolle.

China besitzt reiche Vorkommen an Bodenschätzen. Es ist eines der kohlereichsten Länder der Erde; auch bedeutende Eisenerzvorkommen wurden entdeckt. Verstärkt wurde in den letzten Jahren Erdöl gefunden. Der Staat hat die Schwerindustrie stark gefördert; Stahlerzeugung und Maschinenbau haben dadurch einen großen Aufschwung genommen. Die Zentren der Stahlindustrie sind Anshan im Nordosten, Wuhan im Osten und Paotou in der Inneren Mongolei. China stellt Maschinen aller Art her. Verstärkt wird die Zusammenarbeit mit westlichen Industrienationen. Ausgeführt werden vor allem Textilien und landwirtschaftliche Erzeugnisse (Häute, Tee, Seide, Sojabohnen, Reis). Der Fremdenverkehr gewinnt an Bedeutung.

Die größte Bedeutung für den Verkehr in der Volksrepublik China hat derzeit noch das Eisenbahnnetz, mit dem die dünner besiedelten mittleren und westlichen Gebiete erschlossen werden sollen. Das Straßennetz wird ständig erweitert. Wichtig sind Fluss- und Küstenschifffahrt.

Geschichte

China, das sich seit alters her auch als ›Reich der Mitte‹ bezeichnete, besitzt eine über 3000 Jahre alte Geschichts- und Kulturtradition. Die Reihe der Kaiserhäuser (Dynastien) lässt sich bis weit in das 2. Jahrtausend v. Chr. (etwa um 1600) zurückverfolgen. Damals entstand die chinesische Schrift, die bis zu ihrer Vereinfachung 1958 aus etwa 50 000 Bilderzeichen bestand und von oben nach unten zu lesen war. Das Kernland des chinesischen **Kaiserreichs** lag in Ostchina, in der Ebene des Hwangho. Um 500 v. Chr. lehrte der Philosoph →Konfuzius, dessen Tugendlehre **(Konfuzianismus)** die Staats- und Gesellschaftsordnung bis zum Sturz des Kaisertums (1912) entscheidend beeinflusste. Im 4./3. Jahrh. v. Chr. entstand der **Taoismus,** als dessen Urheber der Philosoph →Lao-tse gilt.

In den Anfängen bestand China aus vielen Reichen, die von König Ch'eng, der im Nordwesten, im Tal des Weiho (eines Nebenflusses des Hwangho), herrschte, geeint wurden. Ch'eng, der sich seit 221 v. Chr. als Kaiser Ch'in Shih Huang-ti bezeichnete, gilt daher als Begründer des chinesischen Kaiserreichs, das bis 1912 bestand. Er schützte es durch den Bau der →Chinesischen Mauer gegen die innerasiatischen Völker, besonders gegen die →Hunnen. Die Verwaltung seines Reichs übertrug er treuen Beamten, den **Mandarinen.**

DIE CHINESISCHEN DYNASTIEN	
16.–11. Jahrh. v. Chr.	**Shang**
um 1100–249 v. Chr.	**Chou**
221–206 v. Chr.	**Ch'in:** Reichseinigung unter Kaiser Shi Huang-ti
206 v. Chr.–220 n. Chr.	**Han**
220–265	Spaltung in ›Drei Reiche‹ (Wu, Shu, Wei)
265–420	**Chin**
420–589	Spaltung in Nord- und Südreiche
589–618	**Sui**
618–907	**T'ang**
907–960	Spaltung in mehrere Reiche (Zeit der ›Fünf Dynastien‹)
960–1260	**Sung**
1260–1368	mongolische Dynastie der **Yüan,** begründet durch Khubilai
1368–1644	**Ming**
1644–1912	**Ch'ing** (Mandschukaiser)

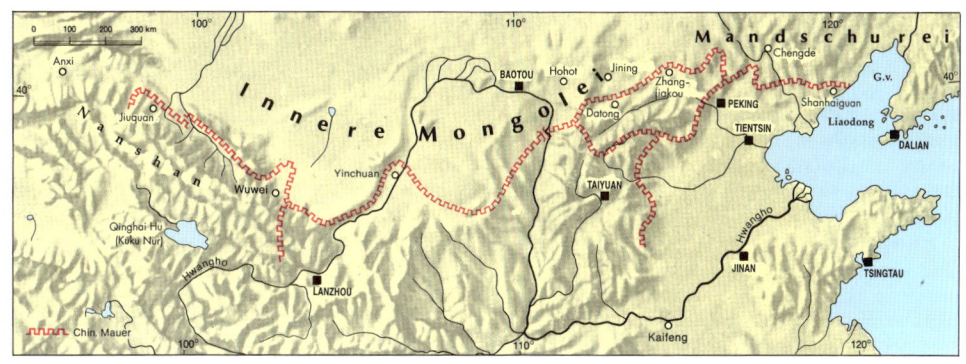

Chinesische Mauer

Im 13. Jahrh. eroberten die **Mongolen** das Land und Khubilai, der Enkel Dschingis Khans, wurde 1260 Kaiser von China. Er machte **Peking** zu seiner Residenz, das unter späteren Kaisern prächtig ausgebaut wurde und bis heute Hauptstadt ist. Zur Zeit Khubilais besuchte Marco →Polo China und bahnte durch seinen Bericht die ersten Handelsbeziehungen mit Europa an. Um 1500 lernten die Europäer chinesische Errungenschaften kennen: z. B. die **Seidenraupenzucht,** die Herstellung von **Papier,** den Gebrauch des **Schießpulvers,** das **Porzellan.** Im 17. Jahrh. erreichte China unter den Mandschukaisern (Ch'ing-Dynastie) seine größte Ausdehnung, doch erschütterten die Europäer, die China gewaltsam dem europäischen Handel erschließen wollten (**Opiumkrieg** 1840–42), und Aufstände im Innern das Kaisertum.

1912 dankte der noch minderjährige Kaiser P'u-i ab, China wurde **Republik.** Ihr erster Präsident war Sun Yat-sen. Seit 1920 herrschte in China **Bürgerkrieg,** aus dem der Führer der Kommunistischen Partei, →Mao Tse-tung, siegreich hervorging. Sein Gegner, Tschiang Kai-schek, zog sich auf die Insel →Taiwan zurück, die seit 1683 chinesisch war und nun einen eigenen chinesischen Staat bildete. Auf dem asiatischen Festland entwickelte sich die 1949 von Mao Tse-tung gegründete **Volksrepublik China.** Sie geriet seit etwa 1960 in einen schweren Konflikt mit der Sowjetunion. Mit der Kulturrevolution (1960–69, 1972–74) suchte Mao Tse-tung in der Innenpolitik mit jeder Tradition zu brechen. Nach seinem Tod (1976) schwächten seine Nachfolger diese Bestrebungen ab und bemühten sich in der Außenpolitik erfolgreich um Kontakte zu vielen, auch westlichen Ländern. Im April 1989 von Studenten ausgelöste Massendemonstrationen in Peking für Demokratie wurden am 3./4. 6. 1989 von der Armee blutig unterdrückt. Seither behält China seinen harten innenpolitischen Kurs bei, will die eingeleitete Wirtschaftsreform jedoch weiterführen. (KARTE Band 2, Seite 195)

Chinchilla [tschintschila], ein →Nagetier mit wertvollem Pelz.

Chinesische Mauer, Schutzmauer im Norden Chinas, die Angriffe der Reiternomaden aus dem Norden abwehren sollte. Mit einer Länge von 2 500 km ist sie die größte Schutzanlage der Erde. Sie beginnt im Nordwesten Chinas und zieht in nordöstlicher Richtung bis an den Golf von Liaotung (Gelbes Meer). Begonnen wurde die Mauer um 200 v. Chr., ihre heutige Form erhielt sie im 15. Jahrh. Das Baumaterial ist im Westen und Süden meist gestampfte Erde, im Norden bei Peking Stein. In der Ebene und an Gebirgspässen ist sie rund 16 m hoch, an Gipfeln niedriger. Die Dicke beträgt unten 8, oben 5 m. In Abständen sind zweistöckige Türme errichtet.

Chip [tschip, englisch ›Schnipsel‹], dünnes Kristallplättchen aus Silicium von wenigen Millimetern Kantenlänge. Alle Elemente und Verbindungen in dem Kristall sind zu einer Schaltung zusammengefasst (integriert). Man nennt diese Funktionseinheit auch →integrierte Schaltung. Zu seinem Schutz wird der Chip in ein längliches Kunststoffgehäuse eingebettet, aus dem seitlich die Anschlüsse herausragen. Es gibt viele verschiedene Arten von Schaltkreisen, die jeweils eine bestimmte Aufgabe erfüllen. Ein Chip, der z. B. die wesentlichen Teile eines →Computers in sich vereint, wird als **Mikroprozessor** bezeichnet.

Chirurgie [von griechisch cheirurgia ›Handarbeit‹], Fachgebiet der Medizin, das Krankheiten durch äußere Eingriffe (→Operation) behan-

Chit

delt. Dazu gehören neben der Eröffnung des Körpers auch Eingriffe im Brustraum, am Herzen (**Thoraxchirurgie**), an den Adern (**Gefäßchirurgie**) und im Gesicht zur Verschönerung oder Wiederherstellung der Form, z. B. nach Verbrennungen (**plastische Chirurgie**). Ein wichtiges Teilgebiet, die **Unfallchirurgie**, befasst sich mit der Behandlung von Knochenbrüchen und dem Versorgen von Wunden.

Chitin, chemischer Stoff, der die Zellwände von vielen Tierarten und Pilzen versteift. Vor allem Insekten und Krebse haben Panzer, die hauptsächlich aus Chitin bestehen. Diese Panzer sind sehr leicht, wasserundurchlässig und hart, aber trotzdem biegsam. Sie schützen die Tiere und Pilze vor Hitze und Austrocknung und oft auch vor Feinden.

Chlodwig. Der Gründer des Frankenreichs, **Chlodwig** (*um 466, †511), war zunächst nur einer von mehreren Gaukönigen. Er stammte aus dem Haus der Merowinger und beherrschte das Gebiet um Tournai im heutigen Belgien. Nachdem er die übrigen Gaukönige beseitigt hatte, machte er sich 482 zum **König der Franken.** 486 nahm er den Rest des römischen Gebiets in Gallien in seinen Besitz. Danach besiegte er die am Oberrhein ansässigen Alemannen. Seit 493 mit der katholischen burgundischen Prinzessin Chrodechilde verheiratet, ließ er sich 496 taufen. Auf weiteren Kriegszügen (507 Sieg über die Westgoten) dehnte er seine Macht bis in den Südwesten Frankreichs aus und machte Paris zur Hauptstadt. Durch die Schaffung eines einheitlichen Staates vom Rhein bis zur Küste des Atlantischen Ozeans, vor allem aber durch die Entscheidung für das römische Christentum und gegen den Arianismus, das Christentum der Ostgermanen, legte er den Grund für den Aufstieg des Frankenreichs.

Chlor [von griechisch chloros ›gelbgrün‹], Zeichen **Cl**, →chemisches Element (ÜBERSICHT) aus der Gruppe der →Halogene. Schon in geringen Mengen ist Chlor ein **hochgiftiges Gas:** 0,5 bis 1 % Chlor in der Luft verätzt die Atemwege und führt zum Tod. Es ist äußerst reaktionsfähig und kommt in Form vieler Minerale in der Natur vor. Zu den bekanntesten gehört das **Kochsalz** (eine Verbindung aus Chlor und Natrium), das in den Ozeanen in großen Mengen auftritt. Im menschlichen Körper ist das gebundene Chlor lebensnotwendig. – Wegen seiner keimtötenden Wirkung setzt man Chlor in einer für den Menschen unschädlichen Menge dem Trinkwasser und dem Wasser in Schwimmbädern zu.

Chlorophyll, deutsch **Blattgrün,** der grüne Farbstoff der Pflanzen, der in bestimmten Teilen der pflanzlichen Zelle, den **Chloroplasten,** vorkommt. Chlorophyll bildet sich nur, wenn Licht auf die junge Pflanze fällt. Es hat die Aufgabe das Licht, das für die →Photosynthese benötigt wird, einzufangen und in Energie umzuwandeln.

Cholera, meldepflichtige, schwere ansteckende Krankheit des Darms, die durch stäbchenförmige Bakterien hervorgerufen wird. Sie wird vor allem durch verunreinigtes Trinkwasser übertragen. Erbrechen und wässrige Durchfälle, die an Zahl und Menge zunehmen, entziehen dem Kranken so viel Salz und Wasser, dass der Körper austrocknet und der Tod rasch eintreten kann. Die Cholera ist vorwiegend in Asien verbreitet und wird durch schlechte hygienische Verhältnisse begünstigt. Ein zeitlich begrenzter Schutz vor Ansteckung ist durch Impfung möglich. Der Erreger der Cholera wurde 1883 von Robert Koch entdeckt.

Cholesterin [zu griechisch chole ›Galle‹ und stereos ›hart‹] findet sich in allen Körperzellen, vor allem in Nebennierenrinde, Galle und Gehirn, und ist ein wesentlicher Bestandteil der Zellmembran. Es handelt sich um eine fettähnliche Substanz, chemisch gesehen um einen ungesättigten Alkohol, die besonders in Leber und Darm erzeugt wird. Cholesterin ist die Grundsubstanz, aus der Gallensäuren, Geschlechtshormone und das Vitamin D im Körper gebildet werden. Kohlenhydrat- und fettreiche Mahlzeiten, aber auch Störungen im Stoffwechsel, erhöhen den Cholesterinspiegel im Blut; dies begünstigt krankhafte Veränderungen (Verdickung und Verhärtung) der Arterien (Arteriosklerose). Auch Gallensteine bestehen oft aus Cholesterin.

Chopin [schopę̃]. Schon mit 9 Jahren wurde der polnische Komponist und Pianist **Frédéric François Chopin** (*1810, †1849), Sohn eines Franzosen und einer Polin, wegen seines Talents beim Klavierspielen als Wunderkind gefeiert. Seit 1830 lebte er in Paris, wo er mit vielen bedeutenden Künstlern befreundet war und als Komponist und Pianist ebenso geschätzt war wie als Lehrer. 1838 reiste Chopin mit der Dichterin George Sand, die er leidenschaftlich verehrte, zur Besserung seines Lungenleidens nach Mallorca. Eine letzte Konzertreise unternahm er 1848 nach England und Schottland. Chopin schrieb ausschließlich Werke für Klavier oder Werke, in denen dem Klavier zentrale Bedeutung zukommt. Seine Musik ist wesentlich von seiner Herkunft geprägt: Rhythmen und viele seiner

Frédéric Chopin

Melodien sind von der polnischen Volksmusik beeinflusst, z. B. Mazurken, Polonaisen. Chopin war einer der größten Meister des lyrischen Klavierstücks (Nocturnes, Préludes, Impromptus). Sein romantisch-poetischer Stil hat die Klaviermusik bis ins 20. Jahrh. beeinflusst.

Chor [von griechisch choros ›Tanz‹, ›Reigen‹], **1)** Musik: eine Gruppe von Sängern, die gemeinsam ein Lied vortragen, z. B. als Kirchenchor, Opernchor oder Schulchor. Es gibt Frauenchöre, Männerchöre, Kinderchöre und gemischte Chöre. Bei gemischten Chören singen Frauen (z. B. Alt und Sopran) und Männer (z. B. Tenor und Bass), manchmal auch Kinder, gemeinsam. Ein Chor kann einstimmig (alle Sänger singen dieselbe Melodie) oder mehrstimmig (die Sänger singen verschiedene Stimmen) sein. Nach der Anzahl der Stimmen unterscheidet man zweistimmige, dreistimmige, vierstimmige usw. Chöre. Ein sechsstimmiger Chor z. B. ist nach den 6 Stimmlagen in folgende Stimmen eingeteilt: Sopran, Mezzosopran, Alt, Tenor, Bariton, Bass. **2)** Architektur: In einer Kirche bezeichnete man mit Chor zunächst den für die Sänger bestimmten Teil vor dem Altar, dann den das Hauptschiff meist im Osten abschließenden Teil des Kirchenraums mit dem Hochaltar und dem Chorgestühl. Dieser Teil der Kirche war den Geistlichen vorbehalten und konnte durch **Chorschranken** oder Trennwände **(Lettner)** vom Kirchenschiff abgeteilt werden. In der Romanik wurden in Deutschland große Kirchen oft mit einem zweiten Chor im Westen gebaut, so die Kaiserdome in Mainz und Worms.

Choral [lateinisch cantus choralis ›Chorgesang‹], in der katholischen Kirche der →gregorianische Gesang; in den evangelischen Kirchen jedes Kirchenlied in deutscher Sprache, das von der Gemeinde gesungen wird.

Choreographie [zu griechisch choreia ›Reigen‹, ›Tanz‹ und graphein ›schreiben‹], ›Tanzschrift‹, mit der man alle Bewegungen in einem Ballett mithilfe von Symbolen und Zeichen für musikalische Notenwerte aufschreiben kann, auch der Regieentwurf, die Gestaltung eines Balletts. – Der **Choreograph** entwirft die Tänze in einem Ballett.

Chow-Chow [tschautschau], eine Rasse der →Hunde.

Christentum, die von →Jesus Christus gestiftete Weltreligion. Weltweit gibt es rund 1,8 Milliarden Christen. Leben und Lehre Jesu sind im Neuen Testament (→Bibel) niedergeschrieben. Danach bekennen sich die Christen zu dem dreieinigen Gott (Vater, Sohn und Heiliger Geist), dessen Wesen die grenzenlose und alles verzeihende Liebe ist. Jesus Christus als Sohn Gottes ist am Kreuz gestorben, um die Menschen in seiner Liebe von der Sünde zu erlösen. Das befähigt den Gläubigen zur Gottes- und Nächstenliebe, dem Hauptgebot der Lehre Christi. Wer dieses Doppelgebot zu verwirklichen sucht, dem sind Auferstehung und ein ewiges Leben verheißen.

Da Christus dem jüdischen Volk angehörte, fand seine Lehre unter den Juden die ersten Anhänger. Seine Jünger und vor allem der Apostel Paulus brachten als Wanderprediger seine Lehre in weitere Teile des Römischen Reiches. Besonders unter den Armen und Sklaven fand diese neue Religion viele Anhänger. Nachdem sich das Christentum zunächst in den östlichen Provinzen des Römischen Reiches verbreitet hatte, kam es sehr bald auch nach Rom und zu den westlichen Provinzen Spanien und Gallien. Zwar duldeten die Römer innerhalb ihres Reiches jede Religion, da sich die Christen aber weigerten, auch den Kaiser als Gott zu verehren, wurden sie bald als Feinde des Staates angesehen. So kam es immer wieder zu blutigen und grausamen →Christenverfolgungen. Erst 313 wurde unter dem römischen Kaiser Konstantin das Christentum anerkannt und 380 von Kaiser Theodosius zur Staatsreligion im Römischen Reich erhoben. Missionare, z. B. →Bonifatius, verbreiteten das Christentum im 4. und 5. Jahrh. auch unter den germanischen Stämmen in Mitteleuropa. Bis zum 13. Jahrh. hatte es sich über ganz Europa sowie Teile Asiens bis nach Indien ausgebreitet.

Ursprünglich war Rom, die ehemalige Hauptstadt des Römischen Reiches, der Mittelpunkt der Christenheit. Daher ist diese Stadt bis heute Sitz des Papstes. Als seit dem 4. Jahrh. Konstantinopel zu einem zweiten römischen Regierungssitz wurde, bildete sich dort auch ein zweites Zentrum des Christentums, das oft mit Rom über Glaubens- und Verfahrensfragen in Streit geriet, bis es 1054 zu einem endgültigen Bruch (›Schisma‹) kam. Von da an gab es die **lateinische Kirche** mit dem Papst als Oberhaupt und die **Ostkirche,** der der Patriarch vorsteht. Aus der Ostkirche entwickelte sich die **orthodoxe Kirche,** die vor allem in Russland, dem übrigen slawischen Raum und Griechenland verbreitet ist. Mit der Entdeckung fremder Erdteile, z. B. Amerika (um 1500), wurde der christliche Glaube immer weiter verbreitet. Im 16. Jahrh. kam es zur →Reformation, der Abspaltung der **evangelischen Kirchen** von

Chri

der **katholischen Kirche**. Heute gibt es noch viele weitere christliche Konfessionen. Sie sind fast alle im Ökumenischen Weltrat, der seinen Sitz in Genf hat, vertreten. Die katholische Kirche gehört diesem Gremium nicht an, arbeitet aber mit ihm zusammen. Der Ökumenische Weltrat berät über Glaubensfragen und die Möglichkeiten zur Vereinigung der christlichen Kirchen.

Christenverfolgung. Die ersten Verfolgungen von Christen gab es im Römischen Reich. Damals wurden alle Religionen geduldet, wenn zusätzlich zu der jeweiligen Gottheit auch der Kaiser wie ein Gott verehrt wurde. Das aber lehnten die Christen ab und galten deshalb als Staatsfeinde. Unter den römischen Kaisern Decius (249–251) und Valerian (253–260) sollten die Christen im Römischen Reich ausgerottet werden. Einen letzten Höhepunkt erreichte die Verfolgung unter Kaiser Diokletian (284–305). Christen, die entdeckt oder angezeigt wurden, wurden öffentlich verbrannt, ans Kreuz geschlagen oder zur Volksbelustigung in der Arena wilden Tieren zum Fraß vorgeworfen. Deshalb trafen sie sich an geheimen Plätzen, um ihre Gottesdienste zu feiern. Das ›Mailänder Toleranzedikt‹ (313) gewährte dann den Christen die Religionsfreiheit. Jedoch kam es auch später immer wieder zu Verfolgungen, wo Christen in Gegensatz zu ihrem Staat gerieten.

Christine, *1626, †1689, Königin von Schweden (1632–54), einziges Kind von König Gustav II. Adolf. Nach der Vormundschaftsregierung (bis 1644) nahm sie ihr Königsamt tatkräftig wahr. Sie sammelte einen Kreis von Gelehrten, darunter Descartes, um sich und förderte so die Wissenschaft. 1654 trat sie zugunsten ihres Vetters Karl Gustav von Pfalz-Zweibrücken zurück. 1655 wurde sie katholisch und lebte seitdem meist in Rom.

christlich-demokratisch, eine politische Haltung, die sich im 20. Jahrh., besonders nach dem Zweiten Weltkrieg, entwickelte. Sie möchte christliche Wertvorstellungen mit dem Bekenntnis zu sozialer Verantwortung und zu einem demokratisch-parlamentarischen Aufbau des Staates verbinden.
Christlich-demokratisch gesinnte Parteien sind z. B. in Italien die ›Democrazia Cristiana‹ (DC, deutsch: Christliche Demokratie), in Frankreich der ›Centre des Démocrates Sociaux‹ (CDS, deutsch: Zentrum der Sozialen Demokraten). Nach dem Zweiten Weltkrieg (1945) bildete sich in Deutschland in allen Besatzungszonen die ›**Christlich-Demokratische Union**‹ **(CDU)**. In der Bundesrepublik Deutschland stellte sie 1949–69 und seit 1982 den Bundeskanzler (z. B. Konrad →Adenauer, Helmut →Kohl). Anstelle der CDU tritt in Bayern die mit ihr eng verbundene ›**Christlich-Soziale Union**‹ **(CSU)** als christlich-demokratisch eingestellte Partei hervor. Auch die ›**Österreichische Volkspartei**‹ **(ÖVP)** und die ›**Christlich-demokratische Volkspartei der Schweiz**‹ **(CVPS)** vertreten christlich-demokratische Ideen.

Christo. Der amerikanische Künstler **Christo Jawatschew** wurde 1935 in Bulgarien geboren. Er wurde international bekannt durch seine Aktionen, in denen er Monumente und Gebäude mit Folien verpackt oder ganze Landschaften verfremdet, um neue Seherfahrungen zu ermöglichen. So verhüllte er z. B. 1985 den Pont Neuf in Paris und 1995 das Berliner Reichstagsgebäude.

Christus [griechisch ›der Gesalbte‹], Würdename für Jesus von Nazareth, der später zu seinem Eigennamen wurde (→Jesus Christus).

Chrom, Zeichen Cr, silberglänzendes, sehr hartes Schwermetall (→chemische Elemente, ÜBERSICHT), das gegen Luft und Wasser, aber auch gegen viele Säuren beständig ist. Chrom dient zur Herstellung von Chromstählen und nicht rostenden Stählen, Chromlegierungen, anorganischen Pigmenten und zum Verchromen, um den Glanz und die Korrosionsbeständigkeit eines Gegenstandes zu erhöhen.

Chromosomen [griechisch ›Farbkörper‹], die Träger der **Erbanlagen** (→Vererbung), die als

Christo: Verhülltes Reichstagsgebäude in Berlin

mikroskopisch kleine Bestandteile in den Kernen aller Zellen zu finden sind. Durch Färbung der Zellen können diese faden- oder schleifenförmigen Gebilde sichtbar gemacht werden. Dabei zeigen sich auf dem Chromosom verschieden breite, als helle und dunklere Streifen angeordnete Abschnitte, die →Gene. Diese bewirken die Ausbildung eines ganz bestimmten Merkmals (z. B. Haarfarbe). Die Chromosomen haben einen komplizierten Aufbau aus Eiweiß und Nucleinsäure. Ihre Zahl ist für jede Art gleich bleibend; beim Menschen sind es 46, außer bei den Geschlechtszellen; deren Zahl ist halb so groß (23), da sie bei der Befruchtung zu einer einzigen Zelle mit 46 Chromosomen verschmelzen.

Chronik [griechisch ›Zeitbuch‹], ein Buch, in dem geschichtliche Ereignisse in ihrer zeitlichen Abfolge (›chronologisch‹) aufgezählt oder beschrieben werden. Für die Geschichte des Mittelalters sind Chroniken als Quellen von großer Wichtigkeit. Verfasser einer Chronik ist der **Chronist**. Auch 2 Bücher des Alten Testaments heißen Chronik.

chronische Krankheiten, lange dauernde Krankheiten, im Gegensatz zu den →akuten Krankheiten.

Chronologie [zu griechisch chronos ›Zeit‹], die Lehre von der Zeit. Als Wissenschaft bemüht sie sich, die Ereignisse der Vergangenheit in eine zeitliche Beziehung zueinander (›relative Abfolge der Ereignisse‹) oder zur Gegenwart mithilfe eines festgelegten Zeitmaßstabs **(Kalender)** herzustellen. Die Chronologie ist ein Teilgebiet der Astronomie, das die Bewegungen der Himmelskörper zur Festlegung von Zeiteinheiten untersucht. Von großer Bedeutung ist die **relative Chronologie** für die Geologie, die Biologie und die Vorgeschichte. So kann z. B. eine Gesteinsschicht mithilfe von Fossilien als gleichzeitig, älter oder jünger als andere bestimmt werden. Als Teilgebiet der Geschichte bemüht sich die Chronologie um die sichere Umrechnung des Zeitrechnungssystems anderer Kulturen auf unseren Kalender.

Chronometer [griechisch ›Zeitmesser‹], eine sehr genau gehende →Uhr.

Chur [kur], 31 300 Einwohner, Hauptstadt (seit 1820) des Schweizer Kantons Graubünden, liegt im Hochrheintal. Die Stadt ist seit dem 5. Jahrh. Bischofssitz. Sie hat ein mittelalterliches Stadtbild mit spätromantischer Kathedrale.

Churchill [tschötschil]. Der britische Politiker Sir **Winston Churchill** (*1874, †1965), ursprünglich Journalist, gehörte während der längsten Zeit seines Lebens der Konservativen Partei an. Er war mehrfach Minister. Als Erster Lord der Admiralität (1911–15) trug er die Verantwortung für die Führung der britischen Flotte. In den 1930er-Jahren bekämpfte er die nachsichtige Haltung der britischen Regierung gegenüber dem nationalsozialistischen Deutschland.

Als Premierminister (1940–45) führte er im Zweiten Weltkrieg eine Regierung aus Vertretern der Konservativen und der Arbeiterpartei. In seinem Amt verkörperte er zu dieser Zeit den Siegeswillen seines Landes. Er arbeitete eng mit dem amerikanischen Präsidenten Franklin Delano Roosevelt zusammen und verkündete mit ihm in der Atlantikcharta (1941) eine künftige Friedensordnung. Er nahm großen Einfluss auf die Entscheidungen der großen Konferenzen des Zweiten Weltkriegs in Teheran (1943), Jalta (Februar 1945) und Potsdam (Juli/August 1945). Er gab nach dem Zweiten Weltkrieg den Anstoß zur Gründung der NATO und des Europarats. 1951–55 war er noch einmal britischer Premierminister.

Churchill trat auch als Maler hervor. Für seine schriftstellerische Leistung bei der Darstellung des Zweiten Weltkriegs erhielt er 1953 den Nobelpreis für Literatur.

CIA [ßiaie], Abkürzung für **C**entral **I**ntelligence **A**gency, der Geheimdienst der USA.

Cicero. Der römische Politiker, Schriftsteller und Philosoph **Marcus Tullius Cicero** (*106, †43 v. Chr.) war ein hervorragender und viel beachteter Redner. Seine Reden und philosophischen Schriften sind in einem kunstvollen lateinischen Stil geschrieben. Cicero war ein unerbittlicher Gegner jeglicher Diktatur. Im Bürgerkrieg, der nach der Ermordung Caesars ausbrach, wurde er ermordet.

Cid [aus arabisch sayyid ›Herr‹], Beiname des spanischen Nationalhelden **Rodrigo Díaz de Vivar** (*um 1043, †1099), auch **el Campeador** (›Kämpfer‹) genannt. Er eroberte 1094 den maurischen (arabischen) Staat Valencia. Als Sieger über die Mauren wurde der Cid eine Gestalt der Heldensage, dessen Schicksal mehrmals literarisch gestaltet wurde.

Circe, lateinischer Name der griechischen Zauberin **Kirke.** In der Odyssee verwandelt sie die Gefährten des Odysseus in Schweine. Odysseus jedoch kann Circe durch den Gegenzauber eines Krautes überwinden.

Cirrus, eine Form der →Wolken.

Marcus Tullius Cicero
(Rom, Kapitolinisches Museum)

Winston Churchill

Wörter die man unter C vermisst, suche man unter K, Tsch oder Z

Citr

Citrusfrüchte [lateinisch citrus ›Zitronenbaum‹], Früchte von Obstgewächsen, die vor allem in den Mittelmeerländern, in Kalifornien und Südafrika angebaut werden (→Südfrüchte). Sie wachsen an Bäumen oder Sträuchern, oft in großen Plantagen. Ihre immergrünen Blätter sind ledrig und geben in der Hitze nur wenig Wasser ab. Die Früchte, botanisch eigentlich Beeren, sind zuerst grün, dann gelb bis orange. Unter der dicken, festen Schale, die den Transport über weite Entfernungen ermöglicht, ist das Fruchtfleisch in einzelne ›Fächer‹ geteilt, in denen rund um die Kerne saftgefüllte Zellen sitzen. Citrusfrüchte sind erfrischend und zuckerreich und enthalten viel **Vitamin C**.

Die apfelgroße **Apfelsine** (auch **Orange**) war ursprünglich in China heimisch. Die kleinere **Mandarine** lässt sich leicht aus der Schale lösen und zerlegen; kernarme oder kernlose Sorten sind z. B. Satsumas, Clementinen, Tangerinen.

Die sauren **Zitronen**, ursprünglich in Indien heimisch, wachsen an bis 7 m hohen Bäumen. Dünnschalige Sorten haben besonders viel Saft. Die große, gelbschalige **Grapefruit** ist eine Kreuzung aus Pampelmuse und Apfelsine. Die aus Südostasien stammende, größere **Pampelmuse** mit dickerer Schale kann mehrere Kilogramm schwer werden.

cl, Einheitenzeichen für **Zentiliter**, 1 cl = $\frac{1}{100}$ l (→Liter) = 0,01 l = 10^{-2} l.

Clan, →Klan.

Claudius, *10 v. Chr., †54 n. Chr., römischer Kaiser aus der von Augustus begründeten julisch-claudischen Dynastie. Von schwächlicher Gesundheit, wurde er von der Politik fern gehalten und widmete sich vor allem historischen Studien. Nach der Ermordung des Kaisers Caligula wurde Claudius von seinen Soldaten 41 n. Chr. zum Imperator ausgerufen. Er begründete die Provinzen Britannien, Judäa, Mauretanien und Thrakien und befestigte die Donau- und Rheingrenze (Gründung Kölns). Starken Einfluss auf seine Politik nahmen seine Frauen, zuerst **Messalina**, später **Agrippina**. Agrippina ließ ihn vergiften, um den Thron für ihren Sohn Nero freizumachen.

Clinton [klintn]. Der amerikanische Politiker William (›Bill‹) Clinton (*1946), der der Demokratischen Partei angehört, wurde 1992 zum 42. Präsidenten der USA gewählt. 1979-92 war er (mit kurzen Unterbrechungen) Gouverneur von Arkansas, wo er sich u. a. für eine fortschrittliche Umweltgesetzgebung und die Reform des Bildungswesens einsetzte.

Bill Clinton

Cluny [klüni], 4700 Einwohner, französische Stadt in Südburgund. Cluny entstand bei einer **Benediktinerabtei**, die im Mittelalter Zentrum einer umfassenden Erneuerungsbewegung (›kluniazensische Reform‹) des Mönchtums und der Gesamtkirche war.

cm, cm², cm³, Einheitenzeichen für **Zentimeter, Quadratzentimeter** und **Kubikzentimeter** (→Einheiten).

Cockerspaniel, eine Rasse der →Hunde.

Cockpit [englisch ›Hahnengrube‹], die Pilotenkabine im Flugzeug.

Code [kod, zu Codex], →Codierung.

Codex [lateinisch ›Schreibtafel‹, **1)** im Mittelalter Sammlung von handbeschriebenen Pergamentblättern, die sich zwischen 2 Einbanddeckeln befanden. Diese waren aus Holz, mit Leder bezogen und häufig reich verziert (→Buchmalerei). Im 6. Jahrh. trat der Codex immer mehr an die Stelle der antiken Buchrolle.
2) im römischen Recht Sammlung von Gesetzen, die nach dem Herrscher benannt wurde, der sie erließ, z. B. Codex Justinianus (534).

Codierung, Darstellung einer Nachricht in einer anderen Schreibweise, z. B. mit Zahlen anstelle von Buchstaben. Die Vorschrift, nach der ein Text umgeformt wird, heißt **Code**. Wird die Nachricht dann wieder in ihre ursprüngliche Form zurückverwandelt, so bezeichnet man den Vorgang als **Decodierung**.

In der Nachrichtentechnik bedeutet Codierung, dass ein Zeichen aus einer umfangreichen Menge (z. B. aus dem Alphabet) in mehrere Zeichen einer kleinen Menge umgesetzt wird, z. B. in das →Morsealphabet. Dadurch wird bei der Übertragung einer Nachricht nur eine geringe Anzahl von unterschiedlichen Signalen benötigt, die entsprechend dem Code miteinander kombiniert werden.

Auch im Bereich der Computertechnik werden Nachrichten und Daten in eine andere Schreibweise umgesetzt. Das dabei verwendete Dual- oder Binärsystem besteht nur aus 2 Zeichen, mit denen alle Zahlen und Buchstaben dargestellt werden können.

Colanüsse, die Samen des 8-20 m hohen Colabaums, der in tropischen Gebieten angebaut wird. Die sternförmigen Früchte bestehen aus mehreren Kammern, die jeweils 3-6 große Samen enthalten. Diese werden heute vor allem zur Herstellung von kohlensäurehaltigen Erfrischungsgetränken (›Coca Cola‹) verwendet. Eine Colanuss enthält etwa 2% Koffein.

Collage [kollasche, zu französisch colle ›Leim‹], Klebebild aus Papierstücken (oft mit Text oder Fotografien bedruckt), Stoff, Draht, Glas und anderen beliebigen Dingen und Materialien. Als **Papiers collés** (›zusammengeklebte Papiere‹) wurde die Collage nach 1910 von den Malern Georges Braque und Pablo Picasso in die moderne Kunst eingeführt.

Collie, eine Rasse der →Hunde.

Colombo, 609 000 Einwohner, Hauptstadt von Sri Lanka, liegt an der Westküste der Insel und ist bedeutender Hafenplatz für den Handel zwischen Europa, Ostasien, Australien und Neuseeland.

Colorado, Fluss im Südwesten der USA, 2 334 km lang. Er entspringt in den Rocky Mountains und durchschneidet das Coloradoplateau, ein flaches, steppenhaftes Hochland, in tiefen und landschaftlich sehr schönen Schluchten (**Grand Canyon**). In Mexiko mündet der Colorado in den Golf von Kalifornien.

Comanchen [komantschen], →Komantschen.

COMECON, Abkürzung für englisch **C**ouncil for **M**utual **Econ**omic Assistance [›Rat für gegenseitige Wirtschaftshilfe‹]. Im COMECON hatten sich Länder des Ostblocks mit dem Ziel zusammengeschlossen, sich gegenseitig wirtschaftlich zu unterstützen. Er wurde 1949 in Moskau begründet. Mitgliedsstaaten waren neben der Sowjetunion Bulgarien, die Deutsche Demokratische Republik, Kuba (seit 1972), die Mongolische Volksrepublik (seit 1962), Polen, Rumänien, die Tschechoslowakei, Ungarn und Vietnam (seit 1978). Als Folge des Verfalls des Ostblocks löste sich der COMECON 1991 auf.

Comer See, oberitalienischer See zwischen den Luganer und Bergamasker Alpen. Er ist 51 km lang und bis 4,5 km breit. Mit bis zu 410 m Tiefe ist er der tiefste See am Südrand der Alpen: Während des Eiszeitalters lag hier die Gletscherzunge des großen Addagletschers, die durch die Bewegung des Eises das Tal so tief ausgeschürft hat. Der Comer See ist im Norden und Osten von steil abfallenden Gebirgshängen umgeben.

Im Südteil gabelt sich der See in einen südwestlichen (**Ramo di Como**) und einen südöstlichen (**Lago di Lecco**) Teil. Sanfte Berghänge umrahmen den See in den Südwesten. An der Südwestspitze liegt **Como,** eine Stadt mit 90 800 Einwohnern. Aufgrund des milden Klimas und der reizvollen Landschaft gibt es am Comer See das ganze Jahr über lebhaften Fremdenverkehr.

Comics, Kurzwort für **Comicstrips** [englisch ›lustige Streifen‹], gezeichnete Bildergeschichten, die als kurze Bildstreifen in regelmäßigen Fortsetzungen in Zeitungen und Zeitschriften oder als **Comichefte** erscheinen. Sie handeln von spannenden und komischen Liebes-, Familien-, Detektiv-, Reise-, Kriegs- oder utopisch-phantastischen Abenteuern und unheimlichen Vorgängen (Horror). Seltener werden auch Themen der Weltliteratur (Bibel, Odyssee) in Form von Comics aufbereitet. Erklärungen und Dialoge der Figuren stehen in den typischen ›Sprechblasen‹, die aus dem Mund der sprechenden Person kommen. Im Vergleich zu den Bildern sind die Texte jedoch meistens nebensächlich. Die Comics entstanden Ende des 19. Jahrh. in den USA als Nachfolger der volkstümlichen Bilderbogen, gezeichneten Bildfolgen mit kurzen gereimten Texten. Ihren ersten großen Erfolg hatten sie mit der Serie ›The Katzenjammer Kids‹ (seit 1897) von Rudolf Dirks, die der Bildergeschichte ›Max und Moritz‹ von Wilhelm Busch ähnlich war. Nach 1945 breiteten sie sich in Europa aus und es entstanden auch europäische Comics. Heute werden sie zunehmend auch in Zeichentrickfilme umgesetzt. Superman, Batman, Donald Duck, Mickey Mouse, →Asterix und die Peanuts sind beliebte Comichelden.

Commonwealth of Nations [komenwelß of neschens, englisch ›Gemeinschaft der Völker‹], →Britisches Reich.

Compactdisc [kompäktdisk, englisch ›kompakte (Schall)platte‹], Abkürzung **CD, Digitalschallplatte,** Schallplatte mit digitaler Aufzeichnung der Toninformationen (Sprache, Musik). Die Compactdisc ist eine metallisierte Kunststoffscheibe mit einem Durchmesser von 12 cm. Im Unterschied zu den herkömmlichen Schallplatten, wo die Töne als Wellenzüge in eine Rille eingepresst sind, werden bei der Compactdisc alle Toninformationen in digitale (das heißt ›gestufte‹) Werte umgewandelt. Diese befinden sich auf der Platte in Form von winzigen Erhebungen und Vertiefungen. Sie werden von einem Laserstrahl optisch (also berührungslos) abgetastet und im Abspielgerät wieder in die ursprünglichen Töne zurückverwandelt.

Computer [kompjuter, englisch zu to compute ›rechnen‹], elektronische Rechenanlage, die Daten verarbeitet (**Datenverarbeitungsanlage, Rechner**). Vom Benutzer erhält der Computer Informationen (Daten) und Anweisungen, wie er sie benutzen soll. Diese Anweisungen sind in einem **Programm** zusammengefasst, das in einer

Comics:
›Peanuts‹, Comicstrip von Charles M. Schulz mit Charlie Brown und Snoopy

Cook

dem Computer verständlichen **Programmiersprache** geschrieben ist. Die Daten werden sehr schnell verarbeitet. Ein moderner Großrechner kann in einer Sekunde Millionen von Befehlen ausführen. Computer werden heute nicht mehr nur zur Durchführung umfangreicher Rechnungen eingesetzt, mit ihnen kann man auch Briefe schreiben, Bilder zeichnen, Bauteile konstruieren oder Arbeitsmaschinen überwachen und steuern.

Die ersten Rechenmaschinen, die man als Computer bezeichnen kann, wurden gegen Ende des Zweiten Weltkriegs gebaut. 1941 konstruierte der deutsche Ingenieur **Konrad Zuse** den ersten automatischen elektromechanischen Rechner, der den Namen Z 3 trug. Der erste vollelektronische Computer wurde 1946 von den Amerikanern J. P. Eckert und J. W. Mauchly gebaut. Er hieß ENIAC und konnte pro Sekunde 5 000 Rechenschritte durchführen.

Diese ersten Computer waren riesige Anlagen mit Tausenden von Röhren, deren Leistung und Speicherkapazität jedoch noch relativ gering waren. Erst nach der Erfindung der **Transistoren** gelang es, kleinere und leistungsfähigere Computer zu bauen. Die ›dritte Generation‹ stellen die heutigen Computer dar. Dank der Entwicklung der →Chips sind Rechenanlagen nicht nur kleiner und schneller, sondern auch billiger geworden.

Heute findet man Computer für jeden Anwendungsbereich und in jeder Größe: **Großrechner** werden in Banken und Forschungsinstituten eingesetzt, **Minicomputer** sind in Betrieben mittlerer Größe zu finden, **Mikrocomputer** werden oft als private Rechenanlagen (**Personalcomputer**) oder für Computerspiele gekauft, **Taschencomputer** sind nicht größer als Taschenrechner und bequem zu transportieren.

Am Anfang der Computertechnik wurden Daten und Programme über Lochkarten und Lochstreifen eingegeben. Heute gibt es Tastaturen, die denen von Schreibmaschinen entsprechen und das ›Hineinschreiben‹ von Texten in den Computer gestatten, dazu Tasten für Computerbefehle. Einige Computer verstehen auch schon gesprochene Anweisungen. An Geschäftskassen findet man häufig Lesestifte (›Scanner‹), mit denen die Markenbezeichnungen der Waren dem Kassencomputer eingegeben werden. Geräte wie Joystick oder Steuerknüppel waren ursprünglich für Videospiele gedacht. Heute benutzt man sie neben Rollkugeln (›Maus‹) und Lichtgriffeln, um Punkte auf dem Bildschirm anzusteuern, zu löschen oder zu ändern. Zur Aufbewahrung der eingegebenen und der errechneten Daten benötigt der Computer **Speicher,** die teils bereits eingebaut, teils als Zusatzgeräte angeschlossen sind. Als Speichermedien dienen Magnetbänder, Magnetplatten, →Disketten und Halbleiterspeicher.

Für die Ausgabe von Computerergebnissen verwendet man in erster Linie den **Bildschirm.** Texte oder Zahlen können aber auch über einen **Drucker** auf Papier festgehalten werden. Zur Übertragung von Zeichnungen oder Schaubildern dienen sogenannte **Plotter,** die die Ergebnisse – oft sogar mehrfarbig – auf Papier zeichnen. Es gibt auch Computer, die sprechen oder Musik erzeugen können. Mithilfe eines **Tonsynthesizers** werden Wörter oder Melodien aus einzelnen Tönen zusammengesetzt. Die Stelle, an der ein Computer mit einem der verschiedenen Ein- oder Ausgabegeräte verbunden ist, wird als **Schnittstelle** oder **Interface** bezeichnet.

Cook [kųk]. Der englische Weltumsegler **James Cook** (*1728, †erschlagen auf Hawaii 1779) erkundete auf 3 Weltumseglungen den Pazifischen Ozean. Als Forscher reiste er in Begleitung von Wissenschaftlern und Zeichnern, er selbst war ein hervorragender Kartograph. Seine erste Reise führte ihn von Tahiti über Neuseeland an die Ostküste Australiens, das er 1770 für die Britische Krone in Besitz nahm. Mit seiner zweiten Reise wurde die Erde zum ersten Mal in westöstlicher Richtung umsegelt. Cook kam dabei über den südlichen Polarkreis hinaus der Antarktis näher als jeder Europäer vor ihm und wies damit nach, dass der vermutete Südkontinent nicht existierte. Die dritte Reise führte ihn nach Norden bis Alaska, wo er vergeblich nach einer Passage zwischen Pazifischem und Atlantischem Ozean suchte. Erst durch die Reisen Cooks wurde diese sagenumwobene ferne Region für die Europäer zu einem realen Teil der Erde. Buchten, Berge,

Computer: Grundsätzlicher Aufbau eines Computers. Die Peripheriegeräte (Ein-, Ausgabeeinheiten, Speicher) stehen mit der Zentraleinheit zum Austausch von Daten miteinander in Verbindung

Eingabeeinheiten:	Ausgabeeinheiten:
z. B. Tastatur, optischer Lesestift	z. B. Bildschirm, Drucker

Zentraleinheit (Prozessor):
Steuerwerk
Rechenwerk
Speicherwerk

externe Speicher:
z. B. Plattenspieler
Disketten
Magnetband
Halbleiterspeicher

Inseln und Meeresstraßen in diesem Gebiet tragen heute den Namen Cooks.

Cookinseln [kuk-], nach dem englischen Weltumsegler James Cook benannte kleine Inselgruppe im Pazifischen Ozean. Die Inseln haben ein warmes Klima mit hohen Niederschlägen. Verwaltungssitz für die rund 19 000 meist polynesischen Bewohner ist Avarua auf Rarotonga.

Die Bewohner leben vom Fremdenverkehr sowie vom Anbau und der Ausfuhr von Citrusfrüchten, Bananen, Tomaten und Kopra. – Die Inseln erhielten 1965 von Neuseeland die innere Selbstverwaltung, seine Bewohner haben aber die neuseeländische Staatsangehörigkeit.

Cooper [kuper]. Der amerikanische Schriftsteller **James Fenimore Cooper** (*1789, †1851) lebte zu einer Zeit, als die amerikanischen Siedler, um Neuland zu gewinnen, immer weiter nach Westen vordrangen und dabei die Indianer vertrieben. Cooper, der im Pioniergebiet lebte, ließ seine eigenen Erfahrungen mit Siedlern, Trappern und Indianern in die Geschichten von **Lederstrumpf** einfließen. Die handlungsmäßige Reihenfolge der 5 spannenden Romane ist: ›Der Wildtöter‹ (1841), ›Der Letzte der Mohikaner‹ (1826), ›Der Pfadfinder‹ (1840), ›Die Ansiedler‹ (1823) und ›Die Prairie‹ (1827). Held aller Folgen ist Lederstrumpf, der als Einzelgänger in der Wildnis lebt, weil er sich mit der Natur verbunden fühlt. Lederstrumpf liebt die Freiheit, ist gerecht und versucht als Freund der Indianer, zwischen ihnen und den Siedlern zu vermitteln.

Copyright [kopirait, englisch ›Vervielfältigungsrecht‹], →Urheberrecht.

Córdoba, 304 800 Einwohner, spanische Provinzhauptstadt in Andalusien. Córdoba entwickelte sich unter der Herrschaft der →Mauren (711–1236), besonders im 10. Jahrh. als Sitz des Kalifats von Córdoba, zu einer der reichsten Städte Europas und einem Kulturzentrum des Islam. Mit dem Sturz des Kalifats und der Eroberung durch Kastilien begann der Niedergang der Stadt. In maurischer Zeit entstanden z.B. die Moschee **La Mezquita** (heute Kathedrale), Teile des **Alcázar** (ehemaliges Königsschloss) und die 16-bogige Brücke über den Guadalquivir.

Corelli. Der italienische Geiger und Komponist **Arcangelo Corelli** (*1653, †1713) wirkte seit 1671 als Geiger in Rom und wurde hier 1682 Konzertmeister der Königin Christine von Schweden, die in Rom lebte. Später ging er an den Hof von Modena und trat 1690 in die Dienste der Kardinäle Panfili und Ottoboni. Corelli gilt als einer der bedeutendsten Vertreter der klassischen italienischen Violinmusik. Er schuf Violinsonaten, Triosonaten und Concerti grossi (z.B. das ›Weihnachtskonzert‹ op. 6, Nr. 8).

Cortez [kortess]. Nach der Entdeckung Amerikas durch Kolumbus unternahmen immer mehr Europäer kühne Erkundungsfahrten in die neu entdeckten Länder. In Mittelamerika stießen sie auf die eindrucksvollen Zentren der indianischen Hochkulturen (→Azteken, →Maya) und berichteten von großen Goldschätzen. Diese Berichte lockten viele Abenteurer an. Einer von ihnen war **Hernando Cortez** (*1485, †1547). Er stammte aus niederem spanischen Landadel und war 1511 im Gefolge eines anderen Eroberers, Diego Velasquez, nach Kuba gekommen. In dessen Auftrag segelte Cortez 1519 mit 600 Söldnern, 16 Pferden und einigen Kanonen von Kuba aus zur mexikanischen Küste, um das sagenhafte Land zu erobern. Zunächst empfingen ihn die Azteken, die weder Pferde noch Feuerwaffen kannten, in ihrer Hauptstadt Tenochtitlán, an der Stelle der heutigen Stadt Mexiko, als seien die Spanier Vorboten ihres Gottes Quetzalcoatl, dessen Wiederkehr sie erwarteten. 1520 kam es dann aber zu erbittertem Widerstand, gegen den Cortez bis 1521 die Eroberung Mexikos vollendete.

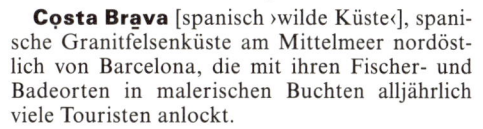

Hernando Cortez

Costa Brava [spanisch ›wilde Küste‹], spanische Granitfelsenküste am Mittelmeer nordöstlich von Barcelona, die mit ihren Fischer- und Badeorten in malerischen Buchten alljährlich viele Touristen anlockt.

Costa del Sol [spanisch ›Sonnenküste‹], südspanischer Küstenstreifen am Mittelmeer zwischen Tarifa (Straße von Gibraltar) und Almería. Sie ist aufgrund des warmen, sonnenreichen Klimas zum bedeutendsten spanischen Fremdenverkehrsgebiet geworden mit Badeorten wie Torremolinos, Marbella und Fuengirola.

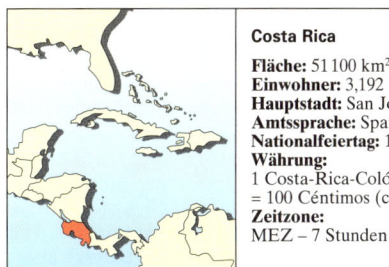

Costa Rica
Fläche: 51 100 km²
Einwohner: 3,192 Mio.
Hauptstadt: San José
Amtssprache: Spanisch
Nationalfeiertag: 15. 9.
Währung:
1 Costa-Rica-Colón (₡)
= 100 Céntimos (c)
Zeitzone:
MEZ – 7 Stunden

Costa Rica [spanisch ›reiche Küste‹], Republik in Zentralamerika. Das Land liegt auf der

Côte

Costa Rica

Staatswappen

Staatsflagge

zentralamerikanischen Landbrücke zwischen Nicaragua im Norden und Panama im Osten. Von Nordwesten nach Südosten wird Costa Rica von den Kordilleren durchzogen. Nördlich und östlich der Gebirge erstreckt sich ein oft sumpfiges Tiefland. Nach Süden geht die mittlere Kordillere in ein flaches Becken in 1 100–1 500 m Höhe über, das aufgrund des günstigen Klimas und der fruchtbaren vulkanischen Böden das Hauptsiedlungsgebiet des Landes ist. In den tiefer gelegenen Gebieten herrscht tropisches Klima mit sehr hohen Niederschlägen.

Costa Rica hat als einziges Land Zentralamerikas eine überwiegend weiße Bevölkerung. Die Costa-Ricaner leben hauptsächlich von der Landwirtschaft. Für den Export bauen sie vor allem Kaffee, Bananen und Kakao an. – Costa Rica wurde 1563 von den Spaniern erobert und gehörte zum spanischen Kolonialreich, aus dem es sich 1821 löste. 1848 wurde die Republik Costa Rica gegründet. Sie besitzt keine Streitkräfte. Für die innere Ordnung sorgt eine rund 2 000 Mann starke Polizeitruppe. (KARTE Band 2, Seite 196)

Côte d'Azur [kotdasür, französisch ›blaue Küste‹], der französische Teil der →Riviera.

Cottbus, sorbisch **Chośebuz**, 124 900 Einwohner, Stadt in Brandenburg, liegt in der Niederlausitz an der Spree.

Coubertin [kubärtę̃]. Der französische Historiker und Pädagoge **Pierre de Coubertin** (*1863, †1937) ging als **Begründer der Olympischen Spiele** der Neuzeit in die Geschichte des Sports ein. Er erkannte das völkerverbindende Element von Wettkämpfen zwischen Sportlern verschiedener Nationen und nutzte den ›Internationalen Leibeserzieherischen Kongress‹ in Paris 1894 dazu die Olympischen Spiele wieder ins Leben zu rufen. Im selben Jahr gründete er das ›Internationale Olympische Komitee‹, dem er bis 1896 als Generalsekretär und bis 1925 als Präsident vorstand. Nach seinem Tod wurde sein Herz im antiken Olympia beigesetzt.

Coulomb [kulǫ̃, nach dem französischen Physiker Charles Augustin de Coulomb, *1736, †1806], Einheitenzeichen **C**, SI-Einheit der elektrischen Ladung (Elektrizitätsmenge). 1 Coulomb ist gleich der Elektrizitätsmenge, die während 1 Sekunde (s) bei einem zeitlich unveränderlichen elektrischen Strom der Stromstärke 1 Ampere (A) durch den Querschnitt eines Leiters fließt, 1 C = 1 A · s.

Count-down [kauntdaun, englisch ›das Herabzählen‹], die Vorbereitungen zu einem Raketenstart; sie sind in einem genauen Zeitplan aufgeschlüsselt, der Punkt für Punkt durch Rückwärtszählen (...4...3...2...1...0) ›abgehakt‹ wird. Bei Null werden die Triebwerke gezündet.

Countrymusic [kạntrimjusik, englisch ›ländliche Musik‹], ein volkstümlicher amerikanischer Musikstil, der vor allem von Nashville in Tennessee ausgegangen ist. Die Countrymusic hat ihre Wurzeln in den Liedern und Balladen der ersten englischen Siedler; der Text behandelt vorwiegend Probleme des Alltags und Themen der amerikanischen Geschichte. Als Begleitung dienen Fiedel, Banjo und Gitarre. Zu den bekanntesten Interpreten zählen Johnny Cash, Merle Haggard, Loretta Lynn, Flatt & Scruggs, Jimmy Brown und Jimmy Dean. Auf diese Volksmusik greifen auch die Sänger des **Countryrock**, z. B. Bob Dylan, zurück.

Cowboy [kauboi, englisch ›Kuhjunge‹], berittener Rinderhirt im Westen der USA. Etwa ab 1820 übernahmen besonders die texanischen Cowboys Arbeitsweise und Ausrüstung der ortsansässigen mexikanischen Hirten (hochhackige Schaftstiefel mit großen Sporen, lederne Beinschützer, Weste, Halstuch, breitkrempiger Hut). Als vorzügliche Reiter, Schützen und Pfadfinder brachten sie zwischen 1865 und 1895 große Herden von Texas aus zu den Viehmärkten im Mittleren Westen. Noch heute arbeiten Cowboys auf amerikanischen Ranches; im Frühjahr und Herbst treiben sie die verstreut weidenden Rinder zu ›Roundups‹ (Zählung und Kennzeichnung) zusammen, um sie dann zum Viehmarkt zu bringen.

Coyoten, Koyoten, Präriewölfe, wilde Hunde, die in Nordamerika leben. Sie jagen in kleineren Rudeln Schafe, Mäuse, Ratten, Kaninchen, fressen auch Früchte und Aas und dringen bis in die Großstädte ein, um nach Abfällen zu suchen. Als Abfallbeseitiger, Aasfresser und weil sie die Zahl der Nagetiere in Grenzen halten, sind sie für den Menschen von Nutzen. Coyoten gelten als schlau und anpassungsfähig. Ihr klagendes Heulen klingt schaurig.

Cranach. Der Maler und Grafiker **Lucas Cranach der Ältere** (*1472, †1553) nannte sich nach seinem Geburtsort Kronach in Oberfranken. An seinen frühen Bildern, die er zwischen 1500 und 1504 in Wien malte, fällt vor allem die Landschaft auf: Sie dient nicht nur als Hintergrund für religiöse Szenen (z. B. ›Ruhe auf der Flucht‹), sondern wird zum eigenwertigen Bildteil von starker Ausdruckskraft. Später erweiterte Cranach den mittelalterlichen Themenkreis um Stoffe aus der Antike, mit denen er wie bei

Wörter die man unter C vermisst, suche man unter K, Tsch oder Z

seinen Adam-und-Eva-Bildern auch die Schönheit des nackten menschlichen Körpers zeigen konnte (›Venus und Amor‹, 1509). 1505 ließ sich Cranach in Wittenberg nieder und führte eine große Werkstatt, in der später auch seine Söhne **Hans** (*um 1510, †1537) und **Lucas der Jüngere** (*1515, †1586) lernten und arbeiteten. Die Werke der Söhne sind oft nicht von denen des Vaters zu unterscheiden. Durch seine Freundschaft mit Martin Luther und Philipp Melanchthon wurde Cranach zum Schöpfer einer protestantischen Kunst; er schuf Porträts der Reformatoren (z. B. von Luther) sowie Holzschnitte zur Bibel und zu Reformationsschriften.

Crashtest

Crashtest [kräsch-, englisch crash ›Zusammenstoß‹], Verfahren, mit dem untersucht wird, wie sich Kraftfahrzeuge und ihre Insassen bei Unfällen verhalten. Bei einem Crashtest prallt ein Fahrzeug, das oft mit einer Testpuppe (Dummy) besetzt ist, gegen ein Hindernis oder ein anderes Fahrzeug. Aus der Verformung der Karosserie und den Kräften, die auf die Testpuppe einwirken, kann man schließen, welche Verletzungen bei einem Unfall zu erwarten sind.

Cromwell. Der englische Staatsmann **Oliver Cromwell** (*1599, †1658) war seit 1628 Parlamentsabgeordneter und wurde Führer der Opposition gegen König Karl I. von England, der ohne Parlament zu regieren versuchte und sich gegen dessen Willen um eine Verständigung mit der katholischen Kirche bemühte. Es kam zu kriegerischen Auseinandersetzungen, in denen das Parlamentsheer die Armee des Königs besiegte. Dieser wurde verurteilt und hingerichtet (1649). Eine neue Verfassung gab 1653 Cromwell königsgleiche Vollmachten und den Titel ›Lord Protector‹. Die 1657 vom Parlament angebotene Königskrone nahm er jedoch nicht an. 1652–54 erkämpfte Cromwell die Vorherrschaft zur See über das rivalisierende Holland (Navigationsakte) und legte damit den Grund zur englischen Weltmachtstellung. Nach seinem Tod wurde die Monarchie der Stuarts wiederhergestellt, aber die Stärkung des Parlaments und des reformierten Glaubens in England blieben erhalten.

CSU, Abkürzung für **C**hristlich-**S**oziale **U**nion (→christlich-demokratisch).

Cumulus, eine Form der →Wolken.

Cupido, in der römischen Literatur Bezeichnung für den Liebesgott →Amor.

Curaçao [kurassao], 190 000 Einwohner, Insel vor der Nordküste Venezuelas im Karibischen Meer. Curaçao ist mit 443 km² die größte Insel der Niederländischen Antillen. – Die Insel wurde 1499 entdeckt, von Spaniern besiedelt und 1634 von den Niederländern erobert. Die Bevölkerung spricht **Papiamento,** eine Mischsprache aus Niederländisch, Spanisch und Portugiesisch. (KARTE Band 2, Seite 197)

Curie [küri]. Zweifache Nobelpreisträgerin war **Marie Curie** (*1867, †1934), eine französische Chemikerin polnischer Herkunft, die 1895 den französischen Physiker **Pierre Curie** (*1859, †1906) heiratete. Dieser hatte 1880 die Piezoelektrizität entdeckt und später ein wichtiges Gesetz für magnetische Dipole aufgestellt **(curiesches Gesetz).**

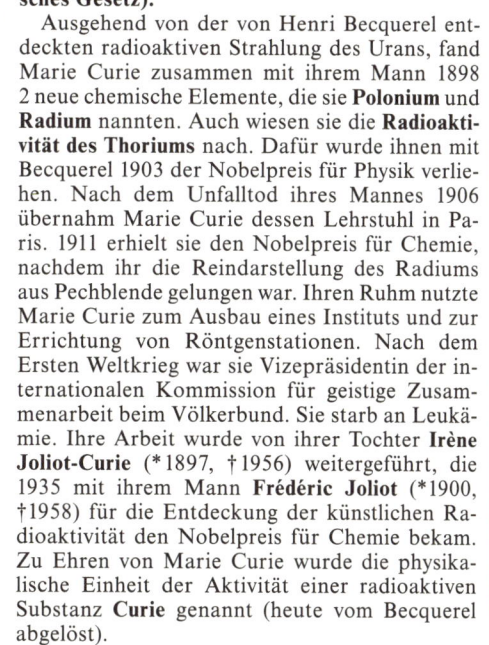

Ausgehend von der von Henri Becquerel entdeckten radioaktiven Strahlung des Urans, fand Marie Curie zusammen mit ihrem Mann 1898 2 neue chemische Elemente, die sie **Polonium** und **Radium** nannten. Auch wiesen sie die **Radioaktivität des Thoriums** nach. Dafür wurde ihnen mit Becquerel 1903 der Nobelpreis für Physik verliehen. Nach dem Unfalltod ihres Mannes 1906 übernahm Marie Curie dessen Lehrstuhl in Paris. 1911 erhielt sie den Nobelpreis für Chemie, nachdem ihr die Reindarstellung des Radiums aus Pechblende gelungen war. Ihren Ruhm nutzte Marie Curie zum Ausbau eines Instituts und zur Errichtung von Röntgenstationen. Nach dem Ersten Weltkrieg war sie Vizepräsidentin der internationalen Kommission für geistige Zusammenarbeit beim Völkerbund. Sie starb an Leukämie. Ihre Arbeit wurde von ihrer Tochter **Irène Joliot-Curie** (*1897, †1956) weitergeführt, die 1935 mit ihrem Mann **Frédéric Joliot** (*1900, †1958) für die Entdeckung der künstlichen Radioaktivität den Nobelpreis für Chemie bekam. Zu Ehren von Marie Curie wurde die physikalische Einheit der Aktivität einer radioaktiven Substanz **Curie** genannt (heute vom Becquerel abgelöst).

Marie Curie

Pierre Curie

Oliver Cromwell

Curi

Curium [benannt nach Marie und Pierre Curie], Zeichen **Cm**, →chemische Elemente, ÜBERSICHT.

Curry [kŏri, englisch], →Gewürzpflanzen.

c_w-Wert, der Luftwiderstandsbeiwert, →Aerodynamik.

Cyberspace [ßaiberspeiß, englisch], **virtuelle Realität,** eine mittels Computer simulierte künstliche Welt, in die Personen mithilfe von technischen Geräten (elektronische Brille, Datenhandschuh, Datenhelm u. a.) versetzt werden können. Die dreidimensionalen Bilder vermitteln dem Beobachter den Eindruck, sich selbst in dieser Kunstwelt zu befinden und darin handeln zu können. Anwendungsgebiete der virtuellen Realität sind z. B. Flugsimulation, Medizin und Unterhaltungselektronik.

D

D, der vierte Buchstabe des Alphabets, ein Konsonant, und das römische Zahlzeichen für 500. D ist das chemische Zeichen für **Deuterium.** Als Vorsatzzeichen bei Einheiten steht d für →Dezi (z. B. dm = **D**ezimeter); außerdem ist d Einheitenzeichen für die Zeiteinheit Tag (lateinisch d**i**es; →Einheiten). In der Musik ist D der zweite Ton der C-Dur-Tonleiter.

Dachse leben in fast allen Erdteilen in Wäldern des Flachlands und Mittelgebirges. Mit bis zu 1 m Länge und gut 15 kg Gewicht sind die europäischen Dachse die größten heimischen →Marder. Durch das dunkle Fell und den spitzen weißen Kopf mit schwarzen Längsstreifen über Augen und Ohren sind die Dachse auf ihren ausschließlich nächtlichen Streifzügen gut getarnt. Sie erjagen Mäuse, Kaninchen, Igel, Würmer und Schnecken, fressen aber auch Pflanzen, Beeren und Pilze. Mit seinen starken Krallen gräbt der Dachs einen Erdbau mit zahlreichen Gängen und einem mehrere Meter tief liegenden Kessel, den er mit Moos und Laub auspolstert. Häufig nisten sich Füchse als ›Untermieter‹ ein. Dachse halten eine Winterruhe, für die sie Vorräte sammeln. Oft leben Männchen und Weibchen auf Lebenszeit zusammen; das Weibchen, die **Fähe,** wirft im Februar/März 3–5 blinde, nackte Junge. Dachse werden etwa 15 Jahre alt. Aus den Haaren ihres Fells werden Pinsel hergestellt.

Dackel, eine Rasse der →Hunde.

Dadaismus, eine literarisch-künstlerische Bewegung zwischen 1916 und etwa 1923, benannt nach dem kindlichen Stammellaut ›dada‹. Besonders unter dem Eindruck des Ersten Weltkriegs erschien einer Gruppe meist junger Dichter und Maler die überlieferte Kultur als fragwürdig. Sie versuchten die herkömmlichen Kunstmaßstäbe lächerlich zu machen, indem sie sinnlose Satzbrocken deklamierten, Lärmmusik machten und aus beliebigen Materialien Collagen zusammenklebten. Zu den Dadaisten zählten die Schriftsteller Hugo Ball, Tristan Tzara und Richard Huelsenbeck, der Dichter, Bildhauer und Maler Hans Arp sowie der Maler und Fotograf Man Ray.

Dädalus, ein erfindungsreicher Baumeister, der nach der griechischen Sage auf Kreta ein Labyrinth für das Ungeheuer Minotaurus schuf. Von König Minos dort mit seinem Sohn Ikarus gefangen gehalten, fertigte er für Ikarus und sich kunstvolle Flügel aus Federn und Wachs, mit denen sie entflohen. Ikarus kam der Sonne zu nah, das Wachs schmolz und er stürzte ins Meer. Dädalus begrub ihn auf der Insel Ikaria.

Dahlien, Blumen, die im Spätsommer in vielen Farben und mit sehr unterschiedlichen Blütenformen im Garten blühen. Sie stammen ursprünglich aus Mittelamerika; durch Kreuzungen entstanden viele Sorten. Da die Knollen sehr kälteempfindlich sind, müssen sie im Herbst ausgegraben werden.

Daimler. Der Maschineningenieur **Gottlieb Daimler** (*1834, †1900) sammelte zunächst in Großbritannien und Deutschland praktische Erfahrungen, bevor er technischer Direktor der von Nikolaus Otto gegründeten Gasmotorenfabrik in Köln-Deutz wurde. 1882 machte er sich mit seinem Freund Wilhelm Maybach in Bad Cannstadt selbstständig. Er stellte den Gasmotor auf den Betrieb mit einem Benzin-Luft-Gemisch um, wofür er ein elektrisches Zündsystem und Maybach den Vergaser entwickelte. 1883 erhielt Daimler ein Patent auf diesen ersten, unabhängig von Carl Benz geschaffenen **Benzinmotor.** 1885 baute er ihn in ein Zweirad ein und schuf damit das erste Motorrad. 1886 rüstete Daimler eine Kutsche mit seinem Motor aus. Die ›Daimler-Motoren-Gesellschaft‹ wurde 1890 gegründet und 1901 der erste **Mercedes** (4 Zylinder, 35 PS, 72 km/h) gebaut. 1926 schlossen sich die Firmen von Daimler und Benz zur **Daimler-Benz AG** zusammen.

Dakar, 1,15 Millionen Einwohner, Hauptstadt von Senegal, liegt am Atlantischen Ozean und

Dachse:
Europäischer Dachs

Dahlien:
Kaktus- oder
Edeldahlie

Wörter die man unter C vermisst, suche man unter K, Tsch oder Z

hat den größten und modernsten Seehafen in Westafrika.

Dakota, die bedeutendste Gruppe der Prärieindianer Nordamerikas; sie umfasst mehrere Stammesverbände, die eine gemeinsame Sprache (das Dakota) sprechen und heute meist als **Sioux** bezeichnet werden. Die Dakota leben im Präriegebiet von Saskatchewan bis fast zur Mississippimündung. Früher waren sie bedeutende Bisonjäger. Gegen die eindringenden weißen Siedler und die amerikanische Armee setzten sie sich zur Wehr, wurden jedoch besiegt (so in der Schlacht am →Wounded Knee 1890) und in Indianerreservationen abgedrängt.

Daktylus [griechisch ›Finger‹], dreiteiliger Versfuß (→Vers).

Dalai Lama [tibetisch ›Ozean des Wissens‹], einer der beiden geistlichen Führer des →Lamaismus und bis zum Aufstand der Tibeter gegen die chinesische Herrschaft (1959) Staatsoberhaupt von Tibet. Beim Tod eines Dalai Lama geht dessen Würde auf einen gleichzeitig geborenen Knaben über. Der 14. Dalai Lama (*1935), der seit seiner Flucht 1959 vor den Chinesen in Indien lebt, erhielt 1989 den Friedensnobelpreis.

Dalí. Der spanische Maler und Grafiker **Salvador Dalí** (*1904, †1989) ging als junger Mann nach Paris, wo er sich dem →Surrealismus anschloss. Seine absurd anmutenden Traumbilder, deren Inhalte allein seiner Phantasie entstammen, malte er mit fotografischer Genauigkeit, als habe er diese ›verrückten‹ Szenen mit eigenen Augen gesehen (z. B. die zerlaufenden Uhren in dem Bild ›Zerrinnende Zeit‹). Viele seiner Bilder zeigen albtraumhaft missgestaltete und entstellte Figuren. 1941 brach Dalí mit dem Surrealismus; seitdem malte er meist Bilder, die in Form und Inhalt (oft religiöse Themen) an die Kunst früherer Zeiten anknüpfen.

Dallas [däles], 1 Million, mit Vororten 3,99 Millionen Einwohner, Stadt in Texas, USA, Zentrum eines großen Erdöl- und Erdgasgebietes; sein Baumwollmarkt zählt zu den größten der Erde. In Dallas wurde 1963 der amerikanische Präsident John F. Kennedy ermordet.

Dalmatien, schmale kroatische Küstenlandschaft an der Adria. Der an vielen Stellen steilen und unwegsamen Küste sind viele Inseln (Dalmatinische Inseln) vorgelagert. Während das Gebirge kaum Vegetation trägt, zeigt die Küstenregion aufgrund ihres mittelmeerischen Klimas eine immergrüne Pflanzenwelt. Auf den schmalen Küstenebenen werden Südfrüchte, Gemüse und Oliven angebaut. Das günstige Klima, die malerische Landschaft sowie die alten Hafenstädte **Dubrovnik, Split** und **Rijeka** ziehen alljährlich viele Touristen an. Im Krieg zwischen Kroaten und Serben (1992/93) wurden Dubrovnik und Split stark zerstört.

Dalmatiner, eine Rasse der →Hunde.

Damaskus, 1,38 Millionen Einwohner, Hauptstadt von Syrien und bedeutendes religiöses Zentrum des Islam. Aus der Blütezeit der Stadt als Sitz eines Kalifen (661–750) stammt die Große Moschee.

Dampf, meist unsichtbare, gasförmige Erscheinungsform eines Stoffes (z. B. Wasser) unter bestimmten Temperatur- und Druckverhältnissen. Es gibt auch farbige Dämpfe, z. B. ist Chlordampf gelbgrün und Joddampf violett.

Gasförmiger **Wasserdampf** entsteht schon beim Sieden von Wasser bei etwa 100 °C und einem Druck bei 1 013 hPa (Hektopascal). In **Dampfkesseln** wird gasförmiger Wasserdampf hoher Temperatur (bis 650 °C) und hohen Drucks (bis 200 000 hPa) erzeugt und in Dampfturbinen zur Gewinnung elektrischer Energie entspannt.

Die Begriffe Nebel und gasförmiger Wasserdampf werden oft gleichgesetzt; dies ist streng genommen nicht richtig. Nebel besteht aus sichtbaren, feinst verteilten Wassertröpfchen (Durchmesser etwa 0,02 mm), die sich z. B. im Winter beim Anhauchen einer kalten Fensterscheibe bilden oder durch das Zusammentreffen feuchter und kalter Luft entstehen.

Dampfmaschine, Anlage, die den Energieinhalt des Dampfes in mechanische Arbeit umwandelt. Sie zählt, ebenso wie die **Dampfturbine** (→Turbine), zu den Wärmekraftmaschinen.

Dampfmaschine: Schema einer liegenden Einzylinder-Dampfmaschine mit Ventilsteuerung

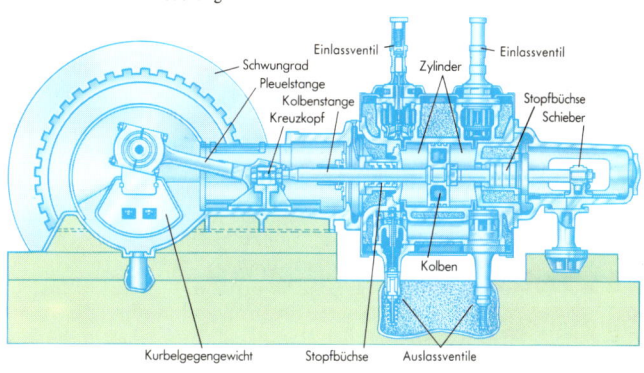

Dana

In einer Dampfmaschine wird der Kolben durch Wasserdampf, der in Dampfkesseln erzeugt wird, im Zylinder hin und her geschoben. Dabei kann der Dampfzustrom entweder wechselweise über einen Schieber geregelt werden oder eins von 2 Einlassventilen sorgt dafür, dass Einlass- und Austrittsöffnung nach jedem Hub ihre Funktion tauschen, sodass aus dem Einlass der Austritt wird und umgekehrt.

Durch Schieber oder Ventile wird der Dampfeintritt gesteuert. Strömt der Dampf während des ganzen Arbeitshubes bei gleich bleibendem Druck in den Zylinder, so spricht man von **Volldruckmaschinen.** Wird das Einlassventil nach einem Teil des Hubes geschlossen, so kann sich der Dampf im Zylinder entspannen. In diesem Fall spricht man von **Expansionsmaschinen.** Volldruckmaschinen haben eine höhere Leistung, während Expansionsmaschinen einen besseren Wirkungsgrad erzielen.

Man unterscheidet zwischen Dampfmaschinen, die über einen Kurbeltrieb eine Drehbewegung erzeugen, und Freikolbenmaschinen, bei denen die Kolbenbewegung auf eine Arbeitsmaschine (z. B. Kompressor) wirkt.

Schon 1690 baute Denis Papin eine Versuchsdampfmaschine, bei der in einem Zylinder Wasser abwechselnd verdampft und kondensiert wurde (atmosphärische Dampfmaschine). Von Thomas Newcomen stammt eine atmosphärische Dampfmaschine, die trotz hohen Kohleverbrauchs häufig verwendet wurde. Die erste rationelle Dampfmaschine, bei der der Kondensator vom Zylinder getrennt war, schuf 1765 James Watt. Seit 1787 wurde die Dampfmaschine industriell als Antriebskraft verwendet. Heute ist die Dampfmaschine wegen ihres niedrigen Wirkungsgrades und ihres hohen Gewichts weitgehend durch Dampfturbinen ersetzt. (BILD Seite 195)

Dana|er, bei Homer die Griechen. – Über das **Danaergeschenk** →Trojanischer Krieg.

Dänemark, Staat im Übergangsraum zwischen Mitteleuropa und Skandinavien. Das Land hat als Staatsform eine parlamentarische Demokratie mit einem König als Staatsoberhaupt (seit 1972 Königin Margrethe II.). Dänemark umfasst die Halbinsel **Jütland,** die im Süden an das deutsche Bundesland Schleswig-Holstein grenzt, sowie die im Westen und Osten vor den Küsten Jütlands liegenden 474 Inseln. Von diesen Inseln sind nur die etwa 100 größten bewohnt, darunter **Seeland** mit der Hauptstadt Kopenhagen, **Fünen** mit Odense, der drittgrößten Stadt des Landes,

Dänemark

Fläche: 43 069 km²
Einwohner: 5,158 Mio.
Hauptstadt: Kopenhagen
Amtssprache: Dänisch
Nationalfeiertag: 5. 6.
Währung: 1 Dän. Krone (dKr) = 100 Øre
Zeitzone: MEZ

Lolland und **Bornholm.** Ebenfalls zu Dänemark gehören **Grönland** und die **Färöer,** eine Gruppe von 24 Felsinseln in der Nordsee zwischen Schottland und Island.

Dänemark ist ein flaches, nur leicht gewelltes Land, dessen höchste Erhebung 173 m erreicht. Die Oberfläche besteht vor allem aus Sand-, Ton- und Schotterablagerungen der Eiszeit. Der größte Teil des Landes wird landwirtschaftlich genutzt. Die Dänen haben früh begonnen ödes Heideland fruchtbar zu machen. Die Erträge der Landwirtschaft sind für Dänemark von großer Bedeutung. Angebaut werden vor allem Getreide und Zuckerrüben. Die Erzeugnisse der Viehwirtschaft (Butter, Käse, Eier, Fleisch) werden vorwiegend exportiert. Die guten Leistungen ihrer Landwirtschaft verdanken die dänischen Bauern dem hohen Stand ihres Ausbildungswesens und ihrer genossenschaftlichen Organisation. Schon 1860 wurden die ersten Genossenschaften in Dänemark gegründet.

Obwohl die Landwirtschaft das Bild des Landes auch heute noch prägt, hat sie in den letzten Jahrzehnten an Bedeutung verloren. Den Vorrang hat heute die Industrie, in deren verschiedenen Zweigen (Werften, Lebensmittelfabriken, chemische Industrie, Bekleidungsindustrie, Möbelherstellung) die Mehrzahl der Berufstätigen arbeitet. So ist auch die Bevölkerungsballung um die großen Städte des Landes (Kopenhagen, Århus, Odense und Ålborg) zu erklären.

Eine besondere Rolle spielen die Verkehrsverhältnisse in Dänemark. Aufgrund der geographischen Lage zwischen Nord- und Mitteleuropa weist das Land viel Durchgangsverkehr auf. Die Unterbrechung der Landverkehrswege durch Gewässer macht die Bedeutung von Fähren, Brücken, Schiffslinien und Häfen verständlich. Haupthafen und Mittelpunkt des Luftverkehrs ist Kopenhagen.

Geschichte. Dänemark ist die Heimat der →Normannen, die von hier aus im 11. Jahrh. England und Norwegen eroberten. 1397 kam unter

Dänemark

Staatswappen

Staatsflagge

dänischer Führung die ›Kalmarer Union‹ zustande, in der Dänemark-Norwegen sich mit Schweden vereinigte. Doch verselbstständigte sich Schweden 1523, Dänemark verlor 1814 Norwegen und 1864, nach einem Krieg gegen Preußen und Österreich (›Deutsch-Dänischer Krieg‹), auch die 3 deutschen Herzogtümer Schleswig, Holstein und Lauenburg. Seitdem bemühte sich Dänemark um eine strenge Neutralitätspolitik. Im Zweiten Weltkrieg von deutschen Truppen besetzt, schloss sich Dänemark in der Nachkriegszeit der NATO an und trat 1973 der EG bei. (KARTE Band 2, Seite 206)

Dante Alighieri, *1265, †1321, der größte Dichter Italiens. Er nahm aktiv am politischen Leben seiner Heimatstadt Florenz teil und wurde im Kampf um die Unabhängigkeit von Florenz gegen den Papst 1302 von der päpstlichen Partei verbannt und kurz darauf zum Tode verurteilt. Um der Strafe zu entgehen, führte er seit 1303 ein Wanderleben. Die letzten Lebensjahre verbrachte er in Ravenna. Dantes Hauptwerk ist die in toskanischer Mundart geschriebene ›**Göttliche Komödie**‹ (ab 1311), die in viele Sprachen übersetzt und oft illustriert worden ist. Dieses Gedicht mit 14230 Versen ist die Geschichte der traumhaften Wanderung des Dichters durch die 3 Reiche des Jenseits: Hölle, Läuterungsberg, Paradies. Diesen Weg bis zum ewigen Heil nimmt nach der Vorstellung des Mittelalters auch die sündige Seele. Geleitet wird Dante von dem römischen Dichter Vergil. Dieser führt ihn durch die 9 Höllenkreise auf den Berg der Läuterung, der bei Dante an die Stelle des Fegefeuers tritt. Im irdischen Paradies übernimmt Beatrice, die Jugendliebe Dantes, die Führung durch die 9 Himmel bis zur Anschauung der Gottheit. Auf seiner Wanderung spricht der Dichter mit den Seelen Verstorbener über Fragen der Theologie und Philosophie, über die Kirche, den Staat und Italien. Mit der ›Göttlichen Komödie‹ legte Dante auch die Grundlage für die italienische Schriftsprache.

Danton [dãtõ]. Der französische Revolutionär **Georges Danton** (*1759, hingerichtet 1794) war ein wortgewaltiger Redner. Er organisierte 1792 den revolutionären Terror, dem er schließlich selbst zum Opfer fiel. Der deutsche Dichter Georg Büchner gestaltete Dantons Schicksal in dem Drama ›Dantons Tod‹ (1835).

Danzig, polnisch **Gdańsk**, 461 500 Einwohner, Hafen- und Industriestadt in Polen, liegt 5 km südlich der Mündung der Weichsel in die Ostsee (Danziger Bucht). Sie bildet mit Gdingen und Zoppot eine Städteballung. Danzig hat bedeutende Schiffswerften, von denen 1980 die Arbeiterunruhen ausgingen, die zur Bildung freier Gewerkschaften in Polen führten.

Am Ausgang des Mittelalters war Danzig, das 1308-1454 zum Deutschen Orden gehörte, eine reiche Handelsstadt und Mitglied der Hanse. Im Versailler Vertrag (1919) wurden Danzig, Zoppot und umliegende Landkreise vom Deutschen Reich abgetrennt und als **Freie Stadt Danzig** unter den Schutz des Völkerbundes gestellt. Der Freistaat hatte eine eigene Verfassung und Regierung und war wirtschafts- und zollpolitisch an Polen angegliedert. Die Streitigkeiten zwischen dem Deutschen Reich und Polen über die Sonderstellung Danzigs (›Danzigfrage‹) war für Hitler 1939 einer der Anlässe für den Angriff auf Polen, der den Zweiten Weltkrieg auslöste. Das Potsdamer Abkommen (1945) stellte die Freie Stadt Danzig bis zu einer endgültigen Regelung unter polnische Verwaltung. Die Zugehörigkeit Danzigs zu Polen wurde 1990 durch den Deutsch-Polnischen Grenzvertrag anerkannt.

Dardanellen, Meeresstraße, die das Marmarameer mit dem Ägäischen Meer verbindet. Sie ist 65 km lang und 2-6 km breit. Im Altertum hieß diese Meerenge **Hellespont**. Alexander der Große setzte hier nach Asien über. Seit dem 14. Jahrh. sind die Dardanellen türkisches Hoheitsgebiet.

Dareios, lateinisch **Darius**, Name persischer Könige. **Dareios I., der Große** (*550, †486 v. Chr.), regierte 522-486 v. Chr. Er erweiterte Persien bis zum Indus. Sein Feldzug gegen Griechenland scheiterte 490 v. Chr. **Dareios III.** (*etwa 380, †330 v. Chr.) regierte seit 336 v. Chr. Er unterlag Alexander dem Großen bei Issos 333 v. Chr. und bei Gaugamela 331 v. Chr.

Darlehen, die rechtliche Grundform aller Kreditgeschäfte (→Kredit).

Darm, schlauchförmiger Teil des Verdauungsweges, der sich an den Magen anschließt und beim Menschen etwa 6-8 m lang ist. Man unterscheidet 2 Abschnitte: Dünn- und Dickdarm. Den ersten Teil des **Dünndarms**, dessen Länge etwa der Breite von 12 Fingern entspricht, nennt man Zwölffingerdarm. Hier münden 2 Gänge, die einerseits Galle, andererseits den Verdauungssaft der Bauchspeicheldrüse ausschütten. Es folgen 2 weitere Abschnitte des Dünndarms: Leerdarm und Krummdarm. Den Anfangsteil des **Dickdarms** bildet der Blinddarm mit dem Wurmfortsatz. Daran schließen der aufsteigende, der quer verlaufende und der absteigende

Dante Alighieri
(Federzeichnung von Raffael)

Dart

Grimmdarm an, der nach einer s-förmigen Schleife in den Mastdarm übergeht. Dieser bildet an seinem unteren Ende den After.

Die **Darmwand** besteht aus 3 Schichten: einer äußeren glatten Haut, einer mittleren Muskelschicht und der innen gelegenen Schleimhaut. Die Muskeln sorgen dafür, dass durch wellenartige Bewegungen (Peristaltik) der Speisebrei weiterbefördert wird. Außerdem halten sie den Darm in einem Spannungszustand, sodass er nur 2–3 m lang erscheint. Die Schleimhaut des Dünndarms enthält viele Blut- und Lymphgefäße sowie Drüsen, die den Darmsaft absondern. Durch viele Erhebungen, die Darmzotten, vergrößert sich die Oberfläche der Schleimhaut, sodass der Dünndarm seine Aufgabe, aus dem Speisebrei möglichst viele Nährstoffe aufzunehmen, besser erfüllen kann. Die Nährstoffe werden an das Blut weitergegeben und zur Leber gebracht. Im Dickdarm dagegen wird den nicht aufgenommenen oder unverdaulichen Nahrungsbestandteilen das Wasser entzogen, sodass der feste Kot entsteht, der durch den After ausgeschieden wird. Der Darm ist von Bakterien besiedelt, die die Verdauung unterstützen.

Darts, englisches Wurfpfeilspiel. Pfeile aus Messing (15,3 cm lang) mit Stahlspitze und Fiederung aus Kunststoff- oder Naturfedern werden auf eine Zielscheibe (46 cm Durchmesser) geworfen. Die Scheibe ist durch ein Drahtgeflecht in 20 gleich große Kreissegmente unterteilt, denen unterschiedliche Punktzahlen zugeordnet sind. Ein Treffer im Mittelkreis zählt 50 Punkte, ansonsten gilt die für das Feld angezeigte Punktzahl. Beim Standardwettkampf zwischen 2 Spielern werden die erzielten Punkte von einer vorher festgelegten Punktzahl (meist 301) abgezogen. Sieger ist, wer zuerst bei Null anlangt.

Darts: Scheibe

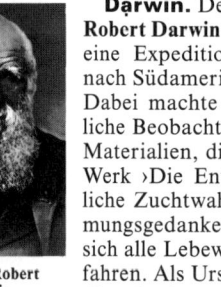

Darwin. Der britische Naturforscher **Charles Robert Darwin** (*1809, †1882) begleitete 1831–36 eine Expedition mit dem Segelschiff ›Beagle‹ nach Südamerika und in den Pazifischen Ozean. Dabei machte er zahlreiche naturwissenschaftliche Beobachtungen und sammelte ausführliche Materialien, die er in seinem 1859 erschienenen Werk ›Die Entstehung der Arten durch natürliche Zuchtwahl‹ als Belege für seinen Abstammungsgedanken anführte. Danach entwickeln sich alle Lebewesen aus einfacher gebauten Vorfahren. Als Ursache dieser →Evolution nannte er die →Auslese **(Selektionstheorie).**

Charles Robert Darwin

Datenautobahn oder **Infobahn** werden Hochgeschwindigkeits-Datenleitungen oder -Datennetze genannt, die durch Zusammenschalten verschiedener Teilnetze zustande kommen und über Glasfaserkabel Ton-, Bild- und Datensignale transportieren. Teilnehmer müssen ein Fernsehgerät, das durch ein mit Rechnerkapazität ausgestattetes Zusatzgerät nachgerüstet ist, oder einen PC besitzen. Datenautobahnen bieten durch die Verbindung von Computertechnik, Telekommunikation und Fernsehen eine völlig neue Art der Kommunikation.

Datenbank, zentral verwalteter Speicher für große Datenmengen. In der Datenbankzentrale werden Informationen und Daten gesammelt, nach Wissensgebieten sortiert und fortlaufend auf den neuesten Stand gebracht. Der Datenbankbenutzer kann über einen Computer, der an die Datenbank angeschlossen ist, aus deren Speicher Informationen abrufen.

Datenschutz. Von jedem Bürger sind bei Behörden, an seiner Arbeitsstätte, bei seiner Bank und an anderen Stellen persönliche Daten (Informationen) gespeichert. Diese Daten dürfen nicht an unberechtigte Personen weitergegeben werden. Um dies zu gewährleisten, trat 1978 das **Bundesdatenschutzgesetz** in Kraft. Danach müssen Betriebe, die viele Daten verarbeiten, einen Datenschutzbeauftragten benennen, der über die Einhaltung des Datenschutzes wacht. In der öffentlichen Verwaltung kontrollieren ein Bundesdatenschutzbeauftragter und Länderdatenschutzbeauftragte die Einhaltung des Datenschutzes. Ferner muss nach diesem Gesetz jedem Bürger Auskunft darüber gegeben werden, welche Daten über ihn gespeichert sind. Falsche Daten müssen berichtigt und unrechtmäßig gespeicherte Daten gelöscht werden.

Datenverarbeitung, die Verarbeitung von Informationen und Daten mithilfe eines →Computers. Sie wird wegen der rein elektronischen Funktionsweise eines Computers auch als **Elektronische Datenverarbeitung** (Abkürzung **EDV**) bezeichnet. Bei der Datenverarbeitung werden durch logische Operationen, die vom Computer nach festgelegten Rechenregeln und entsprechend dem eingegebenen Programm automatisch durchgeführt werden, Eingangsdaten in Ausgangsdaten umgeformt. Die technischen Einrichtungen reichen von einfachen Taschenrechnern bis zu Großrechenanlagen und werden z. B. in Wissenschaft und Forschung, Bürowesen, Elektrizitätsversorgung, Buchhaltung, Finanzwesen, Verkehrssteuerung, Fertigungstechnik, Luft- und Raumfahrttechnik eingesetzt.

Dativ [lateinisch ›Gebefall‹, zu dare ›geben‹], **Wemfall** →Kasus.

Dattelpalme, charakteristischer Baum der Oasen Nordafrikas, der wegen seiner zuckerreichen Früchte, der **Datteln,** auch in anderen tropischen und subtropischen Gebieten angebaut wird. Eine Dattelpalme, die 15–30 m hoch wird und bis 4 m lange Fiederblätter hat, kann jährlich bis 50 kg Datteln tragen. Die Früchte hängen in dichten Bündeln am Baum. Sie werden meist frisch gegessen; getrocknet oder zu Sirup (›Palmhonig‹) verarbeitet halten sie sich jahrelang und sind ein wichtiger Nahrungsvorrat der Einheimischen. (→Palmen)

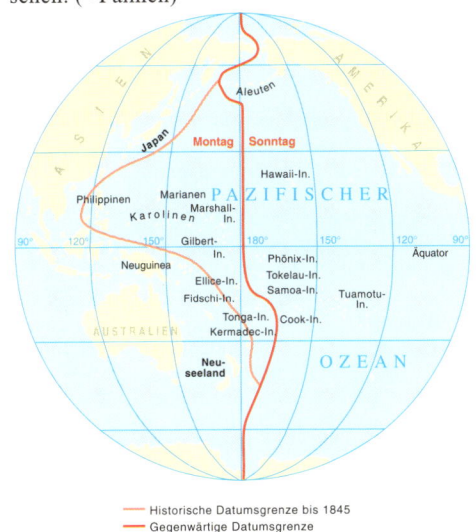

Datumsgrenze

Datumsgrenze, gedachte Linie auf der Erdoberfläche durch den Pazifischen Ozean, die ungefähr mit dem 180. Längengrad zusammenfällt. Beim Überschreiten dieser Linie von West nach Ost gilt dasselbe Datum 2 Tage lang, während bei umgekehrter Reiserichtung ein Tag übersprungen wird. Ohne diese Regelung wäre der Reisende, wenn er nach einer Erdumrundung von Westen nach Osten wieder zum Ausgangspunkt zurückkehrt, dem dort herrschenden Datum um einen Tag voraus, denn er muss während der Reise die Uhr 24-mal um jeweils eine Stunde vorstellen. In der umgekehrten Richtung wird die Uhr jeweils eine Stunde zurückgestellt; der Reisende wäre also bei seiner Rückkehr gegenüber dem Datum am Ausgangspunkt um einen Tag im Rückstand. (→Zeit)

David. Der aus Bethlehem stammende David war als Kind Waffenträger und Spielmann des israelitischen Königs Saul. Er besiegte nach Darstellung des Alten Testaments den Riesen **Goliath.** 1004–964 v. Chr. war er König, vereinigte Juda und Israel zu einem Reich und machte Jerusalem zu dessen Hauptstadt. Nach Siegen über die Nachbarvölker gelang es ihm, sein Reich bis nach Mesopotamien, dem heutigen Irak, auszuweiten. Er schuf ein Großreich, dessen Ausmaß Israel danach nie wieder erreichte. Aus dem Stamm Davids erwarteten die Juden den von Gott verheißenen Erlöser, den →Messias. In späterer Zeit glaubte man, David habe die meisten der Psalmen verfasst.

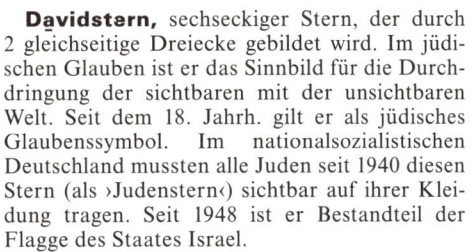

Davidstern, sechseckiger Stern, der durch 2 gleichseitige Dreiecke gebildet wird. Im jüdischen Glauben ist er das Sinnbild für die Durchdringung der sichtbaren mit der unsichtbaren Welt. Seit dem 18. Jahrh. gilt er als jüdisches Glaubenssymbol. Im nationalsozialistischen Deutschland mussten alle Juden seit 1940 diesen Stern (als ›Judenstern‹) sichtbar auf ihrer Kleidung tragen. Seit 1948 ist er Bestandteil der Flagge des Staates Israel.

DDT, Abkürzung für **D**ichlor**d**iphenyl**t**richloräthan, ein Insektenvernichtungsmittel, das erfolgreich bei der Bekämpfung krankheitsübertragender Insekten und als Pflanzenschutzmittel (vor allem im Baumwollanbau) eingesetzt wird. Da es in der Natur nur langsam abgebaut wird, kann es sich über die Nahrungskette im tierischen Fettgewebe anreichern und zu Schäden führen. In Deutschland ist DDT deshalb verboten.

Debussy [debüßí]. Der französische Komponist **Claude Debussy** (* 1862, † 1918) gilt als Hauptmeister des Impressionismus. Seine Kompositionen zeichnen sich durch feinste Unterschiede in den Klangfarben und verschwimmende Klänge aus. Hervorzuheben sind ›Prélude à l'après-midi d'un faune‹ für Orchester (1892, ›Vorspiel zu Nachmittag eines Fauns‹), das Bühnenwerk ›Pelléas et Mélisande‹ (1902), das große dreiteilige Orchesterwerk ›La mer‹ (1903/05, ›Das Meer‹) und die ›Préludes‹ für Klavier (1910–13). (BILD Seite 200)

Decoder [zu englisch to decode ›eine Nachricht entschlüsseln‹], elektronische Baugruppe, die codierte Informationen entschlüsselt. Man findet Decoder z. B. in Fernsehgeräten zum Empfang von Videotext oder zur Darstellung von Bildschirmtext auf dem Bildschirm. Auch in Rundfunkapparaten gibt es Decoder. Sie gewinnen bei Stereosendungen aus dem Haupt- und dem Nebenkanal die notwendigen Informatio-

Davidstern

Dattelpalme: Baum (oben) und Fruchtrispe (unten)

Defi

Claude Debussy

Daniel Defoe

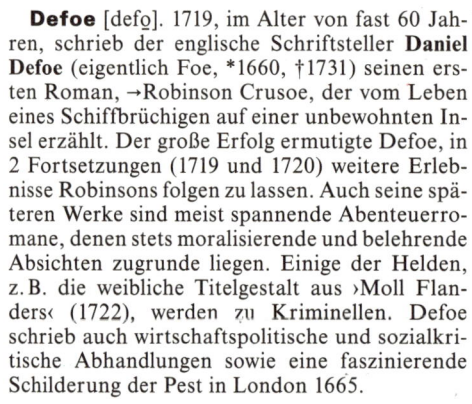

Edgar Degas: Tänzerin; um 1883

nen für die stereophone Wiedergabe. **Verkehrsfunkdecoder** in Autoradios zeigen durch Lämpchen Sender mit Verkehrsdurchsagen an oder sie schalten das Radio nur während der Durchsage von Verkehrsinformationen ein.

Definitionsbereich, Mathematik: die Ausgangsmenge einer →Funktion.

Defizit [lateinisch ›es fehlt‹], Fehlbetrag zwischen Einnahmen und Ausgaben. Ein Defizit kann auch die Differenz zwischen geplanten und tatsächlichen Werten bezeichnen. Hat der Staat z. B. die Höhe der Steuereinnahmen zu hoch eingeschätzt oder geplant, so kann sich gegenüber den tatsächlich von den Bürgern gezahlten Steuern ein Defizit in der Staatskasse ergeben.

Deflation [lateinisch ›Abschwellung‹], das Absinken der Preise für Güter und Dienstleistungen, im Gegensatz zur →Inflation. Ist das gesamtwirtschaftliche Angebot an Gütern größer als die Nachfrage der Käufer, so kann es zu einer allgemeinen Preissenkung kommen. Gleichzeitig ist eine Abwärtsentwicklung der wirtschaftlichen Aktivität, verbunden mit einer Verminderung des sich im Umlauf befindlichen Geldes, zu verzeichnen. Die Käufer geben ihr Geld nur zurückhaltend aus und bewirken so den Preisrückgang.

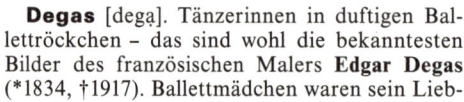

Defoe [defo]. 1719, im Alter von fast 60 Jahren, schrieb der englische Schriftsteller **Daniel Defoe** (eigentlich Foe, *1660, †1731) seinen ersten Roman, →Robinson Crusoe, der vom Leben eines Schiffbrüchigen auf einer unbewohnten Insel erzählt. Der große Erfolg ermutigte Defoe, in 2 Fortsetzungen (1719 und 1720) weitere Erlebnisse Robinsons folgen zu lassen. Auch seine späteren Werke sind meist spannende Abenteuerromane, denen stets moralisierende und belehrende Absichten zugrunde liegen. Einige der Helden, z. B. die weibliche Titelgestalt aus ›Moll Flanders‹ (1722), werden zu Kriminellen. Defoe schrieb auch wirtschaftspolitische und sozialkritische Abhandlungen sowie eine faszinierende Schilderung der Pest in London 1665.

Degas [dega]. Tänzerinnen in duftigen Ballettröckchen – das sind wohl die bekanntesten Bilder des französischen Malers **Edgar Degas** (*1834, †1917). Ballettmädchen waren sein Lieblingsthema neben Darstellungen von Pferderennen und Kaffeehausszenen. Als er diese Bilder schuf, war er zum Edouard Manet bereits zum Kreis der Impressionisten gestoßen, nachdem er in seiner Frühzeit vor allem historische Szenen und Porträts gemalt hatte. Degas interessierte an Menschen und Tieren vor allem die Bewegung und das Spiel des Lichts auf ihren Körpern, auch versuchte er die nervöse Spannung einzufangen, die vor dem Theaterauftritt, vor dem Pferderennen herrscht. Daneben malte er viele Porträts. Degas war auch als Bildhauer tätig, er schuf etwa 70 Statuetten von Tänzerinnen und Reitern. Im Alter erblindete er.

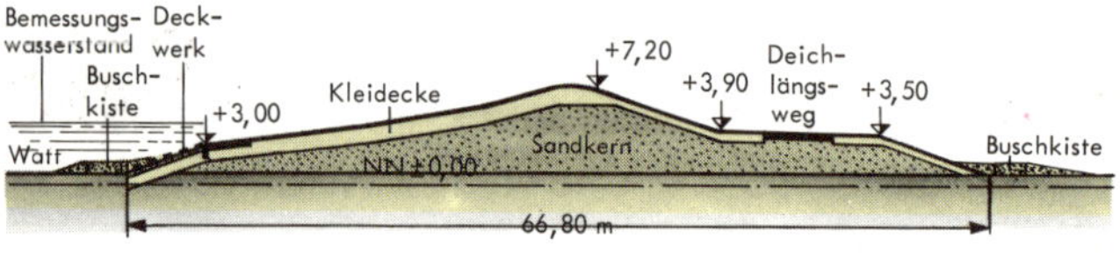

Degeneration [lateinisch ›Entartung‹], Biologie, Medizin: die anomale Entwicklung oder Rückbildung von Organismen, Organen, Geweben oder Zellen. Sie kann nach Krankheiten, durch Alterungsvorgänge oder auch durch längeren Nichtgebrauch von Organen oder Organteilen auftreten. So ist das Gehirn des Hausschweins im Vergleich zu dem des Wildschweins um ungefähr 1/4 rückgebildet, da bestimmte Bereiche nicht mehr genutzt werden.

Deich, Damm aus Lehm, Sand oder anderen Erdbaustoffen, der an einer Küste oder entlang eines Flussufers zum Schutz vor Überschwemmungen gebaut wird. Bei einem Seedeich liegt der oberste Teil, die Deichkrone, in der Regel 3 m höher als das örtlich bekannte höchste Hochwasser. Die Außenböschung zur Meerseite hin ist lang und flach abfallend, damit sich die Wellen ›totlaufen‹ können.

Deklination [aus lateinisch declinare ›abbiegen‹], Beugung (→Flexion) von Substantiv, Artikel, Adjektiv und Pronomen. Durch die Deklination werden die Wörter entsprechend ihrer Stellung im Satz nach →Kasus (Fall), →Numerus (Zahl) und →Genus (Geschlecht) verändert.

Delacroix [delakroa]. Der Maler und Grafiker **Eugène Delacroix** (*1798, †1863) gilt als der bedeutendste Vertreter der romantischen Malerei (→Romantik) in Frankreich. Schon vor der Zeit des →Impressionismus entdeckte er, dass Farbe vor allem Licht ist und Schatten aus farbigen Reflexen bestehen. Die leuchtende Farbigkeit seiner Bilder wurde durch die Eindrücke einer Nordafrikareise noch gesteigert. Delacroix malte mit Vorliebe dramatisch bewegte Szenen. Dazu inspirierten ihn eigene Erlebnisse, z. B. bei den Arabern in Nordafrika, historische und aktuelle Begebenheiten, etwa aus dem griechischen Freiheitskampf sowie Dichtungen von Shakespeare, Dante, Byron, Goethe und Walter Scott.

Die französische Revolution von 1830 stellte er in dem allegorischen Revolutionsbild ›Die Freiheit führt das Volk an‹ dar. Delacroix hinterließ mehr als 800 Gemälde, über 6000 Handzeichnungen und über 100 Lithographien (z. B. Illustrationen zu ›Faust‹ und ›Hamlet‹).

Delaware [däléwer], Indianerstamm, der an der nordamerikanischen Atlantikküste auf dem Gebiet des heutigen Pennsylvania, USA, sesshaft war und 1682 sein Land der Religionsgemeinschaft der Quäker unter William Penn abtrat. Reste des Stammes leben heute in den amerikanischen Bundesstaaten Kansas und Oklahoma.

Delémont [delemõ], deutsch **Delsberg**, 11 500 Einwohner, Hauptstadt des Schweizer Kantons Jura, liegt rund 40 km südwestlich von Basel.

Delhi [dẹli], 7,2 Millionen Einwohner, mit Vororten 8,4 Millionen, Stadt in Nordindien; der südliche Stadtteil **Neu-Delhi**, erbaut seit 1912, ist die Hauptstadt Indiens. Delhi liegt am Fluss Yamuna und ist ein bedeutendes Industrie- und Kulturzentrum. Im 12. Jahrh. kam die Stadt unter islamische Herrschaft; sie ist reich an Kunstdenkmälern, besonders aus der Zeit der Moguldynastie, z. B. das Grab des Humayun aus dem 16. Jahrh., die Jamamoschee und das ›Rote Fort‹ mit zahlreichen Palästen aus dem 17. Jahrhundert.

Delikt [lateinisch delictum ›Verfehlung‹], allgemeine Bezeichnung für eine rechtswidrige, schuldhafte Handlung, die entweder strafbar ist oder zu Schadensersatz verpflichtet.

Delphi, antike Stadt in Mittelgriechenland am Südabhang des Gebirges Parnass, die von französischen Archäologen seit dem 19. Jahrh. ausgegraben wurde. In Delphi befand sich ein Tempel, der dem Lichtgott →Apoll geweiht war und als Mittelpunkt der Welt galt. Nach altgriechischer Vorstellung bestand darin die Priesterin **Pythia** auf einem Dreifuß über einer Erdspalte, aus der betäubende Dämpfe aufstiegen. Was Pythia im Rauschzustand sprach, wurde von Priestern als Prophezeiung Apolls für die Zukunft ausgelegt. Diese oft vieldeutigen Weissagungen wie auch der Ort, an dem sie verkündet wurden, nennt man →Orakel; das Leben im alten Griechenland, vor allem die Politik, wurde vom Orakel in Delphi beeinflusst.

Delphine. Bereits griechische und römische Sagen sowie christliche Legenden berichten von den ungewöhnlichen Fähigkeiten dieser Tiere. Sie schildern, wie Delphine mit Badenden spielen und Menschen aus Seenot retten. Auch in neuerer Zeit hört man immer wieder von solchen Erlebnissen. Delphine sind neben den Affen die intelligentesten Tiere. Man hat nachgewiesen, dass sie sich durch Lautäußerungen (Pfeif- und Knackgeräusche) verständigen und durch Aussenden von Schallwellen nach dem Prinzip des →Echolots orientieren. Viele Arten, z. B. der als ›Mörderwal‹ verrufene **Schwertwal**, sind sehr gelehrig und leicht zu zähmen.

Delphine sind Säugetiere, die zur Ordnung der →Wale gehören. Sie werden gut 1 m lang, Schwertwale bis zu 9 m. Der Kopf hat bei den meisten Arten eine schnabelartige, sehr lange Schnauze. Wie alle Wale schlagen Delphine ihre waagerechte Schwanzflosse beim Schwimmen auf und ab, wovon die Menschen das Delphinschwimmen abgeschaut haben. Delphine schwimmen sehr schnell (über 30 km pro Stunde), springen gut hoch aus dem Wasser und begleiten in größeren Herden häufig Schiffe. Sie ernähren sich von Krebsen, Weichtieren und Fischen. Delphine leben in den Meeren der Nordhalbkugel, besonders im Mittelmeer. An deutschen Küsten kommt der bis zu 5 m lange **Große Tümmler** vor.

Delphinschwimmen, →Schmetterlingsschwimmen.

Delsberg, →Delémont.

Delta, (Δ, δ), der vierte Buchstabe des griechischen Alphabets; δ wird in der Geometrie zur Bezeichnung eines Winkels verwendet. In der Geographie wird das Mündungsgebiet eines Flusses, dessen Verlauf sich fächerförmig verzweigt, nach der Form des griechischen Buchstabens Δ Delta genannt (→Fluss).

Demokratie [griechisch ›Volksherrschaft‹], die Staatsform, in der die Staatsgewalt vom Volk ausgeht, das Volk sich also selbst regiert. Die Staatsform der Demokratie bildete sich vor mehr als 2 500 Jahren in den altgriechischen Stadtstaaten aus. Während jedoch damals Teile der Bevölkerung von der Mitregierung ausgeschlossen waren (besonders Sklaven und Frauen), gilt heute im Allgemeinen der Grundsatz, dass in einer Demokratie alle Staatsbürger an der Lenkung ihres Staates beteiligt werden müssen.

Zu den Grundlagen der modernen Demokratie gehört die **Gewaltenteilung.** Danach üben die Volksversammlung oder das Parlament (Legislative) die gesetzgebende, die Regierung (Exekutive) die ausführende und unabhängige Gerichte (Judikative) die Recht sprechende Gewalt aus. Die Demokratie kann nur dann verwirklicht werden, wenn die Überzeugungen des Mitbürgers

Demo

geachtet (Toleranz) und die von der Mehrheit getroffenen Entscheidungen (z. B. in Form von Gesetzen) anerkannt werden.

Es gibt verschiedene Formen der Demokratie. In der **unmittelbaren Demokratie** versammeln sich alle stimmberechtigten Bürger öffentlich und stimmen dabei über die für sie wichtigen politischen Angelegenheiten unmittelbar ab. In einigen kleineren Kantonen der Schweiz hat sich diese sehr alte Form der Demokratie erhalten.

In der **repräsentativen Demokratie** wählen die Bürger →Abgeordnete ihres Vertrauens und geben ihnen durch die Wahl den Auftrag, im Parlament stellvertretend für sie zu entscheiden. Die Abgeordneten gehören heute unterschiedlichen, oft gegensätzlich ausgerichteten →Parteien an und schließen sich, meist nach Parteizugehörigkeit, zu festen Gruppen (Fraktionen) zusammen. Sie sind für eine bestimmte Zeit gewählt.

Bei der Bestimmung des Regierungschefs haben sich 2 Grundformen der repräsentativen Demokratie herausgebildet: die präsidiale und die parlamentarische Demokratie. In der **präsidialen Demokratie** wird der Präsident als oberste Spitze des Staates und der Regierung (z. B. in den USA) von der Bevölkerung gewählt; er besitzt also eine vom Parlament unabhängige Amtsberechtigung. In der **parlamentarischen Demokratie** (z. B. in der Bundesrepublik Deutschland und Italien) wählt das Parlament mit der Mehrheit seiner Abgeordneten den Regierungschef. Dieser ist vom Vertrauen des Parlaments abhängig und kann von diesem abgesetzt und durch einen neuen ersetzt werden. Zwischen den Grundformen der repräsentativen Demokratie gibt es Mischformen (z. B. in Frankreich).

In den genannten Formen der Demokratie können Gruppen, die nicht an der Regierung sind **(Opposition)**, nach einer für sie erfolgreichen Wahl die Regierungsverantwortung übernehmen und damit eine grundsätzliche Änderung der Politik erreichen.

In kommunistischen **Volksdemokratien** (z. B. China, Kuba) gibt es keine Gewaltenteilung. Da die dort herrschende kommunistische Partei die alleinige Macht beansprucht, ist ein grundsätzlicher Wechsel der Regierung nicht möglich.

Demonstration [zu lateinisch demonstrare ›zeigen‹], Versammlung unter freiem Himmel, an der zahlreiche Menschen teilnehmen, um ihrer Meinung zu politischen, religiösen oder sozialen Belangen öffentlich sichtbaren Ausdruck zu verleihen. Demonstrationen sind durch Artikel 8 des Grundgesetzes geschützt, der allen Deutschen das Recht gibt, sich friedlich und ohne Waffen zu versammeln. Das **Demonstrationsrecht** ist als ein →Grundrecht wesentliches Merkmal der Demokratie. Es gilt aber nicht unbeschränkt, da Demonstrationen regelmäßig Probleme, besonders Verkehrsprobleme, aufwerfen. Entsprechende Regelungen enthält das Versammlungsgesetz, das z. B. die Anmeldung (48 Stunden vorher) von geplanten Demonstrationen bei der Polizei vorsieht. Demonstrationen, von denen Straf- oder Gewalttaten ausgehen, dürfen aufgelöst werden.

Demoskopie [griechisch ›Volksbeobachtung‹], **Meinungsforschung.** Durch mündliche oder schriftliche Befragung weniger, repräsentativ ausgewählter Menschen können deren Meinungen, Entscheidungen oder Einstellungen zu wirtschaftlichen, sozialen oder politischen Fragen zusammengefasst und ausgewertet werden. Haben die **Meinungsforscher** eine genügend große Zahl von Menschen befragt sowie eine Auswahl aus allen Altersgruppen, Berufen, sozialen Schichten usw. getroffen, so gilt die Umfrage als **repräsentativ.** Das bedeutet, dass man von einer bestimmten Gruppe von Menschen, den Befragten, auf eine Grundgesamtheit schließen kann, also z. B. auf die ganze Bevölkerung eines Landes, auf alle Frauen, alle Berufstätigen, alle Autofahrer oder Ähnliches. Die Ergebnisse der Demoskopie sind z. B. wichtig für Politiker, die möglichst viele Wählerstimmen gewinnen möchten, oder für Unternehmen, die das Verhalten der Käufer ihrer Produkte besser einschätzen möchten **(Marktforschung).** Für solche Umfragen gibt es Markt- und Meinungsforschungsinstitute, die z. B. im Auftrag von Unternehmen, politischen Parteien oder unabhängigen Gruppen arbeiten.

Demosthenes. Als König Philipp von Makedonien begann, die Herrschaft über ganz Griechenland zu gewinnen, trat vor allem **Demosthenes** (*384, †322 v. Chr.) in leidenschaftlichen Reden gegen ihn und die Freunde der Makedonier in Athen auf. Um seine von Natur undeutliche Stimme zu schulen, soll er mit Kieselsteinen im Mund laufend oder bergsteigend reden geübt haben. Schließlich wurde er der glänzendste Redner Athens, der für die Erhaltung der Unabhängigkeit und Demokratie kämpfte. Dank dieser Fähigkeit gelang es ihm, einen Bund zwischen Theben und Athen zu vermitteln, der jedoch in der Schlacht bei Chaironeia (338) den Makedoniern unterlag.

Denar, Denarius [lateinisch ›Zehner‹], römische Silbermünze, die wohl 187 v. Chr. eingeführt und für 4 Jahrhunderte Währungseinheit wurde.

Denar des Augustus, geprägt zwischen 19 und 15 v. Chr. in Spanien

Nach dieser Münze wurde früher der Pfennig mit ›d‹ abgekürzt. Der Name lebt in Dinar fort, der Währung Jugoslawiens, Algeriens, Tunesiens und anderer Länder.

Den Haag, 442 000 Einwohner, Residenzstadt des Königshauses der Niederlande und Sitz der Regierung, liegt südlich von Rotterdam an der Nordseeküste. Den Haag ist Sitz des Internationalen Gerichtshofs der Vereinten Nationen. Das barocke Palais Mauritshuis ist ein Museum mit einer der bedeutendsten Sammlungen niederländischer Malerei und Skulptur.

Denver, 468 000, mit Vororten 1,62 Millionen Einwohner, Hauptstadt des Bundesstaates Colorado, USA, liegt am Westrand der Great Plains. In der Münzanstalt von Denver werden 3/4 aller Münzen der USA geprägt.

Depression [lateinisch ›Senkung‹], **1)** Medizin: seelische Erkrankung, die geprägt ist von Niedergeschlagenheit, Angst und Hoffnungslosigkeit; das Leben scheint für den Depressiven keinen Sinn mehr zu haben; Selbstmordabsichten können die Folge sein. Die vielfältigen Ursachen der Krankheit sind noch nicht vollständig erforscht.

2) Wirtschaft: Rückgang oder Tiefstand in der gesamtwirtschaftlichen Entwicklung, im Gegensatz zum Aufschwung, der →Konjunktur. Die Produktionsanlagen der Unternehmen sind nicht ausgelastet, viele Menschen sind arbeitslos, die Nachfrage nach Gütern und Dienstleistungen geht zurück. Eine Depression geht meist mit einer →Deflation einher, in der die Preise auf dem Markt sinken, da die Nachfrage für das Güterangebot nicht ausreicht.

Derwisch [persisch ›Bettler‹], islamischer Bettelmönch. Die Derwische leben zum großen Teil in Klöstern, die durch Stiftungen unterhalten werden. Um diese Klöster scharen sich Anhänger, denen sie geistigen und materiellen Beistand leisten. Damit erfüllen die Derwischorden wichtige soziale Aufgaben. Als Lehrer junger Menschen genießen Derwische oft hohes Ansehen. Die einzelnen Derwischorden unterscheiden sich durch ihre Tracht und die Art ihrer von Musik begleiteten religiösen Wirbeltänze (daher der Ausdruck ›tanzender Derwisch‹). Im Unterschied zum christlichen Mönch ist der Derwisch nicht verpflichtet ehelos zu leben.

Descartes [dekạrt]. Der französische Mathematiker und Philosoph **René Descartes** (*1596, †1650) beschäftigte sich schon in seiner Jugend mit Philosophie, Geometrie, Astronomie und Optik. Descartes gilt als Begründer des neuzeitlichen →Rationalismus. Auf der Suche nach einer gesicherten Grundlage des Wissens stieß er auf die Tatsache, dass der denkende Mensch an allem, an Gott und der Welt, zweifeln kann außer an seinem eigenen Denken. Diese neue Anschauung brachte Descartes in seinem berühmten Satz ›**Cogito ergo sum**‹ (›Ich denke, also bin ich‹) zum Ausdruck. Seine Philosophie hatte großen Einfluss auf die Philosophen des 20. Jahrh., z. B. auf Jean Paul →Sartre.

René Descartes (Gemälde von Frans Hals, 1655; Paris, Louvre)

Design [disạin]. Der englische, im Deutschen als Fachausdruck geläufige Begriff Design hat mehrere Bedeutungen: einmal Entwurf, Entwurfszeichnung, dann die künstlerische und zugleich zweckmäßige Gestaltung von Gebrauchsgegenständen und Industrieerzeugnissen (Industriedesign), auch die Form selbst (man sagt: ›Der Gegenstand hat ein gutes Design‹). Bei Werbe-, Buch- und Schriftgrafik spricht man von Grafikdesign oder Gebrauchsgrafik. Der **Designer** entwirft Gebrauchs- und Industriegegenstände.

Desinfektion, Verfahren, durch das Krankheitserreger soweit unschädlich gemacht werden, dass sie nicht mehr ansteckend wirken. Dies geschieht durch physikalische Methoden wie Abkochen, trockene Hitze, Ultraviolettbestrahlung oder durch chemische Mittel, z. B. Jodtinktur, Karbolsäure, Formalin. Werden dagegen alle vorhandenen Mikroorganismen abgetötet, so spricht man von →Sterilisation.

Destillation [zu lateinisch destillare ›herabträufeln‹]. Sehr häufig stehen Chemiker vor dem Problem, ein Gemisch mehrerer Flüssigkeiten voneinander trennen zu müssen. Dazu kann man, wenn die Siedepunkte der zu trennenden Flüssigkeiten verschieden sind, das Verfahren der Destillation anwenden: Die Mischung wird

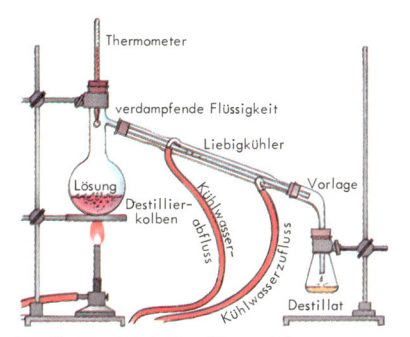

Destillation: einfache Destilliervorrichtung

Dest

im Kolben erhitzt, wobei zuerst die Flüssigkeit mit dem niedrigsten Siedepunkt verdampft, sich anschließend im wassergekühlten Rohr verflüssigt und in die Vorlage tropft. Bei längerem Erhitzen destillieren allmählich auch die Flüssigkeiten mit den höheren Siedepunkten über und lassen sich so durch Kontrolle des Siedepunktes am Thermometer und Wechseln der Vorlage nach und nach abtrennen.

destilliertes Wasser, lateinisch **Aqua destillata.** Leitungswasser enthält gewöhnlich gelöste Salze wie Kochsalz und Gase wie Sauerstoff oder Kohlendioxid. Deshalb besitzt es für viele Arbeitsgänge in Laboratorien oder in der chemischen Industrie nicht die erforderliche Reinheit. Führt man mit ihm eine →Destillation durch, entweichen die Gase und die gelösten Salze bleiben als fester Rückstand im Destillationsgefäß zurück. Das so destillierte Wasser ist für chemische Zwecke ausreichend rein.

Detroit [ditroit], 1,03 Millionen Einwohner, Stadt im Bundesstaat Michigan, USA, zwischen Eriesee und Huronsee am Detroit River. Detroit ist das weltweit größte Zentrum der Autoindustrie; die 3 großen Firmen General Motors, Ford und Chrysler und viele andere haben hier ihre Werke; in ihnen wird 1/4 aller Autos der USA erzeugt.

Deutsch-Dänische Kriege. Seit 1460 waren Schleswig und Holstein mit Dänemark verbunden. 1848 verkündete der dänische König Friedrich VII. die Einverleibung Schleswigs, dessen Nordteil von Dänen bewohnt war, in den dänischen Staat. Dem widersetzten sich die Schleswig-Holsteiner; das führte zum Krieg, in den der Deutsche Bund eingriff. Durch Vermittlung der Großmächte kam es zum **Londoner Protokoll** (1852), das festlegte, dass Schleswig-Holstein zum Deutschen Bund gehören, aber die Personalunion mit Dänemark erhalten bleiben sollte. Als Dänemark 1863 Schleswig besetzte, kam es 1864 erneut zum Krieg. Preußische und österreichische Truppen besiegten Dänemark. Die Herzogtümer wurden an die Sieger abgetreten.

Deutsche, nach Herkunft und Sprache eine Teilgruppe der →Germanen, die sich von ihren ursprünglichen Siedlungsgebieten im heutigen Südschweden, Dänemark und Schleswig-Holstein aus nach Mitteleuropa ausbreiten. Von Deutschen kann man jedoch erst nach der fränkischen Reichsteilung im Vertrag von Verdun (843) sprechen, nach der bei den germanischen Stämmen der östlichen Hälfte des Frankenreichs allmählich ein Bewusstsein für politische Zusam-

---

Deutsche Herrscher, Staatsoberhäupter

Karolinger
Ludwig der Deutsche (842–876)
Karl der Dicke (876–887)
Arnulf von Kärnten (887–899)
Ludwig das Kind (900–911)
Konrad I. von Franken (911–918)

Sächsische Könige und Kaiser
Heinrich I. (919–936)
Otto I. (936–973)
Otto II. (973–983)
Otto III. (983–1002)
Heinrich II. (1002–24)

Fränkische Kaiser
Konrad II. (1024–39)
Heinrich III. (1039–56)
Heinrich IV. (1056–1106)
Heinrich V. (1106–25)
Lothar von Sachsen (1125–37)

Staufer
Konrad III. (1138–52)
Friedrich I. Barbarossa (1152–90)
Heinrich IV. (1190–97)
Philipp von Schwaben (1198–1208)
Otto IV. von Braunschweig, Welfe (1198–1218)
Friedrich II. (1212–50)
Konrad IV. (1250–54)

Aus verschiedenen Häusern
Wilhelm von Holland (1247–56)
Alfons von Kastilien (1257–74)
Richard von Cornwallis (1257–72)
Rudolf I. von Habsburg (1273–91)
Adolf von Nassau (1292–98)
Albrecht I. von Österreich (1298–1308)
Heinrich VII. von Luxemburg (1308–13)
Ludwig IV. der Bayer (1314–47)

Friedrich der Schöne von Österreich (1314–30)

Luxemburger
Karl IV. (1347–78)
Wenzel (1378–1400)
Ruprecht von der Pfalz (1400–10)
Sigismund (1410–37)

Habsburger
Albrecht II. (1438–39)
Friedrich III. (1440–93)
Maximilian I. (1493–1519)
Karl V. (1519–56)
Ferdinand I. (1556–64)
Maximilian II. (1564–76)
Rudolf II. (1576–1612)
Matthias (1612–19)
Ferdinand II. (1619–37)
Ferdinand III. (1637–57)
Leopold I. (1658–1705)
Joseph I. (1705–11)
Karl VI. (1711–40)
Karl VII. von Bayern (1742–45)
Franz I. von Lothringen (1745–65)
Joseph II. (1765–90)
Leopold II. (1790–92)
Franz II. (1792–1806)

Hohenzollern
Wilhelm I. (1871–88)
Friedrich III. (1888)
Wilhelm II. (1888–1918)

PRÄSIDENTEN
Friedrich Ebert (1919–25)
Paul von Hindenburg (1925–34)
Adolf Hitler* (1934–45)
Karl Dönitz (1945)

Bundesrepublik Deutschland
Theodor Heuss (1949–59)
Heinrich Lübke (1959–69)
Gustav Heinemann (1969–74)
Walter Scheel (1974–79)
Karl Carstens (1979–84)
Richard von Weizsäcker (1984–94)
Roman Herzog (seit 1994)

* Hitler vereinigte in seiner Person das Amt des Reichspräsidenten mit dem des Reichskanzlers.

---

mengehörigkeit entstand. Der Name ›Deutsche‹ ist daher zunächst als Abgrenzung zur romanischen, ›welschen‹ Bevölkerung des Westfränkischen Reichs und Italiens mit ihren andersartigen Sprachen und Rechtsgrundsätzen zu verstehen. Die Vorstellung einer gemeinsamen Abstammung entstand erst im 11. Jahrh. Doch bedeutete das Heilige Römische Reich Deutscher Nation nur eine zeitlich und räumlich bedingte einigende Idee.

Die Deutschen leiten im Unterschied zu anderen großen Völkern ihre Herkunft von sehr unterschiedlichen Volksteilen und Stämmen her. Die Alemannen, Baiern, Franken, Thüringer,

DEUTSCHE GESCHICHTE

Das Mittelalter

843	**Vertrag von Verdun:** Das Reich Karls des Großen wurde in ein west-, ost- und mittelfränkisches Reich aufgeteilt. Das Mittelreich nannte man Lothringen.
880	**Vertrag von Ribemont:** Lothringen kam zum ostfränkischen Reich.
919–1025	Sachsenkaiser
962	**Otto der Große** wurde in Rom zum Kaiser gekrönt. Er erneuerte die Reichsidee Karls des Großen: **Heiliges Römisches Reich.** Otto übertrug den Bischöfen Grafenrechte. Als seine Lehnsleute waren sie seitdem weltliche Fürsten.
1024–1125	Die salischen Kaiser
1077–1122	**Investiturstreit** zwischen Kaiser Heinrich IV. (1056–1106) und Papst Gregor VII. (1073–85)
1138–1254	Kaiser aus dem Haus der Staufer; Höhepunkt der kaiserlichen Machtstellung. Im Kampf mit dem Papsttum ging das Stauferreich unter.
1096–1291	Zeit der **Kreuzzüge**.
1250–1519	Im Spätmittelalter zerfiel das Reich. Lehnsleute des Kaisers verselbstständigten sich und entwickelten sich zu Landesherren.
1273–91	**Rudolf von Habsburg** begründete die habsburgische Hausmacht in Österreich.
1348	Kaiser Karl IV. (1347–78) aus dem Haus Luxemburg gründete die erste deutsche Universität in Prag.
1356	Reichsgesetz der **Goldenen Bulle**: 7 Kurfürsten erhielten das Recht der Königswahl.
1358	Unter der Führung Lübecks gründeten deutsche Handelsstädte die **Hanse**, die den Nord- und Ostseehandel beherrschte. Um 1400 gehörten 80 Städte zur Hanse.
1483–1519	**Maximilian I.** gewann durch seine Heiratspolitik die Königreiche Burgund, Spanien und Neapel-Sizilien für Habsburg (**Heiliges Römisches Reich Deutscher Nation:** einschränkende Bezeichnung für die deutschen Teile des Reichsgebiets)
1519–56	**Karl V.** gebot über ein Weltreich: Seit der Entdeckung Amerikas (1492) gehörte auch ein Teil der Neuen Welt zum Habsburgerreich.

Die Neuzeit

1445	Erfindung des Buchdrucks durch Johannes Gutenberg.
1517	Beginn der **Reformation:** Martin Luther veröffentlichte seine 95 Thesen gegen den Missbrauch des Ablasses.
1525	Der Ordensstaat des Deutschen Ordens, 1226 gegründet, wurde zum weltlichen Herzogtum Preußen.
1545–63	Konzil zu Trient: Erneuerung der katholischen Kirche unter der Führung des Jesuitenordens; die kirchlichen Missstände wurden behoben. Beginn der Gegenreformation.
1618–48	**Dreißigjähriger Krieg:** Er begann als Religionskrieg und wurde zu einem Machtkampf zwischen Habsburg, Frankreich und Schweden auf deutschem Boden.
1648	**Westfälischer Frieden.** Die Entwicklung der Landesherren zu selbstständigen Landesfürsten war abgeschlossen; sie durften mit fremden Mächten Bündnisse eingehen, sofern sich diese nicht gegen das Reich richteten.
1740–63	Drei **Schlesische Kriege** zwischen Maria Theresia von Österreich und Friedrich II., dem Großen von Preußen. Preußen gewann Schlesien und wurde zur europäischen Großmacht.
1806	Nachdem die meisten deutschen Fürsten im Bündnis mit Napoleon I. den **Rheinbund** gegründet hatten, legte Kaiser Franz II. die deutsche Kaiserkrone nieder. Damit hörte das Heilige Römische Reich Deutscher Nation auf zu bestehen.
1806/07	Krieg Frankreichs gegen Preußen und Russland: Die Großmachtstellung Preußens wurde vernichtet.
1813–15	Die **Befreiungskriege:** Napoleon I. wurde von Preußen, Österreich, Russland, England und Schweden besiegt.
1814/15	**Wiener Kongress:** Wiederherstellung (Restauration) des europäischen Staatensystems. Gründung des **Deutschen Bundes,** eines Staatenbundes von 35 Fürsten und 4 freien Reichsstädten.
1815–48	**Vormärz:** In Südwestdeutschland entstanden demokratische Bewegungen.
1848	**Revolution,** vor allem in Berlin, Wien und Frankfurt. Die Nationalversammlung in Frankfurt arbeitete die **erste deutsche Verfassung** aus.
19. Jahrh.	**Industrielle Revolution:** Es entstanden der vierte Stand und die Arbeiterschaft.
1864	Krieg Österreichs und Preußens gegen Dänemark. Dänemark verlor Schleswig und Holstein.
1866	**Deutscher Krieg** zwischen Preußen und Österreich um die Vorherrschaft in Deutschland. Die Niederlage Österreichs führte zur Auflösung des Deutschen Bundes.
1870/71	**Deutsch-Französischer Krieg.** Der preußische König Wilhelm I. wurde in Versailles zum ›Deutschen Kaiser‹ ausgerufen. Überragender Kanzler des neuen Deutschen Reichs war bis 1890 **Bismarck.**
1888	Dreikaiserjahr: Tod Wilhelms I. und seines Nachfolgers Friedrich III. Ihm folgte Wilhelm II. (1888–1918).
1914–18	Erster Weltkrieg.
1918	Die **Novemberrevolution** führte zum Sturz des Kaisers und der regierenden Fürsten.
1919–33	**Weimarer Republik.** Das Deutsche Reich wurde eine parlamentarische Demokratie. Die Härten des Versailler Friedensvertrags von 1919, die Besetzung des Ruhrgebietes und des Rheinlandes durch Frankreich 1923 und die Wirtschaftskrisen von 1923 (Inflation) und 1929 (6 Millionen Arbeitslose) begünstigten das Anwachsen der NSDAP, der Partei **Adolf Hitlers.**
1933–45	**Drittes Reich:** Die Republik wurde zum Einparteien- und Führerstaat.
1938	Anschluss Österreichs und des Sudetenlandes an das Deutsche Reich.
1939	Die Rest-Tschechei wurde deutsches Protektorat Böhmen-Mähren. Hitlers Angriff auf Polen löste den **Zweiten Weltkrieg** (1939–1945) aus.
1941	Deutscher Angriff auf die Sowjetunion und Kriegseintritt der USA.
1945	Kapitulation und Ende des Dritten Reiches: Deutschland wurde in 4 Besatzungszonen aufgeteilt.
1949	Aus der amerikanischen, britischen und französischen Besatzungszone bildete sich nach Abschluss des Deutschlandvertrages die **Bundesrepublik Deutschland,** aus der sowjetischen Besatzungszone die **Deutsche Demokratische Republik.** Die Bundesrepublik Deutschland wurde dem westlichen Bündnissystem, die Deutsche Demokratische Republik dem östlichen System eingegliedert.
1961	Der Bau der Berliner Mauer vollendete die tatsächliche Teilung Deutschlands in 2 Staaten.
1972	Im **Grundvertrag** nahmen die beiden deutschen Staaten Beziehungen ›besonderer Art‹ zueinander auf. Der Austausch von Ständigen Vertretungen wurde vereinbart und die Gleichberechtigung der beiden Staaten völkerrechtlich geregelt.
1990	**Wiedervereinigung Deutschlands** durch den Beitritt der Deutschen Demokratischen Republik zur Bundesrepublik Deutschland. Die neuen Bundesländer Brandenburg, Mecklenburg-Vorpommern, Sachsen, Sachsen-Anhalt und Thüringen wurden in die föderale Struktur der Bundesrepublik Deutschland eingegliedert.

Sachsen und Friesen waren germanische Großstämme, die während der Völkerwanderung in heute deutschsprachigen Gebieten siedelten. Die deutschen Neustämme der Brandenburger und Mecklenburger, Pommern, West- und Ostpreußen, Obersachsen, Schlesier und zum Teil der Österreicher entstanden im Mittelalter während der →deutschen Ostsiedlung. Die deutschsprachigen Schweizer entwickelten sich nach dem Dreißigjährigen Krieg zu einem eigenen Volk; seit dem 19. Jahrh. nahmen auch die Österreicher eine eigene staatliche Entwicklung. Diese abstammungsmäßig so verschiedenartigen deutschen Bevölkerungsgruppen waren stets auf

Eigenständigkeit ihrer Länder und Landesteile bedacht, was die Herausbildung vieler kleiner Einzelstaaten zur Folge hatte.

Neben den Deutschen in der Bundesrepublik Deutschland und denjenigen in der Schweiz, im Elsass und in Österreich gibt es heute deutsche Volksgruppen in Russland, der Tschechischen Republik, in Polen, Ungarn, Rumänien, Slowenien und Kroatien, außerdem Deutsche, die im 19. und 20. Jahrh. nach Übersee, vor allem in die USA, nach Kanada, Brasilien, Argentinien und Chile, ausgewandert sind.

Deutsche Bundesbank, die →Notenbank der Bundesrepublik Deutschland.

Deutsche Demokratische Republik, Abkürzung **DDR,** ehemaliger Staat in Mitteleuropa; er bestand 1949–90 aus den heutigen Ländern Brandenburg, Mecklenburg-Vorpommern, Sachsen, Sachsen-Anhalt und Thüringen (→Deutschland, →deutsche Geschichte).

deutsche Geschichte. Mit der Teilung des →Fränkischen Reichs 843 beginnt die deutsche Geschichte. Der Ostteil des alten Reichs Karls des Großen umfasste nun unter einem eigenen König (Ludwig der Deutsche) die deutschen Stämme der Sachsen, Franken, Baiern, Alemannen, Friesen und Thüringer. Das Zusammengehörigkeitsgefühl dieser Stämme war anfangs schwach entwickelt. Die Bezeichnung →Deutsche setzte sich im 10./11. Jahrh. durch.

Beginnend mit Otto dem Großen übernahmen die deutschen Könige die Schutzfunktion für die römische Kirche und führten als ›Kaiser‹ die Tradition des alten Römerreichs und der Karolinger fort. Von da an bis zum Jahr 1806 bildeten die deutschen Lande das **Heilige Römische Reich Deutscher Nation.** Da die Herzöge und Grafen sehr auf ihre Selbstständigkeit bedacht waren, konnten die deutschen Kaiser keine starke Zentralgewalt errichten. Einige der Territorialfürsten wurden so mächtig, dass sie eigene Königreiche gründeten (Preußen). Das innerlich schon zerrüttete Reich löste sich während der napoleonischen Zeit endgültig auf; der letzte Kaiser, Franz II., legte 1806 die Krone nieder.

Das 19. Jahrh. stand im Zeichen von Bestrebungen, einen einheitlichen deutschen Staat zu bilden. Erst der preußische Kanzler Bismarck setzte nach mehreren Kriegen seinen Plan eines neuen Kaiserreichs, des →Deutschen Reichs, durch, dem Österreich nicht mehr angehörte. Durch den Ersten Weltkrieg war Deutschland zwar erheblich geschwächt, aber in seiner Einheit nicht angetastet, als 1933 die Nationalsozialisten an die Macht kamen. 1939 entfachte Adolf Hitler den Zweiten Weltkrieg. Eine Folge dieses Krieges war die Teilung Deutschlands. 1949 entstanden aus den Besatzungszonen der Alliierten die Bundesrepublik Deutschland und die Deutsche Demokratische Republik. Der Zerfall der Sowjetunion und des Ostblocks, die Krise der nationalen Volkswirtschaften des ehemaligen COMECON und die erwachenden Nationalismen in diesen Ländern begünstigten auch den Umsturz in der Deutschen Demokratischen Republik. Die ersten freien Wahlen zur Volkskammer im März 1990 brachten eine überwältigende Mehrheit für die demokratischen Parteien, die den Wiedervereinigungsprozess beschleunigten. Seit dem 3. 10. 1990 wird im vereinigten Deutschland die Herstellung gleicher Verhältnisse angestrebt. Die Zerrüttung der Wirtschaft und der Infrastruktur sowie die Verwüstung der Industrieregionen in den neuen Bundesländern erfordern Anstrengungen nicht gekannter Größenordnung. (ÜBERSICHT Seite 205)

Deutsche Mark, D-Mark, Abkürzung **DM,** die Währung in der Bundesrepublik Deutschland. DM-Münzen (und die kleinere Einheit Pfennig) und -Banknoten sind die einzigen Zahlungsmittel, die der Gesetzgeber zulässt. 1 DM sind 100 **Deutsche Pfennig,** Abkürzung **Pf.** – Die Bezeichnung Deutsche Mark wurde mit der →Währungsreform 1948 eingeführt. Früher hieß die Währung in Deutschland **Reichsmark,** Abkürzung **RM.**

deutsche Ostsiedlung, im Mittelalter die Besiedlung sowie die wirtschaftliche und kulturelle Erschließung der Gebiete östlich von Elbe und Saale sowie des Böhmerwaldes bis hin zum Finnischen Meerbusen und zum Schwarzen Meer.

Erste Impulse gab die Politik Karls des Großen, der die Reichsgrenzen durch die Errichtung von →Marken zu sichern suchte. Diese Politik fand unter den Ottonen ihre Fortsetzung. Die eigentliche und planmäßige deutsche Ostsiedlung begann unter Lothar von Supplinburg (*1075, †1137) und erreichte unter den Staufern im 12./13. Jahrh. ihren Höhepunkt. Ostholstein, Brandenburg, Mecklenburg, Obersachsen und andere Gebiete wurden durch Besiedlung gewonnen. Die Ungarnkönige zogen deutsche Siedler nach Siebenbürgen (Siebenbürger Sachsen), die Böhmenkönige ließen Bauern, Handwerker und Bergleute in den Randgebieten von Böhmen und Mähren siedeln. Besondere Bedeutung kam dem Deutschen Orden zu, der das gesamte Land der

Prußen zwischen Weichsel und Memel christianisierte und in den deutschen Kulturkreis einbezog. Viele Städte Polens, Ungarns und Böhmens sind von Deutschen angelegt worden oder erhielten von ihnen deutsches Stadtrecht.

Die deutsche Ostsiedlung war ein jahrhundertelanges Zuwandern bald größerer, bald kleinerer Gruppen, die von vielen Stellen aus planmäßig nach dem Neuland geleitet wurden. Anfangs regelten Landesherren und weltliche und geistliche Grundbesitzer, unter denen die Zisterzienser und Prämonstratenser hervorragten, die Besiedlung; später belehnten sie ritterliche Vasallen, die dann die weitere Besiedlung übernahmen, mit Kolonialland.

Deutscher Bund, Zusammenschluss von deutschen Einzelstaaten zu einem **Staatenbund,** der 1815 auf dem Wiener Kongress durch die **Bundesakte** begründet wurde. Etwa 30 Fürsten, darunter auch der britische König in seiner Eigenschaft als König von Hannover, der König von Dänemark als Herzog von Holstein und Lauenburg und der König der Niederlande als Großherzog von Luxemburg sowie 4 freie Städte entsandten Gesandte in die **Bundesversammlung,** die in Frankfurt am Main tagte. Ihr stand der österreichische Gesandte vor. Der Deutsche Bund zerbrach am Gegensatz zwischen Österreich und Preußen und wurde 1866 aufgelöst.

Deutscher Krieg von 1866, der Krieg zwischen Preußen und Österreich um die Vorherrschaft in Deutschland. Er dauerte nur wenige Wochen. Die österreichische Niederlage bei **Königgrätz** (3.7.1866; im Ausland wird die Schlacht meist nach dem Nachbarort Sadowa benannt) entschied diesen Krieg, der die Auflösung des →Deutschen Bundes zur Folge hatte. Österreich schied aus der deutschen Politik aus. Preußen, vergrößert um Schleswig-Holstein, Hannover, Kurhessen, Nassau und Frankfurt, wurde die bestimmende Großmacht in Deutschland und gründete den →Norddeutschen Bund.

Deutscher Orden. In der Zeit der Kreuzzüge wurden 3 **geistliche Ritterorden** gegründet: der Johanniterorden, der Templerorden und der Deutsche Orden. Neben den Mönchsgelübden Armut, Ehelosigkeit und Gehorsam gelobten die Mitglieder der Ritterorden den Kampf gegen ›Ungläubige‹. Der Deutsche Orden wurde auf dem 3. Kreuzzug **1190 gegründet.** 1226 wurde er durch Herzog Konrad von Masowien zur Bekämpfung der heidnischen Preußen herbeigerufen und erhielt von Kaiser Friedrich II. das Recht, das unterworfene und bekehrte Land in eigene Herrschaft zu nehmen. 1308 gewann der Orden Pommerellen mit Danzig, 1346 Estland, 1398 Gotland. Seit 1309 war die **Marienburg** der Sitz des Hochmeisters des Deutschen Ordens. In der Auseinandersetzung mit Polen unterlag der Deutsche Orden 1410 in der **Schlacht bei Tannenberg.** 1466 ging im 2. Thorner Frieden die Westhälfte Preußens mit der Marienburg an Polen verloren. Der Rest des Ordensstaates kam 1525 als weltliches Herzogtum Preußen unter polnische Lehnshoheit und wurde 1618 in Personalunion mit Brandenburg vereinigt.

Deutscher Sportbund, Abkürzung **DSB,** Dachorganisation der Sportfachverbände und Landessportbünde in Deutschland. Aufgaben des DSB sind die Förderung des Sports, die Vertretung der Sportinteressen gegenüber der Öffentlichkeit und die Vertretung des deutschen Sports im Ausland.

deutsche Sprache, die vor allem in der Bundesrepublik Deutschland, in Österreich und in Teilen der Schweiz gesprochene Sprache, die zur Gruppe der →germanischen Sprachen gehört. Von den übrigen germanischen Sprachen unterscheidet sie sich durch die zweite, die **hochdeutsche Lautverschiebung,** die im 7. Jahrh. das Hochdeutsche vom Niederdeutschen trennte (damals wandelte sich z.B. Schi**pp** zu Schi**ff**; Wa**t**er zu Wa**ss**er; **P**erd zu **Pf**erd). Deutsch gilt als eine der wortreichsten Sprachen. Wortzusammensetzungen können beliebig neu geschaffen werden.

Die Entwicklung der deutschen Sprache wird in 3 Zeitabschnitte unterteilt:

1) **Althochdeutsch** von etwa 750 bis 1100. In dieser Zeit, in der vor allem Mönche die Sprache aufgeschrieben haben, war sie von Wörtern aus dem christlichen Lebensbereich und der Klosterkultur geprägt.

2) **Mittelhochdeutsch** von 1100 bis 1350. Die weltlich-höfische Kultur der Ritter im Mittelalter, die in der Dichtung besonders von Frankreich beeinflusst war, erweiterte den Wortschatz um Ausdrücke aus dem höfischen und später auch aus dem philosophischen und handwerklichen Bereich.

3) **Neuhochdeutsch,** seit 1500, ist die im gesamten deutschen Sprachraum verwendete Schriftsprache, die vor allem durch die Schriften Luthers und seine Bibelübersetzung verbreitet wurde und auf den Grundlagen der Amts- und Kanzleisprache entstand. Die Übergangszeit vom Mittel- zum Neuhochdeutschen, 1350 bis 1500, nennt man auch **Frühneuhochdeutsch.**

Deut

Die deutsche Sprache verfügt über 2 Numeri (→Numerus); sie hat 4 →Kasus, →Deklination und →Konjugation. Durch die Möglichkeiten der →Flexion ist die Wortstellung im Satz nicht festgelegt. Die Endstellung des Verbs im Nebensatz ist eine Besonderheit der deutschen Sprache. Die Betonung liegt auf der Stammsilbe. Der Wortschatz erweitert sich ständig; so wurden z. B. seit Ende des Zweiten Weltkriegs besonders englische und amerikanische Bezeichnungen übernommen wie Hobby, Manager, Team, Punk.

Deutsches Reich, amtlicher Name des deutschen Staates zwischen 1871 und 1945. Das Deutsche Reich war ein Bundesstaat. Staatsoberhaupt war 1871–1918 der König von Preußen als erblicher Kaiser. Damals gehörten 22 Königreiche und Fürstentümer, 3 Stadtstaaten sowie das 1871 angegliederte Reichsland Elsass-Lothringen zum Deutschen Reich. In der Zeit der →Weimarer Republik umfasste es 18 Länder. Zur Zeit des →Nationalsozialismus wurden die bundesstaatlichen Organe der Herrschaft der Partei untergeordnet (›Gleichschaltung‹).

Als ›deutsches Reich‹ bezeichnet man auch das **Heilige Römische Reich Deutscher Nation** (→Heiliges Römisches Reich), das im deutschen Raum bis 1806 bestanden hat.

Deutsches Sportabzeichen, Auszeichnung für eine sportliche Vielseitigkeitsprüfung. Als Prüfung muss innerhalb eines Jahres in 5 Sportgruppen je eine festgelegte Mindestleistung erbracht werden. Das Abzeichen wird in Bronze, Silber und Gold verliehen. Ergänzend dazu gibt es das **Deutsche Schülersportabzeichen** (in Bronze, Silber, Gold), das **Deutsche Jugendsportabzeichen** (in Bronze, Bronze mit Silberkranz, Silber) sowie das **Deutsche Sportabzeichen unter Behindertenbedingungen** und das **Deutsche Jugendsportabzeichen unter Behindertenbedingungen.**

Deutsch-Französischer Krieg von 1870/1871, der Krieg Frankreichs gegen Preußen, dem die süddeutschen Staaten zur Seite standen. Die →Emser Depesche hatte die Kriegserklärung Frankreichs am 19. 7. 1870 zur Folge. Der Sieg Preußens und seiner Verbündeten bei Sedan führte zur Kapitulation der französischen Truppen und zur Gefangennahme des französischen Kaisers Napoleon III. In Paris wurde daraufhin die Republik ausgerufen; schnell aufgestellte Befreiungsarmeen wurden von den bis nach Paris vorrückenden deutschen Truppen besiegt. Schon vor dem Ende des Krieges war am 18. 1. 1871 in Versailles der preußische König Wilhelm I. zum Deutschen Kaiser ausgerufen worden. Im Mai 1871 beendete der **Frankfurter Friede** den Krieg: Frankreich verlor das Elsass, die deutschsprachigen Teile Lothringens und Metz und musste eine hohe Kriegsentschädigung leisten.

Deutsch-Französischer Vertrag, Elysée-Vertrag, abgeschlossen am 22. 1. 1963 zwischen Bundeskanzler Konrad Adenauer und Präsident Charles de Gaulle im Elysée-Palast; sollte als Ausdruck der deutsch-französischen Aussöhnung nach dem Zweiten Weltkrieg eine dauerhafte Zusammenarbeit sicherstellen. Vereinbart wurde z. B. das Deutsch-Französische Jugendwerk für den Jugendaustausch.

Deutschland
Fläche: 356 959 km²
Einwohner: 80,975 Mio.
Hauptstadt: Berlin
Regierungssitz: Bonn
Amtssprache: Deutsch
Nationalfeiertag: 3. 10.
Währung: 1 Deutsche Mark (DM) = 100 Deutsche Pfennige (Pf)
Zeitzone: MEZ

Deutschland, amtlich **Bundesrepublik Deutschland,** Bundesstaat in Mitteleuropa. Er grenzt im Norden an Dänemark, im Osten an Polen und die Tschechische Republik, im Süden an Österreich und die Schweiz, im Westen an Frankreich, Luxemburg, Belgien und die Niederlande. Deutschland hat Anteil an Tiefland, Mittelgebirge und Hochgebirge. Das **Norddeutsche Tiefland** umfasst Marschen und die Geest sowie den Baltischen Höhenrücken mit zahlreichen Seen (Mecklenburgische Seenplatte); seine Oberflächenformen sind zum großen Teil während der Eiszeiten gebildet worden. Dem Marschland vorgelagert sind das Watt und die Friesischen Inseln, an der buchtenreichen Ostseeküste die Insel Rügen. Hügelige Gebiete wie die Lüneburger Heide wurden von den Gletschern aufgeschüttet. Das Elbe-Oder-Tiefland greift mit fruchtbaren Löss- und Schwarzerdeböden in Buchten in die sich südlich anschließende Mittelgebirgslandschaft ein.

Die Zone der **Mittelgebirge** erstreckt sich im nördlichen Teil vom Rheinischen Schiefergebirge im Westen über das Hessische Bergland und das Weserbergland bis zum Harz, dem Thüringer Wald und dem Erzgebirge. Der Südteil umfasst den Pfälzer Wald und den Schwarzwald im Wes-

Deutschland
Staatswappen

Staatsflagge

ten, das schwäbisch-fränkische Schichtstufenland und den Bayerischen Wald und Böhmerwald im Osten. Die Mittelgebirge bestehen aus Gesteinen des Erdaltertums (Paläozoikum) und des Erdmittelalters (Mesozoikum). Ihre größten Höhen sind der Feldberg im Schwarzwald (1 493 m) und der Große Arber im Bayerischen Wald (1 456 m).

Der Anteil Deutschlands am **Hochgebirge** ist gering; er umfasst nur einen schmalen Teil vom Nordrand der Alpen. Hier liegt Deutschlands höchster Berg, die Zugspitze, mit 2 962 m.

Das Klima ist im Westen ein Übergangsklima zwischen See- und Landklima, der Osten ist stärker kontinental geprägt. Die Januartemperaturen liegen im Westen um den Gefrierpunkt, im Osten etwas niedriger, können aber bei Winden aus Nord- und Osteuropa wesentlich tiefer sinken. Die Sommertemperaturen betragen durchschnittlich 18 °C.

Die Zusammensetzung der Bevölkerung, die zu mehr als 4/5 in Städten lebt, hat sich nach dem Zweiten Weltkrieg stark geändert. 12 Millionen Vertriebene und Flüchtlinge aus den ehemaligen deutschen Ostgebieten und aus der ehemaligen Deutschen Demokratischen Republik wurden in den westlichen Bundesländern aufgenommen. Auch heute noch kommen deutsche Übersiedler aus osteuropäischen Staaten nach Deutschland. Ausländer stellen rund 8,5 % der Bevölkerung; ein großer Teil davon sind Gastarbeiter mit ihren Familien. Da die Zahl der Geburten geringer ist als die Zahl der Todesfälle, nimmt die Zahl der Deutschen ständig ab und der Anteil der alten Menschen steigt an.

Nach dem Zweiten Weltkrieg wurde die **Wirtschaft** der Bundesrepublik Deutschland nach dem Modell der sozialen Marktwirtschaft geordnet. Die Unternehmen entscheiden in eigener Verantwortung über ihre Produktionsziele. Der Staat schafft durch die Umverteilung von Steuergeldern einen sozialen Ausgleich.

In den neuen Bundesländern, der ehemaligen Deutschen Demokratischen Republik, wurde nach dem Zweiten Weltkrieg die Wirtschaft nach sowjetischem Vorbild gestaltet. Die Wirtschaftsleistung, die im Vergleich mit anderen Ländern des Ostblocks beachtlich war, wurde durch einen Raubbau an Ressourcen und Produktionseinrichtungen erreicht. Nach der Wiedervereinigung erweist sich der Ausgleich zwischen den Arbeits- und Lebensbereichen der alten und der neuen Bundesländer als großes Problem.

Die **Landwirtschaft** spielt im Vergleich zur Industrie eine geringe Rolle. Nur 3 von 100 Beschäftigten arbeiten in der Landwirtschaft, dagegen 36 von 100 in der Industrie und 61 von 100 im Dienstleistungssektor. Mehr als die Hälfte der Fläche der Bundesrepublik Deutschland ist landwirtschaftlich nutzbar. Durch den Einsatz von Maschinen, Kunstdünger und Schädlingsbekämpfungsmitteln sind die Erträge der Landwirtschaft sehr hoch. Auch die Flurbereinigungen haben hier zu Verbesserungen geführt. In den flachen Gebieten des norddeutschen Tieflands gibt es hauptsächlich Großbauern, in den

\multicolumn{5}{c}{Deutschland, Verwaltungsgliederung}
Land	Fläche in km²	Ew. in 1 000	Ew. je km²	Hauptstadt
Baden-Württemberg	35 751	10 149	275	Stuttgart
Bayern	70 553	11 500	162	München
Berlin	889	3 466	3 863	Berlin
Brandenburg	29 476	2 543	89	Potsdam
Bremen	404	684	1 688	Bremen
Hamburg	755	1 689	2 188	Hamburg
Hessen	21 114	5 923	273	Wiesbaden
Mecklenburg-Vorpommern	23 421	1 865	82	Schwerin
Niedersachsen	47 348	7 578	156	Hannover
Nordrhein-Westfalen	34 072	17 679	509	Düsseldorf
Rheinland-Pfalz	19 846	3 881	190	Mainz
Saarland	2 570	1 084	418	Saarbrücken
Sachsen	18 408	4 641	260	Dresden
Sachsen-Anhalt	20 443	2 797	139	Magdeburg
Schleswig-Holstein	15 732	2 680	167	Kiel
Thüringen	16 176	2 546	161	Erfurt
Deutschland	356 959	80 977	223	Berlin

Deutschland: Gewaltenteilung

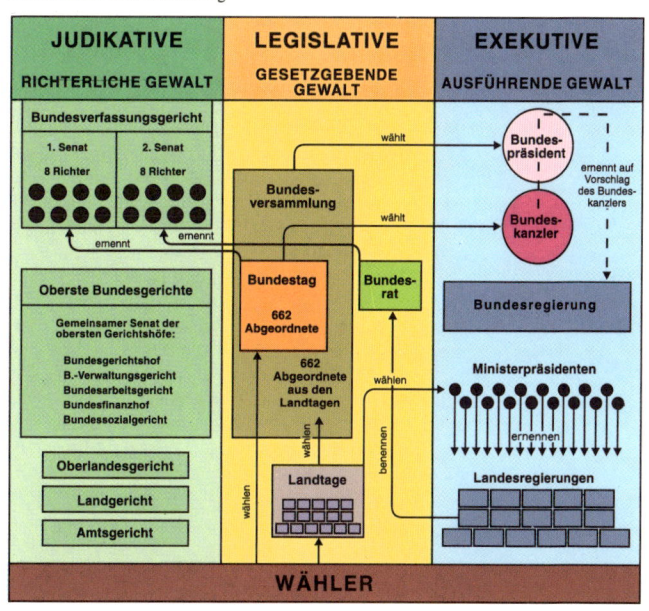

Mittelgebirgslandschaften und in Süddeutschland überwiegen kleinere Betriebe, zum Teil als Zuerwerbs- oder Nebenerwerbsbetriebe. Große Bedeutung in Süd- und Südwestdeutschland haben Sonderkulturen wie Weinbau, Obst und Gemüse, Spargel und Hopfen.

Industrie. Deutschland ist der bedeutendste Industriestaat Europas. An Bodenschätzen besitzt das Land reiche Steinkohlevorkommen im Ruhrgebiet und im Saarland. Braunkohlevorkommen im Raum Halle–Leipzig–Bitterfeld, bei Cottbus in der Niederlausitz und im Raum Aachen–Köln dienen der Energieversorgung. Erdöl und Erdgas werden in Niedersachsen und am Oberrhein gefördert. Die Eisenerzvorkommen im nördlichen Harzvorland werden kaum mehr abgebaut, da die Qualität zu gering ist. Wichtig ist die Förderung von Kalisalz und Steinsalz. **Eisen-** und **Stahlerzeugung** sind im Ruhrgebiet und im Saarland beheimatet. In den Hafenstädten gibt es zahlreiche große **Werften.** Diese Industrien stehen unter dem harten Konkurrenzdruck billig produzierender Länder und sind in eine Krise geraten. Besondere Bedeutung haben der **Maschinen-** und der **Fahrzeugbau.** Standorte sind München, Stuttgart, Rüsselsheim, Wolfsburg, Hannover, Kassel, Bremen, Chemnitz, Kaiserslautern und Wörth am Rhein. Mehr als die Hälfte der Kraftfahrzeuge wird exportiert.

Weltgeltung besitzt auch die **chemische Industrie** mit Großunternehmen in Ludwigshafen, Frankfurt-Höchst und Leverkusen. Daneben machen elektrotechnische, feinmechanische, Nahrungs- und Genussmittelindustrie und viele andere Zweige die Bundesrepublik Deutschland zu einem der wichtigsten Industrieländer der Erde. Jedoch ist hier wie auch in anderen Industriestaaten die Arbeitslosigkeit in den letzten Jahren zunehmend zu einem Problem geworden.

Deutschland besitzt ein sehr engmaschiges und gut ausgebautes Verkehrsnetz. Es umfasst 227 200 km überörtliche Straßen (davon 10 800 km Autobahnen) und rund 410 000 km Gemeindestraßen. Insgesamt sind rund 40 Millionen Kraftfahrzeuge zugelassen.

Das Streckennetz der Eisenbahnen umfasst rund 45 000 km. Das Wasserstraßennetz ist auf etwa 4 500 km schiffbar. Es wurde durch den Bau des Elbe-Seitenkanals erweitert. Der Main-Donau-Kanal (→Rhein-Main-Donau-Großschifffahrtsweg) wurde 1992 fertig gestellt. Die wichtigsten Seehäfen sind Hamburg, Bremen und Bremerhaven, Wilhelmshaven, Emden, Lübeck und Rostock. Der Luftverkehr spielt eine große Rolle. Frankfurt am Main besitzt einen der größten Flughäfen Europas. Weitere wichtige Flughäfen gibt es in Berlin, München, Düsseldorf und Hamburg.

Geschichte. Nach vergeblichen Versuchen der Siegermächte des Zweiten Weltkriegs (USA, Sowjetunion, Großbritannien und Frankreich), dem besiegten Deutschland gemeinsam eine neue politische und gesellschaftliche Ordnung zu geben, entschlossen sich die westlichen Besatzungsmächte (USA, Großbritannien und Frankreich) zur Bildung eines westdeutschen Staates (→deutsche Geschichte) unter ihrer Kontrolle. Die Sowjetunion errichtete in ihrer Besatzungszone eine Verwaltung nach ihren politischen Vorstellungen. 1949 wurde die Deutsche Demokratische Republik gegründet. 1948 erhielten die Ministerpräsidenten der westdeutschen Länder den Auftrag, eine Verfassung für eine parlamentarische Demokratie auszuarbeiten. Am 23. Mai 1949 wurde das Grundgesetz als Verfassung der Bundesrepublik Deutschland verkündet. Nach der politischen Wende in der Sowjetunion, der ›sanften Revolution‹ in der Deutschen Demokratischen Republik und der Öffnung der Grenze zur Bundesrepublik am 9. 11. 1989 wurde durch den Beitritt der Deutschen Demokratischen Republik zur Bundesrepublik Deutschland am 3. 10. 1990 ein souveränes, geeintes Deutschland geschaffen. (KARTE Band 2, Seite 200/201)

Deutschlandfunk, Rundfunkanstalt in Köln, gegründet 1960. Neben einem Programm in deutscher Sprache wird ein Europaprogramm in 11 Sprachen ausgestrahlt.

Deutschlandlied, das Gedicht ›Deutschland, Deutschland über alles‹ von Hoffmann von Fallersleben (1841) mit der Melodie von J. Haydn (1797). Es ist seit 1922 die offizielle deutsche Nationalhymne. Die dritte Strophe ›Einigkeit und Recht und Freiheit‹ wird seit 1952 als offizielle Hymne der Bundesrepublik Deutschland gesungen.

Deutschlandvertrag, am 26. 5. 1952 abgeschlossener, 1955 im Rahmen der →Pariser Verträge in Kraft getretener Vertrag zwischen der Bundesrepublik Deutschland, Frankreich, Großbritannien und den USA. Er beendete die amerikanische, britische und französische Besatzung und gab der Bundesrepublik Deutschland ihre staatliche Eigenständigkeit. Die früheren 3 Besatzungsmächte durften danach Truppen in der Bundesrepublik Deutschland stationieren, behielten grundlegende Rechte in Berlin und blieben für Deutschland als Ganzes (z. B. für seine →Wiedervereinigung) zuständig. Der Deutschlandvertrag ist seit der Wiedervereinigung Deutschlands am 3. 10. 1990 hinfällig.

Deutschordensburgen, zunächst im Weichselbereich angelegte Burgen des Deutschen Ordens; älteste Gründungen sind u. a. Nessau bei Thorn 1230, Marienburg (Westpreußen) 1274 (1309–1457 Hochmeistersitz), dann insgesamt 150 Burggründungen in Ostpreußen, u. a. Königsberg 1255 und in Kurland, Livland und Estland, u. a. Riga 1330. Die Blütezeit war das 14. Jahrh.; an die Kirche schloss das Geviert des ›Konventhauses‹ an; dazu kamen Wehrtürme, ein Bergfried, Ringmauern, Torbefestigungen und der charakterist. Dansker (Abortturm).

Devisen sind ausländische Währungen (z. B. Dollar, britisches Pfund, französischer Franc). In der Bankensprache versteht man unter Devisen jene ausländischen Zahlungsmittel, die gebucht oder verbrieft sind, z. B. Guthaben auf Konten ausländischer Banken und Schecks, die in einer ausländischen Währung ausgestellt sind. Diese Devisen unterscheidet man von den **Sorten**, dem ausländischen Bargeld. Der **Devisenhandel,** bei dem die in- und ausländische Zahlungsmittel gegeneinander getauscht werden, findet an der **Devisenbörse,** dem Markt für Devisen, statt. Durch Angebot und Nachfrage, also den Verkauf und Kauf von Devisen, bildet sich an der Devisenbörse täglich ein Preis für die wichtigsten Währungen, der **Devisenkurs.** Devisenbörsen gibt es in Deutschland in Frankfurt am Main, Berlin, Düsseldorf, Hamburg und München.

Devon, →Erdgeschichte.

Dezi... [zu lateinisch decem ›zehn‹], Vorsatzzeichen **d,** Vorsatz vor →Einheiten für den Faktor
$$\frac{1}{10} = 10^{-1} = 0{,}1;$$
z. B.: 1 Dezitonne = 1 dt = 10^{-1} t = 100 kg.

Dezibel, Kurzzeichen **dB,** Maß für die Größe eines Signals, z. B. der Lautstärke, die auch in →Phon angegeben werden kann.

Dezimalsystem [zu lateinisch decem ›zehn‹], **dekadisches System, Zehnersystem,** das heute allgemein gebräuchliche Zahlensystem, das auf der Grundzahl 10 und damit auf den Zehnerpotenzen beruht. Im Dezimalsystem werden die Zahlen mithilfe von 10 Zahlzeichen, den arabischen →Ziffern 0, 1, 2, 3, 4, 5, 6, 7, 8, 9, dargestellt. Der Wert dieser Ziffern hängt von der Zahldarstellung von der Stelle ab, an der die Ziffer steht. Deshalb spricht man beim Dezimalsystem auch von einem →Stellenwertsystem. Bei der Darstellung einer ganzen Zahl, z. B. der Zahl 72 502, gibt die Ziffer, die am weitesten rechts steht, im Beispiel die 2, die Anzahl der Einer an. Links davon geben die Ziffern die Anzahl der Zehner, Hunderter, Tausender usw. an. Die Zahl 72 502 enthält somit 2 Einer, 0 Zehner, 5 Hunderter, 2 Tausender und 7 Zehntausender. Zusammengefasst gilt:

$$72\,502 = 7 \cdot 10\,000 + 2 \cdot 1\,000 + 5 \cdot 100 + 0 \cdot 10 + 2 \cdot 1$$
oder $\quad 72\,502 = 7 \cdot 10^4 + 2 \cdot 10^3 + 5 \cdot 10^2 + 0 \cdot 10^1 + 2 \cdot 10^0.$

Man erkennt, dass der Wert der Stellen sich von rechts nach links jeweils um das Zehnfache erhöht. Außerdem erkennt man, dass im Beispiel die Ziffer 2 einerseits die Anzahl der Einer und andererseits die Anzahl der Tausender angibt.

Das Dezimalsystem wird auch bei der Darstellung von →Dezimalzahlen angewendet. Bei den Dezimalzahlen wird nach der Einerstelle ein Komma gesetzt. Die rechts vom Komma stehenden Ziffern geben die Zehntel, Hundertstel, Tausendstel usw. an. Man erkennt somit auch hier den Zehneraufbau des Zahlsystems. Ein Beispiel soll den vollständigen Aufbau einer Dezimalzahl verdeutlichen:

$$47{,}807 = 4 \cdot 10 + 7 \cdot 1 + 8 \cdot \tfrac{1}{10} + 0 \cdot \tfrac{1}{100} + 7 \cdot \tfrac{1}{1000} \text{ oder}$$
$$47{,}807 = 4 \cdot 10^1 + 7 \cdot 10^0 + 8 \cdot 10^{-1} + 0 \cdot 10^{-2} + 7 \cdot 10^{-3}.$$

Dezimalzahlen [zu lateinisch decem ›zehn‹]. Für den →Bruch $\frac{1}{10}$ verwendet man auch die Schreibweise 0,1. Genauso gilt:

$$\tfrac{1}{100} = 0{,}01, \quad \tfrac{1}{1000} = 0{,}001, \quad \tfrac{1}{10000} = 0{,}0001 \text{ usw.}$$

Die Zahl 0,348 bedeutet deshalb:

$$0{,}348 = 0 + 3 \cdot \tfrac{1}{10} + 4 \cdot \tfrac{1}{100} + 8 \cdot \tfrac{1}{1000}.$$

Zahlen wie 0,348 nennt man **Dezimalzahlen** oder **Kommazahlen.** Bei den Dezimalzahlen geben die Ziffern links vom Komma die Einer, Zehner, Hunderter usw. an, während die Ziffern rechts vom Komma die Zehntel, Hundertstel, Tausendstel usw. angeben (→Dezimalsystem).

Die Dezimalzahl 0,348 lässt sich auch als Bruch schreiben, denn es gilt:

$$0{,}348 = \tfrac{3}{10} + \tfrac{4}{100} + \tfrac{8}{1000} = \tfrac{300}{1000} + \tfrac{40}{1000} + \tfrac{8}{1000} = \tfrac{348}{1000}.$$

Lässt sich wie im obigen Beispiel die Dezimalzahl als Bruch schreiben, bei dem der Nenner eine Potenz von 10 ist, so spricht man auch von einem **Dezimal-** oder **Zehnerbruch.**

Beim Rechnen mit Dezimalzahlen sind folgende Regeln zu beachten:
1) A d d i t i o n u n d S u b t r a k t i o n. Man addiert oder subtrahiert Dezimalzahlen, indem man

Dezi

Komma unter Komma schreibt und dann stellenweise addiert oder subtrahiert.

Beispiele:
```
45,387 + 16,34 + 0,0375 + 4,1      34,875 − 0,47 − 11,8 − 0,032
   45,387                              34,875
   16,34                                0,47
    0,0375                             11,8
  + 4,1                              −  0,032
   ─────                              ───────
   65,8645                            22,573
```

2) **Multiplikation.** Man multipliziert Dezimalzahlen miteinander, indem man zunächst ohne Rücksicht auf das Komma multipliziert und aus dem Produkt eine Dezimalzahl bildet, die hinter dem Komma ebenso viele Stellen hat, wie die Faktoren nach dem Komma zusammen haben.

Beispiele:
```
 31,23 · 6,5              54,0302 · 0,24
 18738                    1080604
 15615                    2161208
 ──────                   ─────────
 202,995                  12,967248
```

3) **Division.** Man dividiert eine Dezimalzahl durch eine natürliche Zahl, indem man wie bei der Division von natürlichen Zahlen verfährt und beim Überschreiten des Kommas auch beim Quotienten das Komma setzt.

Beispiele:
```
0,117 : 9 = 0,013         55,2 : 24 = 2,3
  0                        48
  1                        72
  0                        72
  11                        0
   9
  ──
  27
  27
  ──
   0
```

Zwei Dezimalzahlen dividiert man, indem man das Komma in beiden Zahlen so lange nach rechts verschiebt, also beide Dezimalzahlen so oft mal 10 nimmt, bis der Divisor (→Grundrechenarten) eine natürliche Zahl ist. Dann rechnet man nach dem oben angegebenen Verfahren weiter.

Beispiele:
```
1,44 : 0,3 = 14,4 : 3 = 4,8    41,04 : 0,076 = 41040 : 76 = 540
  12                             380
  24                             304
  24                             304
  ──                             ───
   0                              00
                                  00
                                  ──
                                   0
```

Anstelle des Bruches $\frac{1}{8}$ kann man auch den Quotienten 1 : 8 schreiben. Führt man die Rechnung aus, so erhält man als Teilungsergebnis die **abbrechende Dezimalzahl** 0,125.

Will man den Bruch $\frac{1}{3}$ = 1 : 3 berechnen, so erhält man die Rechnung:

```
1 : 3 = 0,333...
0
──
10
 9
──
10
 9
──
10
 9
──
 1
```

Man nennt das Ergebnis 0,333... = $0,\overline{3}$ eine **periodische Dezimalzahl** (→Periode).

Jeden Bruch kann man entweder als abbrechende oder periodische Dezimalzahl schreiben.

Dezimeter [zu lateinisch decem ›zehn‹], Einheitenzeichen **dm**, eine Längeneinheit (→Einheiten): 1 dm = 0,1 m.

DFB, Abkürzung für **D**eutscher **F**ußball**b**und (→Fußball).

Dhaka, früher **Dacca, Dakka,** 4,5 Millionen Einwohner, Hauptstadt von Bangladesh, liegt im Delta von Ganges und Brahmaputra.

Diabetes mellitus, die →Zuckerkrankheit.

Diadochen [griechisch ›Nachfolger‹], die Feldherren →Alexanders des Großen, die sich nach dessen Tod (323 v. Chr.) um das Weltreich stritten (›Diadochenkämpfe‹). Schließlich wurde Antigonos Herrscher über Makedonien, Seleukos über Syrien und Ptolemaios über Ägypten.

Diagnose [griechisch ›Unterscheidung‹], das Erkennen einer Krankheit. Um eine **Diagnose zu stellen,** muss der Arzt sehr viele Angaben über den Patienten erfassen, z. B. über frühere Krankheiten, welche Krankheitszeichen (Symptome) bestehen und wie sie sich entwickelt haben. Er fragt nach der Lebensweise (z. B. kann Fabrikarbeit durch das Einatmen von bestimmten Stäuben Lungenkrankheiten zur Folge haben) und den Gewohnheiten (Rauchen), damit er Zusammenhänge mit bestehenden Krankheitszeichen erkennen kann. Besonders wichtige Hinweise ergeben sich aus der Untersuchung des Körpers und des Blutes. Neben den traditionellen Verfahren wie Abtasten, Abklopfen, Abhorchen sowie dem Messen des Blutdrucks und der Körpertemperatur stehen dem Arzt heute eine Reihe hoch spezialisierter technischer Hilfsmittel zur Verfügung (z. B. Computertomographie, Elektrokardiographie, Endoskopie, Ultraschall). Alle so erhaltenen Informationen führen zur Diagnose, nach der sich die Behandlung der Krankheit, die Therapie, richtet.

Diät

Diagonale [griechisch ›durch die Ecken führend‹], Geometrie: die Verbindungsstrecke zweier nicht benachbarter Ecken eines →Vielecks (z. B. eines Vierecks) oder eines →Körpers.

Dialekt [aus griechisch dialektos ›Unterredung‹], →Mundart.

Dialektik [aus griechisch dialektos ›Unterredung‹], Form der philosophischen Beweisführung, in der die Wahrheit einer Sache durch Rede und Gegenrede, Argument und Gegenargument herausgefunden werden soll.

In der antiken Philosophie, besonders bei Sokrates und Platon, ist die Dialektik die Kunst einer geschickten Gesprächsführung: Einander widersprechende Meinungen werden durch logische Beweisführung auf ihre Stichhaltigkeit hin geprüft.

Im engeren Sinn versteht man heute unter Dialektik ein Verfahren, das von der idealistischen Philosophie von Fichte (*1762, †1814) und Hegel (*1770, †1831) herkommt und die Entwicklung der geistigen Wirklichkeit (Kunst, Religion, Staat) in dem für das dialektische Denken charakteristischen Dreischritt **These – Antithese – Synthese** beschreibt. Ein Beispiel dafür ist Hegels Darstellung des Fortschritts im Bewusstsein der Freiheit. Auf der ersten Stufe der politischen Entwicklung **(These)** gibt es nur einen Freien, den Despoten oder Tyrannen, der alle anderen unterdrückt. Die Tyrannei des Einzelnen wird verneint **(Antithese)** durch den zweiten Schritt, den der Adel oder die Aristokratie unternimmt, um frei zu werden. Dies ist das Zeitalter, in dem die Masse unfrei, **viele Einzelne** jedoch frei sind, um ihre Geschicke selbst zu bestimmen. Die **Synthese** bringt schließlich den wahren geschichtlichen Fortschritt. In der Demokratie hat **jeder Einzelne** und nicht mehr nur eine gesellschaftliche Minderheit die Chance, in freier Selbstbestimmung das politische Leben zu gestalten.

Dialog [griechisch ›Zwiegespräch‹], Unterredung zwischen 2 oder mehreren Personen. Als literarisches Stilmittel wird der Dialog vor allem im Drama eingesetzt, wo er zusammen mit dem →Monolog das wesentliche formgebende Element ist. Von dem Geschick, mit dem der Dramatiker Dialoge zusammenfügt, hängt ein Großteil der Wirkung des Stücks ab. In erzählender Dichtung dient der Dialog der lebendigen Darstellung an Höhepunkten des Geschehens. Als selbstständige literarische Form tritt er besonders in der philosophischen Literatur auf. Im philosophischen Dialog wird durch die verschiedenen Gesprächsteilnehmer das Thema von verschiedenen Seiten aus betrachtet. Eine beliebte Form war der Dialog nicht nur in der griechischen Antike, sondern auch im →Humanismus, in der →Aufklärung und bei einigen Schriftstellern des 20. Jahrh. (z. B. Bertolt Brecht, Gottfried Benn).

Diamant [von griechisch adamas ›Unbezwingbares‹], das härteste Mineral, eine kristallisierte Form des Kohlenstoffs. Diamanten findet man im Kimberlit, dem Füllgestein trichterförmiger, vulkanischer Durchschlagsröhren. Förderländer sind vor allem Zaire, Russland, die Republik Südafrika und Botswana. Der bisher größte gefundene Diamant ›Cullinan‹ hatte 3 106 Karat (= 621,2 g) und wurde in 105 Steine zerlegt, von denen der größte mit 530 Karat Teil der britischen Kronjuwelen ist. Drei Viertel der Weltförderung sind jedoch nur als **Industriediamanten** in Werkzeugen zum Bohren, Schleifen und Schneiden zu verwenden. Industriediamanten können auch künstlich hergestellt werden.

In der Antike galt der Diamant als unzerstörbar, er wurde nur selten als Schmuckstein verwendet. Bis ins Mittelalter glaubte man, dass er die Wirkung von Giften sowie Depressionen und Wahnsinn verhindern könne. Das Schleifen und Polieren der Steine begann im 14. Jahrh.; um 1650 entstand der Brillantschliff. Farbe, Reinheit, Gewicht und Schliff machen den Wert eines Diamanten aus. Der Reiz des Steins beruht auf dem durch starke Lichtbrechung bewirkten hohen Glanz und dem Farbenspiel.

Diamant: OBEN Rohdiamant; UNTEN geschliffener Diamant (Brillant)

Diana, bei den Römern die Göttin der Wälder, ursprünglich auch Mondgöttin. In der griechischen Götterfamilie entspricht ihr →Artemis.

Diapositiv, kurz Dia, ein Foto, das sich auf einem durchsichtigen Kunststoffträger befindet. Es hat im Gegensatz zum Negativ bereits die richtige Farb- oder Schwarzweißtönung. (→Film)

Diät [aus griechisch diaita ›Lebensweise‹], 1) eine Form der Ernährung, die durch bestimmte Regeln festgelegt ist. Häufig wird dadurch die gesamte Lebensweise beeinflusst, z. B. muss der Zuckerkranke regelmäßig zu vorgeschriebenen Zeiten seine genau abgewogenen Mahlzeiten einnehmen. Andere ärztlich verordnete Diäten erfordern oft eine Beschränkung einzelner Nährstoffe, z. B. Flüssigkeit, Kochsalz, Fett. Bei Diäten zum Abnehmen wird häufig ein Bestandteil der Nahrung bevorzugt (Kartoffeldiät, Brotdiät) oder völlig auf Nahrung verzichtet (Nulldiät, →Fasten).

2) Diäten nennt man auch die Aufwandsentschädigung für Parlamentarier, die ihre finan-

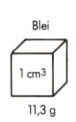

Dichte:
Kubikzentimeterwürfel aus verschiedenen Stoffen und verschiedenen Massen

Kork 1 cm³ 0,2 g
Wasser 1 cm³ 1 g
Aluminium 1 cm³ 2,7 g
Blei 1 cm³ 11,3 g

zielle Unabhängigkeit sichern soll (→Abgeordneter).

Dichte. Betrachtet man von verschiedenen Stoffen ein Volumen von 1 cm³, so haben diese Stoffe alle eine unterschiedliche →Masse. Ein Aluminiumwürfel von 1 cm³ z. B. hat eine größere Masse als ein Korkwürfel. Man sagt, der Aluminiumwürfel ist ›dichter gepackt‹ als der Korkwürfel oder Aluminium hat eine größere Dichte als Kork.

Unter der Dichte eines Stoffes, die man mit dem griechischen Buchstaben ϱ (Rho) kennzeichnet, versteht man den Quotienten aus der Masse m und dem Volumen V eines Körpers:

$$\text{Dichte} = \frac{\text{Masse}}{\text{Volumen}} \quad \varrho = \frac{m}{V}$$

Die SI-Einheit der Dichte ist $\frac{kg}{m^3}$. Die Dichte von festen und flüssigen Körpern wird jedoch meist in $\frac{g}{cm^3}$ oder $\frac{kg}{dm^3}$ angegeben. Da die Masse eines Körpers von seinem Ort unabhängig ist, ist auch die Dichte eines Stoffes (im Gegensatz zur →Wichte) überall gleich. Sie ist eine **Materialkonstante**, ihre Werte sind in Tabellen zusammengestellt.

Einige Dichtewerte:

Feste Stoffe	Dichte in $\frac{g}{cm^3}$	Flüssigkeiten	Dichte in $\frac{g}{cm^3}$ bei 18 °C	Gase	Dichte in $\frac{g}{cm^3}$ bei 0 °C und 1 013 mbar
Gold	19,3	Olivenöl	0,92	Chlor	3,21
Marmor	2,5	Petroleum	0,85	Luft	1,29
Messing	8,3	Quecksilber	13,55	Sauerstoff	1,43
Tannenholz	0,5	Wasser	1	Stickstoff	1,25
				Wasserstoff	0,0899

Dichtung, allgemein die Dichtkunst (Poesie), im engeren Sinn das Sprach- oder Wortkunstwerk, das auch als literarisches Kunstwerk bezeichnet wird. Dichtung ist ein Teilbereich der →Literatur. Im Unterschied zur alltäglichen Mitteilungssprache ist die dichterische Sprache vieldeutig und vielschichtig; sie hat vor allem ästhetische Funktionen, das heißt, sie schafft für sich bestehende künstlerische Gebilde.

Die geschichtliche Entwicklung der Dichtung ist Arbeitsgebiet der **Literaturgeschichte;** Theorien über die Dichtung formuliert die **Poetik.** Die Arten und Gattungen der Dichtung (Lyrik, Epik und Dramatik) untersucht die **Gattungspoetik.**

Dickens. In seinen Werken stellte der englische Schriftsteller **Charles Dickens** (*1812, †1870) das Alltagsleben der unteren Gesellschaftsschichten im London des 19. Jahrh. dar: die Not der Arbeiter, das düstere Dasein in den Armenvierteln und das Milieu der Kriminellen, z. B. in dem Roman ›Oliver Twist‹ (1837/38). Dickens' Kritik an sozialen Missständen wie den schlechten Bedingungen in Fabriken und Gefängnissen und an der damals üblichen Kinderarbeit bewirkte verschiedene Verbesserungen in diesen Bereichen. Wie die Titelgestalt seines Romans ›David Copperfield‹ (1849/50) musste auch Dickens schon als Kind in einer Fabrik arbeiten, weil sein Vater im Schuldgefängnis saß. Die ärmlichen Verhältnisse, in denen der Schriftsteller aufwuchs, erlaubten ihm nicht, eine höhere Schule zu besuchen. Dennoch arbeitete er sich zum Reporter empor und veröffentlichte zunächst in verschiedenen Zeitschriften kleine Erzählungen. Auch seine folgenden Romane, unter anderem ›Die Pickwickier‹ (1837–38) und ›Der Raritätenladen‹ (1840–41), erschienen meist zuerst in Monatsblättern. Ein breites Publikum lernte dadurch die schrulligen Sonderlinge, die Bösewichte und Kindergestalten des Schriftstellers kennen, die er in seiner einfachen Sprache sehr einprägsam darstellte und deren Schwächen er mit Humor schilderte.

Dienstleistung, jede wirtschaftliche Handlung, die nicht der Herstellung von Gütern dient, z. B. der Verkauf von Gütern im Groß- und Einzelhandel, die Tätigkeit bei Banken, Versicherungen, in öffentlichen Ämtern und Einrichtungen wie Polizei, Schulen und Verwaltung, die Arbeit in Krankenhäusern, Hotels, Gaststätten, Transportunternehmen und an Tankstellen.

Der Dienstleistungsbereich ist neben Landwirtschaft und Industrie der dritte Wirtschaftsbereich einer Volkswirtschaft. Gegenüber früheren Jahrhunderten, in denen zunächst die Landwirtschaft als **primärer Sektor** vorherrschend war und später die Industrie als **sekundärer Sektor** (besonders seit der zweiten Hälfte des 19. Jahrh.) stark wuchs, hat der **tertiäre Sektor,** der Dienstleistungsbereich in den letzten Jahrzehnten zunehmend an Bedeutung gewonnen und erbringt in Deutschland heute über 60% des gesamten Wertes der Volkswirtschaft (Bruttosozialprodukt).

Diesel. Als Student lernte **Rudolf Diesel** (*1858, †1913), dass in einem Verbrennungsmotor nur ein geringer Teil der umgesetzten Energie genutzt wird. Er versuchte daher, einen im Verbrauch sparsameren Motor zu konstruieren. 1892 erhielt er ein Patent für den später nach ihm benannten →Dieselmotor, der einen höheren

Charles Dickens

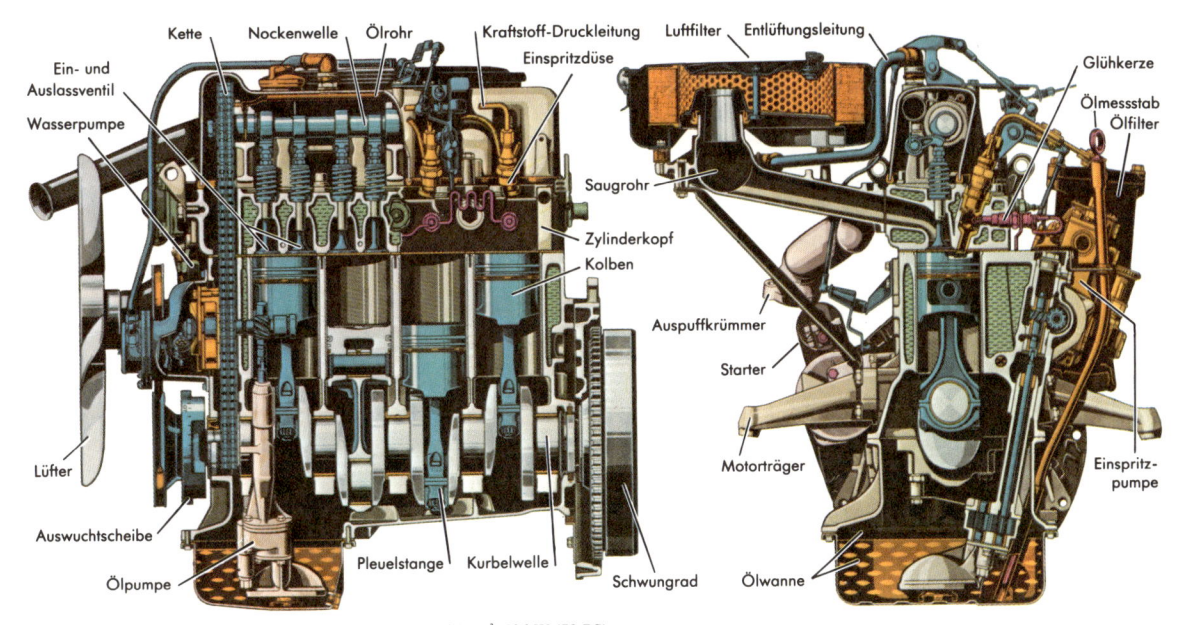

Diff

Dieselmotor: 4-Zylinder-Reihenmotor (Daimler-Benz), 2404 cm³, 53 kW (72 PS)

Wirkungsgrad als der Ottomotor hat. Als er 1893–97 mit der Maschinenfabrik Augsburg und der Firma Krupp zusammenarbeitete, konnte sein Motor zur Reife entwickelt werden.

Dieselkraftstoff, Dieselöl, der für Dieselmotoren bestimmte Kraftstoff, der höher siedende Kohlenwasserstoffe als Benzin enthält.

Dieselmotor, von Rudolf →Diesel erfundener →Verbrennungsmotor. Er saugt nicht ein Luft-Kraftstoff-Gemisch an wie der →Ottomotor, sondern reine Luft. Diese wird im Zylinder vom Kolben hoch verdichtet und damit so stark erhitzt, dass der eingespritzte Dieselkraftstoff sich von selbst entzündet. So braucht der Dieselmotor keine Zündanlage wie der Ottomotor, sein Wirkungsgrad ist höher, der Kraftstoffverbrauch niedriger. Überdies enthalten die Abgase des Dieselmotors weniger Schadstoffe. Nachteilig ist sein größeres Gewicht, weil er wegen der höheren Drücke stärker gebaut sein muss. Damit erhöht sich der Preis, aber auch die Lebensdauer. Technische Weiterentwicklungen haben den lauten, rauen Lauf des Dieselmotors gemildert, den Drehzahlbereich erhöht und die Bedienung vereinfacht.

Deshalb wird der Dieselmotor immer häufiger auch in Personenkraftwagen eingebaut. In Lastkraftwagen, Omnibussen, Baggern, Traktoren, Motorschiffen und -booten wird er fast ausschließlich verwendet. Auf den Eisenbahnstrecken der meisten Länder verkehren Diesellokomotiven und viele Kraftwerke werden mit Dieselmotoren betrieben.

Dietrich von Bern, eine Gestalt der germanischen Heldensage, in der der historische Ostgotenkönig **Theoderich der Große** weiterlebt. Doch die Sage weicht von den historischen Ereignissen ab. Während in der Geschichte Theoderich den germanischen Heerführer Odoaker besiegt, muss in der Sage Dietrich von Bern vor ihm fliehen. Erst nach abenteuerlichen Ereignissen gelingt es Dietrich sein Reich zurückzuerobern. Auch im →Nibelungenlied, in dem er das Ideal eines ritterlichen Helden verkörpert, tritt Dietrich in Erscheinung. Zu seinen Kampfgenossen gehört der Zwergenkönig Laurin.

Differenz [lateinisch ›Verschiedenheit‹], allgemein: Unterschied; in der Mathematik das Ergebnis einer Subtraktionsaufgabe (→Grundrechenarten).

Differenzialgetriebe: 1 Antriebskegelrad (Kraftübertragung vom Motor), **2** Tellerrad, **3** Ausgleichskegelräder (mit Tellerrad fest verbunden), **4** Kegelräder für den Radantrieb, **5** Radantriebswellen

Differenzialgetriebe

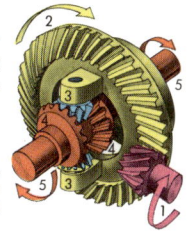

Differenzialgetriebe, Ausgleichsgetriebe, ein →Getriebe im Kraftwagen, das die Aufgabe hat, die Antriebskraft des Motors auf die Antriebsräder gleichmäßig zu verteilen. Außerdem sorgt das Differenzialgetriebe dafür, dass sich in Kurven das innere Rad langsamer dreht als das äußere. Der Bauart nach ist das Differenzialgetriebe ein **Planetengetriebe** oder **Umlaufrädergetriebe**. (BILD Seite 215)

Digitalschallplatte, →Compactdisc.

Diktator, 1) der Inhaber unumschränkter Macht im Staat, →Diktatur.

2) im frühen römischen Staatsrecht ein Beamter, der die unumschränkte Befehlsgewalt über den Staat hatte. Ein Diktator wurde für höchstens 6 Monate eingesetzt, wenn der Staat durch eine Notzeit (z. B. Krieg) in Gefahr war.

Diktatur, die unumschränkte Ausübung der Macht im Staat durch eine Person oder mehrere. Die zeitlich unbegrenzte Herrschaft eines Einzelnen oder einer politischen Gruppe ist verbunden mit der Unterdrückung politisch anders denkender Gruppen und Einzelpersonen. Die Grund- und Mitwirkungsrechte des Bürgers sind dabei weitgehend oder ganz ausgeschaltet. Neben der zeitlich unbegrenzten Diktatur gibt es auch eine zeitlich begrenzte (z. B. →Diktator 2). In demokratisch regierten Staaten können Regierungen durch die Verfassung größere Befugnisse erhalten, wenn der Staat von innen (Unruhen) oder außen (akute Kriegsgefahr) bedroht ist (→Notstandsverfassung).

Diktatur des Proletariats, grundlegender Begriff des →Marxismus.

Dill, →Gewürzpflanzen.

Diluvium [lateinisch ›Überschwemmung‹], die veraltete Bezeichnung für das quartäre Eiszeitalter, das Pleistozän (→Eiszeit).

Dimmer [zu englisch to dim ›verdunkeln‹], Steuerungseinrichtung für Glühlampen, mit deren Helligkeit stufenlos eingestellt werden kann. Ein Dimmer ist eine elektronische Schaltung, die die Leistungsaufnahme der Lampe begrenzt.

DIN, Abkürzung für Deutsches Institut für Normung e. V. in Berlin. DIN gibt Normblätter heraus, auf denen physikalische Einheiten und technische Erzeugnisse (z. B. Schrauben, Mauersteine, Stecker, Kabel) beschrieben und auf bestimmte Beschaffenheit und Abmessungen beschränkt und vereinheitlicht, das heißt genormt werden. Ein Beispiel sind die DIN-Formate für Papier. Diese Normformate gehen von $1\,m^2$ Grundfläche aus. Durch fortgesetztes Halbieren erhält man alle anderen Formate.

Ding, Thing, bei den Germanen die Volks- und Gerichtsversammlung. Zu bestimmten Terminen, z. B. bei Mondwechsel, versammelten sich alle freien, wehrfähigen Männer eines Dorfes oder eines Stammes am Tage unter freiem Himmel. Der Versammlungsort hieß **Dingstätte** und galt als heiliger Ort. Die Versammelten erschienen mit ihren Waffen, da das Ding zugleich eine Heerschau war. Sie wählten ihre Fürsten oder erhoben ein Herzog auf den Schild als Führer eines bevorstehenden Feldzugs. Beim Ding wurden sowohl politische Fragen beraten als auch Streitfälle geschlichtet und Verbrecher verurteilt. Die Beschlüsse des Dings mussten einstimmig sein. Ein Übeltäter wurde bis zum Ding in Haft gehalten und gefesselt zur Dingstätte geführt; daher rührt der Ausdruck ›jemanden dingfest machen‹. In Dänemark heißt die Volksvertretung heute noch ›Folketing‹, in Norwegen ›Storting‹.

Dingi, Dinghi, das kleinste Beiboot auf Schiffen. Es ist zum Segeln oder zum Rudern durch einen Mann eingerichtet und trägt 2–3 Mann.

Dinosaurier, eine Gruppe der →Saurier.

DIN-Zahl, Maß für die →Lichtempfindlichkeit von fotografischem Material.

Diode [zu griechisch dis ›zweifach‹ und hodos ›Weg‹], Halbleiterbauelement der Elektronik mit 2 Anschlüssen. Dioden besitzen eine deutlich ausgeprägte Stromrichtungsabhängigkeit **(Ventilwirkung).** In Durchlassrichtung betrieben fließt bei zunehmender, zwischen den beiden Anschlüssen angelegter Spannung ein stark ansteigender Durchlassstrom; in Sperrrichtung fließt zunächst ein sehr geringer Sperrstrom, der erst bei Überschreiten eines bestimmten Grenzwertes steil ansteigt. Verantwortlich für den Leitungsmechanismus ist der im Halbleiterkristall durch Dotierung gebildete p-n-Übergang. Zur Herstellung sind besonders Silicium, daneben je nach Anwendungszweck Germanium, Galliumarsenid und andere Halbleitermaterialien geeignet. Dioden werden zum Gleichrichten von Wechselströmen, zur Spannungsstabilisierung, für optoelektronische Zwecke (z. B. Leuchtdiode) und in vielfältiger Form für spezielle Aufgaben eingesetzt.

Als Diode wird auch die **Elektronenröhre** bezeichnet, die nur eine Kathode und eine Anode (kein Gitter) besitzt.

Diokletian, mit vollem Namen **Gaius Aurelius Valerius Diocletianus** (* um 240, † wohl 313), stieg vom einfachen Soldaten zum Befehlshaber der kaiserlichen Leibgarde auf und wurde 284 von seinen Soldaten zum römischen Kaiser erhoben. Durch straffe Regierung und Reformen festigte er das Reich nach innen; die Last seiner Wirtschaftsreformen mussten jedoch vor allem die Bauern tragen. Neben der politischen Einheit strebte er die religiöse Einheit an, die in der Verehrung des Kaisers als Gott gipfelte. 303 begann eine umfassende Christenverfolgung. Als Diokletian 305 erkrankte, dankte er ab und zog sich in seinen großartigen Palast in Spalato (Split in Dalmatien) zurück.

Dionysos, von den Römern **Bacchus** genannt, war in der griechischen Sage der Gott des Weines, der Fruchtbarkeit und der Ekstase. Die Feste zu seinen Ehren waren ausgelassen und zügellos und wurden häufig maskiert gefeiert. Umgeben war Dionysos von rasenden Frauen mit aufgelöstem Haar (Mänaden), Dämonen mit Bocksschwänzen (Satyrn) und anderen Fabelwesen (Silenen, Nymphen).

Dioptrie, Einheitenzeichen **dpt,** gesetzliche Einheit der →Brechkraft optischer Systeme. Misst man die Brennweite optischer Systeme, z. B. eines Brillenglases, in Metern (m), so ergibt sich für die Brechkraft die Einheit $\frac{1}{m} = m^{-1}$, wofür man die Bezeichnung Dioptrie eingeführt hat. 1 dpt = 1 m^{-1}.

Dioskuren [griechisch ›Söhne des Zeus‹]. Die Zwillingsbrüder **Kastor** und **Polydeukes,** von den Römern **Castor** und **Pollux** genannt, wurden als Söhne des Zeus verehrt. Pollux war als Faustkämpfer bekannt, Castor als Rossebändiger. Gemeinsam bestanden sie viele Abenteuer. So eroberten sie ihre von dem attischen König Theseus entführte Schwester Helena zurück und nahmen am Zug der →Argonauten teil.

Dioxin, hochgiftige organische Verbindung, die bei der Herstellung von Pflanzen- und Holzschutzmitteln als unerwünschtes Nebenprodukt entsteht, aber auch bei Müll- und anderen Verbrennungsprozessen gleichsam überall gebildet werden kann. Dioxin, das sich schwer nachweisen lässt, ist bereits in Konzentrationen von 1 Billionstel Gramm **giftig;** es kann Missbildungen und Krebs hervorrufen.

Diözese [aus griechisch dioikesis ›Verwaltung‹], das Bistum (→Bischof).

Diphtherie, ansteckende Krankheit, die meist in bestimmten Jahreszeiten (Winter) und in bestimmten Jahren eines Jahrhunderts auftritt. Sie ist beim Gesundheitsamt meldepflichtig. Der Erreger ist ein keulenförmiges Bakterium, das durch Tröpfchen beim Husten oder Niesen von erkrankten Menschen übertragen wird. Die Inkubationszeit beträgt 2–7 Tage. Die Bakterien siedeln sich auf der Schleimhaut von Mund, Rachen und Kehlkopf an. Es kommt zu Fieber und Schluckbeschwerden. Von den Bakterien wird ein Gift gebildet, das die Zellen zerstört und zur Entstehung von Belägen, z. B. auf den Mandeln oder dem Kehlkopf, führt. Die Stimme wird ›klobig‹ und man kann einen typischen süßlichen Mundgeruch wahrnehmen. Die Belagbildung kann auf die Stimmbänder übergreifen, was zu Heiserkeit, bellendem Husten und Atemnot führt, häufig sogar zu Erstickungsanfällen. Wenn nicht rechtzeitig ein Heilserum gespritzt wird, kann das Gift sich im ganzen Körper ausbreiten und schwerwiegende Folgen haben (Herzschäden, Lähmungen). Eine vorbeugende Maßnahme ist die **Schutzimpfung** im Säuglingsalter.

Dipol [zu griechisch dis ›zwei‹]. Da jeder →Magnet 2 Pole, nämlich einen Nordpol und einen Südpol hat, bezeichnet man ihn auch als **magnetischen Dipol.** Ein **elektrischer Dipol** besteht aus 2 entgegengesetzt geladenen, gleich großen elektrischen Ladungen.

Die **Dipolantenne** ist eine symmetrisch aufgebaute Antenne mit 2 Anschlüssen.

Diskette [englisch-französisch ›kleine (Schall)platte‹], **Floppydisk,** schallplattenähnliche, flexible Scheibe, die mit einer magnetisierbaren Schicht überzogen ist. Sie dient bei elektronischen Datenverarbeitungsanlagen als externer Speicher für Daten und Programme. Die Diskette befindet sich zum Schutz in einer Hülle. Durch einen ovalen Ausschnitt hat der zum Diskettenlaufwerk gehörige Schreib-Lese-Kopf Zugang zur Oberfläche der Magnetscheibe. Informationen können so auf die rotierende Scheibe aufgeschrieben und wieder abgelesen werden.

Diskuswerfen [griechisch diskos ›Scheibe‹], eine leichtathletische Disziplin. Der Diskus, eine Holzscheibe mit Metallkern und Metalleinfassung, wird durch einen Schleuderwurf aus einem Wurfkreis (Durchmesser 2,5 m) heraus geworfen. Der Werfer steht zunächst am hinteren Rand des Wurfkreises, den Rücken zur Wurfrichtung gedreht. Den Diskus hält er in einer Hand. Mit Armen und Oberkörper holt er zum Schwung aus, stürzt sich dann in einer $1\frac{3}{4}$ Drehung zur Mitte des Wurfkreises und schleudert den Diskus aus dieser Drehung heraus ins Feld, wobei er

Dionysos:
Rotfigurige Malerei auf einer Spitzamphora; um 500 v. Chr.

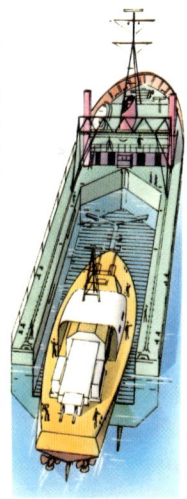

Dock:
Dockschiff

Disn

Djibouti
Staatswappen

Staatsflagge

in die Abwurfbewegung die gesamte Kraft seines Körpers legt. Der Diskus für Herren wiegt 2 kg, der für Damen 1 kg. – Diskuswerfen zählte schon in der griechischen Antike zu den sportlichen Wettbewerben. In der Neuzeit erstmals 1870 in Griechenland wieder ausgetragen, gehört es seit 1896 zum olympischen Programm.

Disney [dịsni]. Der Filmproduzent **Walter Elias Disney** (*1901, †1966), der unter dem Namen **Walt Disney** bekannt wurde, begann seine Filmlaufbahn als Werbezeichner und machte 1922 erste Versuche mit Zeichentrickfilmen. 1928 wurde der erste ›Mickey-Mouse‹-Film aufgeführt. Es folgten ›Donald Duck‹, ›Bambi‹ und ›Pluto‹. Seit 1934 stellte Disney auch Farbfilmserien her und drehte Spielfilme. Großen Erfolg hatten seine Dokumentarfilme wie ›Die Wüste lebt‹ (1953) und die Spielfilme ›20 000 Meilen unter dem Meer‹ (1954) und ›Mary Poppins‹ (1964). Nach seinen Plänen wurde 1955 der Vergnügungspark **Disneyland** in Kalifornien in der Nähe von Los Angeles gegründet; es folgten **Walt Disney World** 1971 in Florida (bei Orlando), 1984 in Tokio-Narita und **Euro Disneyland** 1992 in Marne-la-Vallée bei Paris.

Dispersion, die Farbzerlegung des Lichts (→Farbe).

Display [displẹ, englisch ›Schaustellung‹], Anzeigesystem, das elektrische Signale von Maschinen, Messgeräten, Uhren und Computern in optische, für das menschliche Auge erkennbare Zeichen umwandelt. Dazu gehören z. B. Lampen, 7-Segment-Anzeigen (Leuchtdioden- oder →Flüssigkristallanzeigen), Matrixanzeigen und Bildschirme.

Dịstelfink, der →Zeisig.

Dịsteln wachsen vor allen an Wegen, auf Wiesen und Ödland. Wegen ihrer stacheligen Stiele und Blätter werden sie von Tieren und Menschen gemieden. Ihre kleinen Früchte schweben im Herbst mithilfe von Haaren davon. Die **Nickende Distel** mit purpurroten ›nickenden‹ Blütenköpfen wird bis 1 m hoch. Die **Silberdistel** der Gebirgswiesen sitzt dicht am Boden und öffnet ihre 6–12 cm breite Blüte nur bei schönem Wetter; sie steht unter Naturschutz.

Dịstichon [griechisch ›Doppelvers‹], →Vers.

Distributịvgesetz [von lateinisch distributio ›Verteilung‹], Mathematik: Für beliebige Zahlen a, b und c gilt das Distributivgesetz: $(a + b) \cdot c = a \cdot c + b \cdot c$ (→Grundrechenarten).

Division [lateinisch ›Teilung‹], 1) eine der 4 →Grundrechenarten.

2) militärischer Großverband, bei der Bundeswehr mit rund 15 000 Mann. Es gibt Panzer-, Panzergrenadier-, Jäger-, Luftlande- und Gebirgsdivisionen.

Djakarta [dschakạrta], →Jakarta.

Djibouti
Fläche: 23 200 km²
Einwohner: 467 000
Hauptstadt: Djibouti
Amtssprachen: Arabisch, Französisch
Nationalfeiertag: 27. 6.
Währung:
1 Djibouti-Franc (FD)
= 100 Centimes (c)
Zeitzone:
MEZ + 2 Stunden

Djibouti, Dschibuti, Republik im Nordosten Afrikas am südlichen Ausgang des Roten Meers. Das Land ist etwa so groß wie Hessen. Trockenheißes Klima lässt nur Dornbuschsavanne als Vegetation zu. Die vorwiegend muslimische Bevölkerung der Afar und Issa betreibt Salzgewinnung, Viehwirtschaft und etwas Fischerei. Haupteinnahmequelle des Landes ist der Hafen Djibouti, über den der Hauptteil des äthiopischen Außenhandels abgewickelt wird. Die ehemalige französische Kolonie wurde 1977 unabhängig. (KARTE Band 2, Seite 194)

DKP, Abkürzung für **D**eutsche **K**ommunistische **P**artei, →kommunistisch.

dm, dm², dm³, Einheitenzeichen für **Dezimeter, Quadratdezimeter** und **Kubikdezimeter** (→Einheiten).

Dnjepr, Fluss in Russland, Weißrussland und in der Ukraine, nach der Wolga der größte Strom Osteuropas. Er ist 2 200 km lang, entspringt nordwestlich von Moskau und mündet ins Schwarze Meer. Auf 1 990 km ist der Dnjepr schiffbar, wobei er im Oberlauf bis zu 240, im Unterlauf bis zu 285 Tage eisfrei bleibt. Durch Kanäle zu Düna, Memel und Weichsel hat der Dnjepr Verbindung zur Ostsee.

DNS, Abkürzung für **D**esoxyribo**n**uclein**s**äure, eine →Nucleinsäure, die im Zellkern vorkommt.

Dobermann, eine Rasse der →Hunde.

Dock, Anlage, in der Schiffe repariert und überholt werden. Man unterscheidet zwischen Dockhafen, Trockendock und Schwimmdock.

Ein **Dockhafen** ist ein Hafenbecken, das durch Schleusen abgeschlossen ist, sodass der äußere

Disteln:
Ackerdistel

Wasserstand (Ebbe oder Flut) keinen Einfluss hat. Ein **Trockendock** ist ebenfalls ein durch Schleusen oder Docktore abgeschlossenes Becken, das leer gepumpt werden kann. Dadurch können Arbeiten auch am unteren Teil des Schiffes durchgeführt werden. Ein **Schwimmdock** ist ein hohlwandiger Schwimmkörper mit offenen Stirnseiten. Durch Wasserballast lässt es sich so weit absenken, dass ein Schiff hineinfahren kann. Wird das Dock dann leer gepumpt, hebt es sich und mit sich das Schiff ins Trockene. Ein bewegliches Schwimmdock mit eigener Antriebsanlage und Wohnräumen nennt man **Dockschiff**. (BILD Seite 217).

documenta, Name von Ausstellungen internationaler moderner Kunst, die in Abständen von 4–5 Jahren in Kassel stattfinden (1955, 1959, 1964, 1968, 1972, 1977, 1982, 1987, 1992, 1996).

Doge [dosche, von lateinisch dux ›Führer‹]. Im Stadtstaat Venedig wurde bis ins 18. Jahrh. vom Adel ein Doge gewählt, der die oberste militärische und richterliche Gewalt besaß. Auch in Genua gab es das Amt des Dogen.

Dogge, eine Rasse der →Hunde.

Dogma [griechisch ›Meinung‹, ›Lehrsatz‹], ein Satz, in dem die Grundüberzeugung einer Religion ausgedrückt ist. Für die christlichen Kirchen sind Dogmen göttliche Offenbarung, in menschliche Begriffe gefasst. Die Kirchen drücken darin aus, woraus sie leben und was der Maßstab für ihr Lehren und Handeln ist. Ein Dogma kann zwar in Auslegung und Wortlaut der jeweiligen Zeit angepasst werden, jedoch ist sein Inhalt unveränderbar und bildet so das geistige Fundament einer Glaubensgemeinschaft. Vor allem in der katholischen Kirche haben die Dogmen eine große Bedeutung. Sie sind hier bindend für den Glauben der ganzen Kirche und jedes einzelnen Mitglieds.

Dohlen, taubengroße →Rabenvögel mit schwarzgrauem Gefieder und schiefergrauem Nacken, die oft in großen Kolonien in Höhlungen von alten Bäumen, verwitterten Felsen oder hohen Gebäuden nisten. Dohlen leben meist in Dauerehe. Sie fressen Insekten, Mäuse, auch Aas und Abfälle sowie Körner, Beeren und Nüsse. Im Winter sieht man sie zur Nahrungssuche häufig in Schwärmen mit Raben- und Saatkrähen. Wie Elstern haben Dohlen eine besondere Vorliebe für glänzende Dinge, die sie verstecken.

Dolby-System, von dem amerikanischen Erfinder **Ray Dolby** angegebenes Verfahren zur Rauschunterdrückung bei Tonbandaufnahmen. Die heute vorwiegend in Kassettenrecordern eingesetzten Systeme **Dolby-B** und **Dolby-C** vermindern das besonders während leiser Stellen störende Rauschen bei Musikaufnahmen.

Dolde, ein →Blütenstand.

Dollar [aus deutsch ›Taler‹], die Währung in den USA (Abkürzung US-$) und zahlreichen anderen Ländern, z. B. Kanada, Australien, Neuseeland, Hongkong, Singapur und Taiwan. Ein US-$ ist in 100 Cents eingeteilt. Er ist weltweit die bedeutendste Währung (**Leitwährung**), da in ihm die meisten Zahlungen im internationalen Handel und Geldverkehr abgewickelt werden. Diese Rolle des US-$ beruht auf der Wirtschaftskraft und den starken Verflechtungen der USA mit Volkswirtschaften anderer Staaten. Die Einlösepflicht des US-$ in Gold wurde 1971 aufgehoben; seitdem besteht in keinem Land mehr die Pflicht Banknoten in Gold einzulösen.

Dolmen [bretonisch ›Steintisch‹], einfache Form eines →Megalithgrabes. Rund um einen Toten stellten die Menschen der vorgeschichtlichen Zeit auf ebener Erde große Steinblöcke auf und deckten eine steinerne Deckplatte darüber. Solche Grabkammern sind in Frankreich, England und Norddeutschland zu sehen.

Dolomit, das Mineral Calcium-Magnesium-Karbonat, benannt nach dem französischen Mineralogen **Gratet de Dolomieu** (*1750, †1801). Aus Dolomit besteht vorwiegend das gleichnamige Gestein, das durch chemische Umwandlung von Kalkstein entstand. In den Südtiroler Dolomiten tritt das Gestein gebirgsbildend auf. – Aus dem Mineral hergestelltes Sinterdolomit wird zur Auskleidung von Hochöfen verwendet.

Dolomiten, Teil der südlichen Kalkalpen in Italien. Die Dolomiten liegen in dem Winkel zwischen Pustertal und dem Tal der Etsch. Ein dichtes Netz von tiefen Tälern teilt das Gebirge in viele über 3 000 m hohe Gebirgsstöcke. Die höchste Erhebung bildet mit 3 342 m die **Marmolada.** Das Kalkgestein Dolomit, aus dem die nach ihm benannten Dolomiten hauptsächlich bestehen, ist durch Verwitterung in Klötze, Türme, Zinnen und Nadeln aufgelöst, die dem Gebirge sein charakteristisches Aussehen geben. Die überwiegend ladinische (rätoromanische) Bevölkerung lebt außer vom Tourismus vor allem von Land- und Almwirtschaft, Forstwirtschaft sowie Kunstgewerbe. Hauptorte sind **Cortina d'Ampezzo, St. Ulrich** (Grödnertal) und **Canazei.**

Dom [von lateinisch domus ›Haus‹], Bischofskirche (Kathedrale) oder größere Stiftskirche

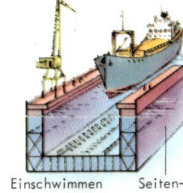

Dock: Schwimmdock

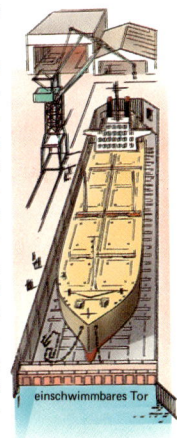

Dock: Trockendock

Domi

(auch Münster genannt). Ein Dom ist gekennzeichnet durch meist sehr stattliche Turmbauten und einen ausgedehnten Chor, in dem die Chorherren im Gottesdienst ihren Platz hatten. Manchmal werden auch besonders große nichtbischöfliche Kirchen als Dom bezeichnet.

Dominica
Fläche: 751 km²
Einwohner: 72 000
Hauptstadt: Roseau
Amtssprache: Englisch
Nationalfeiertag: 3. 11.
Währung: 1 Ostkarib. Dollar (EC $) = 100 Cents (c)
Zeitzone: MEZ – 5 Stunden

Dominica

Staatswappen

Staatsflagge

Dominica, größte Insel der Kleinen →Antillen, seit 1978 unabhängige Republik im Commonwealth. Die Einwohner (Dominicaner) sind überwiegend Schwarze und Mulatten. Ihre Umgangssprache ist Französisch, die Amtssprache jedoch ist Englisch. Auf Dominica werden vor allem Bananen angebaut. Die Insel ist gebirgig (bis 1 447 m hoch) und waldreich, aber noch wenig erschlossen. Ihren Namen, der auf das spanische Wort für Sonntag ›domingo‹ zurückgeht, erhielt sie von Christoph Kolumbus, der die Insel an einem Sonntag im November 1493 entdeckte. (KARTE Band 2, Seite 197)

Dominikaner, von dem spanischen Priester **Dominikus** 1216 gegründeter Prediger- und Bettelorden. Besondere Bedeutung gewann der Orden im Mittelalter, als er 1232 von Papst Gregor IX. (1227–41) mit der Durchführung der →Inquisition beauftragt wurde; auch brachte er bedeutende Gelehrte hervor. Heute ist er besonders in der Seelsorge und im Unterricht tätig. Die **Dominikanerinnen** widmen sich als beschaulicher Orden dem Gebet. Die Ordenstracht besteht aus schwarzen Mänteln und weißen Kapuzen.

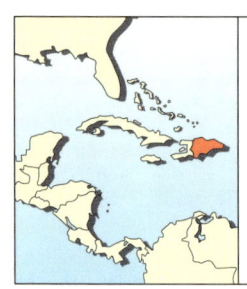

Dominikanische Republik
Fläche: 48 442 km²
Einwohner: 7,471 Mio.
Hauptstadt: Santo Domingo
Amtssprache: Spanisch
Nationalfeiertag: 27. 2.
Währung: 1 Dominikan. Peso (dom$) = 100 Centavos (cts)
Zeitzone: MEZ – 6 Stunden

Dominikanische Republik, Nachbarstaat der Republik Haiti auf dem Ostteil der Antilleninsel Hispaniola. Das Land ist fast doppelt so groß wie Haiti, hat aber nur wenig mehr Einwohner. Die Zusammensetzung der Bevölkerung unterscheidet sich stark von der Haitis: In der Dominikanischen Republik sind 7 von 10 Einwohnern Mulatten und je 15% Weiße und Schwarze. Die Hälfte der Dominikaner lebt in Städten, vor allem in der Hauptstadt **Santo Domingo.** Dennoch ist der Ackerbau die Grundlage der Wirtschaft. Zuckerrohr, Kaffee, Kakao, Bananen und Tabak werden in großen Betrieben angebaut, die nur wenige Menschen beschäftigen. Die Zahl der Industriebetriebe ist gering, die Nutzung der Bodenschätze (vor allem Nickel und Bauxit) ist im Aufbau. So ist die Arbeitslosigkeit von fast 1/3 der arbeitsfähigen Dominikaner ein großes gesellschaftliches Problem.

Die Dominikanische Republik trennte sich 1844 von Haiti. Seither kam es immer wieder zu Revolutionen und Bürgerkriegen. Meist regierten Generäle als Diktatoren. Seit 1978 hat das Land eine aus freien Wahlen hervorgegangene Regierung. (KARTE Band 2, Seite 197)

Dominion [dom̩injen, englisch ›Oberhoheit‹], Bezeichnung der ehemaligen britischen Kolonien, die volle Selbstregierung erlangt hatten, aber ihr Treueverhältnis zur britischen Krone wahrten und Mitglieder des Commonwealth of Nations blieben, z. B. Kanada und Neuseeland. Nach 1945 wurde die Bezeichnung Dominion allmählich abgeschafft.

Dompfaff, der Finkenvogel →Gimpel.

Don, Fluss im europäischen Teil Russlands, 1 870 km lang. Er entspringt auf der Mittelrussischen Platte, einem bis zu 290 m hohen Flachland südlich von Moskau, und mündet bei Rostow ins Asowsche Meer (Nebenmeer des Schwarzen Meers). Der Don ist auf 1 355 km schiffbar. Südwestlich von Wolgograd ist er zu einem großen Stausee aufgestaut, von wo auch eine Kanalverbindung zur Wolga besteht.

Donar, in den altnordischen Sagen **Thor** genannt, war neben Wotan eine der Hauptgottheiten der Germanen. Er verteidigte Götter und Menschen gegen feindliche Riesen und Ungeheuer. Seine Waffe war der Hammer; schleuderte Donar ihn, blitzte und donnerte es und es fiel Gewitterregen, der die Natur belebte. Nach Donar ist der Donnerstag benannt.

Donau, nach der Wolga der zweitlängste Fluss Europas, Hauptzufluss des Schwarzen Meeres. Sie entspringt auf der Ostseite des südlichen Schwarzwalds mit den Quellflüssen **Breg** und **Brigach,** die sich bei Donaueschingen vereinen. Einige Kilometer weiter östlich, bei Immendingen, versickert ein Teil des Donauwassers im Kalkgestein der Schwäbischen Alb und gelangt unterirdisch nach Süden zur Radolfzeller Aach, die in den Bodensee mündet. Auf ihrem insgesamt 2850 km langen Lauf fließt die Donau durch Deutschland, Österreich, Ungarn, Kroatien und Serbien, bildet die Grenze zwischen Rumänien und Bulgarien und mündet ins Schwarze Meer. Als internationale Wasserstraße hat die Donau große Bedeutung. Über 2300 km sind schiffbar. Der Main-Donau-Kanal (→Rhein-Main-Donau-Großschifffahrtsweg) wurde 1992 eröffnet.

Don Carlos, →Carlos.

Don Juan [-chuan], Held eines spanischen Dramas von **Tirso de Molina** aus dem 17. Jahrh. **Don Juan Tenorio,** ein Frauenverführer, ersticht Don Gonzalo, weil dieser ihn an der Entführung seiner Tochter hindern will. Später lädt Don Juan das Standbild des toten Don Gonzalo zu sich ein. Der ›steinerne Gast‹ erscheint und bittet Don Juan auf den Friedhof. Als er dem Standbild die Hand reicht, verbrennt Don Juan im höllischen Feuer. Die Geschichte von dem Frauenverführer, der in der Hölle endet, gehört zu den meistbearbeiteten Stoffen der Weltliteratur. Molière, E. T. A. Hoffmann, Max Frisch und andere Schriftsteller behandelten das Thema. Musikalisch wurde es z. B. in der Oper ›Don Giovanni‹ von Mozart gestaltet.

Donkosaken, die →Kosaken, die am russischen Fluss Don leben.

Donner, rollendes oder krachendes Geräusch, das bei einem →Gewitter dem →Blitz folgt. Der Donner entsteht durch die plötzliche Ausdehnung der vom Blitz erhitzten Luft und breitet sich mit Schallgeschwindigkeit (etwa 1000 m in 3 Sekunden) aus. Den Blitz dagegen nimmt der Betrachter praktisch sofort wahr. Zählt man die Anzahl der Sekunden zwischen Blitz und Donner und teilt sie durch 3, so erhält man ungefähr die Entfernung des Gewitters in km. Wenn also 6 Sekunden zwischen Blitz und Donner liegen, so ist das Gewitter 2 km entfernt.

Don Quijote [-kichọte]. Der ›Ritter von der traurigen Gestalt‹ Don Quijote ist die Titelfigur des Hauptwerkes von Miguel de →Cervantes. Der Romanheld aus dem niederen spanischen Adel reitet auf seinem mageren Pferd **Rosinante** aus, um für Gerechtigkeit in der Welt zu kämpfen und die Armen zu beschützen. Don Quijote träumt davon, wie die Helden der Ritterromane durch mutige Taten zu Ruhm und Ehre zu gelangen. Er hat sich eine eigene Phantasiewelt aufgebaut und verkennt immer wieder die Wirklichkeit. So kommt es, dass er zum Kampf gegen Windmühlen antritt in der Vorstellung, es seien Riesen. Bei seinen Begegnungen mit vielen verschiedenartigen Menschen benötigt Don Quijote oft die Hilfe seines Begleiters, des treuen, nüchternen und schlauen **Sancho Pansa.**

Doping [zu englisch dope ›Narkotikum‹], die Einnahme von aufputschenden oder beruhigenden Mitteln sowie von Präparaten, die das Muskelwachstum beeinflussen. Der Sportler will durch diese teilweise hochwirksamen Mittel seine Leistungsfähigkeit steigern, indem er die natürlichen körperlichen Schranken des Leistungsvermögens außer Kraft setzt. Die Anwendung der Dopingmittel kann jedoch auch schwere gesundheitliche Schäden verursachen. Zudem verschafft sich der Athlet in unfairer Weise gegenüber seinen Gegnern einen Vorteil. Doping ist in allen Sportarten verboten. Bei bedeutenden internationalen Wettkämpfen wird die Einhaltung des Verbots durch **Dopingkontrollen** (Harnuntersuchungen) der Wettkämpfer überwacht. Ein des Dopings überführter Sportler muss mit Ausschluss vom Wettkampf und mit einer längeren Sperre rechnen.

Doppeldecker, Flugzeug mit 2 übereinander liegenden Tragflächen.

Doppelzentner, →Einheiten.

Dorer, griechischer Volksstamm, der mit der zweiten Einwanderungswelle nach Griechenland vordrang. Die Dorer eroberten seit etwa 1100 v. Chr. die Landschaften Argolis, Lakonien und Messenien auf der Peloponnes und von hier aus später Kreta, Rhodos und die Südwestküste Kleinasiens. Das strenge dorische Wesen zeigte sich am deutlichsten im Staat der **Spartaner.**

Der **dorische Baustil** ist neben dem ionischen und korinthischen Stil einer der großen Baustile der antiken griechischen Tempel und Hallen. Charakteristisch ist die fußlose →Säule mit kissenförmigem Kapitell. (→griechische Kunst)

Dorf, eine ländliche, vorwiegend bäuerliche Siedlung mit einer größeren Zahl von Gehöften. Heute leben dort, besonders in stadtnahen Dörfern, auch Angehörige von Berufen, die nicht in der Landwirtschaft tätig sind. Es gibt verschiedene Dorfformen, je nach der landschaftlichen Lage und der Entstehung: Der **Weiler** ist eine

Dominikanische Republik

Staatswappen

Staatsflagge

Dorn

kleine Gruppensiedlung mit unregelmäßig angeordneten Gehöften. **Haufendörfer** sind ebenfalls unregelmäßig angelegt und haben einen Ortskern mit unregelmäßig zusammenlaufenden Straßen. Wenn sich an beiden Seiten einer Straße viele Häuser aneinander reihen, oft über mehrere Kilometer, so spricht man von einem **Straßendorf.** Beim **Hufendorf,** einer Sonderform des Straßendorfes, liegt der landwirtschaftliche Besitz (Hufe) des einzelnen Bauern direkt hinter dem Gehöft, z. B. Waldhufen in Rodungsgebieten, Marschhufen im Schutz von Deichen, Moorhufen. Beim **Angerdorf** ist der Dorfplatz (Anger) lang gestreckt, meist eine Grünfläche mit einem Weiher. Die Häuser stehen an beiden Seiten des Angers. Der **Rundling** ist wie das Angerdorf eine geschlossene Dorfform, bei der sich die Gehöfte fächerartig um einen fast runden Anger anordnen. Meist war die Dorfanlage von einem Wassergraben oder einer Hecke umschlossen.

Dorn, starrer, verholzter Pflanzenteil, der, im Unterschied zum →Stachel, durch Umwandlung eines Blattes (z. B. bei Kakteen), eines Zweiges (z. B. beim Weißdorn) oder einer Wurzel (z. B. bei einigen Palmen) entstanden ist. Die spitzen Dornen schützen die Pflanzen gegen Tierfraß.

Dorsch, der →Kabeljau.

Dortmund, 599 900 Einwohner, Stadt in Nordrhein-Westfalen und größte Stadt in Westfalen, liegt im östlichen Teil des Ruhrgebiets mit einem großen Handelshafen am Dortmund-Ems-Kanal. Eisen- und Stahlwerke, Steinkohlezechen sowie Großbrauereien bilden die wichtigsten Industriezweige.

Dostojewski. Wegen der Teilnahme an sozialistischen Bestrebungen wurde der russische Schriftsteller **Fjodor Michailowitsch Dostojewski** (*1821, †1881) 1849 zum Tode verurteilt und erst auf dem Richtplatz zu 4 Jahren Verbannung begnadigt. Die Leidenszeit in Sibirien schilderte er in den ›Aufzeichnungen aus einem Totenhaus‹ (1860–62). Zwischen 1866 und 1880 erschienen seine großen Romane ›Schuld und Sühne‹ (1866), ›Der Idiot‹ (1868) und ›Die Brüder Karamasow‹ (1879–80). In ihnen stellte Dostojewski Außenseiter der Gesellschaft wie Verbrecher, Spieler, erniedrigte, kranke und verzweifelte Menschen dar und beschrieb eindringlich ihre seelischen Konflikte. Das Neben- und Gegeneinander von Ansichten und Ideen, die die Romanfiguren verkörpern, verband Dostojewski mit einer spannenden Handlung.

Dotter, das Eigelb, →Ei.

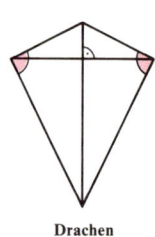

Double [dubl, französisch ›doppelt‹], in Theater, Film und Fernsehen der Ersatzdarsteller, der bei gefährlichen oder anstrengenden Szenen, aber auch in Beleuchtungsproben oder als Ersatz während einer Erkrankung des Hauptdarstellers dessen Arbeit übernimmt.

Dover, 32 800 Einwohner, Hafenstadt in Südengland an der nur 32 km breiten **Straße von Dover** am Ärmelkanal; bedeutendster Übergangsort für den Reiseverkehr nach Frankreich, Belgien und in die Niederlande.

Doyle [doil]. Der englische Schriftsteller **Sir Arthur Conan Doyle** (*1859, †1930), der eigentlich Arzt war, erfand die Detektivfigur des **Sherlock Holmes.** Dieser kauzige Privatdetektiv aus der Baker Street in London ist immer schlauer als die Kriminalisten von Scotland Yard und klärt auch die schwierigsten Verbrechen auf, z. B. die Aufsehen erregenden Vorgänge um den ›Hund von Baskerville‹ (1901/02). Sherlock Holmes besitzt eine ausgezeichnete Beobachtungsgabe und versteht es, aus Einzelbeobachtungen Erkenntnisse über den Täter abzuleiten. Erzählt werden die Geschichten aus der Sicht des **Dr. Watson,** des Begleiters von Sherlock Holmes, den die fast übermenschliche Kombinationsfähigkeit des Meisterdetektivs immer wieder verblüfft.

dpt, Einheitenzeichen für →Dioptrie.

Drache, in der Sagenwelt vieler Völker ein Mischwesen aus Vogel und Schlange. Meist sind diese Fabeltiere geflügelt, mehrköpfig und können Feuer speien. Sie sind Feinde des Guten und der Götter und bedrohen das Land oder fordern Menschenopfer; nur ein Held kann sie töten. Ein Bad im Blut der erschlagenen Tiere vermittelt überirdische Kräfte. In der germanischen Sage ist der Drache, auch **Lindwurm** genannt, oft der Bewacher eines Schatzes. Der bekannteste Drachentöter ist Siegfried (→Nibelungenlied). In Ostasien, vor allem in China, gilt der Drache als ein Wesen, das Glück bringt.

Drachen, Geometrie: ein →Viereck mit 2 Paaren gleich langer Nachbarseiten (BILD). Die Eigenschaften eines Drachens sind:
1) Ein Paar Gegenwinkel sind gleich groß. Die Winkel des anderen Paares werden durch die →Diagonale halbiert.
2) Die Diagonalen stehen senkrecht aufeinander.
3) Eine Diagonale ist Symmetrieachse (→Symmetrie). Sie halbiert die andere Diagonale. Sonderfälle des Drachens sind die →Raute und das →Quadrat.

Drachenfliegen, Hängegleiten, sportliche Wettbewerbe für Hängegleiter. Die drachenähnlichen Fluggeräte bestehen aus einem deltaförmigen Tragsegel, das über ein Gerüst aus Aluminiumholmen gezogen ist. Unter dem Segel sitzt, liegt oder hängt der Pilot in einem Gestell, mit dem er den Drachen durch Verlagerung seines Körpergewichts steuern kann.

Drachenfliegen: Deltaflieger

Drachme [griechisch ›eine Handvoll‹], Silbermünze im alten Griechenland, auch Gewichts- und Münzeinheit. Nach der Errichtung eines unabhängigen Griechenland in der Neuzeit ist die Drachme seit 1833 wieder Währungseinheit.

Dracula, Vampirgestalt (→Vampir) aus dem Roman ›Dracula‹ (1897) des irischen Schriftstellers **Bram** (eigentlich Abraham) **Stoker** (*1847, †1912). Der 400 Jahre alte Graf Dracula wird nur zwischen Sonnenuntergang und Sonnenaufgang lebendig. Dann steigt er aus seinem Grab, saugt Menschen durch einen Biss in die Halsschlagader das Blut aus und macht sie dadurch selbst zu Vampiren. Stoker verband in seinem Roman den Volksglauben an Vampire mit Überlieferungen über den grausamen Fürsten Vlad Tepeş, Sohn des Vlad Dracul, der im 15. Jahrh. in der Walachei, Rumänien, lebte. Der Roman, der bekannteste der Gattung Vampirromane, ist oft verfilmt worden, z.B. unter dem Titel ›Nosferatu‹ von Fritz Murnau (1922) und Werner Herzog (1979). Eine Parodie auf die Dracula-Geschichte ist der Film ›Tanz der Vampire‹ (1966) von Roman Polanski.

Draisine, ein Laufrad, das 1817 von **Karl von Drais** (*1785, †1851) erfunden wurde. Das Rad besaß, im Unterschied zu den heutigen Fahrrädern, noch keine Tretkurbeln, sodass sich der Fahrer, um vorwärts zu kommen, mit den Füßen vom Boden abstoßen musste (→Fahrrad).

Drake [drẹk]. Nach dem Portugiesen Magellan war **Sir Francis Drake** (*um 1540, †1596) der zweite Erdumsegler. 1588 war er einer der siegreichen Befehlshaber gegen die spanische Kriegsflotte, die ›Armada‹, die König Philipp II. gegen England ausgesandt hatte. Drake kämpfte im Dienst der protestantischen englischen Königin Elisabeth I. gegen die Weltherrschaftsansprüche des katholischen Spanien. Mit ihrer Billigung unternahm Drake Freibeuterzüge gegen spanische Handelsschiffe.

drakonische Gesetze heißen nach dem athenischen Gesetzgeber **Drakon** die ersten Aufzeichnungen des geltenden Rechts in Athen (um 621 v. Chr.). Weil diese Gesetze besonders streng waren, benutzt man heute noch das Wort ›drakonisch‹ in der Bedeutung ›sehr streng‹.

Drama [griechisch ›Handlung‹], eine Großform der Dichtung, die auf Bühnendarstellung hin angelegt ist. Eine Handlung wird mithilfe von Aktionen, Reden und Gegenreden von Figuren auf einer Bühne gezeigt (→Dialog, →Monolog). Häufig stellt ein Drama den Aufeinanderprall gegensätzlicher Verhaltensweisen und Kräfte dar **(dramatischer Konflikt)**, z.B. eine Auseinandersetzung zwischen 2 Menschengruppen und ihren Haltungen oder den Kampf der Hauptfigur mit der Umwelt. – Nach ihrem Ausgang lassen sich Dramen (→Schauspiel) einteilen in →Tragödien (die Hauptfigur unterliegt), →Komödien (die Verwicklungen werden durch humorvolle Aufdeckung menschlicher Schwächen gelöst) und abweichende Spielarten dieser Gattungen, z.B. Tragikomödien. Weitere Unterscheidungsmerkmale sind z.B. Stoffwahl, Ideengehalt und Aufbau. Ihre Kennzeichnung führte zur Bildung von Begriffen wie **Charakter-, Schicksals-, Ideen-** und **Problemdrama.**

Die Lehre von Wesen, Wirkung und Formgesetzen des Dramas und der dramatischen Dichtkunst **(Dramatik)** baute vor allem auf Überlegungen des antiken griechischen Philosophen Aristoteles auf. Schriftsteller und **Dramatiker,** deren Gedankengut über die Jahrhunderte ebenfalls prägend für die Entwicklung des Dramas wirkte, waren z.B. Horaz, Lessing und Schiller.

Dramaturgie, die Lehre von den Gesetzmäßigkeiten des Dramas, dessen Inhalt, Form und Wirkung, die beim Schreiben oder Aufführen von Theaterstücken zu beachten sind. Sie betreffen z.B. den Handlungsaufbau mit seinen Spannungs- und Überraschungsmomenten oder das Mit- und Gegeneinander der Figuren. – Einer der Ersten, dessen Werke Überlegungen zu diesem Thema enthielten, war der griechische Philosoph Aristoteles.

Mit Dramaturgie bezeichnet man weiterhin die Tätigkeit eines Beraters, der in der Theater-

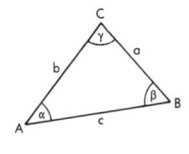

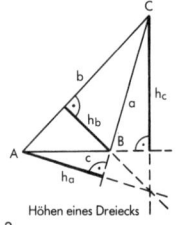

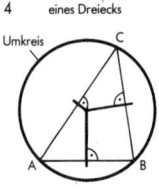

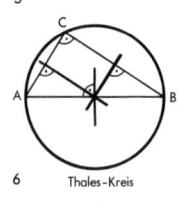

Drau

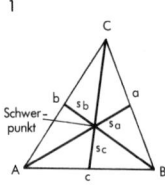

leitung die Stücke für den Spielplan des Hauses auswählt, an ihrer Bühnenfassung sowie dem In-Szene-Setzen, der Inszenierung, beteiligt ist (Produktionsdramaturgie) und Programmhefte gestaltet.

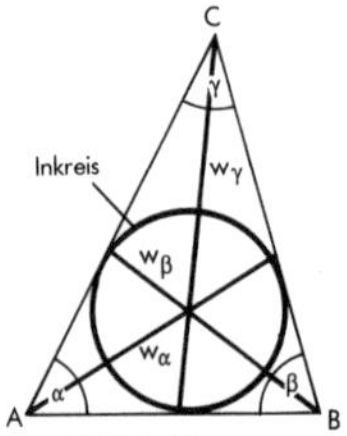

Drau, rechter Nebenfluss der Donau. Der 749 km lange Fluss entspringt bei Toblach (Dolomiten), durchfließt Osttirol und Kärnten (Österreich), ist teilweise Grenzfluss zwischen Ungarn und Kroatien und mündet unterhalb von Osijek in die Donau. Zahlreiche Staustufen auf österreichischem, slowenischem und kroatischem Gebiet dienen der Energiegewinnung.

Drehspulinstrument, elektrisches Gerät zur Messung von →Gleichstrom und Gleichspannung. Die Wirkungsweise des Geräts beruht darauf, dass ein Strom führender Leiter im Magnetfeld abgelenkt wird. Dabei ist es wichtig, dass der Strom immer in die gleiche Richtung fließt. Wechselstrom und -spannung können nur nach technischer Veränderung gemessen werden, sonst wird das Gerät beschädigt.

Das Messgerät besteht aus einer Kupferdrahtspule, die zwischen 2 Magnetpolen drehbar gelagert ist. An der Drehachse der Spule sind der Zeiger und 2 Spiralfedern befestigt. Die Spiralfedern dienen der Messstromzuführung zur Spule und halten den Zeiger auf der Nullstellung. Fließt durch die Spule ein elektrischer Strom, so verdreht sie sich im Magnetfeld. Diese Drehkraft wird durch die Spiralfedern ausgeglichen und der Zeiger bleibt nach einem bestimmten Ausschlag stehen. Der Zeigerausschlag ist auf einer geeichten Skala ablesbar. Bei der Messung des Stromes oder der Spannung kann durch richtiges Zuschalten von →Widerständen der Messbereich verändert werden. Neuere elektrische Messgeräte besitzen Zifferanzeigen (Digitalanzeige).

Drehstrom, aus 3 miteinander verketteten →Wechselströmen gebildeter **Dreiphasenstrom.** Es ist das heute fast ausschließlich benutzte System zur Übertragung und Verteilung elektrischer Energie. Zur Erzeugung von Drehstrom werden Generatoren verwendet, deren Spulen so angeordnet sind, dass das im Generator umlaufende magnetische Drehfeld 3 um 120° phasenverschobene Wechselspannungen in den Spulen induziert. Die Spulen können in Dreieck- oder Sternschaltung zusammengeschaltet sein. Man erhält dabei 3 Außenleiter (›Phasen‹), die mit R, S und T (nach neuer Norm L_1, L_2, L_3) bezeichnet werden, und bei der gebräuchlichen Sternschaltung noch einen Neutralleiter (Mittelpunktleiter). Die Spannung zwischen den Außenleitern beträgt jeweils 380 V, zwischen einem der 3 Außenleiter und dem Neutralleiter 220 V. Größere Stromverbraucher (z. B. Elektromotoren) werden dreiphasig an das Drehstromnetz angeschlossen, kleine Verbraucher (z. B. Lampen, Haushaltsgeräte) an eine Phase und den Neutralleiter.

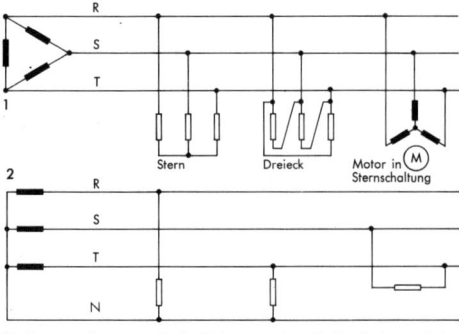

Drehstrom: 1 symmetrische Belastung eines in Dreieck geschalteten Drehstromgenerators durch in Stern und in Dreieck geschaltete Verbraucher. 2 unsymmetrische Belastung eines in Stern geschalteten Drehstromgenerators durch einphasige Verbraucher; R, S, T Außenleiter, N Neutralleiter

Drehsymmetrie, eine Art der →Symmetrie.

Drehung, Geometrie: eine Kongruenzabbildung (→Abbildung).

Dreibund, 1882 geschlossenes geheimes Verteidigungsbündnis zwischen dem Deutschen Reich, Österreich-Ungarn und Italien: Bei einem französischen Angriff auf Italien sollten beide Partner Hilfe leisten, bei einem französischen Angriff auf das Deutsche Reich nur Italien. Beim Angriff einer anderen Großmacht auf einen Partner waren die beiden anderen zur Neutralität, beim Angriff zweier Großmächte zur Hilfe verpflichtet.

Dreieck, Geometrie: Verbindet man 3 Punkte *A*, *B* und *C*, die nicht auf einer Geraden liegen dürfen, durch Strecken miteinander, so entsteht ein Dreieck. Die Punkte *A*, *B*, *C* sind die **Ecken,** die Strecken $\overline{AB}$, $\overline{BC}$, $\overline{CA}$ die **Seiten** des Dreiecks. Die Bezeichnung der Ecken geschieht meist in alphabetischer Reihenfolge gegen den Uhrzeigersinn. Die Seiten des Dreiecks werden mit *a*, *b*, *c* bezeichnet, und zwar so, dass die Seite *a* der Ecke *A*, die Seite *b* der Ecke *B* und die Seite *c* der Ecke *C* gegenüberliegt. Die Winkel im Dreieck werden mit den griechischen Buchstaben α, β und γ bezeichnet, und zwar so, dass der Scheitel des Winkels α die Ecke *A*, der Scheitel des Winkels β die Ecke *B* und der Scheitel des Winkels γ die Ecke *C* ist (BILD 1). Die Summe der 3 Winkel beträgt in jedem Dreieck 180°, also

$α + β + γ = 180°$. Die Einteilung der Dreiecke geschieht nach der Größe der Winkel oder der Seiten. Nach der **Größe der Winkel** unterscheidet man:
1) **spitzwinklige Dreiecke:** Alle 3 Winkel sind kleiner als 90°.
2) **rechtwinklige Dreiecke:** Ein Winkel beträgt 90°.
3) **stumpfwinklige Dreiecke:** Ein Winkel ist größer als 90°.

Im rechtwinkligen Dreieck heißt die dem rechten Winkel gegenüberliegende Seite **Hypotenuse**, die beiden anderen, kürzeren Seiten **Katheten**. In einem rechtwinkligen Dreieck gilt der →pythagoreische Lehrsatz.

Nach der **Größe der Seiten** unterscheidet man:
1) **gleichseitige Dreiecke:** Alle 3 Seiten sind gleich lang.
2) **gleichschenklige Dreiecke:** 2 Seiten sind gleich lang.
3) **ungleichseitige Dreiecke:** Alle 3 Seiten sind verschieden lang.

Im gleichseitigen Dreieck sind alle Winkel 60°. Im gleichschenkligen Dreieck heißen die beiden gleich langen Seiten **Schenkel**, die dritte Seite **Basis** oder **Grundseite**. Die der Basis anliegenden Winkel (**Basiswinkel**) sind gleich groß.

Für die Konstruktion eines Dreiecks aus Seiten und Winkeln müssen 3 voneinander unabhängige Stücke gegeben sein. Die Angabe der Größe der 3 Winkel allein reicht zur eindeutigen Konstruktion des Dreiecks nicht aus, da ein Winkel, z. B. $α$, von den beiden anderen Winkeln $β$ und $γ$ aufgrund der Beziehung $α = 180° − β − γ$ abhängt. Die Hauptfälle, die zu eindeutigen Konstruktionen von Dreiecken führen, sind durch die Kongruenzsätze (→Kongruenz) bestimmt. Zur Konstruktion von Dreiecken können außer den Seiten und Winkeln auch Seitenhalbierende, Höhen oder Winkelhalbierende benutzt werden.

Die **Seitenhalbierende** (s) ist die Strecke vom Mittelpunkt einer Seite bis zur gegenüberliegenden Ecke dieser Seite. Es gibt 3 Seitenhalbierende, die mit s_a, s_b und s_c bezeichnet werden. Die Seitenhalbierenden schneiden sich in einem Punkt, dem **Schwerpunkt** des Dreiecks (BILD 2). Der Schwerpunkt teilt jede Seitenhalbierende im Verhältnis 1 : 2. Dabei liegt der längere Abschnitt zwischen Schwerpunkt und Ecke.

Die **Höhe** (h) ist eine Strecke, die senkrecht auf einer Seite oder deren Verlängerung steht und von dort bis zur gegenüberliegenden Ecke verläuft. Es gibt 3 Höhen, die mit h_a, h_b und h_c bezeichnet werden. Die Höhen oder deren Verlängerungen schneiden sich in einem Punkt (BILD 3).

Die **Winkelhalbierende** (w) ist die Strecke auf der Halbierungslinie eines Winkels im Dreieck vom Scheitel bis zur gegenüberliegenden Seite. Es gibt 3 Winkelhalbierende, die mit w_a, w_b und w_g bezeichnet werden. Die Winkelhalbierenden schneiden sich in einem Punkt. Dies ist der Mittelpunkt des **Inkreises**, also des Kreises, der die 3 Seiten berührt (BILD 4).

Die **Mittelsenkrechte** ist die Gerade, die auf einer Seite senkrecht steht und durch den Mittelpunkt derselben Dreiecksseite geht. Es gibt 3 Mittelsenkrechten, die sich alle in einem Punkt schneiden. Dies ist der Mittelpunkt des **Umkreises**, also des Kreises, auf dem die Eckpunkte des Dreiecks liegen (BILD 5). Bei einem rechtwinkligen Dreieck wird der Umkreis **Thales-Kreis** genannt. Der Mittelpunkt des Thales-Kreises ist der Mittelpunkt der Hypotenuse (BILD 6).

Die Schnittpunkte der Seitenhalbierenden, der Höhen und der Mittelsenkrechten liegen auf einer Geraden, der **Euler-Geraden** (BILD 7). Für den Flächeninhalt A eines Dreiecks gilt $A = \frac{1}{2} g \cdot h$, wobei g die Länge einer Seite (Grundseite) und h die Länge der zugehörigen Höhe ist (BILD 8).

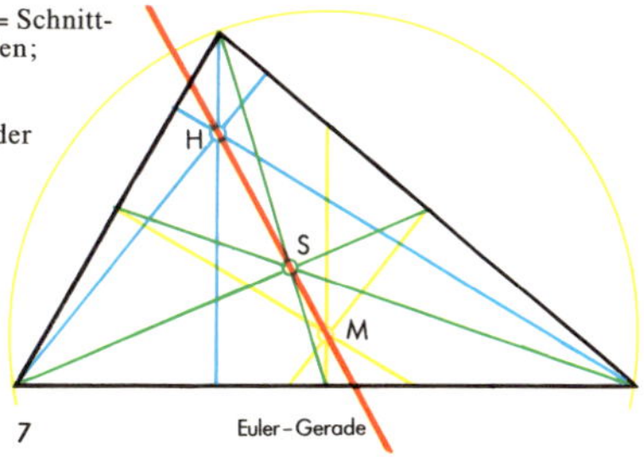

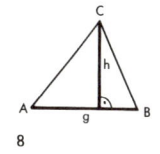

Dreifaltigkeit, Dreieinigkeit, Trinität [aus lateinisch trinitas ›Dreizahl‹], nach der christlichen Glaubenslehre die Dreiheit der göttlichen Personen Gott Vater, Gott Sohn und Gott Heiliger Geist. Sie stellen jedoch nicht 3 Gottheiten dar, sondern sind Ausdrucksformen eines einzigen göttlichen Wesens, sind also ein Gott. Am ersten Sonntag nach Pfingsten feiern die christlichen Kirchen das **Trinitatisfest**.

Dreifarbendruck, →Farbe.

Dreiklang, ein →Akkord, der aus 3 Tönen besteht, nämlich dem Grundton, dem 3. Ton (der Terz) und dem 5. Ton (der Quinte) der dazugehörigen Tonleiter. Man unterscheidet den **Durdrei-**

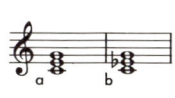

Drei

klang (Grundton, große Terz und Quinte), den **Molldreiklang** (Grundton, kleine Terz und Quinte), den **verminderten Dreiklang** (Grundton, kleine Terz und verminderte Quinte) und den **übermäßigen Dreiklang** (Grundton, große Terz und übermäßige Quinte).

Drei Könige. Die biblische Erzählung von den ›Drei Weisen aus dem Morgenland‹ berichtet, dass diese die ersten Menschen außerhalb des jüdischen Volkes waren, die das Jesuskind im Stall von Bethlehem als Sohn Gottes erkannten. Ein Stern hatte ihnen den Weg gewiesen. Erst später, im 5. Jahrh., wurden die Weisen zu Königen, im 9. Jahrh. gab man ihnen die Namen **Caspar**, **Melchior** und **Balthasar**. Zur Erinnerung an den Tag im Stall zu Bethlehem feiern die katholischen Christen am 6. Januar das **Dreikönigsfest**.

Dreisatz, Rechenverfahren, mit dem man in 3 Schritten aus 3 vorgegebenen Größen eine damit zusammenhängende vierte Größe berechnet.

Beispiel 1: 4 kg einer Ware kosten 28 DM. Was kosten 5 kg?
Lösung:
1. Schritt: 4 kg einer Ware kosten 28 DM.
2. Schritt: 1 kg einer Ware kosten 28 DM : 4 = 7 DM.
3. Schritt: 5 kg einer Ware kosten 7 DM · 5 = 35 DM.
Lösung mittels einer Verhältnisgleichung (→Proportion):
5 kg : 4 kg = x : 28 DM, also
$x = \frac{28 \text{ DM} \cdot 5 \text{ kg}}{4 \text{ kg}} = 35 \text{ DM}$.

Beispiel 2: 5 Arbeiter heben eine Grube in 4 Tagen aus. Wie viele Tage brauchen 2 Arbeiter dazu?
Lösung:
1. Schritt: 5 Arbeiter brauchen 4 Tage.
2. Schritt: 1 Arbeiter braucht 4 · 5 = 20 Tage.
3. Schritt: 2 Arbeiter brauchen 20 Tage : 2 = 10 Tage.
Lösung über eine Verhältnisgleichung oder Proportion:
5 Arbeiter : 2 Arbeiter = x : 4 Tage, also
$x = \frac{4 \text{ Tage} \cdot 5 \text{ Arbeiter}}{2 \text{ Arbeiter}} = 10 \text{ Tage}$.

Beim Dreisatzverfahren wird von der bekannten Vielheit auf die Einheit und danach auf die unbekannte Vielheit geschlossen. Es kann nur dann angewendet werden, wenn die Größen sich wie in Beispiel 1 direkt proportional (→Proportionalität) oder wie in Beispiel 2 umgekehrt proportional zueinander verhalten. Das Dreisatzverfahren wird in der →Prozentrechnung und in der →Zinsrechnung angewendet.

Dreisprung, eine weitsprungähnliche Disziplin in der Leichtathletik für Herren. Der Athlet springt mit einem Bein vom Sprungbalken ab, landet auf dem gleichen Bein, springt sofort wieder ab, landet auf dem anderen Bein, springt ab und kommt nach dem dritten Sprung mit beiden Beinen in der Sprunggrube auf. Es werden Weiten von 16–17 m erzielt. Der Dreisprung ist seit 1896 olympische Disziplin.

Dreißigjähriger Krieg, der Krieg, der 1618 aus religiösen Gegensätzen ausbrach und sich zu einem Machtkampf zwischen Reichsfürsten und kaiserlicher Gewalt sowie zwischen fremden Mächten und dem Haus Habsburg entwickelte. 1608 schlossen sich die protestantischen Reichsfürsten unter dem Kurfürsten Friedrich V. von der Pfalz zur **Union** zusammen. 1609 gründete Maximilian von Bayern die katholische **Liga**. 1618–23 spielte sich der Krieg in Böhmen und der Pfalz ab. Die böhmischen Stände setzten den Habsburger Ferdinand ab und wählten Friedrich von der Pfalz zum König von Böhmen, der sich aber nur einen Winter halten konnte (›Winterkönig‹). Er wurde vom bayerischen Feldherrn **Tilly** am Weißen Berg geschlagen, dann geächtet und floh schließlich nach Holland.

Dreißigjähriger Krieg
1618 Böhmischer Aufstand
1620 Schlacht am Weißen Berg bei Prag: Sieg Tillys über Friedrich V. von der Pfalz
1626 Schlacht bei Lutter am Barrenberge: Sieg Tillys über Christian IV. von Dänemark
1629 Christian IV. zum Friedensschluss gezwungen
1630 Landung Gustav II. Adolf auf Usedom
1631 Schwedischer Sieg bei Breitenfeld
1632 Tod Gustav Adolfs in der Schlacht bei Lützen
1635 Sonderfrieden von Prag zwischen dem Kaiser und den meisten protestantischen Fürsten. Eintritt Frankreichs in den Krieg
1644 Beginn der Friedensverhandlungen
1648 Am 24. 10. wird der Westfälische Frieden geschlossen

Als Tilly nach Norddeutschland vorstieß, stellte sich der dänische König Christian IV. an die Spitze der Protestanten. Tilly und der kaiserliche Feldherr **Wallenstein** besiegten Dänemark. Kaiser Ferdinand II. stand 1629 auf dem Höhepunkt seiner Macht. Die Bedrohung des deutschen Protestantismus rief den schwedischen König **Gustav II. Adolf** herbei. Er besiegte Tilly und stieß bis München vor. In der Entscheidungsschlacht gegen Wallenstein bei Lützen siegten 1632 die Schweden, aber Gustav Adolf fiel. Als Wallenstein mit den Schweden Verhandlungen anknüpfte, wurde er abgesetzt und 1634 in Eger ermordet.

1635 griff Frankreich als Bundesgenosse Schwedens wegen der drohenden Übermacht Habsburgs in den Krieg ein. Nach jahrelangen, von Kämpfen begleiteten Verhandlungen kam es 1648 zum **Westfälischen Frieden,** der in Münster und Osnabrück unterschrieben wurde. Norddeutschland blieb protestantisch. Böhmen, Mähren und die Oberpfalz wurden wieder katholisch.

Die Fürsten erhielten das Recht, auch mit dem Ausland Bündnisse zu schließen. Die Schweiz und die Niederlande schieden aus dem Reich aus. Schweden erhielt die Mündungsgebiete von Oder, Elbe und Weser; Frankreich bekam Hoheitsrechte im Elsass und die Städte Metz, Toul und Verdun.

Dresden liegt am Oberlauf der Elbe, die hier bis zu 130 m breit ist, inmitten eines weiten, von Bergen umgebenen Tales. Durch die geschützte Lage herrscht ein mildes Klima; die Umgebung gleicht einer Garten- und Parklandschaft. Als Residenz der sächsischen Kurfürsten und Könige erlebte Dresden besonders im 18. Jahr. unter August dem Starken eine rege Bautätigkeit. Es galt als eine der schönsten deutschen Städte (›Elbflorenz‹). Den britischen und amerikanischen Luftangriffen in der Nacht vom 13. zum 14. 2. 1945 fielen die gesamte Altstadt und viele Tausend Menschen zum Opfer. Viele historische Bauwerke wurden wieder aufgebaut, z. B. der Zwinger, die Bauten der Brühlschen Terrasse, die Hofkirche, die Kreuzkirche und das Opernhaus. Dresden ist auch eine bedeutende Industriestadt, in der vor allem Maschinen, elektrotechnische und wissenschaftliche Geräte hergestellt werden. Der im 13. Jahr. gegründete Kreuzchor und die Sächsische Staatskapelle sind Zeugen eines bedeutenden Kunstschaffens; auch Dresdens Kunstsammlungen sind weltberühmt.

Hauptstadt von Sachsen, 488 000 Einwohner Technische Universität Kunst-, Kulturzentrum

Dressurreiten, eine in mehrere Klassen unterschiedlicher Schwierigkeitsgrade eingeteilte Pferdeleistungsprüfung, bei der der Ausbildungsgrad des Pferdes und das Können des Reiters bewertet werden. In einem 20×40 m oder 20×60 m großen, dick mit Sand ausgelegten **Dressurviereck** muss das Pferd an genau festgelegten Stellen bestimmte Lektionen ausführen. Diese Lektionen beruhen auf den natürlichen Bewegungen des Pferdes. Vorzuführen sind z. B. Gangarten, Tempowechsel, Hufschlagfiguren und Wendungen. Eine wichtige Rolle spielen dabei die Hilfen, die der Reiter dem Pferd gibt, z. B. durch Verlagerung des Körpergewichts, den Druck der Unterschenkel oder durch die Art der Zügelführung. Mit Noten von 10 (ausgezeichnet) bis 0 (nicht ausgeführt) werden Ausbildungsstand und Vorstellung des Pferdes sowie Sitz und Einwirkung des Reiters bewertet. Dressurreiten mit Einzel- und Mannschaftswettbewerb ist seit 1912 olympische Disziplin.

Drift, eine vom Wind erzeugte, unbeständige Meeresströmung.

Dritte Republik, der französische Staat, der 1870, nach der Niederlage Kaiser Napoleons III. im Deutsch-Französischen Krieg von 1870/71, in Paris ausgerufen wurde. Die Dritte Republik bestand bis zum Zusammenbruch Frankreichs im Zweiten Weltkrieg 1940.

dritter Stand, in der mittelalterlichen Ständeordnung das Bürgertum und die Bauern, die den dritten Platz nach Adel und Geistlichkeit einnahmen. In der Französischen Revolution von 1789 erkämpfte sich das Bürgertum die rechtliche Gleichstellung mit den anderen Ständen. Im 19. Jahr. bezeichnete der dritte Stand das besitzende Bürgertum im Unterschied zu dem mit der Industrialisierung entstandenen vierten Stand, dem Proletariat.

Drittes Reich, von den Nationalsozialisten zu Propagandazwecken gebrauchte Bezeichnung für ihr Herrschaftssystem (1933–45). Dabei wurde das bis 1806 bestehende deutsche Reich als erstes, das von Bismark 1871 geschaffene als zweites Reich gezählt.

Dritte Welt. Dieses Schlagwort bezeichnet die wirtschaftlich unterentwickelten Staaten in Afrika, Asien und Lateinamerika. Sie werden den industriell hoch entwickelten Ländern mit marktwirtschaftlicher oder planwirtschaftlicher Wirtschaftsordnung (›Erste‹ und ›Zweite‹ Welt) gegenübergestellt.

Drogen, pflanzliche oder synthetisch hergestellte Wirkstoffe, die über das Zentralnervensystem auf die Reaktionen und Funktionen des Körpers einwirken. Oft stellen sie einen Erlebniszustand her, der vom Normalen abweicht. Drogen gibt es in allen Kulturen, z. B. als Heilmittel oder anregende Mittel bei rituellen religiösen

Dressurreiten: Hufschlagfiguren

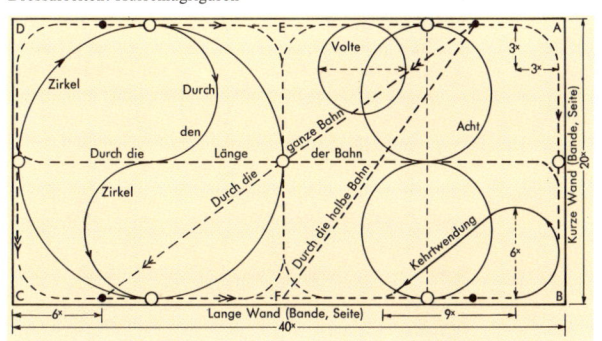

Droh

Drosseln:
OBEN Singdrossel,
UNTEN Wacholderdrossel

Annette von Droste-Hülshoff

Druck

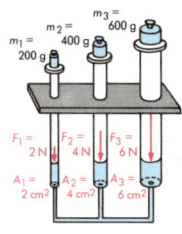

Handlungen. Häufig verwendete Drogen sind (neben Alkohol und Tabak) Haschisch, Kokain und Opium sowie Designerdrogen (das sind künstlich hergestellte Drogen wie z. B. LSD) und Aufputschmittel.

Werden Drogen kontrolliert genommen (z. B. Arzneimittel unter ärztlicher Kontrolle), so treten selten gefährliche Nebenerscheinungen auf. Werden sie jedoch missbräuchlich verwendet, so können Abhängigkeit und Suchtkrankheiten entstehen, die zum Tod führen können. Jede Kultur hat ihre eigenen Drogen. In der Regel ist der Konsum von zum Kulturkreis gehörigen Drogen erlaubt (z. B. Alkohol und Tabak in der Kultur des Abendlandes), während kulturfremde Drogen durch Gesetze und Verordnungen verboten werden (z. B. Opiate in der Kultur des Abendlandes, Alkohol im Bereich des Islam). In Deutschland werden verbotene Drogen auch als **Rauschgifte** bezeichnet. Die Unterscheidung von erlaubten (legalen) und verbotenen (illegalen) Drogen sagt jedoch nichts über die Gefährlichkeit aus; so ist der Alkoholismus, besonders in Europa, ein gefährliches Suchtproblem.

Man unterscheidet 2 Formen der Abhängigkeit: **Seelische (psychische) Abhängigkeit** liegt vor, wenn der Konsument einen Zwang verspürt die Droge anzuwenden, um ein scheinbares seelisches Gleichgewicht herzustellen oder einen bestimmten gefühlsmäßigen Zustand (z. B. Freude, Gelassenheit, Entspannung) zu erreichen. **Körperliche (physische) Abhängigkeit** zeigt sich in einem Zustand, der auftritt, wenn einem an Drogen gewöhnten Körper die Droge entzogen wird und der Körper mit ›Entzugserscheinungen‹ reagiert (z. B. Gliederschmerzen, erhöhte Pulsfrequenz, Schweißausbrüche, Schüttelfrost). In den meisten Fällen treten körperliche und seelische Abhängigkeitssymptome gleichzeitig auf. Die körperlichen Entzugserscheinungen bei einer Entziehung (Entgiftung) sind in besonderen Krankenhäusern relativ leicht zu beheben. Wesentlich schwieriger ist es, die seelische Abhängigkeit zu überwinden. Hierfür sind oft langwierige Maßnahmen notwendig, die in entsprechenden Krankenhäusern oder therapeutischen Wohngemeinschaften durchgeführt werden.

Hilfe bieten dabei die **Drogenberatungsstellen.** Diese Einrichtungen helfen den Abhängigen, die auch anonym bleiben können, kostenlos und ohne bürokratischen Aufwand von der Droge loszukommen. Sie beraten aber auch die Angehörigen und Freunde von Betroffenen.

Ein ernstes gesellschaftliches Problem in der Folge der Drogenabhängigkeit ist die ›Beschaffungskriminalität‹. Um ihren täglichen Drogenkonsum zu finanzieren, beschaffen sich viele Abhängige Geld durch Diebstahl, Einbrüche, Raubüberfälle oder Prostitution. Man denkt deshalb darüber nach, ob man (wie in den Niederlanden) eine Ersatzdroge, z. B. Methadon, kontrolliert und kostenlos an die Süchtigen abgeben sollte, um sie vor der Kriminalität zu bewahren.

Drohne, eine männliche →Biene.

Dromedar, das einhöckerige →Kamel.

Drosseln, in Europa weit verbreitete mittelgroße Singvögel. Sie fressen Insekten, Würmer, Schnecken und Spinnen, im Herbst und Winter auch Beeren. In Wäldern, Gärten und Parks nistet häufig die **Singdrossel** mit gesprenkeltem Gefieder, die manchmal im Mittelmeerraum überwintert. Im Unterschied zur etwas größeren, eng verwandten →Amsel wiederholt sie die Motive ihres melodischen Gesangs mehrmals. In Nadelwäldern lebt die **Misteldrossel,** die vor allem die Beeren der Mistel frisst. Die **Wacholderdrossel** mit auffallend grauem Kopf bewohnt Waldränder und Lichtungen.

Droste-Hülshoff. Im deutschen Sprachraum ist **Annette** (eigentlich Anna Elisabeth) **von Droste-Hülshoff** die bedeutendste weibliche Dichterin des 19. Jahrh. Sie entstammte einem alten westfälischen Adelsgeschlecht und wurde 1797 auf der Wasserburg Hülshoff im Münsterland geboren. Schon dort schrieb sie erste Gedichte, die religiöse Themen behandeln. Später machte sie sich mit Natur- und Landschaftsdichtungen, Balladen und vor allem der Novelle ›**Die Judenbuche**‹ (1842) einen Namen. 1848 starb Annette von Droste-Hülshoff in Meersburg am Bodensee, wo sie während ihrer letzten Lebensjahre meistens gelebt hatte.

Druck. Hat ein Mensch eine →Masse von 75 kg, so wirkt seine Gewichtskraft (→Kraft) von etwa 750 N (→Newton) als Druckkraft auf den Boden. Man darf aber nicht sagen, der Druck auf den Boden sei 750 N, da man in der Physik zwischen Druck und Druckkraft unterscheiden muss. Das ist leicht einzusehen, wenn man sich vorstellt, dass der Mensch statt vorher auf beiden Beinen nur auf einem Bein steht. Das Gewicht des Menschen, die Druckkraft, ändert sich nicht. Da die Druckkraft aber nur auf die halbe Fläche

Druck: Der von den Kolben ausgeübte Druck ist überall gleich groß, da die von den Gewichtsstücken mit den Massen m_1, m_2, m_3 ausgeübten verschieden großen Gewichtskräfte F_1, F_2, F_3 auf entsprechend unterschiedliche Kolbenquerschnittsflächen A_1, A_2, A_3 wirken

wirkt, muss der Boden den doppelten Druck aushalten.

Unter dem Druck p versteht man in der Physik den Quotienten aus einer senkrecht auf eine Fläche wirkenden Druckkraft F und der von ihr gedrückten Fläche A:

$$\text{Druck} = \frac{\text{Kraft}}{\text{Fläche}}; \quad p = \frac{F}{A}$$

Die SI-Einheit des Drucks ist das **Pascal (Pa)**. Es wurde nach dem französischen Physiker **Blaise Pascal** (*1623, †1662) benannt. Ein Druck von 1 Pa herrscht, wenn eine Kraft von 1 N auf eine Fläche von 1 m² wirkt. Da der Druck von 1 Pa ein sehr kleiner Druck ist, verwendet man häufig Vielfache von 1 Pa als Druckeinheit. Auch das →Bar ist eine gesetzliche Druckeinheit:

$$1 \text{ bar} = 10 \frac{N}{cm^2} = 100\,000 \text{ Pa}$$
$$1 \text{ bar} = 1\,000 \text{ mbar (Millibar)}$$

Untersucht man die Druckausbreitung in Flüssigkeiten oder Gasen, so füllt man den Stoff in die 3 miteinander verbundenen zylindrischen Gefäße (BILD) und übt die Druckkraft mithilfe der Kolben auf die Flüssigkeits- oder Gasoberfläche aus.

Das Versuchsergebnis zeigt: Alle 3 Kolben befinden sich in Ruhe, das heißt, im untersuchten Stoff breitet sich der Druck gleichmäßig aus, es besteht ein Druckgleichgewicht.
Verschiedene Druckkräfte erzeugen gleichen Druck,

$$p = \frac{2 \text{ N}}{2 \text{ cm}^2} = \frac{4 \text{ N}}{4 \text{ cm}^2} = \frac{6 \text{ N}}{6 \text{ cm}^2} = 1 \frac{N}{cm^2} = 0{,}1 \text{ bar}$$

Die Folgerung aus dieser Tatsache ist: Mit einer kleinen Druckkraft (z. B. $F_1 = 2$ N) lässt sich über eine Rohrleitung eine große Kraft (z. B. $F_3 = 6$ N) erzeugen. Dieser Sachverhalt wird in der Technik in vielfältiger Art genutzt, wo große Kräfte benötigt werden. Man arbeitet dort mit hydraulischen Maschinenelementen (z. B. zum Heben von Schleusentoren oder Brücken); das technische Fachgebiet ist die →Hydraulik.

Druckkabine, Fluggast- oder Besatzungsraum eines Flugzeuges, der so dicht abgeschlossen ist, dass kein ungewollter Luftaustausch zwischen innen und außen stattfinden kann. In der Druckkabine wird der Druck gegenüber dem Außendruck, der in großen Flughöhen sehr gering ist, durch Verdichter auf die Werte erhöht, die in geringen Flughöhen herrschen und somit den Insassen nicht schaden.

Druckluft, früher auch **Pressluft,** in Verdichtern komprimierte (verdichtete) Luft. Sie wird in vielen Bereichen als Energieträger eingesetzt, z. B. zum Antrieb von **Druckluftwerkzeugen** (Presslufthammer, -bohrer, -meißel und -schrauber), für Sandstrahlgebläse oder Spritzpistolen. Druckluftgeräte haben einen einfachen Aufbau und sind leicht regelbar. Die bei Arbeiten mit Druckluftwerkzeugen entstehende Lärmbelästigung wird durch Schalldämpfer in Grenzen gehalten (→Kompressor).

Druckverfahren, Methoden zur Herstellung gleichmäßiger Abdrucke einer Druckform (Druckplatte), die mit Druckfarbe versehen wird. Beim **Hochdruck** (z. B. Buchdruck, Flexodruck, Linolschnitt) sind die druckenden Elemente erhaben, die Druckform ist eben oder zylindrisch.

Der **Flachdruck** (z. B. Offsetdruck, lithographischer Steindruck, Lichtdruck), bei dem druckende und nicht druckende Elemente in derselben Ebene liegen, beruht darauf, dass die druckenden Teile durch chemische Behandlung Wasser abstoßend gemacht werden, sie können mit Druckfarbe eingefärbt werden. Die nicht druckenden Teile werden Fett abstoßend gemacht, sie nehmen keine Druckfarben an. Die Druckform ist entweder eben (Steindruck) oder zylindrisch (Offsetdruck). Dabei tritt zu dem Farbwerk ein Feuchtwerk, das die Stein- oder Offsetplatte vor dem Einfärben anfeuchtet; Letztere druckt über einen Gummizylinder gegen den Druckzylinder.

Beim **Tiefdruck** (z. B. Kupfer- oder Rakeltiefdruck, Stahlstich, Radierung) sind die druckenden Elemente durch Ätzen oder Gravieren tief gelegt. Von der mit flüssiger Farbe überschwemmten Druckform wird der Farbüberschuss durch ein Stahllineal (Rakel, beim Tiefdruck) oder durch eine Wischvorrichtung (beim Stahlstichdruck) abgenommen, sodass Farbe nur in den tief liegenden Druckelementen (Näpfchen) verbleibt. Das Papier wird durch einen Druckzylinder (Presseur) an die Druckform gepresst, wodurch die Farbe aus den Näpfchen auf das Papier gesaugt wird.

Beim **Siebdruck** (Durchdruck) besteht die Druckform aus einer Schablone aus farbdurchlässigem Material (Metall- oder Nylonsieb). Die Druckfarbe wird von Hand oder in der Siebdruckmaschine mit einem Stahllineal durch die Maschen des Siebes auf den Bedruckstoff gedrückt. (BILDER Seite 230)

Druse, Gesteinshohlraum in magmatischen Gesteinen, der durch ein Mineralaggregat oder durch gelartig abgeschiedene Mineralsubstanzen auf der Innenfläche ausgekleidet ist. Nach innen

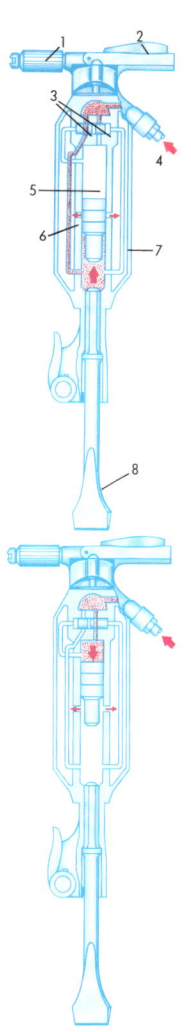

Druckluft: Druckluftwerkzeuge: Schema der Wirkungsweise eines Drucklufthammers; OBEN Aufwärtsphase, UNTEN Abwärtsphase des Kolbens; **1** Griff, **2** Drücker, **3** Steuerkolben, **4** Drucklufteintritt, **5** Kolben, **6** Ausströmkanal, **7** Überströmkanal, **8** Hammer

Drüs

Druse: Kristalldruse in Dolomit

zu, in den Drusenhohlraum hinein, zeigen die Mineralkörper meist wohl ausgebildete Kristallflächen. Die Hohlräume entstehen durch Gasblasen bei der Abkühlung von Magmengesteinen.

Drüsen, Organe im Körper von Mensch und Tieren, die Wirkstoffe (**Sekrete**) bilden, speichern und abgeben. Man unterscheidet ein- und mehrzellige, schlauch- und bläschenförmige Drüsen mit flüssigem, schleimigem oder talgförmigem Sekret. Die Absonderung der Sekrete (**Sekretion**) geschieht nach außen über einen Ausführungsgang oder nach innen, das heißt direkt in die Blutbahn. Zu den Drüsen mit äußerer Sekretion gehören die Drüsen des Atemtrakts, des Magen-Darm-Kanals und die Speicheldrüsen. Durch die Bildung von Schweiß helfen die **Schweißdrüsen** die Körpertemperatur zu regulieren. **Schleimdrüsen** halten die Schleimhäute feucht und schlüpfrig und geben ihnen Schutz. **Talgdrüsen** verhindern das Austrocknen der Haut. Nach einer Geburt kommt es in der weiblichen **Brustdrüse** zur Absonderung von Milch. Auch die Leber ist eine Drüse mit äußerer Sekretion. Sie sondert Galle ab, die die Nahrungsfette feiner verteilt und so für die Verdauung vorbereitet. Die **Bauchspeicheldrüse** gibt einerseits einen Verdauungssaft in den Darm ab (**äußere Sekretion**) und andererseits Hormone (Insulin, Glukagon) direkt in die Blutbahn (**innere Sekretion**). Als Gegenspieler beeinflussen Insulin und Glukagon z. B. den Zuckerspiegel des Blutes. Zu den Drüsen mit innerer Sekretion gehört die **Hirnanhangdrüse,** die als übergeordnetes Organ andere Drüsen steuert, z. B. die **Schilddrüse,** die wiederum mit ihren Hormonen den gesamten Stoffwechsel beeinflusst; ebenso unterliegen ihrer Steuerung die **Nebenniere,** die viele lebenswichtige Hormone bildet, sowie **Hoden** und **Eierstock,** in denen die männlichen oder weiblichen Geschlechtshormone gebildet werden.

Drusenkopf, ein →Leguan.

Dschingis Khan, der eigentlich **Temudschin** hieß (Dschingis Khan ist ein Titel, →Khan), wurde um 1155 oder 1167 als Sohn eines kleinen mongolischen Stammesfürsten geboren. In vielen Kämpfen gelang es ihm, alle Stämme seiner mongolischen Heimat, die damals fast ständig gegeneinander Krieg führten, unter seiner Herrschaft zu vereinigen. Danach stellte er ein riesiges, straff organisiertes Reiterheer auf, mit dem er einen Teil des Chinesischen Reiches und die Länder südlich und westlich der Mongolei bis nach Russland eroberte. Als er 1227 starb, hinterließ er ein mächtiges Reich, das er unter seine Söhne und seinen Enkel Batu Khan aufgeteilt hatte. Dieser erhielt den westlichen Teil, das Reich der →Goldenen Horde.

Dschungel [aus indisch dschangal ›Buschwald‹], ursprünglich Bezeichnung für die regengrünen Wälder in den tropischen Monsungebieten Asiens. In ihnen gibt es 2 Baumschichten: Die obere bilden 25–35 m hohe Bäume, die ihr Laub abwerfen; die untere besteht aus immergrünen Pflanzen. Später wurde die Bezeichnung Dschungel auch auf andere undurchdringliche Sumpf- und Regenwälder in den Tropen (→Regenwald) übertragen. Häufig wird der Dschungel auch als →Urwald bezeichnet.

Dschunke, altes chinesisches Segelschiff, das noch heute verwendet wird. Schon Marco Polo beschrieb die Dschunken in seinen Reiseberichten. Sie besitzen einen durch Schotten gesicherten Holzrumpf, bis zu 5 Masten und rechteckige, aus Bast geflochtene Mattensegel. Dschunken sind etwa 9 m breit und bis 55 m lang.

dt, Einheitenzeichen für **Dezitonne,** 1 dt = $\frac{1}{10}$ t (Tonne) = 0,1 t = 10^{-1} t = 100 kg (→Einheiten).

Dualsystem [zu lateinisch duo ›zwei‹], Mathematik: Das **Dual-, Zweier-** oder **Binärsystem** ist ein besonderes →Stellenwertsystem. Mit 2 Zahlzeichen, meist 0 und 1, können alle Zahlen als Potenzen der Basis 2 dargestellt werden. Eine **Dualzahl,** z. B. 110 101, besteht aus einer Folge von Einsen und Nullen. Den Stellen einer Dualzahl sind, von rechts nach links gelesen, die Werte 1, 2, 4, 8, 16, 32, 64 usw. zugeordnet. Somit ergibt sich:

$$110\,101 = 1 \cdot 32 + 1 \cdot 16 + 0 \cdot 8 + 1 \cdot 4 + 0 \cdot 2 + 1 \cdot 1 = 53$$
oder
$$110\,101 = 1 \cdot 2^5 + 1 \cdot 2^4 + 0 \cdot 2^3 + 1 \cdot 2^2 + 0 \cdot 2^1 + 1 \cdot 2^0 = 53$$

Der Dualzahl 110 101 entspricht daher die Zahl 53 im →Dezimalsystem.

Wie in obigem Beispiel kann man für jede Dualzahl ihren Wert im Dezimalsystem angeben. Umgekehrt kann man aber auch jede Zahl des Dezimalsystems in eine Dualzahl umwandeln, indem man sie in Zweierpotenzen zerlegt. Dazu wird die gegebene Zahl fortlaufend durch 2 geteilt.

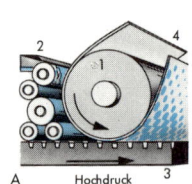

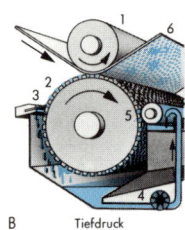

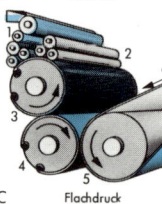

Druckverfahren (Raster stark vergrößert dargestellt):
A Hochdruck; 1 Druckzylinder, 2 Farbwerk, 3 Druckform, 4 Druckbogen. **B** Tiefdruck (Rakeltiefdruckverfahren); 1 Druckzylinder, 2 Druckform, 3 Farbrakel, 4 Farbrücklauf, 5 Farbwalze, 6 Papierbahn. **C** Flachdruck (Offsetdruck); 1 Farbwerk, 2 Feuchtwerk, 3 Druckform, 4 Gummizylinder, 5 Druckzylinder, 6 Papierbahn. **D** Siebdruck; 1 bewegter Druckformrahmen (Schablonenträger), 2 stationäre Rakel, 3 Druckzylinder mit Vakuumvorrichtung, 4 Bedruckstoffbahn

Beispiel: Es soll die Zahl 14 in eine Dualzahl verwandelt werden. Durch fortlaufende Divisionen der Zahl 14 durch 2 ergibt sich:

```
14:2 = 7 Rest 0, also erhält man 0 · 2⁰
 7:2 = 3 Rest 1, also erhält man 1 · 2¹
 3:2 = 1 Rest 1, also erhält man 1 · 2²
 1:2 = 0 Rest 1, also erhält man 1 · 2³
```

Somit entspricht die Zahl 14 der Dualzahl 1 110.

Mit Dualzahlen kann in ähnlicher Weise wie mit Zahlen aus dem Dezimalsystem gerechnet werden. Eine Additions- und eine Multiplikationsaufgabe sollen dies demonstrieren.

1) Die Addition zweier beliebiger Dualzahlen lässt sich durchführen, wenn man die Regeln kennt, nach der 3 einstellige Dualzahlen addiert werden.

```
Es gilt:
0+0+0 = 0,   1+0+0 = 0+1+0 = 0+0+1 = 1,
1+1+0 = 1+0+1 = 0+1+1 = 10   und   1+1+1 = 11.
Somit ergibt sich z. B.      oder im Dezimalsystem:
  1001101                         77
   111110                        +62
 + 11111                         ———
 ————————                        139
  10001011
```

2) Die Multiplikation zweier beliebiger Dualzahlen lässt sich durchführen, wenn man die Regeln kennt, nach der 2 einstellige Dualzahlen multipliziert werden.

```
Es gilt:
0 · 0 = 1 · 0 = 0 · 1 = 0   und   1 · 1 = 1.
Somit ergibt sich z. B.      oder im Dezimalsystem:
  1101 · 110                     13 · 6
  ————————                       ——————
    1101                           78
   1101
     11      0
 ——————————
   1001110
```

Die Bedeutung des Dualsystems besteht darin, dass sich 2 Zeichen 0 und 1 in Schaltkreisen von Computern leicht darstellen lassen, z. B. als ›Strom fließt nicht‹ (0) und ›Strom fließt‹ (1) oder ›Lämpchen leuchtet nicht‹ (0) und ›Lämpchen leuchtet‹ (1) oder ›Spannung liegt nicht an‹ (0) und ›Spannung liegt an‹ (1). Zur Realisierung der beiden Zustände können Schalter, Relais oder Transistoren benutzt werden.

Dublin [dạblin], 478 900 Einwohner, Hauptstadt der Republik Irland, liegt beiderseits der Mündung des Liffey in die Irische See an der Ostküste der Insel; bedeutender Hochseehafen. – Dublin war seit dem 10. Jahrh. Zentrum des Wikingerkönigreichs, bis es 1170–72 von den Anglonormannen erobert wurde.

Dubrovnik, 44 000 Einwohner, Hafenstadt und beliebter Badeort in Kroatien, liegt auf einer mit dem Festland verbundenen Felseninsel an der Adriaküste. In der Stadt, die mit ihrem italienischen Namen **Ragusa** heißt, waren bis zum serbisch-kroatischen Krieg 1991/92 noch viele Bauwerke aus dem 13.–18. Jahrh. erhalten.

Duce [dụtsche, italienisch, von lateinisch dux ›Führer‹], Titel Benito →Mussolinis, des Führers der italienischen Faschisten.

Dudelsack, auch **Sackpfeife** oder **Musette** [müsät], Blasinstrument mit einem großen Luftsack aus Leder, den der Spieler durch ein Röhrchen mit Luft füllt. Durch Zusammenpressen des Sacks entweicht die Luft durch verschiedene Pfeifen aus Holz, die alle gleichzeitig erklingen. Eine der Pfeifen ist mit Grifflöchern versehen und wird mit beiden Händen als Melodiepfeife gespielt. Die anderen Pfeifen, in Quinten und Oktaven gestimmt, bilden die ›Begleitung‹, die während des ganzen Spiels unverändert bleibt.

Duden. Hat man Zweifel, wenn es um die richtige Schreibweise eines Wortes oder den Gebrauch von Satzzeichen geht, kann man im ›Duden‹ nachschauen. Dieses Nachschlagewerk, in dem die Rechtschreibung der deutschen Sprache geregelt ist, geht auf **Konrad Duden** (*1829, †1911) zurück, einen Gymnasiallehrer, der sich um die Vereinheitlichung der deutschen Rechtschreibung bemühte. 1880 erschien sein ›Vollständiges orthographisches Wörterbuch der deutschen Sprache‹, auf das heute der ›Duden‹ in 12 Bänden. Das Standardwerk zur deutschen Sprache‹ zurückgeht.

Duero, portugiesisch **Douro** [dọru], Fluss in Spanien und Portugal, 895 km lang. Er entspringt im Iberischen Randgebirge, 200 km nördlich von Madrid, und schneidet sich bis zu 400 m tief in die Hochfläche im Nordwesten Spaniens ein. Über 120 km bildet der Fluss die Grenze zwischen Spanien und Portugal, bevor er bei Porto in den Atlantischen Ozean mündet.

Duett [von italienisch due ›zwei‹], Komposition für 2 Singstimmen, meist mit Instrumentalbegleitung. In der Oper kommt es häufig als **Liebesduett** (meist für Sopran und Tenor) vor.

Dukaten, Goldmünzen, die zuerst in Venedig geprägt wurden. 1559–1857 waren Dukaten deutsche Reichsmünzen; in Süddeutschland wurden sie bis 1871, in Österreich bis ins 20. Jahrh. geprägt. Der Name kommt wohl von Doge (im alten Italienisch ›ducato‹), dessen Bild auf der Rückseite der venezianischen Dukaten eingeprägt war.

Dukaten:
Venedig um 1420
(6/7 Originalgröße)

Duma

Dumas [dümạ]. Es gibt 2 französische Schriftsteller, die diesen Namen tragen: **Alexandre Dumas** (*1802, †1870) **Vater** und **Alexandre Dumas** (*1824, †1895) **Sohn.**

Der Vater Dumas schrieb viele Bühnenstücke, die damals sehr beliebt waren, heute aber größtenteils vergessen sind. Seine historischen Abenteuerromane üben jedoch noch immer eine große Anziehungskraft aus, vor allem ›Die drei Musketiere‹ (1844, →Musketiere) und ›Der Graf von Monte Christo‹ (1844–45), die beide mehrmals verfilmt wurden.

Der Sohn Dumas schuf das moderne Gesellschaftsdrama, mit dem er die Sitten seiner Zeit verbessern wollte. Er setzte sich z. B. für die Gleichberechtigung von Mann und Frau ein. Einen seiner größten Erfolge hatte er 1852 mit der Bühnenfassung seines Romans ›Die Kameliendame‹ (1848); sie wurde mehrmals verfilmt und diente als Vorlage für die Oper ›La Traviata‹ von Giuseppe Verdi.

Dummy [dạmi, englisch ›Attrappe‹], →Crashtest.

Dunant [dünạ]. Das Elend der Kriegsverletzten, das der schweizerische Schriftsteller **Henri Dunant** (*1828, †1910) nach dem Sieg der Franzosen und Piemontesen über die Österreicher in der Schlacht von Solferino (1859) sah, erschütterte ihn tief. Auf seine Anregung hin wurde 1863 eine internationale Konferenz in Genf einberufen, die das →Rote Kreuz gründete.

Düne, Anhäufung von Sand durch Einwirkung von Wind. Ansatzpunkte für Entstehung und Wachstum von Dünen sind kleine Hindernisse (z. B. Steine, Sträucher, Unebenheiten des Bodens), an denen sich der vom Wind mitgeführte Sand ablagert. Aus zunächst kleinen, zungenförmigen Hügeln bildet sich bei weiterer Anwehung von Sand allmählich eine Düne, die oft mit dem Wind wandert. Dünen haben eine flache Luv- und eine steile Leeseite und können mehrere Hundert Meter hoch werden. Sie entstehen an Küsten, wo sie häufig parallel zum Küstenverlauf mehrere hintereinander liegende Wälle bilden, und in Wüstengebieten.

Dünger, Düngemittel, Stoffe, die Pflanzen zugeführt werden, um ihr Wachstum zu fördern. Sie werden in den Boden eingebracht, um Nährstoffe zu ersetzen, die ihm bei dauernder Bepflanzung entzogen werden, und enthalten Stickstoff, Phosphor, Kalium und Calcium als Hauptnährelemente. Man unterscheidet 2 Gruppen von Düngern: die organischen Dünger (z. B. Stallmist, Kompost, Klärschlamm) und die Kunst- oder Mineraldünger, die für jeden Boden und jede Pflanzenart speziell zusammengestellt werden können. Dadurch wurden hohe Ertragssteigerungen erzielt, die für die Ernährung der Weltbevölkerung sehr wichtig sind. Alle Dünger werden jedoch zu einer Gefahr, wenn sie im Übermaß angewendet werden. Die Pflanzen können nur eine bestimmte Menge an Nährstoffen aufnehmen; der Rest verbleibt im Boden und gelangt von dort ins Grundwasser und weiter in Flüsse und Seen, aber auch ins Trinkwasser. Diese Rückstände können sowohl in der Natur als auch beim Menschen beträchtliche Schäden hervorrufen.

Dunkelkammer, ein Raum, in dem man Filme entwickeln und Abzüge machen kann. Er darf beim Arbeiten mit Schwarzweißpapieren mit einer schwachen, gelbgrünen oder roten Lampe beleuchtet werden, bei Farbabzügen muss er vollständig dunkel sein.

Duo [italienisch, zu lateinisch duo ›zwei‹], Komposition für 2 Instrumente (→Kammermusik), auch die beiden Instrumentalisten, die diese Komposition spielen. Außerdem gebraucht man Duo auch im selben Sinn wie →Duett.

Dur [von lateinisch durum ›hart‹], das ›harte‹ oder ›männliche‹ Tongeschlecht. Die Durtonarten haben, ausgehend vom Grundton, eine große Terz, große Sexte und große Septime. (→Moll)

Durchfall, Bezeichnung für häufige, dünnflüssige Entleerungen des Darms. Durchfall tritt meist als Begleiterscheinung (Symptom) anderer Erkrankungen auf, kann aber auch durch Fehler bei der Ernährung verursacht sein, z. B. wenn man zu viel von einer Speise oder etwas Verdorbenes gegessen hat. Am häufigsten wird Durchfall durch Bakterien und deren Gifte sowie durch Viren verursacht. Aber auch Medikamente (Antibiotika) und Aufregung können ihn auslösen. Schwere Durchfallerkrankungen sind Cholera und Typhus. Wichtig für die Behandlung des Durchfalls ist, dass der Flüssigkeitsverlust durch Getränke (Tee) ausgeglichen wird.

Durchmesser, Geometrie: Verläuft die Verbindungsstrecke zweier Punkte eines →Kreises oder zweier Punkte der Oberfläche einer →Kugel durch den Kreis- oder Kugelmittelpunkt, so heißt diese Strecke Durchmesser.

Dürer. Der deutsche Maler, Kupferstecher, Zeichner und Kunstschriftsteller **Albrecht Dürer** (*1471, †1528) prägte seine Epoche so nachhaltig, dass für sie die Bezeichnung ›Dürerzeit‹ aufkam. Den größten Teil seines Lebens verbrachte

Albrecht Dürer: Selbstporträt; 1500

er in seiner Heimatstadt Nürnberg. Ausgedehnte Reisen führten ihn zum Oberrhein, nach Italien (besonders Venedig) und in die Niederlande. Diese Reisen hatten einen großen Einfluss auf seine Kunst. Hatte er als junger Mann noch in Handwerksbetrieben gelernt, in denen die mittelalterliche Überlieferung und die Formen der Spätgotik bestimmend waren, so kam er in Italien mit Renaissance und Humanismus in Berührung. Seitdem strebte er eine Erneuerung der Kunst an. Die Schönheit, für ihn höchstes Ziel der Kunst, erschien ihm durch bestimmte Formgesetze, etwa der ausgewogenen Proportion, konstruierbar. Besonders ging es ihm um die vollkommene menschliche Gestalt (z. B. Kupferstich ›Adam und Eva‹). Ein der Gotik noch großenteils fremder **Wirklichkeitssinn** zeigt sich in seinen Porträts, den Landschaftsaquarellen und den naturgetreu ausgeführten Pflanzen- und Tierstudien (›Feldhase‹). Dagegen entsprechen seine Holzschnitte zur Offenbarung des Johannes in Form und endzeitlicher Stimmung noch eher dem Geist des ausgehenden Mittelalters.

Dürer gestaltete religiöse Themen (mehrere Altäre, Andachtsbilder, Grafiken zur Passion Christi und zum Marienleben) und weltliche Stoffe (allegorische und mythologische Darstellungen). Seine Porträts zeigen unter anderem Kaiser Maximilian I., in dessen Diensten er zeitweilig stand, und Kurfürst Friedrich den Weisen. Dürer selbst kennen wir aus mehreren eindrucks-

Düse

vollen Selbstporträts. Er war einer der Ersten, die das grafische Blatt als ebenbürtig neben das Gemälde stellten. Mit seinen etwa 350 Holzschnitten, 100 Kupferstichen und Radierungen wirkte er stilbildend über seine Zeit hinaus. Besonders berühmt sind die Kupferstiche ›Ritter, Tod und Teufel‹, ›Melancholie‹ sowie ›Der Heilige Hieronymus im Gehäus‹. Sein letztes großes Werk waren die beiden Tafeln der ›Vier Apostel‹ (Paulus, Johannes, Petrus, der Evangelist Markus) von 1526.

Dürrenmatt. Der schweizerische Dramatiker **Friedrich Dürrenmatt** (*1921, †1990) arbeitete in seinen Theaterstücken mit dem Stilmittel der ›Verfremdung‹: Situationen werden ins Groteske verzerrt, Lustiges und Grausames stehen nebeneinander, hinter der komischen Darstellung steht oft eine tragische Aussage. Dürrenmatt beschreibt den Menschen im Konflikt mit der Welt, die im Werden ist und ›Gefahr läuft kaputtzugehen‹. Er verstand sich aber nicht als Moralist, sondern wollte durch Humor und das Paradoxe die Wahrheit aufzeigen. Gesellschaftliche und moralische Widersprüche werden aufgedeckt, Zeitgenossen mit Zynismus und beißendem Witz in ihrer Spießbürgerlichkeit beschrieben. In der tragischen Komödie ›Der Besuch der alten Dame‹ (1956) überredet eine amerikanische Milliardärin die Bürger ihres verschuldeten Heimatortes Güllen, gegen eine phantastische Geldsumme ihren Jugendgeliebten zu töten. Die Bürger lassen sich kaufen und begehen den Mord. Zu Dürrenmatts Werken zählen neben Dramen wie ›Die Physiker‹ (1962) auch spannende Kriminalgeschichten, z. B. ›Der Richter und sein Henker‹ (1952), und Hörspiele.

Durst. Im Lauf des Tages geht dem Körper Flüssigkeit durch die Atmung, in Form von Schweiß sowie durch Urin und Stuhl verloren.

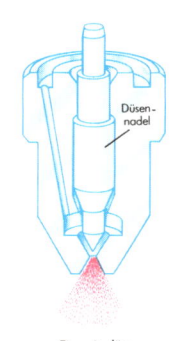

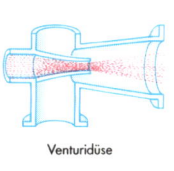

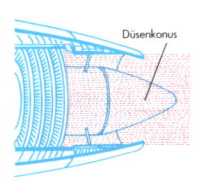

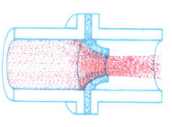

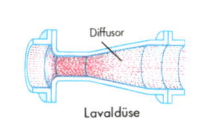

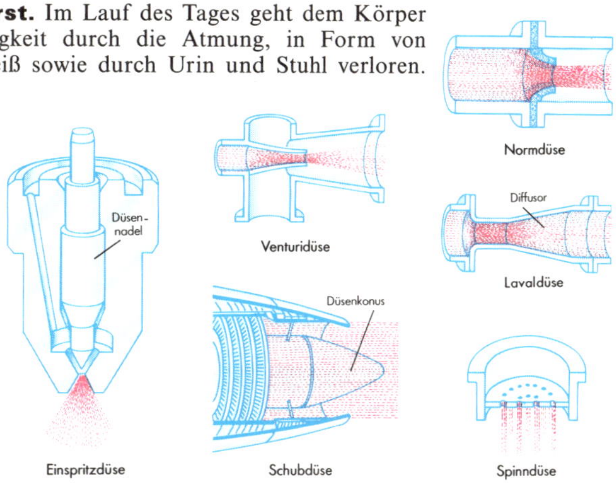

Düse

Jede Änderung im Wasser- und Mineralhaushalt wird von ›Fühlern‹ (Rezeptoren) registriert und an bestimmte Zellen des Zwischenhirns vermittelt. Durch die Reizung dieser Zellen wird das Durstgefühl ausgelöst. Dieses Bedürfnis zu trinken hilft, den Wasserhaushalt des Organismus zu regulieren. Wenn auch der Flüssigkeitsbedarf bei den einzelnen Menschen unterschiedlich ausgeprägt ist, ist er gerade bei Kindern verhältnismäßig hoch. Vor allem starkes Schwitzen, Fieber, Erbrechen und Durchfall führen zu Wasserverlusten, die unbedingt ersetzt werden müssen.

Düse, die Verengung der Austrittsöffnung eines Rohres, in dem eine Flüssigkeit oder ein Gas strömt. In der Düse wird der Druck dieses strömenden Mediums in Geschwindigkeit umgesetzt. Düsen können einen dichten Strahl erzeugen, wie er zum Antrieb von Turbinen und Flugzeugen (als **Schubdüse** im Strahltriebwerk) oder in Spinndüsen zur Herstellung von Chemiefasern gebraucht wird. Daneben dienen sie zur Zerstäubung in feine Tröpfchen wie bei der **Einspritzdüse** von Einspritzmotoren, zum Mischen von Flüssigkeiten (**Mischdüse**) oder zum Messen des Durchflusses, z. B. in einer **Normdüse.** – Erweitert sich der Rohrquerschnitt im Verlauf einer Düse, so spricht man von einem **Diffusor.** (BILDER Seite 233)

Düsenflugzeug, →Strahlflugzeug.

Düsseldorf, 576 700 Einwohner, Hauptstadt des Bundeslandes Nordrhein-Westfalen, liegt beiderseits des Rheins zwischen Köln und Duisburg. Große Maschinenbau-, Eisen- und Stahlunternehmen (Thyssen, Mannesmann) haben hier ihren Hauptsitz. Die großzügig angelegte Stadt mit ihren Parks und eleganten Geschäftsstraßen (z. B. die kurz ›Kö‹ genannte Königsallee) ist eine beliebte Messe- und Kongressstadt.

Dvořák [dwọrschahk]. Der tschechische Komponist **Antonín Dvořák** (*1841, †1904) spielte zunächst als Bratschist in verschiedenen Orchestern. Seit 1901 war er Direktor des Prager Konservatoriums. Er schuf zahlreiche Werke, die sich durch Formkraft und großen melodischen Reichtum auszeichnen, z. B. Sinfonie ›Aus der neuen Welt‹ op. 95 (1893), Cellokonzert op. 104 (1894) und ›Slawische Tänze‹ op. 46 (1878) und op. 72 (1886).

Dyck [dejk]. Der Maler **Anthonis van Dyck** (*1599, †1641) ist der bedeutendste flämische Barockmaler nach Peter Paul Rubens, in dessen Werkstatt er 3 Jahre lang Mitarbeiter war. Sechs Jahre brachte er in Italien zu, wo er besonders die Werke Tizians studierte. Seit 1632 lebte er in England und wurde in London zum gefeierten Hofmaler König Karls I. In seiner frühen Zeit schuf van Dyck Gemälde biblischen und religiösen Inhalts, z. B. ›Susanna im Bade‹ oder das ›Martyrium des Heiligen Sebastian‹. Seit 1635 malte er ausschließlich Porträts, vor allem von Mitgliedern der englischen Hofgesellschaft. Dabei entstand die repräsentative Adelsporträt, das auch in der englischen und französischen Kunst des 18. Jahrh. noch vorbildhaft wirkte. Zu den besten Leistungen gehören die Bildnisse Karls I. und seiner Kinder. Charakteristisch für ihn sind brauntonige, gedämpfte Farben und Kontraste von Licht und Schatten (Helldunkelmalerei). Ab 1630 entstand die ›Ikonographie‹, eine Folge von etwa 100 Radierungen und Kupferstichen mit Porträts von Zeitgenossen, zu denen van Dyck die Vorlagen geliefert hatte.

Dynamit [zu griechisch dynamis ›Kraft‹], von Alfred →Nobel erfundener Sprengstoff, der als wirksamsten Bestandteil Nitroglycerin enthält. Nitroglycerin allein ist außerordentlich stoßempfindlich und deshalb schwer zu handhaben. Nobel verbesserte 1867 die Eigenschaften entscheidend, indem er 75 % Nitroglycerin in 25 % Kieselgur aufsaugen ließ. Später verwendete man statt Kieselgur Collodiumwolle, Natriumnitrat, Holz- und Pflanzenmehle. Dynamit wird heute meist durch andere Sprengstoffe ersetzt.

Dynamo [zu griechisch dynamis ›Kraft‹], eine Lichtmaschine am Fahrrad, ein →Generator. Schaltet man den Dynamo ein, indem man ihn an den Reifen klappt, so bemerkt man, dass man nun kräftiger als bisher in die Pedale treten muss, um die gleiche Geschwindigkeit zu behalten. Man muss mechanische Arbeit verrichten, um elektrische Energie für den Betrieb von Scheinwerfer und Rückstrahler zu erhalten.

Dynastie [zu griechisch dynastes ›Herrscher‹, ›Mächtiger‹], Herrscherfamilie oder Herrscherhaus, z. B. in der deutschen Geschichte die Dynastie der Habsburger und der Hohenzollern. Auch bedeutende Familien nennt man manchmal so, z. B. die Dynastie der Krupps. In der Geschichte des alten Ägypten fasst man Gruppen von Pharaonen zu insgesamt 31 Dynastien zusammen; die Pharaonen einer Dynastie waren oft nicht untereinander verwandt.

Dysprosium, Zeichen **Dy,** →chemische Elemente, ÜBERSICHT.

dz, Einheitenzeichen für Doppelzentner (→Einheiten).

Echo

E, der fünfte Buchstabe des Alphabets, ein Vokal. E ist in der Musik der 3. Ton der C-Dur-Tonleiter.

Ebbe, das Fallen des Meeresspiegels im Gezeitenwechsel (→Gezeiten).

Ebene, Geometrie: In BILD 1 sind auf einem Zeichenblatt 2 nichtparallele Geraden *g* und *h* gezeichnet. Diese beiden Geraden schneiden sich auf dem Zeichenblatt nicht. 2 nichtparallele Geraden schneiden sich jedoch, wenn man sie genügend verlängert. Um den Schnittpunkt *S* der beiden Geraden zeichnen zu können, muss man das Zeichenblatt vergrößern und die beiden Geraden verlängern (BILD 2).

Denkt man sich das Zeichenblatt nun nach allen Seiten hin unbegrenzt fortgesetzt, so erhält man eine **Ebene.**

Die Ebene ist die Grundmenge der ebenen Geometrie. Alle geometrischen Figuren wie Geraden, Strecken, Kurven, Kreise, Rechtecke und andere lassen sich als Menge von Punkten auffassen. Die Punktmengen stellen dann Teilmengen (→Mengenlehre) der Ebene dar.

Liegen 2 Geraden in einer Ebene, so haben sie entweder alle Punkte oder einen Punkt oder keinen Punkt gemeinsam. Man sagt: Die beiden Geraden sind gleich oder sie schneiden sich oder sie liegen parallel zueinander.

Eine Ebene wird durch eine in ihr liegende Gerade in 2 getrennte Gebiete, die **Halbebenen,** zerlegt. Die Ebene besitzt 2 Ausbreitungsrichtungen, man sagt auch 2 **Dimensionen.** Lässt man auch noch eine dritte Ausbreitungsrichtung zu, die von den ersten beiden verschieden ist, so erhält man den (dreidimensionalen) **Raum.** Im Raum stellt die Ebene selbst wieder eine Teilmenge dar.

Eber, das männliche Hausschwein (→Schweine).

Ebereschen, Bäume oder hohe Sträucher an Wegen und in Wäldern, häufig auch in Alleen und Parks. Mit ihren zierlichen, unpaarig gefiederten Blättern ähneln sie der Esche (daher der Name). Die weißen Blüten stehen in dichten, doldenähnlichen Rispen zusammen. Die zunächst gelben, erbsengroßen Früchte, die sich im Herbst leuchtend rot färben, werden gern von Vögeln gefressen (daher auch **Vogelbeerbaum**). Man verarbeitet sie zu Saft, Marmelade und Likör.

Ebert. Der sozialdemokratische Politiker **Friedrich Ebert** (*1871, †1925) gab schon früh seinen Beruf als Sattler auf, um sich der Politik zu widmen. Als Vorsitzender der SPD (1913–19) vertrat er in den innerparteilichen Richtungskämpfen dieser Jahre stets eine gemäßigte Linie. Außenpolitisch forderte er im Ersten Weltkrieg einen Verständigungsfrieden mit den Kriegsgegnern Deutschlands.

Als 1918 die Republik ausgerufen wurde, übernahm Ebert als Vorsitzender des Rates der Volksbeauftragten die Führung des Deutschen Reichs. 1919 wählte ihn die Weimarer Nationalversammlung zum ersten Reichspräsidenten. Er hatte dieses Amt bis zu seinem Tode 1925 inne. Während seiner Amtszeit bemühte er sich um überparteiliche Neutralität und war bestrebt, zwischen den gegensätzlichen politischen Meinungen und Interessen zu vermitteln.

Ebro, Fluss in Nordspanien, 910 km lang. Er entspringt im Kantabrischen Gebirge und mündet südwestlich von Barcelona ins Mittelmeer. Wegen unregelmäßiger Wasserführung, Wasserverlustes durch künstliche Bewässerung, Felsklippen und versandeten Deltas ist er kaum befahrbar.

Echnaton [ägyptisch ›er gefällt dem Aton‹], Name, den sich der ägyptische Pharao der 18. Dynastie gab, der ursprünglich **Amenophis IV.** hieß. Er regierte 1364 bis 1347 v. Chr., seine Gemahlin war →Nofretete; Echnaton führte die alleinige Verehrung der Gottheit →Aton ein.

Echo [zu griechisch eche ›Schall‹]. Auf Gebirgswanderungen kann man häufig Stellen mit einem Echo, einem **Widerhall,** entdecken. Wie ist diese Erscheinung zu erklären?

Der →Schall wird an Wänden wie das Licht von Spiegeln nach dem Gesetz der →Reflexion zurückgeworfen. Der Ausfallswinkel (Reflexionswinkel) des Schalls ist gleich dem Einfallswinkel (BILD). – Spricht man in großen Zimmern oder Sälen, so empfindet man den von den Wänden zurückgeworfenen Schall als störend. Der zurückgeworfene Schall erreicht das Ohr, bevor man das Wort zu Ende gesprochen hat. Diese Erscheinung nennt man **Nachhall.**

Befindet man sich aber weiter von der reflektierenden Wand entfernt, so trifft der zurückgeworfene Schall erst später ein und man kann bei einem kurzen Wort das ganze Wort noch einmal hören.

Echolot. Zur Zeit der großen Segelschiffe wurde das Wasser unter dem Kiel eines Schiffes ausgelotet. Ein Matrose hielt dazu ein Lot, also ein in regelmäßigen Abständen mit Bleikugeln besetztes Band, in der Hand. Er tauchte das Band ins Wasser, bis es auf den Meeresboden

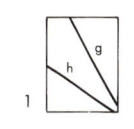

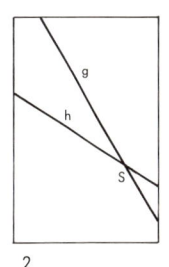

Ebene

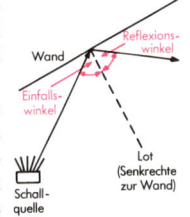

Echo

Echs

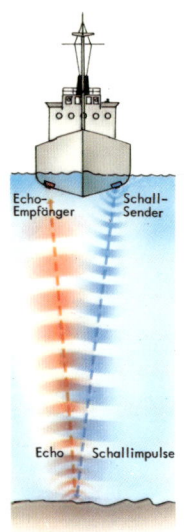

stieß, und zählte dabei die Anzahl von Bleikugeln, die ihm durch die Finger glitt. Aus der Anzahl der Kugeln konnte er auf die Länge des Bandes und damit auf die Wassertiefe unter dem Kiel schließen.

Im Zeitalter der motorgetriebenen Schiffe musste man Untiefen schneller und sicherer erkennen können. Hierzu nutzt man den Widerhall (Reflexion), das ›Echo‹ des →Schalls. Durch Anbringen eines Schallsenders und eines Schallempfängers an der Unterseite des Schiffes kann man aus der Laufzeit des Schalls bei bekannter Schallgeschwindigkeit die Meerestiefe messen, auch Schiffswracks und Unterseeboote orten.

Da z. B. auch Fische den Schall reflektieren, kann man mit dem Echolot auch große Fischschwärme erkennen. (→Ultraschall)

Echsen, Kriechtiere, bei denen im Unterschied zu den eng verwandten Schlangen die Schädelknochen fest miteinander verbunden sind. Außerdem können Echsen die Augen schließen, da ihre Lider frei beweglich sind. Die kurzen Beine können auch zurückgebildet sein (Blindschleiche). Die recht kleinen Echsen (nur der Waran wird 3 m lang) mit höckerigen oder schindelartigen Schuppen leben vor allem in wärmeren Ländern. Meist fressen sie kleine Tiere, seltener auch Pflanzen. Die Weibchen legen Eier; bei einigen Arten schlüpfen die Jungen bereits im Mutterleib und werden voll entwickelt geboren. Zu den rund 2 500 Arten gehören unter anderem →Chamäleons, →Eidechsen, →Geckos, →Leguane, Schleichen (mit der →Blindschleiche) und →Warane.

Ecuador
Fläche: 283 561 km²
Einwohner: 11,055 Mio.
Hauptstadt: Quito
Amtssprache: Spanisch
Nationalfeiertag: 10. 8.
Währung: 1 Sucre (S/.) = 100 Centavos (Ctvs)
Zeitzone: MEZ − 6 Stunden

Ecuador, Republik im Nordwesten Südamerikas. Das Land ist etwa dreimal so groß wie Ungarn und gliedert sich in 3 Landschaftszonen. Das Küstentiefland im Westen nimmt etwa 1/4 der Landesfläche ein. Östlich schließen sich die Anden an mit Höhen bis über 6 000 m; das Gebirge besitzt in den beiden Hauptketten tätige Vulkane. Der östliche Teil des Landes gehört zum Amazonastiefland und ist von tropischen Regenwäldern bedeckt.

Im Gebirge herrscht kühlgemäßigtes, an der Küste und im Regenwaldgebiet feuchtheißes Klima. Im Südwesten ist es unter dem Einfluss einer kühlen Meeresströmung trockener.

Die meisten Bewohner Ecuadors sind Mestizen und Indianer. Die vorwiegend in den Städten lebenden Weißen bilden die Oberschicht. Viele Bewohner verlassen die ländlichen Gebiete des Hochlands und ziehen in die Städte.

In der Küstenzone werden auf großen Plantagen Bananen, Kaffee, Kakao und Zuckerrohr angebaut, vorwiegend für die Ausfuhr. Reis, Mais, Getreide und Kartoffeln sind die Anbauprodukte des Hochlands. Erdöl ist das wichtigste Ausfuhrgut des Landes. Die Industrie hat in den letzten Jahren ein starkes Wachstum zu verzeichnen.

Geschichte. Als die Spanier im 16. Jahrh. das Land eroberten, gehörte es zum Inkareich. Nach Beseitigung der spanischen Herrschaft im 19. Jahrh. kam Ecuador vorübergehend an Kolumbien, bevor es 1830 unabhängige Republik wurde. (KARTE Band 2, Seite 197)

Edda, Sammlung von etwa 30 isländischen Liedern vor allem aus Mythologie und Heldensage. Diese Götter- und Heldenlieder, die im 13. Jahrh. aufgeschrieben wurden, stammen vorwiegend aus der Wikingerzeit, also aus dem 8.–11. Jahrh. Die Sammlung, die man auch als **Lieder-Edda** bezeichnet, wird eingeleitet durch die Weissagung einer Seherin über das Schicksal der Götter und die Geschichte der Erde, ihre Entstehung und ihren Untergang. Die Heldendichtungen enthalten Stoffe der nordischen, aber auch der germanischen Sagenwelt. Schon hier tauchen die Helden des →Nibelungenliedes, Siegfried und die Burgunder sowie der Hunnenkönig Etzel, auf. Auch Spruchdichtungen, die Lebensregeln, Rätsel, Merksätze oder Zaubersprüche überliefern, sind in die Edda aufgenommen worden.

Edelgase, Bezeichnung für die 6 geruch- und farblosen Gase Helium, Neon, Argon, Krypton, Xenon und Radon; sie ist darauf zurückzuführen, dass diese Gase kaum an chemischen Reaktionen teilnehmen. Erst seit 1962 kennt man einige wenige ihrer Verbindungen. Die Edelgase kommen in Spuren (0,94 %, überwiegend Argon) in der Luft und Helium bis 7 % in einigen Erdgasquellen vor.

Edelkastanie, →Kastanie.

Edelmetalle, die Metalle Gold, Silber sowie Platin und einige diesem Metall ähnliche Elemente (z. B. Palladium). Edelmetalle oxidieren kaum und sind sehr beständig gegen chemische und elektrochemische Einflüsse (Korrosion). Verwendet werden sie zur Herstellung von Münzen und Schmuck sowie im technischen Bereich, z. B. in der Raumfahrt und der Elektronik.

Edelstein, seltenes Mineral von besonders schöner Farbe oder Lichtwirkung, meist auch von besonders großer Härte. Edelsteine werden zu Schmuck verarbeitet und sind meist sehr teuer. Zu den wertvollsten gehört der →Diamant. Beim Schleifen werden durchsichtige, durchscheinende und undurchsichtige Edelsteine unterschiedlich behandelt. Durchsichtige Edelsteine werden in bestimmten Formen und Mustern (Facetten) geschliffen. Dadurch wird die Wirkung des Lichts gesteigert und die Steine glitzern und funkeln. Durchscheinende und undurchsichtige Edelsteine werden meist gewölbt oder als flache Siegelsteine geschliffen, die häufig anschließend graviert werden. Das Gewicht wertvoller Edelsteine wird in **Karat** angegeben (1 Karat = 0,2 Gramm). Weniger wertvolle Edelsteine, die häufiger auftreten, nennt man **Schmucksteine.** Edelsteine kommen in Gesteinen und Erzen vor und werden in Tagebauen und Steinbrüchen, aber auch aus Sand- und Geröllablagerungen fließender Gewässer gewonnen. Auch Korallen, Bernstein oder Perlen werden als Edelsteine bezeichnet, obwohl sie keine Minerale sind, und ebenfalls zu Schmuck verarbeitet.

Edelweiß, eine →Alpenpflanze (BILD), die häufig an schwer zugänglichen, steilen Felsenwänden wächst. Sie war früher eine begehrte ›Trophäe‹ der Bergsteiger; daher ist sie selten geworden und steht heute unter Naturschutz.

Edinburgh [edinborou], 439 000 Einwohner, Hauptstadt Schottlands und früherer Königssitz am Firth of Forth; politischer und kultureller Mittelpunkt Schottlands. Seit 1947 finden hier jährlich Musik- und Theaterfestspiele statt.

Edison [edisn]. Der amerikanische Elektrotechniker **Thomas Alva Edison** (*1847, †1931) war ein überaus ideenreicher Erfinder. Insgesamt meldete er über 1 300 Patente an. Sein erstes Patent erhielt er schon mit 21 Jahren für einen elektrischen Stimmenzähler. 1869 konstruierte er einen **Börsenfernschreiber,** den er einer amerikanischen Telegrafengesellschaft verkaufte. 1876 erfand er das **Kohlekörnermikrofon,** das noch heute in die Sprechmuschel eines Telefons eingebaut wird, und vervollkommnete damit das Telefon. Im folgenden Jahr baute er das erste Modell des **Phonographen,** des Vorläufers des Schallplattenspielers, und 1879 die erste brauchbare **Kohlenfadenlampe.** 1883 entdeckte er die **Glühemission,** den sogenannten **Edison-Effekt,** der die Grundlage für die Entwicklung der Elektronenröhre war. Von 1889 an interessierte er sich hauptsächlich für bewegte Bilder. Er erfand einen **Laufbildprojektor** und 1899 ein Filmaufnahmegerät, den **Kinetographen.**

Eduard III., *1312, †1377, König von England 1327–77, erhob als Sohn Isabellas von Frankreich Anspruch auf den französischen Thron gegen die französische Linie Valois. Daraus entstand der ›Hundertjährige Krieg‹ (1339–1453), in dessen Verlauf Eduard zunächst französische Gebietseroberungen machte, im Frieden von Brétigny (1360) jedoch auf die französische Krone verzichtete. Eduard III. wurde schon zu Lebzeiten als Kriegsheld besungen.

EDV, Abkürzung für elektronische →Datenverarbeitung.

Efeu, immergrüner Strauch mit glänzend ledrigen Blättern und schwachen Stämmchen, der an Bäumen und Mauern emporklettert (bis in 30 m Höhe) oder am Boden kriecht. Die Pflanze entwickelt viele kleine, borstenartige und dicht beieinander sitzende Haftwurzeln, die sich jeder Unebenheit anpassen können. Die gelblich grünen Blütendolden sind unscheinbar; sie duften süßlich. Die erbsengroßen, blauschwarzen **Beeren sind giftig.** Ein Efeu kann über 500 Jahre alt werden. Kleinere Arten sind Zimmerpflanzen.

EFTA, →Europäische Freihandelsgemeinschaft.

EG, →Europäische Gemeinschaften.

Egmont. Der Statthalter der zu Spanien gehörenden niederländischen Provinzen Flandern und Artois, **Lamoraal Graf von Egmont,** Fürst von Gavere (*1522, †1568), wurde mit Graf Hoorn und Wilhelm von Oranien zum Führer des Widerstands gegen die spanische Verwaltung, die durch eine straffe, zentralisierte Regierungsform die wirtschaftliche Ausbeutung der reichen niederländischen Provinzen durch Spanien erleichtern sollte. Der Widerstand mündete in einen offenen Aufstand, dem Philipp II. von Spanien durch Entsendung des Herzogs von Alba begegnete; dieser unterdrückte die Unruhen durch blutige Strafjustiz. Egmont wurde mit Hoorn öffentlich enthauptet. Goethe verwendete den Stoff zu einem Trauerspiel (1788).

Ehe, auf Dauer angelegte Lebensgemeinschaft zwischen Mann und Frau, die nach heute vorherrschender Ansicht auf partnerschaftlicher

Efeu

Eibe: OBEN Zweig mit männlichen Blüten, UNTEN Fruchtzweig

Thomas Alva Edison

Ehes

Wertschätzung beruhen soll. Zu den Hauptmotiven, welche die Menschen zur Ehe veranlassen, zählen die seelische und geistige Bereiche umschließende Liebe sowie die →Sexualität; außerdem können auch andere Gründe, z. B. das Vermögen des Ehepartners oder seine gesellschaftliche Stellung, beeinflussend sein. Die Ehe hat einen rechtlichen und einen religiösen Charakter: Rechtlich stellt die Ehe ein →Grundrecht dar, das in verschiedenen Gesetzen ausgeformt ist. Danach muss wenigstens einer der Partner, die die Ehe schließen wollen, volljährig, der andere mindestens 16 Jahre alt sein. Beide Partner dürfen nicht miteinander verwandt sein und müssen das Eheversprechen vor einem Standesbeamten und 2 Zeugen abgeben. Das Eheversprechen wird in einer Heiratsurkunde niedergelegt. Vor dem Gesetz, das ausschließlich diese Form der Eheschließung anerkennt, sind nunmehr Mann und Frau (Ziviltrauung). Sie schulden sich wechselseitig Unterhalt und teilen sich gleichberechtigt die Erziehung ihrer Kinder. In Westeuropa gibt es nur die Einehe (Monogamie) als Ehe zweier Personen verschiedenen Geschlechts; in manchen Ländern ist auch die Vielehe (Polygamie) erlaubt, z. B. in arabischen Staaten.

Von alters her ist die Ehe auch ein religiöser, von Gott geheiligter Bund, der vor einem Geistlichen in einer feierlichen Zeremonie geschlossen wird. Nach katholischer Lehre ist sie ein Sakrament und daher unauflöslich. Die kirchliche Trauung darf erst nach der Ziviltrauung vorgenommen werden.

Ehescheidung, Scheidung. Eheleute geben sich bei der Eheschließung das Versprechen gemeinsam das Leben zu meistern. Doch kommt es immer wieder vor, dass im Lauf des Zusammenlebens schwere Spannungen zwischen den Ehepartnern auftreten, die ein weiteres Zusammenleben unmöglich machen. Ein oder beide Ehepartner können in einem solchen Fall bei Gericht die Scheidung beantragen. Das Gericht spricht die Scheidung aus, wenn die Eheleute länger als ein Jahr nicht mehr zusammenleben und wenn nicht zu erwarten ist, dass sie dies wieder tun werden. Das während der Ehe gemeinsam erworbene Vermögen wird geteilt, es sei denn, die Eheleute hätten vor oder während der Ehe Gütertrennung vereinbart, sodass gemeinsames Vermögen nicht entstehen konnte. Der wirtschaftlich stärkere ehemalige Partner muss auch nach der Scheidung in bestimmten Fällen für einen Teil des Unterhaltes des anderen Partners aufkommen.

Die katholische Kirche erkennt eine Scheidung nicht an, da nach ihrer Lehre die Ehe als unauflöslich gilt. Eine kirchliche Wiederverheiratung ist nicht möglich. Nur dann kann eine Ehe für aufgelöst erklärt werden, wenn sie von Anfang an ungültig war.

Ei, die weibliche Geschlechtszelle bei Tieren und beim Menschen (→Eizelle). Sie wird im Eierstock gebildet. Wenn sie bei ihrer Wanderung durch den Eileiter befruchtet wird, entsteht ein neuer Organismus (→Geschlechtsorgane, →Befruchtung, →Fortpflanzung). Das Ei besteht aus dem Keimfleck, aus dem sich der →Embryo entwickelt, dem Dotter, der das Nährmaterial für den Embryo enthält, und einer schützenden Haut, der Eihülle (Dotterhaut).

Bei vielen Tieren (z. B. Vögeln, Kriechtieren, Insekten) werden die Eier an Land abgelegt und entwickeln sich außerhalb des Mutterleibs weiter. Um die Eizelle vor dem Austrocknen zu schützen, ist sie in eine Flüssigkeit, das **Eiweiß,** eingebettet und von einer Schale umgeben.

Bei Fischen, Lurchen, Fröschen und Kröten nennt man die Eier auch **Laich;** sie sind in eine durchsichtige, gelatineartige Masse (Gallerte) eingehüllt. Die Eier von Wasserflöhen und Rädertieren können mit ihrer dicken Schale viele Jahre in ausgetrockneten Tümpeln überdauern **(Dauereier).**

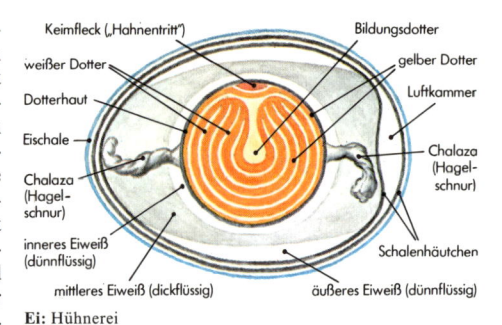

Ei: Hühnerei

Eier mit großem Dotter (z. B. das Hühnerei) enthalten viel Eiweiß und Fett; sie dienen deshalb einigen Tieren und dem Menschen als Nahrung. Kocht man Eier in Wasser, kann man die eingeschlossene Luft der Luftkammer durch die feinen Poren der Kalkschale entweichen sehen. Das Ei wird hart, da sich der Aufbau der Eiweißmoleküle ab etwa 45 °C stark verändert.

Ei: 1 Eisvogel, 2 Elster, 3 Singdrossel, 4 Nachtigall, 5 Pirol, 6 Gimpel, 7 Goldammer, 8 Gartenbaumläufer, 9 Kuckuck, 10 Flussseeschwalbe, 11 Sperber

Eiben gehören zu den Nadelhölzern, die keine Zapfen tragen. Ihr Samen ist von einem fleischigen, scharlachroten ›Mantel‹ umgeben. Nur die weiblichen Pflanzen tragen diese ›Beeren‹. Bis auf diesen Samenmantel, der gern von Vögeln gefressen wird, sind alle Teile der Pflanze **sehr giftig**. Eiben wachsen langsam; man findet sie in der freien Natur nur noch selten. Sie werden häufig als Zierbaum und Hecke angepflanzt und sollen über 3 000 Jahre alt werden. Das harte, federnde und harzfreie Holz eignet sich besonders für Schnitzereien und Drechslerarbeiten; es wurde früher zu Bogen und Armbrüsten verarbeitet. (BILD Seite 237)

Eichel, die Frucht der →Eichen.

Eichelhäher verdanken ihren Namen ihrer Vorliebe für Eicheln, die sie wie Bucheckern und Haselnüsse als Wintervorrat vergraben. Viele dieser Früchte verbrauchen sie nicht oder finden sie nicht wieder. Diese keimen im Boden und so trägt der Vogel zur Verbreitung dieser Bäume bei. Eichelhäher fressen auch Insekten und Würmer und nehmen Vogelnester aus, weshalb sie verfolgt werden. Sie sind die buntesten →Rabenvögel und haben blauweißschwarz gebänderte Federn. Eichelhäher nisten gut versteckt in dichten Büschen und Bäumen in Wäldern und großen Parkanlagen. Mit lauten Rufen reagieren sie auf jede Störung und warnen so andere Tiere. Sie ahmen auch die Stimmen anderer Vögel, z. B. des Bussards, nach (sie ›spotten‹). Der kleinere **Tannenhäher** lebt in dichten Nadelwäldern gebirgiger Landschaften.

eichen. Autofahrer tanken an Tankstellen eine bestimmte, an der Tanksäule angezeigte Literzahl. Woher wissen sie, dass diese Benzinmenge auch im Tank ist? Ein Gerät zur Messung des Volumens ist in die Zapfsäule eingebaut, das in festen Zeitabständen überprüft wird. Ebenso überprüft werden Geräte zur Messung des Gewichts (z. B. Waagen in Geschäften). Das Prüfen und Stempeln eines solchen Messgeräts nach staatlichen Vorschriften nennt man ›eichen‹. Bei geeichten Geräten gibt also die Messwertanzeige das tatsächliche Gewicht oder Volumen an.

Eichen, große, knorrige Laubbäume mit breiter Krone und mächtigem Stamm, der eine rissige, tief gefurchte Rinde trägt. Sie wachsen sehr langsam und können bis 50 m hoch und etwa 1 000 Jahre alt werden. Die nussähnlichen Früchte, die **Eicheln,** sitzen in einem harten, grünlichen Becher; sie werden gern von Schweinen gefressen. In Europa heimisch sind die in Flussniederungen wachsende **Stieleiche,** deren Früchte an langen Stielen sitzen, und die **Traubeneiche,** ein Baum der Hügel und sonnigen Hänge. Die in südlichen Ländern heimische **Korkeiche** liefert →Kork. Das hell- bis dunkelbraune Eichenholz ist sehr hart und dauerhaft. Es wurde für Pfahlbauten, im Brücken- und Schiffbau verwendet, heute vor allem für Möbel. Die Eiche wurde zum Sinnbild von Kraft und Freiheit. Sie wurde bei vielen indogermanischen Völkern als heiliger Baum verehrt.

Eichendorff. Der Dichter **Joseph Freiherr von Eichendorff** (*1788, †1857) ist einer der Hauptvertreter der deutschen Romantik. Während seiner Studienzeit in Halle, Heidelberg, Berlin und Wien machte er Bekanntschaft mit Achim von Arnim, Clemens Brentano und weiteren Romantikern. In Wien schloss er sich besonders Friedrich Schlegel an, dem Theoretiker der romantischen Bewegung. Eichendorffs Poesie bildet einen Höhepunkt der deutschen romantischen Lyrik. In ihr kommen Merkmale romantischer Geisteshaltung besonders stark zum Ausdruck, etwa die Annahme einer Einheit von Mensch und Natur, die Sehnsucht nach Ferne sowie der Glaube an das Märchenhafte und Wunderbare. Viele seiner Gedichte wurden vertont und zu bekannten Volksliedern, z. B. ›Wem Gott will rechte Gunst erweisen‹ und ›In einem kühlen Grunde‹. Die erste eigenständige Gedichtsammlung erschien 1837, weitere folgten 1843, 1850 und 1856. Eine Reihe von Gedichten ist bereits in den früher entstandenen Erzählungen enthalten und verleiht auch diesen einen lyrischen, von Gedichten und Liedern geprägten Charakter. Zu ihnen gehört die 1826 erschienene Novelle ›Aus dem Leben eines Taugenichts‹, in der als typisches Motiv der Epoche der Mensch als einsamer, zielloser Wanderer auf der Suche nach dem Glück dargestellt wird. Weitere Werke sind z. B. der seine eigene Jugend widerspiegelnde Roman ›Ahnung und Gegenwart‹ (1815); ›Das Schloss Dürande‹ (1836); das Lustspiel ›Die Freier‹ (1833). Eichendorffs Spätwerke sind von christlich-katholischer Haltung geprägt.

Eichhörnchen, zu den →Hörnchen gehörende Nagetiere, die meist einzeln in Wäldern und Parkanlagen leben. Im Flachland ist ihr Fell meist rotbraun, im Winter mehr graubraun, im Gebirge schwarzbraun bis schwarz; der Bauch ist stets weiß. Das graue Fell von sibirischen Eichhörnchen ist ein wertvoller Pelz (›Feh‹).

Eichelhäher

Joseph von Eichendorff

Eichen

Eichen: OBEN Zweig der Stieleiche mit männlichen (links) und weiblichen (rechts) Blüten, MITTE mit Fruchtstand, UNTEN Korkeichenzweig mit Frucht

Eid

Aus Gras, Blättern und Moos baut das Eichhörnchen hoch in Bäumen sein kugelförmiges Nest (›Kobel‹); es bewohnt auch Vogelnester und Baumhöhlen. Zweimal im Jahr bringt es dort 3–7 nackte und blinde Junge zur Welt. Eichhörnchen werden 8–10 Jahre alt. Natürliche Feinde sind Baummarder und Greifvögel. Das nur etwa 1 Pfund schwere Eichhörnchen klettert sehr gewandt, auch mit dem Kopf nach unten (wobei es sich mit den spitzen, gebogenen Krallen hält) und springt federleicht von Baum zu Baum. Der mit 20 cm fast körperlange, buschige Schwanz dient dabei als Steuer oder bremst wie ein Fallschirm. Eichhörnchen fressen Früchte und Samen, vor allem von Nadelhölzern, junge Triebe und Knospen, wodurch sie Schaden anrichten können. Mit ihren Nagezähnen knacken sie auch Nüsse, die sie in den Vorderpfoten halten. Manchmal nehmen sie Vogelnester aus. Da sie keinen Winterschlaf halten, vergraben sie Vorräte. Bei starker Kälte ruhen sie tagelang im Nest, verschließen den Eingang und decken sich mit dem breiten Schwanz zu.

Eid, feierliche Versicherung, durch die die Einhaltung eines Versprechens oder die Wahrheit einer Aussage bekräftigt wird. Zeugen werden vor Gericht oft vereidigt, sie stehen dann ›unter Eid‹. Wer unter Eid wissentlich die Unwahrheit sagt, schwört einen **Meineid.** Er kann streng bestraft werden. Auch Beamte und Regierungsmitglieder werden vereidigt, sie schwören einen Verfassungs- oder **Diensteid,** durch den sie sich zum Schutz des Grundgesetzes und zur Erfüllung ihrer dienstlichen Aufgaben verpflichten.

Eidechsen, kleine, zierliche und gewandte →Echsen. Sie halten sich gern an trockenen, sonnigen Plätzen auf und verschwinden, wenn man sich nähert, flink in der nächsten Spalte. Der lange Schwanz bricht in der Auseinandersetzung mit Feinden und Rivalen leicht ab, ohne dass es blutet. Das liegt an den vorgebildeten Bruchstellen der Schwanzwirbel, aus denen auch bald der neue, aber kürzere Schwanz nachwächst. Als →Wechselwarme werden Eidechsen um so unbeweglicher, je kälter es wird. Den Winter verbringen sie in Mauerspalten, unter Heidekrautpolstern und an anderen frostgeschützten Orten. Eidechsen fressen Fliegen, Käfer, Spinnen und Raupen. Die Weibchen vergraben ihre 5–14 Eier in lockerem Boden; die Jungen graben sich selbst aus und sind sofort selbstständig. Die größte europäische Art ist die bis 60 cm lange **Perleidechse** im Südwesten. Von den in Deutschland heimischen Eidechsen ist die leuchtend grüne **Smaragdeidechse** mit 40 cm Länge die größte; sie kommt nur an geschützten, warmen Plätzen vor, z. B. in der Rheinebene. Die nur 20 cm lange, graue **Zauneidechse** mit grünen Flanken ist die häufigste. Sie bewohnt Böschungen, Wiesen und Gärten. Die noch kleinere, sehr scheue **Bergeidechse** lebt als eines der widerstandsfähigsten Kriechtiere in den Alpen bis in 3000 m Höhe; sie bringt voll ausgebildete Junge zur Welt. Alle Eidechsen stehen unter Naturschutz.

Eidgenossenschaft, der 1291 geschlossene ›Ewige Bund‹ der 3 Urkantone Uri, Schwyz und Unterwalden, aus denen nach Hinzutreten von Luzern (1332), Zürich (1351), Glarus und Zug (1352) sowie Bern (1353) die →Schweiz entstand. Heute ist **Schweizerische Eidgenossenschaft** der amtliche Name der Schweiz.

Eierstock, die weibliche Keimdrüse (→Geschlechtsorgane).

Eifel, nordwestlicher Teil des Rheinischen Schiefergebirges zwischen Mosel, Rhein und Rur. Die Eifel ist ein welliges, wenig fruchtbares Hochland von etwa 600 m Höhe. Das Klima ist rau und niederschlagsreich, der Ackerbau wenig ergiebig. Von erloschenem Vulkanismus zeugen noch →Maare wie der Laacher See oder das Pulvermaar und Basaltkuppen wie die Hohe Acht (mit 747 m die höchste Erhebung der Eifel).

Eigenschaftswort, →Adjektiv.

Eigentum. Steht einer Person das Recht zu, im Rahmen der Gesetze über eine Sache nach Belieben zu bestimmen, nennt man dieses Recht Eigentum und den, dem es zusteht, **Eigentümer.** Dieser kann also z. B. sein Auto verkaufen und verleihen oder sein Grundstück bebauen oder als Garten gestalten. Im allgemeinen Sprachgebrauch wird Eigentum oft mit Vermögen oder Besitz gleichgestellt. Eigentum und Besitz sind aber rechtlich verschiedene Begriffe. **Besitz** ist die tatsächliche Sachherrschaft einer Person über eine Sache (man fragt: ›Bei wem befindet sich die Sache?‹); **Eigentum** meint die rechtliche Zugehörigkeit (›Wem gehört sie?‹); Beispiel: Anton benutzt sein Fahrrad; Anton ist Eigentümer und Besitzer des Rades. Anton verleiht das Fahrrad an Bernd; Bernd ist Besitzer, Anton bleibt Eigentümer. Eigentum ist ein →Grundrecht, das vom Grundgesetz in Artikel 14 garantiert wird.

Es geht von dem Gedanken aus, dass persönliches Eigentum eine wesentliche Voraussetzung für ein unabhängiges und selbst bestimmtes Leben ist. Dem Schutz des Artikels 14 ist auch das **geistige Eigentum,** z. B. Erfindungen, Dichtungen, Musikwerke, unterstellt.

Das Eigentumsrecht wird allerdings nicht uneingeschränkt gewährleistet. Das Grundgesetz bestimmt zugleich: **Eigentum verpflichtet,** weil es den Menschen als Wesen begreift, das der Gemeinschaft der Bürger Rücksichtnahme schuldet. Dies hat vielfältige Auswirkungen auf das tägliche Leben: Der Eigentümer eines Grundstücks z. B. muss dafür Steuern zahlen; der Vermieter eines Hauses muss zahlreiche Vorschriften beachten, die es ihm verwehren, nach seinem Belieben Mietern zu kündigen oder Mieten zu erhöhen. Es ist zulässig Eigentum zu entziehen **(Enteignung),** allerdings nur durch Gesetz und nur zum Wohl der Allgemeinheit und gegen angemessene Entschädigung, wenn z. B. Gelände für den Bau einer Autobahn benötigt wird.

Eiger, vergletscherter Kalkgipfel in den Berner Alpen südlich von Grindelwald (Schweiz). Der Berg ist 3 970 m hoch und ist von der Jungfraubahn untertunnelt. Bei der Durchsteigung der fast senkrechten **Eigernordwand** kamen schon viele Bergsteiger ums Leben.

Eileiter, Teil der weiblichen →Geschlechtsorgane, der dem Transport der Eizelle in die Gebärmutter dient.

Einbalsamierung, →Mumie.

Einbaum, einfaches Boot, das aus einem ausgehöhlten Baum hergestellt wird. Einbäume wurden schon vor vielen Tausend Jahren gebaut; noch heute werden sie bei einigen Naturvölkern verwendet. Meist wurden die Stämme ausgebrannt und mit dem Beil an den Seiten geglättet. In großen Einbäumen hatten 50–70 Personen Platz.

Einfuhr, Import, der Bezug von Waren und Dienstleistungen aus dem Ausland im Rahmen des →Außenhandels.

Eingeweide, alle in den Körperhöhlen liegenden Organe. Dazu zählen die **Brusteingeweide** wie Herz und Lunge, die **Baucheingeweide** wie Magen, Leber, Bauchspeicheldrüse, Darm und Milz sowie die **Beckeneingeweide** wie Harn- und Geschlechtsorgane. Im weiteren Sinn gehören auch das zentrale Nervensystem, die Blutgefäße, Augen und Ohren dazu.

einhäusig nennt man Pflanzenarten, bei denen männliche und weibliche →Blüten auf derselben Pflanze vorkommen.

Einheiten. Messen bedeutet Vergleichen. Hierzu benötigt man Einheiten. Als Maßeinheiten nahm man früher das, was am nächsten zur Hand war, nämlich die eigenen Körperteile. Man maß z. B. mit dem →Fuß oder der Länge eines Fingergliedes (→Zoll). Weil aber die Menschen einen unterschiedlichen Körperbau besitzen, waren auch diese Einheiten verschieden. Es ergab sich deshalb die Forderung nach genau festgelegten, in allen Ländern gleichen Einheiten. Man wählte als **Basiseinheiten** den →Meter für die Länge, das →Kilogramm für das Gewicht (die

Tabelle 1: SI-Basiseinheiten		
Basisgröße	SI-Basiseinheit Einheitenname	Einheitenzeichen
Länge	Meter	m
Masse	Kilogramm	kg
Zeit	Sekunde	s
elektrische Stromstärke	Ampere	A
thermodynamische Temperatur	Kelvin	K
Stoffmenge	Mol	mol
Lichtstärke	Candela	cd

Eichhörnchen

Masse) und die →Sekunde für die Zeit. Diese 3 Einheiten bilden das sogenannte **MKS-System,** das heute auf der ganzen Erde in der Mechanik verwendet wird. Diese 3 mechanischen Einheiten werden durch weitere 4 Basiseinheiten ergänzt, nämlich Ampere für die elektrische Stromstärke, Kelvin für die Temperatur, Mol für die Stoffmenge und Candela für die Lichtstärke. Diese Einheiten gehören zu dem Internationalen Einheitensystem, kurz **SI** (nach französisch Système International d'Unités ›Internationales Einheitensystem‹) genannt.

Neben den Basiseinheiten (Tabelle 1) gibt es noch viele weitere **SI-Einheiten,** die von den Basiseinheiten abgeleitet werden. Einige abgeleitete SI-Einheiten haben einen besonderen Namen (Tabelle 2).

Zur Abkürzung verwendet man **Einheitenzeichen,** z. B. m für Meter, kg für Kilogramm. Oft ist es erforderlich, Vielfache und Teile von Einheiten anzugeben. Hierzu dienen die in der Tabelle 3 aufgeführten **Vorsätze,** wobei man zur Abkürzung die zugehörigen **Vorsatzzeichen** verwendet.

Zum Beispiel ist ein Zentimeter ein hundertstel Meter:

$$1 \text{ cm} = \frac{1}{100} \text{ m} = 0{,}01 \text{ m} = 10^{-2} \text{ m}.$$

Längeneinheiten:
a) Metrische Längeneinheiten
Die Basiseinheit ist der **Meter (m).** Es gilt die folgende Umrechnungstabelle:

Einh

	mm	cm	dm	m	km
1 Millimeter (mm)	1	10^{-1}	10^{-2}	10^{-3}	10^{-6}
1 Zentimeter (cm)	10	1	10^{-1}	10^{-2}	10^{-5}
1 Dezimeter (dm)	10^2	10	1	10^{-1}	10^{-4}
1 Meter (m)	10^3	10^2	10	1	10^{-3}
1 Kilometer (km)	10^6	10^5	10^4	10^3	1

Zum Beispiel ist ein Millimeter ein zehntel Zentimeter:

$$1\text{ mm} = \frac{1}{10}\text{ cm} = 0{,}1\text{ cm} = 10^{-1}\text{ cm}.$$

Die Umrechnungszahl aufeinander folgender Längeneinheiten beträgt mit Ausnahme des Kilometer $10 = 10^1$.

b) Nichtmetrische Längeneinheiten
Lichtjahr (Lj). Ein Lichtjahr entspricht der Strecke, die das Licht im Vakuum in einem Jahr zurücklegt:

$$1\text{ Lj} = 9{,}460528 \cdot 10^{12}\text{ km} \approx 10\text{ Billionen km}.$$

Zur Längenmessung auf See →Seemeile.

Metrische Flächeneinheiten
Die SI-Einheit ist der **Quadratmeter (m²).** Ein Quadratmeter entspricht der Fläche eines Quadrates von einem Meter Seitenlänge. Der Quadratmeter ist also eine von der Längeneinheit Meter abgeleitete Einheit (1 m² = 1 m · 1 m). Es gilt die folgende Umrechnungstabelle:

	mm²	cm²	dm²	m²	km²
1 Quadratmillimeter (mm²)	1	10^{-2}	10^{-4}	10^{-6}	10^{-12}
1 Quadratzentimeter (cm²)	10^2	1	10^{-2}	10^{-4}	10^{-10}
1 Quadratdezimeter (dm²)	10^4	10^2	1	10^{-2}	10^{-8}
1 Quadratmeter (m²)	10^6	10^4	10^2	1	10^{-6}
1 Quadratkilometer (km²)	10^{12}	10^{10}	10^8	10^6	1

Zum Beispiel ist ein Quadratmillimeter ein hundertstel Quadratzentimeter:

$$1\text{ mm}^2 = \frac{1}{100}\text{ cm}^2 = 0{,}01\text{ cm}^2 = 10^{-2}\text{ cm}^2.$$

Die Umrechnungszahl aufeinander folgender Flächeneinheiten beträgt bis auf den Quadratkilometer $100 = 10^2$. Ferner gilt:

$$1\text{ Ar (a)} = 100\text{ m}^2;\ 1\text{ Hektar (ha)} = 100\text{ a} = 10\,000\text{ m}^2.$$

Metrische Volumeneinheiten
Die SI-Einheit ist der **Kubikmeter (m³).** Ein Kubikmeter entspricht dem Volumen eines Würfels von einem Meter Seitenlänge. Der Kubikmeter ist also eine von der Längeneinheit Meter abgeleitete Einheit (1 m³ = 1 m · 1 m · 1 m). Es gilt die folgende Umrechnungstabelle:

	mm³	cm³	dm³	m³	km³
1 Kubikmillimeter (mm³)	1	10^{-3}	10^{-6}	10^{-9}	10^{-18}
1 Kubikzentimeter (cm³)	10^3	1	10^{-3}	10^{-6}	10^{-15}
1 Kubikdezimeter (dm³)	10^6	10^3	1	10^{-3}	10^{-12}
1 Kubikmeter (m³)	10^9	10^6	10^3	1	10^{-9}
1 Kubikkilometer (km³)	10^{18}	10^{15}	10^{12}	10^9	1

Zum Beispiel ist ein Kubikmillimeter ein tausendstel Kubikzentimeter:

$$1\text{ mm}^3 = \frac{1}{1000}\text{ cm}^3 = 0{,}001\text{ cm}^3 = 10^{-3}\text{ cm}^3.$$

Die Umrechnungszahl aufeinander folgender Volumeneinheiten beträgt bis auf den Kubikkilometer $1\,000 = 10^3$. Ferner gilt:

$$1\text{ Liter (l)} = 1\text{ dm}^3;\ 1\text{ Hektoliter (hl)} = 100\text{ l}.$$

Gewichtseinheiten (Masseeinheiten)
Die Basiseinheit ist das **Kilogramm (kg).** Es gilt die folgende Umrechnungstabelle:

	mg	g	kg
1 Milligramm (mg)	1	10^{-3}	10^{-6}
1 Gramm (g)	10^3	1	10^{-3}
1 Kilogramm (kg)	10^6	10^3	1

Zum Beispiel ist ein Milligramm ein millionstel Kilogramm:

$$1\text{ mg} = \frac{1}{1\,000\,000}\text{ kg} = 0{,}000001\text{ kg} = 10^{-6}\text{ kg}.$$

Ferner gilt:
1 Pfund (Pfd oder ℔) = 0,5 kg, 1 Doppelzentner (dz) = 100 kg,
1 Zentner (Ztr) = 50 kg, 1 Tonne (t) = 1 000 kg.

Tabelle 2: Abgeleitete SI-Einheiten mit besonderen Einheitennamen (Auswahl)

Größe	SI-Einheit Einheitenname	SI-Einheit Einheitenzeichen	Beziehung zwischen den Einheiten
ebener Winkel	Radiant	rad	1 rad = 1 m/m
Raumwinkel	Steradiant	sr	1 sr = 1 m²/m²
Frequenz eines periodischen Vorganges	Hertz	Hz	1 Hz = 1 s⁻¹
Kraft	Newton	N	1 N = 1 kg · m/s²
Druck	Pascal	Pa	1 Pa = 1 N/m²
Energie, Arbeit, Wärmemenge	Joule	J	1 J = 1 N · m = 1 W · s
Leistung	Watt	W	1 W = 1 J/s
elektrische Ladung, Elektrizitätsmenge	Coulomb	C	1 C = 1 A · s
elektrische Spannung	Volt	V	1 V = 1 J/C
elektrische Kapazität	Farad	F	1 F = 1 C/V
elektrischer Widerstand	Ohm	Ω	1 Ω = 1 V/A
elektrischer Leitwert	Siemens	S	1 S = 1 Ω⁻¹
Celsiustemperatur	Grad Celsius	°C	1 °C = 1 K

Tabelle 3: Vorsätze und Vorsatzzeichen

Vorsatz Name	Zeichen	Bedeutung	Faktor als Zehnerpotenz	Faktor als Dezimalzahl
Atto	a	Trillionstel	10^{-18}	0,000 000 000 000 000 001
Femto	f	Billiardstel	10^{-15}	0,000 000 000 000 001
Piko	p	Billionstel	10^{-12}	0,000 000 000 001
Nano	n	Milliardstel	10^{-9}	0,000 000 001
Mikro	μ	Millionstel	10^{-6}	0,000 001
Milli	m	Tausendstel	10^{-3}	0,001
Zenti	c	Hundertstel	10^{-2}	0,01
Dezi	d	Zehntel	10^{-1}	0,1
Deka	da	Zehnfache	10^1	10
Hekto	h	Hundertfache	10^2	100
Kilo	k	Tausendfache	10^3	1 000
Mega	M	Millionfache	10^6	1 000 000
Giga	G	Milliardenfache	10^9	1 000 000 000
Tera	T	Billionenfache	10^{12}	1 000 000 000 000
Peta	P	Billiardenfache	10^{15}	1 000 000 000 000 000
Exa	E	Trillionenfache	10^{18}	1 000 000 000 000 000 000

Pfund, Zentner und Doppelzentner sind veraltete Einheiten. Für Doppelzentner kann man die Dezitonne (1 dt = 100 kg) verwenden.

Zeiteinheiten
Die Basiseinheit ist die **Sekunde (s).** Es gilt die folgende Umrechnungstabelle:

	s	min	h	d
1 Sekunde (s)	1	$\frac{1}{60}$	$\frac{1}{3600}$	$\frac{1}{86400}$
1 Minute (min)	60	1	$\frac{1}{60}$	$\frac{1}{1440}$
1 Stunde (h)	3 600	60	1	$\frac{1}{24}$
1 Tag (d)	86 400	1 440	24	1

Zum Beispiel hat ein Tag 86 400 Sekunden, weil er 24 Stunden hat und jede Stunde 60 Minuten und jede Minute 60 Sekunden dauert (86 400 = 24 · 60 · 60). 365 Tage ergeben ein Gemeinjahr (a): 1 a = 365 d = 8 760 h.
Die SI-Einheiten mit ihren Vorsätzen für dezimale Vielfache und Teile wurden durch das **Gesetz über Einheiten im Messwesen der Bundesrepublik Deutschland** als **gesetzliche Einheiten** eingeführt. Auch die folgenden, außerhalb des SI liegenden Einheiten sind gesetzlich zugelassen: die Volumeneinheit Liter, die Masseeinheit Tonne, die Druckeinheit Bar, die Zeiteinheiten Minute, Stunde, Tag, Gemeinjahr und die Winkeleinheiten Grad, Minute, Sekunde (→Grad). Gesetzliche Einheiten außerhalb des SI mit beschränktem Anwendungsbereich sind Ar und Hektar zur Angabe des Flächeninhalts von Grundstücken, die →Dioptrie für die Brechkraft optischer Systeme und das metrische →Karat zur Angabe der Masse von Edelsteinen. Zu den zahlreichen Einheiten, die nicht mehr zugelassen sind, gehören z. B. Pfund, Zentner und Doppelzentner, die →Pferdestärke, die →Kalorie, die physikalische und die technische →Atmosphäre.

Einhorn, in Fabeln und Märchen ein Tier in Pferdegestalt mit einem geraden, spitzen Horn auf der Stirn. In der religiösen Kunst besonders des Mittelalters wurde es (als Sinnbild gewaltiger Kraft) auf Christus oder (als Sinnbild der Keuschheit) auf Maria bezogen.

Einhufer gehören zu den Unpaarhufern, einer Gruppe der →Huftiere.

Einkeimblättrige, eine Gruppe der Bedecktsamigen, deren Keimling nur ein einziges Keimblatt hat, im Unterschied zu den Zweikeimblättrigen. Die Nerven der Laubblätter verlaufen parallel. Die →Blüten sind meist nach der Dreizahl gebaut. Eine Tulpenblüte hat z. B. meist 6 Kronblätter, 6 Staubblätter und einen dreiteiligen Fruchtknoten. Zu den Einkeimblättrigen gehören z. B. Gräser, Liliengewächse, Palmen.

Einkommen. Geld oder Sachen, die man als Entgelt für Arbeitsleistungen erhält, werden als **Arbeitseinkommen** bezeichnet. Einkommen erzielt man aber auch durch Anlegen von Geld bei einer Bank oder in Aktien, durch Vermieten von Wohnungen, Ausleihen von Geld gegen Zinsen oder ähnliche Vorgänge, die nicht mit (beruflicher) Arbeitsleistung verbunden sind, sondern aus dem Besitz von Geld oder Sachwerten herrühren **(Besitzeinkommen).** Die Summe der Einkommen aller Personen in einem Staat heißt **Volkseinkommen.** – Für Arbeits- und Besitzeinkommen müssen je nach ihrer Höhe unterschiedlich gestaffelte **Einkommensteuern** an das Finanzamt bezahlt werden. Das Einkommen nach Abzug der Steuern und Pflichtbeiträge zur Sozialversicherung ist das **Nettoeinkommen,** vor Abzug heißt es **Bruttoeinkommen.**

Einschlafen der Glieder, umgangssprachliche Bezeichnung für verschiedene Arten von körperlichen Missempfindungen, die sich als Kribbeln (wie ›Ameisenlaufen‹), Brennen oder taubes, ›eingeschlafenes‹ Gefühl äußern. Dies kann durch eine Körperhaltung im Sitzen oder Liegen, bei der ein Blutgefäß abgeklemmt wird, hervorgerufen werden oder z. B. durch Druck auf einen Nerv; die betroffenen Glieder werden gefühllos, sie ›schlafen ein‹. Wenn diese Erscheinung nur kurzfristig auftritt, ist sie in der Regel harmlos und hört bei Änderung der Körperhaltung auf. Je nach Art und Weise des Auftretens können diese Missempfindungen aber auch Anzeichen einer Erkrankung sein.

Einsegnung, →Konfirmation.

Einsiedlerkrebse bewohnen meist leere Schneckenhäuser, die sie stets mit sich herumtragen. Sie verbergen darin ihren ungepanzerten, weichen und sehr empfindlichen Hinterleib und ziehen sich bei Gefahr ganz darin zurück. Auf diesem Schneckenhaus siedeln sich häufig Seeanemonen an, die mit dem Krebs in →Symbiose leben. Die Seeanemone ernährt sich von den Nahrungsresten des Aas fressenden Einsiedlerkrebses und schützt diesen durch ihre Fangarme vor Angreifern. Wenn der wachsende Krebs sich ein größeres Schneckenhaus suchen muss, nimmt er ›seine‹ Seeanemone mit. Etwa 3,5 cm lange Einsiedlerkrebse leben in der Nordsee.

Einspritzmotor, ein →Verbrennungsmotor, bei dem der Kraftstoff in den Zylinder oder un-

Eins

mittelbar vor die Einlassventile gespritzt wird. Der →Dieselmotor ist stets ein Einspritzmotor. Dagegen können →Ottomotoren Einspritzmotoren oder Vergasermotoren sein. Das Luft-Kraftstoff-Gemisch bildet sich beim Einspritz-Ottomotor meist in der Luftansaugleitung vor den Einlassventilen. Die Kraftstoffmenge wird von der **Einspritzpumpe** dosiert und von der **Einspritzdüse** zerstäubt. Im Vergleich zu Vergasermotoren ermöglicht die Benzineinspritzung höhere Motorleistung, geringeren Verbrauch und Verminderung schädlicher Abgasbestandteile.

Einstein. Die Arbeiten **Albert Einsteins** (*1879, †1955) waren richtungweisend für die moderne Physik des 20. Jahrh. So ist die aus seiner **speziellen Relativitätstheorie** folgende Umwandlungsmöglichkeit von Masse in Energie bei der →Kernspaltung Grundlage der Gewinnung von Kernenergie. Zwischen der frei werdenden Energie E und der umgewandelten Masse m besteht nach Einstein der Zusammenhang $E = mc^2$ (c = Lichtgeschwindigkeit). Mithilfe seiner **allgemeinen Relativitätstheorie** gewann Einstein neue Erkenntnisse über die →Gravitation. 1921 erhielt er den Nobelpreis für Physik. Bedroht von den Nationalsozialisten aufgrund seiner jüdischen Abstammung emigrierte er 1933 in die USA.

Einsteinium [nach Albert Einstein], Zeichen Es, →chemische Elemente, ÜBERSICHT.

einstweilige Verfügung, im Zivilprozess eine Möglichkeit unmittelbar gefährdete Rechte des Antragstellers durch eine rasche Gerichtsentscheidung vorläufig zu sichern, wenn zu befürchten ist, dass durch die Dauer eines normalen Rechtsstreits diese Rechte Schaden nehmen. Beispiel: Herr Müller wird häufig spätabends durch laute Musik seines Nachbarn, Herrn Schulze, gestört. Herrn Müller kann nicht zugemutet werden, dagegen erst in einem normalen Prozess zu klagen. Das Verfahren der einstweiligen Verfügung soll Herrn Müller schnell zu seiner Nachtruhe verhelfen, nicht jedoch den Streitfall endgültig entscheiden. Dies geschieht in einem Hauptprozess. Stellt sich dort heraus, dass die einstweilige Verfügung falsch war, können Schadensersatzpflichten entstehen.

Eintagsfliegen, kleine, sehr zarte Insekten, die nur wenige Stunden, höchstens einige Tage leben. Zuvor haben sie als Larven bis zu 3 Jahre im Wasser verbracht und sich von faulenden Pflanzenresten ernährt. Als fertige Insekten nehmen sie keine Nahrung mehr auf. Besonders an schwülen Sommerabenden kann man über Flüssen und Teichen die Paarungsflüge der Eintagsfliegen beobachten, zu denen sie in riesigen Schwärmen aufsteigen. Bevor sie sterben, werfen die Weibchen ihre Eipakete ins Wasser. Eintagsfliegen sind Nahrung für viele Fische, Fliegen und Käferlarven.

Einzahl, Singular (→Numerus).

Einzeller, mikroskopisch kleine Lebewesen, die aus einer einzigen →Zelle bestehen. In der Systematik der Biologie werden die Einzeller als eigene Gruppe den →Vielzellern gegenübergestellt. Es gibt sowohl einzellige Tiere wie auch einzellige Pflanzen. Die tierischen Einzeller (→Urtierchen) sind meist farblos und decken ihren Energiebedarf, wie die vielzelligen Tiere, durch Aufnahme von tierischer und pflanzlicher Nahrung. Die pflanzlichen Einzeller (→Algen) gewinnen Energie durch die →Photosynthese, vergleichbar den grünen Pflanzen. Es gibt auch Einzeller, die ihre Energie auf beide Arten gewinnen können und daher nicht eindeutig ins Pflanzen- oder Tierreich einzuordnen sind (→Flagellaten). Bakterien, Blaualgen und Viren sind →Mikroorganismen, die keinen Zellkern besitzen und deshalb nicht zu den echten Einzellern gehören.

Eis, feste Form des Wassers, die gewöhnlich bei 0°C durch Gefrieren entsteht. Wasser, das unter stärkerem Druck steht, gefriert bei tieferer Temperatur. Beim Gefrieren dehnt sich das Wasser um etwa 1/11 seines Volumens aus; Eis schwimmt daher auf Wasser (spezifisches Gewicht des Eises: 0,916 g/cm^3). Auf der Ausdehnung des Wassers beim Gefrieren beruht seine Sprengwirkung. Selbst Gesteine werden zersprengt, wenn Wasser in ihren Spalten und Hohlräumen gefriert. In der **Atmosphäre,** besonders in vielen Wolkenformen, ist Eis in Kristallformen als Graupel und Hagel enthalten, abgelagert als Reif. **Gletschereis** ist körnig. Es entsteht aus dem Schnee, der im oberen Teil eines Gletschers fällt und durch vielfaches oberflächliches Auftauen und Wiedergefrieren zu Firn wird. Zwischen den Schneekristallen füllen sich die Hohlräume mit Schmelzwasser auf. Das **Eis der Seen,** das **Flusseis** und das **Meereis** sind stängelig. Bei schnell fließenden Gewässern bildet es sich von den Ufern und vom Grund her, bei stehenden und langsam fließenden Gewässern zuerst an der Oberfläche und wächst dann in die Tiefe. Beim Aufschmelzen zugefrorener Gewässer bildet sich durch Eisaufbruch **Treibeis. Kunsteis** wird durch Kältemaschinen erzeugt und dient wie natürliches Eis zu Kühlzwecken, besonders zum Frischhalten von Lebensmitteln.

Albert Einstein

Eintagsfliege

Eisbären, in den nördlichen Polargebieten lebende →Bären.

Eisberge, im Meer schwimmende, unterschiedlich große Eisschollen, die von bis ins Meer reichenden Zungen von Gletschern oder Inlandeismassen durch den Auftrieb des Wassers abbrechen (man sagt: der Gletscher ›kalbt‹) und mit der Strömung forttreiben. In der Antarktis haben die größten Eisberge eine Fläche bis 180 km² mit Wänden, die 30–50 m senkrecht abfallen. Nur etwa 1/5–1/8 der Gesamtmasse ragt aus dem Eismeer heraus (›Spitze des Eisberges‹), weil das spezifische Gewicht von →Eis nur wenig unter dem des Wassers liegt. Da die Eisberge im Nordatlantik weit nach Süden treiben (bis 36° nördlicher Breite), stellen sie für die Schifffahrt eine große Gefahr dar. Der Luxusdampfer ›Titanic‹ stieß 1912 auf der Fahrt von Europa nach Amerika mit einem Eisberg zusammen und sank. Über 1 500 Menschen fanden bei dieser Katastrophe den Tod. Seitdem gibt es einen Warndienst, der die Schifffahrt vor Eisbergen warnt.

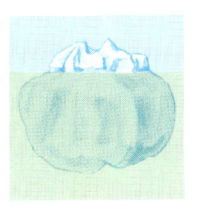

Eisen, Zeichen **Fe** (von lateinisch ferrum), vierthäufigstes →chemisches Element (ÜBERSICHT) der Erdkruste, wahrscheinlich aber das häufigste Element der Erde, da man annimmt, dass die Erde einen Kern aus Nickeleisen hat. Dass Eisen auch Bestandteil anderer Himmelskörper ist, lassen →Meteorite erkennen, von denen etwa die Hälfte vorwiegend aus diesem Schwermetall besteht.

Eisen ist in reiner Form silberweiß, dehnbar und unter 768 °C (Curie-Punkt) magnetisierbar. In trockener Luft und konzentrierter Salpeter- und Schwefelsäure ist es beständig, in feuchter Luft rostet es. In fein verteilter Form entzündet sich Eisen schon bei Normaltemperatur an der Luft.

Das unedle Metall Eisen kommt in vielen Verbindungen vor, die zum Teil dem vorgeschichtlichen Menschen als Farbmittel dienten (Höhlenmalerei). Das technische Eisen enthält entweder durch die Art der Gewinnung oder zur Erzielung bestimmter Eigenschaften noch andere Metalle oder Nichtmetalle. So wird das Eisenerz im Hochofen mit Kohle verhüttet, die ihm den Sauerstoff entzieht. Das entstehende, nicht schmiedbare **Roheisen** hat gegenüber dem schmiedbaren **Stahl** einen hohen Kohlenstoffgehalt. Die im Allgemeinen verwendeten Eisen- und Stahlsorten sind stets Legierungen mit den verschiedensten Elementen, wodurch sich die technischen Eigenschaften wesentlich verbessern lassen.

Eisenverbindungen spielen auch im Leben der Pflanzen, Tiere und Menschen eine wichtige Rolle. Als Bestandteil des Blutfarbstoffs Hämoglobin ist Eisen für die rote Farbe und den Sauerstofftransport im Körper verantwortlich. Bei den Pflanzen ist es vor allem als Bestandteil von Enzymen und einiger für die →Photosynthese wichtiger Farbstoffe von Bedeutung. Auch für die Herstellung des Chlorophylls ist es unerlässlich.

Eisenach, 44 800 Einwohner, Stadt in Thüringen, liegt an den nordwestlichen Ausläufern des Thüringer Waldes unterhalb der Wartburg und wurde um 1150 gegründet. Viele Bauwerke lassen das mittelalterliche Stadtbild erkennen, so die romanische Kirche Sankt Nikolai, die Dominikanerkirche und die Marktkirche. Das spätgotische Lutherhaus erinnert an die Zeit (1498), in der Martin Luther hier die Schule besuchte.

Eisenbahn, aus Lokomotive und angehängten Wagen oder aus Triebwagen bestehende Schienenbahn (Straßenbahn und U-Bahn rechnet man nicht dazu). Personenzüge wie auch Güterzüge haben eine große Transportleistung; sie können z. B. in einer Stunde bei gleichem Energie- und Platzbedarf mehr Personen oder Güter befördern als jedes andere Verkehrsmittel.

Nach der **Spurweite,** dem Abstand zwischen den beiden Schienen, unterscheidet man Regelspurbahnen mit 1,435 m (auch Normal- oder Vollspur genannt), Breitspurbahnen mit um 1,60 m und Schmalspurbahnen mit etwa 1 m brei-

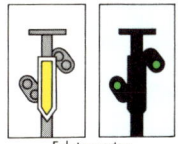

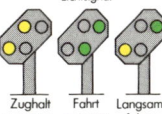

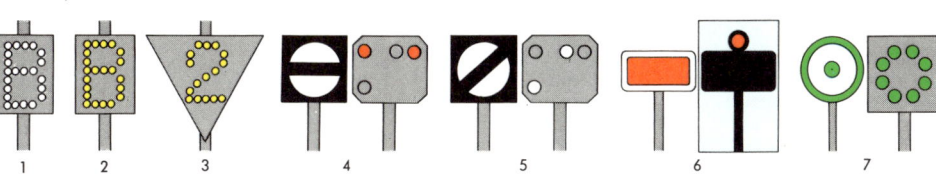

Eisberg

Vorsignal
Formsignal
(bei Tag) (bei Nacht)

Zughalt erwarten

Fahrt erwarten

Langsamfahrt erwarten
Lichtsignal

Zughalt erwarten *Fahrt erwarten* *Langsamfahrt erwarten*

Eisenbahn: Signale: **1** Richtungsanzeiger am Haupt- oder Haupt/Sperrsignal zeigt die Richtung (hier z. B. ›B ... dorf‹) der Fahrstraße an. **2** Richtungsvoranzeiger am Vorsignal weist auf den folgenden Richtungsanzeiger hin. **3** Geschwindigkeitsvoranzeiger weist auf den folgenden Geschwindigkeitsanzeiger (mit weißleuchtender Kennziffer) hin; von dort an ist der zehnfache Wert in km/h zugelassen. **4** und **5** Schutzsignale als Form- und Lichtsignale; **4** Gleissperrsignal: Fahrten darüber hinaus sind verboten. **5** durch Schutzsignal oder Haupt/Sperrsignal ausgesprochenes Fahrverbot ist aufgehoben. **6** nicht ortsfeste Wärterscheibe als Tages- und Nachtzeichen: Gleisstelle darf vorübergehend nicht befahren werden, Züge sollen ausnahmsweise anhalten. **7** Befehlsstab des Aufsichtsbeamten und Lichtsignal zur Erteilung des Abfahrauftrages

Eise

Eisenbahn: ICE (Intercity Express) der Deutschen Bahn AG

Hauptsignal
Formsignal
(bei Tag) (bei Nacht)

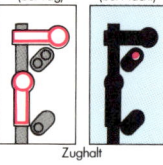

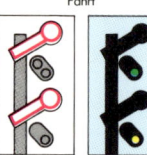

Zughalt

Fahrt

Langsamfahrt

Lichtsignal

Zughalt   Fahrt   Langsamfahrt

Notrot bei Ausfall der Stromversorgung für das Signal

Haupt-/Sperrsignal

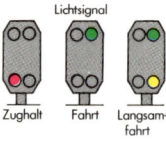

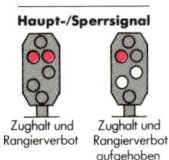

Zughalt und Rangierverbot   Zughalt und Rangierverbot aufgehoben

Eisenbahn: Signale

ter Spur. Normalspur findet man in den meisten europäischen Staaten, Breitspur gibt es z. B. in Russland, Spanien und Portugal, Schmalspur in Japan, Süd- und Ostafrika.

Je nach Geschwindigkeit, Reichweite und Häufigkeit der Haltestellen unterscheidet man in Deutschland bei **Personenzügen** zwischen **S**-Bahnen (S), Nahverkehrszügen (N), **Ei**lzügen (E) und Schnellzügen (D). Zu den Schnellzügen gehören **I**ntercity-**E**xpress-Züge (ICE), **I**nter**r**egio-Züge (IR), **I**nter**c**ity-Züge (IC) und **E**uro**c**ity-Züge (EC). Die Höchstgeschwindigkeit bei Nahverkehrszügen beträgt bis zu 120 km/h, bei Eil- und Schnellzügen bis zu 160 km/h, bei IC- und EC-Zügen bis zu 250 km/h, bei ICE-Zügen bis zu 406 km/h. Angestrebt wird eine Reisegeschwindigkeit durch Streckenneubauten von 250 km/h. Auch in Frankreich gibt es speziell für hohe Geschwindigkeiten entwickelte Züge (Train à Grande Vitesse, Abkürzung TGV), auf deren Strecken keine Güterzüge fahren. Sie erreichen Reisegeschwindigkeiten von 260 km/h und mehr (Rekordfahrt 380 km/h).

Für die Überwachung und Sicherung des Eisenbahnbetriebs sorgen die **Stellwerke** an den Bahnhöfen. Dort werden die Weichen und die Signale vom Fahrdienstleiter oder automatisch gestellt. **Blockeinrichtungen** sind ein Teil der Signalanlagen. Durch elektrische oder elektronische Sperren verhindern sie, dass ein Signal die Einfahrt in eine Blockstrecke (Abschnitt zwischen 2 Signalen) freigibt, solange sich noch ein anderer Zug auf dieser Strecke befindet. Dadurch wird vermieden, dass ein Zug auf den vorausfahrenden auffahren oder mit dem entgegenkommenden zusammenstoßen kann. Auf Hauptstrecken gibt es eine weitere Sicherheitseinrichtung, die **induktive Zugsicherung,** kurz ›Indusi‹ genannt. Sie überprüft mit magnetischen Kraftfeldern die Geschwindigkeit eines Zuges vor einem Haltesignal und löst die Zugbremse aus, falls aus irgendeinem Grund das Haltesignal überfahren wird. Ein mit 140 km/h fahrender Zug hat rund 1 000 m

Bremsweg. Der Lokomotivführer selbst wird von der **Sicherheitsfahrschaltung** (›Sifa‹) überwacht, die im Gefahrenfall, wenn er z. B. das Bewusstsein verloren haben sollte, die Bremse auslöst. Alle diese Vorkehrungen machen die Eisenbahn zum sichersten Verkehrsmittel.

Geschichte. Um 1800 wurde in England die erste Pferdeeisenbahnstrecke eingerichtet und 1830 fuhr dort die erste Personendampfeisenbahn mit der von George Stephenson gebauten Lokomotive. Am 7. 12. 1835 fuhr auf der Strecke Nürnberg–Fürth die erste deutsche Dampfeisenbahn (Geschwindigkeit etwa 30 km/h), und zwar vom folgenden Tag an in stündlicher Zugfolge. Es begann das Jahrhundert der **Dampflokomotiven,** die noch im 19. Jahrh. auf 120 km/h kamen. Aber auch schon die erste **Diesellokomotive** von 1912 erreichte eine Geschwindigkeit von 100 km/h. Die erste elektrische Hauptstrecke (Dessau–Bitterfeld) wurde 1912 eröffnet. Heute überwiegen fast überall die Diesellokomotiven und vor allem die **Elektrolokomotiven,** die leistungsstärker und umweltfreundlicher sind.

Eisenhower [aisenhauer]. Der amerikanische General **Dwight David Eisenhower** (*1890, †1969), oft ›Ike‹ genannt, leitete im Zweiten Weltkrieg 1944 als Oberbefehlshaber der gegen Deutschland kämpfenden alliierten Streitkräfte deren Landung in der Normandie. 1950–52 war er Oberbefehlshaber der NATO-Streitkräfte in Europa.

Als Präsident der USA (1953–61) förderte er innenpolitisch die Gleichberechtigung des schwarzen Bevölkerungsteils, traf dabei aber auf starken Widerstand weißer Bevölkerungsgruppen im Süden der USA. In der Gestaltung seiner Außenpolitik stützte er sich vor allem auf seinen Außenminister **John Foster Dulles.** Diese Außenpolitik war besonders auf die Stärkung des westlichen Bündnissystems gerichtet. Gleichzeitig bemühte er sich im Gespräch mit den politischen Führern der Sowjetunion (besonders Nikita Chruschtschow) um Entspannung in der Welt.

Eisenhut, Sturmhut, eine bis 2 m hohe Pflanze der Gebirgswälder und -wiesen; sie ist **sehr giftig,** besonders die Wurzel. Das Gift bewirkt Lähmungen; in der Homöopathie ist es eines der meistverwendeten Mittel. Die großen blauen Blüten mit kurzem Sporn haben ein oberes helmförmiges Blütenblatt, das der Pflanze den Namen gab.

Eisenstadt, 10 500 Einwohner, Hauptstadt und kultureller Mittelpunkt des österreichischen Bundeslandes Burgenland. Im Schloss Eszterházy (14. Jahrh.) wirkte 1761-90 Joseph Haydn als Kapellmeister.

Eisenzeit, die Epoche der Menschheitsgeschichte, die sich an die Bronzezeit anschließt. In Europa beginnt sie örtlich verschieden etwa um 800 v. Chr. und endet um Christi Geburt. Während die Eisenzeit in Südeuropa schon mit der griechischen und römischen Geschichte zusammenfällt, wird sie in Mittel-, Nord- und Westeuropa noch der →Vorgeschichte zugerechnet. Hier gliedert sich die Eisenzeit in 2 zeitlich aufeinander folgende Hauptabschnitte: in die →Hallstattzeit (800 bis 400 v. Chr.) und in die →La-Tène-Zeit (400 v. Chr. bis Christi Geburt). Wegen des Fehlens schriftlicher Quellen im mittel- und osteuropäischen Raum rechnet man hier oft noch die Zeit zwischen Christi Geburt und 800 n. Chr. zur Eisenzeit.

Eisenzeit: Eisenwerkzeuge und -waffen aus der Hallstattzeit (Höhle Býčískála bei Brünn, Tschechische Republik

Seit der Bronzezeit kannten die Menschen die Kunst der Metallverarbeitung und waren stets bemüht, auf diesem Gebiet Fortschritte zu erzielen. Schließlich setzte sich nach technischen Verbesserungen die Gewinnung von Eisen durch das Schmelzen von Eisenerz durch, das an vielen Stellen Europas zu finden war. Als Vorteil des Eisens gegenüber der Bronze erwies sich bald die größere Härte. Vor allem die neuen Eisenschwerter waren denjenigen aus Bronze weit überlegen. So ist es erklärbar, dass die →Dorer, die die Eisenverarbeitung beherrschten, während ihres Eindringens nach Griechenland die alte Bronzekultur von →Mykene verdrängen konnten.

Viele Funde geben Auskunft über die Menschen der Eisenzeit und ihre Lebensweise. Mächtige, burgähnliche Befestigungsanlagen und Grabfunde aus dieser Zeit lassen erkennen, dass die meisten Menschen kriegerische Bauern gewesen sein müssen. In fast allen Gräbern findet man Schwerter, Dolche, Schilde und Helme. Die kostbaren Beigaben in manchen Gräbern weisen darauf hin, dass es aber auch schon sehr spezialisierte Handwerker und einen Handel gab, der den Mittelmeerraum mit Mittel- und Westeuropa verband. Weiterhin ist diese Epoche durch eine Verbesserung der Landwirtschaft (Eisengeräte) und die Verwendung des Pferdes als Zug- und Lasttier gekennzeichnet. Das Volk, das zu dieser Zeit im mitteleuropäischen Raum lebte, waren die →Kelten.

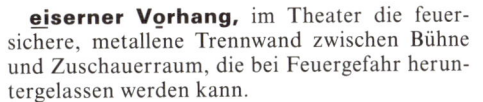

eiserner Vorhang, im Theater die feuersichere, metallene Trennwand zwischen Bühne und Zuschauerraum, die bei Feuergefahr heruntergelassen werden kann.

Eiserner Vorhang. Mit dem Schlagwort ›Eiserner Vorhang‹ wurde bis zum Zerfall des Ostblocks oft die Grenzlinie in Europa zwischen den parlamentarisch-demokratischen und den kommunistischen Staaten bezeichnet, da diese vor allem von kommunistischer Seite streng bewacht und befestigt war. Der britische Premierminister Winston Churchill prägte 1946 diesen bildhaft gemeinten Ausdruck.

Eisheilige, im Volksmund bestimmte Tage im Mai, an denen polare Kaltluft nach Mitteleuropa vordringt und Frostschäden an Pflanzen verursachen kann. Im norddeutschen Raum sind es die Tage der Heiligen **Mamertus, Pankratius** und **Servatius** (11.–13. Mai), in Süddeutschland, Österreich und der Schweiz die Tage von Pankratius, Servatius, **Bonifatius** und **Sophie** (›kalte Sophie‹; 12.–15. Mai). In neuerer Zeit hat sich der Kälteeinbruch vielfach auf die Tage um den 9. und 20. Mai verschoben.

Eishockey [-hoki], schnelles Mannschaftsspiel auf dem Eis. Zwei Sechsermannschaften (5 Feldspieler, 1 Torwart) versuchen, auf Schlittschuhen laufend, den Puck, eine 150–170 g schwere Scheibe aus Hartgummi (Durchmesser 7,6 cm), mit dem Eishockeyschläger (Stock) ins gegnerische Tor zu schießen. Die Spielfläche misst 30 × 60 m. Das Feld ist in 3 je 18 m lange Zonen unterteilt, die durch blaue Markierungen die Verteidigungszone (für den Gegner Angriffszone), die in der Mitte liegende neutrale Zone

Eisenzeit: Antennendolch aus Grab 39 des Magdalenenbergs, Eisenklinge in Bronzegriff; Hallstattzeit

Eisenhut

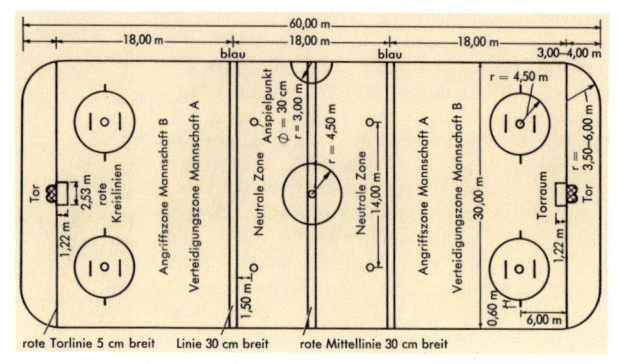

Eisk

Eishockey: Spielfeld

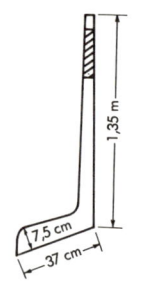

Eishockey: Eishockeyschläger

Eishockey: Schlittschuhe

und die Angriffszone (die gegnerische Verteidigungszone) kennzeichnen. Die Tore sind 1,83 m breit und 1,22 m hoch. Sie stehen in der Mitte der roten Torlinien, die 3,5–4 m vor den Stirnseiten verlaufen. Auf dem Spielfeld sind 9 Anspielpunkte eingezeichnet, an denen das Spiel nach einer Regelwidrigkeit mit Einwurf (Bully) durch den Schiedsrichter wieder aufgenommen werden kann. Auf dem Anspielpunkt der roten Mittellinie wird das Spiel eröffnet und nach einem Tor fortgesetzt.

Ein Spiel dauert 3 × 20 Minuten reine Spielzeit. Um einen Torerfolg zu verhindern, darf der Gegenspieler mit einem Körperangriff (Bodycheck) angegangen werden. Zur Minderung der Verletzungsgefahr vor allem durch Stockschläge und den extrem schnell fliegenden Puck (100 bis 120 km/h) tragen die Spieler gepolsterte Spezialkleidung sowie Helme als Kopfschutz. Das Gesicht des Torwarts ist durch eine Maske geschützt. Regelwidrigkeiten strafen die Schiedsrichter (1 Oberschieds-, 2 Linienrichter) durch zeitlich begrenzte Hinausstellung der Spieler, die ein Foul begehen. Diese Zeitausschlüsse betragen meist 2 oder 5 Minuten. – Seit 1920 gehört Eishockey zum olympischen Programm.

Eiskunstlauf, künstlerisch-sportliche Darbietung auf Schlittschuhen. Im Leistungssport werden Wettbewerbe auf der 30 × 60 m großen Eisfläche von Damen, Herren und Paaren ausgetragen. Das Gesamtergebnis setzt sich aus dem Originalprogramm (33,3 %, Dauer bis zu 160 Sekunden) und der Kür (67,3 %) zusammen. Im Originalprogramm müssen von den Herren 7, von den Damen und Paaren 8 vorgeschriebene Kunstlaufelemente in freier Wahl der Reihenfolge zu selbst gewählter Musik vorgetragen werden. Die **Kür** ist ein freies Laufen nach selbst gewählter Musik. Dabei interpretiert der Läufer die Musik mit Sprüngen (auch Doppel-, Dreifachsprüngen), Schrittkombinationen, Pirouetten und selbst gewählten Figuren. Originalprogramm und Kür werden mit einer **A-Note** für den technischen Wert und einer **B-Note** für den künstlerischen Eindruck bewertet. – Eiskunstlaufen ist seit 1908 olympische Disziplin.

Eisschnelllauf, von Damen und Herren mit Schlittschuhen auf dem Eis ausgetragener Dauer- und Schnelligkeitswettbewerb. Herren laufen über 500 m, 1 000 m, 1 500 m, 3 000 m, 5 000 m und 10 000 m. Sie tragen zudem noch Mehrkämpfe (kleiner Vierkampf, Sprinterkampf und großer Vierkampf) aus. Damen laufen über 500 m, 1 000 m, 1 500 m, 3 000 m und 5 000 m sowie im Vierkampf (500, 1 500, 3 000 und 5 000 m). Je 2 Läufer starten auf der 400 m langen, nicht überhöhten Bahn gegeneinander. Die Geraden sind 100 m lang. Gegenüber der Startgeraden liegt die Wechselgerade, auf der die Läufer die Laufbahn (von der **Innen-** auf die **Außenbahn**) wechseln müssen, damit sie die exakt gleichen Streckenlängen laufen.

Als olympische Disziplin für Herren gibt es den Eisschnelllauf seit 1924, für Damen seit 1960. Mehrkampfwettbewerbe gehören nicht zum olympischen Programm; bei den Damen gehört seit 1988 auch der 5 000-m-Lauf zum Programm.

Eistanz, Tanz eines Paares auf dem Eis, die jüngste Disziplin des Eiskunstlaufens. Der musikalische Rhythmus bestimmt die Schrittfolge, die Drehungen, die Sprünge und die tänzerischen Hebefiguren. Akrobatische Sprünge und Hebefiguren wie beim Paarlauf sind nicht gestattet.

Ein Eistanzwettbewerb besteht aus 2 Pflichttänzen, dem Spurenbildtanz und dem Kürtanz. Die insgesamt 12 **Pflichttänze** sind in 4 Gruppen eingeteilt. Sie sind in gleicher Schrittfolge von jedem Paar 3–6-mal zu laufen. Beim **Spurenbildtanz** wird ein für ein Jahr ausgeloster Tanzrhythmus in freiem Entwurf der Schrittfolge und in freier Musikwahl dreimal um die Bahn gelaufen, wobei die Anlage des Spurenbildes jeweils deckungsgleich sein muss. Der 4-minütige **Kürtanz** soll mehrere Tanzrhythmen beinhalten. Die Wettkampfgesamtnote ergibt sich anteilig aus Pflicht (20 %), Spurenbild- (30 %) und Kürtanz (50 %). – 1976 wurde der Eistanz ins olympische Programm aufgenommen.

Eisvögel mit ihrem leuchtend bunten Gefieder leben meist in den Tropen. Der nur 17 cm lange **europäische Eisvogel** mit auffallend kurzem Schwanz schimmert am Rücken azurblau, der

Bauch ist rostrot. Er lebt an fischreichen Gewässern. Wenn diese eisfrei bleiben, jagt er auch im Winter kleine Fische und Wasserinsekten, die er mit dem Schnabel packt. Mit seinem langen, kantigen Schnabel und den kleinen, korallenroten Füßen gräbt er bis zu 1 m tiefe Niströhren in Uferböschungen. Da er als Fischräuber verfolgt wurde und sein Lebensraum immer mehr eingeengt wird, ist er in Deutschland selten geworden.

Eiszeit, Abschnitt der →Erdgeschichte, in dem durch Klimaveränderungen weite Teile der Erdoberfläche von großen Eismassen bedeckt waren. Die Lage ehemaliger Gletscher oder Inlandeismassen lässt sich heute z. B. durch das Vorkommen von Moränen oder Gletscherschliffen nachweisen. Eine allgemein anerkannte Erklärung, wie es zur Entstehung von Eiszeiten kommen kann, gibt es noch nicht.

Das **quartäre Eiszeitalter (Pleistozän)** begann vor etwa 1 Million Jahren und ging vor 10 000 Jahren zu Ende. Man weiß sicher, dass im Alpenraum 4 jeweils ungefähr 100 000 Jahre dauernde Eiszeiten (**Günz, Mindel, Riss, Würm**) mit dazwischengeschalteten Warmzeiten stattgefunden haben. Die letzten 3 stimmen mit den in Norddeutschland und Skandinavien nachweisbaren Eiszeiten Elster, Saale und Weichsel überein.

In Europa reichte das Eis von Norden bis an die deutschen Mittelgebirge. Die Britischen Inseln, Alpen, Vogesen, Schwarzwald, Böhmerwald, Riesengebirge, Karpaten und Pyrenäen waren ebenfalls zum Teil vergletschert. Die Oberflächenformen, vor allem in Norddeutschland (Moränenwälle, Sandablagerungen, Urstromtäler), sind eine Folge der Vereisung.

Das eisfreie Gebiet zwischen den Alpen und den Eismassen im Norden wurde von Tundra eingenommen; dort lebten Mammut, Höhlenbär, wollhaariges Nashorn, Wisent, Eisfuchs und andere kältegewohnte Tiere. Mit dem quartären Eiszeitalter ist auch die Geschichte der Menschheit eng verknüpft (→Vorgeschichte).

Eiter, Flüssigkeit aus weißen Blutkörperchen, abgetöteten Krankheitserregern und eingeschmolzenem Gewebe, die je nach Art der Erreger gelblich bis blaugrün aussehen kann. Eiter entsteht, wenn in eine Wunde Bakterien eindringen oder durch das Blut verschleppte Krankheitserreger sich in einer Körperhöhle, z. B. der Gallenblase, absetzen und dort Entzündungen hervorrufen. Zur Heilung muss der Eiter aus dem Körper entfernt werden.

Eiweiße, Proteine, organische Naturstoffe, die Kohlenstoff, Wasserstoff, Sauerstoff, Stickstoff und häufig Schwefel enthalten. Neben Kohlenhydraten und Fetten bilden Eiweiße die dritte große Gruppe von Nahrungs- und Reservestoffen. Sie sind aus Aminosäuren aufgebaut, wobei mehrere Tausend Aminosäuren zu einem einzigen Eiweißmolekül miteinander verkettet sein können. Im Körper eines jeden Lebewesens sind viele Tausend Eiweißmoleküle enthalten. Jeder Mensch, jedes Tier und jede Pflanze besitzt körpereigene Eiweiße, die sich voneinander unterscheiden. Sie werden hergestellt, indem das pflanzliche oder tierische Eiweiß der Nahrung bei der Verdauung in die Aminosäuren zerlegt wird und diese wieder zu körpereigenem Eiweiß miteinander verknüpft werden. – Eiweiß nennt man auch die helle Flüssigkeit im Hühnerei.

Eizelle, weibliche Keimzelle, die der →Fortpflanzung dient. Beim Menschen sind schon bei der Geburt im Eierstock (→Geschlechtsorgane) sämtliche Eizellen (etwa 400 000) angelegt. Mit der →Pubertät fängt auf einen Hormonreiz hin eine Eizelle an zu wachsen, macht mehrere Reifungsstadien durch, bis sie schließlich befruchtungsfähig ist. Als reife Eizelle verlässt sie den Eierstock, was man auch als **Eisprung** bezeichnet. Sie wandert in 4 bis 5 Tagen durch den Eileiter, wo sie entweder befruchtet wird, was zur →Schwangerschaft führt, oder abstirbt. Solange die Frau in fortpflanzungsfähigem Alter ist, wiederholt sich dieser Vorgang jeden Monat (→Menstruation), wobei aber während ihres ganzen Lebens nur etwa 400 der vorhandenen Eizellen heranreifen. Zur Eizelle bei Tieren →Ei.

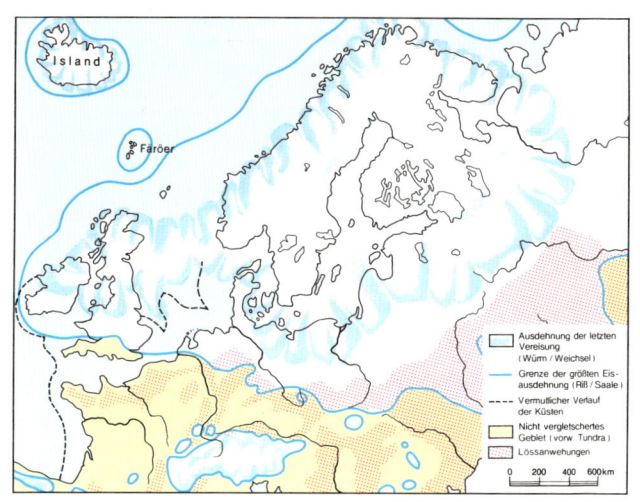

Eiszeit: das quartäre Eiszeitalter

Eisvögel: europäischer Eisvogel

Ejakulation [lateinisch ›Ausschleudern‹], **Samenerguss,** Ausspritzen des Samens aus dem steifen Penis (→Erektion). Die Ejakulation ist wie die Erektion ein Reflex und deshalb willentlich nur bedingt beeinflussbar. Auf dem Höhepunkt des →Geschlechtsverkehrs kommt es beim Mann zur Ejakulation. Durch ruckartige Zusammenziehung (Kontraktion) der Muskulatur wird die Samenflüssigkeit in die Harnröhre gepresst und nach außen entleert. In den 2–3 ml Samenflüssigkeit (Ejakulat) sind etwa 300 Millionen Samenfäden enthalten, die der →Fortpflanzung dienen. Danach erschlafft das männliche Glied wieder. Als **Pollution** bezeichnet man den Samenerguss im Schlaf.

EKG, Abkürzung für →Elektrokardiogramm.

Eklipse [griechisch ekleipsis ›das Verschwinden‹], das Verschwinden von Sonne und Mond bei →Sonnenfinsternis und →Mondfinsternis.

Ekliptik [zu Eklipse]. Wie alle anderen Planeten bewegt sich die Erde in einer kreisähnlichen Ellipsenbahn um die Sonne. Die Ebene, in der diese Bahn liegt, heißt die Erdbahnebene oder

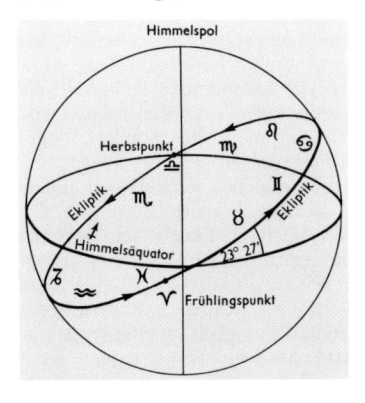

Ekliptik

Ebene der Ekliptik. Sie schneidet die Himmelskugel in einem Kreis, der **Ekliptik** genannt wird. Durch den jährlichen Umlauf der Erde um die Sonne entsteht von der Erde aus gesehen der Eindruck, als wandere die Sonne auf diesem Kreis; daher spricht man von der Ekliptik auch als von der von der Sonne im Lauf eines Jahres an der Himmelskugel scheinbar durchlaufenen Bahn. Die Ekliptik liegt in der Mitte einer schmalen Zone der Himmelskugel, die sich etwa 10° nördlich und südlich dieser Linie ausdehnt. Sie wird als →Tierkreis bezeichnet und von den 12 Tierkreiszeichen (**Ekliptiksternbildern**) besetzt. Weil die Bahnen der anderen Planeten und des Mondes nur wenig gegen die Erdbahnebene geneigt sind, halten sich auch die anderen Planeten sowie der Mond stets in der Nähe der Ekliptik auf.

Der Kreis, in dem die durch den Erdäquator gelegte Ebene die Himmelskugel schneidet, heißt Himmelsäquator. Der Winkel zwischen Ekliptik und Himmelsäquator heißt **Schiefe der Ekliptik.** Er beträgt etwa 23,5° und ist gleich dem Winkel zwischen der durch Nordpol und Südpol der Erde gehenden Achse, um die sich die Erde dreht, und dem auf der Erdbahnebene errichteten Lot, weil die Erdachse senkrecht auf der Äquatorebene steht. Auf diesen Winkel sind die unterschiedliche Dauer von Tag und Nacht und der Wechsel der →Jahreszeiten zurückzuführen.

Elba, zu Italien gehörende gebirgige Insel im Mittelmeer. Sie liegt zwischen Korsika und dem italienischen Festland und ist 224 km² groß. Auf ihr leben rund 30 000 Menschen. Der Hauptort der Insel ist Portoferraio. Das milde Klima ermöglicht Wein-, Oliven- und Obstanbau. Daneben arbeiten viele Inselbewohner in den Erzgruben, wo hochwertiges Eisenerz abgebaut wird. In den Küstenorten gewinnt der Tourismus zunehmend an Bedeutung. (KARTE Band 2, Seite 204)

Elbe, mit 1 165 km Länge einer der großen Ströme Mitteleuropas. Die Elbe entspringt im Riesengebirge, durchfließt die Tschechische Republik, dann Sachsen, Sachsen-Anhalt, Hamburg und Niedersachsen, wo sie bei Cuxhaven in die Nordsee mündet. Sie ist durch Kanäle mit dem Niederrhein, der Ostsee, der Spree und der Oder verbunden. Der Elbe-Seiten-Kanal verbindet die Elbe mit dem Mittellandkanal. Sie ist bis Melnik (nördlich von Prag) schiffbar. Die größten Häfen sind Hamburg und Magdeburg.

Elche, die größten →Hirsche (BILD). Diese hochbeinigen Tiere mit sehr langem, schmalem Kopf, breiter, langer Oberlippe sowie kurzem Hals werden bis 3 m lang, 2,5 m hoch und 800 kg schwer. Sie leben in waldreichen und sumpfigen Gebieten Nordeuropas, in Asien und Nordamerika und ernähren sich von Laub und Wasserpflanzen. Ihr mächtiges Schaufelgeweih setzen sie als gefährliche Waffe ein. Elche können weite Strecken an Land laufen und im Wasser schwimmen. Sie lassen sich auch zähmen.

Eldorado [spanisch ›der Vergoldete‹], sagenhaftes Goldland im Innern des nördlichen Südamerika. Die Sage geht zurück auf einen religiösen Brauch der Muisca, eines Indianervolks in Kolumbien. Danach fuhr der Fürst von Guatavita, einer Stadt unweit der jetzigen Hauptstadt Bogotá, am ganzen Körper mit Goldstaub über-

Elefanten: LINKS Afrikanischer Steppenelefant, RECHTS Indischer Elefant

zogen, auf den heiligen See (bei Bogotá) hinaus, opferte dort und wusch dann den Goldstaub im Wasser des Sees ab. Vor allem im 16. Jahrh. machten sich viele Abenteurer aus Europa auf dieses Goldland zu suchen. Die Sage blieb bis ins 18. Jahrh. lebendig. – Im übertragenen Sinn bedeutet Eldorado ›glückliches Land‹, ›Paradies‹.

Elefanten, heute die größten und schwersten landbewohnenden →Säugetiere. Auffallend ist, dass bei ihnen Nase und Oberlippe zu einem bis zu 2 m langen Rüssel ausgebildet sind, der unter anderem als Atmungs-, Geruchs- und Greiforgan dient. Wie durch einen Strohhalm werden bis zu 5 Liter Trinkwasser eingesaugt und dann ins Maul gespritzt. Elefanten können mit dem Rüssel auch laut ›trompeten‹. 2 Schneidezähne des Oberkiefers sind zu Stoßzähnen entwickelt, die weit aus dem Maul herausragen. Die säulenförmigen Beine haben ein mächtiges, elastisches Fußpolster, wodurch dieses massige Tier weich und federnd gehen kann. Elefanten sind trotz ihrer Größe vorsichtig und schreckhaft. Sie leben in Herden, die von Weibchen geführt werden. Einzelgänger greifen auch Menschen an. Elefanten sind klug und gelehrig und haben ein gutes Gedächtnis. Sie werden als Arbeitstiere verwendet. Elefanten fressen Laub, Zweige und Gräser, und zwar täglich etwa 150–250 kg, wofür sie 18–20 Stunden brauchen. Sie baden gern in Wasser und Schlamm, z. B. um die zahlreichen Parasiten in der Haut abzuspülen. Die Haut ist 2–4 cm dick (›Dickhäuter‹). Nach einer Tragzeit von 20–22 Monaten wird ein etwa 100 kg schweres Junges geboren, das 2 Jahre lang gesäugt wird. Elefanten können über 60 Jahre alt werden.

Elefanten bewohnen Urwälder, Steppen und Sumpfgebiete in Indien und Afrika. **Indische Elefanten** werden etwa 3 m hoch, sie haben am Rüsselende einen fingerförmigen Fortsatz; nur die Männchen (Bullen) tragen Stoßzähne. Die noch größeren **Afrikanischen Elefanten** haben große Flügelohren. Sie können über 4 m hoch und bis zu 7000 kg schwer werden. Besonders sie werden wegen des **Elfenbeins** verfolgt (Knochenmasse, Zahnbein der Stoßzähne). Daraus werden z. B. Schmuck, Billardkugeln, Klaviertasten hergestellt. Der Stoßzahn eines ausgewachsenen Elefantenbullen hat einen Handelswert von etwa 10 000 Dollar. – Ein Vorfahr des Elefanten ist das ausgestorbene →Mammut.

Elegie [zu griechisch elegos ›Trauergesang‹], Gedichtart, die schon im 7. Jahrh. v. Chr. nachweisbar ist und zunächst im Versmaß des Distichons (→Vers), später (in Deutschland) als Alexandriner verfasst wurde. Dem Inhalt nach handelte es sich dabei zum Teil um Gedichte politischen Inhalts, z. B. Kriegsgedichte. Themen neuerer Elegien sind häufig Klagen über unerfüllbare Sehnsucht, Trennung, Verlust und Tod. Im 18./19. Jahrh. bezeichnet das Wort nur noch einen Trauergesang und erscheint häufig als Titel in Liedvertonungen.

Elektra, Königstochter der griechischen Sage, die mit ihrem Bruder Orest den Mord an ihrem Vater, König Agamemnon, rächte. Dieser war von seiner Frau Klytämnestra und deren Liebhaber Ägisth hinterlistig ermordet worden. Elektra und Orest töteten die Schuldigen. Das Schicksal der Elektra wurde schon im Altertum von Dichtern dargestellt, so von Aischylos, Sophokles und Euripides, im 20. Jahrh. unter anderem von Gerhart Hauptmann und Eugene O'Neill. Der Stoff wurde auch vertont (Oper von Richard Strauss).

elektrische Fische, Zitterfische, Fische mit einem Strom erzeugenden Organ. Mit den elektrischen Schlägen, die sie willkürlich oder bei Berührung austeilen können, verteidigen sie sich gegen Angriffe, betäuben und töten ihre Beutetiere und orientieren sich bei trübem Wasser und bei Dunkelheit, wobei, ähnlich wie bei einem Echolot, der Widerhall (in Sinnesgruben am Kopf) empfangen wird. Die elektrischen Organe bestehen aus vielen gallertartigen Plättchen, die wie Bienenwaben neben- und übereinander liegen. Die einzelnen ›Fächer‹ erzeugen keine größeren Spannungen, als sie sonst in lebenden Geweben vorkommen (etwa 24–56 Millivolt). Da aber eine große Anzahl von Fächern hintereinander geschaltet sind, kommen teilweise hohe Gesamtspannungen zustande. Der Zitterrochen kann etwa 45 Volt Spannung erzeugen, der im Nil heimische Zitterwels über 300 Volt, der mit den Karpfen verwandte, südamerikanische Zitteraal sogar bis 550 Volt; besonders er kann auch badenden Menschen gefährlich werden.

elektrische Ladung, →Ladung.

elektrischer Strom. Bei dem Wort Strom denkt man zunächst an einen Fluss, in dem Wasser strömt. Aber auch in einer elektrischen Leitung, z. B. einem Kupferdraht, fließen Ströme. Es sind frei bewegliche Ladungsträger, die man →Elektronen nennt. In einer vereinfachten Darstellung kann man das Vorhandensein solcher freier Elektronen auf folgende Weise erklären:

Alle Stoffe, auch Metalle, bestehen aus →Atomen, die wiederum aus kleineren Teilchen zusammengesetzt sind. In der Mitte liegt der positiv geladene Kern. Er ist umgeben von einer negativ geladenen elektrischen Hülle, in der eine für jede Atomart charakteristische Zahl von Elektronen den Kern umschwirrt. Beim Kupferatom sind es 29 Elektronen, die die Hülle nicht von selbst verlassen, weil sie vom positiv geladenen Kern festgehalten werden. Lagern sich die Kupferatome zu einem festen Stoff, also einem Metallstück, zusammen, so gibt jedes Atom ein Elektron frei und trägt damit zum Zusammenhalt aller Atome bei. Diese freien, negativ geladenen Elektronen können sich im Metall bewegen.

Wird ein Kupferdraht in einen Stromkreis eingefügt, so werden auf der einen Seite von der Stromquelle Elektronen abgesaugt (Pluspol) und auf der anderen (Minuspol) nachgeliefert. Die Elektronen beginnen infolgedessen durch den Kupferdraht zu strömen.

Es gibt auch Stoffe (→Elektrolyte), in denen Stromfluss das Fließen von →Ionen bedeutet.

Immer sind die fließenden Teilchen von Anfang an vorhanden. Sie werden nicht erzeugt, sondern nur in Bewegung gesetzt. Elektrischen Strom kann man nur an seinen Wirkungen erkennen:

1) Ein vom Strom durchflossener dünner Draht wird heiß und glüht, es entsteht Wärme. Man spricht von der **Wärmewirkung** des elektrischen Stroms. Sie wird hauptsächlich in Heiz- und Kochgeräten genutzt.

2) Bei der →Elektrolyse entfaltet der Strom eine **chemische Wirkung.**

3) Ein vom Strom durchflossener Leiter umgibt sich mit einem Magnetfeld; eine in die Nähe gebrachte Magnetnadel wird aus ihrer ursprünglichen Richtung abgelenkt. Der Strom hat also eine **magnetische Wirkung.**

4) Schaltet man eine geeignete Glimmlampe direkt an die Steckdose, so leuchtet das Gas um die →Elektroden auf. Der Strom erzeugt unmittelbar Licht ohne den Umweg über die Wärme, ähnlich wie in den Leuchtstoffröhren. Man spricht von der **Lichtwirkung** des elektrischen Stromes.

elektrischer Stuhl, ein Hinrichtungsgerät. Der zum Tode Verurteilte wird dabei auf einen Sitz geschnallt und mit Starkstrom getötet. Diese Art der Todesstrafe gibt es in einigen Bundesstaaten der USA.

elektrischer Widerstand, →Widerstand.

elektrische Spannung, →Spannung.

elektrische Stromstärke, →Stromstärke.

Elektrizität [zu griechisch elektron ›Bernstein‹, da an diesem eine elektrische Aufladung durch Reiben beobachtet werden konnte], zusammenfassender Begriff für alle Erscheinungen, die mit dem Auftreten ruhender oder bewegter elektrischer →Ladungen (→elektrischer Strom) verknüpft sind.

Elektrizitätsmenge, die elektrische →Ladung; SI-Einheit ist das →Coulomb.

Elektrode, in elektrischen Stromleitern die Übergangsstelle von meist metallischen Leitern

elektrischer Strom: Vergleich von Wasserstromkreis (links) und elektrischem Stromkreis (rechts)

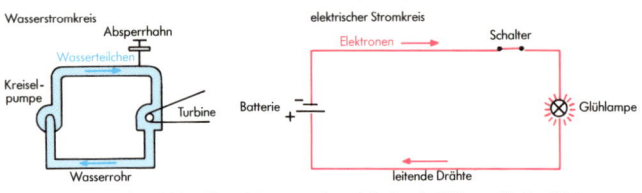

Wasserstromkreis
Bestandteile: Pumpe, Turbine, 2 Rohre, Absperrhahn

elektrischer Stromkreis
Bestandteile: Batterie, Glühlampe, 2 Drähte, Schalter

auf Leitung durch Ionen (in Flüssigkeiten und Gasen) oder durch freie Elektronen im Vakuum. Die Elektrode, in die negative Ladungen, z. B. Elektronen, eintreten, heißt **Anode,** die Elektrode, aus der sie austreten, **Kathode.** Man verwendet Elektroden (z. B. 2 Kohleelektroden oder eine Kohle- und eine Kupferelektrode) bei der Untersuchung der chemischen Wirkung des elektrischen Stroms (→Elektrolyse). Auch zum Betreiben von Elektronenröhren sind sie erforderlich.

Elektrogitarre oder kurz **E-Gitarre,** eine →Gitarre, deren Ton elektrisch erzeugt oder verstärkt wird.

Elektrokardiogramm, Abkürzung **EKG.** Von einem speziellen Gerät, dem Elektrokardiographen, werden die bei der Herztätigkeit entstehenden elektrischen Vorgänge **(Aktionsströme)** meist auf einem Papierstreifen aufgezeichnet. Die entstandene Kurve, das Elektrokardiogramm, zeigt beim gesunden Menschen ein ganz bestimmtes Muster von Zacken. Aus Veränderungen der Zackenlinie kann der Arzt auf Störungen der Herztätigkeit schließen.

Elektrolyse, chemische Veränderung eines →Elektrolyten beim Anlegen einer elektrischen Spannung. Leitet man durch eine Salzschmelze oder die wässrige Lösung eines Salzes, einer Säure oder Lauge elektrischen Strom, indem man etwa 2 eingetauchte Metalldrähte an eine Batterie anschließt, so bewegen sich die in der Lösung herumschwimmenden →Ionen auf die Drähte zu. Die positiven Ionen **(Kationen)** wandern dabei zum negativen Draht **(Kathode),** die negativ geladenen Ionen **(Anionen)** zum positiven Draht **(Anode).** Dadurch wird der gelöste oder geschmolzene Stoff chemisch verändert, meist in seine Bestandteile zerlegt.

Elektrolyt, ein Stoff, der entweder in geschmolzenem Zustand oder als wässrige Lösung in der Lage ist elektrischen Strom zu leiten. In beiden Fällen sind bewegliche →Ionen vorhanden, die zu den elektrischen Polen wandern können. Salze, Säuren und Laugen sind bekannte Elektrolyten, die durch →Elektrolyse zerlegt werden können.

Elektromagnet. Wird ein Draht in mehreren Windungen um einen Gegenstand gewickelt, bezeichnet man ihn als Spule. Aus einer solchen Spule, die um einen nicht magnetischen Weicheisenkern gewickelt ist, besteht ein Elektromagnet. Fließt durch die Spule ein elektrischer Strom, magnetisiert sich das Eisen. Der erste Elektromagnet wurde 1823 entwickelt. Heute zählen Elektromagnete zu den wichtigsten Bestandteilen elektrischer Maschinen und Geräte. Sie dienen z. B. als Lasthebemagnete an Kranen zum Verladen von Schrott und anderen Eisenteilen oder zur Fernbetätigung von Schaltgeräten.

Elektromotor, elektrische Maschine zur Umwandlung von elektrischer Energie in Bewegungsenergie. Ein Elektromotor stellt also die genaue Umkehrung eines →Generators dar, der mechanische in elektrische Energie umformt.

Nach der Stromart unterscheidet man zwischen **Gleichstrom-, Drehstrom-** und **Wechselstrommotoren.** Motoren, die sowohl mit Gleichstrom als auch mit Wechselstrom betrieben werden können, nennt man **Universalmotoren.** Sie werden vor allem in Haushaltsgeräte eingebaut. Die Arbeitsweise eines Elektromotors beruht auf 2 physikalischen Gesetzen.

1) Fließt durch einen Draht, der um ein Eisenstück gewickelt ist, ein elektrischer Strom, so wird aus dem Eisenkern ein Elektromagnet. Dabei hängt es von der Stromrichtung ab, an welchem Ende sich der Nord- oder der Südpol befindet.

2) Wenn 2 Magnete einander nahe kommen, so stoßen sich die gleichnamigen Pole ab, während sich die ungleichnamigen Pole anziehen.

Elektromotoren bestehen aus mindestens 2 Magneten: zum einen aus dem fest stehenden **Ständer** und zum anderen aus dem rotierenden **Läufer** mit einem, meist jedoch 3 oder mehr Elektromagneten, die nach ihrer Form auch als Anker bezeichnet werden. Der Läufer befindet sich zwischen den beiden Polen des Ständers, der ein Dauer- oder ebenfalls ein Elektromagnet ist. Sobald nun ein Strom durch die Ankerwicklung fließt, wird der Anker magnetisch. Sein Nordpol wird vom Südpol des Ständers und sein Südpol von dessen Nordpol angezogen. Der Läufer dreht sich also in die Stellung, in der die entsprechenden Pole einander am nächsten sind. In diesem Augenblick wird die Stromrichtung in der Ankerwicklung umgedreht. Der Nordpol des Ankers wird zum Südpol und daraufhin vom Südpol des Ständers abgestoßen. Dasselbe geschieht umgekehrt auch mit dem anderen Pol. Die Folge ist, dass sich der Läufer weiterdreht.

Bei Gleichstrommotoren wird die Stromrichtung durch eine Vorrichtung, die man als Kollektor oder Kommutator bezeichnet, verändert. Sie besteht aus einem Metallschleifring, der auf der Läuferachse sitzt. Entsprechend der Anzahl der Ankerwicklungen setzt sich ein solcher Ring aus mehreren, voneinander isolierten Segmenten zu-

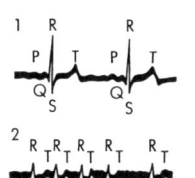

Elektrokardiogramm:
OBEN normal,
UNTEN krankhaft
verändert

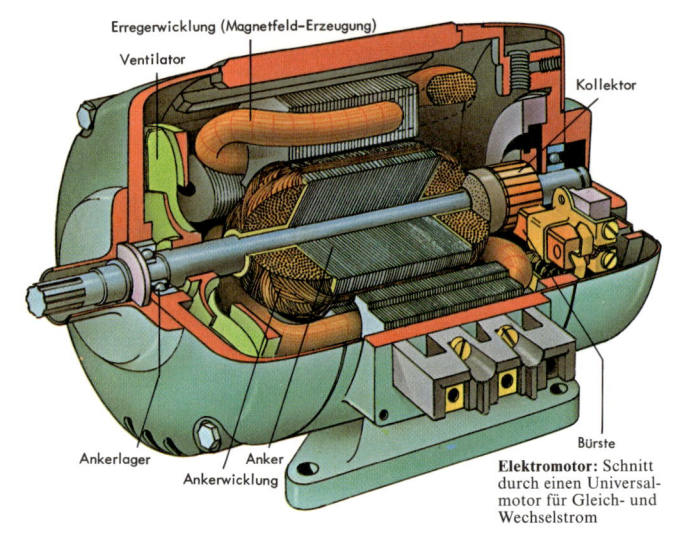

Elek

Elektromotor: Schnitt durch einen Universalmotor für Gleich- und Wechselstrom

sammen. Auf diesem Ring schleifen 2 aus Kohle bestehende Bürsten. Während sich der Läufer dreht, stellen diese Bürsten nacheinander mit jedem Segment des Kollektors einmal einen Kontakt her und kehren auf diese Weise ständig die Stromrichtung in den Ankerwicklungen um.

Elektron, Symbol e$^-$. Die Elektronen gehören zu den →Elementarteilchen und sind zusammen mit den wesentlich schwereren →Protonen und →Neutronen die Bausteine der →Atome. Sie sind elektrisch negativ geladen und bewegen sich mit hoher Geschwindigkeit um den Kern, wodurch sie die **Atom-** oder **Elektronenhülle** bilden. Jedes neutrale Atom enthält so viele Elektronen in der Hülle wie Protonen im Kern. Atome oder Moleküle mit einem Überschuss an Elektronen sind negativ, mit einem Mangel an Elektronen positiv geladen; sie werden als →Ionen bezeichnet. In Metallen können sich die Elektronen zum Teil frei bewegen und als Träger von elektrischen Strömen in Erscheinung treten (→elektrischer Strom). Die Atomkerne bestimmter radioaktiver Elemente können Elektronen als →Betastrahlung aussenden.

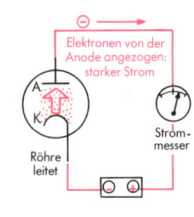

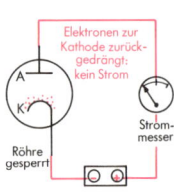

Elektronenmikroskop. Im Unterschied zum gewöhnlichen →Mikroskop, bei dem kleine Gegenstände mithilfe von Lichtstrahlen vergrößert betrachtet werden können, werden beim Elektronenmikroskop die Untersuchungsobjekte mit Elektronen abgetastet. Dies hat den Vorteil, dass noch kleinere Strukturen sichtbar gemacht werden können; es lässt sich gegenüber dem Lichtmikroskop eine 100–1000fache Steigerung des Auflösungsvermögens erreichen. Unter bestimmten Voraussetzungen kann man ein Auflösungsvermögen von 0,05 nm (Nanometer) erreichen und damit sogar Atome sichtbar machen.

Elektronenröhre, luftleer gepumpter Glaskolben mit mindestens 2 Elektroden, zwischen denen ein Elektronenübergang und somit Stromleitung stattfinden kann. Die einfachste Elektronenröhre ist die **Diode** (Zweielektrodenröhre). Sie enthält als Kathode einen Glühdraht und als Anode ein Metallblech zum Auffangen der Elektronen. Verbindet man das Anodenblech über ein Strommessgerät mit dem einen Anschluss der Heizwendel und bringt mithilfe einer Spannungsquelle die Wendel zum Glühen, so fließt über den Anodenanschluss ein Strom. Die Kathode enthält nämlich leicht bewegliche →Elektronen, die die Drahtoberfläche erst verlassen können, wenn der Draht zum Glühen gebracht wird. Die emittierten (ausgesendeten) Elektronen bilden um den Glühdraht eine negativ geladene Wolke, in der sie wie Gasatome durcheinander schwirren. Ein Teil erreicht die Anode, wird von ihr eingefangen und wandert über den Anodenanschluss zur Kathode zurück.

Verbindet man die Kathode der Röhre mit dem Minuspol, die Anode mit dem Pluspol einer Spannungsquelle, dann entsteht in der Kathode

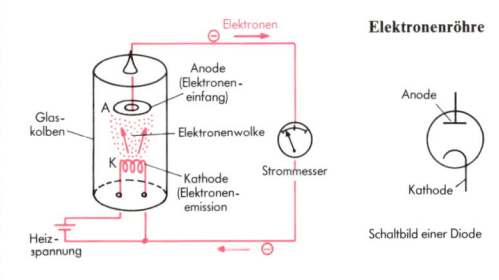

Elektronenröhre

Schaltbild einer Diode

Elektronenüberschuss, in der Anode Elektronenmangel. Der Strom im Anodenkreis steigt, weil die Elektronenwolke von der Kathode abgestoßen und von der Anode angezogen wird. Polt man um, so fließt kein Strom. Die Elektronen werden zum positiven Glühdraht zurückgedrängt.

Eine andere Elektronenröhre ist die **Triode** (Dreielektrodenröhre). Zwischen Kathode und Anode befindet sich als dritte Elektrode ein Drahtgitter. Mithilfe des Gitters lässt sich der Anodenstrom einer Triode steuern. Ferner gibt es die **Tetrode** mit 4 Elektroden, die **Pentode** (5

Elektroden), die **Hexode** (6 Elektroden) und die **Heptode** (7 Elektroden).

Heute verwendet man zum Gleichrichten und Verstärken von elektrischen Spannungen und Strömen anstelle von Röhren durchweg Halbleiterbauelemente (Halbleiterdioden, Transistoren).

Elektronenstrahlröhre, Kathodenstrahlröhre, braunsche Röhre, eine mit Elektronenstrahlen arbeitende luftleere oder mit geringen Gasmengen gefüllte Elektronenröhre. Der in der Elektronenkanone (Kathode mit Wehnelt-Zylinder) erzeugte Strahl wird durch die Elektronenlinse gebündelt und auf einen Bildschirm (Leuchtschirm) gelenkt. Zur Ablenkung des Elektronenstrahls verwendet man ein Plattensystem, das bei der Oszilloskopröhre mit elektrischen, bei der Fernsehbildröhre mit magnetischen Feldern arbeitet. Dadurch kann der Elektronenstrahl auf jeden Punkt des Bildschirms gerichtet werden und dort in Abhängigkeit vom zeitlichen Verlauf der angelegten Steuerspannung beliebige Kurven beschreiben.

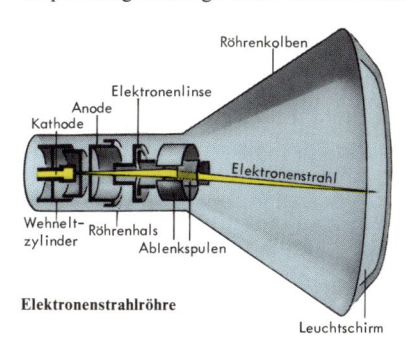

Elektronenstrahlröhre

Elektronik, wissenschaftlich-technischer Bereich, der sich mit den Vorgängen und Anwendungen der Bewegung von geladenen Teilchen im Vakuum, in Gasen oder in Festkörpern befaßt. Hierzu gehört die Untersuchung der Möglichkeiten, zur Steuerung von Elektronen, Ionen und in Festkörpern auch von Defektelektronen (Löchern) bestehen und sich in technische Anwendungen umsetzen lassen. Unter dem Begriff Elektronik werden außerdem die Entwicklung und der Einsatz elektronischer Bauelemente verstanden, ebenso die zugehörige Schaltungstechnik, die zum Bau moderner Geräte oder Anlagen (z. B. Computer) notwendig ist. Die Fortschritte im Bereich der Halbleitertechnologie (Verkleinerung von Bauelementen) führten über den →Transistor zu universell einsetzbaren →integrierten Schaltungen mit sehr kleinen Abmessungen, geringem Stromverbrauch und hoher Zuverlässigkeit. Diese enthalten zusammengefaßt auf einem →Chip komplette Funktionseinheiten.

Die nach dem Dualsystem arbeitende **Digitalelektronik** verwendet nur 2 Zustände (z. B. ein-aus, Strom – kein Strom). Sie bildet die Grundlage für logische Schaltungen und somit für die elektronische Datenverarbeitung (Computertechnik) und die moderne Nachrichtenübertragung. In der **Analogelektronik** sind für die Ströme und Spannungen innerhalb gewisser Grenzen alle Zwischenwerte möglich und sinnvoll (z. B. Unterhaltungselektronik). Oft werden analoge und digitale Schaltungen nebeneinander oder im Zusammenspiel benötigt (z. B. in Regelungstechnik, Meßtechnik), an den Schnittstellen sind dann Analog-Digital- oder Digital-Analog-Umsetzer erforderlich.

Die Steuerung des elektrischen Stroms in einem elektronischen Bauelement kann neben der rein elektrischen Weise auch durch andere physikalische Effekte bewirkt werden, z. B. durch optoelektronische, akustoelektronische, piezoelektrische und andere Effekte.

elektronische Datenverarbeitung, Abkürzung **EDV,** →Datenverarbeitung.

elektronische Musik, eine Form von Musik, deren Klänge und Geräusche durch elektronische Apparate (Tongeneratoren) erzeugt und von diesen direkt auf einen Klangspeicher (Tonband) eingegeben werden. Der Komponist stellt elektronische Musik in einem Experimentalstudio am Mischpult her, wobei er die Töne durch verschiedene Zusatzschaltungen noch in vielfacher Weise verändern kann.

Elektrosmog, technisch verursachte elektromagnetische Strahlung in der Umwelt. Man zählt hierzu im Allgemeinen nur die nichtionisierende Strahlung im Frequenzbereich 0–300 Megahertz. Als Quellen für Elektrosmog kommen z. B. Hochspannungsleitungen, Radaranlagen, Computer, Mobilfunk und Haushaltsgeräte infrage. Die von ihnen abgestrahlten Felder können zu einer Erwärmung des Körpers und als Folge davon zu organischen Schäden führen. Zur Zeit wird untersucht, ob sie zur Entstehung von Krebs beitragen. Zum Schutz des Menschen vor elektromagnetischer Strahlung wurden für alle infrage kommenden Geräte und Anlagen Grenzwerte festgelegt.

Elektrotechnik, ingenieurwissenschaftliches Gebiet, das sich mit der Umsetzung von physikalischen Vorgängen befaßt, die auf Er-

Elem

scheinungsformen und Wirkungen der elektrischen Strömung in verschiedenen Medien, elektrischen und magnetischen Feldern sowie deren wechselseitigen Beeinflussungen beruhen. Zur **elektrischen Energietechnik** (früher Starkstromtechnik) gehören die Erzeugung, Übertragung und Verteilung elektrischer Energie und die dazu notwendigen Anlagen, z. B. elektrische Motoren, Generatoren, Transformatoren. Die **Nachrichtentechnik** (früher Schwachstromtechnik) umfasst alle Bereiche, die mit der Umsetzung, Bearbeitung und Übertragung von elektrischen Signalen (Zeichen, Nachrichten) zu tun haben. Dazu gehören z. B. Funktechnik, Telekommunikation, Elektronik und Datenverarbeitung.

Element, 1) Chemie: ein Stoff, der mit chemischen Mitteln nicht weiter zerlegbar ist. Man spricht auch von einem Grundstoff (z. B. Natrium, Chlor). Aus den Elementen bauen sich die →chemischen Verbindungen (z. B. Natriumchlorid oder Kochsalz) auf (→chemische Elemente).

2) Mathematik: Die Dinge, die zu einer Menge (→Mengenlehre) gehören, heißen die **Elemente der Menge**.

Element 104, 105, 106, 107, 108, 109, künstlich hergestellte →chemische Elemente, ÜBERSICHT.

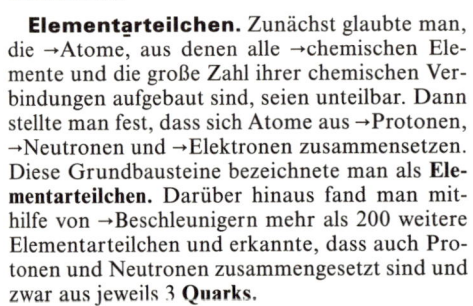

Elementarteilchen. Zunächst glaubte man, die →Atome, aus denen die →chemischen Elemente und die große Zahl ihrer chemischen Verbindungen aufgebaut sind, seien unteilbar. Dann stellte man fest, dass sich Atome aus →Protonen, →Neutronen und →Elektronen zusammensetzen. Diese Grundbausteine bezeichnete man als **Elementarteilchen**. Darüber hinaus fand man mithilfe von →Beschleunigern mehr als 200 weitere Elementarteilchen und erkannte, dass auch Protonen und Neutronen zusammengesetzt sind und zwar aus jeweils 3 **Quarks**.

Elfenbein, Knochenmasse der Stoßzähne bei →Elefanten.

Elfenbeinküste, Staat in Westafrika, eine Republik. Das Land ist etwas größer als Polen. Es grenzt im Westen an Liberia und Guinea, im Norden an Mali und Burkina Faso und im Osten an Ghana. Die südliche Begrenzung bildet die Küste des Atlantischen Ozeans. Das Land ist wenig gegliedert; die größten Höhen erreicht es im Nordwesten mit 1 750 m. Im Süden herrscht feuchtheißes tropisches Klima, hinter der lagunenreichen Küste liegt ein breiter Streifen mit Regenwald. Nach Norden hin folgen Feuchtsavanne und Trockensavanne.

Elisabeth I. von England

Elfenbeinküste
Staatswappen
Staatsflagge

Elfenbeinküste
Fläche: 322 463 km²
Einwohner: 12,910 Mio.
Hauptstadt: Yamoussoukro
Amtssprache: Französisch
Nationalfeiertag: 7. 8.
Währung: 1 CFA-Franc = 100 Centimes
Zeitzone: MEZ – 1 Stunde

Die Bevölkerung besteht aus über 60 Stämmen der Sudanneger sowie aus Angehörigen anderer afrikanischer Völker. Ein Viertel der Bewohner sind aus den Nachbarländern eingewanderte Arbeiter.

Wichtigster Wirtschaftszweig ist die Landwirtschaft. Mehr als die Hälfte des Landes wird ackerbaulich genutzt. Elfenbeinküste gehört zu den größten Erzeugern von Kakao und Kaffee der Erde. Daneben werden Holz, Bananen, Ananas, Palmöl und Kokosnüsse ausgeführt.

Geschichte. 1895 wurde Elfenbeinküste Teil von Französisch-Westafrika. 1960 erhielt das Land die Unabhängigkeit von Frankreich, mit dem es heute noch eng zusammenarbeitet. (KARTE Band 2, Seite 194)

Elisabeth I., *1533, †1603, die Tochter des englischen Königs Heinrich VIII. und seiner zweiten Frau Anna Boleyn, regierte England 45 Jahre lang (1558–1603). Wegen der Abwendung ihres Vaters vom Papst im Zusammenhang mit seiner zweiten Eheschließung fühlte sich auch Elisabeth dem Protestantismus verpflichtet. Nach dem Tod ihrer Halbschwester Maria der Katholischen, die in England die Reformation rückgängig gemacht hatte, stellte sie die anglikanische Staatskirche wieder her. In ihrer Stellung als rechtmäßige Königin fühlte sie sich durch **Maria Stuart,** die katholische Königin von Schottland und Urenkelin des englischen Königs Heinrich VII., bedroht. Als Maria von schottischen kalvinistischen Adligen zum Thronverzicht gezwungen wurde und 1568 nach England floh, ließ Elisabeth sie gefangen setzen und, nachdem sie mehrerer Verschwörungen überführt war, 1587 hinrichten.

Elisabeth unterstützte die englischen Freibeuter auf dem Ozean gegen die spanische Macht, und schließlich begründete der Sieg der englischen Flotte unter Francis Drake über die spanische →Armada (1588) die englische Seeherrschaft. Der Handel erlebte einen großen Aufschwung und die Grundlage des englischen Kolonialreichs wurde gelegt. Auch das kulturelle Leben entfaltete sich: Shakespeares Wirken fällt in das ›Elisabethanische Zeitalter‹.

Ellenbogen, der hakenförmige Fortsatz der Elle am knöchernen Skelett des Arms. Er bildet einen Teil des Ellenbogengelenks.

Ellipse. Geometrie: Wenn ein Gärtner ein ovales Blumenbeet anlegt, steckt er 2 Holzpflöcke (A und B) in den Boden (BILD). An den Pflöcken befestigt er die Enden einer Schnur, die länger ist als der Abstand der beiden Pflöcke voneinander. Mit einem weiteren Holzstab spannt er die Schnur und zeichnet bei stets gespannter Schnur eine Linie. Diese Linie heißt Ellipse. Die Punkte A und B sind die **Brennpunkte** der Ellipse. Die oben beschriebene Konstruktion einer Ellipse heißt **Gärtner-** oder **Fadenkonstruktion**.

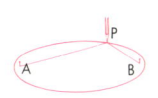

Aus der Gärtnerkonstruktion erkennt man: **Für alle Punkte P, die auf der Ellipse liegen, ist die Summe der Abstände zu den beiden Brennpunkten stets gleich groß.** Die Summe der beiden Abstände entspricht bei der Gärtnerkonstruktion der Schnurlänge. Beispiel einer Ellipse ist die Umlaufbahn der Erde um die Sonne.

Elmsfeuer, büschelförmige Leuchterscheinungen, die an Blitzableitern, Spitzen von Kirchtürmen oder Schiffsmasten auftreten können, wenn die Atmosphäre hohe elektrische Spannungen aufweist, wie dies z. B. vor Gewittern oft der Fall ist. Es handelt sich dabei um selbstständige elektrische Entladungen.

El Salvador
Fläche: 21 041 km²
Einwohner: 5,396 Mio.
Hauptstadt: San Salvador
Amtssprache: Spanisch
Nationalfeiertag: 15. 9.
Währung:
1 El-Salvador-Colón (¢) = 100 Centavos
Zeitzone:
MEZ – 7 Stunden

El Salvador, der kleinste, aber am dichtesten besiedelte Staat Zentralamerikas, eine Republik. Das Land ist etwa so groß wie das deutsche Bundesland Hessen und liegt an der Küste des Pazifischen Ozeans. Wegen seiner zum Teil noch aktiven Vulkane wird El Salvador als ›Land der Vulkane‹, wegen seiner weiten Grasfluren und seiner Seen als ›Gartenrepublik‹ bezeichnet. Die meisten Salvadorianer sind Mestizen. Sie bilden eine breite Schicht von meist armen Kleinbauern und Tagelöhnern. Im Gegensatz dazu bilden die Weißen eine zahlenmäßig kleine, aber gesellschaftlich einflussreiche Oberschicht. Der wichtigste Wirtschaftsbereich ist die Landwirtschaft, die für den Export Kaffee und Baumwolle erzeugt. Aus seinen Wäldern gewinnt El Salvador als einziges Land der Erde den Perubalsam, einen Grundstoff für viele medizinische Präparate. Die Industrie verarbeitet vor allem landwirtschaftliche Produkte und eingeführte Rohstoffe.

Geschichte. El Salvador stand wie die anderen Staaten dieser Region von 1524/25 bis 1821 unter der Herrschaft Spaniens. Seit 1841 ist das Land unabhängige Republik. In der Vergangenheit kam es häufig zu Putschen und Kriegen mit den Nachbarstaaten (zuletzt 1969 zum ›Fußballkrieg‹ mit Honduras). Die sozialen Gegensätze führten 1977–92 zu einem blutigen Bürgerkrieg. (KARTE Band 2, Seite 196)

Elsass, französisch **Alsace,** geschichtliche Landschaft am Oberrhein, die zu Frankreich gehört. Das Elsass umfasst die linksrheinische Tiefebene von der Lauter an der deutsch-französischen Grenze bis zum Hügelland des Sundgaus an der französisch-schweizerischen Grenze, einen Teil der Vogesen sowie das im Norden sich anschließende Hügelland bis zur Saar. In der Rheinebene werden Ackerbau und Viehzucht betrieben. Im Hügelland wird Wein angebaut. Textil-, Papier- und Kraftfahrzeugindustrie sind im Oberelsass angesiedelt, 2 große Erdölraffinerien liegen nördlich von Straßburg. Energiegewinnung und Schiffsverkehr ließen Großindustrie (Chemie) entstehen. Große Bedeutung, besonders an der Elsässischen Weinstraße, hat der Fremdenverkehr.

Zur Zeit der Völkerwanderung besiedelten Alemannen diese Landschaft. Deshalb sprechen die Elsässer eine alemannische Mundart. In seiner Geschichte gehörte das Elsass wechselweise zu Deutschland und zu Frankreich.

Elstern, Art der →Rabenvögel mit auffällig schwarzweißem, metallisch schimmerndem Gefieder und sehr langem, schmalem Schwanz, der besonders im Flug auffällt. Wie andere Rabenvögel sammeln Elstern glänzende, funkelnde Gegenstände. So ist die Redensart der ›diebischen‹ Elster entstanden. Das große Nest trägt stets ein ›Dach‹. Elstern fressen vor allem Insekten, auch Mäuse, nehmen Vogelnester aus (weshalb sie verfolgt werden) und suchen Obst, Körner und Beeren.

elterliche Sorge, früher **elterliche Gewalt,** das Recht und die Pflicht der Eltern, für die Per-

Ellipse: Gärtnerkonstruktion

El Salvador

Staatswappen

Staatsflagge

Elys

son und das Vermögen ihrer minderjährigen ehelichen Kinder zu sorgen, sie also gemeinsam zu erziehen und gegenüber anderen zu vertreten. Bei nichtehelichen Kindern erfüllt diese Aufgabe grundsätzlich die Mutter. Die wachsende Fähigkeit eines Kindes zu eigenverantwortlichem Handeln ist zu berücksichtigen. Können Eltern sich in wichtigen Fragen, die die Kinder betreffen, nicht einigen, können sie das Vormundschaftsgericht anrufen.

Erweisen sich Eltern als unfähig, für ihre Kinder zu sorgen, oder missbrauchen sie ihr Recht, kann ihnen die elterliche Sorge ganz oder teilweise durch das Vormundschaftsgericht entzogen werden. Sind die Eltern geschieden oder leben sie getrennt, bestimmt das →Familiengericht, welchem Elternteil die elterliche Sorge zustehen soll. Kinder über 14 Jahre haben hierbei ein Mitspracherecht.

Elysium, im griechischen Götterglauben das Land der Seligen am Westrand der Erde, wohin auserwählte Helden versetzt wurden, ohne den Tod zu erleiden.

Email [emaĭ], meist farbiger Glasfluss, der auf Metall aufgeschmolzen wird. Für die **Emailkunst** oder **Schmelzarbeit** wurden verschiedene Verfahren entwickelt: Die Kelten verwendeten den **Furchenschmelz** (La-Tène-Zeit, 5. Jahrh. v. Chr.): In Bronzeteile wurden Vertiefungen gegraben und mit roter Schmelzmasse ausgefüllt (›Blutemail‹). Beim **Zellenschmelz** wurden dünne, die Zeichnung bildende Goldstege auf einen Goldgrund gelötet und in die so entstehenden Zellen Glasflüsse eingeschmolzen, besonders im 10. und 11. Jahrh. im Byzantinischen Reich, auch in Deutschland. Eine Weiterentwicklung des Furchenschmelzes ist der **Grubenschmelz,** bei dem Kupfer verwendet und die stehen gebliebenen Metallteile ziseliert und vergoldet wurden. Nach dieser Technik wurden besonders im 12. und 13. Jahrh. Reliquiare und liturgische Geräte gefertigt, vor allem im Rheinland, im Maasgebiet und in Limoges (Frankreich). Beim **Silberrelief-** oder **Tiefschnittschmelz** werden in Silber eingeschnittene Darstellungen mit durchsichtigen Farbschmelzen überzogen (um 1300 in Frankreich und Italien). Um 1500 kam aus den Niederlanden und Italien eine Technik, die **Maleremail** heißt: Kupfer wurde mit einer dunklen Schmelzmasse überzogen, darauf wurden undurchsichtige Glasflüsse aufgebrannt, die Darstellungen auf diese Art ›gemalt‹ (Hauptwerke im 16. Jahrh. in Limoges). Mit der Entwicklung der Porzellanmalerei trat die Emailkunst im 18. Jahrh. zurück, lebte aber im Jugendstil kurzzeitig wieder auf.

Emanzipation [lateinisch-französisch ›Freilassung‹], die Befreiung einer bestimmten Teilgruppe der Gesellschaft aus einem Zustand der Abhängigkeit, Benachteiligung oder Unterdrückung. Heute wird dieser Begriff am häufigsten in Bezug auf das Streben der Frau nach rechtlicher und gesellschaftlicher Gleichberechtigung verwendet.

Embargo [zu spanisch embargar ›behindern‹], ursprünglich das Festhalten ausländischer Handelsschiffe in den Häfen eines Landes, dann eine Maßnahme, mit der ein Staat oder eine Staatengruppe die Ausfuhr von Gütern in einen anderen Staat verbietet **(Handelsembargo).** So kann z. B. ein Land, das sich im Kriegszustand befindet, durch ein Embargo anderer Staaten von der Zufuhr von Waffen abgeschnitten werden.

Embolie [von griechisch embole ›das Hineinwerfen‹], das Steckenbleiben von Blutgerinnseln in einer Ader. Dadurch kann ein ganzes Organ oder ein Teil davon von der Versorgung mit Nährstoffen und vor allem mit Sauerstoff abgeschnitten werden und zugrunde gehen (→Infarkt). Wenn Herz, Gehirn oder Lunge betroffen sind, kann das den sofortigen Tod zur Folge haben. Besonders häufig kommt es zu Embolien nach Operationen, Verletzungen und Geburten. Man versucht, dem durch Arzneimittel, Stützstrümpfe, Atemübungen und Gymnastik vorzubeugen. Wenn eine größere Arterie (→Adern), z. B. am Bein, verstopft ist, muss das stecken gebliebene Blutgerinnsel sofort operativ entfernt werden.

Embryo, Keimling eines Lebewesens während der Entwicklung. Nachdem die →Eizelle von einem Samenfaden im Eileiter befruchtet worden ist, beginnt sie sich fortwährend zu teilen **(Furchung),** bis das Keimbläschen **(Blastula)** entstanden ist, das sich in der Schleimhaut der Gebärmutter einnistet. In dem Keimbläschen trennt sich eine äußere Zellschicht ab, die als Hülle und

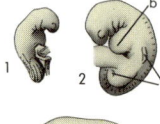

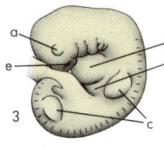

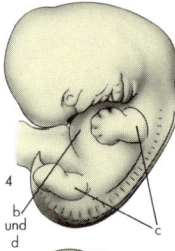

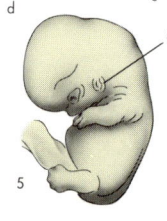

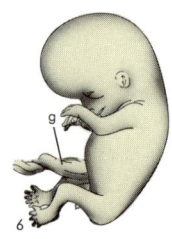

Embryo: Menschlicher Embryo verschiedenen Alters, rekonstruiert. **1** Der am Kopfende leicht nach vorn gekrümmte Embryo zeigt im Kopfgebiet 3 Beugefalten (Größe des Embryos 3,4 mm, Alter etwa 25–27 Tage). **2** Die Krümmung ist verstärkt, die Anlage der Gliedmaßen (c) sichtbar; der Herzwulst (b) tritt deutlich hervor, das Kopfgebiet zeigt 4 Beugefalten (Größe 4,2 mm, Alter etwa 4 Wochen). **3** Maximale Krümmung nach vorn; hinter dem Herzwulst (b) tritt der Leberwulst (d) hervor, die Gliedmaßenknospen (c) sind stärker ausgebildet, die Augenanlage (a) ist noch seitlich, die Nasengrube (e) ist angelegt (Größe 6,3 mm, Alter etwa 5 Wochen). **4** Beginnende Streckung; der Bauchumfang ist durch die weitere Entwicklung der Leber vergrößert, am Ende der Gliedmaßenknospe sind Fingeranlagen erkennbar (Größe 10 mm, Alter etwa 6 Wochen). **5** Weitere Streckung des Embryos; die Finger sind deutlicher, die Zehenanlagen angedeutet, Ohrmuschel (f) und Nasenrücken sind erkennbar, die Augen rücken nach vorn (Größe 17,5 mm, Alter etwa 7 Wochen). **6** Das Gesicht ist bereits stark entwickelt; die Augenlider sind geschlossen; die Stirn ist infolge der Entwicklung des Großhirns stärker vorgewölbt; die Geschlechtsorgane sind zu erkennen; die Nabelschnur (g) ist gedreht (Größe 30 mm, Alter Beginn des 3. Monats). – Nach Blechschmidt

für die Ernährung dient, indem sie eine Verbindung zu den Gefäßen der Mutter schafft, die Nährstoffe und Sauerstoff heranbringen. Aus den übrigen inneren Zellen, der Embryonalanlage, entwickelt sich der **Embryo.** Während der ersten 3 Schwangerschaftsmonate, der Zeit der Organentwicklung, nennt man die Frucht in der Gebärmutter Embryo; danach bezeichnet man sie als **Fötus.** Am Ende des ersten Monats misst der Embryo etwa 8 mm. Nach 6 Wochen treten die Anlagen der Gliedmaßen, die Extremitätenknospen, deutlich hervor. Am Ende des zweiten Monats ist der Embryo etwa 4 cm lang. Im dritten Monat bildet sich die Gesichtspartie; die wesentlichen Organanlagen sind vorhanden. Jetzt schwimmt der Embryo im **Fruchtwasser** in einer Höhle, der **Fruchtblase,** und ist über die Nabelschnur mit der Plazenta (→Mutterkuchen) verbunden, über die Versorgung und Stoffaustausch erfolgen. Während der Zeit der Organentwicklung ist der Embryo besonders durch äußere Einflüsse wie Viruserkrankungen (Röteln, Grippe), Zuckerkrankheit, schwere Herz- und Lungenerkrankungen der Mutter, durch Röntgenstrahlen, Medikamente und Alkohol gefährdet. Diese Einflüsse können schwere Missbildungen zur Folge haben. Insgesamt dauert es 9 Monate, bis aus der befruchteten Eizelle ein lebensfähiges Kind geworden ist.

Embryo:
Embryonalentwicklung des Menschen (schematisch);
1 Embryo etwa 4. Woche,
2 Embryo etwa 8. Woche,
3 Embryo 12.–14. Woche,
2 und 3 Embryo in der Gebärmutter mit Embryonalhüllen und Mutterkuchen

Emir [arabisch ›Befehlshaber‹], Titel arabischer Stammesführer und Fürsten. Das Herrschaftsgebiet eines Emirs nennt man **Emirat.**

Empfängnisverhütung, Schwangerschaftsverhütung, Maßnahmen, die eine →Schwangerschaft als mögliche Folge des →Geschlechtsverkehrs ausschließen sollen. Die Voraussetzung für eine Schwangerschaft ist die EMPFÄNGNIS. Diese kommt dadurch zustande, dass die Samenfäden des Mannes, die durch den Geschlechtsverkehr in die Scheide der Frau gelangen, nach ihrer Wanderung zur Gebärmutter auf eine Eizelle stoßen, die befruchtet werden kann. In diese dringen sie ein und verschmelzen mit ihr. Mit empfängnisverhütenden Mitteln (Kontrazeptiva) versucht man nun, Einfluss auf diese Vorgänge zu nehmen. Die sicherste, aber nur schwer wieder rückgängig zu machende empfängnisverhütende Methode ist die **Sterilisation.** Dabei werden entweder bei der Frau die Eileiter unterbrochen oder beim Mann die Samenstränge durchtrennt. Fast ebenso sicher ist die Empfängnisverhütung durch Hormonpräparate (**Antibabypille),** durch die der Eisprung unterdrückt wird, sodass keine Eizelle heranreift, die befruchtet werden könnte. Eine andere Methode mit hoher Sicherheit ist die ›Spirale‹ (**Intrauterinpessar),** die vom Arzt in die Gebärmutter eingelegt wird. Sie verändert die Schleimhaut so, dass sich keine Eizelle einnisten kann. Weit weniger zuverlässig ist der Schutz durch ein **Kondom,** eine Gummihülle, die über das männliche Glied gezogen wird, um den Samen aufzufangen, oder durch das **Diaphragma,** einen elastischen Gummiring, der in die Scheide eingeführt wird und den Samen zurückhalten soll. Auch das Ausnutzen der ›unfruchtbaren Tage‹ der Frau (nach der Methode ›Knaus-Ogino‹), also der Zeit, in der kein Ei befruchtet werden kann, gelingt nur dann einigermaßen zuverlässig, wenn die →Menstruation der Frau sehr regelmäßig erfolgt. Verbessert wird die Sicherheit dieser Methode durch das Messen der Morgentemperatur (**Basaltemperatur),** die zur Zeit des Eisprungs ansteigt. Unsicher sind chemische Mittel (**Scheidenzäpfchen).** Alle Probleme der Empfängnisverhütung (Anwendung, Sicherheit, Nebenwirkungen) sollten mit einem Arzt besprochen werden.

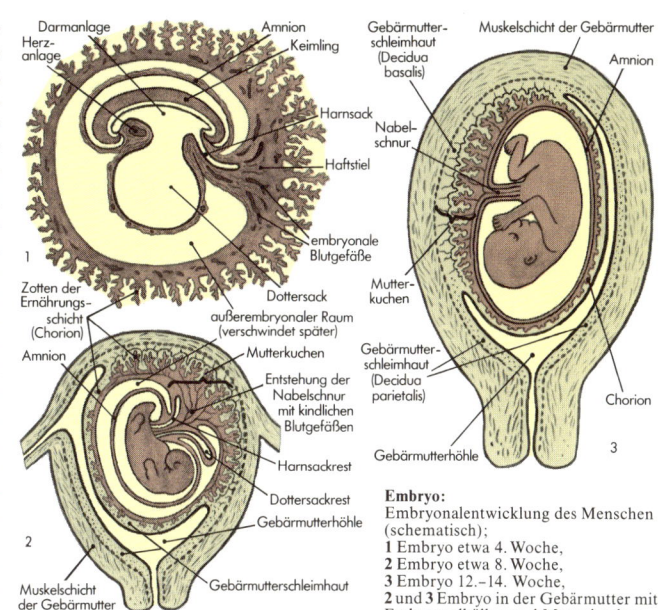

Mit empfängnisverhütenden Mitteln wird die Fortpflanzung des Menschen unterbunden. Dies ist besonders in Ländern und Erdteilen von Bedeutung, wo das unkontrollierte Bevölkerungswachstum zur Verelendung von großen Teilen der Bevölkerung führt. In den industrialisierten Län-

Email:
Detail aus dem Aribert-Evangeliar, Grubenschmelz; 1018–45

Empi

dern sind es häufig soziale und finanzielle Erwägungen, die die Entscheidung für eine Empfängnisverhütung bestimmen. Dabei spielt z. B. der Wunsch eine Rolle, eine Ausbildung nicht abzubrechen oder die durch den Beruf gesicherte finanzielle Selbstständigkeit nicht aufzugeben. Oft werden auch die Verpflichtungen einem Kind gegenüber als zu groß empfunden oder für weitere Kinder fehlt der Wohnraum.

Gegen den Gebrauch von empfängnisverhütenden Mitteln wendet sich die katholische Kirche; sie sieht darin einen nicht zulässigen Eingriff in die göttliche Schöpfung.

Empire [ãpir, französisch ›Kaiserreich‹], die Herrschaftszeit der Kaiser Napoleon I. (1804 bis 1814/15; 1. Empire) und Napoleon III. (1852 bis 1870; 2. Empire). Der **Empirestil** ist der etwa 1800–30 vorherrschende Dekorationsstil innerhalb des Klassizismus. Er umfasst Innenraumdekoration, Möbelkunst, Kunsthandwerk und Kleidermode, blieb aber im Wesentlichen auf die Fürstenhöfe beschränkt. Kennzeichnend für diesen Stil sind Formstrenge, Geradlinigkeit und Feierlichkeit; einzelne Motive sind griechischen, römischen und ägyptischen Vorbildern entlehnt.

Empire [ämpaier], Kurzbezeichnung für das →Britische Reich (British Empire).

Empirismus [zu griechisch empeiros ›kundig‹, ›verfahren‹], Richtung der Philosophie, die alle Erkenntnis aus der Erfahrung, die der Mensch mit sich und der Welt macht, herleitet. John Locke (*1632, †1704), ein englischer Philosoph, entwickelte diese Anschauung, um ein Gegengewicht gegen den →Rationalismus zu schaffen, der nach Locke die sinnliche Erfahrung ausklammert und jede Erkenntnis nur aus dem logischen Denken hervorgehen lässt.

Ems, Fluss in Nordwestdeutschland, 371 km lang, die in der Senne am Fuße des Teutoburger Waldes entspringt. Die Ems durchfließt das Münsterland und in vielen Windungen das Emsland und mündet bei Emden in den Dollart, einen Meerbusen der Nordsee. Teilweise ist die Ems in den Dortmund-Ems-Kanal einbezogen.

Emser Depesche, an den preußischen Ministerpräsidenten Bismarck gerichtetes Telegramm vom 13. 7. 1870. Es enthielt den Bericht über eine Aussprache zwischen dem preußischen König Wilhelm I. und der französischen Botschafter in Bad Ems, deren Fortsetzung der König ablehnte. Bismarck ließ den Text so stark verkürzt veröffentlichen, dass die diplomatische Niederlage Frankreichs wirkungsvoll herausgestellt wurde. Die über diese Demütigung empörten Franzosen erklärten Preußen am 19. 7. 1870 den Krieg (→Deutsch-Französischer Krieg von 1870/71).

Emsland, nordwestdeutsche Landschaft an der niederländischen Grenze. Seit 1948 wurde aus Mooren und Heiden Kulturland gewonnen und Ödland aufgeforstet. Es entstanden landwirtschaftliche Betriebe, Gärtnereien und Gewerbebetriebe. Heute werden hier auch Erdgas und Erdöl gefördert und verarbeitet.

Emu, ein mit dem →Strauß verwandter Laufvogel.

Endlösung der Judenfrage, von der nationalsozialistischen Partei- und Staatsführung verwendete Bezeichnung für die planmäßige Ermordung der europäischen →Juden, die 1942 auf einer Konferenz am Großen Wannsee in Berlin beschlossen wurde.

Energie [von griechisch energeia ›Tatkraft‹], gespeicherte →Arbeit oder die Fähigkeit eines Körpers Arbeit zu verrichten.

Betrachtet man ein laufendes Uhrwerk, so stellt man fest, dass die Zähne der Zahnräder und die Achsen der Lager aneinander reiben. Gegen diese Reibungskraft muss ständig Arbeit geleistet werden. Bei einer Kuckucksuhr hebt man das Antriebsgewicht ab und zu hoch, andere Uhren zieht man auf, indem man eine Feder spannt. Bei der Kuckucksuhr kann das Gewichtsstück infolge seiner erhöhten Lage so lange Arbeit verrichten, bis es seinen tiefsten Punkt wieder erreicht hat. Die Feder kann so lange Arbeit verrichten, bis sie wieder entspannt ist.

Wird ein Körper in eine höhere Lage gebracht (wie das Gewichtsstück der Kuckucksuhr) und dadurch Arbeit gespeichert, so besitzt der Körper **Lageenergie (potentielle Energie).** Eine gespannte Feder oder allgemein elastisch verformte Körper haben **Spannenergie (elastische Energie).** Körper, die sich bewegen, enthalten **Bewegungsenergie (kinetische Energie),** die dritte der **mechanischen Energieformen.**

Ein Fadenpendel (BILD), dem man durch Anheben Lageenergie zugeführt hat, hat nur diese Lageenergie und keine Bewegungsenergie, solange man es in Stellung 1 festhält. Nach dem Loslassen wandelt sich bei der Pendelbewegung immer mehr Lageenergie in Bewegungsenergie um, bis der Körper in Stellung 2 nur noch Bewegungsenergie, aber keine Lageenergie mehr hat. Schwingt der Körper jetzt weiter bis zur Stellung 3, so wandelt sich die Bewegungsenergie über Zwischenzustände, in denen Bewegungsenergie

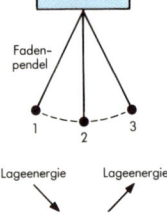

Fadenpendel

1 2 3

Lageenergie   Lageenergie

Bewegungsenergie

Energie:
Fadenpendel

und Lageenergie vorhanden sind, wieder vollständig in Lageenergie um. Bei diesem Vorgang bleibt die Summe aus potentieller und kinetischer Energie zu jedem Zeitpunkt unverändert. Diese Gesetzmäßigkeit wird als **Energieerhaltungssatz der Mechanik** bezeichnet. Dieser Satz gilt streng aber nur dann, wenn man von dem Vorhandensein von Luftwiderstand und Reibungsarbeit absieht. Immer dann nämlich, wenn Reibungsarbeit auftritt, geht ein Teil der mechanischen Energie in Form von Wärme verloren. Wärme ist jedoch auch eine Energieform **(Wärmeenergie)** und es gilt dann der **allgemeine Energieerhaltungssatz.** Dieser sagt aus, dass sich bei einem mit der Zeit ändernden Vorgang die einmal vorhandene Energie zwar vollständig oder zum Teil in eine andere Energieform umwandeln kann, die Summe aller auftretenden Energieformen aber immer denselben Wert behält.

Energieumwandlungen sind für unser Leben sehr wichtig. So lässt beispielsweise die Wärmeenergie der Sonne Wasser im Meer verdunsten und den Dampf in die Höhe steigen. Die sich dort bildenden Wolken haben sehr viel Lageenergie. Sammelt man das Regenwasser in Stauseen, die höher gelegen sind als das Meer, so wird nur ein Teil der Lageenergie in Bewegungsenergie umgewandelt. Die restliche Energie kann beim Herabfallen des Wassers Turbinen und Generatoren antreiben, die für die Umsetzung in **elektrische Energie** sorgen.

Bei der Verbrennung von Kohle oder Erdöl wird die in den Brennstoffen vorhandene **chemische Energie** in Wärmeenergie verwandelt. In Dampfmaschinen und Dampfturbinen wird aus dieser Wärmeenergie mechanische Energie. Die von diesen betriebenen Generatoren liefern dann die elektrische Energie. – Wird die elektrische Energie von den Elektrizitätswerken in Wohnungen und Werkstätten geliefert, so kann sie in Heizöfen, elektrischen Lötkolben, Glühlampen, Bügeleisen und Schweißapparaten wieder in Wärmeenergie, in Elektromotoren wie in Küchenmaschinen, Staubsaugern, Bohrmaschinen in mechanische Energie umgewandelt werden.

Die 3 Einheiten von Arbeit und Energie sind das →Joule (J), das Newtonmeter (Nm) und die Wattsekunde (Ws). Es gilt: 1 J = 1 Nm = 1 Ws.

Auf dem Typenschild eines Elektrizitätszählers ist ein Vielfaches der Einheit Wattsekunde angegeben, die Kilowattstunde (kWh):

1 kWh = 1 000 Wh = 3 600 000 Ws.

Engadin, Hochtal im schweizerischen Kanton Graubünden. Das Engadin ist 91 km lang und wird vom oberen Inn durchflossen. Von 1 800 m Höhe im Südwesten fällt es bis auf 1 000 m im Nordosten an der Grenze zu Österreich ab. Das **Oberengadin** hat mildes, sonniges Klima, im **Unterengadin** ist es ungewöhnlich trocken. Viehwirtschaft herrscht gegenüber dem Ackerbau vor. Fremdenverkehr und Wintersport haben große Bedeutung (Sils, St. Moritz).

Engel [von griechisch angelos ›Bote‹], in vielen Religionen, besonders aber im Judentum und im Christentum, Sendboten Gottes, die auserwählten Menschen eine Nachricht überbringen. Ursprünglich hat man sich die Engel als überirdische Geschöpfe vorgestellt, die zwar einen Körper haben, aber geschlechtslos sind. Erst später hat sich die Vorstellung von körperlosen Geistwesen durchgesetzt. An der Spitze der Engel stehen die 4 **Erzengel:** Gabriel, Raphael, Michael und Uriel. Nach dem Evangelium des Lukas hat der Erzengel Gabriel Maria die Botschaft überbracht, dass sie einen Sohn mit Namen Jesus bekommen werde.

Engels. Der Fabrikantensohn **Friedrich Engels** (*1820, †1895) lernte während seiner Tätigkeit im väterlichen Zweiggeschäft in Manchester die bedrückenden Lebens- und Arbeitsbedingungen der Arbeiter in England, dem damals am stärksten industrialisierten Land Europas, kennen. Seine Beobachtungen fasste er in der Schrift ›Die Lage der arbeitenden Klasse in England‹ (1845) zusammen. 1848 verfasste er mit **Karl Marx,** dessen Freund und Mitarbeiter war, für den ›Bund der Kommunisten‹ das **Kommunistische Manifest.** In ihm riefen beide die Arbeiter auf, sich zusammenzuschließen und auf dem Wege der Revolution die bestehende Gesellschaft völlig zu verändern. Aufgrund seines Vermögens war es Engels möglich, Marx in der Zeit seines Exils in England finanziell zu unterstützen. Nach dem Tod von Marx gab Engels den letzten Teil des Hauptwerks von Marx: ›Das Kapital‹ heraus.

Engerling, die Larve des →Maikäfers.

England, der südliche Teil der britischen Hauptinsel (→Großbritannien und Nordirland).

Englischhorn, Musikinstrument aus der Familie der →Oboen. Das etwa 1 m lange Englischhorn ist die Altoboe, die eine Quinte tiefer klingt als die normale Oboe. Von dieser unterscheidet es sich durch ein gebogenes Zwischenstück zwischen →Rohrblatt und Instrument sowie durch den kugelförmigen Schallbecher, den ›Liebesfuß‹, der am unteren Ende des Schalltrichters an-

Friedrich Engels

Englischhorn

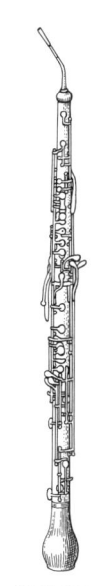

Enja

ENTDECKUNGSREISEN

Afrika

Küsten (Portugiesen, veranlasst von Heinrich dem Seefahrer) seit	1415
Kongomündung (Diego Cão)	1485
Kap der Guten Hoffnung (Diaz)	1487
Indienfahrt um das Kap der Guten Hoffnung (Vasco da Gama)	1497–98
Sahara (erste Durchquerung Hornemann)	1797–1800
Nigerlauf (Clapperton, Lander)	1822–31
Kilimandscharo (Krapf und Rebmann)	1848
Sahara (durchreist von Barth)	1850–55
Südliches Afrika, Sambesi, Schirwa- und Njassasee (Livingstone)	1851–59
Tanganjika- und Victoriasee (Burton, Speke)	1858
Durchquerung Nordafrikas, Tripolis–Lagos (Rohlfs)	1865–67
Sahara und Sudan (Nachtigal)	1869–74
Bahr el-Ghasal, Uële (Schweinfurth)	1869–70
Lualaba-Kongo von Nyangwe bis Boma (Stanley)	1876–77
Oberes Nilgebiet (Junker)	1874–87
Oberes Nilgebiet (Emin Pascha)	1876–92
West-Ost-Durchquerung Zentralafrikas (von Wissmann)	1881–82
Kilimandscharo-Besteigung (Hans Meyer)	1889

Amerika, amerikanische Nordpolargebiete

Grönland von Island aus (Erik der Rote)	981–82
Neufundland, Labrador (Leif Eriksson)	um 1000
Entdeckung Amerikas: Bahamainseln, Kuba, Haiti (Kolumbus)	1492
Ostküste Nordamerikas, Labrador bis Kap Hatteras (Caboto)	1497–98
Festland von Südamerika, Orinocomündung (Kolumbus)	1498
Brasiliens Küste (Pinzón, Cabral, Amerigo Vespucci)	1500–02
Festlandküste Mittelamerikas (Kolumbus)	1502
Landenge von Panama, Pazifischer Ozean (Balboa)	1513
Mexiko von Cortez erobert	1519–21
Magalhãesstraße, Südwestküste Amerikas (Magalhães)	1520
Peru von Pizarro erobert	1532–33
Amazonas (Orellana)	1541
Kanada, St.-Lorenz-Strom-Gebiet (Champlain)	1608–15
Hudsonfluss, -bai und -straße (Hudson)	1607–11
Feuerland, Kap Hoorn (Schouten)	1612
Baffinbai, Smithsund (Baffin)	1616
Mississippilauf (La Salle)	1682
Süd-, Mittelamerika (von Humboldt)	1799–1804
Suche nach der Nordwestlichen Durchfahrt (Franklin)	1845
Nordwestliche Durchfahrt (McClure)	1851–53
Durchquerung Grönlands (Nansen, Südgrönland)	1888
(Peary, Nordgrönland)	1892–95
(Koch und Wegener, Mittelgrönland)	1912–13
Arktisches Amerika (Sverdrup)	1898–1902
Erste zusammenhängende Nordwestliche Durchfahrt (Amundsen)	1903–06
Nordpol (Peary)	1909
Nordpolunterquerung durch amerikanisches U-Boot	1958

Asien, europäisch-asiatisches Nordpolargebiet

China, Indien, Persien (Marco Polo)	1271–95
Seeweg nach Ostindien (Vasco da Gama)	1497–98
Philippinen (Magalhães)	1521
Japan gesichtet (von Portugiesen)	1542
Erster Kosakenvorstoß über den Ural nach Sibirien (Jermak)	1581
Nowaja Semlja, Spitzbergen, Bäreninsel (Barents)	1594–97
Ostkap Sibiriens (Deschnjow)	1648
Japan (Kaempfer)	1690–92
Beringstraße (Bering)	1728
Arabien (Niebuhr)	1762
Nordküste Sibiriens (von Wrangel)	1820–24
Tibet und Mongolei (Huc und Gabet)	1844–46
Karakorum-Pass, Kun-lun, Ost-Turkestan (Brüder Schlagintweit)	1856
Ost-China (von Richthofen)	1868–72
Nordöstliche Durchfahrt (von Nordenskiöld)	1878–79
Nordpolarmeer-Fahrt Nansens	1893–96
Tarimbecken, Nord-Tibet (Hedin)	1894–97 und 1899–1902
Quellgebiet des Hwangho (Filchner, Tafel)	1903–05
Persien und Tibet, Transhimalaya (Hedin)	1905–08
Tibet (Filchner)	1926–28 und 1934–38
Innerasien (Hedin)	1927–35
Himalaya-Expeditionen (verschiedene Nationen)	933–39
Mount-Everest-Besteigung (Hillary, Tenzing)	1953
Nanga-Parbat-Besteigung (Buhl)	1953

Australien, Ozeanien, Südpolargebiet

Neuguinea entdeckt	1526
Torresstraße (de Torres)	1606
Neuseeland, Tonga- und Fidschiinseln; Tasmanien, Nordküste Australiens (Tasman)	1642–44
Ostküste Australiens (Cook)	1770
Vorstoß über den südlichen Polarkreis (Cook)	1772–75
Hawaii-Inseln (Cook)	1778
Umseglung des Südpolargebiets (von Bellingshausen)	1819–21
Erste Durchquerung Australiens von Osten nach Norden (Leichhardt)	1844
Erste Nord-Süd-Durchquerung Australiens (Burke)	1860
Südpolargebiet (von Drygalski)	1901–03
Südpol (Amundsen)	1911
Weddellsee-Expedition (Filchner)	1911–12
Flug über den Südpol (Byrd) und das Grahamland (Wilkins und Eilsen)	928–30
Deutsche antarktische Expedition	1938–39
Westliche und südliche Antarktis (Byrd-Expeditionen)	939–41 und 1946–48
Durchquerung der Antarktis (Fuchs)	1957–58

gebracht ist. Durch den dunklen Klang des Englischhorns lassen sich besonders gut traurige Empfindungen ausdrücken.

Enjambement [ãschäbmã, zu französisch enjamber ›überspringen‹], Zeilensprung im →Vers.

entạrtete Kụnst, abwertende Bezeichnung der Nationalsozialisten für Werke vor allem der zeitgenössischen Kunst, die nicht der nationalsozialistischen Kulturauffassung entsprachen. Man warf den Künstlern vor, nur das ›Abnorme‹ und ›Krankhafte‹ dargestellt zu haben; alle nichtnaturalistischen Stile seit dem Impressionismus galten als ›dekadent‹. Die so verfemten Künstler erhielten Berufsverbot; viele von ihnen wanderten aus. Die Museen durften keine als entartet eingestuften Kunstwerke mehr ausstellen. Betroffen waren Ernst Barlach, Max Beckmann, Wassily Kandinsky, Oskar Kokoschka, Emil Nolde und viele andere. 1937 veranstaltete man in München die Ausstellung ›Entartete Kunst‹, um die gezeigten Werke lächerlich zu machen. Danach wurde ein Teil von ihnen ins Ausland verkauft, über 1 000 Gemälde sowie viele Aquarelle und Grafiken wurden verbrannt. Um das Ansehen dieser

Künstler wiederherzustellen, fand 1962 in München eine Erinnerungsausstellung statt.

Entdeckungsreisen. Schon immer hat es Menschen gegeben, die ihren engen Lebensbereich überschreiten und erfahren wollten, wie es jenseits der Meere und Berge aussieht, oder die von Sagen über unermesslich reiche Länder in die Ferne gelockt wurden. Im Altertum gingen die seefahrenden Phöniker, Karthager und Griechen auf Handels- und Eroberungsfahrten. Im Mittelalter entdeckten die Wikinger Grönland und Nordamerika. Im 15. Jahrh. begannen die eigentlichen Entdeckungsreisen, die wissenschaftlichen Interessen dienten, neue Handelswege erschlossen und politische Einflusssphären ausweiteten, zum Teil aber auch zu Raub- und Eroberungszügen wurden.

Enten sind mit Gänsen und Schwänen eng verwandt und wie diese für das Leben auf dem Wasser gut gerüstet. Sie schwimmen und tauchen äußerst geschickt. Ihr dichtes Gefieder streichen sie mit dem Fett einer an der Schwanzwurzel sitzenden Drüse (›Bürzeldrüse‹) ein, damit es sich nicht voll Wasser saugt. An Land bewegen Enten sich schwerfällig watschelnd. Sie fliegen aber ausdauernd mit raschem Flügelschlag und weit vorgestrecktem Hals. Beim Landen wirken die Schwimmfüße wie Bremsklötze.

Es gibt zahlreiche frei lebende Entenarten, die vor allem die gemäßigten und nördlichen Zonen bewohnen. Man unterscheidet **Schwimmenten** und **Tauchenten.** Schwimmenten leben an flachen Gewässern und suchen ihre Nahrung an der Wasseroberfläche oder das ›gründeln‹, das heißt, sie machen einen ›Kopfstand‹, bei dem sie Kopf, Hals und einen Teil des Vorderkörpers ins Wasser tauchen, um im Schlamm nach Nahrung, z. B. Wasserpflanzen und deren Samen, Würmern, Schnecken, Krebsen und kleinen Muscheln, zu suchen. Ihr breiter Schnabel wirkt dabei wie ein Sieb. Schwimmenten auf Parkteichen und Gräben sind die **Löffel-** und **Krickente** und die sehr häufige **Stockente,** die ihre einfache Nestmulde unter Büschen, auch in verlassenen Nestern auf Bäumen (Kopfweiden) baut. Das Männchen (der Erpel) ist vom Herbst bis zum Frühjahr bunt gefärbt mit blaugrün schillerndem Kopf und weißem Halsring. Die Jungen sind Nestflüchter.

Von der Stockente stammt die häufig weiße Hausente ab, die vor allem ihres wohlschmeckenden Fleisches wegen gehalten wird. Ihre Federn dienen als Füllung von Betten und Kissen. Enteneier sollten vor dem Verzehr mindestens 8 Minuten lang gekocht werden, da sie oft Krankheitserreger (Typhus, Paratyphus) enthalten. Während Schwimmenten nur bei Gefahr ganz untertauchen, holen Tauchenten ihre Nahrung durch völliges Untertauchen auch aus größeren Tiefen (7–14 m) herauf. Dabei betten sie ihre Flügel im Gefieder ein und brauchen sie daher vor dem Auffliegen nicht auszuschütteln. Zu den Tauchenten gehören die **Eiderenten** der nordischen Küsten, deren Daunen sehr hochwertig sind, und die auch auf deutschen Seen und Teichen häufigen **Tafelenten, Kolbenenten** und **Reiherenten.** – Eine Zwischenstellung zwischen Enten und Gänsen nimmt die →Brandgans ein.

Entengrütze, eine →Wasserpflanze.

Entente [ãtãt, französisch], politisches Einvernehmen oder Bündnis. In der **Entente cordiale** (deutsch ›herzliches Einverständnis‹) von 1904 kam es zwischen Frankreich und Großbritannien zu einer Verständigung über Ägypten und Marokko. Im Ersten Weltkrieg wurden die Gegner des Deutschen Reichs und Österreich-Ungarns Ententemächte genannt. 1921/22 schlossen sich die Tschechoslowakei, Jugoslawien und Rumänien zur **Kleinen Entente** zusammen.

Entfernungsmesser. Um scharfe Fotografien machen zu können, muss die Entfernung von der Kamera zum Aufnahmegegenstand am Objektiv des Fotoapparats genau eingestellt werden. Je nach Kameratyp gibt es verschiedene, in den Fotoapparat eingebaute Messeinrichtungen. Bei der Spiegelreflexkamera erscheint das Bild auf der Mattscheibe im Sucher.

Häufig wird auch der **Schnittbildentfernungsmesser** verwendet, der ein in der Mitte ›durchgeschnittenes‹ Bild liefert. Zur Scharfeinstellung

Entw

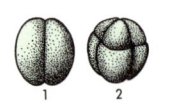

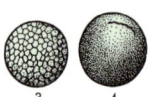

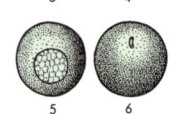

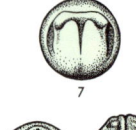

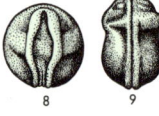

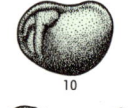

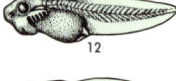

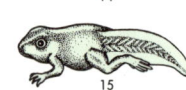

dreht man so lange am Entfernungsring des Kameraobjektivs, bis die beiden Bildhälften zusammenpassen. Beim **Mischbildentfernungsmesser** erscheint das Objekt auf der Mattscheibe doppelt. Wenn beide Bilder genau zur Deckung gebracht sind, ist die Entfernung richtig eingestellt.

Außerdem gibt es das **Mikroprismenraster,** das jedes Bild auf der Mattscheibe flimmern lässt, solange es nicht scharf genug eingestellt ist. Automatisch gesteuerte Kameras verwenden Infrarot- oder Ultraschallsysteme, die das vom Sender abgegebene und vom Aufnahmegegenstand reflektierte Signal verarbeiten.

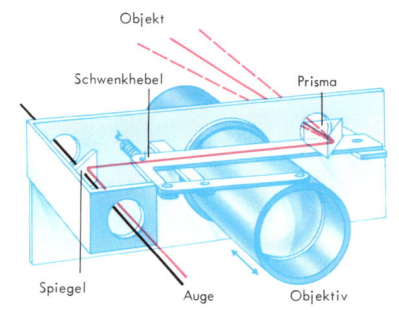

Entfernungsmesser: Mischbildentfernungsmesser mit halbdurchlässigem Spiegel (links) und schwenkbarem Spiegel (rechts), der mit dem Objektivvorschub gekoppelt ist. Der Drehwinkel des Schwenkspiegels hängt von der Entfernung des Objekts ab

Entwicklung, die allmähliche Heranbildung eines Organismus aus einfachen Formen. Man unterscheidet zwischen der Entwicklung des Einzelwesens (Individualentwicklung) und der Stammesentwicklung (→Evolution).

Zur **Individualentwicklung** gehören alle Prozesse von der →Befruchtung bis zum fertigen Organismus und dessen Tod. Bei Lebewesen mit →Generationswechsel ist die Individualentwicklung abgeschlossen, wenn die Fortpflanzungsart gewechselt wird. Beim Menschen und den höheren Wirbeltieren ist die Individualentwicklung in

Entwicklung: Schematische Darstellung der Entwicklungsstadien des Grasfroschs: **1** und **2** Zwei- und Achtzellenstadium (punktiert Pigment); **3** Morula; **4** Beginnende Gastrula mit Urmundspalt (schwarz); **5** und **6** Gastrula mit Dotterpropf; **7** Ausbildung der Medullarplatte (Anlage von Hirn und Rückenmark); **8** und **9** Neurula (Rückenansicht); **10** Neurula (Seitenansicht); **11** Embryo mit Anlagen der Augen; **12** Junge Larve mit äußeren Kiemen und Schwanzflosse; **13** Einziehen der äußeren Kiemen. Haftorgane in Rückbildung; **14** Ausgewachsene Kaulquappe mit langen Hinterbeinen. Vorderbeine unter dem Kiemendeckel verborgen; **15** Umgestaltung von Kopf und Rumpf. Durchtritt der Vorderbeine durch verdünnte Stellen der Kiemendeckel nach außen. Abbau von Kiemen und Ruderschwanz; **16** Junger Frosch

4 Stadien eingeteilt. Sie beginnt mit der **Embryonalentwicklung** von der Befruchtung der Eizelle bis zur Geburt. Daran schließt sich das **Jugendstadium** an, das durch Wachstum und Ausbildung der Organe, besonders der Geschlechtsorgane, gekennzeichnet ist. Kinder und Jungtiere sehen im Jugendstadium dem Erwachsenen schon ähnlich. Im **Erwachsenenstadium** ist das Lebewesen fähig zur Fortpflanzung. An das Erwachsenenstadium schließt sich oft noch eine **Altersentwicklung** an, die durch den Tod beendet wird. Bei manchen Tieren (Insekten, Frösche, Schwanzlurche, Kröten, Fische, z.B. →Plattfische) sehen die Jungtiere im Jugendstadium völlig anders aus als im Erwachsenenstadium. Das Jugendstadium wird dann **Larvenstadium** genannt und die Tiere heißen **Larven.** Wenn die Entwicklung über ein Larvenstadium geht, spricht man von Metamorphose (›Verwandlung‹).

Entwicklungshilfe, alle Maßnahmen, die von Staaten mit hohem technischen und sozialen Entwicklungsstand (Industriestaaten) geleistet werden, um Wirtschaftskraft und Lebensbedingungen in wenig entwickelten Staaten (›Entwicklungsländern‹) zu heben. Mit demselben Ziel leisten auch die christlichen Kirchen, internationale Organisationen und große Industrieunternehmen Entwicklungshilfe.

Entwicklungsländer sind die meisten Staaten Afrikas und viele Länder in Asien sowie in Mittel- und Südamerika (Dritte Welt). Hier leben etwa 3/4 aller Menschen, die 20% der Weltwirtschaftsleistung produzieren. Im Vergleich zu den Industrieländern ist vor allem das Pro-Kopf-Einkommen wesentlich geringer. Die Wirtschaft der Entwicklungsländer ist geprägt durch einen hohen Anteil der Produktion landwirtschaftlicher Erzeugnisse und die Förderung mineralischer Rohstoffe, eine hohe Zahl von Arbeitslosen und eine geringe Ausstattung mit Maschinen in Landwirtschaft und Industrie. Zu den allgemeinen Merkmalen gehören niedrige Lebenserwartung, hohes Bevölkerungswachstum und eine große Zahl von Analphabeten. Die Entwicklungsländer werden in verschiedene Gruppen eingeteilt: Neben den ärmsten Entwicklungsländern mit besonders niedrigem Pro-Kopf-Einkommen und denjenigen Ländern, die besonders unter Erdölpreissteigerungen und Dürrekatastrophen zu leiden haben, gibt es Erdöl exportierende Entwicklungsländer und die sogenannten **Schwellenländer,** die schon teilweise industrialisiert sind, Industrieerzeugnisse exportieren und ein höheres Pro-Kopf-Einkommen erzielen.

Die Entwicklungshilfe versucht zunächst, durch direkte finanzielle Zuwendungen die Aufbaupläne der Entwicklungsländer zu unterstützen. Eine andere Möglichkeit ist die langfristig wirkende indirekte Hilfe. Dabei senden die Entwicklungshilfe leistenden Länder oder Kirchen **Entwicklungshelfer** (Ingenieure, Landwirtschaftsfachleute, Lehrer) in die Entwicklungsländer, bauen Schulen und richten Lehrwerkstätten ein, siedeln Betriebe an, um Arbeitsplätze zu schaffen, oder richten Krankenhäuser mit entsprechendem Personal ein. Um die oft auftretenden Missernten zu verringern, werden Maschinen und Düngemittel zur Verfügung gestellt.

Die Entwicklungshilfe soll letztlich den Regierungen und der Bevölkerung von Entwicklungsländern Anstöße geben, auf Dauer ihre Probleme selbst zu meistern und damit von der Hilfe anderer unabhängig zu werden.

Entzündung. Auf schädigende Reize reagiert der Organismus mit einer Entzündung. Die auslösenden Reize können sehr unterschiedlich sein. Entzündungen der Haut oder tiefer liegender Schichten entstehen häufig durch äußere Einflüsse, z. B. Reibung, Druck oder eingedrungene Fremdkörper, durch Chemikalien (Säuren, Laugen) oder durch physikalische Faktoren (Wärme, Strahlen). Dagegen werden Entzündungen, die den ganzen Körper betreffen, durch Mikroorganismen (Viren, Bakterien, Pilze) oder durch in den Organismus anfallende Substanzen, z. B. bei einer Harnvergiftung, oder durch Zellzerfall bei bösartigen Geschwülsten ausgelöst.

Die klassischen Zeichen einer örtlichen Entzündung, die man z. B. bei einer Verletzung des Kniegelenks gut beobachten kann, sind **Hautrötung** durch Blutüberfüllung und **Erwärmung**; durch Flüssigkeitsaustritt ins Gewebe entsteht eine **Schwellung**, der dadurch bedingte Druck auf die Nervenenden ruft **Schmerzen** und damit die **Funktionseinschränkung** hervor. Als Reaktion des gesamten Organismus auf einen Entzündungsreiz werden vermehrt weiße Blutkörperchen und bestimmte Eiweiße gebildet. Gleichzeitig wird der ganze Stoffwechsel gesteigert, was meist mit Fieber und Krankheitsgefühl einhergeht. Es lassen sich verschiedene Verlaufsformen einer Entzündung unterscheiden: nach dem zeitlichen Ablauf (akut, chronisch), nach der Verteilung (örtlich begrenzt, über den ganzen Körper ausgebreitet), nach Art der entstehenden Absonderung (wässrig, schleimig, eitrig) oder entsprechend dem Typ der gebildeten Zellen.

Enzian, eine →Alpenpflanze.

Enzyklika [zu griechisch enkyklios ›im Kreis gehend‹], amtliches Rundschreiben des Papstes. Er nimmt darin Stellung zu Glaubensfragen und Problemen von Kirche und Welt. Damit soll dem Einzelnen eine Richtschnur für seinen Glauben und sein Handeln gegeben werden. Die Enzykliken sind im Original meistens in Latein, der Amtssprache der katholischen Kirche, abgefasst. Sie werden benannt nach ihren Anfangsworten, in denen auch bereits das Thema anklingt. So heißt z. B. die Friedensenzyklika von Papst Johannes XXIII. ›Pacem in terris‹ (deutsch: ›Frieden auf Erden‹).

Enzyklopädie, ein Werk, in dem der Gesamtbestand des Wissens einer Zeit (**Universalenzyklopädie**) oder eines einzelnen Wissensgebietes (**Fachenzyklopädie**) verzeichnet ist. Der Stoff ist entweder nach Themenbereichen oder nach dem Alphabet geordnet. Vor allem im 18. Jahrh., dem Zeitalter der →Aufklärung, entstanden umfangreiche Enzyklopädien. Eine überragende Bedeutung kam der französischen ›Encyclopédie‹ zu, die unter der Leitung von Denis Diderot entstand und den Namen Enzyklopädie allgemein gebräuchlich machte. Seit Anfang des 19. Jahrh. gibt es Konversationslexika (→Lexikon).

Enzyme, Fermente, lebenswichtige Substanzen, die mithelfen, den Stoffwechsel zu regeln und zu steuern. Es sind in den Zellen erzeugte Eiweißstoffe, die chemische Verbindungen, z. B. die Kohlenhydrate, aus der Nahrung verändern und damit der →Verdauung zugänglich machen. Sie beschleunigen chemische Reaktionen, ohne selbst verändert zu werden, und können Stoffe spalten (in einfachere Bestandteile zerlegen) oder auch neue Verbindungen knüpfen; jedoch ist jedes Enzym nur auf eine bestimmte Leistung ausgerichtet.

Eos, in der griechischen Göttersage die Göttin der Morgenröte und des Tages; von den Römern wurde Eos der **Aurora** gleichgesetzt.

Ephesos, antike Stadt an der Westküste Kleinasiens, südlich von Izmir (Türkei). Die im 10. Jahrh. v. Chr. gegründete ionische Kolonie entwickelte sich zu einer reichen Handelsstadt mit bedeutendem Hafen; berühmt war sie auch wegen des Artemistempels (Artemision), der zu den Sieben Weltwundern zählte. Die Verlandung der Bucht machte schon im 3. Jahrh. v. Chr. eine Verlegung von Hafen und Stadt notwendig. Ausgrabungen und der Wiederaufbau einzelner Gebäude ermöglichen, sich eine Vorstellung von der einst glanzvollen antiken Stadt zu machen.

Epid

Epidauros, antike griechische Stadt auf der Peloponnes. Sie erlangte Ruhm durch wunderbare Heilungen im Heiligtum des Gottes der Heilkunde Asklepios (→Äskulap). Vom antiken Kurort sind noch viele Bauten für die Unterbringung und Behandlung der Kranken sowie Tempel und Festhallen als Überreste zu sehen; das im 3. Jahrh. v. Chr. entstandene Amphitheater ist sehr gut erhalten.

Epidemie [aus griechisch, ›im Volk verbreitet‹], Infektionskrankheit, die plötzlich in einem bestimmten größeren Gebiet auftritt, rasch sehr viele Menschen ansteckt und dann wieder abklingt. Ein bekanntes Beispiel dafür sind die fast jährlich im Winter wiederkehrenden Grippeepidemien. Auch viele Kinderkrankheiten (Masern, Windpocken, Röteln) breiten sich epidemisch aus. Manche Epidemien zeigen eine Abhängigkeit von der Jahreszeit; z. B. häufen sich im Winter die Erkrankungen an Grippe und Scharlach, im Spätsommer an Typhus und Kinderlähmung. Dagegen weisen z. B. Diphterieepidemien starke Schwankungen innerhalb eines Jahrhunderts auf. Im Mittelalter waren besonders die Pestepidemien gefürchtet, da sie ganze Länder entvölkerten. Erst seitdem die hygienischen Verhältnisse verbessert wurden und vor allem Schutzimpfungen gegen viele Infektionskrankheiten zur Verfügung stehen, konnten die Epidemien eingedämmt werden. Für viele Infektionskrankheiten gibt es gesetzliche Bestimmungen, die eine Ausbreitung verhindern sollen, z. B. Meldepflicht, Isolierung der Kranken und Desinfektion.

Epik [zu griechisch epikos ›das →Epos betreffend‹], allgemein die epische (erzählende) Dichtung, die neben →Lyrik und Dramatik (→Drama) eine der 3 großen Dichtungsgattungen darstellt. In der Epik werden als vergangen angenommene Begebenheiten, häufig durch vom Autor erdachte Erzählerfigur, vermittelt. Die Epik gliedert sich in **Großepik,** dazu gehören z. B. →Roman, →Novelle, →Epos, und **Kurzepik,** das sind z. B. →Erzählung, →Kurzgeschichte, →Märchen, →Legende, →Sage, →Anekdote.

Epikur, griechischer Philosoph (* 341, † 271 v. Chr.), der 306 seine Schule in einem Garten in Athen (Schule der ›Philosophen im Garten‹) eröffnete. Seine Lehre kreiste um die persönliche Glückseligkeit des Menschen. Später wurden seine Gedanken vereinfacht gedeutet, sodass man mit **Epikureer** jemanden bezeichnet, der den Sinn des Lebens nur im Genießen sucht.

Epilepsie [griechisch ›Anfall‹], **Fallsucht,** eine schon im Altertum bekannte Krankheit, bei der je nach Kultur die Kranken entweder als etwas Besonderes verehrt oder, was häufiger vorkam, als vom Dämon besessen aus der Gemeinschaft ausgestoßen wurden. Die Epilepsie äußert sich in immer wiederkehrenden, plötzlich auftretenden Krampfanfällen, die entweder den ganzen Körper oder nur einzelne Körperteile (Arm, Bein, Gesicht) betreffen und von sehr unterschiedlicher Ausprägung sein können. Es gibt Formen von Anfällen, die sich als kaum wahrnehmbare, kurze Bewusstlosigkeit zeigen; bei anderen kommt es zu blitzartigen Zuckungen der Arme. Bei dem typischen epileptischen Anfall stürzt der Kranke plötzlich bewusstlos zu Boden, was meist mit einem Schrei und einem Zungenbiss verbunden ist. Die gesamte Körpermuskulatur gerät in einen Krampfzustand, dem eine Phase rhythmischer Zuckungen folgt. Den Abschluss bildet eine Schlafphase. Nach dem Aufwachen kann sich der Epileptiker nicht an den Anfall erinnern. Auslöser sind krankhafte Erregungen von Nervenzellen des Gehirns, die sich ungehindert ausbreiten können. Manchmal kennt man die Ursache (Narben, Verletzungen des Gehirns, Gefäßmissbildungen), oft findet man keinen Grund für die epileptischen Anfälle. Heute lassen sich die Anfälle bei regelmäßiger Einnahme bestimmter Medikamente meist gut unterdrücken. Eine vorwiegend bei Kleinkindern auftretende leichtere Form der Epilepsie heilt in der Regel bis zur Pubertät folgenlos aus.

Epilog, allgemein die Nach- oder Schlussrede. Besonders im →Drama werden die an das Publikum gerichteten Schlussworte, die z. B. Folgerungen aus dem Vorangegangenen, Bitten um Nachsicht oder Beifall enthalten können, als Epilog bezeichnet, die Vorrede als →Prolog.

Epistel [lateinisch epistola ›Brief‹], **1)** eine dichterische Darstellung von Ereignissen, Empfindungen oder lehrhaften Inhalten, die in Briefform und meist in Versen gehalten ist. **2)** die Apostelbriefe des Neuen Testaments und die aus ihnen beim Gottesdienst verlesenen Abschnitte.

Epizentrum, →Erdbeben.

Epos [griechisch ›das Berichtete‹], eine Hauptgattung der →Epik. In Epen wurden sagenhafte oder geschichtliche Ereignisse in dichterisch überhöhter Sprache, z. B. in →Versen, dargestellt. Charakteristisch für den Stil von Epen sind auch die ›epische Breite‹, das heißt die ausführliche, sich bei Einzelheiten aufhaltende Schilderung, und der Gebrauch formelhafter Wendungen. Ältere Epen schildern oftmals das

Leben in adligen Gesellschaftsschichten, verbunden mit Götter- und Heldensagen.

Das älteste Epos entstand außerhalb von Europa: das babylonische Epos ›**Gilgamesch**‹ aus dem 3./2. Jahrtausend v. Chr. Die ältesten europäischen Epen sind die ›**Ilias**‹ und die ›**Odyssee**‹ (Ende des 8. Jahrh. v. Chr.), die dem griechischen Dichter Homer zugeschrieben werden. Zu den großen Epen der Weltliteratur zählen weiterhin die ›**Aeneis**‹ des Vergil (29 v. Chr.), der angelsächsische ›**Beowulf**‹ (8./9. Jahrh. n. Chr.) und das deutsche ›**Nibelungenlied**‹ (um 1200).

Die höfischen Versepen aus dieser Zeit von Chrétien de Troyes, Hartmann von Aue, Wolfram von Eschenbach und anderen wurden mitunter auch als ›Versromane‹ von den eigentlichen Epen unterschieden. Nach jahrhundertelanger Weiterentwicklung der verschiedenen Epentraditionen setzte sich im 18. Jahrh. der Roman als Nachfolger des Epos durch; im 20. Jahrh. wurden nur noch selten Epen geschrieben.

Erasmus von Rotterdam, eigentlich Desiderius Erasmus (*1466 oder 1469, †1536), Humanist und Theologe. Durch seine oft bissige Kritik an den kirchlichen Missständen seiner Zeit (z. B. Ablasshandel) wurde er zum Wegbereiter der Reformation. Er war mit Luther befreundet, zerstritt sich aber mit diesem, weil er, anders als Luther, an der menschlichen Willensfreiheit festhielt.

Erbanlagen, Erbfaktoren, die →Gene.

Erbium, Zeichen **Er**, metallisches →chemisches Element, ÜBERSICHT, ein Lanthanoid.

Erbrechen, ruckweise Entleerung von Mageninhalt über die Speiseröhre und den Mund. Das Erbrochene schmeckt sauer, weil den Speisen im Magen Salzsäure zugesetzt wird. Ist dem Mageninhalt Galle beigemengt, so sieht er gelblich aus und schmeckt bitter. Das Erbrechen kann viele Ursachen haben, ist aber selbst nur Begleiterscheinung (Symptom) anderer Krankheiten. Es tritt z. B. als Folge einer Überfüllung des Magens, bei entzündlichen Erkrankungen im Bauchraum oder durch Verschluss des Darms auf, aber es kann auch durch Gerüche, Aufregung und bei Seereisen ausgelöst werden. Gesteuert wird der Vorgang des Erbrechens durch ein Nervenzentrum im Gehirn.

Erbschaft, alles, was ein Verstorbener (der **Erblasser**), dem Erben hinterlässt. Dazu gehören sowohl Vermögenswerte, z. B. Haus und Geld, als auch die von ihm zu Lebzeiten begründeten Verpflichtungen und Schulden. Der Erblasser kann vor seinem Tod durch ein →Testament bestimmen, wie die Erbschaft zu verteilen ist. Hinterlässt er kein Testament, richtet sich die Erbfolge nach den im Bürgerlichen Gesetzbuch festgelegten Regeln. Dort sind die zu Erben berufenen Personen nach Ordnungen (ÜBERSICHT) eingeteilt. Die Mitglieder der jeweils ranghöheren Ordnung schließen die rangniederen vollständig aus. Der überlebende Ehegatte nimmt eine Sonderstellung ein; er erbt nur dann allein, wenn außer ihm keine nahen Verwandten vorhanden sind. Ein testamentarischer oder gesetzlicher Erbe ist, schon wegen der möglichen Erbschaftsschulden, nicht gezwungen die Erbschaft anzunehmen. Wenn in seltenen Fällen keine Erben vorhanden sind, fällt die Erbschaft an den Staat. Die Erben müssen für das Erbe Steuern zahlen. Die Höhe der Erbschaftssteuer richtet sich nach dem Grad der Verwandtschaft zum Erblasser und dem Wert der Erbschaft. Je näher die Verwandtschaft, um so geringer ist die Steuer. Z. B. zahlt der überlebende Ehegatte erst dann Erbschaftssteuer, wenn sein jeweiliges Erbe größer als 250 000 DM ist; Kinder haben nur einen Freibetrag von 90 000 DM.

Erasmus von Rotterdam

ERBFOLGE

1. Ordnung: Kinder und Enkel (Kindeskinder) des Erblassers
2. Ordnung: Eltern des Erblassers und deren Abkömmlinge (Geschwister des Erblassers mit ihren Kindern und Enkeln)
3. Ordnung: Großeltern des Erblassers und deren Abkömmlinge (Onkel und Tanten des Erblassers mit ihren Kindern und Enkeln)
4. Ordnung: Urgroßeltern des Erblassers und deren Abkömmlinge (Großonkel und Großtanten mit ihren Kindern und Enkeln)
5. Ordnung: entfernte Voreltern des Erblassers

Erbse, rankende Hülsenfrucht mit dünnem Stängel, der die hohe Pflanze nicht selbst tragen kann. Mithilfe der Ranken verschaffen sich die Pflanzen Halt und gelangen zum Licht. Die Blüten der Erbse sind wie die der Bohne Schmetterlingsblüten. Aus dem Fruchtknoten entwickelt sich eine lang gestreckte Frucht, die Hülse. Die Samen (›Erbsen‹) sitzen mit einem Stiel an einer ›Verwachsungsnaht‹ der Hülse.

Erdanziehung, Anziehungskraft der Erde, ein Sonderfall der Massenanziehung (→Gravitation).

Erdbeben, Erschütterung des Erdbodens durch Vorgänge in der Erdkruste. Erdbeben können verschiedenartige Ursachen haben. Zum geringen Teil entstehen sie durch Einsturz unterirdischer Hohlräume oder im Zusammenhang mit Vulkanausbrüchen; die weitaus häufigste Ursa-

Erbse:
Blüte (oben)
und Frucht (unten)
der Gemüseerbse

Erdb

che sind jedoch Verschiebungen und Brüche in der Erdkruste oder im oberen Erdmantel. Durch Bewegungen in der Erdkruste werden Gesteinsmassen langsam verbogen und sammeln manchmal über viele Jahre eine hohe Spannung in sich, bis sie nicht mehr aneinander haften bleiben und das Gestein bricht. Dadurch werden, ähnlich wie durch einen Steinwurf ins Wasser, Erdbebenwellen ausgelöst. Diese pflanzen sich vom **Erdbebenherd (Hypozentrum)** aus durch die Schichten der Erde fort. Direkt über dem Erdbebenherd auf der Erdoberfläche liegt das **Epizentrum,** wo die stärksten Zerstörungen ausgelöst werden. Bei **Seebeben** liegt der Erdbebenherd unter dem Meeresboden; Seebeben lösen häufig große Flutwellen aus, die an den Küsten verheerende Überschwemmungen anrichten können.

Die vom Erdbebenherd ausgehenden Wellen werden in Erdbebenwarten mithilfe von →Seismographen aufgezeichnet. Auf der Erde ereignen sich in jedem Jahr viele Tausend Beben, von denen die meisten jedoch so schwach sind, dass sie kaum bemerkt werden. Bei starken Erdbeben können ganze Dörfer und Städte zerstört, Erdrutsche ausgelöst und Staudämme zum Bersten gebracht werden. Erdbeben treten besonders an den großen Bruch- und Faltungszonen der Erdkruste auf, also an den Rändern des Pazifischen Ozeans, in Südeuropa und Südasien.

Die Stärke von Erdbeben lässt sich nach den fühlbaren und sichtbaren Wirkungen abschätzen und z. B. mithilfe der zwölfstufigen **Mercalliskala** angeben, bei der z. B. die höchste Stufe (XII) als ›landschaftsverändernd‹ gekennzeichnet ist. Zur objektiven Feststellung der bei einem Erdbeben ausgelösten Energie mithilfe normierter Seismographen dient die nach oben offene **Richterskala.** ›Nach oben offen‹ bedeutet, dass mit dieser Skala im Prinzip Erdbeben beliebiger Stärke erfasst werden können. Das bisher größte instrumentell aufgezeichnete Erdbeben hatte die Stärke 8,6 nach der Richterskala.

Erdbeeren, Früchte von niedrigen Stauden mit dreiteiligen Blättern und weißen Blüten. Auf der Oberfläche der roten Früchte, die in botanischem Sinn keine Beeren sind, sitzen in Vertiefungen die kleinen Samen (›Nüsschen‹). Allerdings pflanzen sich Erdbeeren meist nicht durch Samen fort, sondern durch →Ausläufer. Die wild wachsenden **Walderdbeeren** haben kleine, würzig schmeckende Früchte. Die viel größeren und süßeren **Gartenerdbeeren** stammen von amerikanischen Arten ab.

Erde, fünftgrößter der 9 Planeten des Sonnensystems; von der Sonne aus gezählt der dritte Planet. Die Erde bewegt sich auf einer elliptischen Bahn in einem durchschnittlichen Abstand von etwa 150 Millionen km um die Sonne. Für einen Umlauf benötigt sie 365 Tage und 6 Stunden, also etwas länger als ein Jahr. Um den Zeitunterschied auszugleichen, ist jedes vierte Jahr ein Schaltjahr mit 366 Tagen. – Gleichzeitig mit der Bewegung um die Sonne dreht sich die Erde im Lauf von etwa 24 Stunden einmal um die eigene Achse. Dadurch entsteht der Wechsel von Tag und Nacht. Die **Erdachse** steht nicht senkrecht zur Erdbahn, sondern ist gegen sie geneigt. Der Erdkörper hat annähernd die Gestalt einer Kugel, ist aber an den Polen etwas abgeplattet. Daher ist der Poldurchmesser kürzer als der Durchmesser am Äquator.

Kenntnisse über den Aufbau der Erde konnte man aufgrund von Messungen bei Erdbeben gewinnen. Erdbebenwellen breiten sich nach allen Seiten aus, und zwar mit unterschiedlicher Geschwindigkeit in den einzelnen Schichten des Erdkörpers. Sie erreichen daher eine Messstation zu verschiedenen Zeitpunkten, je nachdem, welche Schicht sie vorher durchlaufen haben. So konnte man feststellen, dass sich die Ausbreitungsgeschwindigkeit der Erdbebenwellen in 25–40 km und 2 900 km Tiefe sprunghaft ändert. Danach lässt sich der Erdkörper in Kruste, Mantel und Kern gliedern.

Die **Erdkruste** wird in 2 Bereiche unterteilt. Der oberste ist die Oberkruste, nach dem Vorherrschen der chemischen Elemente **S**ilicium und **Al**uminium auch **Sialzone** genannt. Sie wird meist von einer bis zu 6 km dicken Schicht von Ablagerungen überlagert. Die Sialzone bildet die Kerne der Kontinente und ist zwischen 3 und 60 km dick; unter den Ozeanen kann sie ganz fehlen. Ihre Teile driften wie Eisschollen auf der schweren unteren Kruste, in der die Elemente **Si**licium und **Ma**gnesium vorherrschen. Daher heißt diese Unterkruste **Simazone.** Beide Schichten der Erdkruste reichen bis in eine Tiefe von etwa 40 km. Darunter folgt der **Erdmantel** und in einer Tiefe von 2 900 km der **Erdkern,** der ver-

Erde: Erdwärme; Hot-Dry-Rock-Verfahren

Schnitt durch das Erdinnere; er zeigt das natürliche Größenverhältnis der dünnen Erdkruste und der etwa gleich starken Lufthülle darüber zu den tieferen Erdschichten und deren vermuteter Untergliederung (die Zahlen geben die Entfernung von der Erdoberfläche an)

ERDE			
Durchmesser am Äquator	12 756 km	Volumen	1 083 219 000 000 km³
Durchmesser an den Polen	12 714 km	Gewicht	6 Trilliarden Tonnen
Umfang am Äquator	40 075 km		(eine 6 mit 21 Nullen)
Umfang an den Polen	40 008 km	Alter	etwa 4–4,5 Milliarden Jahre
Oberfläche	510 069 300 km²		

mutlich zu 9/10 aus Eisen und zu 1/10 aus Nickel besteht.

Dichte, Druck und Temperatur nehmen mit der Tiefe zu; die Temperatur steigt um etwa 30 °C pro Kilometer Tiefe. Diese **Erdwärme** gewinnt als Energiequelle zunehmende Bedeutung. Bereits jetzt wird in Vulkangebieten aufsteigendes heißes Wasser stellenweise zur Erzeugung von Elektrizität oder zur Heizung von Gebäuden verwendet. Darüber hinaus soll die Erdwärme genutzt werden, indem kaltes Wasser durch Bohrungen, die bis in heiße Gesteinsschichten hinabreichen, in die Tiefe gepresst wird. Nachdem es sich erhitzt hat, tritt es durch andere Bohrungen wieder aus.

Die Verteilung von Land und Wasser auf der Erdoberfläche ist ungleich. Nahezu 3/4 sind vom Meer bedeckt, nur etwas mehr als 1/4 der Gesamtfläche entfällt auf das Festland und die Inseln. Die breiten Landmassen Europas, Asiens und Nordamerikas erstrecken sich hauptsächlich zwischen 40° und 70° nördlicher Breite und werden zum Äquator hin schmaler. Auf der Südhalbkugel geben die schmalen Landflächen Südamerikas, Afrikas und Asiens Raum für riesige Meeresflächen. Das Nordpolargebiet ist vom Meer bedeckt, während um den Südpol der vom Eis bedeckte Kontinent Antarktis liegt.

Erdgas, Sammelbezeichnung für brennbare Gase in der Erdkruste, die vorwiegend aus Kohlenwasserstoffen bestehen. Bei den in der Natur vorkommenden Gasen unterscheidet man die reinen Erdgaslagerstätten und die meist über dem Erdöl lagernden oder in ihm gelösten Erdölgase. Die Erdgase enthalten überwiegend den leichtesten Kohlenwasserstoff Methan und geringe Mengen Äthan, während die Erdölgase neben weiteren, aus größeren Molekülen aufgebauten Kohlenwasserstoffen Kohlendioxid, Schwefelwasserstoff, Helium und Stickstoff enthalten können.

Erdgase sind ähnlich wie Erdöl aus pflanzlichen und tierischen Lebewesen hervorgegangen. Die Förderung des reinen Erdgases geschieht auf natürlichem Weg. Das in den großen Lagertiefen von 2 000–5 000 m unter hohem Druck stehende Gas wird nach oben gedrückt und am Bohrloch durch eine Reinigungsanlage geführt, um alle unerwünschten Bestandteile (vor allem Wasser) die für den Weitertransport in Ferngasleitungen nur Ballast wären, abzutrennen. Bei der Abtrennung des hochgiftigen Schwefelwasserstoffs entstehen große Mengen an Schwefel.

Das Erdölgas muss zunächst vom Erdöl abgetrennt werden, teilweise pumpt man es, besonders bei kleinen Vorkommen, wieder in die Erde zurück, um den entstehenden Druck das tiefer liegende Erdöl hochzupressen.

Erdgas wurde schon gegen Ende des 19. Jahrh. für die Beheizung von Häusern verwendet, kam jedoch erst nach Entdeckung der riesigen Vorkommen in der niederländischen Provinz Groningen in Westeuropa mehr und mehr als Heizstoff in Gebrauch. Gegenüber den anderen Energieträgern (Kohle und Erdöl) besitzt es den Vorzug, besonders umweltfreundlich zu sein.

Darüber hinaus spielt Erdgas mit 40% seines Verbrauchs auch eine bedeutende Rolle als Rohstoff für die chemische Industrie zur Herstellung von Benzin, Lösungsmitteln, Frostschutzmitteln, künstlichem Kautschuk, Kunststoffen und Schädlingsbekämpfungsmitteln.

Die größten bekannten Vorkommen liegen in den USA, in Usbekistan und in Westsibirien; in Europa nehmen die Niederlande die erste Stelle ein, während die USA, Westeuropa und Japan die größten Verbraucher sind.

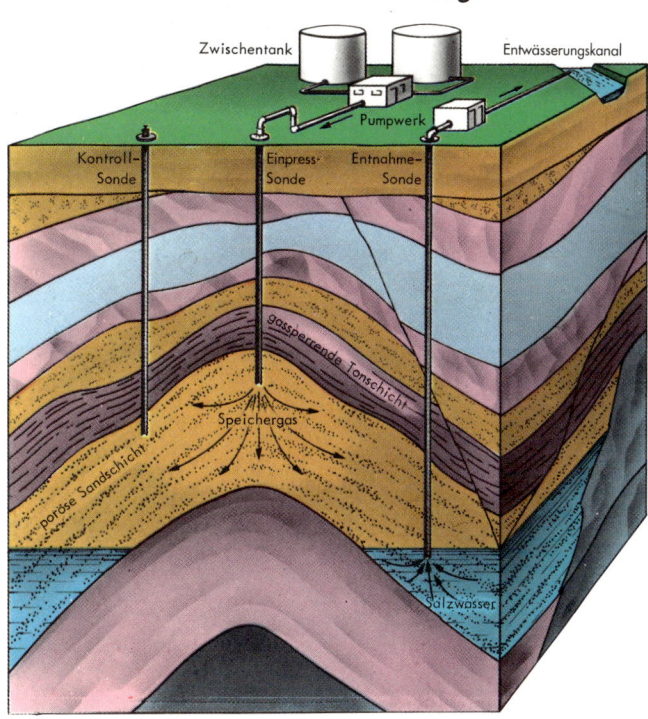

Erdgas: Untertagespeicherung von Erdgas, das zur Bevorratung in Porenräume erschöpfter Gas- und Erdölfelder und in natürliche Hohlräume der Erdkruste eingepresst wird. Untertagespeicher sind wirtschaftlicher und umweltfreundlicher als Übertagebehälter

Erdbeeren: Gartenerdbeere

ZEITTAFEL DER ERD- UND LEBENSGESCHICHTE

Beginn	Zeitalter	Epoche	Abteilung (Dauer in Millionen Jahren)	Ereignisse der Erdgeschichte	Lebensformen (Tier- und Pflanzenwelt)
vor 2 Millionen Jahren	Erdneuzeit (Käno- oder Neozoikum)	Quartär	Holozän (Beginn vor 10 000 Jahren)	Abschmelzen der eiszeitlichen Gletscher, Klimaverbesserung. Entstehung der heutigen Landschaftsformen durch Heben und Senken der Erdkruste.	Pflanzen und Tiere der Gegenwart entstehen und verbreiten sich. Vorherrschen des Menschen.
			Pleistozän (rund 1,8 Millionen Jahre)	4–6 Eiszeiten und Zwischeneiszeiten (Warmzeiten) mit starken Meeresspiegelschwankungen.	Waldlose Pflanzengesellschaften, lichte Birken- und Kiefernwälder; Großsäugetiere (z. B. Mammut, Höhlenbär, Riesenhirsch) sterben aus; der Mensch als Jäger und Sammler.
vor 65 Millionen Jahren		Tertiär („Braunkohlenzeit")	Jungtertiär Alttertiär (64 Millionen Jahre)	Weitgehend entsteht das heutige Bild der Erde. Die Kontinente nähern sich ihrer heutigen Lage und nehmen ihre heutige Gestalt an. Die europäischen und zentralasiatischen Hochgebirgsketten werden aufgefaltet. Viele Salz- und Braunkohlenlager entstehen.	Blütenpflanzen (Kastanien, Palmen) entwickeln sich, Nacktsamer (Mammutbaum, Kiefer) herrschen vor. Zahlreiche Arten der Insekten und Kriechtiere treten auf; starke Entfaltung der Vögel und Säugetiere (besonders des Pferdes). Vorfahren der heutigen Menschenaffen und des Menschen existieren.
vor 135 Millionen Jahren	Erdmittelalter (Mesozoikum)	Kreide	Oberkreide Unterkreide (70 Millionen Jahre)	Die Umrisse der heutigen Kontinente bilden sich heraus. In den jungen Faltengebirgen (z. B. Alpen, Himalaya, Kordilleren) setzen die ersten starken Faltungen ein. Große Gebiete sind vom Meer überflutet. Weltweit herrscht warmes Klima.	Riesensaurier, Ammoniten und Belemniten (Donnerkeile) sterben aus. Erste Blütenpflanzen (Gräser), erste echte Vögel und erste höherentwickelte Säuger treten auf. Knochenfische herrschen vor.
vor 190 Millionen Jahren		Jura	Malm (Weißer Jura) Dogger (Brauner Jura) Lias (Schwarzer Jura) 55 Millionen Jahre	Das die Erde umspannende Mittelmeer (Tethys) erweitert sich nach Westen zum breiteren südlichen Nordatlantik. Große Teile der Kontinente sind überflutet. Das Klima ist warm.	Nacktsamer und Farne herrschen vor. Zahlreiche Arten der Saurier (Kriechtiere) sowie die Ammoniten und Belemniten sind weit verbreitet (Leitfossilien). Der Urvogel Archaeopteryx erscheint.
vor 225 Millionen Jahren		Trias	Keuper Muschelkalk Buntsandstein (35 Millionen Jahre)	Anzeichen der Aufspaltung des Südkontinents. Entlang des erdumspannenden Mittelmeers (Tethys) erstreckt sich ein breiter Tropengürtel. Im Meeresbereich, dem Bereich der heutigen jungen Faltengebirge, werden mächtige Schichten abgelagert. Ansonsten große festländische Ablagerungen. Pole sind vermutlich eisfrei.	Nacktsamer herrschen vor. Kriechtiere (Krokodile, Schildkröten) und Lurche sowie Insekten (Schmetterlinge, Hautflügler) entfalten sich. Die ersten Säugetiere, etwa rattengroß, treten auf.

vor 280 Millionen Jahren	Perm	Zechstein Rotliegendes (55 Millionen Jahre)	Ein Mittelmeer (Tethys) umspannt die ganze Erde. Es trennt den großen Südkontinent von der aus Nordamerika, Europa und Asien bestehenden Landmasse im Norden. Festländische (rote Sandsteine) und ozeanische Ablagerungen (mächtige Salzvorkommen in Mitteleuropa).	Farnpflanzen sind noch weit verbreitet, werden aber von den Nadelbäumen abgelöst. Ginkgogewächse treten auf. Viele Meerestiere (Trilobiten, Stachelhäuter) sterben aus. Die Lurche sind auf dem Höhepunkt ihrer Entwicklung, werden aber allmählich von den Kriechtieren verdrängt. Übergangsformen zu Kriechtieren und Säugern erscheinen.
vor 345 Millionen Jahren	Karbon („Steinkohlenzeit")	Oberkarbon Unterkarbon (65 Millionen Jahre)	Ein breites Mittelmeer ist als Golf vorhanden. In Nordamerika, Europa, Nord- und Mittelasien kommt es zur Bildung des Variskischen Gebirges (dazu gehören z. B. die deutschen Mittelgebirge). In den Rand- und Innensenken der neu entstandenen Gebirge bilden sich bei günstigem Klima aus Farnwäldern Steinkohlenlager. Auf der Südhalbkugel kommt es zu Vereisungen.	Neben Bärlappen, Schachtelhalmen, Farnen treten die ersten Nacktsamer (Nadelbäume) auf. In den Binnengewässern leben Panzerlurche (Lurche). Als erste Lebewesen erobern zahlreiche geflügelte Insekten den Luftraum. Erste Kriechtiere treten auf.
vor 395 Millionen Jahren	Devon	(50 Millionen Jahre)	Nord- und Osteuropa sind durch große Gebirge mit Amerika zu einem großen Festlandsblock (Old Red) verbunden. Südlich schließt sich eine große Senkungszone von Nordamerika über Mittelasien bis zum Pazifischen Ozean. Die Senke weist starken untermeerischen Vulkanismus auf mit Erzbildung (Harz, Lahn-Dill-Gebiet).	Erste Baumfarne, Bärlappe und Schachtelhalmgewächse treten auf. Knorpel- und Knochenfische entwickeln sich vorwiegend im Süßwasser. Aus den Übergangsformen von Fischen zu Lurchen bilden sich die ersten Landwirbeltiere; ebenso erscheinen erstmalig die Insekten.
vor 435 Millionen Jahren	Silur	(40 Millionen Jahre)	Zwei große Kontinentblöcke treten auf. Die Meeresablagerungen reichen von Tiefseesedimenten bis zu kalkigen Ablagerungen flacher Meeresteile (mit Trilobiten, Brachiopoden, Korallen). Ende des Silurs Auffaltung des Kaledonischen Gebirges (in Europa, Schottland, Skandinavien), Bildung eines nordatlantischen Kontinents (Old Red).	Wichtigste und verbreitetste Tiergruppe sind wirbellose Meerestiere. Später treten erste Landpflanzen (Nacktfarne) und Landtiere (Gliederfüßer mit Chitinpanzer) auf. Wirbeltiere sind noch selten.
vor 500 Millionen Jahren	Ordovizium	(65 Millionen Jahre)	Bedeutende Überflutungen der beiden Großkontinente, die durch einen tiefen Ozean getrennt sind. Krustenbewegungen und vulkanische Vorgänge nehmen zu. In Amerika entstehen die Appalachen.	Wirbellose Meerestiere herrschen vor. Erstmals treten Fische auf, die ein Knorpelskelett haben. Im Übergang zum Silur erste Wirbeltiere.
vor 570 Millionen Jahren	Kambrium	(70 Millionen Jahre)	Einem Südkontinent steht, durch Ozeane getrennt, ein Nordkontinent gegenüber. Gegen Ende des Kambriums zieht sich das Meer in Nordeuropa merklich zurück.	In den Meeren lebt eine reichhaltige Tierwelt. Alle Stämme der wirbellosen Tiere sind bereits vertreten, vor allem Trilobiten, Brachiopoden, Korallen und Würmer. Im Pflanzenreich treten Algen auf.
vor mehr als 4 Milliarden Jahren	Erdurzeit (Präkambrium)	(mehr als 3,4 Milliarden Jahre Dauer)	Entstehung der Erde und deren erster Erstarrungskruste. Urkontinente und Urozeane bilden sich heraus. Der Kreislauf des Wassers und die Bildung von Sedimentgesteinen setzen ein. Vorkommen bedeutender Erzlagerstätten.	Zu Beginn kein Leben auf der Erde. Die ältesten Lebewesen (bakterienartige Organismen) sind mehr als 3 Milliarden Jahre alt. Später sind Bakterien, Algen, Strahltierchen, Korallen und Würmer weltweit verbreitet. Das Festland ist unbewohnt.

Die Höhe der einzelnen Abschnitte ist kein Anhaltspunkt für die Dauer der jeweiligen Epoche.

Erdg

Erdnüsse

Erdöl: Methoden der Förderung

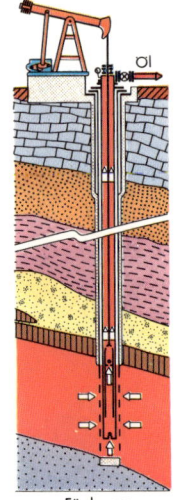

Förderung durch Gestängepumpe

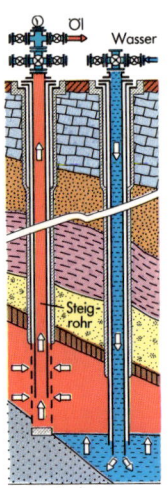

Förderung durch Wasserfluten

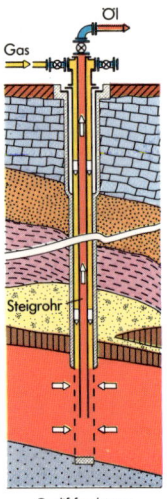

Gasliftförderung

Erdgeschichte, die Entwicklungsgeschichte der Erde, besonders der Erdkruste. Mit der Erforschung der Erdgeschichte befasst sich die **Geologie,** mit der Erforschung der Entwicklung des Lebens auf der Erde die **Paläontologie.** Die zeitliche Gliederung der Erdgeschichte ist mithilfe der Überreste von Lebewesen (→Fossilien) möglich. Heute sind für jeden Abschnitt der Erdgeschichte seit dem Kambrium kennzeichnende ›Leitfossilien‹ bekannt, die typische Zeitmarken darstellen. Daneben lässt sich vor allem mit physikalischen Verfahren das absolute Alter der Gesteine bestimmen. Art und Ausbildung der Gesteine erlauben Rückschlüsse auf das Aussehen der Erdoberfläche zu einem früheren Zeitpunkt. Über die Zeit vor dem Kambrium, die Erdurzeit, kann aufgrund fehlender Fossilien nur die Untersuchung der Gesteine Aufschluss verschaffen.

Aus den bisher bekannten Ergebnissen hat man eine Gliederung der Erdgeschichte in folgende Hauptabschnitte vorgenommen, die sich jeweils noch in zahlreiche Unterabschnitte gliedern lassen:

Präkambrium	Dauer 3,5–4 Milliarden Jahre
Paläozoikum	Dauer 345 Millionen Jahre
Mesozoikum	Dauer 159 Millionen Jahre
Neozoikum	Dauer 66 Millionen Jahre

Vergleicht man diese unvorstellbar großen Zeiträume mit der Länge eines Tages, so wären von den 24 Stunden bis zum Beginn des Paläozoikums bereits mehr als $20\frac{1}{2}$ Stunden vergangen. Das Erdaltertum dauerte 2 Stunden, das Erdmittelalter 1 Stunde, die Erdneuzeit mit den ersten Vorfahren des heutigen Menschen (→Vorgeschichte) nur 25 Minuten. Seit dem Ende der Eiszeit vor 10 000 Jahren wäre nur der fünfte Teil einer Sekunde vergangen. (ÜBERSICHT Zeittafel der Erd- und Lebensgeschichte Seiten 270/271).

Erdkunde, →Geographie.

Erdmagnetismus, eine magnetische Erscheinung, die überall auf der Erde auftritt. Die Linien des magnetischen Feldes der Erde laufen an den beiden Magnetpolen zusammen, die aber nicht mit dem geographischen Nord- und Südpol übereinstimmen. Der magnetische Südpol liegt im arktischen Nordamerika (76° nördlicher Breite, 100° westlicher Länge), der magnetische Nordpol in der Antarktis (65° südlicher Breite, 139° östlicher Länge). Die Lage der Magnetpole ist jedoch Schwankungen unterworfen; so kann man sie nur als Fläche angeben. Die Magnetnadel eines →Kompasses richtet sich nach den Kraftlinien des erdmagnetischen Feldes aus und ist somit ein gutes Orientierungsmittel.

Erdnüsse sind keine ›echten‹ Nüsse, sondern die Samen einer mit Erbsen und Bohnen verwandten, buschig-niedrigen Pflanze. Nach der Blüte neigen sich die Stiele abwärts und drücken die Fruchthülsen in die Erde, wo sie reifen. In den hellbraunen, papierartigen Hülsen liegen dann mehrere Erdnüsse. Erdnüsse werden in vielen tropischen und subtropischen Ländern angebaut, vor allem in Indien, China, den USA, Senegal und Nigeria. Sie werden roh oder geröstet gegessen oder zu Erdnussbutter verarbeitet; Erdnussöl ist ein Margarinerohstoff.

Erdöl, flüssiges Gemisch verschiedener Kohlenwasserstoffe, deren Entstehung an das Vorhandensein von schlecht belüfteten Meeresräumen in erdgeschichtlicher Zeit gebunden ist. Neben Fischen und Muscheln besiedelte eine unvorstellbar große Zahl einfachster Lebewesen wie Algen, Bakterien und Pilze diese Meere, die nach ihrem Absterben auf den Meeresboden fielen. Dort wurden die organischen Stoffe bei Abwesenheit von Sauerstoff und mithilfe von Bakterien umgebildet. Dieser Vorgang setzte sich bei höheren Temperaturen und hohem Druck unter einer Deckschicht von Ton und Sand bis zur Entstehung der Kohlenwasserstoffe fort. Das leichte Kohlenwassergemisch wanderte zusammen mit Wasser so lange nach den Seiten und nach oben durch die Gesteinsporen, bis undurchlässige Schichten es aufhielten und in Aufwölbungen Erdlagerstätten entstanden.

Jahr für Jahr werden auf der Erde über 50 000 Bohrlöcher bis zu 7 000 m Tiefe in die Erdkruste vorgetrieben. Das Bohrloch wird nach erfolgreichem Abschluss der Probebohrung durch einen Ventilabschluss gesichert, der den Druck der Erdölquelle vermindert. Über →Pipelines wird das Rohöl meist an die Küste und von dort mit Tankern in die Verbraucherländer gebracht oder an Ort und Stelle in →Raffinerien verarbeitet.

Als Gemisch aus mehr als 1 000 verschiedenen Kohlenwasserstoffen, die sich vor allem durch ihren Siedepunkt voneinander unterscheiden, wird Erdöl dort durch Destillation getrennt und in die einzelnen Bestandteile zerlegt. Manche, wie Benzin, erfahren noch Veränderungen der in ihnen enthaltenen Stoffe, um beispielsweise den unterschiedlichen Anforderungen an Normal-, Super- oder Flugzeugbenzin zu genügen. Andere Stoffe werden durch die →Petrochemie weiterverarbeitet.

Zusammen mit Erdgas liefert Erdöl mehr als die Hälfte der zur Zeit verbrauchten Energie. Der ständig ansteigende Erdölverbrauch ist bisher durch neu entdeckte Vorkommen gesichert.

Erdteil, große zusammenhängende Landmasse der Erde (→Kontinent).

Erdumlaufbahn, englisch **Orbit,** die Bahn des Mondes oder eines künstlichen →Satelliten oder sonstigen Raumfahrzeugs um die Erde. Die Bahn kann kreisförmig oder elliptisch sein und über Nord- und Südpol oder dem Äquator entlang verlaufen. Damit der Satellit sich auf einer Erdumlaufbahn halten kann, muss er die erste →kosmische Geschwindigkeit erreichen.

Erdung, elektrisch leitende Verbindung zwischen einer elektrischen Anlage und dem Erdreich. Zur **Erdungsanlage** gehören **Erdungsleitungen** und **Erder,** das sind in feuchtem Erdreich verlegte metallische Stäbe, Bänder, Platten oder auch Wasserleitungen. Die Erdung von Geräten und Anlagen wird durchgeführt, um Menschen und Tiere vor zu hohen Berührungsspannungen, wie sie z. B. bei einem defekten Gerät am Metallgehäuse vorkommen kann, zu schützen und um für den Betrieb einer Anlage die notwendigen festgelegten Spannungswerte zu erhalten. Symbol für die Erdung in Schaltplänen und an Geräteanschlüssen: ⏚.

Erektion [von lateinisch erectio ›das Emporrichten‹], die Aufrichtung des männlichen Gliedes (Penis) als Folge der geschlechtlichen Erregung. Dieser Vorgang wird durch einen Reflex gesteuert. Dabei staut sich das Blut in den Schwellkörpern, der Hoden hebt sich, der Penis richtet sich auf, wird größer und fest. Dies ist die Voraussetzung für den →Geschlechtsverkehr.

Auslöser für eine Erektion können z. B. Träume, der Anblick einer Frau oder Berührungen sein. Oft führt die Erektion zu einer →Ejakulation.

Erfindung, erste oder neue Lösung einer technischen oder naturwissenschaftlichen Aufgabe. Nur wenige Erfindungen werden zufällig gemacht. Meist gehen langwierige Versuche oder Forschungen voraus. Bis zum 18. Jahrh. waren viele Erfindungen das Werk von Praktikern, z. B. Handwerkern oder Bastlern. Seitdem sind sie zunehmend eine Leistung der wissenschaftlichen Forschung. (ÜBERSICHT Seiten 274/275)

Erfurt, 207 200 Einwohner, Hauptstadt von Thüringen, liegt im Thüringer Becken an der Gera. Die Stadt wird überragt vom Dom (15. Jahrh.) und der Severikirche (12.–14. Jahrh.). Neben den Ordenskirchen der Franziskaner und Dominikaner gibt es die Augustinerkirche mit dem ehemaligen Kloster, in dem Luther 1505–08 als Mönch wohnte. Erfurt war Mitglied der Hanse und im 13.–17. Jahrh. die reichste Stadt Thüringens. Die Universität (1379–1816) wurde ein Mittelpunkt des deutschen →Humanismus.

Erhard. Der deutsche Politiker **Ludwig Erhard** (*1897, †1977) setzte als Wirtschaftsminister (1949–63) das Konzept der sozialen Marktwirtschaft durch. Damit hatte er wesentlichen Anteil am wirtschaftlichen Wiederaufstieg der Bundesrepublik Deutschland nach dem Zweiten Weltkrieg und gilt als ›Vater des Wirtschaftswunders‹. 1963–66 war er Bundeskanzler.

Erika, volkstümlich für das →Heidekraut.

Erdöl: Erdöllagerstätte (schematisch); Speichergestein mit Erdgas, Erdöl, Wasser

Eritrea
Fläche: 117 400 km²
Einwohner: 3,5 Mio.
Hauptstadt: Asmara
Amtssprachen: Tigrinja, Arabisch
Nationalfeiertag: 24. 5.
Währung: 1 Birr (Br) = 100 Cents (ct.)
Zeitzone: MEZ + 2 Stunden

Eritrea, seit 1993 selbstständiger Staat (Republik) im Nordosten Afrikas. Er erstreckt sich längs des Roten Meeres. An die niederschlagsarme, feuchtheiße Küstenebene mit den Häfen Assab und Massaua schließt sich im Nordwesten die Randstufe des Äthiopischen Hochlands mit Kaffee-, Baumwoll-, Tabak- und Getreideanbau an. Die Bewohner (Danakil, Tigre, Amhara und Saho) sind meist muslimisch.

Eritrea
Staatswappen

Staatsflagge

Erle

Die wichtigsten Erfindungen und Entdeckungen in Naturwissenschaft und Technik	
v. Chr.	Wasserstoffballon (Charles) 1783
Hölzernes Wagenrad (Sumer) .... um 4000	Mechanischer Webstuhl (Cartwright) 1785
Ältester (hölzerner) Pflug (Vorderasien) .... um 4000	Berührungselektrizität (Galvani) 1789
Schmelzen (Kupfer, Gold) (Ägypten) .... um 3800	Leuchtgas aus Steinkohle (Murdock) 1792
Papyrus als Beschreibstoff (Ägypten) .... vor 3000	Steindruck (Senefelder) 1796
Cheopspyramide (Ägypten) .... um 2500	Voltasche Säule (Volta) 1800
Rad mit Speichen (Kleinasien) .... .2000	Musterwebstuhl (Jacquard) 1805
Bewässerungskanäle (Babylonien) .... um 2000	Dampfschiff »Clermont« (Fulton) 1807
Webstühle (Ägypten) .... um 2000	Flachformschnellpresse (Koenig) 1812
Älteste römische Steinbrücke (T. Priscus) ...... um 600	Fraunhofersche Linien (Fraunhofer) 1814
Römische Wasserleitung (Appius Claudius) 312	Elektromagnetismus (Ørsted) 1820
Leuchtturm auf Pharos (Sostratos) 260	Schiffsschraube (Ressel) 1826
Flaschenzug, Hebelgesetz (Archimedes) ...... um 250	Ohmsches Gesetz (Ohm) 1826
	Aluminium aus Tonerde (Wöhler) 1827
n. Chr.	Herstellung von Harnstoff (Wöhler) 1828
Papier in China (Ts'ai Lun) 105	Eisenbahn Liverpool–Manchester (Stephenson) ..1830
Ptolemäisches System (Ptolemäus) .... um 150	Elektromagnetische Induktion (Faraday) 1831
Druck mit beweglichen Lettern in China .... 11. Jh.	Grundgesetz der Elektrolyse (Faraday) 1833
Magnetnadel als Seeweiser (Europa) .... um 1200	Eisenbahn Nürnberg–Fürth 1835
Augengläser (in Murano) .... um 1300	Galvanoplastik (Jacobi) 1837–39
Pulvergeschütz (Europa) .... um 1320	Elektromagnetischer Schreibtelegraf (Morse) ..1837–43
Druck mit beweglichen Lettern (Gutenberg) .... um 1445	Daguerreotypie (Daguerre) 1839
Taschenuhr (Henlein) .... .1510	Vulkanisation des Kautschuks (Goodyear) 1839
Kalenderreform (Gregor XIII.) .... .1582	Mechanisches Wärmeäquivalent (Mayer) 1842
Mikroskop (Janssen) .... um 1590	Schießbaumwolle (Schönbein) 1846
Fernrohr (Lippershey) .... vor 1608	Nitroglycerin (Sobrero) 1847
Pendel- und Fallgesetze (Galilei) .... .1609	Tauchboot (Bauer) 1850
Keplersche Gesetze (Kepler) 1609–19	Elektrische Glühlampe (Goebel) 1854
Astronomisches Fernrohr (Kepler) .... .1610	Typendrucktelegraf (Hughes) 1855
Quecksilberbarometer (Torricelli) .... .1643	Windfrischprozess (Bessemer) 1856
Allgemeine Gravitationslehre (Newton) .... .1666	Erster Teerfarbstoff: Mauvein (Perkin) 1856
Infinitesimalrechnung (Newton, Leibniz) 1665–72	Bleiakkumulator (Planté) 1859
Lichtgeschwindigkeit bestimmt (Römer) .... .1675	Spektralanalyse (Kirchhoff, Bunsen) 1859
Quecksilberthermometer (Fahrenheit) .... .1718	Fernsprecher (Reis) 1861
Blitzableiter (Franklin) .... .1752	Ammoniaksodaverfahren (Solvay) 1863
Dampfmaschine (Watt) .... .1765	Siemens-Martin-Stahl 1864
Entdeckung des Wasserstoffs (Cavendish) ..... .1766	Schreibmaschine (Mitterhofer) 1864–69
Spinnmaschine (Hargreaves) .... .1767	Elektromagnetische Lichttheorie (Maxwell) ...1865
Entdeckung des Sauerstoffs (Scheele) .... .1771	Dynamomaschine (Siemens) 1866
Entdeckung des Stickstoffs (Rutherford) ...... .1772	Dynamit (Nobel) 1867
Heißluftballon (Gebrüder Montgolfier) .... .1783	Eisenbeton (Monier) 1867

Eritrea, im 14.–19. Jahrh. zwischen Arabern, Portugiesen, Türken, Ägyptern und Äthiopiern umkämpft, wurde 1890 italienische Kolonie. Die UN unterstellte 1950 das Land Äthiopien, das sich Eritrea 1962 als Provinz einverleibte. Unabhängigkeitsbestrebungen führten zum Bürgerkrieg. Nach einer Volksabstimmung 1993 gewährte die äthiopische Regierung die Unabhängigkeit. (KARTE Band 2, Seite 194)

Erlen, Laubbäume, die an Ufern von Flüssen und Seen, in Auwäldern und Flachmooren vor allem auf feuchtem, stickstoffarmem Boden wachsen. Sie sind dazu in der Lage, weil sie in →Symbiose mit einem Fadenpilz leben, der den für das Pflanzenwachstum unentbehrlichen Stickstoff aus der Luft zu binden vermag. Der Pilz erzeugt ›Knöllchen‹ an den Wurzeln. Die männlichen Blüten der Erlen mit eiförmigen Blättern sind in hängenden Kätzchen vereinigt. Die weiblichen Blüten bilden kurze Zäpfchen, die nach der Bestäubung verholzen und den Winter über am Baum bleiben.

Ermächtigungsgesetz. Dieses Gesetz, das offiziell ›Gesetz zur Behebung der Not von Volk und Staat‹ hieß, ermächtigte die von Adolf Hitler geführte nationalsozialistische Reichsregierung am 24. 3. 1933, auch ohne das gewählte Parlament (Reichstag) Gesetze zu erlassen. Alle Parteien mit Ausnahme der SPD stimmten dem Gesetz zu. Es sollte zunächst nur bis 1937 gelten, wurde dann aber immer wieder verlängert. Mit dem Ermächtigungsgesetz übertrug der Reichstag seine Gesetzgebungsgewalt an die Regierung. Die Gewaltenteilung, die einen demokratischen Staat kennzeichnet, war damit beseitigt.

Ernährung, Aufnahme von Stoffen, die zum Aufbau des Körpers und zur Erhaltung des Lebens notwendig sind. Die Hauptbestandteile der menschlichen Nahrung sind **Kohlenhydrate, Fette** und **Eiweiße.** Kohlenhydrate und Fette liefern die Energie, die für alle Vorgänge im Körper (Verdauung, Herztätigkeit, Bewegung) benötigt wird. Das wichtigste Kohlenhydrat unserer Nah-

Erlen: Schwarzerle; OBEN Zweig mit männlichen (gelblich) und weiblichen (rötlich) Kätzchen und vorjährigen Fruchtständen; UNTEN Zweig mit Fruchtständen

Die wichtigsten Erfindungen und Entdeckungen in Naturwissenschaft und Technik

Periodensystem (Mendelejew, Meyer) 1869	Penicillin (Fleming) 1928
Kathodenstrahlen (Hittorf) 1869	Fernsehen, Fernfilm (Karolus-Telefunken) 1929
Verbessertes Telefon (Bell, Gray) 1876	Entdeckung des Neutrons (Chadwick) 1932
Viertaktmotor (Otto) 1876	Entdeckung des Positrons (Anderson) 1932
Sprechmaschine (Phonograph von Edison) 1877	Elektronenmikroskop . . . . 1933 ff.
Kohlemikrofon (Edison) 1877	Künstliche Radioaktivität (Joliot-Curie) 1934
Thomasprozess (Eisen) (Thomas) 1879	Sulfonamide (Domagk) 1935
Elektrische Straßenbahn (Siemens) 1881	Nylonfaser (USA) 1938
Maschinengewehr (Maxim) 1883	Perlonfaser (Deutschland) 1938
Dampfturbine (Parsons) 1884	Kernspaltung (Hahn, Straßmann) 1938
Benzinkraftwagen (Benz, Daimler) 1885	Raketen- und Strahlflugzeug (Heinkel) 1939
Gasglühlicht (Auer von Welsbach) 1885	Radar (Deutschland, Großbritannien) . . . . seit 1939
Spannbeton (Doehring) 1888	Erster Kernreaktor (Fermi, USA) 1942
Nachweis elektromagnetischer Wellen (Hertz) 1888	Fernrakete (von Braun) 1942
Drehstrommotor (Dolivo-Dobrowolski) 1889	Atombombe (USA) 1945
Dreifarbendruck (Ulrich, Vogel) 1890	Elektronische Rechenmaschine (USA) 1946
Luftreifen (Dunlop) 1890	Überschall-Raketenflugzeug (Bell) 1947
Erste Gleitflüge (Lilienthal) 1890–96	Transistor (Bardeen, Brattain, Shockley) 1948
Photozelle (Elster, Geitel) 1893	Wasserstoffbombe (USA) 1952
Dieselmotor (Diesel) 1893–97	Kernkraftwerk (Calder Hall, England) 1956
Röntgenstrahlen (Röntgen) 1895	Erster künstlicher Erdsatellit Sputnik (Sowjetunion) . 1957
Drahtlose Telegrafie (Popow, Marconi) 1895–97	Kreiskolbenmotor (Wankel) 1957/58
Kinematograph (Lumière) 1895	Mößbauer-Effekt (Mößbauer) 1958
Verflüssigung der Luft (Linde) 1895	Laser (USA) 1960
Natürliche Radioaktivität (Becquerel) 1896	Erste bemannte Raumfahrt (Sowjetunion) 1961
Braunsche Röhre (Braun) 1898	Fernsehsatellit Telstar (USA) 1962
Radium und Polonium (Marie Curie) 1898	Erster Mensch frei im Weltraum (Sowjetunion) 1965
Quantentheorie (Planck) 1900	Raumsonde landet auf Venus (Sowjetunion) 1966
Lenkbares Luftschiff (Graf von Zeppelin) 1900	20-GeV-Linearbeschleuniger (USA) 1966
Motorflugzeug (Gebrüder Wright) 1903	Erste Mondlandung (USA) 1969
Kreiselkompass (Anschütz-Kaempfe) 1904	Raumstation Saljut, Sojus (Sowjetunion) 1971
Offsetdruck (USA) 1904	Himmelslabor Skylab (USA) 1973
Spezielle Relativitätstheorie (Einstein) 1905	Transatlantikflug in 1 Stunde 55 Minuten (USA) . . . 1974
Verstärkerröhre (de Forest, von Lieben) 1906	Mikroprozessoren 1977
Synthetischer Kautschuk (Hofmann) 1909	Neutronenbombe (USA) 1977
Kosmische Höhenstrahlung (Heß) 1912	Jupiter- und Saturnsonde Voyager (USA) 1979
Ammoniaksynthese (Haber, Bosch) 1913	Raumtransporter Spaceshuttle (USA) 1981
Atomtheorie; Atommodell (Bohr) 1913	Französischer Triebzug 380 km/h 1981
Kohlehydrierung (Bergius) 1913	Tiefbohrung über 10 000 m (USA) 1981
Erste Atomkernreaktionen (Rutherford) 1919	Europäisches Raumlabor Spacelab 1983
Tonfilm (Vogt, Engl, Massolle) 1919	Mensch mit Düsenrucksack im Weltraum (USA) . . . 1984

rung ist die Stärke, die hauptsächlich in pflanzlichen Produkten (Brot, Kartoffeln, Reis) enthalten ist. Bei der Verdauung muss sie zu einfachen Zuckern abgebaut werden. Nach der Aufnahme aus dem Darm in die Blutbahn kann sie, als Energiereserve in Form von **Glykogen** aufgebaut, in der Leber und den Muskeln gespeichert werden. Die vom Körper nicht verbrauchten Nahrungsstoffe werden als Fett abgelagert, sodass bei einem Überangebot Übergewicht die Folge ist.

Die Nahrungsfette ermöglichen die Passage der Vitamine A, D, E, K durch die Darmwand und dienen dem Aufbau bestimmter Hormone und der Zellwand. Einige lebenswichtige Fettsäuren können nicht vom Körper hergestellt werden; diese ungesättigten Fettsäuren, die in pflanzlichen Fetten enthalten sind, müssen mit der Nahrung aufgenommen werden. Fett ist am schwersten verdaulich. Eiweiße sind die wichtigsten Aufbaustoffe des Körpers für Hormone, Enzyme und als Gerüstsubstanzen; sie binden Wasser und andere Produkte, die im Stoffwechsel anfallen, und dienen der Infektionsabwehr. Eiweiß-

quellen unserer Ernährung sind vor allem Fleisch, Fisch, Milch, Käse. Daneben sind Wasser, Mineralsalze und Vitamine lebenswichtig, da sie mithelfen den Stoffwechsel zu regulieren. Wasser ist das entscheidende Transportmittel, ohne das keine Stoffverschiebung im Körper stattfinden kann. Der menschliche Körper besteht zu 60 % aus Wasser, das in Form von Harn, Schweiß oder mit dem Stuhl und der feuchten Atemluft ausgeschieden wird und täglich ersetzt werden muss. Auch Mineralsalze (Natrium, Kalium) spielen im Wasserhaushalt eine große Rolle; andere sind für den Knochen- und Zahnaufbau und die Blutbildung notwendig. Vitamine können vom Körper in der Regel nicht aufgebaut, sondern müssen mit der Nahrung aufgenommen werden. Sie sind Bestandteil von Enzymen und bewirken lebensnotwendige Vorgänge im Stoffwechsel.

Ernst. Der deutsch-französische Maler, Grafiker, Bildhauer und Dichter **Max Ernst** (*1891, †1976) gehörte anfangs zu den deutschen Dadaisten um Hans Arp, später in Paris zu den Be-

Eros

gründern des →Surrealismus (1924). Seine Bilder in magisch leuchtenden Farben zeigen Naturformen und Gegenstände der modernen Zivilisation in merkwürdigen, grotesken Verbindungen.

Eros. Der Liebesgott der griechischen Sage, dem die Römer **Cupido** oder **Amor** gleichsetzten, war der Sohn der Schönheitsgöttin Aphrodite und des Kriegsgottes Ares. Zu seinen Ehren wurden von den alten Griechen Festspiele veranstaltet. Sein Name wird im Allgemeinen mit der geschlechtlichen Liebe verknüpft.

Erosion [von lateinisch erodere ›abnagen‹], der Vorgang der Abtragung von Gesteinsmaterial durch Wind, Eis, Schnee und Wasser.

Erotik [nach dem griechischen Liebesgott Eros], →Sexualität.

Erpel, das Männchen der →Enten.

Erpressung. Nach dem Strafgesetzbuch begeht Erpressung, wer zu seiner eigenen Bereicherung einen anderen rechtswidrig durch Gewalt oder Bedrohung zu einem Verhalten zwingt, das den anderen schädigt, indem er ihn z. B. zu einer Geldzahlung veranlasst. Häufig ist der Erpresste selbst ein Straftäter. Von seiner Tat weiß vielleicht nur der Erpresser und lässt sich sein Schweigen bezahlen. Der so Erpresste ist keineswegs wehrlos: Er kann den Erpresser anzeigen und selbst straflos bleiben, wenn seine Tat nicht allzu schwerwiegend ist.

erste Hilfe umfasst alle Behandlungsmaßnahmen, die sofort an Ort und Stelle des Geschehens bis zum Eintreffen des Arztes durchgeführt werden können. Dazu gehört als wichtigste allgemeine Regel, wenn man einen Unfall oder einen anderen medizinischen Notfall miterlebt, die möglichen Rettungsmaßnahmen in Ruhe zu überlegen. Bei einem Verkehrsunfall sollte man im Allgemeinen als Erstes die Unglücksstelle absichern und weitere Hilfe holen. Danach birgt man die Verletzten und lagert sie auf die Seite (stabile Seitenlage), um ein Ersticken durch Zurückfallen der Zunge zu verhindern. Voraussetzung ist, dass die Atmung funktioniert und der Puls fühlbar ist. Sonst müssen unverzüglich Wiederbelebungsmaßnahmen eingeleitet werden wie Herzmassage und Atemspende. **Wunden** werden keimfrei abgedeckt und verbunden. Stark blutende Wunden werden mit einem Druckverband versorgt. In den Körper eingedrungene Gegenstände (Nagel, Messer) dürfen nicht herausgezogen werden. **Verbrennungen** werden keimfrei abgedeckt oder, wenn möglich, so lange unter kaltes Wasser gehalten, bis der Schmerz nachlässt. Auch bei **Insektenstichen** empfehlen sich kalte Umschläge und Eis. Dagegen wird man bei **Unterkühlung** dem Verunglückten heißen Tee einflößen und versuchen, den Körper ganz langsam wieder zu erwärmen. Im Fall einer **Vergiftung** ist es für den Arzt äußerst wichtig die Art des Giftes zu erfahren; darum müssen alle Hinweise wie Nahrungsmittel, Verpackung, aber auch Ausscheidungen des Körpers (Harn, Erbrochenes) aufgehoben werden. In Zweifelsfällen kann man sich an die nächstgelegene Giftinformationszentrale wenden.

Erster Weltkrieg, →Weltkriege.

Eruption [lateinisch ›Ausbruch‹], das Empordringen des glutflüssigen Magmas aus dem Erdinneren an die Oberfläche durch Vulkanschlote (→Vulkan).

Erz, Mineral mit hohem Metallgehalt. Als Erze werden vor allem solche Gesteine bezeichnet, in denen nutzbares Metall rein oder sehr stark angereichert vorkommt, sodass sie sich zur Metallgewinnung eignen. Bestandteile von Erzen sind aber nicht nur die nutzbaren Metalle oder ihre chemischen Verbindungen, sondern auch andere Minerale (z. B. Kalk, Quarz); sie werden als **taubes Gestein** bezeichnet.

Natürliche Anhäufungen von Erzen in der Erdkruste sind die **Erzlagerstätten.** Erze entstehen aus flüssigem Magma vor allem in Hohlräumen und Klüften der Erdkruste, durch Ablagerung aus verwitterten älteren Lagerstätten, durch Ausscheidung in stehenden oder fließenden Gewässern oder durch Umbildung bereits vorhandener Minerale bei veränderten Druck- und Temperaturverhältnissen in der Erdkruste.

Erzählung, im weiteren Sinn Sammelbezeichnung für jede erzählende, auch epische Dichtung; im engeren Sinn gehört die Erzählung als Gattung zur →Epik. Sie ist meist in Prosa abgefasst; Ausnahme ist die ›Verserzählung‹. Dargestellt wird in der Erzählung der Verlauf wirklicher oder erfundener Geschehnisse. Diese sind nicht dem Bereich des Unwirklichen oder Wunderbaren entnommen und grenzen somit die Erzählung von →Märchen und →Sage ab. Eine Erzählung ist umfangreicher als eine Kurzgeschichte oder →Anekdote, aber kürzer als ein →Roman. Von der →Novelle unterscheidet sie sich, da sie im Aufbau weniger kunstvoll und straff und in der Handlung nicht nur auf ein Hauptergebnis hin ausgerichtet ist. Häufig kommt die Prosaerzählung in der Literatur des 19. und 20. Jahrh. vor.

Erzämter, Staats- und Hofämter im alten deutschen Reich. Sie entstanden aus Aufgaben, die hoch gestellte Personen am fränkischen Königshof bei bestimmten feierlichen Anlässen, z. B. dem Krönungsmahl, erfüllten. Durch Gewohnheit verbanden sich die einzelnen Aufgaben mit den verschiedenen Kurwürden und in der Goldenen Bulle (1356) wurde daraus ein Gesetz. Danach waren die Kurfürsten von Mainz, Trier und Köln **Erzkanzler** für Deutschland, Burgund und Italien, der Pfalzgraf bei Rhein war **Erztruchsess**, der Herzog von Sachsen **Erzmarschall**, der Markgraf von Brandenburg **Erzkämmerer** und der König von Böhmen **Erzschenk**.

Erzgebirge, Mittelgebirge im Grenzbereich Sachsens und der Tschechischen Republik. Es ist etwa 130 km lang und rund 35 km breit und reicht vom Elstergebirge im Westen bis zum Elbsandsteingebirge im Osten. Nach Südosten fällt es steil und nach Nordosten sanft ab. Seine höchsten Erhebungen sind der **Fichtelberg** (1 214 m) und der **Keilberg** (1 244 m). Der Name des Gebirges weist auf die reichen **Silber-** und **Zinnerzvorkommen** hin, die vor allem im 15. und 16. Jahrh. hier abgebaut wurden.

Erzherzog, Titel der Prinzen des habsburgischen Kaiserhauses. Die Habsburger wollten mit diesem Titel, der nach der Bezeichnung ›Erzämter‹ gebildet wurde, über anderen Herzögen stehen und sich den 7 Kurfürsten gleichstellen.

Esche, rasch wachsender Laubbaum mit gefiederten Blättern, der vor allem in Niederungen gedeiht. Man erkennt ihn im Winter an den samtig behaarten, schwarzen Knospen, im Herbst an den in Büscheln stehenden geflügelten Früchten, die durch den Wind verbreitet werden. Das zähe und biegsame Holz wird vor allem zu Sportgeräten und Möbeln verarbeitet.

Esel sind mit →Pferden eng verwandt. Sie haben aber längere Ohren, schmalere Hufe, ein graubraunes Fell und einen nur am Ende behaarten Schwanz. Wild leben sie nur noch selten in nordafrikanischen Halbwüsten. Als Haustiere werden sie in Südeuropa und Nordafrika gehalten. Die kräftigen, zähen Esel dienen als Reit- und Lasttiere, liefern Milch und auch Fleisch. Esel kann man mit Pferden kreuzen (→Art). Ist das Muttertier ein Esel, dann heißt der eselähnliche Mischling **Maulesel;** ist das Muttertier ein Pferd, heißt der Mischling **Maultier** (auch Muli) und ist pferdeähnlich.

Eskimo [indianisch ›Rohfleischesser‹], in ihrer eigenen Sprache und in der kanadischen Amtssprache **Inuit** (›Menschen‹) genannt, die Bevölkerung Nordostsibiriens und der gesamten nordamerikanischen Arktis von Alaska bis Grönland. Früher lebten sie in zahlreichen Kleingruppen verstreut, heute eher in größeren Siedlungen. Ihre Kultur, die im Lauf des 20. Jahrh. weitgehend verschwand, war mit ihren Techniken und Geräten (z. B. Schlitten, Anorak, →Iglu) der arktischen Umwelt gut angepasst.

Espe, die Zitterpappel (→Pappel).

Esperanto, eine künstliche Sprache, die der polnische Arzt **Ludwig Zamenhof** 1887 erfunden hat, um die internationale Verständigung zu erleichtern; der Wortschatz ist dem Englischen, dem Deutschen und den romanischen Sprachen entnommen. Die Grammatik hat nur 16 Regeln, zu denen es keine Ausnahmefälle gibt.

Essay [esse, englisch ›Versuch‹], eine kürzere, in Prosa verfasste literarische Abhandlung zu Fragen aus gesellschaftlich-kulturellen Bereichen in stilistisch anspruchsvoller Form.

Essig, ein seit dem Altertum bekanntes Würz-, Genuss- und Konservierungsmittel, das bei der Vergärung alkoholhaltiger Flüssigkeiten entsteht und im Wesentlichen eine wässrige Lösung von Essigsäure darstellt. Der Essigsäuregehalt schwankt zwischen 5% und 15%.

Ester, organische chemische Verbindungen, die formal aus Säuren und Alkoholen unter Wasseraustritt entstehen. Viele Ester sind fruchtartig riechende Flüssigkeiten (z. B. die Geruchs- und Aromastoffe der Blumen und Früchte), die als Lösemittel und Riechstoffe verwendet werden. Glycerinester von Fettsäuren treten in der Natur als Fette, Öle und Wachse auf. Sie bilden einen wichtigen Rohstoff zur Herstellung von →Seife.

Estland, Republik an der Ostsee, im Baltikum, etwa so groß wie Dänemark. Die Oberfläche des Landes liegt nur zu rund 10% über 100 Meter über dem Meeresspiegel und ist von

Esche:
OBEN blühender Zweig,
UNTEN Zweig mit Fruchtständen

Esel: Hausesel

Estland

Staatswappen

Staatsflagge

Estr

Estland
Fläche: 45 215 km²
Einwohner: 1,582 Mio.
Hauptstadt: Tallinn (deutsch Reval)
Amtssprache: Estnisch
Nationalfeiertag: 24. 2.
Währung: 1 Estn. Krone (ekr) = 100 Senti
Zeitzone: MEZ + 1 Stunde

Sümpfen und Seen durchsetzt. Der stark gegliederten Küste sind etwa 1 500 Inseln vorgelagert; sie fällt in einer steilen Kalksteinstufe, dem Glint, zum Finnischen Meerbusen ab.

Die größten Gruppen innerhalb der Bevölkerung stellen Esten (60%) und Russen (30%). Die meisten Gläubigen gehören der evangelisch-lutherischen, etwa jeder fünfte der russisch-orthodoxen Kirche an.

Wichtigster Wirtschaftszweig ist die Landwirtschaft (Kartoffeln, Getreide, Flachs; Milchvieh- und Schweinezucht). Große Bedeutung besitzt auch die Hochseefischerei.

Die im 9. Jahrh. n. Chr. den Warägern tributpflichtigen Esten wurden Anfang des 13. Jahrh. von Dänen und Deutschen unterworfen und christianisiert; seit 1346 unterstand Estland dem Deutschen Orden. 1584 gelangte das Land an Schweden. Nach dem Sieg Zar Peters I. im Zweiten Nordischen Krieg geriet Estland 1721 unter russische Herrschaft. 1918 rief ein Nationalrat die Unabhängigkeit des im Ersten Weltkrieg von deutschen Truppen besetzten Estland aus; die daraufhin entstandene Republik endete 1934 in einer faschistischen Diktatur unter Konstantin Päts. 1940 folgte der Einmarsch sowjetischer Truppen und die Eingliederung Estlands in die UdSSR. Im Zuge der Reformpolitik Michail Gorbatschows erstarkte seit den 1980er-Jahren die estnische Nationalbewegung; 1991 erklärte Estland seine Unabhängigkeit, die 1992 von der russischen Führung anerkannt wurde. (KARTE Band 2, Seite 206)

Estragon, →Gewürzpflanzen.

Etat [eta], →Haushaltsplan.

Ethik [zu griechisch ethos ›sittliche Einstellung‹], philosophische Lehre, die sich mit der Frage beschäftigt, wie der Mensch richtig leben soll. Die Frage nach dem richtigen oder, entsprechend dem griechischen Wort ›ethos‹, sittlichen Leben ist für den Menschen von grundlegender Bedeutung, denn sein Handeln ist nicht durch Instinkt oder angeborene Verhaltensweisen festgelegt wie beim Tier.

Dem Tier sagt sein Instinkt, was es tun muss, um zu überleben. Beim Menschen aber kam es im Verlauf seiner stammesgeschichtlichen Entwicklung zu einem weitgehenden Verlust angeborener Verhaltensweisen. Der Mensch strebt danach, diesen Verlust auszugleichen, indem er Maßstäbe und Gründe für sein Tun sucht.

Die Ethik lehrt also, dass der Mensch, um sein Handeln vor sich und anderen zu rechtfertigen, eine Moral braucht. Sie ist der Rahmen, innerhalb dessen er nicht nur sein eigenes Leben, sondern auch das Leben in der sozialen Gemeinschaft als sinnvoll oder als sinnlos erlebt.

Die ersten Antworten auf die moralische Herausforderung des Menschen wurden in der griechischen Philosophie gegeben. Eine Form der antiken Ethik ist der **Hedonismus.** Er lehrt, dass der Mensch um seines Glückes willen lebe. Glück aber besteht nach Ansicht des Hedonismus im Genuss und im Streben nach Lust. Andere griechische Philosophen entgegneten, dass es nicht auf die Lust ankomme, weil es mehr unangenehme als angenehme Dinge auf der Welt gebe. Richtig sei, die Natur der Dinge zu erkennen und danach mit Einsicht und Klugheit zu handeln. Der wichtigste Vertreter dieser Auffassung war **Aristoteles.** Bei ihm war die Ethik ein wissenschaftliches Lehrgebäude mit schwierigen Erörterungen. Dagegen sahen **Seneca** und **Cicero**, 2 bedeutende Philosophen der römischen Antike, in der Ethik die praktische Anweisung zum sittlichen Leben. Der Mensch soll, um glücklich zu werden, sich von der Leidenschaft befreien, sich vor dem Tod nicht fürchten und in Einklang mit sich und der Welt leben.

Vieles davon hat das **Christentum** übernommen, andererseits weicht es von der antiken Position in einem entscheidenden Punkt ab: Was der christliche Mensch tun soll, um ein gottgefälliges Leben zu führen, kommt nicht aus der philosophischen Besinnung, sondern aus Gott. Eine Zusammenfassung der göttlichen Gebote findet sich in der ›goldenen Regel‹: ›Alles, was ihr von anderen erwartet, das tut auch für sie!‹ (Matthäus 7,12).

Zu Beginn der Neuzeit fing der Mensch an, seiner Position unsicher zu werden. Er forschte, experimentierte, entdeckte neue Kontinente und suchte vor allem nach neuen Begründungen für sein Dasein. Nicht mehr Gott, sondern seine eigene **Vernunft** wurde zum Ratgeber seines Handelns. Eine der wichtigsten neuzeitlichen Ethiken stammt von **Kant.** Nach ihm soll der Mensch nicht seinem individuellen Glücksstreben folgen, sondern so handeln, dass seine praktischen Absichten grundsätzlich von jedem anderen vernünftigen Wesen gebilligt werden können. Für Kant zählt in erster Linie nicht der Erfolg einer Handlung, sondern die gute Gesinnung oder die Vernunft des Handelnden. Kant drückt dies mit der Formel des ›kategorischen Imperativs‹ aus: Handle stets so, dass jeder andere das Gleiche tun kann, ohne dass der Menschheit dadurch irgendwelcher Schaden erwächst!

Kants fast 200 Jahre alte Ideen zu einem in der allgemeinen Vernunft gegründeten Zusammenleben aller Menschen gewinnen in der heutigen Zeit wieder zunehmend an Bedeutung. Die Fragen, die heute die gesamte Menschheit angehen, richten sich z. B. auf die zunehmende Umweltverschmutzung und die Ausbeutung der Rohstoffe und Bodenschätze, die das Leben zukünftiger Generationen gefährden, sowie auf die ungleichen Lebensbedingungen in den Industriestaaten und den Ländern der Dritten Welt.

Etrusker, ein altes Kulturvolk, das nach den Schriften des griechischen Geschichtsschreibers Herodot aus dem griechisch-lydischen Raum im nördlichen Kleinasien nach Italien eingewandert ist. In der Landschaft **Etrurien,** zwischen den Flüssen Arno und Tiber, wurden sie im 10. und 9. Jahrh. v. Chr. als Gruppe sesshaft. Ein Teil vermischte sich mit der einheimischen Bevölkerung. Die Schrift der Etrusker ähnelt zwar den griechischen Buchstaben, aber die gefundenen Texte konnten dennoch nicht übersetzt werden, weil die Sprache unbekannt blieb. So stammen unsere Kenntnisse über dieses antike Volk aus der Deutung der gefundenen Gegenstände, Wandmalereien und Grabanlagen.

Die Etrusker lebten in Stadtstaaten, die voneinander unabhängig waren, bildeten aber kulturell eine Gemeinschaft. Sie bauten ihre Städte auf schwer angreifbaren Hügelkuppen. Ihre Könige waren zugleich Priester. Nach und nach dehnten sie ihr Gebiet nach Süden und Osten bis an die Adria aus. Sie gründeten auf 7 Hügeln die Orte, die sich später zur Stadt **Rom** zusammenschlossen. Die Sage um die Gründung von Rom spiegelt die Verbindung zwischen den Etruskern und ihrer griechisch-kleinasiatischen Herkunft: Äneas, ein Vorfahre von Romulus, des ersten Königs von Rom, soll einst aus Troja gekommen sein.

Etüde [von französisch étude ›Studium‹], ein Instrumentalstück, mit dem man bestimmte spieltechnische Schwierigkeiten üben kann. Im Unterschied zur reinen Fingerfertigkeitsübung ist die Etüde jedoch eine in sich geschlossene künstlerische Komposition.

Etymologie [griechisch ›Lehre vom wahren Ursprung (eines Wortes)‹], Teilgebiet der Sprachwissenschaft, das die Bedeutung, die Herkunft und die Entwicklung der Wörter und der Wortfamilien untersucht. Z. B. hat man zu dem Wort D u c k m ä u s e r herausgefunden, dass es als duckelmus in der Bedeutung von ›Schleicher‹, ›Heuchler‹ bereits im 15. Jahrh. benutzt wurde und dass es zusammengesetzt ist aus den alten Wörtern musen ›Mäuse fangen‹, ›schleichen‹ und duckeln ›mit heimlichem Betrug umgehen‹.

Etzel, in der deutschen Heldensage der Name des Hunnenkönigs →Attila.

Eucharistie [griechisch ›Danksagung‹], das Dankgebet, das von den ersten Christen bei der Abendmahlsfeier, der Erinnerungsfeier an das letzte →Abendmahl Christi, vor der Weihe von Brot und Wein gesprochen wurde. Später bezeichnete man mit dem Begriff Eucharistie das Altarsakrament in der katholischen Kirche.

EU, Abkürzung für →Europäische Union.

Eugen, *1663, †1736. Der **Prinz von Savoyen-Carignan** trat 1683, als die Türken Wien belagerten, in den Dienst Kaiser Leopolds I., nachdem er von dem französischen König Ludwig XIV. abgewiesen worden war. Prinz Eugen wurde 1693 Feldmarschall und siegte 1697 über die Türken bei Zenta (heute Senta in Serbien). Durch diesen Sieg gewann das Haus Habsburg im Frieden von Karlowitz (1699) Ungarn, Siebenbürgen, Kroatien und Slowenien. Im Türkenkrieg 1716–18 wurde die Festung Belgrad erobert. Prinz Eugen errang auch im Spanischen Erbfolgekrieg (1701–14) entscheidende Siege für Österreich und gegen Frankreich. Er war Vertrauter und politischer Berater dreier Kaiser (Leopold I., Joseph I., Karl VI.). Zu seiner militärisch-politischen Begabung kam ein starkes Interesse an Kunst und Wissenschaft. Er wurde als ›edler Ritter‹ und Nationalheld Österreichs gefeiert.

Eukalyptusbäume sind in Australien beheimatet. Diese schnellwüchsigen, immergrünen Laubbäume mit ledrigen, wachsüberzogenen Blättern (daher **Gummibaum**) und sehr hartem Holz bilden dort einen großen Teil der Wälder. Als Zierbäume und zur Gewinnung von Harz und ätherischem Öl, das als Heilmittel dient, werden sie auch in anderen Gebieten angepflanzt. Wegen des starken Wasserverbrauchs pflanzt man manche Arten zum Entwässern von

Eukalyptusbäume: Zweig mit Blüten, Fruchtstand und Blättern des Fiebergummibaums

Eukl

Sumpfgegenden an, z. B. im Mittelmeerraum. Eukalyptusbäume können über 100 m hoch werden, vereinzelt bis 150 m.

Euklid, griechischer Mathematiker des 4. Jahrh. v. Chr., der ein Lehrbuch der →Geometrie verfasste. Ihm wird der ›Kathetensatz‹ zugeschrieben, der sich aus dem →pythagoreischen Lehrsatz ableiten lässt.

Eulen, Vögel, die ihre Schlupfwinkel in der Dämmerung und bei Nacht verlassen, um Ratten und Mäuse, kleine Vögel, auch Insekten, Hamster und Maulwürfe zu erbeuten. Sie haben einen dicken, fast rundherum drehbaren Kopf mit großen, nach vorn gerichteten Augen, mit denen sie wie die Menschen beidäugig sehen und so Entfernungen besser abschätzen können als andere Vögel. Pupille und Linse sind stark vergrößert, sodass das Auge mehr Licht aufnehmen kann; die Netzhaut ist äußerst lichtempfindlich. So können Eulen noch bei schwachem Sternenlicht sehen, wenn es für das menschliche Auge schon stockdunkel ist. Bei völliger Dunkelheit verlassen sie sich allein auf ihr äußerst feines Gehör. Das Gesicht ist von einem Kranz borstiger Federn umgeben, dem ›Schleier‹, der nach vorn geklappt dem Gehör als Schalltrichter dient. Die Ohren sind seitlich am Kopf asymmetrisch angeordnet, sodass, auch wenn der Schall direkt von vorn kommt, eine Schallwelle erst das eine, dann das andere Ohr erreicht. Das weiche, lockere Gefieder wirkt schalldämpfend und lässt an den gezackten Flügelrändern den Flugwind durchstreichen. So wird der Flug fast unhörbar. Eulen fliegen sehr niedrig über dem Boden, packen ihre Beute mit ihren krummen, nadelscharfen Fängen (so heißen die Füße mit den Krallen), hacken sie tot und tragen sie im hakig gebogenen Schnabel fort. Unverdauliche Teile der Beute speien sie als →Gewölle aus. Ihre Jungen sind →Nesthocker. Besonders zur Paarungszeit rufen Eulen laut; oft klingen die Rufe schauerlich. Im Volksglauben wurden sie zu Boten von Unglück und Tod.

Eulen sind über die ganze Erde verbreitet. Einige Arten tragen auffallende ›Federohren‹, die lediglich verlängerte Kopffedern sind. Dazu gehört die größte europäische Eule, der sehr selten gewordene **Uhu.** Er lebt z. B. noch in Gebirgswäldern in Thüringen und Bayern und wurde in der Eifel wieder angesiedelt. Ein Uhu wird bis zu 70 cm lang, 2,5 kg schwer und spannt seine Flügel über 1,80 m. Er nistet in Horsten von Greifvögeln und Reihern, in Felsspalten oder Baumhöhlen.

Viel kleiner ist die in deutschen Wäldern häufige **Waldohreule,** die meist in verlassenen Krähen- und Elsternnestern brütet. Eulen ohne Federohren werden auch als **Käuze** bezeichnet. Der amselgroße, selten gewordene **Steinkauz** (das **Käuzchen**) lebt in lichten Baumbeständen, an Felsen und in alten Gemäuern. Fast doppelt so groß ist der häufige **Waldkauz,** der hohle Bäume auch in Gärten und Parks bewohnt; er ist manchmal auch am Tag zu sehen. Ein Waldkauz kann bis zu 18 Jahre alt werden. Das Gefieder der Käuze ist graubraun. Helles Gefieder hat die **Schleiereule** mit ihrem herzförmigen Gesichtsschleier. Alle Eulen stehen unter Naturschutz.

Im alten Griechenland waren Eulen Begleiter der Athene, der Schutzgöttin Athens und Beschützerin der Wissenschaften. Daher wurde die Eule zum **Sinnbild der Weisheit.** Die Münzen Athens trugen die in der Stadt häufige Eule als Wappenbild. Deshalb bedeutet der Spruch: ›Eulen nach Athen tragen‹, etwas Überflüssiges tun. (Weitere BILDER Seite 283)

Euphrat, mit rund 2 700 km der längste Strom Vorderasiens. Der Euphrat entsteht aus den beiden Quellflüssen **Karasu** und **Murat** in Ostanatolien (Türkei). Er durchfließt Syrien und Irak und mündet nach der Vereinigung mit dem Tigris als **Schatt el-Arab** in den Persischen Golf. Mehrere Staudämme regulieren die ungleichmäßige Wasserführung. Sie dienen der Energiegewinnung und künstlichen Bewässerung.

Euripides, *485/484 oder um 480, † Anfang 406 v. Chr., der jüngste der 3 großen griechischen Tragödiendichter nach Aischylos und Sophokles.

Europa: Berge		
Montblanc	Savoyer Alpen	4 808 m
Dufourspitze (Monte Rosa)	Walliser Alpen	4 634 m
Matterhorn	Walliser Alpen	4 478 m
Finsteraarhorn	Berner Alpen	4 274 m
Jungfrau	Berner Alpen	4 158 m
Barre des Écrins	Dauphiné-Alpen	4 103 m
Gran Paradiso	Grajische Alpen	4 061 m
Piz Bernina	Bernina	4 049 m
Großglockner	Hohe Tauern	3 797 m
Wildspitze	Ötztaler Alpen	3 768 m
Mulhacén	Sierra Nevada (Spanien)	3 478 m
Pico de Aneto	Pyrenäen	3 404 m
Ätna	Sizilien	3 323 m
Marmolada	Dolomiten	3 342 m
Zugspitze	Wettersteingebirge	2 962 m
Corno Grande (Gran Sasso)	Abruzzen	2 912 m
Olymp	Griechenland	2 917 m
Gerlsdorfer Spitze	Hohe Tatra	2 655 m
Glittertind	Norwegen	2 481 m
Kebnekaise	Schweden-Lappland	2 123 m
Narodnaja	Ural	1 894 m
Ben Nevis	Schottisches Bergland	1 343 m
Vesuv	Italien	1 281 m

Eulen: 1 Waldkauz, 2 Steinkauz, 3 Raufußkauz, 4 Waldohreule, 5 Sperlingskauz, 6 Schleiereule

Von den 92 ihm zugeschriebenen Dramen sind 19 erhalten. Kern seiner Stücke ist der Zwiespalt von Gefühlen und Leidenschaften im Menschen. Euripides greift Probleme wie das Schicksal der vom Mann abhängigen Frau auf (›Medea‹) und stellt den Krieg und die Sklavenhaltung infrage (›Troerinnen‹). Seine Wirkung auf die Literatur der Neuzeit geht über die von Aischylos und Sophokles hinaus. Fast alle seine Werke wurden später neu bearbeitet, so ›Medea‹ von Franz Grillparzer, ›Hippolytos‹ von Jean Racine, ›Iphigenie‹ von Goethe. (BILD Seite 282)

Europa, in der griechischen Sage eine Königstochter, nach der möglicherweise der Erdteil Europa benannt ist. Der Göttervater Zeus verliebte sich heftig in Europa. Er verwandelte sich in einen schönen Stier und näherte sich Europa, während sie am Strand spielte. Als sich Europa auf den scheinbar zahmen Stier setzte, entführte Zeus sie nach Kreta. Er zeugte mit ihr 3 Kinder (unter anderem den König →Minos).

Europa, der zweitkleinste Erdteil, umfasst 10,5 Millionen km² und hat rund 690 Millionen Einwohner. Eigentlich ist Europa eine große, reich gegliederte Halbinsel der Festlandmasse Asiens. Deshalb werden beide häufig auch zusammenfassend als **Eurasien** bezeichnet. Aufgrund seiner geschichtlichen Bedeutung wird Europa jedoch als selbstständiger Erdteil betrachtet. Die Grenze gegen Asien bilden Uralgebirge, Kaspisches und Schwarzes Meer sowie der Kaukasus. Im Norden stößt Europa an das Nördliche Eismeer, im Westen an den Atlantischen Ozean und im Süden wird es durch das Mittelmeer von Afrika getrennt.

Europa hat eine besonders reiche Gliederung in Nebenmeere und Halbinseln. Größte Halbinseln sind im Norden die Skandinavische Halbinsel, im Süden die Iberische Halbinsel mit Spanien und Portugal, die Apenninhalbinsel mit Italien und die Balkanhalbinsel, zu der hauptsächlich Albanien und Griechenland gehören. Größte Inselgruppe sind die Britischen Inseln im Nordwesten.

Oberflächenformen. Skandinavien (Norwegen) wird von einem fast 2500 m hohen Gebirge durchzogen; auf den Britischen Inseln setzt es sich fort, erreicht dort aber nur noch 1343 m Höhe. Vom **Uralgebirge** aus erstreckt sich ein breites Tiefland keilförmig bis nach Nordfrankreich. Dann schließen sich südlich Mittelgebirge mit Beckenlandschaften an, die auch in England auftreten. Weiter nach Süden zu folgt ein Zug von Faltengebirgen, die bis über 4000 m aufragen. Er erstreckt sich vom Atlantischen Ozean bis nahe an das Schwarze Meer und besteht im westlichen Teil aus den **Pyrenäen,** im mittleren Teil aus den **Alpen** mit Ausläufern auf der Apennin- und Balkanhalbinsel; in Südosteuropa gehören die **Karpaten** und der **Balkan** zu diesem Gebirgssystem. Stellenweise liegen zwischen den Gebirgszügen große Tiefländer, z. B. die **Poebene**

Europa: Staatliche Gliederung (Stand 1992)

Land	Staatsform	km²	Einwohner in 1 000	Hauptstadt
Albanien	Republik	28 748	3 315	Tirana
Andorra	Fürstentum	453	47	Andorra la Vella
Belgien	Königreich	30 518	9 998	Brüssel
Bosnien und Herzegowina	Republik	51 129	4 366¹⁾	Sarajevo
Bulgarien	Republik	110 912	8 952	Sofia
Dänemark	Königreich	43 069	5 158	Kopenhagen
Deutschland	Republik	356 959	80 975	Berlin
Estland	Republik	45 215	1 582	Reval (Tallinn)
Finnland	Republik	338 145	5 008	Helsinki
Frankreich	Republik	543 965	57 182	Paris
Griechenland	Republik	131 957	10 182	Athen
Großbritannien und Nordirland	Königreich	244 110	57 649	London
Irland	Republik	70 283	3 486	Dublin
Island	Republik	103 000	260	Reykjavik
Italien	Republik	301 278	57 782	Rom
Jugoslawien²⁾	Republik	102 173¹⁾	10¹⁾	Belgrad
Kroatien	Republik	56 538	4 784¹⁾	Zagreb
Lettland	Republik	64 500	2 679	Riga
Liechtenstein	Fürstentum	160	28	Vaduz
Litauen	Republik	65 200	3 755	Wilna (Vilnius)
Luxemburg	Großherzogtum	2 586	378	Luxemburg
Makedonien	Republik	25 713	2 300	Skopje
Malta	Republik	316	359	Valletta
Moldawien	Republik	33 700	4 362	Chişinău
Monaco	Fürstentum	1,95	28	Monaco
Niederlande	Königreich	41 864	15 158	Amsterdam/ Den Haag
Norwegen	Königreich	323 895	4 288	Oslo
Österreich	Republik	83 853	7 776	Wien
Polen	Republik	312 683	38 417	Warschau
Portugal	Republik	92 389	9 866	Lissabon
Rumänien	Republik	237 500	23 327	Bukarest
Russland	Republik	17 075 400	149 003	Moskau
davon Europa		3 415 080		
San Marino	Republik	61	23	San Marino
Schweden	Königreich	449 964	8 652	Stockholm
Schweiz	Republik	41 293	6 813	Bern
Slowakische Rep.	Republik	49 035	5 296	Pressburg (Bratislava)
Slowenien	Republik	20 251	1 975¹⁾	Ljubljana
Spanien	Königreich	504 750	39 092	Madrid
Tschechische Rep.	Republik	78 864	10 311	Prag
Türkei (europ. Teil)	Republik	23 623	4 325	Ankara
Ukraine	Republik	603 700	52 158	Kiew
Ungarn	Republik	93 032	10 512	Budapest
Vatikanstadt		0,44	1	
Weißrussland	Republik	207 600	10 295	Minsk

Abhängige Gebiete		km²	Einwohner in 1 000	Hauptstadt
Dänemark:				
Färöer		1 399	47	Tórshavn
Großbritannien:				
Gibraltar		6,5	31	
Kanalinseln		194	143	Saint Hélier bzw. Saint Peter Port
Man		572	69	Port Douglas

¹⁾ Stand 1991; ²⁾ Serbien und Montenegro

Euro

\tab Europa: Städte (Einwohner in 1000)								
Stadt	Land	Stadt-gebiet	mit Vororten	Stadt	Land	Stadt-gebiet	mit Vororten
Athen	Griechenland	886	3030	Manchester	Großbritannien	447	
Barcelona	Spanien	1680		Marseille	Frankreich	808	
Belgrad	Jugoslawien	1560		Minsk	Weißrussland	1610	
Berlin	Bundesrepublik Deutschland	3470		Moskau	Russland	8800	
Birmingham	Großbritannien	993	2600	München	Bundesrepublik Deutschland	1230	
Budapest	Ungarn	2100		Neapel	Italien	1200	
Bukarest	Rumänien	2000		Newcastle upon Tyne	Großbritannien	192	
Charkow	Ukraine	1620		Odessa	Ukraine	1100	
Djnepropetrowsk	Ukraine	1190		Paris	Frankreich	2750	9000
Donezk	Ukraine	1120		Porto	Portugal	350	
Glasgow	Großbritannien	689		Prag	Tschech. Rep.	1210	
Hamburg	Bundesrepublik Deutschland	1670		Rom	Italien	2800	
Jekaterinburg	Russland	1350		Rotterdam	Niederlande	579	1050
Jerewan	Armenien	1200		Samara	Russland	1250	
Kiew	Ukraine	2640		Sankt Petersburg	Russland	4470	
Kopenhagen	Dänemark	618		Sheffield	Großbritannien	477	
Leeds	Großbritannien	712		Sofia	Bulgarien	1140	
Lissabon	Portugal	812		Stockholm	Schweden	675	1640
Liverpool	Großbritannien	463		Tiflis	Georgien	1260	
London	Großbritannien	6800		Turin	Italien	992	
Lyon	Frankreich	422		Warschau	Polen	1660	
Madrid	Spanien	3100		Wien	Österreich	1530	
Mailand	Italien	1430					

Euripides

in Italien, das **Ungarische Tiefland**. In Südeuropa kommen **Vulkane** vor (Vesuv, Ätna, Liparische Inseln mit Stromboli). Die Flüsse haben im Westen Europas eine stetige Wasserführung. Im Süden ist ihre Wasserführung während des Sommers gering, oft trocknen sie aus. Die größten Seengebiete liegen in Nordeuropa (Finnische Seenplatte); auch das Alpengebiet hat viele Seen, z. B. Bodensee, Genfer See, Gardasee.

Klima. Der größte Teil Europas liegt in der gemäßigten Zone. Ausnahmen sind lediglich der hohe Norden, der im Bereich des Polarklimas liegt, und der äußerste Südosten (das Gebiet an der unteren Wolga) mit Steppenklima. Im Westen Europas ist das Klima infolge der Nähe des Meeres mild und feucht. Verstärkt wird dies noch durch die warme Meeresströmung des Golfstroms. Der Süden ist im Sommer heiß und trocken, im Winter regenreich. In Nord- und Osteuropa nimmt mit wachsender Entfernung vom Meer der Gegensatz zwischen heißen, trockenen Sommern und kalten, schneereichen Wintern zu.

Pflanzenwuchs und Tierwelt sind bestimmt durch die Wärmezunahme von Norden nach Süden und den Übergang vom ozeanischen zum Kontinentalklima von Westen nach Osten. Im nördlichsten Teil Europas und im skandinavischen Hochgebirge und Island herrscht **Tundra** mit Moosen, Flechten und Zwergsträuchern vor. Dort leben **Polartiere** wie Ren, Schneehase, Polarfuchs. Südwärts schließt sich ein breiter, bis zu den Gebirgen Südeuropas reichender **Waldgürtel** an, im Norden vorwiegend Nadelwälder, in Mittel- und Westeuropa mehr Laub- und Mischwälder. Hier hat sich auch deren Tierwelt (Bär, Wolf, Fuchs, Marder, Hirsch, Reh, Singvögel, Eulen, Greifvögel) teilweise erhalten. In den Mittelmeerländern sind die immergrünen Eichen- und Kiefernwälder weitgehend verschwunden. An ihrer Stelle findet man den Buschwald des Mittelmeergebiets, die **Macchie.** Hier leben Tierarten, die Wärme und Trockenheit lieben (Schlangen, Eidechsen, Spinnen).

Bevölkerung. Europa ist der am dichtesten besiedelte Erdteil. Die Bevölkerungsverteilung ist allerdings sehr ungleich: Wenige Einwohner leben im hohen Norden und in den Steppengebieten im Südosten; sehr dicht besiedelt sind dagegen die großstädtischen Ballungsräume.

Die Wirtschaft Europas beruht zum großen Teil auf dem Reichtum an **Bodenschätzen** (Kohle, Eisenerz, Schwefel, Zink, Stein- und Kalisalz, Erdöl, Erdgas). Auch die **Landwirtschaft** spielt eine bedeutende Rolle. Russland, Finnland und Schweden liefern Holz. Das Klima Südeuropas gestattet den Anbau subtropischer Gewächse und Früchte. An fast allen Küsten und auf den Meeren wird Fischerei betrieben. Europa ist neben den USA der wichtigste Industrieraum der Erde. Die **Industrie** ist hoch entwickelt. Um das durch den Zweiten Weltkrieg veränderte Wirtschaftsgefüge zu normalisieren, beschlossen die europäischen Staaten wirtschaftlich zusammenzuarbeiten (→Europäische Union).

Euro

Geschichte. Die europäische Geschichte des Altertums hatte ihren Schwerpunkt im Mittelmeerraum, wo **Griechen** und **Römer** bedeutende Leistungen auf politischem und kulturellem Gebiet hervorbrachten (→griechische Geschichte, →römische Geschichte). In der Zeit der →Völkerwanderung verlagerte sich im Westen Europas der politische Schwerpunkt aus dem Mittelmeergebiet nach Norden. Während Osteuropa vom →Byzantinischen Reich geprägt wurde, stieg im Westen das →Fränkische Reich zur Vormacht auf. Seit seiner Teilung im 9. Jahrh. verlief die politische Entwicklung in den einzelnen Gebieten unterschiedlich, wenn auch das **römisch-deutsche Kaisertum** lange eine beherrschende Stellung einnahm. Im Mittelalter verkörperte die Kirche mit dem Papst an der Spitze die geistige Einheit des Abendlands. In der politischen und kulturellen Führung wechselten die europäischen Staaten einander ab. Kaiser Karl V. aus dem Haus Habsburg unternahm einen letzten Versuch Europa eine politische Einheit zu geben. Im Dreißigjährigen Krieg büßte Habsburg seine Vormachtstellung endgültig ein. Es bildete sich in der Folgezeit ein fester Kreis von **Großmächten** heraus (**Frankreich, Großbritannien, Preußen, Russland**). Nach außen kämpfte das christliche Europa lange gegen das Übergreifen des Islam in Spanien und in Südosteuropa (→Mauren, →Türkenkriege).

Schon mit den Entdeckungsfahrten des 15./16. Jahrh. setzte die **koloniale Eroberung** ein, die die Macht europäischer Staaten über fast die ganze Erde ausdehnte. England stieg zur europäischen Seemacht auf. Politisch und kulturell übernahm Europa für viele Jahrhunderte die Führung. Unter dem Einfluss der Aufklärung entfalteten sich die neuzeitlichen Naturwissenschaften. Die politischen Gedanken der Aufklärung setzten sich 1789 in der →Französischen Revolution durch. Damit waren die Voraussetzungen für die Entstehung **parlamentarisch-demokratischer Staatswesen** bis in die Gegenwart geschaffen.

Im 19. Jahrh. entstanden die **Nationalstaaten**, wie sie weitgehend noch heute bestehen. Der Nationalismus führte zu Gegensätzen in Europa. Zu den Großmächten zählten nun auch außereuropäische Staaten wie die Vereinigten Staaten und Japan. Die europäischen und weltpolitischen Gegensätze entluden sich in zwei →Weltkriegen. Nach 1945 traten an die Stelle der europäischen Großmächte die Weltmächte USA und Sowjetunion, die sich in Europa Einflussbereiche schufen. Die parlamentarischen Demokratien des westlichen Europa bemühen sich unterdessen, über eine wirtschaftliche Einheit zu einer politischen zu gelangen. Durch den Verfall des Ostblocks 1991 entstanden neue Nationalstaaten. (KARTE Band 2, Seite 199)

Europäische Freihandelsgemeinschaft, englisch **European Free Trade Association,** Abkürzung **EFTA,** 1960 gegründet, handelspolitischer Zusammenschluss mehrerer europäischer Staaten, dem Island, Liechtenstein, Norwegen und die Schweiz angehören. Die früheren Mitglieder Dänemark, Irland, Großbritan-

Eulen:
OBEN Schnee-Eule
UNTEN Uhu

Fluss	Länge in km	Einzugsgebiet in 1 000 km²	Einmündungsgewässer	Fluss	Länge in km	Einzugsgebiet in 1 000 km²	Einmündungsgewässer
Wolga	3 351	1 360	Kaspisches Meer	Duero	895	98	Atlantischer Ozean
Donau	2 850	817	Schwarzes Meer	Rhône	812	99	Mittelmeer
Dnjepr	2 200	504	Schwarzes Meer	Warthe	808	54	Oder
Don	1 870	442	Asowsches Meer	Seine	776	79	Kanal
Petschora	1 809	327	Nördliches Eismeer	Pripet	775	122	Dnjepr
Kama	1 805	507	Wolga	Maros	756	30	Theiß
Oka	1 500	245	Wolga	Drau	749	40	Donau
Belaja	1 430	142	Kama	Guadiana	744	68	Atlantischer Ozean
Dnjestr	1 352	72	Schwarzes Meer	Weser (mit Werra)	733[3]	46	Nordsee
Rhein	1 320	252	Nordsee	Götaälv/Klarälv	720	43	Kattegat
Elbe	1 165	144	Nordsee	Guadalquivir	657	57	Atlantischer Ozean
Wytschegda	1 130	121	Nördliche Dwina	Po	652	75	Adriatisches Meer
Tajo	1 120	80	Atlantischer Ozean	Glomma	598	42	Skagerrak
Donez	1 053	100	Don	Garonne[4]	575	85	Golf von Biskaya
Weichsel	1 047	194	Ostsee	Mosel	545	28	Rhein
Loire	1 020	121	Atlantischer Ozean	Main	524	27	Rhein
Theiß	977[1]	157	Donau	Inn	510	26	Donau
Pruth	967	27	Donau	Moldau	440	28	Elbe
Save	945	95	Donau	Etsch	410	12	Adriatisches Meer
Memel	937	98	Ostsee	Tiber	405	17	Tyrrhenisches Meer
Maas	925[2]	49	Nordsee	Shannon	370	12	Atlantischer Ozean
Ebro	910	84	Mittelmeer	Themse	346	16	Nordsee
Oder	910	119	Ostsee				

[1] Vor der Begradigung (Flussregelung) 1 429 km; [2] mit Mündung; [3] bis Bremerhaven; [4] ohne Gironde.

Euro

nien, Österreich, Portugal, Schweden und Spanien wurden Vollmitglieder der Europäischen Gemeinschaften.

Europäische Gemeinschaften, Abkürzung **EG,** Bezeichnung für die 1967 zusammengeschlossenen europäischen Gemeinschaften: **Europäische Gemeinschaft für Kohle und Stahl (EGKS;** 1951 als **Montanunion** gegründet), **Europäische Wirtschaftsgemeinschaft (EWG;** gegründet 1957) und **Europäische Atomgemeinschaft (EURATOM;** gegründet 1957). Seit dem Inkrafttreten des Maastrichter Vertrags wurde die Bezeichnung weitgehend durch die Bezeichnung Europäische Union ersetzt.

Europäisches Parlament, die Versammlung der →Europäischen Union (EU) mit Sitz in Luxemburg; während dort vor allem die Parlamentsverwaltung arbeitet, tagen die Abgeordneten in Straßburg. Je nach der Größe ihrer Einwohnerzahl entsenden die Mitgliedsländer der EU eine genau festgelegte Anzahl von Abgeordneten in dieses Parlament. Die Abgeordneten werden alle 5 Jahre von der Bevölkerung in den EU-Staaten direkt gewählt.

Europäische Union, Abkürzung **EU,** seit dem Inkrafttreten des Vertrags von Maastricht (1993) Bezeichnung für die Europäischen Gemeinschaften, in Verbindung mit einer Gemeinsamen Außen- und Sicherheitspolitik (GASP). Mitgliedsländer sind Belgien, Dänemark, Deutschland, Finnland, Frankreich, Griechenland, Großbritannien, Irland, Italien, Luxemburg, die Niederlande, Österreich, Schweden, Spanien und Portugal.

Ziel der Europäischen Union ist es, Industrie, Landwirtschaft und technisch-wissenschaftliche Forschung der einzelnen Mitgliedsländer zu verbinden und diese Staaten letztlich zu einer größeren wirtschaftlichen und politischen Einheit zusammenzuführen.

Über Zollunion, gemeinsamen Binnenmarkt, Schaffung eines Europäischen Währungssystems und die Europäische Politische Zusammenarbeit (EPZ) wird die politische Union angestrebt. Im Vertrag von Maastricht einigten sich die Mitgliedsstaaten auf einen Stufenplan zur Verwirklichung der Europäischen Wirtschafts- und Währungsunion. Am Ende dieses Stufenplans steht die Einführung einer gemeinsamen europäischen Währung (›Euro‹) frühestens zum 1. Januar 1999.

Beschlussfassendes Organ ist der **Ministerrat;** daneben besteht eine für alle Gemeinschaften zuständige, von einem Präsidenten geleitete **gemeinsame Kommission,** die dem Ministerrat Empfehlungen erteilen kann; sie besteht aus 13 Mitgliedern, die von den Regierungen der Mitgliedsländer ernannt werden. Das →Europäische Parlament, dem Abgeordnete aus allen Mitgliedsstaaten angehören, soll die Bevölkerung dieser Länder vertreten, besitzt jedoch bisher nur geringe Befugnisse mit gesetzgebendem Gewicht. Über die Einhaltung der Verträge wacht der **Europäische Gerichtshof.**

Europarat, Zusammenschluss europäischer Staaten mit Sitz in Straßburg, gegründet 1949. Dem Europarat gehören (1995) 38 europäische Staaten an. Ziel des Europarats ist es, die aus der gemeinsamen Geschichte der europäischen Staaten überlieferten Ideale zu fördern. In diesem Sinn wurde 1959 die **Europäische Menschenrechts-Konvention** unterzeichnet und der **Europäische Gerichtshof für Menschenrechte** errichtet. Organe des Europarats sind z. B. Generalsekretariat und Parlamentarische Versammlung.

Europium, Zeichen **Eu,** →chemische Elemente, ÜBERSICHT.

Eurydike, in der griechischen Sage die Frau des →Orpheus.

Euter, die 2–4 Milchdrüsen bei weiblichen Unpaarhufern sowie bei Kamelen und Wiederkäuern, die zu den Paarhufern gehören (→Huftiere).

Euthanasie, ursprünglich in der griechischen Antike der schöne, leichte Tod. Heute versteht man unter Euthanasie die Sterbehilfe für einen Menschen, z. B. durch eine tödlich wirkende Spritze, wenn er an einer Krankheit leidet, die qualvoll zum Tod führt **(aktive Sterbehilfe).** Diese Form der Euthanasie ist rechtlich nicht zulässig. Wenn ein Arzt bei einem tödlich Kranken lebensverlängernde Maßnahmen unterlässt, spricht man von **passiver Sterbehilfe.**

Während der nationalsozialistischen Herrschaft in Deutschland wurden 1939–41 über 100 000 Kinder und Erwachsene, die geistig behindert waren, getötet. Dieser als Euthanasieprogramm bezeichnete Massenmord an hilflosen Menschen wurde besonders auf Protest der Kirchen abgebrochen.

evangelische Kirchen, die christlichen Kirchen, die aus den Reformbestrebungen der Reformationszeit hervorgegangen sind. Man unterscheidet die auf Luther zurückgehenden →lutherischen Kirchen und die auf den reformerischen Gedanken von Calvin und Zwingli gründenden →reformierten Kirchen. Die →unierten Kirchen entstanden im 19. Jahrh. als Zusammen-

Europa:
Flagge der
Europäischen
Einigungsbewegung

Europarat:
Flagge des
Europarats

schluss beider. Zusammenfassend spricht man auch vom **Protestantismus.** In der Bundesrepublik Deutschland sind alle 3 Gruppierungen seit 1948 in dem Bund **Evangelische Kirche in Deutschland (EKD)** zusammengeschlossen.

Evangelium [griechisch ›gute Botschaft‹], die urchristliche Bezeichnung für die Botschaft, die Jesus Christus als den Sohn Gottes verkündet. Da in den ersten 4 Büchern des Neuen Testaments das Leben und die Lehre Jesu Christi aufgezeichnet sind, werden sie Evangelien genannt: das **Markusevangelium** (um 70 n. Chr. entstanden), das **Matthäusevangelium** (um 90 n. Chr.), das **Lukasevangelium** (um 90 n. Chr.) und das **Johannesevangelium** (um 100 n. Chr.). Neben diesen von der Kirche anerkannten und in die Bibel aufgenommenen Evangelien gibt es eine größere Zahl heute teils verloren gegangener oder bruchstückhaft erhaltener Evangelien **(apokryphe Evangelien).** Diese neigen zur legendenhaften Ausgestaltung des Lebens und Wirkens Jesu.

Everest, Mount Everest [maunt-], mit 8846 m der höchste Berg der Erde. Er liegt im östlichen Himalaya im Grenzbereich von Nepal und der Volksrepublik China (Hochland von Tibet) und ist teilweise vergletschert. Dem Neuseeländer **Edmund P. Hillary** gelang erstmals mit dem Sherpa **Shri Tenzing Norgay** 1953 die Besteigung des Gipfels. 1978 konnte der Südtiroler Reinhold Messner den Berg als Erster ohne Sauerstoffmaske ersteigen.

Evolution [lateinisch ›Entwicklung‹], Biologie: die Entwicklung aller Lebewesen (Pflanzen, Tiere, Mensch) im Lauf der Erdgeschichte. Lange Zeit ging man davon aus, dass die verschiedenen Tier- und Pflanzenarten sich nicht verändern. Bei der →Züchtung von Tieren oder Pflanzen beobachteten die Forscher jedoch Unterschiede zwischen den Nachkommen untereinander und ihren Eltern. Zudem ergab die Untersuchung von Fossilien, dass Tiere und Pflanzen sich im Lauf der Jahrtausende gewandelt hatten. Der Biologe **Charles Darwin** legte als Erster dar, dass die Arten nicht unveränderlich sind und stellte 1859 die bis heute gültige **darwinsche Evolutionstheorie** auf. Diese besagt, dass alle Lebewesen sich aus einfacher gebauten Vorfahren entwickelt haben und dass neue Arten durch Neukombination der →Gene, durch →Mutation und natürliche →Auslese (›Selektion‹) entstehen. Zur **Neukombination der Gene** kommt es bei der Befruchtung, da von beiden Elternteilen je die Hälfte der Erbfaktoren (Gene) an die Nachkommen weitergegeben wird. Dabei entscheidet der Zufall, welche Merkmale (z. B. die Farbe des Fells) auf die einzelnen Nachkommen vererbt werden. Einzelne Gene können durch **Mutation** ganz oder teilweise verändert werden; dies hat zur Folge, dass das entsprechende Merkmal sich ebenfalls verändert.

Mutationen und die immer wieder neuen Kombinationen von Genen führen dazu, dass nach vielen Generationen Nachkommen entstehen, die andere Erbanlagen haben und eine neue →Art bilden. Ein Beispiel dafür ist die Entwicklung von Affen und Menschen aus gemeinsamen Vorfahren. Welche der neuen Arten überleben können, hängt von der Anpassung an Umweltbedingungen ab und von ihrem Bestehen im Konkurrenzkampf mit anderen Lebewesen.

Ewiger Bund, Zusammenschluss der Schweizer Waldorte **Uri, Schwyz** und **Unterwalden** 1291. Sie wollten damit die Landesherrschaft der Habsburger abschütteln und im Rahmen des Reichs ein selbstständiges Gemeinwesen bilden. Aus dem Ewigen Bund entwickelte sich die schweizerische Eidgenossenschaft.

Exekutive [lateinisch ›Ausführung‹], in einem Staat mit →Gewaltenteilung der Teil der Staatsgewalt, der für die Ausführung staatlicher Anordnungen und Gesetze verantwortlich ist. Das sind in parlamentarischen Demokratien die Regierungen. Über die Gewaltenteilung vergleiche die grafischen Darstellungen bei den Stichwörtern Deutschland, Österreich, Schweiz.

Existenzialismus, philosophische Strömung der ersten Hälfte des 20. Jahrh., die in Frankreich hauptsächlich durch **Jean Paul Sartre** (*1905, †1980) und in Deutschland durch **Karl Jaspers** (*1883, †1969) und **Martin Heidegger** (*1889, †1976) Verbreitung fand. Obwohl die Unterschiede zwischen den Denkern beträchtlich sind, gibt es grundsätzlich eine Gemeinsamkeit in der Überzeugung, dass sich Philosophie und Religion überlebt hätten und das Leben keinen vorgegebenen Sinn habe. Sinnleere und Absurdität des Daseins sollen dem Menschen in Augenblicken der Angst, des Ekels und der Schuld aufgehen und ihn dazu bringen, mit sich und der Welt eine neue Erfahrung zu machen.

Exkommunikation, →Acht und Bann.

Exosphäre, die äußerste Schicht der →Atmosphäre.

Exponent, →Potenz, →Wurzel.

Export, Ausfuhr, Verkauf von Gütern und Dienstleistungen an das Ausland im Rahmen des →Außenhandels.

Expr

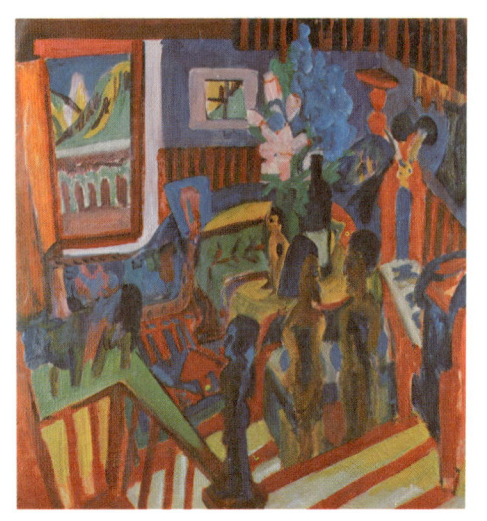

Expressionismus: Ernst Ludwig Kirchner, ›Atelierecke‹; 1922 (Berlin, National-Galerie)

Expressionismus, künstlerische Bewegung im frühen 20. Jahrh., vor allem in der deutschen **bildenden Kunst.** Die Expressionisten wollten nicht in erster Linie die äußere Wirklichkeit abbilden, sondern den elementaren Gefühlen und seelischen Empfindungen Ausdruck verleihen. Angeregt wurden sie dabei durch die noch wenig realistische Kunst des Mittelalters, die Kunst der Primitiven und die Volkskunst (z. B. afrikanische Plastik). Durch starke, manchmal grelle ungebrochene Farben auf großen Flächen und verzerrte, oftmals zerrissene Formen erzielten sie einen besonders intensiven Ausdruck. Zu den Vorläufern zählten die französischen Maler Paul Cézanne und Paul Gauguin, der Norweger Edvard Munch, der Niederländer Vincent van Gogh. In Deutschland bildeten sich 2 bedeutende Künstlergemeinschaften: Zur **Brücke,** gegründet 1905 in Dresden, gehörten unter anderen Erich Heckel, Ernst Ludwig Kirchner, Karl Schmidt-Rottluff und zeitweise Emil Nolde, zum **Blauen Reiter,** seit 1911 in München, Wassily Kandinsky, Alexei von Jawlensky, Franz Marc, August Macke. Österreichische Expressionisten sind Oskar Kokoschka und Egon Schiele. Im weiteren Umkreis des Expressionismus stehen noch Künstler wie Paula Modersohn-Becker, Max Beckmann (BILD Holzschnitt) sowie die Bildhauer Ernst Barlach und Wilhelm Lehmbruck. Dem Expressionismus verwandt ist auch der französische **Fauvismus,** eine Gruppe von Malern um Henri →Matisse (z. B. Georges Rouault und Maurice de Vlaminck).

Literatur. Etwa zur gleichen Zeit wie in der bildenden Kunst entwickelte sich der Expressionismus in der deutschen Literatur. Er äußerte sich in vielen literarischen Zeitschriften, z. B. in ›Der Sturm‹. Ziele waren das Sprengen der herkömmlichen Literaturformen und die gesellschaftliche Erneuerung. Kennzeichnend waren starkes Gefühlspathos und die Einführung neuer Gegenstandsbereiche (z. B. Großstadtlyrik). Als Lyriker traten hervor: Gottfried Benn, Georg Heym, Else Lasker-Schüler, Georg Trakl, Franz Werfel, als Erzähler: Alfred Döblin; als Dramatiker: Ernst Barlach, der junge Bert Brecht.

Eyck [aik]. Der niederländische Maler **Hubert van Eyck** (*um 1370, †1426) und sein schon zu Lebzeiten noch berühmterer Bruder **Jan van Eyck** (*um 1390, †1441) haben gemeinsam eines der Hauptwerke der niederländischen Kunst geschaffen: den **Genter Altar** (1432 vollendet). Nach der Inschrift hat Hubert den Altar begonnen, Jan ihn fertiggestellt. Der Altar, der in der Kirche Sankt Bavo in Gent aufgestellt ist, besteht aus 12 bemalten Eichentafeln. Zwar stehen die gemalten religiösen Szenen noch in der Tradition des Mittelalters, doch die Art der Darstellung erschien den Zeitgenossen als neu, vor allem die freie Anordnung der Personen auf der Bildfläche, die genaue Wiedergabe der stofflichen Oberfläche sowie aller Einzelheiten der Gesichtszüge und Hände, die realistisch gesehene, helle, weite Landschaft. Jan van Eyck hat noch weitere Altäre und Tafelbilder geschaffen. Seine Kunst, die die niederländische →Buchmalerei zum Vorbild hatte, war von großem Einfluss auf die Malerei des 15. Jahrhunderts.

Expressionismus: Ernst Barlach, ›Berserker‹; 1910 (Hamburg, Ernst-Barlach-Haus)

F, der sechste Buchstabe des Alphabets, ein Konsonant. F ist das chemische Zeichen für Fluor. In der Physik ist F Einheitenzeichen für →Farad, °F für →Grad Fahrenheit. In der Musik heißt der 4. Ton der C-Dur-Tonleiter F; f ist die Abkürzung für →forte. In der Grammatik ist f. die Abkürzung für Femininum (→Genus). Bei Zitaten steht f. für folgende (Seite), ff. für folgende (Seiten).

Fabel, lehrhafte Erzählung in Vers oder Prosa, in der Tiere, gelegentlich auch Pflanzen, menschliche Eigenarten verkörpern. Zu den frühesten überlieferten Fabeln gehören die **äsopischen Fabeln** (→Äsop). Der französische Fabeldichter →La Fontaine hat Fabeln in Versen geschrieben.

Als Fabel bezeichnet man auch das Handlungsgerüst, das einem erzählerischen Werk oder einem Drama zugrunde liegt.

Facettenauge, →Auge.

Fagott [aus italienisch fagotto ›Bündel‹], das größte Holzblasinstrument, der Bass in der Familie der →Oboen. Da die Schallröhre wegen ihrer Länge zu unhandlich wäre, hat man sie geteilt, nebeneinander gelegt und am Fuß durch den ›Stiefel‹ als Übergangsstück verbunden. Der eine Teil, der ›Flügel‹, ist kürzer. An ihm befindet sich das s-förmige Mundrohr mit dem →Rohrblatt. An der längeren Bassröhre ist oben das Schallstück befestigt.

Eine Oktave tiefer klingt das **Kontrafagott,** das doppelt so groß wie das Fagott ist und deshalb in 3 nebeneinander liegende Röhren aufgeteilt ist.

Der Klang des Fagotts ist weich, er mischt sich besonders gut mit dem der tiefen Streichinstrumente, aber auch mit Horn und Klarinette.

Fähe, →Fehe.

Fahrenheit, →Grad Fahrenheit.

Fahrerflucht, unerlaubtes Entfernen vom Unfallort. Wer an einem Verkehrsunfall beteiligt ist, hat die Pflicht, so lange am Unfallort zu bleiben, bis seine Personalien und die Art seiner Unfallbeteiligung festgestellt worden sind. Erst wenn nach einer den Umständen angemessenen und zumutbaren Wartezeit niemand erschienen ist, um diese Feststellungen zu treffen, darf er sich vom Unfallbeteiligte entfernen. Er muss sich dann unverzüglich bei der Polizei melden. Wer gegen diese Regeln verstößt, macht sich der Fahrerflucht strafbar.

Fahrlässigkeit. Der Umgang mit Personen oder Sachen, besonders mit gefährlichen oder komplizierten Gegenständen, etwa einem Auto oder einer Maschine, erfordert von jedem Menschen eine angemessene Sorgfalt. Wer diese Sorgfalt aus Leichtsinn oder Unachtsamkeit außer Acht lässt, handelt fahrlässig. Wenn fahrlässiges Handeln Schäden verursacht, entstehen unter Umständen Schadensersatzpflichten. Für manche Schäden ist nur dann Schadensersatz zu leisten, wenn sie auf **grobe Fahrlässigkeit** zurückzuführen sind, also auf eine schwere Verletzung der Sorgfaltspflicht.

Fahrrad, zweirädriges (auch dreirädriges) Fahrzeug, das mit Muskelkraft über einen Kettenantrieb (Tretkurbeln, Kettenrad, Kette und Zahnkranz) durch das Hinterrad angetrieben wird.

Fahrgeschwindigkeit und Kraftaufwand für die Kurbeldrehung hängen von der **Übersetzung** und der Fahrstrecke (Gefälle oder Steigung) ab. Das Übersetzungsverhältnis beträgt etwa 1:2 bis 1:4 und gibt an, dass bei einer Tretkurbeldrehung (Kettenrad) 2–4 Hinterradumdrehungen (Zahnkranz) stattfinden. Besitzt das Kettenrad 51 und der Zahnkranz 17 Zähne, so ist das Übersetzungsverhältnis 1:3, der Kraftaufwand ist hier größer als beim Verhältnis 1:2.

Sport- und Rennräder besitzen **Gangschaltungen** (3–10 Gänge), mit denen man die Übersetzung der Fahrstrecke entsprechend wählen kann. Die **Kettenschaltung** (BILD 1) hat verschieden große Zahnkränze und wird durch Umlegen der Kette geschaltet. **Nabenschaltungen** (BILD 1) bestehen aus einem Planetengetriebe, das Zahnräder verschiedener Größe zuschalten kann, die in der Hinterradnabe untergebracht sind.

Bei den ersten Fahrrädern war der Zahnkranz starr mit der Hinterradnabe verbunden, so drehten sich die Tretkurbeln immer mit. Dies hat man heute nur noch bei Sporträdern im Kunstfahren und beim →Radball, weil man mit diesen Rädern auch rückwärts fahren will. Das Bicycle-Motocross (BMX)-Rad ist ein für Geländefahrten ge-

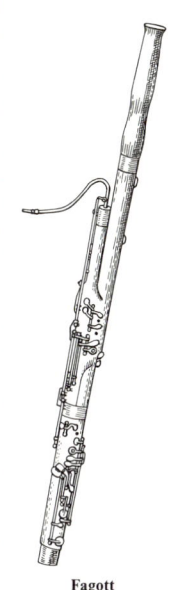

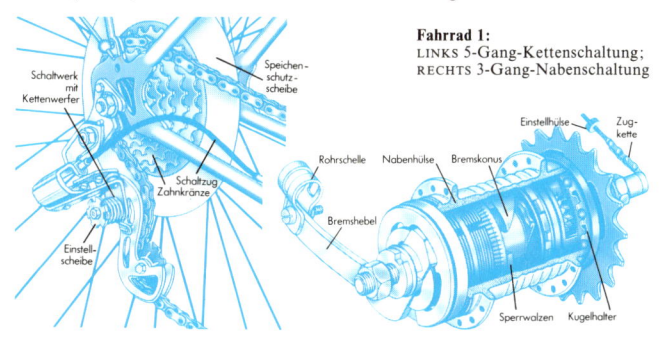

Fagott

Fahrrad 1:
LINKS 5-Gang-Kettenschaltung; RECHTS 3-Gang-Nabenschaltung

Fahr

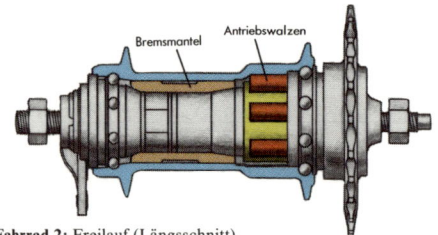

Fahrrad 2: Freilauf (Längsschnitt)

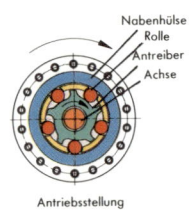

Fahrrad 2: Freilauf (Querschnitt)

bautes Sportgerät. Der **Freilauf** (BILD 2) ermöglicht das antriebslose Rollen des Fahrrades, wenn die Tretkurbeln ruhen, und ist meist mit der **Rücktrittbremse** kombiniert. Seine Funktion beruht beim Vorwärtsfahren darauf, dass Walzen gegen das Gehäuse der Naben gedrückt werden, diese mitnehmen und so das Hinterrad antreiben. Tritt man die Tretkurbeln rückwärts, werden im Innern der Nabe durch einen Kegel Bremsscheiben oder ein Bremszylinder gegen das Nabengehäuse gepresst und das Hinterrad wird abgebremst. Neben der Rücktrittsbremse gibt es eine Vorderradbremse (**Felgenbremse**), die mit der Hand an der Lenkstange betätigt wird. Die Verkehrsgesetze schreiben aus Sicherheitsgründen vor, dass jedes Fahrrad mit einem Scheinwerfer, roter Schlussleuchte, Pedalen und gelben Rückstrahlern sowie einer Klingel ausgerüstet ist. Außerdem muss es 2 voneinander unabhängig funktionierende Bremsen besitzen.

Geschichte. Das erste fahrradähnliche Fahrzeug wurde 1817 von dem Freiherrn **Karl von Drais** gebaut. Nach ihm nannte man dieses ›Laufrad‹, das noch keine Tretkurbeln besaß, auch **Draisine**. Erst 1867 baute der Franzose Ernest Michaux ein sogenanntes **Veloziped**, das Pedale am Vorderrad hatte. Um das Rad schneller zu machen, wurde das vordere Rad vergrößert. Es entstand das **Hochrad**. Die Anordnung der Pedale zwischen den Rädern mit einem Kettenantrieb zum Hinterrad wurde von dem Engländer H. J. Lawson 1879 entwickelt. 1888 erfand John Boyd Dunlop den Luftreifen und 1900 Ernst Sachs den Freilauf. Die Gangschaltung wurde 1902 von einer britischen Firma eingeführt.

Fährte, in der Jägersprache die Abdrücke der Hufe von jagdbaren Huftieren wie Rehen, Hirschen, Wildschweinen. Bei Hasen und Raubwild (z. B. Fuchs) wird die Fährte **Spur** genannt.

Fahrtenschreiber, in der Fachsprache **Fahrtschreiber,** Gerät, das aus einer Kombination von Uhr, Tachometer und Kilometerzähler besteht. Der Fahrtenschreiber zeichnet auf einer Papierscheibe gleichzeitig die gefahrene Geschwindigkeit und die Wegstrecke gegenüber der Zeit auf. Der Fahrtenschreiber ist in bestimmten Kraftfahrzeugen gesetzlich vorgeschrieben, z. B. in Lastkraftwagen, Omnibussen und Straßenbahnen. Bei Polizeikontrollen kann der Fahrtenschreiber, der Auskunft über die gefahrenen Geschwindigkeiten und Haltezeiten gibt, kontrolliert werden. Auch in Flugzeugen verwendet man ein ähnliches, dem andersartigen Zweck angepasstes Gerät, das **Flugschreiber** heißt.

Fakir [arabisch ›arm‹], ursprünglich ein Bettler muslimischen Glaubens (vergleichbar dem Derwisch). In Indien wurde Fakir die Bezeichnung für den asketisch, das heißt enthaltsam lebenden Hindu, der heimat- und besitzlos umherzieht. Unter den Fakiren befinden sich sowohl Mitglieder religiöser Orden, die sich durch Yogaübungen von der Bindung an die Sinnenwelt zu lösen suchen, als auch wandernde Gaukler, die angeblich schmerzunempfindlich sind und mit der Vorführung von Kunststücken (z. B. Liegen auf Nagelbrettern) ihre Zuschauer beeindrucken.

Faktor [lateinisch ›Macher‹], Mathematik: Glied eines Produkts; werden 2 Zahlen miteinander multipliziert, nennt man den 1. Faktor **Multiplikand,** den 2. Faktor **Multiplikator** (→Grundrechenarten). Allgemein nennt man auch Terme, die ein Produkt bilden, Faktoren.

Falange [falanche], frühere, 1933 gegründete spanische Staatspartei; diese gab sich 1934 ein

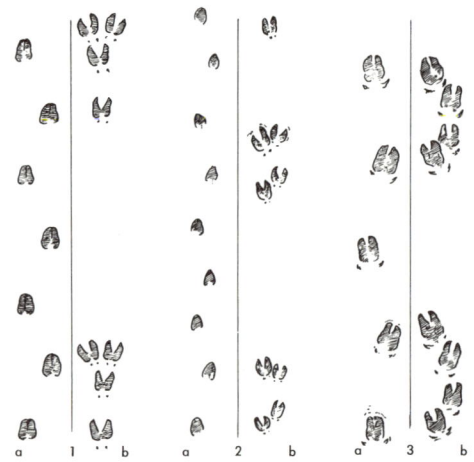

Fährte: 1 Hirsch; **2** Reh; **3** Wildschwein (**a** im Schritt, **b** im Galopp)

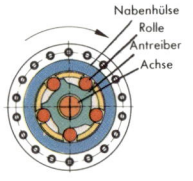

Programm, das vom Faschismus und Nationalsozialismus beeinflusst war. Seit 1937 war General **Francisco Franco** ihr Führer. Nach dem Sieg Francos im Spanischen Bürgerkrieg wurde sie 1939 in Spanien die allein zugelassene Partei. 1970 benannte sie sich in ›Movimiento Nacional‹ (deutsch: Nationale Bewegung) um.

Falken, kleine, schlanke →Greifvögel, die einen höckerartigen ›Falkenzahn‹ auf dem Schnabel tragen. Mit ihren spitzen Flügeln und dem langen Schwanz fliegen sie sehr schnell und gewandt; sie jagen im offenen Gelände und töten ihre Beute meist, indem sie die Halswirbel durchbeißen. Falken bauen keinen Horst, sondern legen ihre Eier in verlassene Vogelnester oder auf eine kahle Fläche.

Der oben schiefergraue, unten quer gestreifte **Wanderfalke,** der gern an steilen Felswänden lebt, ist in Deutschland selten geworden. Dieser fast krähengroße Falke jagt fliegende Vögel, auf die er aus dem Flug blitzschnell herabstößt (mit über 100 Kilometern pro Stunde). Der kleinere **Baumfalke** bewohnt hohe Bäume am Rand lichter Wälder; er jagt im Flug auch Schwalben und Libellen. Der am Rücken rotbraune, etwa taubengroße **Turmfalke** ist neben dem Mäusebussard heute in Deutschland der häufigste heimische Greifvogel. Er nistet auch mitten in Großstädten an alten Gemäuern oder unter Dachrändern hoher Gebäude (daher sein Name). Im Flug hält er oft inne und bleibt mit vibrierenden Flügelschlägen in der Luft stehen (er ›rüttelt‹), um seine Beute (Mäuse, Sperlinge, Insekten) zu belauern; er ergreift sie dann nur am Boden.

Seit dem Altertum wurden besonders Wanderfalken zur Jagd auf Vögel (Wachteln, Fasane, Rebhühner) und andere kleine Tiere (Hasen) abgerichtet.

Die **Falkenjagd (Beize)** war in Europa ein Vorrecht des Adels. Kaiser →Friedrich II. (*1194, †1250) schrieb ein Buch über die Falkenjagd.

Heute sehen die **Falkner** ihre Aufgabe mehr im Pflegen von verletzten Greifvögeln und in der Zucht.

Falklandinseln, Malvinen, Inselgruppe im Südatlantik. Die zu Großbritannien gehörenden Inseln liegen 500 km vor der Küste Patagoniens (Argentinien). Auf 12 170 km^2 – dies ist etwas weniger als die Fläche Schleswig-Holsteins – leben nur 1 800 meist britische Bewohner. Sie betreiben auf den recht kargen Inseln Schafzucht und Fischfang. Die Hauptstadt **Stanley** liegt auf der östlichen der beiden Hauptinseln. Seit 1833 sind die Inseln britisch, werden aber von Argentinien und Chile beansprucht. Argentinien besetzte deshalb im April 1982 die Inseln. In dem folgenden Falklandkrieg (April bis Juni 1982) wurden sie von Großbritannien zurückerobert. (KARTE Band 2, Seite 197)

Fallschirm, schirmförmiges Stoffgebilde, das den freien Fall durch die Luft so stark abbremst, dass man damit unbeschadet aus einem Flugzeug abspringen oder Lasten abwerfen kann. Im zusammengefalteten Zustand bildet der Fallschirm einen kissenförmigen Packsack, der mit Tragegurten umgeschnallt wird. Beim Absprung werden die Stoffbahnen des Fallschirms aus dem Packsack gezogen, beim **automatischen Fallschirm** durch eine mit dem Flugzeug verbundene Aufziehleine, beim **manuellen Fallschirm** durch einen vom Springer selbst entfalteten kleinen Hilfsschirm, der infolge seines Luftwiderstandes den Hauptschirm öffnet. Als halbkugelförmiger **Rundkappenschirm** oder als **Flügelschirm,** der eine rechteckige gewölbte Fläche bildet, verringert er die Fallgeschwindigkeit auf etwa 5 m/s. Da es einige Sekunden dauert, bis sich ein Fallschirm geöffnet hat, kann man nur aus einer bestimmten Mindesthöhe abspringen. Nach der Verwendung unterscheidet man Rettungsfallschirme, Sprungfallschirme für sportliche und militärische Zwecke sowie Lastenfallschirme. (BILDER Seite 290)

Fallschirmspringen, eine zum Flugsport zählende Sportart mit Geschicklichkeits- und Präzisionswettbewerben. Beim **Zielspringen** verlässt der Springer zwischen 800 und 1 500 m Höhe das Flugzeug und versucht, nach dem Öffnen des Fallschirms möglichst im Zentrum des Zielkreises zu landen. Beim **Stilspringen** wird aus 2 000 m Höhe abgesprungen. Im freien Fall muss der Springer vorgeschriebene Figuren (z. B. Vollkreise, Salto rückwärts) ausführen und danach den Schirm öffnen. Beim **Relativspringen** springen Vierergruppen aus 2 500 m und Achtermannschaften aus 3 500 m Höhe. Sie zeigen im freien Fall Figuren (z. B. Sterne) mit Drehungen, Trennen, Wiederzusammentreffen. Diese Figuren sind im Wettbewerbsprogramm festgelegt. Das **Kappenformationsspringen** wird mit Gleitfallschirmen durchgeführt. Dabei stehen die Springer auf der geöffneten Schirmkappe eines Mitspringers und bilden durch Steuern Kappenformationen.

Alle Fallschirme besitzen Schub- und Steuerschlitze in den Kappen, über die sie in seitlicher Richtung lenkbar sind. Im freien Fall können Springer bis zu 200 km/h erzielen.

Falken:
OBEN Turmfalke,
MITTE Baumfalke,
UNTEN Wanderfalke

Fall

Fallschirm:
Rundkappenschirm;
1 Hilfsschirm,
2 Schirmkappe,
3 Fangleinen,
4 Tragegurt

Fallschirm:
Flügelschirm oder
Rechteckgleiter

Farbe 1:
RECHTS Aufspaltung von weißem Licht;
UNTEN kontinuierliches Spektrum bei normaler Dispersion

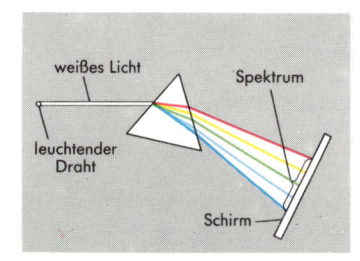

Fallwinde, abwärts gerichtete, großräumige Luftströmungen, die zum Teil große Geschwindigkeiten erreichen. Sie treten meist auf der vom Wind abgewandten Seite eines Gebirges auf und erwärmen sich beim Absteigen. Viele Fallwinde, z. B. der →Föhn, sind daher warm. Wenn die Luft in der Höhe jedoch sehr kalt war, so erreichen die Fallwinde trotz Erwärmung den Fuß des Gebirges immer noch relativ kühl. Ein solcher Fallwind ist die Bora.

Famili|engericht, seit 1877 Teil des Amtsgerichts, der sich ausschließlich mit Familiensachen befasst, also z. B. Ehescheidungen, Fragen der elterlichen Sorge, der ehelichen Unterhaltspflicht oder der Wohnung der Eheleute.

Farad [nach dem englischen Physiker und Chemiker Michael Faraday, *1791, †1867], Einheitenzeichen **F**, SI-Einheit der elektrischen Kapazität: $1\,F = 1\,C/V = 1\,s/\Omega$ (C = Coulomb, V = Volt, s = Sekunde, Ω = Ohm). 1 F ist ein sehr großer Kapazitätswert. Handelsübliche Kondensatoren weisen im Allgemeinen nicht über 10 mF (Millifarad) auf.

Faradaykäfig [färedi-]. Lädt man einen isoliert aufgestellten Metallbecher einmal von innen und einmal von außen auf, so ist in beiden Fällen der Innenraum ladungsfrei. Die gesamte Ladung befindet sich auf der äußeren Oberfläche des Bechers. Die auf die Innenwand des Bechers gebrachten Ladungen sind gleichnamig und stoßen sich auf dem leitenden Metall ab. Die Außenfläche des Bechers ist größer als die Innenfläche. Daher drängen die Ladungen nach außen, wo sie einen größeren Abstand voneinander einnehmen.

Auch die metallischen Außenwände von Flugzeugen und Autos verhalten sich wie solche **Faradaybecher.** Man ist vor →Blitzen geschützt, da die

Faradaykäfig

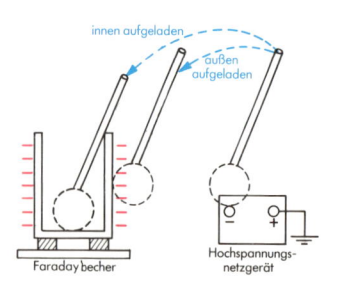

großen Ladungsmengen eines Blitzes nicht in das Innere eindringen können.

Dieser Effekt tritt auch dann auf, wenn die Hohlkörperoberfläche nur aus einem Metallnetz besteht. Dies zeigte bereits der englische Physiker **Michael Faraday** (*1791, †1867), der sich in einen Metallkäfig setzte, den Faradaykäfig, und auf ihn elektrische Funken aufschlagen ließ. Sogar bei der Berührung des Metalls von innen ging keine Ladung auf ihn über.

Empfindliche elektrische Messgeräte werden in geerdeten Faradaykäfigen betrieben. Ganze Räume können durch geerdete Gitter in Böden, Decken und Wänden abgeschirmt werden, um dort empfindliche Messungen durchzuführen.

Farbe ist der Eindruck, den Lichtwellen auf der Netzhaut des Auges hervorrufen. In der Umgangssprache wird das Wort oft fälschlich für die Lichtstrahlung selbst oder auch für die farbgebenden Stoffe, die **Farbmittel** (die in **Farbstoffe** und **Pigmente** unterteilt werden) verwendet. Man unterscheidet **bunte** (z. B. Blau, Grün, Gelb, Rot) und **unbunte Farben** (Schwarz, Weiß und ihre Mischungen, die Graureihe). Während die unbunten Farben durch ihre Helligkeit allein eindeutig beschrieben werden können, müssen zur Beschreibung einer bunten Farbe jeweils 3 voneinander unabhängige Merkmale angegeben werden, z. B. Farbton, Sättigung, Helligkeit.

Es kommt zur **Farbempfindung,** wenn sichtbare Strahlung (Lichtwellenlänge etwa 380–750 Nanometer) als **Farbreiz** im Auge auf die lichtempfindlichen Organe der Netzhaut trifft und diese erregt.

Farbzerlegung des Lichts (Dispersion). Lässt man weißes Licht auf ein Prisma fallen, so wird es durch die Brechung nicht nur in seinem ursprünglichen Weg abgelenkt, sondern in einzelne Farben, die **Spektralfarben,** zerlegt (BILD 1). Das lückenlose Farbband aus unendlich vielen Farben, das diese Spektralfarben z. B. auf einem Schirm bilden, bezeichnet man als **kontinuierliches** (zusammenhängendes) **Spektrum,** die aufeinander folgenden Farbbereiche Rot, Orange, Gelb, Grün, Blau und Violett als **Hauptfarben des Spektrums.** Unterschiedliche Spektralfarben werden beim Durchlaufen eines brechenden Stoffes verschieden stark gebrochen. Violettes Licht wird am stärksten, rotes am schwächsten gebrochen. Die Spektralfarben, die bei der Zerlegung von weißem Licht entstehen, ergeben wieder weißes Licht, wenn man sie z. B. durch eine Sammellinse zusammenfügt. Das Licht einer Spektralfarbe **(monochromatisches Licht)** kann nicht weiter zerlegt werden.

Die Farbzerlegung von weißem Sonnenlicht tritt in der Natur beim →Regenbogen auf.

Das kontinuierliche Spektrum (z. B. des Sonnenlichts oder einer Glühlampe) enthält jenseits des sichtbaren Bereichs noch für das Auge unsichtbare Strahlung, und zwar jenseits des roten Endes des Spektrums die **infrarote** und jenseits des violetten Endes die **ultraviolette Strahlung.**

Farben, die wie das weiße Licht aus mehreren Bestandteilen zusammengesetzt sind, nennt man **Mischfarben.** Blendet man aus dem Spektrum eine Spektralfarbe (z. B. Blau) aus, indem man z. B. einen Pappstreifen in das Spektrum hält, so entsteht nach der Vereinigung der übrig gebliebenen Spektralfarben eine Mischfarbe (in diesem Beispiel Gelb). Bei der Ausblendung von Rot ergibt sich als Mischfarbe Türkis-Grün, bei Orange erhält man Blau, bei Grün Purpur-Rot. Ausgeblendete Spektralfarbe und zugehörige Mischfarbe ergeben bei Vereinigung wieder weißes Licht. Solche Farbpaare, die sich zu weißem Licht ergänzen, nennt man **Ergänzungsfarben** oder **Komplementärfarben.**

Farben (z. B. Blau) können sowohl als Spektralfarben als auch als Mischfarben auftreten und im Auge den gleichen Lichteindruck erzeugen, sodass dieses nicht zwischen Spektral- und Mischfarbe unterscheiden kann.

In einem dunklen Raum kann man die Farbe eines Körpers nicht erkennen. Die Farbe wird erst sichtbar, wenn der Körper mit Licht bestrahlt wird. Je nach Art der Lichtquelle kann der Körper eine unterschiedliche Farbe zeigen. Die Farbe, die der Körper bei Beleuchtung mit weißem Licht zeigt, heißt seine **Körperfarbe.** Die Farbe eines Körpers kommt dadurch zustande, dass er von dem auffallenden Licht einen Teil der Spektralfarben absorbiert (aufnimmt) und der Rest im Auge eine Mischfarbe ergibt, und zwar bei einem durchsichtigen Körper der hindurchtretende Anteil, bei einem undurchsichtigen Körper der reflektierte Anteil.

Lichtfilter sind Körper, die einen Teil des Lichtes absorbieren, z. B. lässt ein Gelbfilter nur gelbes Licht hindurch, wobei bei **monochromatischen Lichtfiltern** nur die reine Spektralfarbe hindurchtritt, z. B. bei einem monochromatischen Gelbfilter die Spektralfarbe Gelb. Ein normales Gelbfilter dagegen schwächt nur die blauen und violetten Anteile des Spektrums; die hindurchtretende Strahlung ergibt die Mischfarbe Gelb. Legt man wie in der unteren Abbil-

Farbe 2: Farbmischung; OBEN additive Farbmischung, UNTEN subtraktive Farbmischung

Farbe 3: Vierfarbendruck (von links nach rechts); OBEN Gelbplatte, Blauplatte, Rotplatte; UNTEN Zusammendruck Gelb und Blau, Zusammendruck Gelb, Blau, Rot, Zusammendruck der drei Farbplatten mit der Schwarzplatte

Farb

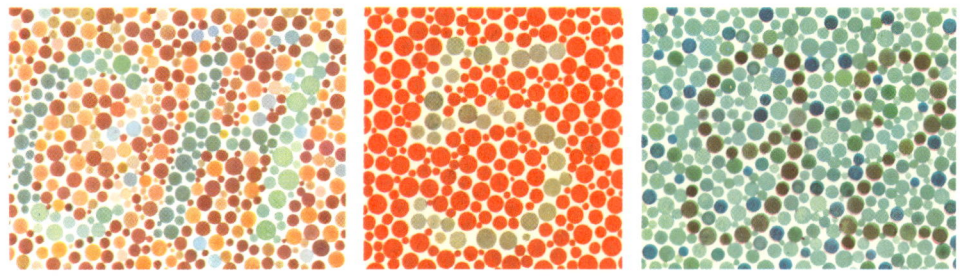

Farbenblindheit: Farbenfehlsichtigkeit; LINKS Normalsichtige erkennen in erster Linie die Farbunterschiede und lesen CH; Farbuntüchtige lesen nach den Helligkeitsunterschieden 31. MITTE die graue 5 wird bei Rot-Grün-Störung infolge der hierbei erhöhten Kontrastwirkung als grünlich angesehen. RECHTS bei Blau-Gelb-Störung ist die 92 nicht erkennbar (nach Stilling-Hertel)

dung von BILD 2 ein Gelbfilter, ein Purpurfilter und ein Blaugrünfilter übereinander, so gelangen z. B. an der Stelle, wo sich das Gelbfilter und das Blaugrünfilter überdecken, nur noch die grünen Lichtanteile durch beide Filter. Entsprechend bleiben in den anderen Gebieten, wo nur 2 Filter übereinander liegen, die im Bild dargestellten Restfarben übrig. Man spricht von **subtraktiver Farbmischung.** Diese tritt auch auf, wenn man z. B. blaue und gelbe Malerfarben zusammenmischt, weil nur noch diejenigen Anteile der Strahlung den farbigen Körper verlassen können, die von keinem seiner Bestandteile vollständig geschluckt werden; das sind hier die grünen Strahlen. An der Stelle im Bild, wo sich alle 3 Filter überlagern, herrscht Dunkelheit, weil überhaupt keine Strahlung durch alle 3 Filter hindurchgeht. Dagegen ergibt bei der **additiven Farbmischung** (obere Abbildung von BILD 2) die Überlagerung der 3 angegebenen Farben die Mischfarbe Weiß. Bei der additiven Farbmischung gelangen verschiedene Farbreize auf die gleiche Stelle der Netzhaut des Auges, z. B. durch Übereinanderprojizieren von verschiedenfarbigem Licht auf die gleiche Stelle einer weißen Wand oder dadurch, dass die Farben in sehr kurzen Abständen nacheinander abwechselnd vom Auge aufgenommen werden.

Die Tatsache, dass fast alle in der Natur vorkommenden Farben mithilfe von nur 3 Grundfarben nachgebildet werden können, hat große praktische Bedeutung beim **Farbdruck,** bei der

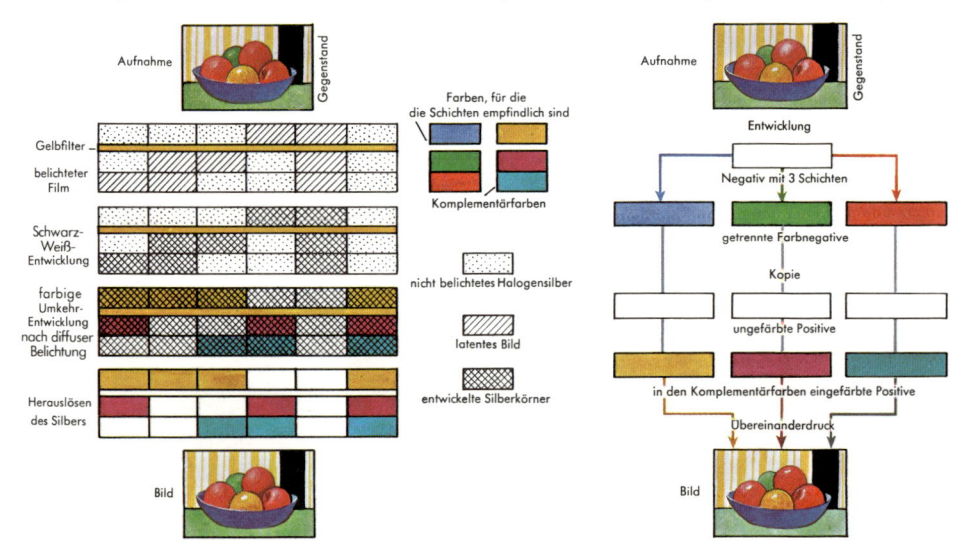

Farbfotografie: LINKS die schematische Darstellung des Agfacolor-Umkehrverfahrens (Aufnahme bis zum Bild); RECHTS Schema des Technicolorverfahrens

292

→Farbfotografie und beim **Farbfernsehen** (→Fernsehen). So verwendet man bei der Herstellung von farbigen Bildern meist den **Dreifarbendruck,** wobei häufig noch eine 4. Druckplatte, die Schwarzplatte, benutzt wird, die für eine Vertiefung der Schatten im Bild sorgt (**Vierfarbendruck** BILD 3).

Farbenblindheit, die Unfähigkeit Farben zu unterscheiden. Der Betroffene kann nur Helligkeitsabstufungen ähnlich einer Schwarzweiß-Fotografie wahrnehmen. Diese selten vorkommende totale Farbenblindheit ist meist angeboren und beruht auf einem völligen Funktionsausfall der farbtüchtigen Zapfen im Auge. Sehr viel häufiger ist die **Farbenfehlsichtigkeit,** bei der einzelne Farben (Rot, Grün oder Blau) nicht erkannt und mit anderen verwechselt werden. Auswirkungen hat diese Störung, die in der Bevölkerung recht häufig ist, im Straßenverkehr und bei der Berufswahl.

Farbfotografie, fotografisches Verfahren zur Herstellung von farbigen Bildern. Dabei werden 3 Aufnahmen von dem Motiv gemacht, und zwar je eine mit dem Blau-, Grün- und Rotanteil des reflektierten Lichts. Alle Farbtöne lassen sich bei der Wiedergabe mithilfe dieser 3 Grundfarben durch Farbmischung darstellen.

Das heute übliche Farbverfahren benutzt ein fotografisches Material aus 3 übereinander liegenden, je für eine Farbe empfindlich gemachten (sensibilisierten) Schwarzweißschichten mit unterschiedlichen Farbkupplern. Die oberste Schicht ist blau-, die mittlere grün-, die unterste rotempfindlich. Zwischen der blau- und der grünempfindlichen Schicht liegt eine dünne Gelbfilterschicht, die die restliche Blaustrahlung absorbiert. Zur Entwicklung dieser Dreischichtenfilme wird ein besonderer Farbentwickler verwendet. An den belichteten Stellen werden das Silberbromid zu Silber reduziert und gleichzeitig die Moleküle des Entwicklers oxidiert. Die Oxidationsprodukte des Entwicklers bilden ihrerseits mit den in den Schichten enthaltenen Farbkupplern Farbstoffe. Mit dem Schwarzweißbild entsteht so ein Farbbild, das zurückbleibt, wenn anschließend die Silberschwärzung durch Ausbleichen entfernt wird.

Beim Farbnegativverfahren erhält man ein Negativ in Komplementärfarben. Wenn man es auf Farbfilm oder Farbpapier kopiert, erhält man das farbrichtige Positiv. Beim Umkehrverfahren erhält man durch entsprechende Entwicklung ein Diapositiv in den richtigen Farben. Kopien davon können auf besonderem Papier im Positiv-Positiv-Verfahren hergestellt werden.

Farne haben meist große und mehrfach gegliederte (gefiederte) Blätter **(Wedel).** Die jungen Blätter sind schneckenförmig eingerollt und mit braunen Schuppen bedeckt. Sie wachsen aus einem Erdstamm. Farne haben keine Blüten. Sie weisen einen →Generationswechsel auf, wobei die ungeschlechtliche Vermehrung durch →Sporen geschieht, die sich an der Unterseite der Blätter oder an besonderen Blattabschnitten entwickeln. Im Herbst sterben die Farnwedel ab. Der Erdstamm überwintert und treibt im Frühjahr erneut aus.

Zu den Farnen, die in Deutschland vorkommen, gehört der **Wurmfarn,** der in Buchenwäldern, an schattigen Bachufern und Abhängen wächst. Der **Tüpfelfarn** siedelt gern zwischen Steinen und auf Baumstümpfen. Mauern und Felsen werden von **Streifenfarn** und von der **Mauerraute** bewohnt. **Adlerfarne** bilden große, mehrfach gefiederte Blätter und kommen in lichten Wäldern und an Bergabhängen auf kalkarmen Böden vor. Manche Farne sind so selten geworden, dass man sie unter Naturschutz stellen musste. Zu ihnen gehören der schöne **Königsfarn** und der **Rippenfarn.** Den Königsfarn findet man nur noch selten an abgelegenen Stellen der Hochmoore. Der Rippenfarn ist auf schattigen Waldwegen zu Hause.

Mit den Farnen verwandt sind die moosähnlichen →Bärlappe.

Färöer [dänisch ›Schafinseln‹], dänische Inselgruppe zwischen Schottland und Island. Die Gruppe besteht aus 24 vulkanischen Felseninseln, von denen 17 bewohnt sind. Die rund 48 000 Einwohner leben hauptsächlich vom Fischfang (Dorsch, Hering), daneben wird auf den baumlosen Inseln Schafzucht betrieben. Die Färöer wurden um 800 von norwegischen Wikingern besiedelt und kamen im 14. Jahrh. zu Dänemark.

Fasane, große →Hühnervögel mit auffallend langem Schwanz, die in Asien beheimatet sind. Bereits im Mittelalter wurde in Deutschland der **Jagdfasan** eingeführt, der als Wildvogel im dichten Gestrüpp in Wäldern, auf Feldern und an Gewässern lebt. Das farbenprächtige Männchen ist etwa so groß wie ein Haushuhn; das kleinere

Farne: Entwicklung des Wurmfarns. **1** Schleier von der Innenseite mit Sporenkapseln; **2** aufgesprungene Sporenkapsel; **3** Vorkeim von der Unterseite mit (a) weiblichen und (b) männlichen Geschlechtsorganen und (c) Wurzelhaaren; **4** weibliches Geschlechtsorgan mit befruchteter Eizelle; **5** männliches Geschlechtsorgan mit Spermatozoiden; **6** Vorkeim mit junger Pflanze; **7** Wurzelstock mit jungem und ausgewachsenem Blatt; **8** Blattfieder von der Unterseite mit Schleiern

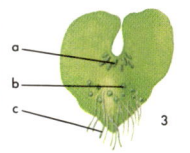

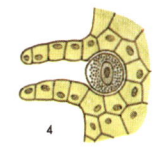

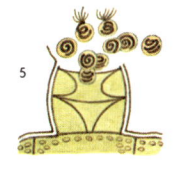

Fasch

Fasane: 1 Amherstfasan, 2 Blutfasan, 3 Königsfasan, 4 Goldfasan, 5 Glanzfasan, 6 Silberfasan, 7 Jagdfasan

Weibchen ist mit seinem graubraunen Gefieder beim Brüten in einer Bodenmulde gut getarnt. Fasane scharren nach Samen, Körnern, Insekten, Würmern, Blättern und Beeren. Bei Gefahr laufen sie eher in Deckung, statt aufzufliegen. Wegen ihres wohlschmeckenden Fleisches werden sie gejagt. In **Fasanerien** werden Fasane gezüchtet. Im Zoo ist häufig der farbenprächtige **Goldfasan** anzutreffen.

faschistisch [von italienisch fascio ›(Ruten)bündel‹, dem Kennzeichen der Bewegung], eine politische Haltung, die sich nach dem Ersten Weltkrieg zunächst in Italien, dann auch in anderen Ländern Europas entwickelte.

Faschistisch gesinnte politische Bewegungen und Parteien treten für einen Staat ein, der möglichst viele Lebensbereiche des Staatsbürgers kontrolliert und den ein Führer **diktatorisch regiert.** Die Faschisten bejahen die **Gewalt als Mittel der Politik** und vertreten die Eigeninteressen ihres Staates absolut, das heißt ohne Rücksicht auf die berechtigten Lebensinteressen anderer Völker.

Häufig werden auch verwandte politische Bewegungen oder Parteien ›faschistisch‹ genannt, die sich selbst nicht so bezeichneten (z. B. die Nationalsozialisten 1919–45 in Deutschland).

In der Zeit zwischen dem Ersten und Zweiten Weltkrieg gab es in vielen europäischen Ländern faschistische Parteien. 1919 gründete **Benito Mussolini** die ›Fasci di Combattimento‹ (deutsch: Kampfbünde), 1921 organisierte er seine Bewegung als Partei (›Partito Nazionale Fascista‹, deutsch: Nationale Faschistische Partei). Als italienischer Regierungschef (seit 1922) und ›Duce del Fascismo‹ (deutsch: Führer des Faschismus) schuf er in Italien eine diktatorische Herrschaftsordnung.

In Deutschland errichtete **Adolf Hitler,** gestützt auf die von ihm geführte nationalsozialistische Bewegung, seit 1933 ein gewalttätiges Regierungssystem (→Nationalsozialismus). Dies fand mit seinem bis zum Völkermord gesteigerten →Antisemitismus seine besonders grausame Ausprägung.

Auch in Belgien, Frankreich, Kroatien, Rumänien und Spanien gab es faschistische Bewegungen, die im Zweiten Weltkrieg (1939–45) mit dem nationalsozialistischen Deutschland und dem faschistischen Italien zusammenarbeiteten.

Nach dem Zweiten Weltkrieg weitete sich der Begriff ›faschistisch‹ stark aus und verlor an Eindeutigkeit. Er wird nun nicht allein für Verfechter rechtsradikaler Ziele gebraucht sondern im politischen Meinungskampf auch für die Gegner der liberal-parlamentarischen Demokratie oder des kommunistisch regierten Staates.

Faser, Biologie: fädiger Bestandteil oder Produkt pflanzlicher und tierischer Gewebe. **Tierische Fasern** sind sehr unterschiedlich aufgebaut. **Haare** (Wolle) sind Zusammenschlüsse abgestorbener Zellen; **Muskelfasern** entsprechen langgestreckten, vielkernigen Muskelzellen; **Nervenfasern** stellen Bündel von Nervenzellfortsätzen dar, während **Kollagenfasern** oder **Seide** Absonderungen von Zellen oder Drüsen sind. **Pflanzliche Fasern** können, wie die Baumwolle, sehr lange Einzelzellen sein oder aber Bündel aus spindelförmigen Zellen (z. B. Leinen). Sie dienen vor allem der Festigung der Pflanze.

Textile Gewebe (z. B. Kleiderstoffe), aber auch Filze, Teppichböden, Seile und Stricke sind ebenfalls aus Fasern aufgebaut. Diese können **Naturfasern** sein wie Haare, Wolle, Seide, Baumwolle, Leinen, aber auch Kunst- oder →Chemiefasern. Eine weitere Form der Faser ist die **mineralische**

Faser (z. B. Asbest), die aus langen Ketten gleicher anorganischer Moleküle besteht.

Fasten, der freiwillige Verzicht auf Nahrung für eine begrenzte Zeit aus gesundheitlichen oder religiösen Gründen. Um Folgekrankheiten bei fettleibigen Menschen (Bluthochdruck, Gelenkveränderungen) zu verhindern, versucht man, entweder durch **totales Fasten** (Nulldiät) oder durch **modifiziertes Fasten,** bei dem eine geringe Nahrungsaufnahme erlaubt ist, eine Verminderung des Gewichts zu erreichen. **Fastenkuren** (Tee- oder Saftfasten) dienen vorbeugend dazu, den Körper zu entlasten, zu entschlacken und die Abwehrkräfte zu stärken.

Die meisten Religionsgemeinschaften schreiben Fastenzeiten vor; z. B. dürfen die Muslime im Fastenmonat **Ramadan** von Sonnenaufgang bis Sonnenuntergang nichts essen. Die katholische Kirche kennt die 40-tägige **Fastenzeit** als Vorbereitung auf Ostern und **Fastentage** (alle Freitage) zur Erinnerung an die Kreuzigung Christi. Das Fasten soll der Besinnung dienen.

Fastnacht, ursprünglich die Nacht vor Aschermittwoch als Beginn der Fastenzeit vor Ostern, später die gesamte Zeit der Woche davor und danach. Schon im Mittelalter wurde die Fastnacht mit Festmahlzeiten, Vermummungen und Umzügen gefeiert. Die Fastnachtsbräuche sind vielfach Frühlingsbräuche aus vorchristlicher Zeit; daraus hat sich am Niederrhein und in den romanischen Ländern der **Karneval,** in Bayern der **Fasching** entwickelt. Die heutige Form der Karnevalssitzungen, Büttenreden, Maskenumzüge und die Wahl eines Prinzenpaares geht auf das 19. Jahrh. zurück.

Fata Morgana [italienisch ›Fee Morgana‹], →Luftspiegelung.

Fäulnis, die Zersetzung von organischen Stoffen mithilfe von →Bakterien, besonders die Zersetzung von Eiweißen ohne Einwirkung von Sauerstoff (unter Luftabschluss). Dabei entstehen oft übel riechende Stoffe, die auch giftig sein können (Leichengift). Tritt Sauerstoff hinzu, geht die Fäulnis in →Verwesung über. Die bakterielle Zersetzung von Kohlenhydraten unter Luftabschluss nennt man →Gärung.

Faultiere bewohnen tropische Urwälder in Mittel- und Südamerika. Sie hängen ständig mit dem Rücken nach unten in den Bäumen und hangeln sich mit ihren sichelförmig gebogenen Krallen nur träge vorwärts (daher ihr Name). Sie schlafen auch in dieser Haltung. Mit dem Maul, in dem sie nur wenige, sehr kleine und schmelzlose Zähne haben, zupfen sie Blätter und Früchte ab. Mit ihrem rauen, dichten Fell, in dem grünliche Algen wachsen und kleine Schmetterlinge leben, sind Faultiere im dichten Blättergewirr gut getarnt. Diese nur 60 cm langen Säugetiere mit kurzem Schwanz haben, soweit bekannt, keine feste Brunstzeit (→Brunst). Sie bringen nach einer Tragzeit von 5 Monaten und 20 Tagen immer nur ein Junges zur Welt, das, an den Bauch der Mutter geklammert, lange getragen wird.

Faun, altrömischer, Wälder und Berge bewohnender Naturgott, Schirmherr der Herden. Die entsprechende griechische Gottheit hieß **Pan.** Man stellte sich beide Götter in Bocksgestalt vor.

Fauna [nach Fauna, der Frau oder Schwester des Gottes Faun], alle Tiere, die in einem bestimmten Lebensraum heimisch sind. Man unterscheidet zwischen Land-, Süßwasser- und Meeresfauna oder nach Erdteilen, Ländern oder Landschaften, z. B. die Fauna Europas, die Fauna Frankreichs, die Alpenfauna.

Faust, durch Sage und zahlreiche dichterische Bearbeitungen bekannter Gelehrter, der seine Seele dem Teufel verschreibt, um mit dessen Hilfe Wissen und Macht über die Natur zu erlangen. Die literarische Figur des **Dr. Johann Faust** geht auf den deutschen Arzt und Zauberkünstler **Johannes** (oder **Georg**) **Faust** (*um 1480, †1536 oder kurz vor 1540) zurück, der seit 1506 mit Zauberkunststücken auftrat und Horoskope stellte. Er tauchte in vielen deutschen Städten auf, wurde aber fast überall nach kurzer Zeit ausgewiesen. Schon zu seinen Lebzeiten bildeten sich um seine Person Sagen. Berichte über Faust wurden mit älteren Zaubergeschichten in Verbindung gesetzt: Er habe Geisterbeschwörungen veranstaltet und sei schließlich vom Teufel geholt worden. Die so entstandene **Faustsage** erschien 1587 als ›Volksbuch vom Dr. Faust‹. Das schlimme Ende Fausts sollte vor Warnung vor unnützem Forschen und Spekulieren sein. Die erste Umwandlung des Stoffes in ein Drama nahm der Engländer **Christopher Marlowe** 1589 vor. Alle Neugestaltungen des Stoffes überragt die Faustdichtung von **Goethe** (I. Teil 1808, II. Teil 1832; erster Entwurf ›Urfaust‹, 1772–75), in der Faust als rastlos nach Selbstverwirklichung und absoluter Erkenntnis strebender Mensch dargestellt wird. Anders als in den frühen Neubearbeitungen verfällt Fausts Seele zum Schluss nicht dem Teufel, sondern wird von Engeln gerettet.

Faustball wird von 2 Mannschaften mit je 5 Spielern gespielt. Auf dem Spielfeld (50×20 m),

Faultiere: Zweifingerfaultier

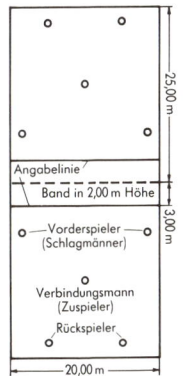

Faustball: Spielfeld

Faus

Fechten: Degen, a Degenspitzenknopf, b Glocke mit Pistolengriff

Fechten: LINKS Florett; RECHTS Säbel

Fechten: Fechtstellung

Fechten: Klingenlagen

Prim · Sekond · Terz · Quart · Sixt · Septim · Oktav

das durch eine in 2 m Höhe gespannte Leine in 2 Hälften geteilt wird, spielen sich die Mannschaften den Ball über die Leine zu. Der 320–380 g schwere, mit einer weichen Lederhülle umgebene Hohlball darf nur mit geschlossener Faust oder dem Unterarm geschlagen werden. Wird der Ball mehr als einmal von einem Spieler oder mehr als dreimal von Spielern der gleichen Mannschaft gespielt oder berührt der Ball mehr als einmal vor jedem Schlag den Boden, so zählt dies als Punkt für die gegnerische Mannschaft. Auch das Berühren der Leine durch den Ball oder einen Spieler gilt als Fehler. Gespielt wird 2×15 Minuten. Bei einem Unentschieden gibt es eine Verlängerung um 2×5 Minuten. Faustball wird in der Halle und im Freien gespielt. In der Halle werden 2 Gewinnsätze mit je 15 Punkten ausgetragen.

Faustkeil, meist aus Feuerstein gearbeitetes, gut in der Faust liegendes Gerät in verschiedenen Größen (etwa 15–20 cm lang) und Formen, das den Steinzeitmenschen als Werkzeug und Waffe diente.

Faustrecht, gesetz- und rechtloser Zustand, in dem das Recht des Stärkeren gilt, z. B. zur Zeit der Raubritter oder des ›Wilden Westens‹. Das geltende Notwehr- und Selbsthilferecht enthält noch Elemente des Faustrechts.

Fauvismus [fow-, von französisch fauves ›Wilde‹], dem →Expressionismus verwandte Stilrichtung der französischen Malerei zu Beginn des 20. Jahrh. (besonders Henri →Matisse).

Fayence [fajãs, französisch], weißglasierte, bemalte Tonware. Der Name leitet sich von der italienischen Stadt Faenza her, die im 15. Jahrh. Mittelpunkt der Fayenceherstellung war. Gleichbedeutend ist die italienische Bezeichnung **Majolika** nach der Insel Mallorca. Die Stücke werden aus einem gereinigten Tongemenge geformt, getrocknet, gebrannt und nach Erkalten in das Glasurbad getaucht. Der Ton saugt das Wasser auf und die weißliche Glasurmasse schmilzt in einem zweiten Brand zur Glasur; gleichzeitig sinken die vor dem Brennen aufgetragenen **Scharffeuerfar-**

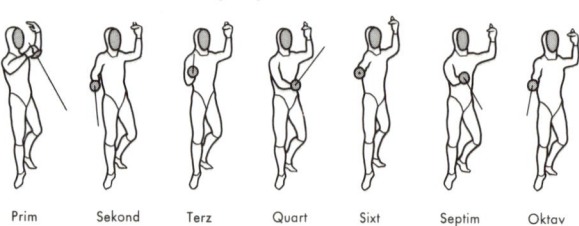

Fayence: Schale aus einer spanischen Manufaktur; Ende des 15. Jahrhunderts

ben ein. Diese heißen so, weil sie dank ihrer Zusammensetzung bei hohen Brenntemperaturen (›Scharffeuer‹) beständig bleiben. Die weniger hitzebeständigen **Muffelfarben** werden dagegen in einem schwachen dritten Brand (im ›Muffelofen‹, einem besonderen Brennofen) auf die fertig glasierten Stücke aufgebrannt. Fast aus allen Kunstepochen sind Fayencewaren (Gefäße, Fliesen, Reliefs) überliefert; gegen 1800 wurde die Fayence durch das englische Steingut verdrängt.

FBI [efbiai], Abkürzung für **F**ederal **B**ureau of **I**nvestigation, die Bundeskriminalpolizei der USA, die Verbrechen innerhalb der USA verfolgt, während die Polizei der einzelnen Bundesstaaten nur innerhalb der Grenzen des jeweiligen Bundesstaates einen Täter verfolgen darf.

FCKW, Abkürzung für →**F**luor**c**hlor**k**ohlen**w**asserstoffe.

FDP, Abkürzung für **F**reie **D**emokratische **P**artei (→liberal).

Fechten, sportlicher Zweikampf, der mit Hieb- und Stoßwaffen ausgetragen wird. Als Stoßwaffen gelten **Florett** und **Degen,** während der **Säbel** als Stoß- und Hiebwaffe verwendet wird. Damen fechten nur mit dem Florett und (seit 1985) dem Degen. Im Fechten werden Einzel- und Mannschaftswettbewerbe ausgetragen. Mannschaften bestehen aus 4 Fechtern, von denen jeder Angehörige einer Mannschaft gegen jeden Angehörigen der anderen Mannschaft kämpft. Im Gefecht gilt es, beim Gegner einen Treffer zu landen. Bei Florett und Degen sind dies Stoßtreffer; beim Säbel werden neben Stoßtreffern auch Hiebtreffer gewertet. Sieger ist, wer zuerst 5, 8 oder 10 Treffer erzielt hat. Ein Gefecht auf 5 Treffer dauert 6, auf 8 Treffer 8 und auf 10

Treffer 10 Minuten mit Verlängerung bei Treffergleichstand. Im Degenfechten des modernen Fünfkampfes zählt bereits der 1. Treffer als Sieg. Um Verletzungen zu vermeiden, werden wattierte Westen und Handschuhe getragen. Gesicht und Kopf sind durch eine Drahtmaske geschützt. Die Trefffläche beim Florettfechten ist der Oberkörper vom oberen Kragenrand bis zur Schenkelbeuge ohne Kopf und Arme; beim Säbel der Oberkörper einschließlich Kopf und Arme; beim Degen kann der ganze Körper getroffen werden. Treffer werden durch eine elektrische **Trefferanzeige** (Florett, Degen) angezeigt oder vom Obmann (Säbel) angesagt. Entwickelt hat sich der Fechtsport aus den Gefechtsübungen der Schwertkämpfer in früheren Zeiten. Zum olympischen Programm gehören Florett- und Säbelfechten seit 1896, das Degenfechten seit 1900 (Degen-Mannschaft seit 1908).

F̱ederball, →Badminton.

F̱edergewicht, →Gewichtsklassen.

F̱edern bilden das Kleid der Vögel. Sie bestehen aus einer hornigen Masse und gliedern sich in **Spule, Kiel** (oder **Schaft**) und **Fahne.** Die Deck- und Flaumfedern (**Daunen** oder **Dunen**) schützen den Vogelkörper vor Kälte und Nässe, Schwung- und Steuerfedern (auch **Konturfedern** genannt) an Flügeln und Schwanz dienen der Fortbewegung (→Flug). Bei manchen Vogelarten sind besonders geformte Kopf- oder Schwanzfedern ein Schmuck des Männchens. Federn, vor allem die flauschigen Daunen des Untergefieders von Gänsen und Enten, dienen als wärmende Füllung von Federbetten und Kissen. Bei jedem Rupfen einer Gans (etwa alle 7–8 Wochen) fallen 100 g Federn und 30–40 g Daunen an. Durch Zuspitzen und Spalten des Kiels großer Gänse- oder Schwanenfedern stellte man früher Schreibfedern her. – Vögel erneuern ihre Federn in bestimmten Abständen (→Mauser). BILD Seite 298.

F̱ehde, Privatkrieg, den im Mittelalter die Ritter führten, um ihre Ansprüche gegeneinander durchzusetzen.

F̱ede, F̱ähe, das Weibchen von Marder, Iltis, Wiesel, Fischotter, Dachs und Fuchs.

F̱ehlgeburt, lateinisch **Abort,** vorzeitige Beendigung der Schwangerschaft innerhalb der ersten 28 Schwangerschaftswochen, wobei entweder der Keimling frühzeitig abgestoßen (**Frühabort**) oder ein nicht lebensfähiges Kind geboren wird (**Spätabort**).

F̱ehmarn, zu Schleswig-Holstein gehörende Ostseeinsel, mit 158 km² zweitgrößte (nach Rügen) deutsche Insel. Sie ist von der holsteinischen Halbinsel Wagrien durch den 1 km breiten **Fehmarnsund** getrennt; seit 1963 wird diese Meerenge durch eine Straßen- und Eisenbahnbrücke überbrückt. Von Fehmarn aus führt eine Fährlinie über den 18 km breiten **Fehmarnbelt** zur dänischen Insel Lolland. Fehmarn hat somit große Bedeutung für den Verkehr zwischen Skandinavien und Mitteleuropa (**Vogelfluglinie**).

F̱eigenbäume wachsen vor allem in tropischen und subtropischen Ländern, besonders im Mittelmeerraum und Vorderen Orient. Ihre Früchte, die birnenförmigen, gelbgrünen bis violetten, sehr süßen **Feigen,** sind essbar. In Deutschland erhält man sie meist getrocknet. (BILD Seite 299)

F̱elchen, lachsartige, 20–70 cm lange Fische, die vor allem im Bodensee und in einigen Alpenseen vorkommen. Sie ernähren sich vorwiegend von kleinen Krebsen und sind gute Speisefische.

F̱eldberg, 1) mit 1493 m höchster Berg des Schwarzwalds. Auf dem kahlen Gipfel stehen weithin sichtbar eine Wetterstation sowie ein Aussichtsturm. Aufgrund seines Schneereichtums ist der Feldberg ein beliebtes Wintersportgebiet.
2) Großer und **Kleiner Feldberg,** mit 880 und 826 m höchste Gipfel des Taunus. Der Große Feldberg trägt einen Aussichtsturm, eine Wetter- und Erdbebenwarte, einen Fernmelde- und einen Fernsehturm. Auf dem Kleinen Feldberg befindet sich ein Observatorium.

F̱eldspat, wichtigstes gesteinsbildendes Mineral. Etwa 60% der Erdrinde baut sich aus Feldspaten auf. Sie sind meist gelblich bis rötlich oder farblos; je nach Beimengungen können sie jedoch auch in leuchtenden Farben schillern. Bei der Verwitterung entstehen Kaolin und Tonminerale. Feldspat wird in der Glas- und Porzellanherstellung und für Glasuren verwendet.

F̱eldstecher, Prismendoppelfernrohr mit 10- bis 20facher Vergrößerung (→Fernrohr).

Fellachen [von arabisch felaha ›pflügen‹], die Ackerbau treibende Landbevölkerung in Ägypten. Die Fellachen sind fast reine Nachkommen der alten Ägypter. Im Unterschied zu den Fellachen sind die →Beduinen Nomaden.

Felsenmeer, Blockmeer, Ansammlung vieler kantiger oder gerundeter Felsblöcke. Solche Blöcke entstehen durch Verwitterung von Gesteinen vulkanischen Ursprungs, indem entlang von Klüften, die das Gestein durchziehen, der

Fayence:
Stockelsdorfer Ofen; 1773

Faustkeil
aus dem Abbevillien (Altsteinzeit)

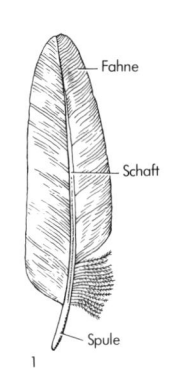

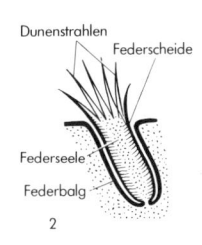

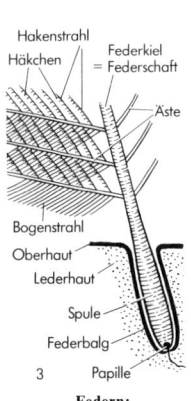

Feme

Gesteinsverband gelockert wird. Das verwitterte Material wird nach und nach aus den Klüften ausgewaschen. Die auf diese Weise freigelegten Gesteinsblöcke geraten oftmals ins Rutschen und sammeln sich in großer Zahl an den Hängen. Felsenmeere finden sich z.B. im Odenwald.

Feme [mittelhochdeutsch ›heimliches Gericht‹], im frühen Mittelalter entstandenes, ursprünglich allgemeines Gericht, das sich später vorwiegend mit Strafsachen befasste und oft als ›heimliches‹ oder ›stilles‹ Gericht tagte. Ein vor das Femegericht geladener Beschuldigter, der dort nicht erschien, wurde ›verfemt‹, das heißt, er verfiel der Acht und damit dem Tod. Heute versteht man unter ›Fememorden‹ von politischen Geheimbünden verübte Morde.

Femininum, weibliches →Genus.

Fenchel, Gemüse- und Gewürzpflanze, die aus den Mittelmeerländern stammt und seit dem Altertum auch bei uns heimisch ist. Aus den Früchten der doldenförmigen gelben Blüten wird ein ätherisches Öl gewonnen, das als **Fencheltee** oder **Fenchelhonig** besonders in der Kinderheilkunde gegen Blähungen und Husten verordnet wird. Die zart nach Anis schmeckenden Knollen werden als Gemüse gegessen.

Ferdinand II., der Katholische. Der Thronfolger des spanischen Königreichs Aragón, **Ferdinand** (*1452, †1516), heiratete 1469 **Isabella,** die Erbin von Kastilien-León. 1474 wurde er König von Kastilien-León, 1479 von Aragón. Die politische Einigung der Iberischen Halbinsel war damit eingeleitet. 1492 wurde das maurische (arabische) Granada erobert. Nun war nach jahrhundertelangen Kämpfen die ganze Halbinsel wieder unter christlicher Herrschaft. 1496 verlieh der Papst Ferdinand und Isabella den Ehrennamen ›Katholische Könige‹. Die Namen des Herrscherpaares sind jedoch auch mit der Inquisition, der Vertreibung der Juden und der Verfolgung der Mauren verbunden. Ferdinand und Isabella unterstützten **Kolumbus,** der auf mehreren Fahrten als Admiral Ferdinands und Isabellas Amerika erreichte und damit die Gründung des spanischen Kolonialreiches einleitete. Ferdinand war der Großvater Kaiser →Karls V.

Ferkel, die Jungen der Hausschweine (→Schweine).

Ferment [lateinisch ›Gärungsmittel‹], →Enzyme.

Fermium, Zeichen **Fm,** →chemische Elemente, ÜBERSICHT.

Fernrohr, Teleskop, optisches Gerät, das entfernte Gegenstände unter einem vergrößerten Sehwinkel zeigt, sie also scheinbar näher rückt. Dadurch lassen sich mehr Einzelheiten eines entfernten Gegenstandes erkennen als aus der gleichen Entfernung mit bloßem Auge. Um mit bloßem Auge genauso viel erkennen zu können, müsste man sich entsprechend näher auf den Gegenstand zu bewegen.

Ein besonderes Erlebnis ist die Beobachtung der Struktur der einzelnen Krater des Mondes mit einem **astronomischen Fernrohr.** Dieses wurde zuerst von Johannes Kepler (*1571, †1630) entworfen und nach seinen Angaben 1615 angefertigt. Ein astronomisches Fernrohr, auch **Kepler-Fernrohr** genannt, besteht aus 2 Sammellinsen. Die dem Objekt zugewandte Linse mit großer →Brennweite heißt →Objektiv. Sie erzeugt von dem entfernten Gegenstand in der Nähe ein verkleinertes, umgekehrtes und seitenvertauschtes Bild. Dieses Bild wird mit einer →Lupe, dem →Okular des Fernrohrs, betrachtet. Es ist zwar kleiner als der Gegenstand, man kann es aber jetzt aus geringerem Abstand betrachten. Der Gegenstand, den man beobachtet, wird durch das Objektiv sozusagen näher an das Auge herangeholt. Der Sehwinkel, unter dem man ihn erblickt, wird vergößert.

Die Vergrößerung, die mit dem Kepler-Fernrohr erzielt wird, kann man berechnen, indem man die Brennweite des Objektivs durch die Brennweite des Okulars dividiert. So erhält man eine 10fache Vergrößerung, wenn die Brennweite des Objektivs 50 cm und die des Okulars 5 cm beträgt (50 cm : 5 cm = 10). Da man in der Astronomie Sterne beobachten möchte, die viele Billionen Kilometer von der Erde entfernt sind, ist die Helligkeit des Bildes von großer Bedeutung. Sie ist um so größer, je größer der Durchmesser der Objektivlinse ist. Das größte Linsenfernrohr der Welt steht in den USA auf der Yerkes-Sternwarte in Chicago. Bei einer Brennweite von 19,4 m hat es einen Objektivdurchmesser von 1 m. Da der Bau von Linsen mit noch größeren Durchmessern technisch äußerst schwierig ist, verwendet man an deren Stelle gewölbte Spiegel als Objektive (→Spiegelteleskop).

Das **Galilei-Fernrohr** benutzt als Okular eine Zerstreuungslinse. Mit einem solchen Fernrohrtyp entdeckte Galileo Galilei (*1564, †1642) die Mondgebirge und die 4 großen Monde des Planeten Jupiter.

Für Beobachtungen auf der Erde bringt man die durch das Kepler-Fernrohr erzeugten umgekehrten und seitenvertauschten Bilder durch eine

---

Federn:
1 Konturfeder;
2 Dunenfeder;
3 Feinbau der Konturfeder

Fern

Umkehrlinse oder durch Prismen wieder in die natürliche Lage. Bei Verwendung einer Umkehrlinse wird das ohnehin schon lange Kepler-Fernrohr noch länger und unhandlicher. Beim **Prismenfernrohr** dagegen lenkt man das Licht im Fernrohr in 2 gleichschenkligen, rechtwinkligen, totalreflektierenden Prismen so um, dass es einen Teil seines Weges zurückläuft, wodurch man die Länge des Fernrohres verkürzen kann. Dreht man die beiden Prismen gegeneinander um 90°, so vertauscht das eine Prisma die Seiten zurück, das andere richtet das Bild auf. Ferner werden Prismenfernrohre als **Doppelfernrohre** für zweiäugiges Sehen gebaut **(Feldstecher).** Weil die Objektive weiter auseinander liegen als die Augen, erhält man besonders plastische Bilder. Auf jedem Feldstecher sind Vergrößerung und Objektivdurchmesser angegeben (z. B. bedeutet 8×30 eine achtfache Vergrößerung und einen Objektivdurchmesser von 30 mm). (BILDER Seite 300)

Fernschreiber, Gerät zur Eingabe, Übertragung und Ausgabe von Texten; die Art der Nachrichtenübermittlung wird als **Telegrafie** (griechisch ›Fernschreiben‹) bezeichnet. Fernschreiber arbeiten als Sender und Empfänger, die untereinander durch Kabel oder Funkverbindungen in Kontakt stehen. Über eine Schreibmaschinentastatur wird der Text eingegeben, wobei für jeden Buchstaben durch Drücken der entsprechenden Taste 5 kennzeichnende Stromimpulse ausgesendet werden (Fünferalphabet). Vom Empfängerteil werden die Impulse wieder in Buchstaben umgewandelt und auf Papier ausgedruckt. Wie Telefone haben auch Fernschreiber Selbstwähleinrichtungen, mit denen man die gewünschten Teilnehmer erreichen kann. Das Fernschreibnetz besteht aus Telefonleitungen, die jedoch vom Telefonverkehr getrennt sind. Es gibt Sondernetze für Behörden und das Militär, das Postverwaltungsnetz für die Übermittlung von Telegrammen sowie das Telexnetz, ein öffentliches Fernschreibnetz. (BILD Seite 300)

Fernsehen, Aufnahme, Übertragung und Wiedergabe bewegter Bilder und des zugehörigen Tons mit elektronischen Mitteln. Die Bilder werden von einer Fernsehkamera aufgenommen, in elektrische Signale umgewandelt, zu den Empfängern gesendet und dort in Bilder zurückverwandelt. Der Ton wird von einem Mikrofon in elektrische Signale umgeformt und mit den Bildsignalen übertragen. Transportmittel für die Signale sind elektrische Schwingungen mit hoher Frequenz (Trägerschwingungen). Sie werden vom Sendemast einer Fernsehstation ausgestrahlt, von Fernsehantennen aufgefangen und über eine Antennenleitung dem Fernsehgerät zugeführt. Fernsehprogramme können auch über Koaxialkabel mit Kupferleiter oder Lichtwellenleiter übertragen werden. Man spricht in diesem Fall von **Kabelfernsehen.** Kommunikationssatelliten mit synchronem Umlauf mit der Erdoberfläche ermöglichen das **Satellitenfernsehen.** Der Satellit erhält über seine Empfangsanlage von der Bodenstation die Programme. Über Verstärkungs- und Wiedergabeanlagen werden die Programme auf bestimmte Empfangsgebiete abgestrahlt, in denen sie mit einer Parabolantenne direkt empfangen werden können.

Da die Bilder beim Fernsehen nicht als Ganzes, sondern nur in Form einzelner Bildsignale übertragen werden können, ist es notwendig, das Bild in eine Vielzahl von einzelnen Punkten aufzuteilen. Diese Zerlegung findet in der Aufnahmeröhre der **Fernsehkamera** statt. Dort wird das Bild durch ein Objektiv auf eine photoelektrische Speicherplatte abgebildet. Dadurch entsteht auf dieser Platte ein ›elektrisches Bild‹; auf ihm entsprechen den unterschiedlichen Helligkeitswerten des Aufnahmegegenstands verschieden hohe elektrische Ladungen. Diese durch das Licht hervorgerufenen Ladungen werden von dem Elektronenstrahl der Aufnahmeröhre zeilenweise abgetastet und verändern dessen Stärke entsprechend. Es gibt auch einige Kameratypen (besonders Videokameras für den Hobbybereich), die nicht mehr mit Röhren, sondern mit lichtempfindlichen Halbleiterbauelementen ausgerüstet sind. In den Anfängen der Fernsehtechnik wurde zur Bildzerlegung die von dem deutschen Ingenieur Paul Nipkow erfundene, mit spiralförmig angeordneten Löchern versehene Nipkow-Scheibe verwendet.

Die Bildsignale, die der Elektronenstrahl aus der Fernsehkamera abgibt, steuern im **Fernsehempfänger** wiederum einen Elektronenstrahl, der von der Glühkathode der Bildröhre auf den Bildschirm trifft. Die Bildröhre beruht auf der von dem deutschen Physiker Karl Ferdinand Braun erfundenen Elektronenstrahlröhre **(braunsche Röhre).** Braun fand heraus, dass fluoreszierende Punkte aufleuchten, wenn sie von Elektronen getroffen werden. Der Elektronenstrahl in der Bildröhre wird durch Ablenkplatten so gesteuert, dass er mit der gleichen Geschwindigkeit wie der Abtaststrahl der Bildaufnahmeröhre zeilenweise über den Bildschirm geführt wird. Um für das menschliche Auge einen zusammenhängenden und bewegten Eindruck zu erwecken, werden in einer Sekunde 25 Bilder übertragen. Die Zeilen-

Feigenbäume:
OBEN Seitenast mit Früchten,
UNTEN Längsschnitt durch eine Frucht

Fenchel:
OBEN Blüten des Gartenfenchels,
UNTEN Gemüsefenchel

Fern

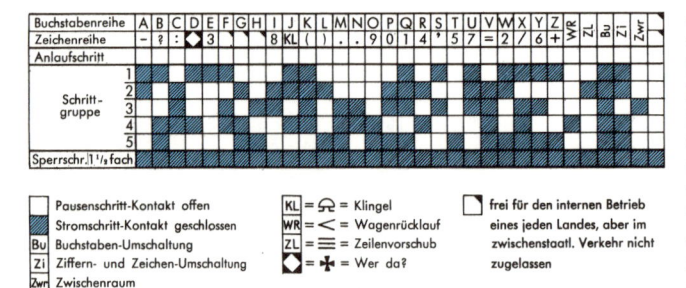

Fernschreiber:
Internationales Telegrafenalphabet Nummer 2 (Fünferalphabet)

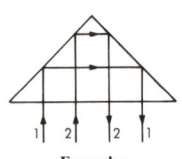

Fernrohr: Strahlengang mit Totalreflexion in einem gleichschenklig-rechtwinkligen Prisma

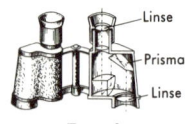

Fernrohr: Prismenfernrohr

zahl ist in den einzelnen Ländern verschieden; in der Bundesrepublik Deutschland ist das Fernsehbild aus 625 Zeilen aufgebaut.

Beim **Schwarzweißfernsehen** ist nur jeweils ein Elektronenstrahl zur Aufnahme und zur Wiedergabe eines Bildes erforderlich. Beim **Farbfernsehen** dagegen ist das Verfahren komplizierter. In der Fernsehkamera muss nicht nur Helligkeit, sondern auch Farbe in elektrische Signale umgewandelt werden. Durch Überlagerung der 3 Grundfarben (Spektralfarben) Rot, Blau und Grün können alle Farben erzeugt werden. Deshalb wird das farbige Bild zunächst durch Farbspiegel in 3 gesonderte Bilder aufgespalten, in ein rotes, ein blaues und ein grünes Bild. Eine Kamera für Farbaufnahmen hat meist 3 Aufnahmeröhren, sodass jede Röhre ein einfarbiges Bild erhält. Durch die 3 Elektronenstrahlen entstehen 3 Bildsignale. Eine besondere Signalverarbeitung macht es möglich, farbige Bilder in schwarzweiße Bilder zu übersetzen, sodass sie auch mit einem Schwarzweißgerät empfangen werden können.

Die Bildröhre eines Farbfernsehgeräts enthält 3 Elektronenstrahlsysteme, die von jeweils einem Farbsignal gesteuert werden. Durch den Einsatz der Schatten- oder Lochmaske ist es möglich geworden, gleichzeitig 3 Bilder in den 3 Grundfarben auf den Bildschirm zu bringen. Zu jedem Loch der Schattenmaske gehören 3 Leuchtstoffpunkte auf dem Bildschirm. Die 3 Elektronenstrahlen gehen nun gemeinsam durch die Löcher der Schattenmaske, wobei jeder Strahl so abgeleitet wird, dass er nur auf die Punkte seiner Farbe trifft und diese zum Aufleuchten bringt. Die 3 einfarbigen Teilbilder, die auf diese Weise gleichzeitig auf dem Bildschirm entstehen, ergeben für das menschliche Auge ein vielfarbiges Bild.

Es gibt 3 Farbfernsehsysteme, die sich in der Bildung und Übertragung des Farbtons und der Sättigung unterscheiden. Aus dem in den USA, Kanada und Japan verwendeten **NTSC-System** entstand das verbesserte **PAL-System,** das Farbfehler automatisch ausgleicht. Das PAL-System wird in Deutschland und vielen weiteren Staaten eingesetzt. Frankreich und die ehemaligen Ostblockstaaten benutzen das **SECAM-System.**

Dank der Entwicklung der letzten Jahre können Fernsehgeräte nicht nur für den Empfang von Programmen benutzt werden, sondern bieten noch viele andere Möglichkeiten. Man kann z. B. an das Fernsehgerät einen **Videorecorder** anschließen und damit Videokassetten mit Filmen abspielen oder Fernsehprogramme auf Kassetten aufnehmen. Mit einer Kamera und einem Videorecorder kann man selbst Filme drehen, die dann auf dem Fernsehgerät abgespielt werden. Mit einem Gerät für **Telespiele (Videospiele)** kann man den Bildschirm als Spielfeld benutzen. Es ist auch möglich, einen Computer an das Fernsehgerät anzuschließen und den Bildschirm als **Monitor** zu verwenden.

Fernsprecher, →Telefon.

Fernsteuerung, Beeinflussung räumlich entfernter Objekte durch Steuerinformationen

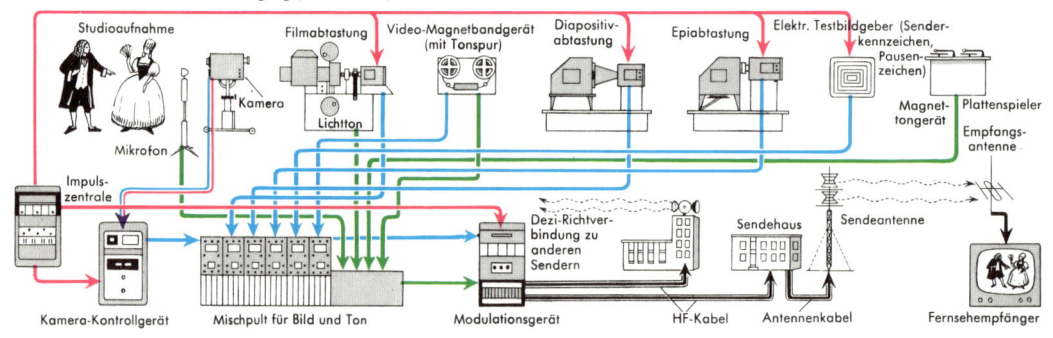

Fernsehen: Gesamtvorgang (schematisch)

Fern

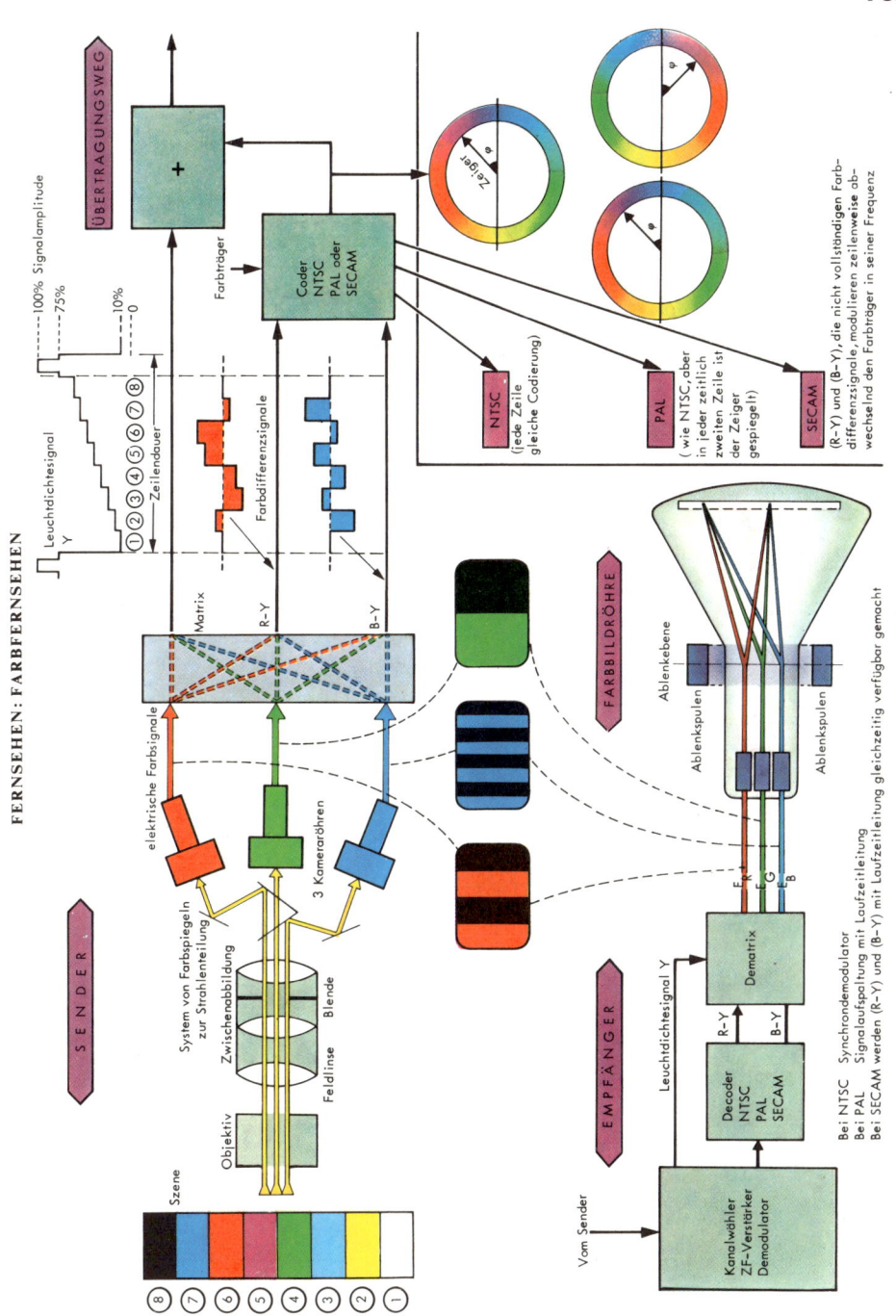

FERNSEHEN: FARBFERNSEHEN

ÜBERTRAGUNGSWEG

Signalamplitude — 100% / 75% / 10% / 0
Leuchtdichtesignal Y
① ② ③ ④ ⑤ ⑥ ⑦ ⑧
Zeilendauer

Farbträger

Coder NTSC PAL oder SECAM

Farbdifferenzsignale

Zeiger φ

NTSC (jede Zeile gleiche Codierung)

PAL (wie NTSC, aber in jeder zweiten Zeile ist der Zeiger gespiegelt)

SECAM (R−Y) und (B−Y), die nicht vollständigen Farbdifferenzsignale, modulieren zeilenweise abwechselnd den Farbträger in seiner Frequenz

Matrix
R−Y
B−Y

elektrische Farbsignale

3 Kameraröhren

SENDER

System von Farbspiegeln zur Strahlenteilung
Zwischenabbildung
Feldlinse
Blende
Objektiv

Szene

⑧ ⑦ ⑥ ⑤ ④ ③ ② ①

FARBBILDRÖHRE

Ablenkebene
Ablenkspulen
Ablenkspulen

E_R, E_G, E_B

Dematrix

Leuchtdichtesignal Y
R−Y
B−Y

Decoder NTSC PAL SECAM

Bei NTSC Synchrondemodulator
Bei PAL Signallaufspaltung mit Laufzeitleitung
Bei SECAM werden (R−Y) und (B−Y) mit Laufzeitleitung gleichzeitig verfügbar gemacht

EMPFÄNGER

Kanalwähler
ZF-Verstärker
Demodulator

Vom Sender

301

Fers

und Steuerbefehle, z. B. Steuerung von Ampelanlagen und des Zugverkehrs, Lenken (›Fernlenken‹) von unbemannten Land-, Wasser-, Luft- oder Raumfahrzeugen. Bei der **Fernüberwachung** werden Informationen über den Zustand eines fernen Objekts erfasst.

Ferse, Teil des →Fußes, der aus dem hinteren Fußwurzelknochen, dem **Fersenbein,** gebildet wird. An ihm ist die →Achillessehne befestigt.

Fès, Fez [fəs], 933 000 Einwohner, größte Stadt im nördlichen Marokko. Fès ist kulturelles, geistiges und religiöses Zentrum des Landes. Die alten Stadtviertel Fès el-Bali (791/792 gegründet) und Fès el-Djedid (1276 gegründet) gehören mit ihren zahlreichen Bauwerken, vor allem Moscheen, Medresen (islamische Hochschulen), Palästen und Toren, zu den schönsten Stadtbildern islamischer Architektur in Nordafrika.

Festkörper, Stoffe im festen →Aggregatzustand, die eine bestimmte Form und ein bestimmtes Volumen besitzen. Bei Einwirkung von äußeren Kräften setzen sie einer Form- oder Volumenänderung einen großen Widerstand entgegen.

Festnahme, die vorläufige Freiheitsentziehung. Polizei und Staatsanwaltschaft können (und müssen) denjenigen festnehmen, gegen den ein Haftbefehl (→Haft) erlassen wurde. Liegt noch kein Haftbefehl vor, sind aber dessen rechtliche Voraussetzungen erfüllt und besteht die Gefahr, dass sich der Beschuldigte vor Erlass des Haftbefehls der Festnahme (etwa durch Flucht) entziehen könnte, können ihn Polizei und Staatsanwaltschaft **vorläufig festnehmen.** Der zuständige Richter entscheidet dann, ob der Beschuldigte in Gewahrsam der →Justiz verbleibt. Er muss diese Entscheidung spätestens bis zum Ablauf des Tags fällen, der der Festnahme folgt (also nicht, wie oft irrtümlich angenommen, innerhalb von 24 Stunden). Wird der Beschuldigte vernommen, also befragt oder verhört, muss man ihm sagen, was ihm vorgeworfen wird. Er muss seine Personalien angeben, darf aber die Aussage verweigern. Bis zum Eintreffen der Polizei hat jedermann das Recht einen Beschuldigten vorläufig festzunehmen, wenn dieser auf frischer Tat ertappt oder verfolgt wird.

Fetisch, ein Gegenstand, dem außernatürliche oder magische Kräfte zugesprochen werden. Fetische werden bei manchen Naturvölkern, z. B. in Afrika, kultisch verehrt (›Fetischismus‹).

Fette, organische, wasserunlösliche Verbindungen, die stets leichter als Wasser sind. Chemisch sind sie →Ester des →Glyzerins mit 3 Fettsäuremolekülen. Ihr Brennwert ist mit 39 kJ/g Fett ungefähr doppelt so hoch wie von Eiweißen und →Kohlenhydraten (17 kJ/g). Fette sind die energiereichsten aller Nährstoffe. Deshalb sind sie bei Mensch, Tier und Pflanze wichtige Reservestoffe (Speicherfett). Außerdem sind sie wichtig für den Aufbau bestimmter Gewebe.

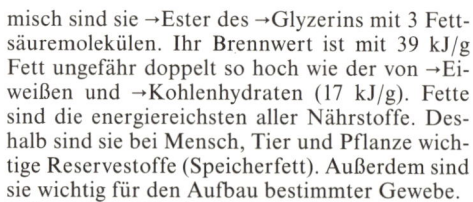

Nach ihrer Herkunft unterscheidet man zwischen **tierischen** und **pflanzlichen Fetten,** wobei Erstere sich durch einen mehr oder weniger geringen Gehalt an Cholesterin auszeichnen. Wichtige pflanzliche Fettträger sind Raps, Mohn, Oliven, Sojabohnen, Ölpalmen, Kokos- und Erdnüsse.

Fettkraut, eine →tierfangende Pflanze.

Fettsucht, lateinisch **Adipositas,** vermehrter Ansatz von Fett am ganzen Körper aufgrund übermäßiger Nahrungszufuhr. Selten findet man eine körperlich fassbare Ursache, häufig spielt eine erbliche Veranlagung eine Rolle. Man spricht von Fettsucht, wenn das Normalgewicht (Körpergröße in cm minus 100) um 15–20% überschritten ist. Fettsucht ist ein **Risikofaktor,** der zur Entstehung vieler Folgekrankheiten (Zuckerkrankheit, Bluthochdruck) beiträgt. Die Behandlung besteht in einer Einschränkung des Essens, wobei für einen langfristigen Erfolg auch die Gründe für das übermäßige Essen zu erforschen sind: Ersatz für entgangene Genüsse, Entschädigung für Schmerz, Verlust, Enttäuschung (›Kummerspeck‹).

Fetus, →Fötus.

Feudalismus [zu lateinisch fedum ›Lehen‹], die Gesellschaftsordnung in Westeuropa während des Mittelalters; ihre Grundlage war das →Lehnswesen.

Feuerland, Insel (47 000 km^2) und Inselgruppe (Feuerlandarchipel) an der Südspitze Südamerikas. Der westliche Teil der Inseln gehört zu Chile, der östliche zu Argentinien. Feuerland ist benannt nach den Indianerfeuern, die Fernão de Magalhães (→Magellan) 1520 nachts aufleuchten sah.

Feuerstein, Flint, blauschwarzes, graues oder gelbliches Gestein. Es besteht aus Kieselsäure, einer Sauerstoffsäure des Siliciums. Beim Festwerden von Ablagerungen zu Sedimentgestein werden eingebettete Kieselorganismen (z. B. Schwämme) aufgelöst und die Kieselsäure in Form von Platten oder Knollen verfestigt.

Feuerstein lässt sich leicht zu scharfkantigen Stücken zerschlagen. In der Steinzeit war er ein

Fetisch

wichtiger Handelsgegenstand. Man fertigte daraus und aus einigen ihm eng verwandten Gesteinsarten z. B. Faustkeile, Klingen, Äxte.

Fichte, in Mitteleuropa der forstwirtschaftlich bedeutendste Waldbaum. Das fast weiße, leichte Holz wird vor allem als Bauholz, im Möbelbau und in der Papierherstellung verwendet. Eine Fichte erreicht einen Stammumfang von 2 m und wird bis 50 m hoch und bis zu 600 Jahre alt. Durch ihre flachen Wurzeln fallen Fichten leicht Stürmen zum Opfer. Im Unterschied zur →Tanne hängen die Zapfen nach unten und fallen als Ganzes ab. Die Nadeln, die rundherum am Zweig stehen, sind vierkantig, hart und spitz.

Fichte. Der deutsche Philosoph des Idealismus **Johann Gottlieb Fichte** (*1762, †1814) wählte das tätige Ich zum Ausgangspunkt seines Denkens. Fichte hatte in Jena Theologie studiert und sich eingehend mit Kants Philosophie, die er zu überwinden suchte, beschäftigt. Seine Lehre, wonach der Mensch sein Schicksal selbst bestimmt, wollte Fichte auch auf das politische Leben angewendet wissen. Als öffentlicher Redner stellte er sich mutig gegen die Fremdherrschaft Napoleons I.

Fichtelgebirge, Mittelgebirge im Nordosten Bayerns mit Höhen über 1 000 m (Schneeberg 1 051 m). Die höheren Erhebungen, die aus Graniten und Gneisen bestehen, sind zu weit geschwungenen, bewaldeten Höhenzügen angeordnet, die ein flachwelliges Hochland umschließen.

Fidschi
Fläche: 18 274 km²
Einwohner: 739 000
Hauptstadt: Suva
Amtssprachen: Englisch, Fidschianisch
Nationalfeiertag: 10. 10.
Währung:
1 Fidschi-Dollar ($ F) = 100 Cents (c)
Zeitzone:
MEZ + 11 Stunden

Fidschi, Staat und Inselgruppe von 360 kleinen Inseln im südwestlichen Pazifischen Ozean, von denen etwa 100 bewohnt sind. Die Bevölkerung besteht aus den ursprünglichen Einwohnern (Fidschianern) und Indern, die von den Engländern als Plantagenarbeiter in das Land geholt wurden. Wichtigster Wirtschaftszweig ist die Landwirtschaft. In dem tropischen Klima gedeihen Zuckerrohr, Bananen und Kokospalmen. Zucker macht 2/3 der Ausfuhr aus. Im Bergbau werden Gold und Mangan gefördert. Die Fidschiinseln sind eine parlamentarische Republik. 1874 wurden sie britische Kolonie, 1970 erhielten sie die staatliche Unabhängigkeit. (KARTE Band 2, Seite 198)

Fieber, erhöhte Körpertemperatur als Anzeichen einer Erkrankung. Verursacher sind meist in den Körper eingedrungene Krankheitserreger oder deren Gifte, aber auch bösartige Geschwülste oder Entzündungen. Sie rufen eine Störung der Wärmeregulation in einem bestimmten Zentrum des Gehirns hervor. So ist das Fieber als eine Abwehrmaßnahme des Körpers zu verstehen und sollte nur bekämpft werden, wenn es zu hoch steigt und Herz und Kreislauf zu stark belastet werden. Wichtige Hinweise zur Diagnose der Erkrankung liefert die Verlaufskurve des Fiebers. Das Fieber wird meist von anderen Krankheitszeichen begleitet wie Beschleunigung der Atmung und des Pulses, Schüttelfrost und Appetitlosigkeit. Hohes und länger anhaltendes Fieber führt vor allem bei Säuglingen und Kleinkindern durch Schwitzen zu starkem Flüssigkeitsverlust, der Krankheitserscheinungen des Zentralnervensystems (Krämpfe, Benommenheit) zur Folge haben kann. Darum muss bei Fieber ausreichend Flüssigkeit zugeführt werden. Zur Behandlung des Fiebers sollten als erste Maßnahme kalte Wadenwickel dienen.

Die normale Körpertemperatur des Menschen liegt um 36,5 °C. Bis 38 °C spricht man von erhöhter Temperatur, darüber von mäßigem, ab 39 °C von hohem Fieber. Temperaturen von 42 °C und mehr sind lebensgefährlich. Das Fieber wird mit dem **Fieberthermometer** gemessen, entweder in der Achselhöhle, im After (rektal) oder im Mund unter der Zunge, wobei die beiden letzteren Möglichkeiten die Höhe des Fiebers genauer anzeigen.

Filiale [zu lateinisch filia ›Tochter‹], **Zweigniederlassung,** Wirtschaft: Betrieb, der wirtschaftlich und rechtlich von einer ›Muttergesellschaft‹ abhängig ist, aber räumlich von dieser getrennt besteht. So haben z. B. größere Lebensmittelunternehmen ein räumlich dicht besetztes Netz von **Filialbetrieben (Filialnetz).**

Filigran [zu lateinisch filum ›Faden‹ und granum ›Korn‹], Goldschmiedearbeiten aus feinem Gold-, Silber- oder Eisendraht, oft mit aufgelöteten Kügelchen (Granulation). Filigran wird entweder auf eine Metallunterlage gelötet oder bil-

Fichte: OBEN Zweig mit Fruchtzapfen, UNTEN Zweig mit männlichen Blütenständen (LINKS), weiblicher Blütenstand (RECHTS)

Film

Film, sowohl das unbelichtete Aufnahmematerial zum Fotografieren als auch das fertige Ergebnis, das man sich im Kino anschauen kann. Das Rohmaterial zum Fotografieren und Filmen ist ein Streifen aus durchsichtigem Kunststoff, der auf der einen Seite mit einem lichtempfindlichen Material beschichtet ist. Für **Schwarzweißfilme** reicht eine Schicht aus, bei **Farbfilmen** sind 3 Schichten für die Farben Blau, Grün und Rot erforderlich, aus denen durch Kombination alle anderen Farben entstehen. Erhält man nach dem Belichten und der →Filmentwicklung ein in seinen Grautönen oder seinen Farbwerten verkehrtes Bild, spricht man von einem **Negativfilm.** Das richtige Bild bekommt man erst, wenn man davon einen Papierabzug, der **Positiv** genannt wird, herstellt. Ein Film, der gleich ›richtige‹ Bilder liefert, heißt **Umkehrfilm.** Er wird z. B. für Diapositive verwendet, die mit einem Diaprojektor auf einer Leinwand abgebildet werden können.

det ein kunstvolles Geflecht in durchbrochener Arbeit. Die Technik war schon in frühester Zeit bekannt, z. B. Funde in Troja, um 2500 v. Chr.

Wenn man nicht nur einzelne Bilder, sondern eine bewegte Handlung aufnehmen möchte, setzt man eine **Filmkamera** ein. Diese fotografiert den Handlungsablauf in schneller Folge; bei den üblichen Kinofilmen sind das 24 Bilder in der Sekunde. Beim Abspielen des Films mit einem Filmprojektor (→Projektor) kann das Auge des Betrachters die einzelnen Bilder nicht mehr auseinander halten, es entsteht der Eindruck einer ununterbrochenen Bewegung. Zur Darstellung besonders schneller oder besonders langsamer Vorgänge verwendet man →Zeitdehner oder →Zeitraffer.

Der **Stummfilm** zeigt die Handlung nur im Bild, während der →Tonfilm gleichzeitig Bild, Sprache, Geräusche und Musik wiedergibt. **Breitwand-** und **Stereofilm (3D-Film)** vermitteln einen räumlichen Eindruck. Beim **Zeichentrickfilm** (→Trickfilm) wird eine Folge einzelner Zeichnungen fotografiert. Ein **Videofilm** wird mit einer elektronischen Videokamera (→Kamera) aufgenommen, elektromagnetisch auf Videoband aufgezeichnet und über einen Fernsehbildschirm wiedergegeben.

Zur Herstellung eines Films, z. B. eines **Spielfilms,** sind viele Arbeitsschritte notwendig. Zunächst entwirft der Filmautor eine kurze Darstellung der Filmhandlung, das **Exposé,** dann schreibt er, meist zusammen mit dem Regisseur, das **Drehbuch.** Dieses enthält genaue Angaben über die Szenerie, über die Worte und Bewegungen der Schauspieler, über Kameraeinstellung, Beleuchtung und Ton. Aufgabe des Regisseurs ist es, die Angaben des Drehbuchs zu verwirklichen. Das geschieht entweder im Freien oder in großen Aufnahmeräumen, den Ateliers, die mit allen technischen Hilfsmitteln, z. B. fahrbaren Kameras, Scheinwerfern, Mikrofonen ausgestattet sind. Die Filmszenen werden später vom Filmregisseur und dem Schnittmeister (Cutter) beurteilt und geordnet. Dabei werden überflüssige Stellen herausgeschnitten und die Bilder nach künstlerischen Gesichtspunkten zusammengefügt (Montage). Von der endgültigen Fassung erhalten die Verleihgesellschaften Kopien, die in den Kinos vorgeführt werden.

Geschichte. Vorläufer des Films waren fotografische Reihenaufnahmen laufender Tiere (1877/78). Ab 1882 wurden Bänder aus Folie mit gezeichneten Bildern verwendet. 13 Jahre später kamen brauchbare Aufnahme- und Wiedergabeapparate auf den Markt; die ersten öffentlichen Filmvorführungen fanden in Berlin und Paris statt. Zunächst war Musikbegleitung auf dem Klavier, durch Orchester oder Kinoorgel zu den Filmen üblich. Der Gedanke des Tonfilms entstand schon vor der Jahrhundertwende, aber erst

Film: künstlerische und technische Arbeiten bis zur Vorführung eines Spielfilms (schematisch)

1929 wurden in Deutschland hochwertige Tonfilme gezeigt, die nach dem Technicolorverfahren auch in Farbe gedreht werden konnten.

Das führende Filmland der Anfangsjahre mit Kriminalfilmen und Komödien war Frankreich; mit dem Beginn des Ersten Weltkriegs übernahmen die USA die Führung. Zu dieser Zeit erlebte auch der deutsche Film einen bedeutenden Aufschwung; große Regisseure des klassischen **Stummfilms** der 1920er-Jahre waren z. B. Fritz Lang, Ernst Lubitsch und Friedrich Murnau. Auf eine Zeit des filmischen Experimentierens, vor allem mit dem Ausdrucksmittel des Bildes, folgte zwischen 1930 und 1945 die Epoche des klassischen **Tonfilms**, der z. B. in Kriminalfilmen des Regisseurs Alfred Hitchcock, in Trickfilmen Walt Disneys, amerikanischen Western und Musicalfilmen künstlerische Bedeutung erlangte. Während die 1950er-Jahre filmisch z. B. durch Regisseure wie Federico Fellini, Luchino Visconti, Ingmar Bergman oder Jacques Tati geprägt wurden, übten die Regisseure der 1960er-Jahre in ihren Filmen häufig deutlichere und härtere Kritik an der Gesellschaft (z. B. Jean-Luc Godard, Alain Resnais). Zum **Jungen (Neuen) deutschen Film** zählen inhaltlich und formal sehr unterschiedliche Filme von Ulrich und Peter Schamoni, Volker Schlöndorff, Alexander Kluge, Werner Herzog sowie filmische Werke von Rainer Werner Fassbinder, Margarethe von Trotta und Wim Wenders.

Filmentwicklung, chemischer Vorgang, der bei einem belichteten →Film aus den noch unsichtbaren Bildern sichtbare macht. Die lichtempfindliche Schicht eines Films besteht aus feinen **Silbersalzkörnchen** (Silberbromid), die in einer Gelatineschicht eingebettet sind und fest auf dem Filmstreifen haften. Das durch den Fotoapparat auf den Film fallende Licht verändert das Silberbromid. Diesen Vorgang kann man jedoch nicht sehen. Sichtbar wird das Bild erst, wenn der Film mit einer Entwicklerflüssigkeit behandelt wird. An den vom Licht getroffenen Stellen verwandelt der Entwickler das Silberbromid in reines **Silber,** das bei der feinen Verteilung auf dem Film schwarz aussieht. Wenn der Entwicklungsvorgang abgeschlossen ist, wird der Film gewässert. Um die Bilder lichtbeständig zu machen, ist eine Fixierung mit →Fixiersalz notwendig. Dann wird der Film erneut gewässert und getrocknet. Auf diese Weise erhält man einen Schwarzweiß-Negativfilm, von dem Papierabzüge hergestellt werden können. Die Papierbilder werden genauso wie die Filme entwickelt. Die Behandlung von Farbfilmen erfolgt ähnlich, nur müssen hierbei 3 Schichten für die Farben Blau, Grün und Rot entwickelt werden.

Filter, 1) Vorrichtung, um Feststoffe, die mit Flüssigkeiten oder Gasen vermischt sind, von diesen zu trennen. Im einfachsten Fall besteht ein solcher Filter aus Papier (z. B. ein Kaffeefilter) oder Gewebe. Man bezeichnet den Trennvorgang als **Filtration** und die gereinigte Flüssigkeit als **Filtrat.** – Bei der Wasseraufbereitung z. B. werden Filter aus Sand, Kies und Aktivkohle verwendet, um die schädlichen Bestandteile zu entfernen. Abgase von Kohlekraftwerken werden ebenfalls durch Aktivkohlefilter gereinigt.

2) Elektrotechnik: elektrische Schaltung mit frequenzabhängigem Übertragungsverhalten. Filter bestehen im Prinzip aus einer Zusammenschaltung von Kondensatoren, Spulen und Widerständen. Sie dienen dazu, aus einem Frequenzgemisch einen bestimmten Frequenzbereich hervorzuheben und einen anderen zu unterdrücken, z. B. die Klangeinstellung (Höhen – Tiefen) am Verstärker eines Rundfunkgeräts.

3) Optik, Fotografie, Beleuchtungstechnik: →Lichtfilter, →Fotografie.

Finderlohn steht demjenigen zu, der gefundene Sachen dem Eigentümer oder dem Fundbüro übergibt. Der Finder kann 5% des Wertes der Sachen als Finderlohn beanspruchen, wenn sie einen Wert bis zu 1 000 DM besitzen. Ist die Sache mehr als 1 000 DM wert, stehen ihm vom Mehrwert 3% zu (Beispiel: Die Sache ist 2 000 DM wert, der Finderlohn beträgt 50 DM + 30 DM = 80 DM). Bei Tieren beläuft sich der Finderlohn generell auf 3% ihres Wertes. Der ehrliche Finder wird zum Eigentümer des Fundes, wenn der Berechtigte sich nach 6 Monaten nicht gemeldet hat.

Findlinge, große Gesteinsblöcke, die zur Eiszeit von Gletschern über weite Entfernungen transportiert wurden. Als die Gletscher abschmolzen, blieben die Blöcke liegen. Die Findlinge in Nord- und Mitteldeutschland, Polen und Russland stammen aus Skandinavien und Finnland, die des Alpenvorlands aus den Alpen.

Finger, die vorderen Abschnitte der Hand. Der Daumen besteht aus 2, die übrigen 4 Finger aus 3 Röhrenknochen. Auf diesen Knochen verlaufen auf der Handinnenseite die Sehnen der Beuge- und auf der Handrückenseite die Sehnen der Fingerstreckmuskeln.

Fingerabdruck. Auf der Handfläche eines jeden Menschen, besonders an der Fingerkuppe, zeigen sich Rillen und Linien in der Haut (Haut-

Stieglitz

Hänfling

Grünling

Kernbeißer

Buchfink

Finkenvögel

Fing

Finnland 
Staatswappen

Staatsflagge

Fischadler

leisten), die ein ganz bestimmtes Muster haben. Dieses erblich festgelegte Muster ist für jeden Menschen typisch und bleibt das ganze Leben unverändert. Wenn man die Fingerkuppe mit einem Stempelkissen schwärzt und anschließend auf ein Papier drückt, erhält man den Fingerabdruck. Von der Polizei werden die Fingerabdrücke gesammelt und genutzt, um einen Menschen wieder zu erkennen (zu identifizieren) oder als Täter zu überführen. Auch bei der Erforschung von Erbkrankheiten und zur Feststellung der Verwandtschaft (Vaterschaft) werden die Muster der Handleisten untersucht.

Als **genetischen Fingerabdruck** bezeichnet man das Muster, nach dem bestimmte Bausteine des menschlichen Erbgutes in der DNS (→Nucleinsäuren) hintereinander angeordnet sind. Es wird durch eine Sonde, die diese sich immer wiederholenden Anordnungen erkennt, aus Blut, Haaren, Gewebeteilen oder Körpersekreten gewonnen. Da dieses Muster für jede Person verschieden ist, kann es wie der ›normale‹ Fingerabdruck eingesetzt werden.

Fingerhut, Roter Fingerhut, eine 1–2 m hohe Pflanze, deren traubenförmiger Blütenstand rote, fingerhutförmige Blüten trägt. Die Frucht ist eine braune Kapsel, die Samen enthält. Der Fingerhut wächst in gebirgigen Landschaften. Er ist **sehr giftig.** Aus seinen Blättern wird das bei vielen Herzerkrankungen verwendete Heilmittel **Digitalis** gewonnen. Der seltenere **Gelbe Fingerhut** ist ebenfalls giftig. (BILD Heilpflanzen)

Fingertiere, eine Familie der →Halbaffen.

Finkenvögel, Finken, artenreiche Familie fast weltweit verbreiteter, kleiner Singvögel. Sie sind etwa so groß wie Sperlinge, haben meist einen gegabelten Schwanz und einen kurzen, starken und häufig kegelförmigen Schnabel, mit dem sie vor allem Körner und Samen aufpicken und knacken. Fast alle füttern ihre Jungen auch mit vorverdauten Insekten. In der Regel sind die Männchen bunter als die Weibchen. Ihre Nester bauen Finken offen in Sträuchern und Bäumen. Nach der Brutzeit scharen sie sich oft zu größeren Schwärmen zusammen. In Deutschland sind sie häufig Zugvögel. Zu den Finken gehören unter anderem →Buchfink, →Gimpel, →Grünfink, →Hänfling, →Kernbeißer, →Kreuzschnabel, →Sperlinge, →Stieglitz und →Zeisig. Auch die →Kanarienvögel, die vom →Girlitz abstammen, gehören zu den Finken. Den Finken verwandt sind die →Ammern. (BILD Seite 305)

Finne, ein Larvenstadium des →Bandwurms.

Finnland
Fläche: 338 145 km²
Einwohner: 5,008 Mio.
Hauptstadt: Helsinki
Amtssprachen: Finnisch, Schwedisch
Nationalfeiertag: 6. 12.
Währung: 1 Finnmark (Fmk) = 100 Penniä (p)
Zeitzone: MEZ + 1 Stunde

Finnland, Republik in Nordosteuropa, die größtenteils aus felsigem und hügeligem Flachland besteht. Besonders reich an Seen (etwa 55 000) ist der Süden des Landes. Der buchtenreichen Küste sind im Westen und Süden viele Inseln und Schären vorgelagert. Je weiter man nach Norden kommt, desto hügeliger wird das Land; die Zahl der Seen nimmt ab, aber es treten Sümpfe und Moore auf. Finnland ist das waldreichste Land Europas. Fast 2/3 der Landesfläche sind von Wäldern (zum großen Teil Nadelwald) bedeckt. Obwohl Finnland am Polarkreis liegt, herrscht dort durch den Einfluss des Meeres und des →Golfstroms ein verhältnismäßig mildes Klima.

Die Finnen leben zu fast 1/4 in den 5 Großstädten Helsinki, Tampere, Turku, Espoo und Vantaa, die fast alle an der Küste liegen, ebenso wie viele der Mittel- und Kleinstädte. Im Landesinnern herrschen weitgehend noch Einzelhöfe, Reihensiedlungen und kleine Dörfer vor.

Der größte Reichtum des Landes ist bis heute das Holz. So hat die Holz verarbeitende Industrie (Sägewerke, Papier- und Möbelfabriken) große Bedeutung, ebenso die auf eigenen Erzvorkommen aufbauende Metall- und Maschinenindustrie. Nur etwa 7,5 % der Gesamtfläche können landwirtschaftlich genutzt werden (Kartoffeln, Getreide).

Das Ende des 8. Jahrh. von Finnen besiedelte Gebiet wurde seit dem 12. Jahrh. von Schweden aus regiert und christianisiert. Seit dem 15. Jahrh. suchte Russland in Finnland Fuß zu fassen. Es gewann schließlich 1809 ganz Finnland, das bis 1917 ein russisches Großfürstentum war. Seit 1917 ist Finnland ein unabhängiger Staat. Nach dem Zweiten Weltkrieg geriet Finnland unter den Einfluß der Sowjetunion. Seit 1995 ist es Mitglied der Europäischen Union. (KARTE Band 2, Seite 206)

Firmament, →Himmel.

Firmung [von lateinisch firmare ›bestärken‹], in der katholischen Kirche ein →Sakrament, das der Festigung des Glaubens des Firmlings dient. Die Firmung wird in der Regel vom Bischof durch Handauflegen und Salben der Stirn mit geweihtem Öl (›Chrisam‹) sowie durch Gebet vollzogen. In den evangelischen Kirchen lebt der religiöse Grundgedanke der Firmung in der →Konfirmation weiter.

Firn. Wenn Schnee wiederholt auftaut und gefriert, verpappen die Schneekristalle zu millimetergroßen **Firnkörnern,** die allmählich weiterwachsen und die lufterfüllten Zwischenräume zum Verschwinden bringen. Es entsteht **Firneis,** das sich zu Gletschereis (→Gletscher) verdichtet.

Fischadler, ein Greifvogel, der seinen Namen deshalb trägt, weil er einem →Adler ähnlich sieht. Er ist kleiner als dieser, seine Unterseite ist dunkelbraun-weiß gefleckt. In Deutschland ist der Fischadler fast nur noch auf seinem Flug aus dem nördlichen Brutgebiet ins afrikanische Winterquartier zu beobachten. Er nistet auf hohen Bäumen in der Nähe fischreicher, einsamer Gewässer; Fische sind seine Hauptnahrung.

Fische, im Wasser lebende →Wirbeltiere, die zu den →Wechselwarmen gehören. Ihr Körper ist meist mit **Schuppen** bedeckt und dem Leben im Wasser angepasst. Fische besitzen gewöhnlich eine torpedoförmige Gestalt, die dem Wasser wenig Widerstand bietet. Sie sind daher gute Schwimmer. Fische der Bodenregion dagegen passen sich mit ihrem flachen Bauch oder gar platten Körper (Plattfische, Rochen) besser dem Grund an. Andere besitzen in Anpassung an ihre wühlende Lebensweise eine schlangenförmige Gestalt (Aal, Schlammbeißer). Sehr bizarre Formen haben Seepferdchen, einige Aquarienfische und manche in der →Tiefsee lebende Fische. Auch in der Färbung sind die Tiere oft ihrer Umwelt angeglichen. So können sie sich leichter vor ihren natürlichen Feinden verbergen oder unbe-

Fische, Meeresfische: **1** Hering, **2** Sprotte, **3** Sardelle, **4** Sardine, **5** Thunfisch, **6** Dorsch (Kabeljau), **7** Makrele, **8** Schellfisch, **9** Rotbarsch, **10** Drachenkopf, **11** roter Knurrhahn, **12** Hornhecht, **13** Großer Sandaal, **14** Heringskönig, **15** Heilbutt, **16** Mondfisch, **17** Scholle, **18** Seezunge, **19** Seeaal, **20** Geißbrasse, **21** Muräne

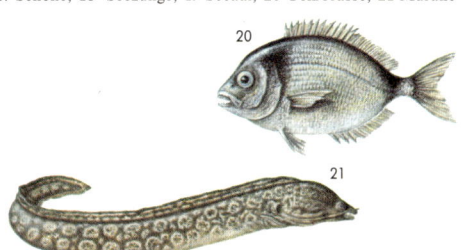

Fisch

merkt der Beute auflauern (Hecht, Plattfische). Zur Fortbewegung dient vor allem die mit kräftiger Muskulatur ausgerüstete Schwanzflosse. Brust- und Bauchflossen dienen zum Steuern und Bremsen. Rücken- und Schwanzflosse helfen, das Gleichgewicht zu erhalten.

Fische atmen durch →Kiemen, die auf beiden Seiten hinter der Mundhöhle sitzen. Manche Fische besitzen besondere Organe, um zeitweise auch außerhalb des Wassers leben zu können, z. B. haben die Labyrinthfische ein zusätzliches Atemorgan (Labyrinth), mit dem sie auch an der Luft atmen können. Viele Fische haben zwischen Schlund und Magen eine gasgefüllte **Schwimmblase,** deren Gasgehalt durch Abgabe von Gas (Stickstoff oder Sauerstoffgemische) an das Blut oder nach außen geändert werden kann. So wird das spezifische Gewicht des Fisches verringert oder erhöht und dadurch der Druckunterschied ausgeglichen, der beim Schwimmen vom flachen ins tiefe Wasser und umgekehrt entsteht. Daher ist es diesen Fischen möglich, ohne Kraftaufwand in einer bestimmten Wasserschicht zu schweben. Fische, denen die Schwimmblase fehlt, wie die Haie, die rasch die verschiedensten Wasserregionen durchschwimmen, müssen ständig in Bewegung sein oder es sind Bodenfische.

Der Geruchssinn der Fische liegt in 2 Nasengruben, die mit einer Riechschleimhaut ausgekleidet sind. Der Geschmackssinn ist vor allem in der Mundhöhle und an Lippen und →Barteln lokalisiert. Zum Geschmacksorgan gehören aber auch über den ganzen Körper verstreute ›Endknospen‹ (örtlich begrenzte Ansammlungen von Sinneszellen). Außerdem besitzen Fische ein **Seitenlinienorgan,** das meist an den Körperseiten unter einer punktförmig durchbrochenen Schuppenreihe liegt. Es besteht aus schleimgefüllten Kanälen, die durch zahlreiche Öffnungen mit

Fische, Süßwasserfische: 1 Regenbogenforelle, **2** Bachforelle, **3** Lachs, **4** Bachsaibling, **5** Äsche, **6** Plötze, Rotauge, **7** Schleie, **8** Rotfeder, **9** Spiegelkarpfen, **10** Wels, **11** Gründling, **12** Schlammpeitzger, **13** Quappe, Rutte, **14** Zander, **15** Bitterling, **16** Dreistachliger Stichling, **17** Aal, **18** Flussbarsch, **19** Elritze, **20** Hecht, **21** Stör

Fisch

dem umgebenden Wasser in Verbindung stehen. Wasserbewegungen oder Wassererschütterungen bewirken Verschiebungen des Schleimes, wodurch ein Reiz auf Nervenendigungen ausgeübt wird. Auf diese Weise ist es den Fischen möglich, nicht nur Wasserströmungen und Druckwellen wahrzunehmen, sondern sie spüren damit sogar Gegenstände auf, ohne sie zu berühren. So können sie auch im Dunkeln z. B. Steine und das Ufer meiden und lebende Beute orten.

Die schmalen, oft spitz zulaufenden Knochen, wie sie die meisten Fische (**Knochenfische**) haben, heißen **Gräten**. Einige Fische (z. B. Haie und Rochen) haben statt dessen Knorpel (**Knorpelfische**).

Die **Fortpflanzung** der Fische geschieht im Allgemeinen durch Eier, es gibt aber auch lebend gebärende Fische. Die Befruchtung vollzieht sich außerhalb des Körpers. Das Weibchen legt eine große Anzahl Eier (einige Dutzend, bis zu Hunderttausenden, auch Millionen), den **Rogen** oder **Laich**, ins Wasser ab und das Männchen lässt seinen Samen, der auch **Milch** genannt wird, darüber fließen. Manche Fische (Lachse, Aale) unternehmen lange Wanderungen, um dort zu laichen, wo sie selbst aus dem Ei geschlüpft sind. Die befruchteten Eier treiben frei im Wasser, kleben an Steinen und Pflanzen fest oder werden in Nestern abgelegt. Aus den Eiern schlüpfen die Fischlarven, an denen ein Dottersack als erste Nahrungsquelle haftet. Sie bilden sich oft schon innerhalb weniger Tage zu Jungfischen um. Die meisten jungen Fische dienen anderen im Wasser lebenden Tieren als Nahrung; nur etwa einer von 10 wächst heran.

Fische fressen Pflanzen, Plankton, Fische und andere Wassertiere. Manche zeigen ein ausgefallenes Jagdverhalten. Die Forelle springt z. B. über die Wasserfläche, um Insekten zu erhaschen. Der in Indien und Australien lebende Schützenfisch erbeutet Insekten, indem er sie mit einem Wasserstrahl aus seinem Maul von Pflan-

Fischerei: schematisierte Darstellung der verschiedenen Fischfangtechniken

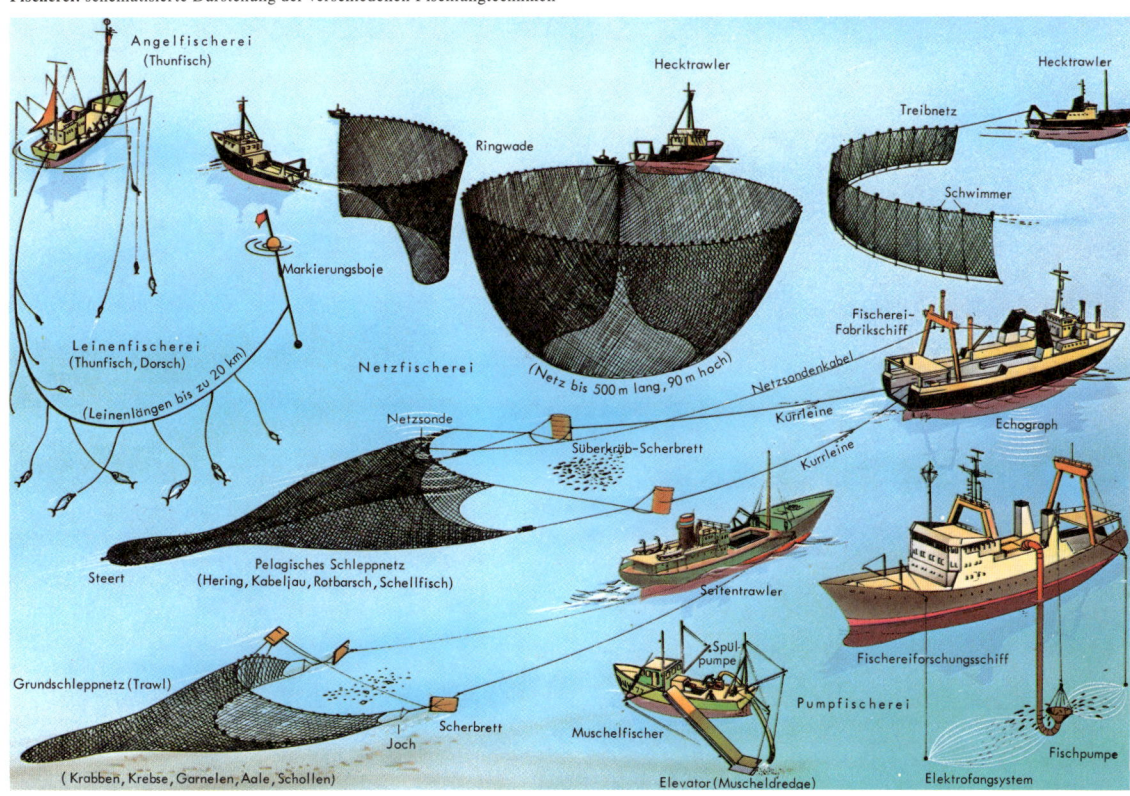

Fisch

zen abspritzt. Schlammbeißer z. B. jagen an Land. Auffallende Besonderheiten sind die →Fliegenden Fische, die →elektrischen Fische und Fische mit Giftstachel (z. B. Rochen) wie auch solche Fische, die sich zur Feindabwehr aufblasen (Kugelfisch, Igelfisch). Einige Fische können sogar ›knurren‹ (→Knurrhähne).

Fische haben für die menschliche Ernährung große Bedeutung, da ihr Fleisch nahrhaft und leicht verdaulich ist. Von Seefischen werden vor allem Hering, Rotbarsch, Kabeljau, Schellfisch und Scholle, von den Süßwasserfischen Aal, Forelle, Karpfen, Hecht und Zander gegessen.

Fischerei, die Hege und der gewerbliche Fang von Fischen, Muscheln, Krustentieren und anderen Meerestieren, aber auch die Gewinnung von Naturperlen, Bernstein usw. Die **Binnenfischerei (Flussfischerei)** deckt den Bedarf an Edelfischen wie Aal, Hecht, Karpfen, Zander und Forellen. Sie hat durch die Verschmutzung der Flüsse stark an Bedeutung verloren.

Die **Meeresfischerei** hat, vor allem in Ländern mit ausgedehnten Meeresküsten, an der gesamten Volkswirtschaft einen erheblichen Anteil. Besonders ergiebige Fischgründe befinden sich in der gemäßigten Zone und der subpolaren Zone in den flachen Schelfmeeren, dort, wo kalte und warme Meeresströmungen zusammentreffen. Die Neufundlandbucht ist der ergiebigste Fischgrund der Erde, aber auch die Doggerbank in der Nordsee, die norwegische Küste, das Gebiet südlich von Island und die Barentssee sind bevorzugte Fanggebiete. Dort werden vor allem Hering, Kabeljau und Dorsch, Seelachs, Rotbarsch, Schellfisch, Scholle, Makrele, Sprotte gefangen; der Thunfisch ist hauptsächlich im Mittelmeer, die Sardelle in den subtropischen Gewässern verbreitet. Gefischt wird meist mit Netzen. Der Fang wird in Häfen angelandet und dort versteigert. Seetüchtige Dampfer, zu Fabrikschiffen (›Trawler‹) umgebaut, sind für die **Hochseefischerei** geeignet. Sie sind oft monatelang unterwegs, um die Fangsaison der einzelnen Fischarten auszunutzen. Auf ihnen werden die Fische fabrikmäßig verarbeitet.

Die **Küstenfischerei** wird mit kleineren Fahrzeugen betrieben, die oft nur wenige Stunden unterwegs sind. Die Ausübung des Fischereirechts ist im Küstenbereich, der Hoheitszone, den Bewohnern des angrenzenden Staates vorbehalten. (BILD Seite 309)

Fischotter, mittelgroße →Marder, die im Wasser leben. Mit ihrem geschmeidigen, stromlinienförmigen Körper, dem kräftigen, ruderartigen Schwanz und den Schwimmhäuten zwischen den Zehen schwimmen sie blitzschnell, wobei Ohren und Nase verschlossen sind. Das dunkelbraune Fell ist wasserdicht. Nur nachts jagt der scheue Fischotter Fische, Frösche, Insekten und Wasservögel. In Uferböschungen gräbt er seine Höhlen; meist liegt ein Eingang unter dem Wasserspiegel. Fischotter, die etwa 15 Jahre alt werden können, wurden wegen ihres seidig glänzenden Fells und als Fischräuber stark verfolgt. Da sie nur in klaren Gewässern leben können, sind sie in Europa selten geworden, in Deutschland fast ausgerottet.

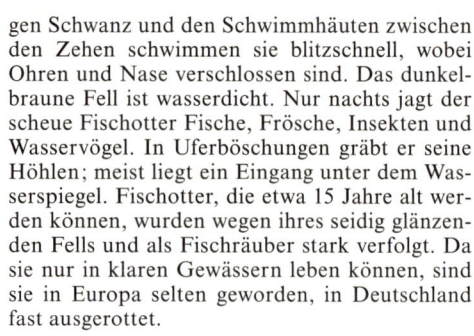

Fiskus [lateinisch ›Geldkorb‹], der Staat in seiner Eigenschaft als Inhaber von Vermögenswerten (z. B. Bankguthaben, Industriebeteiligungen, Ländereien), die er wie eine Privatperson erwirbt oder verkauft; fälschlich auch Bezeichnung für die staatliche Steuer- und Finanzverwaltung.

Fixfocus [aus lateinisch fixus ›feststehend‹ und focus ›Herd‹], beim Fotoapparat die unveränderbar feste Einstellung der Entfernung zum Aufnahmegegenstand. Das Fixfocusobjektiv (meist mit 35 mm Brennweite) ist bereits auf einen Wert so eingestellt, dass ab einer gewissen Entfernung bis Unendlich alle Bilder scharf erscheinen.

Fixiersalz, die chemische Verbindung Natriumthiosulfat, deren wässrige Lösung dazu verwendet wird, die Entwicklung eines belichteten Films oder eines Fotopapiers abzuschließen und die fotografischen Materialien lichtbeständig zu machen. Dazu müssen die Reste der lichtempfindlichen Schicht, die aus wasserunlöslichem Silberbromid besteht, abgelöst werden, damit der Film im Tageslicht betrachtet werden kann, ohne schwarz zu werden. Das Fixiersalz bildet mit dem Silberbromid ein wasserlösliches Salz, das leicht abgespült werden kann.

Fixsterne [zu lateinisch fixus ›feststehend‹], die mit unterschiedlicher Helligkeit und Farbe selbst leuchtenden Sterne, die im Gegensatz zu den Planeten ihren Ort am Himmel kaum verändern (abgesehen von der täglichen Bewegung des gesamten Himmels vom Ost- zum Westhorizont infolge der Erdrotation).

Fjord, tief eingeschnittenes, durch Gletscher der Eiszeit wie ein Trog ausgehobeltes Tal, in das am Ende der Eiszeit, bedingt durch den Meeresspiegelanstieg, Wasser eingedrungen ist. Die Talwände der tiefen und langen Fjorde sind steil, weswegen sie zwar für den Schiffsverkehr gut geeignet sind, aber keine guten Verbindungen zum

Fischotter

Hinterland ermöglichen. Fjorde gibt es in Skandinavien, Schottland, Labrador, Neuseeland und Feuerland. (BILD Küste)

Fläche, Geometrie: ein Gebilde, das sich in 2 Richtungen erstreckt. Diese beiden Richtungen nennt man meist **Länge** und **Breite.** Man sagt deshalb auch, dass eine Fläche **2 Dimensionen** besitzt. Flächen können eben sein wie die Rechteck- und Dreieckfläche, sie können aber auch gekrümmt sein wie die Oberfläche der Kugel.

Zu unterscheiden ist zwischen der Fläche und ihrem Inhalt. Das Bestimmen des **Flächeninhalts** geschieht durch einen Vergleich mit einer Flächeneinheit. Die SI-Einheit des Flächeninhalts ist 1 m^2. Das ist der Flächeninhalt eines Quadrates von 1 m Seitenlänge. Für kleinere Flächeninhalte werden häufiger die Einheiten 1 dm^2, 1 cm^2 oder 1 mm^2 benutzt (→Einheiten).

Es gibt Formeln zur Bestimmung des Flächeninhalts von Quadraten, Rechtecken, Dreiecken usw. (siehe die entsprechenden Stichwörter). Der Flächeninhalt von krummlinig begrenzten ebenen Figuren wird näherungsweise wie folgt bestimmt: Die Fläche wird mit einem Raster von gleich großen Quadraten überzogen. Die Quadrate im Innern der Figur werden gezählt und der Flächeninhalt all dieser Quadrate bestimmt. Dazu addiert werden die geschätzten Flächeninhalte der Quadrate, die nur teilweise im Innern der Figur liegen (BILD). Bei der Angabe des Flächeninhaltes einer Figur ist stets darauf zu achten, dass die verwendete Einheit die Hochzahl 2 besitzt. Die Hochzahl 2 bringt zum Ausdruck, dass die verwendete Flächeneinheit ein Produkt aus 2 gleichen Längeneinheiten ist.

Flachs, Lein, eine der ältesten Kulturpflanzen. Schon im 5. und 4. Jahrtausend v. Chr. gewann der Mensch aus ihren Samen ein fettes Öl und aus den Stängeln Fasern zur Herstellung von **Leinen** (Leinwand), dem ältesten bekannten Gewebe. In Leinentücher wickelten die alten Ägypter die Mumien ein. – Heute ist der Anbau der bis 1 m hohen, meist blau blühenden Flachspflanze weltweit verbreitet, hat jedoch durch die Entwicklung synthetischer Fasern an Bedeutung verloren. Die brauchbaren Fasern liegen im Stängelinnern. Ihre Festigkeit ist größer als die der Baumwolle. Sie sind aber weniger elastisch, weshalb Leinenstoffe leicht knittern. Sie werden zu Bett- und Tischwäsche und Sommerkleidung verarbeitet; schwere Leinengewebe werden auch als Segeltuch, Zeltplanen oder Malgrund verwendet. – **Leinsamen** wirkt als Quellmittel im Darm und fördert die Verdauung.

Flagellaten [zu lateinisch flagellare ›geißeln‹, ›schlagen‹], **Geißeltierchen,** winzige, einzellige Lebewesen, die im Meer und Süßwasser vorkommen. Mit einem oder mehreren geißelartigen Fäden bewegen sie sich fort. Sie pflanzen sich durch Teilung oder →Sporen fort. Flagellaten werden sowohl dem Tierreich (→Urtierchen) wie dem Pflanzenreich zugeordnet (→Einzeller); manche enthalten Blattgrün und können sich wie andere Pflanzen durch →Photosynthese ernähren, während die Übrigen tierische oder pflanzliche Nahrungsteilchen benötigen.

Flagge, eine rechteckige Fahne. Jedes Land der Erde besitzt eine →Nationalflagge (TAFELN Band 2, Seiten 321–323) als Hoheitszeichen. Schiffe führen Kriegs-, Handels- und Signalflaggen als Erkennungszeichen und zur Verständigung mit anderen Schiffen.

Flamen, die flämisch sprechende Bevölkerung in der nördlichen Hälfte Belgiens, den Niederlanden südlich der Schelde und Teilen der Provinz Limburg sowie in Frankreich zwischen Dünkirchen und Lille. Insgesamt gibt es heute über 5 Millionen Flamen, die ihrer Herkunft nach **Franken** sind. In der Völkerwanderungszeit drängten sie auf ihrem Weg nach Westen die →Wallonen, einen keltisch-germanischen Mischstamm, zurück und besiedelten ein bis nach Calais und Boulogne reichendes Gebiet.

Flamingo, großer Vogel mit sehr langem Hals und hohen Stelzbeinen, der vor allem in den warmen Ländern flache, meist salzige Flussmündungen und seichte Lagunen bewohnt. Der **Rosaflamingo** brütet in großen Kolonien auch in Südfrankreich (Camargue) und Südspanien. Ihren klobigen, hakenförmig gebogenen Schnabel ziehen die Flamingos mit der Oberseite nach unten durch das Wasser. Mithilfe von Hornlamellen filtern sie dabei Algen und Kleinkrebse aus dem Wasser. Mit dem Schnabel türmen sie auch ihre etwa 50 cm hohen, kegelförmigen Schlammnester auf. Das Weibchen legt meist nur ein Ei. Die weißen Jungvögel laufen nach wenigen Tagen. Flamingos brüten auch im Zoo.

Flandern, historische Landschaft an der Nordseeküste, die heute die belgischen Provinzen Ost- und Westflandern, Französisch-Flandern (Département Nord) und den Südteil der niederländischen Provinz Seeland umfasst. Die Landschaft ist hauptsächlich von Flamen bewohnt. Der blühende Handel und die Tuchherstellung in seinen Städten (z. B. Gent, Brügge) machten Flandern im späten Mittelalter zu einem der reichsten Länder Europas.

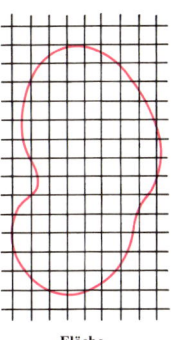

Fläche

Flamingo

Flaschenzug, Vorrichtung zum Heben von Lasten; im einfachsten Fall besteht sie aus einer oberen, festen Rolle und einer unteren, losen Rolle, über die ein Seil läuft. Bei dieser Anordnung wird die aufzubringende Kraft um die Hälfte reduziert. Die erforderliche Kraft ist umso geringer, je größer die Anzahl der Rollen ist. Der Lastweg verkleinert sich dabei gegenüber dem Kraftweg des zu ziehenden Seils.

Flaubert [flobɐ̯]. ›Madame Bovary‹, ein die Wirklichkeit des zeitgenössischen Bürgertums spiegelnder Roman von **Gustave Flaubert** (*1821, †1880), löste bei seinem Erscheinen 1857 in Frankreich einen Skandal aus. Diese Geschichte um einen Ehebruch und Selbstmord zeigt eine Frau, die sich in ihre Gefühle verstrickt und an der nüchternen Umwelt zerbricht. Flaubert schrieb in einer ausgefeilten Sprache, sehr distanziert und ohne Anteilnahme. Obwohl er selbst eher romantisch war, wurde er mit diesem Roman ein Begründer des französischen **Realismus**.

Flechten, auf dürftigen Heideböden, Steinen und Baumrinden lebende grüne, gelbe oder graugrüne, häufig blattförmig gelappte Gewächse. Nach ihren Wuchsformen unterscheidet man Krusten-, Laub-, Strauch- und Fadenflechten.

Flechten sind ›Doppelwesen‹: In jeder Flechte lebt ein **Pilz** mit einer **Alge** zusammen. Sie bilden eine Gemeinschaft (Symbiose). Die Alge sorgt als grüne Pflanze für organische Stoffe, indem sie z. B. Stärke bildet. Der Pilz verankert die Flechte an der Unterlage und saugt Wasser und Nährsalze auf.

Auf dürftigen Böden bereiten Flechten als Erstbesiedler den Boden für die Ansiedlung höherer Pflanzen vor. Im hohen Norden macht das reiche Vorkommen von Flechten das Land erst bewohnbar, denn die Flechten bilden die Nahrung für Rentiere und diese Tiere wiederum sind die Lebensgrundlage für die dort lebenden Menschen.

Fledermäuse. Die meisten der rund 800 Fledermausarten leben in den Tropen und Subtropen; sie ernähren sich vor allem von Früchten und sorgen für die Verbreitung von Samen und die Bestäubung verschiedener Pflanzen (z. B. der Banane). Diese Fledermäuse können eine Flügelspannweite von 90 cm erreichen; noch größer sind die verwandten →Flughunde. Die europäischen Fledermäuse sind viel kleiner. Bei der

Flechten: 1 Beginn der Bildung einer Flechte (gelbe Wandflechte) aus kugeligen Algenzellen und Pilzfäden; 2 gelbe Wandflechte; 3 Becherflechte; 4 Bartflechte; 5 Isländisches Moos; 6 Rentierflechte

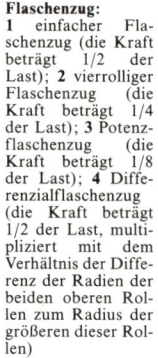

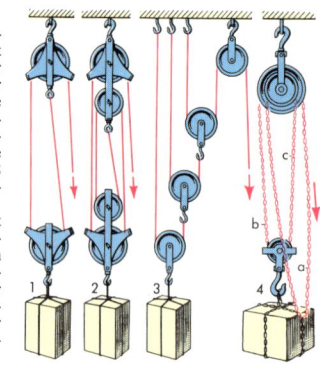

Flaschenzug: 1 einfacher Flaschenzug (die Kraft beträgt 1/2 der Last); 2 vierrolliger Flaschenzug (die Kraft beträgt 1/4 der Last); 3 Potenzflaschenzug (die Kraft beträgt 1/8 der Last); 4 Differenzialflaschenzug (die Kraft beträgt 1/2 der Last, multipliziert mit dem Verhältnis der Differenz der Radien der beiden oberen Rollen zum Radius der größeren dieser Rollen)

größten Art, der **Riesenfledermaus** (oder **Mausohr**), beträgt die Flügelspannweite höchstens 35 cm. Die häufigste Art ist die **Zwergfledermaus** (15 g schwer, 4,5 cm lang, Flügelspannweite bis 20 cm), die Wälder und Parkanlagen bewohnt.

Fledermäuse sind in Europa die einzigen aktiv fliegenden Säugetiere (→Flug). Ihre vorderen Gliedmaßen sind zu Flügeln umgebildet. Eine dünne, elastische Haut spannt sich zwischen den sehr verlängerten Fingern (mit Ausnahme des kurzen, krallenartigen Daumens) und zieht sich manchmal bis zu den Beinen einschließlich des Schwanzteils. Außerdem brauchen Fledermäuse zum Fliegen sehr kräftige Brustmuskeln. Damit die Tiere nicht zu schwer zu werden, sind ihre Beine wenig ausgebildet. Deshalb können sie nicht laufen, stehen oder sitzen. Tagsüber hängen sie an den Füßen mit dem Kopf nach unten in alten Gebäuden, Felsen- und Baumhöhlen; so schlafen sie auch. Hierbei klammern sie sich mit den gekrümmten Krallen ihrer Zehen fest. Beim 4–6 Monate dauernden Winterschlaf, zu dem sie sich gern in offene Höhlen zurückziehen, hüllen sie sich außerdem in ihre großen Flügel ein.

In der Dämmerung und Nacht suchen Fledermäuse nach Nahrung. Im Flug erjagen sie zahlreiche schädliche Insekten und sind daher sehr nützlich. Auch bei völliger Dunkelheit spüren sie diese Beute nach dem Prinzip des →Echolots mit ihrem äußerst feinen Gehör auf. In rascher Folge stoßen sie sehr hohe, vom Menschen nur mit technischen Hilfsmitteln wahrnehmbare Töne aus (→Ultraschall), deren Echo ihnen kleinste Hindernisse, also auch Beutetiere, anzeigt. Da Insekten zunehmend durch chemische Mittel vernichtet werden, finden auch Fledermäuse immer weniger Nahrung. In Europa zählen sie daher zu den vom Aussterben bedrohten Tierarten. Die Weibchen bekommen meist nur ein Junges, das sie in von mehreren Weibchen bewohnten ›Wochenstuben‹ zur Welt bringen. Fledermäuse werden im Allgemeinen 4, höchstens 20 Jahre alt.

Fleisch fressende Pflanzen, →tierfangende Pflanzen.

Fleming. Der britische Bakteriologe **Sir Alexander Fleming** (*1881, †1955) entdeckte 1928 das →Penicillin. Er beobachtete, dass Schimmelpilze die sie umgebenden Bakterien auflösen können. Aber erst die Forschungen von **Howard Florey** (*1898, †1968) und **Ernst Boris Chain** (*1906, †1979) ermöglichten es, diese Entdeckung bis zum Medikament Penicillin weiterzuführen. Damit gab es erstmals eine Möglichkeit, wirksam gegen ansteckende Krankheiten vorzugehen. Für ihre Arbeit erhielten die 3 Forscher 1945 den Nobelpreis für Medizin.

Flensburg, 87 000 Einwohner, Hafenstadt an der Flensburger Förde in Schleswig-Holstein. Flensburg entstand um 1200; einige mittelalterliche Kirchen und Tore sind noch erhalten. Flensburg ist Sitz des Kraftfahrtbundesamts, das unter anderem für das Verkehrszentralregister (›Verkehrssünderkartei‹) zuständig ist.

Flexion [lateinisch flexio ›Biegung‹], **Beugung,** die grammatische Abwandlung eines Wortes. Durch die Flexion wird die Grundform eines Wortes seiner Funktion im Satz entsprechend verändert;

> nicht: Ich fahren mit das Fahrrad,
> sondern: Ich fahre mit dem Fahrrad.

Die Flexion umfasst die →Deklination (Beugung von Substantiven, Adjektiven, Artikeln), die →Konjugation (Beugung von Verben) sowie die →Komparation (Steigerung von Adjektiven).

Flieder, ein 2–6 m hoher Zierstrauch mit herzförmigen Blättern, der vor über 300 Jahren aus Persien in Mitteleuropa eingeführt wurde. Die zu auffallenden Rispen vereinigten, meist lilafarbenen, auch weißen und roten Blütchen duften stark; sie öffnen sich im Mai. ›Fliedertee‹ stammt vom →Holunder.

Fliegen haben wie die Mücken im Unterschied zu den meisten Insekten nur 2 →Flügel, deren schnelle Schläge einen Summton erzeugen. Die flinken **Stubenfliegen** saugen ihre süße Nahrung (Obstsäfte, Zucker), die sie mit ihrem Speichel verflüssigen können, durch ihren Rüssel auf. Mithilfe der Haftballen und Klauen an ihren Füßen können sie auch an der Decke und an glatten Flächen entlanglaufen. Durch häufiges Putzen entfernen sie z. B. daran klebende Staubteilchen. Fliegen sitzen gern auf Schmutz, Mist und Abfällen und legen dort auch ihre Eier ab. Die Weibchen der metallisch blauen **Schmeißfliegen** legen ihre Eier an frisches Fleisch, Tierkadaver oder in Wunden frisch verletzter Tiere. Fliegen können ansteckende Krankheiten übertragen, vor allem die **Stechfliegen** mit stechend-saugendem Rüssel (z. B. die Schlafkrankheit durch die Tsetsefliege). Nur die Weibchen stechen, da sie aus dem Blut Aufbaustoffe für ihre Eier gewinnen. Stechfliegen sind auch die **Bremsen,** die besonders Haustieren lästig werden.

Die sehr kleinen **Fruchtfliegen** leben als Larven in reifenden Früchten. Die bienenähnlichen **Schwebfliegen,** die mit schnellen Flügelschlägen schwirrend in der Luft stehen, ernähren sich vor allem von Nektar und bestäuben dabei die Blüten. Ihre Larven vertilgen viele Blattläuse.

Fliegende Fische leben im Atlantischen Ozean und im Mittelmeer. Im Spiel oder auf der Flucht vor Feinden springen sie aus dem Wasser heraus und können mehrere Meter hohe und einige Hundert Meter weite Gleitflüge ausführen. Die flügelartig vergrößerten Brust- und Bauchflossen wirken dabei wie Fallschirme. Die Fliegenden Fische schnellen sich durch kräftige Schwimmbewegungen über die Wasseroberfläche (→Flug).

Fliegengewicht, →Gewichtsklassen.

Fliegenpilz, ein →Pilz.

Fliegenschnäpper, Singvögel, deren Name auf ihre Lebensweise hinweist: Sie jagen Insekten im Flug, wobei sie ihren Schnabel hörbar zuschnappen lassen. Fliegenschnäpper nisten in Höhlungen in Parkanlagen, Gärten und auf Friedhöfen. Alle in Mitteleuropa heimischen Arten sind Zugvögel. (BILD Seite 314)

Fliehkraft. Sitzt man in einem geradeaus fahrenden Zug und legt einen Ball auf den Boden des Abteils, so bleibt dieser zunächst scheinbar ohne

Fledermäuse: Riesenfledermaus oder Mausohr; LINKS Schlafhaltung, RECHTS im Flug

Flieder

Fliegen:
1 Blaue Schmeißfliege;
2 Schwebfliege,
a Puppe, b Larve;
3 Kleine Stubenfliege

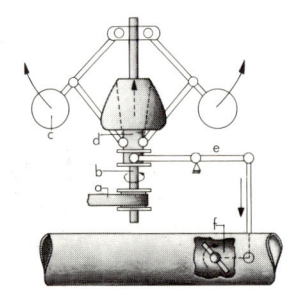

Flie

Fliehkraft:
Fliehkraftregler;
a Antrieb,
b Reglerachse,
c Fliehgewichte,
d Hülse, e Stellzeug,
f Drosselklappe

Bewegung. Fährt der Zug aber durch eine Kurve, so rollt der Ball zur Außenwand. Man beobachtet eine beschleunigte Bewegung (→Beschleunigung) in Bezug auf den Zug, deren Ursache die Fliehkraft ist. Ein außerhalb des Zuges stehender Beobachter würde sagen, der Ball hat vor der Kurve dieselbe Geschwindigkeit wie der Zug. In der Kurve drücken die Schienen den Zug aus seiner Richtung, den Ball aber nicht. Er behält seine ursprüngliche Bewegungsrichtung bei und trifft die Seitenwand. Eine Fliehkraft, die man auch **Zentrifugalkraft** nennt, tritt also in der Kurve nur für einen mitbewegten Beobachter auf, sie ist vom Mittelpunkt der zugehörigen Kreisbewegung weggerichtet. Sie ist auch dafür verantwortlich, dass man als Mitfahrer im Auto deutlich spürt, wie man in einer Kurve ›nach außen‹ gezogen wird. Sitzt man auf einem sich drehenden Karussell, so wird man durch die Fliehkraft, die umso größer wird, je schneller sich das Karussell dreht, nach außen gedrückt.

In einem **Fliehkraftregler** wird diese Kraft zur Regelung eingesetzt, um z. B. bei einem Motor eine bestimmte Drehzahl nicht zu überschreiten. Dabei werden 2 Schwungmassen entsprechend ihrer Drehzahl durch die Fliehkräfte nach außen gedrückt. Sobald sie eine bestimmte Stellung erreicht haben, betätigen sie durch ein Hebelsystem das jeweilige Regelorgan.

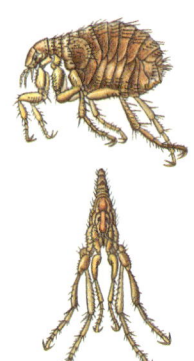

Fließband, technische Einrichtung, durch die Werkstücke in gleichmäßigen Abständen von einem Arbeitsplatz zum nächsten transportiert werden. Jeder Arbeiter hat nur wenige, jedoch immer die gleichen Handgriffe an dem Werkstück zu tun, bevor es zum nächsten Arbeiter weiterbefördert wird, sodass das Endprodukt aus der Arbeit vieler einzelner Personen entsteht. Die ersten Fließbänder führte 1913 der amerikanische Autohersteller Henry Ford ein.

Flint, Flintstein, der →Feuerstein.

Flinte, seit dem 17. Jahrh. hergestelltes Gewehr, das nach dem bei seiner Zündeinrichtung verwendeten Feuerstein (**Flint**) benannt wurde. Es war bis ins 19. Jahrh. eine gebräuchliche Waffe der Infanterie. Heute wird die Flinte nur noch als Sport- und Jagdgewehr verwendet. Aus ihrem glatten Lauf wird →Schrot verfeuert.

Flöhe, sehr kleine, flügellose Insekten, die als →Parasiten an Vögeln und Säugetieren, auch an Menschen leben. Sie saugen Blut. Mit ihrem seitlich abgeplatteten Körper können sie gut durch dichte Federn und Haare schlüpfen. Sie haben kräftig entwickelte Sprungbeine und springen bis 30 cm hoch und 50 cm weit. Damit übertreffen sie ihre Körperlänge mehrere Hundert Mal. Vergleichsweise müsste ein Mensch 1 km weit und 600 m hoch springen. So können Flöhe vorbeieilende Tiere gut erreichen. Meist leben sie nur auf einem Wirt (Hundefloh, Katzenfloh, Rattenfloh); nur wenn dieser fehlt, gehen sie auch auf andere Tiere und den Menschen über. Der etwa 3 mm lange **Menschenfloh** ist dank der sich ständig verbessernden Hygiene selten geworden. Die Eier des Flohs sind mit einer klebrigen Schicht bedeckt, damit sie am Wirt haften bleiben. Die Larven ernähren sich von Abfällen. Durch die Stiche der Flöhe, die gewöhnlich nur Juckreiz verursachen, können gefährliche Krankheiten übertragen werden (Flecktyphus, früher die Pest). Die →Wasserflöhe gehören zu den Krebsen.

Floppydisk [englisch ›schlaffe Scheibe‹], →Diskette.

Flora [nach Flora, der altrömischen Göttin des blühenden Getreides und der Blumen], alle Pflanzen in einem bestimmten Lebensraum. Man unterscheidet sie meist nach geographischen Landschaftsräumen, die zugleich Klimabereiche sind, z. B. die Alpenflora, die Mittelmeerflora oder die Flora Mitteleuropas.

Florenz, 408 400 Einwohner, Hauptstadt der gleichnamigen Provinz Italiens und der Region Toskana, beiderseits des Arno gelegen. Florenz ist neben Rom die an Bauwerken und Kunstschätzen reichste Stadt Italiens; Bauten der Romanik, der Gotik, vor allem aber der Renaissance prägen das Stadtbild. Reiche Kunstsammlungen bergen die **Uffizien** und der **Palazzo Pitti.** Das antike **Florentia** ist eine Gründung Caesars (59 v. Chr.). Im Mittelalter erlangte die Stadt eine politisch beherrschende Stellung in Mittelitalien. Durch seine Tuchindustrie und seine Bankiers, z. B. die seit dem 15. Jahrh. auch politisch führende Familie der **Medici,** wurde Florenz außerdem wirtschaftlich tonangebend. Unter den Medici war Florenz Mittelpunkt des italienischen **Humanismus** und der **Renaissance.**

Fliegenschnäpper: Rotbauchschnäpper

Flöhe: Menschenfloh; OBEN Seitenansicht, UNTEN Vorderansicht

Florida, Halbinsel im Südosten der USA. Die Halbinsel wird ganz von dem amerikanischen Bundesstaat Florida eingenommen. Das seenreiche und teilweise sumpfige Land hat subtropisches Klima mit milden und trockenen Wintern. Begünstigt durch dieses Klima wurde der Fremdenverkehr zum wichtigsten Wirtschaftszweig. Daneben gibt es eine bedeutende Industrie sowie Landwirtschaft (Citrusfrüchte, Gemüse) und Bergbau (Phosphat, Titan). An der Ostküste Floridas liegt das amerikanische Raketenstartgelände Cape Canaveral. In der Nähe von Orlando liegen die Vergnügungsparks ›Walt Disney World‹ und ›EPCOT Center‹.

Flosse, Bewegungsorgan von Wassertieren, das als Antrieb, Steuer und zum Stabilisieren der Lage im Wasser dient. Bei Fischen werden die Flossen durch Flossenstrahlen gestützt. Brust- und Bauchflossen kommen fast immer paarweise, Rücken-, After- und Schwanzflosse einzeln vor. Auch die umgebildeten vorderen Gliedmaßen der Wale und Seekühe bezeichnet man als Flossen; beide haben zudem eine waagerechte Schwanzflosse entwickelt. Bei Robben sind alle 4 Gliedmaßen zu Flossen umgebildet, wobei die hinteren ans Körperende gerückt sind und nach hinten zeigen. Bei Pinguinen sind die Flügel der Vorfahren flossenartig geworden.

Flöte, Blasinstrument, bei dem der Ton auf unterschiedliche Weise erzeugt werden kann. Der Spieler bläst direkt gegen den scharfen Rand am Ende der Röhre, z. B. bei der Panflöte, oder gegen den Rand eines seitlich eingeschnittenen Lochs wie bei der →Querflöte. Beim Spielen der →Blockflöte wird die Luft erst durch einen engen Spalt und dann gegen eine feste Schneidekante in die Röhre geblasen. Die Flöte ist eines der ältesten Musikinstrumente.

Fluchtgeschwindigkeit, eine der →kosmischen Geschwindigkeiten.

Flug, das Fliegen von Körpern in der Luft ohne Stützung von der Erdoberfläche aus. Dabei unterscheidet man, ob der Körper eine freizügige Bewegung ausführen kann, z. B. Flugzeug oder Vogel, oder ob es sich um die nicht freizügige Bewegung des geworfenen Körpers, z. B. Geschoss, Ball, Staubteilchen, Pflanzensamen, handelt. Beim freizügigen Fliegen muss die Erdanziehungskraft durch eine Gegenkraft ausgeglichen oder überwunden werden. Dies ist die **Auftriebskraft** oder kurz der →Auftrieb. Wird er durch Dichteunterschiede zwischen dem fliegenden Körper, z. B. einem Ballon, und der umgebenden Luft bewirkt, heißt er **aerostatischer Auftrieb.** Auftriebskräfte, die durch Bewegung von Körpern mit einer bestimmten Form, z. B. von Vogel- oder Flugzeugflügeln, zustande kommen, heißen **aerodynamischer Auftrieb.** Die dritte Möglichkeit einer Gegenkraft zur Erdanziehung stellen die **Reaktionskräfte** von Strahlantrieben, z. B. von Senkrechtstartern, dar.

Man unterscheidet den unbeschleunigten oder stationären Flug vom beschleunigten oder instationären Flug. Beide Arten kommen bei den verschiedenen **Flugzuständen** vor, z. B. Horizontalflug, Steig- und Sinkflug, Kurvenflug, Sturzflug, Gleitflug.

Die Bewegung von Körpern außerhalb der Lufthülle der Erde, im Weltraum also, unterliegt nicht diesen Auftriebskräften, sondern den Gravitationskräften und dem Massenausstoß von Raketen.

Flug bei Tieren

Zahlreiche Tiere können fliegen. Da sie zudem die Fähigkeit, sich auf dem Wasser oder am Boden zu bewegen, nur selten verloren haben, bietet das Fliegen überaus günstige Lebensbedingun-

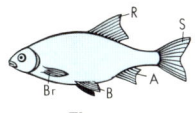

Flosse eines Knochenfisches (schematisch): B Bauch-, Br Brust-, R Rücken-, S Schwanz-, A Afterflosse

Flosse

gen. Die einfachste Art ist das passive Fliegen, der **Gleitflug,** bei dem die Anfangshöhe nicht aktiv überschritten werden kann. Dafür sind Organe notwendig, die ein langsames Abschweben ermöglichen, also fallschirmähnlich wirken. So klettert z. B. ein **Flughörnchen** auf einen Baum und spreizt im Sprung nach unten die Beine seitlich ab, wodurch sich eine Hautfalte wie ein Tuch ausspannt. Dadurch wird die Fallgeschwindigkeit in der Luft wie bei einem einfachen Fallschirm gemindert. Der buschige Schwanz dient als Steuer. Wie 4 winzige Fallschirme wirken die Schwimmhäute des **Flugfroschs.** Auch einige **Fische** können mit flügelartig vergrößerten Brustflossen mehrere Meter hoch und einige Hundert Meter weit in der Luft gleiten, nachdem sie sich durch kräftige Schwimmbewegungen aus dem Wasser geschnellt haben (→Fliegende Fische).

Viele Tiere (**Vögel, Fledermäuse, Insekten**) sind befähigt, sich mithilfe von →Flügeln aktiv in die Luft zu erheben und weite Strecken zurückzulegen. Bei allen schlägt der Flügel nicht wie ein Ruder mit senkrechter Fläche auf ein (ruhend gedachtes) Luftpolster, sondern er wird, vergleichbar mit einem regulierbaren Propeller, mit leichten Beuge- und Drehbewegungen so durch die strömende Luft geführt, dass diese sich ohne

Flug

Wirbelbildung annähernd flächenparallel an ihm entlangbewegt.

Die Flugbewegung beim **Ruderflug** des Vogels geschieht in der Weise, dass die Flügel weit ausgebreitet nach unten geschlagen und etwas gebeugt nach oben geführt werden. Dabei wird die wirksame Kraft des Abwärtsschlags durch die dachförmige Wölbung der Flügel unterstützt. An der gewölbten Oberseite fließt nämlich die Luft schneller als an der Unterseite, wo sie einen weiteren Weg hat. Da die Dichte der Luftteilchen um so geringer wird, je schneller sie strömen, entsteht über dem Flügel ein Bereich verdünnter Luft mit geringerem Druck als an der Flügelunterseite, wo durch das Verlangsamen der strömenden Luft ein Überdruck entsteht. Dieser Druckunterschied verursacht eine aufwärts ziehende Kraft, den Auftrieb. Ein Beispiel soll diesen komplizierten Sachverhalt veranschaulichen: Man nimmt ein dünnes Blatt Papier zwischen Daumen und Zeigefinger und lässt es nach hinten hinunterhängen. Bläst man nun kräftig darüber, wird das Blatt nicht etwa noch weiter nach unten gedrückt, sondern hebt sich nach oben.

Außerdem ist der Flügel selbst nicht steif und fest, sondern eine bewegliche Fläche. Beim Abwärtsschlag fügen sich die Schwungfedern brettartig aneinander, um auf größtmöglichen Luftwiderstand zu stoßen. Bei der Hebung werden sie aufgefächert, um die Luft durchtreten und keine Wirbel entstehen zu lassen. Dieser Ablauf vollzieht sich sehr schnell. Eine Rabenkrähe erreicht z. B. 3–4 Flügelschläge pro Sekunde, eine Taube 8, ein Sperling 13, eine Schwalbe 20. Da nun der Flügel an seinem Vorderrand steif (Flügelknochen), an seinem Hinterrand aber elastisch federnd ist (Flugfedern), biegt sich der Hinterrand beim Abwärtsschlag nach oben und der Flügel wird nach vorn und oben gedrängt. Die Flugbewegung der Vögel geht also in schräger Richtung von hinten-oben nach vorn-unten vor sich und erteilt dem Vogel dadurch gleichzeitig einen Vorwärts- und einen Aufwärtstrieb. Je mehr Luftteilchen verdrängt werden, umso stärker wird die Aufwärtskomponente wirksam. Je rascher also ein Vogel fliegt, umso weniger Kraft benötigt er, seinen Körper in der Luft zu halten. Darin zeigt sich die Bedeutung des Flugwindes. Schwere Vögel fliegen immer gegen den Wind auf. Manche Vögel springen in die Luft (z. B. der Star), andere erzeugen durch Vor- und Zurückschlagen der Flügel einen Luftstrom, der sie hochträgt. Wasservögel laufen flügelschlagend über die Wasseroberfläche, um den notwendigen Auftrieb zu erhalten.

Beim Landen verlangsamt der Vogel seine Geschwindigkeit, indem er Flügel- und Schwanzfedern spreizt, den Körper senkrecht stellt und mit den Flügeln gegen die Flugrichtung schlägt. Die Schwimmfüße der Wasservögel dienen gleichsam als Bremsklötze. Die meisten Vögel können sich, zumal bei Windstille, nicht ohne Vorwärtsbewegung in der Luft halten. Der Kolibri verharrt im **Schwirrflug** auf der Stelle. Er verwindet dabei mit sehr schnellen Schlägen (100–200 pro Sekunde) seine Schwingen derart, dass die Oberseite nach unten gekehrt ist und nur Auftrieb, aber kein Vortrieb erzeugt wird. Manche größeren Vögel, z. B. der Turmfalke, können teilweise wie ein Drachen in der Luft hängen, indem sie mit vibrierenden Flügelschlägen gegen den Wind ›rütteln‹ (**Rüttelflug**). Zahlreiche Vögel (z. B. die Greifvögel und die Seevögel) können ohne merklichen Flügelschlag lange Zeit dahingleiten (›segeln‹), wobei sie aufsteigende Luftströmungen ausnutzen (**Segelflug**). So kann sich z. B. ein Adler durch Aufwinde an einem Berghang wie ein Segelflugzeug in die Höhe tragen lassen. Die Schwanzfedern dienen, vor allem bei raschen Wendungen, als Steuer.

Für den Insektenflug gelten die gleichen physikalischen Prinzipien wie für den Vogelflug, jedoch wird z. B. bei der Fliege der Flügel beim Auf- und Abschlagen so stark verdreht, dass vor allem ein Vortrieb erzeugt wird. Besonders bei kleinen Insekten macht sich die Zähigkeit der Luft so sehr bemerkbar, dass sie eher in der Luft ›schwimmen‹.

Flugbild, charakteristisches Erscheinungsbild fliegender Vögel, die danach unterschieden werden können.

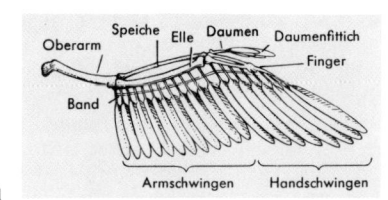

Flügel 1): Vogelflügel

Flügel, 1) die Flugorgane der Insekten, Flugsaurier, Vögel und Fledermäuse. Die beiden Flügelpaare der Insekten bestehen aus Chitin. Oft ist das eine Paar zu **Deckflügeln** umgebaut, die dem Schutz der anderen Flügel dienen (z. B. beim Marienkäfer). Bei der Stubenfliege sind vom zweiten Flügelpaar nur winzige Kölbchen zu sehen, die beim Steuern helfen. Die oft farbenprächtigen Flügel der Tagschmetterlinge sind neben dem

Flug

Fliegen auch dazu bestimmt den Geschlechtspartner anzulocken.

Die Flugsaurier hatten einen verlängerten vierten Finger, von dem aus eine Haut zum Körper gespannt war. Mit diesen umgebildeten vorderen Gliedmaßen konnten sie in der Luft gleiten. Auch bei den Vögeln ist der Flügel ein umgebildetes Vorderbein, wie man am Knochenbau gut erkennen kann, das mit großen Schwungfedern bedeckt ist (→Flug).

2) nach seiner Form benanntes →Klavier, bei dem die Saiten waagerecht in Richtung der Tasten angebracht sind. Schon 1521 taucht diese Form beim →Cembalo auf.

Flughunde, Verwandte der →Fledermäuse mit hundeähnlichem Kopf und einer Flügelspannweite bis zu 1,5 m. Sie leben in riesigen Scharen in tropischen und subtropischen Wäldern Afrikas, Australiens und Asiens und ernähren sich meist von Früchten. Bei der Nahrungssuche sorgen sie für die Verbreitung von Samen und die Bestäubung verschiedener Pflanzen.

Flugnavigation, die Navigation von Luftfahrzeugen. Bei Erdsicht sind Standort und Kurs nach Karte und Kompass zu bestimmen. In den meisten Fällen – im Luftverkehr immer – muss aber nach den **Instrumentenflugregeln,** das heißt im →Blindflug, geflogen werden. Dazu braucht man die **Funknavigation,** die mithilfe von Bodenanlagen, z. B. Funkfeuern, betrieben wird. Diese stehen entlang von **Luftstraßen,** auf denen sich in einer Breite von etwa 16 km und nach der Höhe gestaffelt der Luftverkehr abspielt. Ergänzt und verbessert wird heute die Flugnavigation durch von Bodenstellen unabhängige Einrichtungen und Verfahren, vor allem durch die Dopplernavigation und Trägheitsnavigation. Die **Dopplernavigation** beruht auf der Auswertung von Laufzeitunterschieden von Radarstrahlen, die vom Flugzeug abgestrahlt und vom Erdboden reflektiert werden. Die **Trägheitsnavigation,** die auch in der Militärluftfahrt und der Raumfahrt angewendet wird, arbeitet nach dem Kreiselprinzip und nach dem ständigen Vergleichen von Ist- und Sollwerten der Zeiten und Entfernungen. Die Auswertung übernimmt der Bordcomputer.

Diese bodenunabhängigen (autonomen) Verfahren erlauben ein Abweichen von den stellenweise überfüllten Luftstraßen. Auch die Bodenstellen können mithilfe besonderer Rechner und Anzeigegeräte dazu herangezogen werden, eine in die Fläche erweiterte Navigation durchzuführen. Man nennt diese luftstraßenunabhängige Flugnavigation deshalb **Flächennavigation.**

Flugzeug, das Luftfahrzeug, mit dem der Mensch seinem uralten Traum vom Fliegen am nächsten gekommen ist (→Luftfahrt). Vögel waren das Studienobjekt **Otto Lilienthals** (*1848, †1896), der die aerodynamischen Gesetze des Fliegens erkannte und sie vor allem in seinen Hängegleitern mit festen, starren Tragflügeln anwandte, die er in über 2 000 Gleitflügen 1890–96 erprobte. Auf Lilienthal aufbauend, gaben die amerikanischen Brüder **Wilbur** (*1867, †1912) und **Orville Wright** (*1871, †1948) dem Starrflügelflugzeug den prinzipiellen Aufbau, der auch heute noch gültig ist. Seit 1903 bestanden ihre Fluggeräte aus Tragwerk, Rumpf, Leitwerk, Steuerwerk, Triebwerk, Fahrwerk (zunächst in Form einer Kufe).

Von diesen Baugruppen kommt dem **Tragwerk** (oder den Tragflügeln oder Tragflächen) die Hauptbedeutung zu, denn hier wird die Kraft erzeugt, die einen →Flug ermöglicht. Diese Kraft ist der →Auftrieb, der dem Gewicht des Flugzeugs entgegenwirkt (BILD Seite 320). Das Profil von Tragflächen ist so geformt, dass die anströmende Luft unter dem Flügel langsamer und über ihm schneller strömt. Dadurch entsteht an der Oberseite einer Tragfläche ein Unterdruck und an ihrer Unterseite ein Überdruck; die Druckdifferenz bewirkt den Auftrieb. Im Horizontalflug macht der Sog auf der Flügeloberseite etwa 2/3 des gesamten **Auftriebs** aus. Die Stärke des Auftriebs ist abhängig von der Geschwindigkeit und dem Anstellwinkel, das ist der Winkel,

Flughunde: schlafende Flughunde

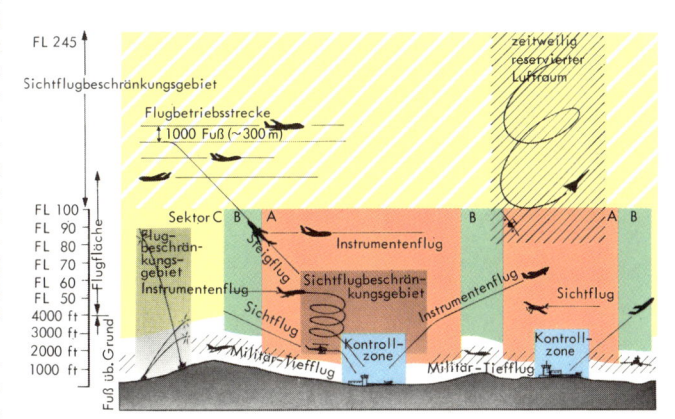

Flugnavigation: Der Luftraum über der Bundesrepublik Deutschland ist in viele Kontroll- und Beschränkungszonen eingeteilt und von Luftstraßen (Flugbetriebsstrecken) überzogen, um alle Flugbewegungen in sichere Bahnen zu lenken. Im schematischen Aufriss des Luftraums ist der untere Luftraum, der bis zur Flugfläche FL 245 (= 24 500 Fuß = 7 500 m) reicht, dargestellt. Der obere Luftraum hat ähnliche Struktur, die aber nicht so mannigfaltig ist, vor allem wegen des Wegfalls der Flughafenkontrollzonen, des militärischen Tiefflugbandes und des Sichtflugbereichs (nur bis FL 100).

Flug

den das Flügelprofil mit der Waagerechten bildet. Der Auftrieb kann durch starre Flügel oder – wie beim Hubschrauber – durch Drehflügel (Rotoren) erzeugt werden.

Auftrieb und Gewicht sind das eine Kräftepaar, das am Flugzeug wirkt, Vortrieb und Widerstand das andere. Der **Vortrieb** ist die Kraft, die zur Überwindung des Luftwiderstands eines Flugzeugs notwendig ist. Er wird bei Motor- und Propellerturbinenflugzeugen durch Luftschrauben, bei Strahlflugzeugen durch Strahltriebwerke erzeugt. Beim antriebslosen Flug, dem Gleitflug, den →Segelflugzeuge stets ausführen, muss die Vortriebskraft durch einen Anteil (Komponente) der Gewichtskraft erzeugt werden.

Das Innere des **Tragflügels** wird bei Motorflugzeugen zu großen Teilen von Kraftstofftanks ausgefüllt. Von den Anfängen des Motorflugs bis über den Zweiten Weltkrieg hinaus hatten viele Flugzeuge 2 Flügel übereinander. Diese Bauart heißt Doppeldecker. Heute gibt es fast nur noch Eindecker. Hochdecker heißt ein Flugzeug, wenn die Flügel über dem Rumpf angebracht sind, Tiefdecker, wenn der Rumpf auf den Flügeln sitzt (BILD Seite 320).

Der **Rumpf** nimmt die Besatzung im Cockpit, die Fluggäste und die Nutzlast auf, häufig auch Triebwerke. Bei Flugzeugen, die in größeren Höhen fliegen, ist er als →Druckkabine gebaut.

Mit dem **Leitwerk** wird der Flug stabilisiert und zugleich die Bewegungsrichtung des Flugzeugs um seine 3 Achsen geändert. (BILD Seite 319). Am Rumpfende befindet sich normalerweise das Höhen- und Seitenleitwerk, das je aus der starren Flosse und dem beweglichen Ruder besteht. Ebenfalls zum Leitwerk gehören die beweglichen Klappen an den hinteren Flügelenden, die man Querruder nennt (BILD). Direkt mit dem Leitwerk verbunden ist das **Steuerwerk,** das zur Betätigung der Ruder dient. Mit dem Steuerknüppel oder der Steuersäule kann der Pilot über Stangen und Seile Höhen- und Querruder bewegen. Die Seitenruder werden durch Pedale betätigt. Diese mechanische Betätigung gilt heute fast nur noch für Segelflugzeuge. Sonst werden die Steuerbefehle durch elektrische Elemente übertragen. Außerdem sind Steuermaschinen als Kraftverstärker in das Steuerwerk eingeschaltet.

Das **Fahrwerk** besteht aus gefederten Fahrgestellen mit luftbereiften bremsbaren Laufrädern. Das Fahrwerk kann starr an das Tragwerk oder an den Rumpf angeschlossen sein. Meist jedoch lässt es sich zur Verringerung des Luftwiderstandes während des Fluges einziehen. Statt des Heckrades (Sporn) unter dem Rumpfende wird heute das Bugrad zum Stützen und Lenken des Flugzeugs am Boden bevorzugt. – Wasserflugzeuge haben statt der Räder Schwimmkörper, Flugboote einen als Gleitboot gebauten schwimmfähigen Rumpf.

Das **Triebwerk** liefert die Vortriebskraft. Bei Flugzeugen, deren Fluggeschwindigkeit deutlich unterhalb der Schallgeschwindigkeit liegen soll, bevorzugt man Kolbenmotoren oder Propellerturbinen mit Luftschrauben (Propellern). Kolbenmotoren sind in der Rumpfspitze oder wie Propellerturbinen in den Vorderkanten der Tragflügel eingebaut. Flugzeuge mit Fluggeschwindigkeiten im Schall- und im Überschallbereich haben dagegen Strahltriebwerke, die sich in den Tragflügeln, im oder am Rumpf (meist seitlich am Heck) befinden. Nach der Anzahl der Triebwerke unterscheidet man zwischen ein- oder mehrmotorigen, ein- oder mehrstrahligen Flugzeugen. Gleit- und Segelflugzeuge haben keinen Antrieb, Motorsegler nur einen Hilfsmotor.

Andere Unterscheidungsmerkmale sind die für Start und Landung benötigten Strecken. Sehr schnelle und schwere Flugzeuge brauchen in der Regel lange Start- und Landebahnen. **Kurzstarter** kommen mit wenigen Hundert Metern aus, **Senkrechtstarter** können senkrecht starten und landen.

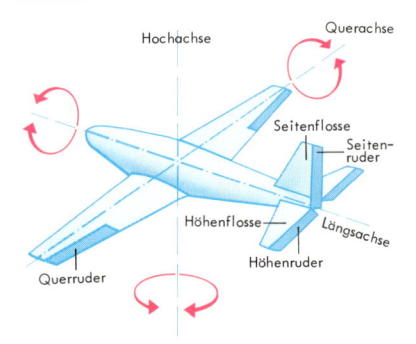

Flugzeug: Leitwerk und Drehachsen

Die früher vorherrschende Holz- oder Gemischtbauweise (Holz, Stahl, Leichtmetall) ist durch die Ganzmetall- und Kunststoffbauweise abgelöst worden. Damit nützt man bei der Schalenbauweise die versteifte Außenhaut des Flugzeugs zugleich zur Festigkeit. Die einzelnen Bauteile werden geschweißt und geklebt oder es werden ganze Bauteile aus einem Stück gefräst, gepresst oder elektrochemisch abgetragen. Bei der Doppelschalen- oder Sandwichbauweise werden 2 äußere, feste Deckschichten aus Blechen mit

Seitenleiste:
einmotorig
zweimotorig
zwei- oder vierstrahlig Triebwerke am Rumpfheck
dreistrahlig Triebwerke am Rumpfheck
zwei- oder dreistrahlig Triebwerke am Heck und unter dem Tragflügel (bei zweistrahligem F. Triebwerke nur unter dem Tragflügel)
vierstrahlig Triebwerke unter dem Tragflügel

Flugzeug: Anordnung der Triebwerke

Flüs

DATEN EINIGER FLUGZEUGTYPEN

Langstrecken-Militärtransporter Lockheed C-5A Galaxy: Spannweite 68 m, 4 Strahltriebwerke, Reisegeschwindigkeit 870 km/h, Reichweite 13 300 km, Startgewicht 347 000 kg; größtes Flugzeug der Erde.

Mittelstrecken-Verkehrsflugzeug Airbus A 300-600: Spannweite 45 m, 2 Strahltriebwerke, Reisegeschwindigkeit 890 km/h, Reichweite 5 200 km, bis 344 Fluggäste, Startgewicht 165 000 kg.

Leichter Mehrzwecktransporter Dornier Do 228: Spannweite 17 m, 2 Propellerturbinen, Reisegeschwindigkeit 430 km/h, Reichweite 1 700 km, Startgewicht 5 700 kg; Kurzstartflugzeug.

Grundschulungs- und Sportflugzeug Piper PA-38 Tomahawk: zweisitzig, Spannweite 10 m, 1 Boxermotor, Reisegeschwindigkeit 200 km/h, Reichweite 800 km, Gipfelhöhe 3 900 m, Startgewicht 760 kg; starres Fahrwerk.

Jäger McDonnell Douglas F-15 Eagle: einsitzig, Spannweite 13 m, 2 Strahltriebwerke, Höchstgeschwindigkeit 2 690 km/h, Gipfelhöhe 20 km, Reichweite (mit internem Kraftstoff) 3 100 km, Waffenlast 11 100 kg, Startgewicht 30 800 kg.

Mehrzweck-Kampfflugzeug Panavia Tornado: zweisitzig, Spannweite 14 m bis 9 m, 2 Strahltriebwerke, Höchstgeschwindigkeit 2 300 km/h, Reichweite 1 400 km, Waffenlast 7 000 kg, Startgewicht 23 000 kg; Schwenkflügler.

einer dazwischenliegenden leichten Stützschicht (aus Kunststoff) verklebt.

Geschichtliches →Luftfahrt.

Flugzeugträger, Kriegsschiff mit einem über die gesamte Schiffslänge reichenden Deck, auf dem Flugzeuge starten und landen können. Die Schiffsaufbauten wie Brücke, Mast, Antennen sind deshalb ganz an die Seite gerückt. Um die Startstrecke zu verkürzen, werden die Flugzeuge mit Katapulten und Startraketen beschleunigt. Die gelandeten Flugzeuge werden beim Ausrollen durch Haltetaue, die quer über das Schiff gespannt sind und in die ein Fanghaken des Flugzeugs fasst, abgebremst. – Die größten Flugzeugträger haben eine Länge von fast 340 m und fassen 97 Flugzeuge. Die Dampfturbinen werden nuklear angetrieben.

Flunder, ein →Plattfisch.

Fluor, Zeichen F, →chemisches Element (ÜBERSICHT), ein schwach gelbgrünes, stark ätzendes, stechend riechendes **giftiges Gas.** Fluor ist z. B. in Spuren Bestandteil der Knochen und der Zähne. Es bietet in geringer Menge **Schutz gegen Karies,** z. B. als Zusatz in Zahnpasta. Chemisch und thermisch sehr stabile organische Fluorverbindungen finden vielfache technische Verwendung, z. B. als Kälte-, Treib- oder Beschichtungsmittel sowie als thermoplastische Kunststoffe. Fluor dient auch als Raketentreibmittel.

Fluorchlorkohlenwasserstoffe, Abk. **FCKW,** eine Gruppe von Kohlenstoffverbindungen. Es sind Gase, die sich unter Druck verflüssigen, oder Flüssigkeiten mit niedrigem Siedepunkt. Sie wurden vor allem als Treibmittel (z. B. in Sprühdosen), als Feuerlösch- oder Kältemittel (z. B. in Kühlschränken) verwendet. Heute sind sie in vielen Ländern verboten, weil sie zur Zerstörung der Ozonschicht in der Stratosphäre beitragen (→Ozonloch).

Fluoreszenz, die Eigenschaft mancher fester, flüssiger und gasförmiger Stoffe, während der Bestrahlung mit Licht, UV-Licht, Röntgen- oder Elektronenstrahlung selbst zu leuchten. Fluoreszenz zeigen z. B. Flussspat und Uransalze. Mithilfe der Fluoreszenz ist es möglich, außerhalb des Sehbereichs liegende Strahlung (UV-, Röntgen-, Elektronenstrahlung) erkennbar zu machen. Dies geschieht z. B. auf dem mit fluoreszierenden Stoffen bestrichenen **Fluoreszenzschirm,** der beim Auftreffen der unsichtbaren Strahlung aufleuchtet und z. B. als Röntgenschirm, Fernsehbildschirm, Radarschirm verwendet wird.

Fluss, fließendes Gewässer auf dem Festland. Die Niederschläge in Form von Regen, Hagel und Schnee gelangen zum Teil ins Grundwasser und treten als Quellen wieder zutage. Bäche und Flüsse führen diese Wassermengen einem Endsee oder einem Meer zu. Ein Hauptfluss besitzt kleinere Nebenflüsse; zusammen entwässern sie als Flusssystem ober- und unterirdisch ein bestimmtes Einzugsgebiet. Dieses wird umgrenzt von der →Wasserscheide. Die Wasserführung des Flusses ist abhängig vom Klima und vom Untergrund eines bestimmten Gebietes. In feuchten Gegenden führen fast alle Flüsse ständig Wasser, wenn auch mit jahreszeitlichen Schwankungen. In Trockengebieten führen viele Flüsse nur zur Regenzeit Wasser, in der übrigen Zeit verlieren solche Steppen- und Wüstenflüsse durch Verdunstung oft ihr gesamtes Wasser, sodass sie das Meer oder den Endsee nicht mehr erreichen. ›Fremdlingsflüsse‹ kommen aus einem niederschlagsreichen Gebiet und sind aufgrund ihres Wasserreichtums in der Lage ein Trockengebiet zu durchfließen. Das vom Wasser mitgerissene Gesteinsmaterial wird flussabwärts transportiert und bei nachlassendem Gefälle im Unterlauf und im Mündungsgebiet, häufig in Form eines Deltas, abgelagert. ÜBERSICHTEN über große Flüsse findet man bei den Stichwörtern →Afrika, →Amerika, →Asien, →Australien, →Europa.

flüssige Luft, Luft im flüssigen Aggregatzustand, die man erhält, wenn man (gasförmige) Luft genügend abkühlt. Sie ist in frischem Zustand fast farblos und wird im Lauf der Zeit durch Verdampfen des leichter flüchtigen Stickstoffs (Siedepunkt −196 °C) unter Anreicherung

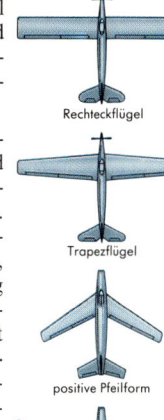

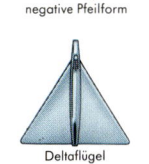

Rechteckflügel

Trapezflügel

positive Pfeilform

negative Pfeilform

Deltaflügel

Flugzeug: Tragflügelumrissformen

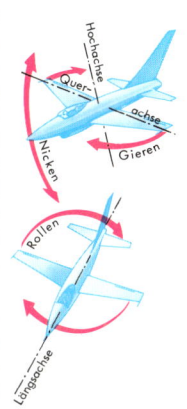

Flugzeug: Bewegungen um die 3 Achsen

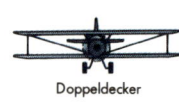

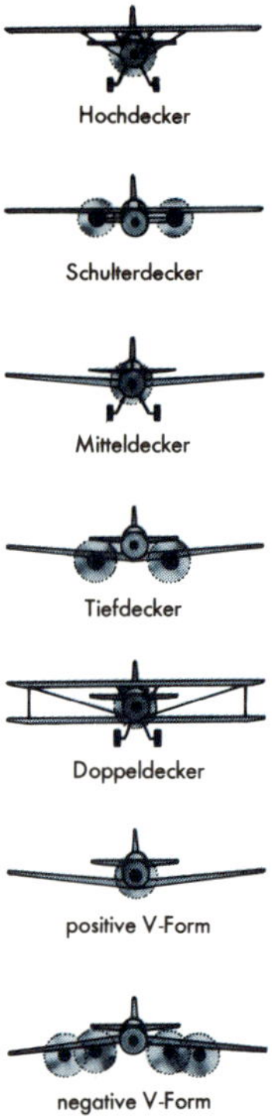

Flüs

Bildunterschriften linke Spalte:
Hochdecker
Schulterdecker
Mitteldecker
Tiefdecker
Doppeldecker
positive V-Form
negative V-Form
Flugzeug: Tragflügelanordnungen

+ Druck
− Sog
Druckverteilung
Flugzeug: Auftrieb am Tragflügel

des Sauerstoffs (Siedepunkt −183 °C) hellblau. Mit brennbaren Stoffen bildet sie feuergefährliche Mischungen.

Flüssiggase, Sammelbezeichnung für Gase, die schon bei geringen Drücken und bei Raumtemperatur vom gasförmigem in den flüssigen Zustand übergeführt werden können. Im technischen Sinn versteht man darunter Gase wie Propan und Butan, die in Ölraffinerien oder bei der Aufbereitung von Erdgas als Nebenprodukte anfallen. Sie werden als Brenngase in Haushalt und Industrie, für Gasfeuerzeuge sowie zum Schweißen benutzt.

Flüssigkeit, ein Stoff im flüssigen →Aggregatzustand, in dem die Atome oder Moleküle eng beieinander liegen, aber leicht gegeneinander verschiebbar sind. Eine Flüssigkeit ist nicht formbeständig, aber annähernd volumbeständig. Kleine Flüssigkeitstropfen nehmen infolge der Oberflächenspannung Kugelform an.

Flüssigkristallanzeige, Abkürzung **LCD** (von englisch liquid crystal display), eine bei elektronischen Geräten (z. B. Taschenrechner, Quarzuhr) zur Darstellung von Buchstaben, Zahlen und Zeichen dienende Anzeigeeinheit. Die Anzeige besteht aus 2 durchsichtigen, leitenden Platten, zwischen denen sich eine aus fadenförmigen, organischen Molekülen bestehende Flüssigkeitsschicht befindet. Wird an die Platten ein elektrisches Feld angelegt, hat dies eine Trübung der Flüssigkristallschicht zur Folge. Dadurch ändert sich deren Lichtbrechung im Vergleich zum Umfeld und die Zeichen werden sichtbar. Flüssigkristallanzeigen haben gegenüber anderen Anzeigen den Vorteil, dass sie nur sehr wenig Strom verbrauchen.

Flusspferde sind nicht mit den Pferden verwandt, wie der Name vermuten lässt, sondern mit den Schweinen. Diese dicken, plumpen, fast nackten →Huftiere, die früher auch in Teilen Europas und Asiens lebten, gibt es heute nur noch in Afrika südlich der Sahara. Das **Große Flusspferd** (auch **Nilpferd**) bewohnt in größeren Herden in Mittel- und Ostafrika Flüsse und Seen mit sumpfigen Ufern. Tagsüber bleibt es meist im Wasser; es schwimmt sehr gut (die vierzehigen Füße haben Schwimmhäute) und taucht minutenlang, wobei die Nasenlöcher verschlossen werden. Nachts kommt das 1,5 m hohe, bis 4 m lange und über 3 Tonnen schwere Tier an Land, um nach Gräsern, Laub und Früchten zu suchen. Nilpferde paaren sich im Wasser; die Jungen (meist ist es nur ein einziges) werden unter Wasser geboren und gesäugt. Nilpferde werden bis zu 50 Jahre alt. Weniger an das Wasser gebunden ist das etwa wildschweingroße **Zwergflusspferd**, das einzeln oder paarweise in westafrikanischen Urwäldern lebt; sein Junges wird an Land geboren.

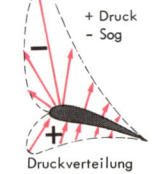

Flut, das regelmäßige Steigen des Meeresspiegels (→Gezeiten).

Föderalismus [von lateinisch foedus ›Bündnis‹], Gestaltung eines Staates auf der Grundlage möglichst selbstständiger Teilstaaten, Regionen oder Provinzen. Müssen sich diese staatlichen Einzelglieder in Angelegenheiten, die für die Einheit des Staates entscheidend sind, dem Gesamtstaat unterordnen, so wird ein solcher Staat →Bundesstaat genannt (z. B. Bundesrepublik Deutschland und USA). Sind die einzelnen Teilstaaten weitgehend unabhängig, das heißt nur locker untereinander verbunden, so wird diese Gemeinschaft als **Staatenbund** bezeichnet (z. B. der Deutsche Bund 1815–66).

Fohlen, Füllen, das →Pferd bis zum zweiten Lebensjahr.

Föhn, ein warmer, trockener Fallwind auf der vom Wind abgewandten Seite eines Gebirges, besonders der Alpen. Wenn Luft über große Gebirge strömt, wird sie zum Aufsteigen gezwungen und kühlt sich ab. Dabei kondensiert die in der Luft enthaltene Feuchtigkeit, es kommt zur Bil-

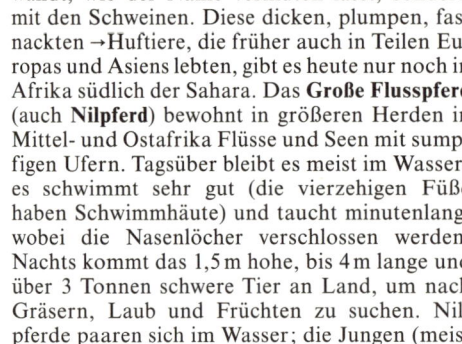

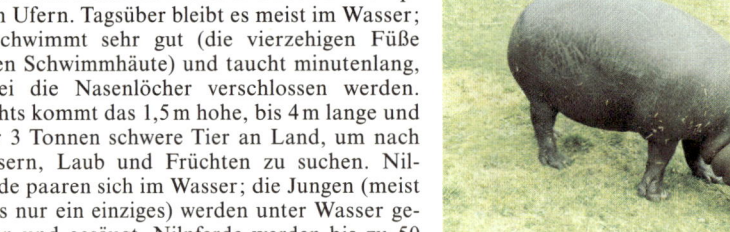

Flusspferde: OBEN das Große Flusspferd UNTEN Zwergflusspferd

dung von Wolken, teilweise auch zu Niederschlägen. Nach Überqueren des Gebirgskamms steigt die Luft, die nun wesentlich weniger Feuchtigkeit enthält, wieder ab. Dabei erwärmt sie sich, die Wolken lösen sich wieder auf. Die Erwärmung der absteigenden Luft ist stärker als die Abkühlung der aufsteigenden, weil die Temperatur beim Aufstieg im Bereich der Wolken nur um 0,5 bis 0,7 °C je 100 m abnimmt, beim Abstieg aber, weil die Luft trockener ist, um 1 °C je 100 m zunimmt. Der Föhn tritt besonders häufig in den Tälern am Nordrand der Alpen und im Alpenvorland auf, wo er im Winter vielfach Tauwetter bringt. In vielen Wintersportorten ist er deshalb als ›Schneefresser‹ gefürchtet. Der **Südföhn,** bei dem die Luft von Italien her über die Alpen strömt, ist meist aufgrund seiner höheren Ausgangstemperatur wesentlich wärmer als der **Nordföhn.**

Fokus [lateinisch ›Herd‹], der →Brennpunkt.

Folklore [englisch ›Volkskunde‹], Bezeichnung für überlieferte Lieder, Tänze, Märchen, Sagen, Sprichwörter, Spiele und Bräuche eines Volkes.

Folter, körperliche oder seelische Qualen, die ein Mensch einem anderen zufügt. In früheren Zeiten war die Folter ein erlaubtes Mittel, Geständnisse oder Informationen von Gefangenen oder politischen Gegnern zu erpressen; sie war z. B. sowohl im römischen Recht als auch im ersten Strafgesetzbuch des deutschen Reichs von 1532 vorgesehen. Im 18. Jahrh. erkannte man die menschenfeindliche Grausamkeit solcher Methoden und verbot sie, 1740 in Preußen, 1781 in Österreich. Heute ist die Folter durch internationale Abkommen verboten, so in Artikel 3 der Europäischen Konvention zum Schutz der Menschenrechte. Untersuchungen der Gefangenenhilfsorganisation ›Amnesty International‹ zufolge wird jedoch auch heute noch in vielen, meist diktatorisch regierten Staaten gefoltert.

Fontane. Der Dichter **Theodor Fontane** (*1819, †1898) vermittelt in seinen Romanen und Erzählungen ein kritisches Zeitbild der preußischen Gesellschaft und gehört als Darsteller der Wirklichkeit zu den großen Realisten (→Realismus) des 19. Jahrh. Er zeichnet typische Gestalten vor allem des preußischen Adels und Bürgertums in ihrem alltäglichen Leben, das von ihrer gesellschaftlichen Stellung und den geltenden Werten bestimmt wird. In seinem bekanntesten Roman ›Effi Briest‹ (1895) wird Effi, die Tochter eines Ritterschaftsrates, mit einem viel älteren Baron und Landrat verheiratet, begeht Ehebruch und wird von ihrem Mann und ihren Eltern verstoßen. So, wie das Handeln Effis im Roman aus ihrer Einsamkeit heraus konsequent erscheint, kann auch der Ehemann aufgrund der bestehenden Gesellschaftsordnung nicht anders handeln, um seine Ehre zu wahren.

Unter dem Einfluss englisch-schottischer Dichtung schrieb Fontane zunächst Balladen, z. B. ›Archibald Douglas‹, ›John Maynard‹. Es folgten die ›Wanderungen durch die Mark Brandenburg‹ (1862–82) und im Alter die meisten Erzählungen und Romane, z. B. ›Vor dem Sturm‹ (1878), ›Irrungen, Wirrungen‹ (1888), ›Frau Jenny Treibel‹ (1893), ›Der Stechlin‹ (1899).

Fontanellen [französisch ›kleine Quellen‹], Knochenlücken am Schädeldach des neugeborenen Kindes, die ein Wachstum des Schädels in den beiden ersten Lebensjahren ermöglichen. Die Schädelknochen des Neugeborenen sind noch nicht fest verwachsen, sondern durch Bindegewebe miteinander verbunden. Oberhalb der Stirn, in der Mittellinie des Schädels, grenzen 4 Knochen aneinander und bilden die viereckige **große Fontanelle.** Im Bereich des Hinterkopfes wird die dreieckige **kleine Fontanelle** von 3 angrenzenden Knochen gebildet. Das Bindegewebe wird in den ersten 2 Lebensjahren durch Knochen ersetzt. Mit dem knöchernen Verschluss der Fontanellen ist das Schädelwachstum abgeschlossen.

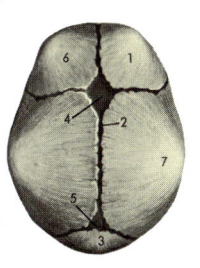

Fontanellen: Schädel eines Neugeborenen (von oben gesehen); 1 Stirnbein, 2 Scheitelbein, 3 Hinterhauptsbein, 4 große und 5 kleine Fontanelle, 6 Stirnhöcker, 7 Scheitelhöcker

foot [fut, englisch ›Fuß‹], Plural **feet** [fiːt], Einheitenzeichen **ft,** Längeneinheit in Großbritannien und den USA: 1 ft = 12 in (→inch) = 0,3048 m (Meter). (→Fuß)

Football, American Football [emeriken futbol, englisch ›amerikanischer Fußball‹], ein dem Rugby nachempfundenes Kampfspiel, das vor allem in Nordamerika von Profimannschaften gespielt wird. 2 Mannschaften mit je 11 Spielern und beliebig vielen Auswechselspielern (manche Mannschaften zählen 45 Mann) versuchen, einen eiförmigen Lederhohlball (rund 400 g schwer) hinter die gegnerische Torlinie zu bringen. Das Spielfeld (109,75 × 48,80 m) ist zwischen den Torlinien, die jeweils 9,15 m vor den Endlinien des Spielfelds liegen, in 20 je 5 Yards (= 4,57 m) breite Abschnitte unterteilt. Somit kann das Publikum den Kampf um jeden Yard Boden mitverfolgen. Auf den Torlinien stehen die Tore. Sie sind 6,10 m hoch, 7,10 m breit und haben

Theodor Fontane

Ford

in 3,50 m Höhe eine Querlatte. Die angreifende Mannschaft hat 4 Versuche, den Ball wenigstens 10 Yards näher an das gegnerische Tor zu bringen. Gelingt dies und wird der Ballträger nicht zu Fall gebracht, folgen 4 weitere Versuche. Gelingt keiner der 4 Versuche, greift der Gegner an. Ein Tragen des Balls hinter die gegnerische Torlinie oder ein Pass zu einem dort stehenden eigenen Mitspieler heißt Touchdown und zählt 6 Punkte. Ein zusätzlicher Punkt kann gewonnen werden, wenn der Ball nach einem Touchdown von einem bestimmten Punkt auf dem Feld zwischen den Torstangen getreten wird. Die Spieldauer beträgt 4 x 15 Minuten. Die Spieler dürfen mit fast allen Mitteln am Vorankommen gehindert werden. Die Angriffe müssen allerdings von vorn ausgeführt werden. Verboten sind Treten, Festhalten eines Gegners, der nicht im Ballbesitz ist, und Berühren des Kopfschutzes. 5 Schiedsrichter wachen über die Regeleinhaltung. Die Spieler sind gegen Verletzungen durch gepolsterte Kleidung und Helme mit Gesichtsschutz geschützt.

Ford. 1892 konstruierte der amerikanische Ingenieur **Henry Ford** (*1863, †1947) sein erstes Automobil. 1903 gründete er in Detroit die Ford Motor Company, die er zum zeitweise größten Kraftwagenwerk der Erde entwickelte. Weltruf erlangte Ford durch die Produktion des Modells T, von dem 1908–27 mehr als 15 Millionen Wagen verkauft wurden. Durch Massenfertigung und Rationalisierung **(Fließbandarbeit)** verbilligte Ford die Herstellung von Autos.

Förde, eine tief in das Festland greifende Meeresbucht, in der während der Eiszeit die Eiszungen des Inlandeises lagen. Nach deren Abschmelzen füllte sie sich mit Wasser. Auf diese Weise entstanden z. B. die Flensburger, Schleswiger und Kieler Förde.

Forellen, mit den Lachsen verwandte Fische, die klares, kaltes und sehr sauerstoffreiches Wasser brauchen. Sie leben daher vor allem in Gebirgsgewässern. In schnell fließenden Bächen findet man die 20–50 cm lange **Bachforelle.** Sie ›steht‹ häufig mitten in der Strömung, wobei sie tatsächlich mit großer Geschwindigkeit gegen sie anschwimmt, und lauert auf Insekten und kleine Wassertiere, die von der Strömung mitgerissen werden. Sie erhascht auch über dem Wasser fliegende Insekten. Man fängt die Forelle meist mit der Angel. Als Speisefisch wird sie auch gezüchtet wie die in Nordamerika beheimatete **Regenbogenforelle.** Die über 1 m lange **Seeforelle** lebt in tieferen Bergseen auch in den deutschen Alpen. Hingegen bewohnt die über 1,5 m lange **Meerforelle** die östlichen und nördlichen Küstenzonen Europas. Zur Laichzeit wandert sie in die Flüsse. Die Eier werden gewöhnlich an Kiesbänken abgelegt. Frühestens nach einem Jahr wandern die Jungfische ins Meer. (BILD Fische)

Formosa [portugiesisch ›die Wunderschöne‹], portugiesischer Name der Insel →Taiwan.

Forstwirtschaft, Zweig der Landwirtschaft, der sich mit der planmäßigen Bewirtschaftung (Pflege, Nutzung, Erneuerung) des Waldes beschäftigt. Neben der wirtschaftlichen Nutzung (Versorgung mit Holz) umfasst die Forstwirtschaft auch Maßnahmen zur Sicherung und Erhaltung der Landschaft und der natürlichen Umwelt des Menschen. Je nach Art des Forstbetriebes unterscheidet man Hochwald, Mittelwald und Niederwald.

Die Bäume des **Hochwaldes** entwickeln sich aus Samen, die beim Laubholz ›Kernwüchse‹ genannt werden. Ziel dieser Forstbetriebsart ist die Erzeugung stärkerer Nutzhölzer; demnach dauert die Produktionszeit 80–120 Jahre. Die Durchforstung und der Aushieb entbehrlicher Stämme sind Zwischennutzungen.

Niederwald entsteht, wenn Laubhölzer wie Eiche, Buche, Hainbuche, Hasel, Birke, Ahorn, Erle nach dem Fällen der meist jungen Stämme am Wurzelstock, am oberen Ende oder am Schaft wieder ausschlagen. Der verstümmelte Baum bleibt also erhalten, seine Ausschläge bilden die nächste Ernte (›Stockausschlagbetrieb‹). Brennholz wird nach 20–40 Jahren, Stangenholz erst nach 30–40 Jahren, Holz für Fassreifen schon nach 3–5 Jahren genutzt.

Der **Mittelwald** ist eine Zwischenform von Hoch- und Niederwald. Das Unterholz besteht vorwiegend aus Stockausschlägen, das Oberholz aus hoch gewachsenen Stämmen des Niederwaldes, die durch Kernwüchse ergänzt werden.

Fort [fo:r, französisch ›stark‹], ursprünglich ein militärischer Stützpunkt, bekannt geworden vor allem im Zusammenhang mit den Indianerkriegen in Nordamerika. Seit dem 19. Jahrh. in Europa Bezeichnung für selbstständige Teile einer größeren Festung mit unterirdischen Anlagen (Unterkünfte, Vorratslager) und oberirdischen Kampfstellungen. Im Ersten Weltkrieg oft noch Brennpunkt im Stellungskrieg, z. B. Fort Douaumont als Teil der Festung Verdun, verlor das Fort im Zweiten Weltkrieg seine Bedeutung.

forte [italienisch ›fest‹, ›stark‹], musikalische Vortragsbezeichnung: stark, laut; **fortissimo,** sehr stark, **mezzoforte,** mittelstark, **fortepiano,** laut und sofort wieder leise.

Fortpflanzung, bei Pflanzen, Tieren und dem Menschen die Erzeugung von Nachkommen, die die Erhaltung der Art sichert. Sie ist die Vorbedingung für das Weiterbestehen des Lebens; die Fähigkeit zur Fortpflanzung ist ein Merkmal für Leben überhaupt. Man unterscheidet zwischen ungeschlechtlicher (vegetativer) und geschlechtlicher (generativer) Fortpflanzung. **Ungeschlechtliche Fortpflanzung** gibt es hauptsächlich bei den Kleinstlebewesen und im Pflanzenreich. Sie kann auf unterschiedliche Art vor sich gehen, so z. B. durch Zellteilung bei einzelligen Organismen (Amöbe), wobei sich die Zelle in der Mitte einschnürt und aus einem Lebewesen zwei werden, oder durch die Entstehung von Auswüchsen (Knospung), die sich dann abtrennen. Die Bildung von Sporen (Dauerformen, die längere Zeit auch unter ungünstigen Bedingungen überleben können) kommt z. B. bei blütenlosen Pflanzen wie den Farnen vor. Eine weitere Möglichkeit der ungeschlechtlichen Fortpflanzung ist die Bildung von Sprossen, Ausläufern oder Knollen bei Pflanzen, die sich auch geschlechtlich fortpflanzen können (z. B. Kartoffel). Lebewesen, die männliche und weibliche Keimzellen nebeneinander hervorbringen können, werden als **Zwitter** bezeichnet; z. B. bilden viele Pflanzen in ein und derselben Blüte männliche (Pollenkörner) und weibliche Keimzellen (Eizelle in der Samenanlage des Fruchtknotens). Bei →einhäusigen und →zweihäusigen Pflanzen ist die Übertragung des Samens erst durch den Wind und z. B. durch die Bienen möglich (Kätzchen der Salweide). Eine Reihe von Pflanzen (z. B. Moose, Farne) und Tieren (z. B. Hohltiere) weisen bei ihrer Fortpflanzung einen →Generationswechsel auf. Bei vielen Blütenpflanzen, den meisten Tieren und beim Menschen gibt es nur die **geschlechtliche Fortpflanzung:** Bei der →Befruchtung verschmelzen je eine männliche und eine weibliche Keimzelle, woraus sich ein neues Lebewesen entwickelt.

Fortuna [lateinisch ›Glück‹], bei den Römern ursprünglich wohl eine Göttin der Frauen. Später wurde sie als Glücksgöttin verehrt und oft mit Flügeln, Füllhorn und Glücksrad dargestellt.

Forum [lateinisch ›Markt‹]. Im antiken Griechenland kamen die Männer, die das volle Bürgerrecht besaßen, an einem besonderen Ort, der ›Agora‹, zu Beratung, Gericht und Verehrung der Götter zusammen. Diese Einrichtung haben die Römer übernommen und dazu in jeder römischen Stadt einen Markt und Versammlungsort angelegt, den sie Forum nannten.

In Rom gab es mehrere Foren; das älteste und bedeutendste war das **Forum Romanum.** Im Tal zwischen den Hügeln Capitol und Palatin gelegen, war es ursprünglich der erste gemeinsame Markt- und Versammlungsort derjenigen Dörfer, aus denen die Stadt Rom hervorging. In der Zeit der Römischen Republik und in der späteren Kaiserzeit, als Rom sich zu einem Weltreich entwickelte, war das Forum Romanum politischer Mittelpunkt des Imperiums. Der Senat und die wichtigsten Behörden hatten hier ihren Sitz; hier fanden auch die Versammlungen des römischen Volkes statt, in denen z. B. über Krieg und Frieden entschieden wurde. Gerichtsverhandlungen wurden auf dem Forum öffentlich abgehalten. Daneben erstreckte sich der eigentliche Markt der Händler und Gewerbetreibenden. Der Vestatempel als ältestes Heiligtum Roms war mit anderen Tempeln Teil der monumentalen Bebauung des Forums, die schon im 5. Jahrh. v. Chr. begann und auch einen Rednertribüne, Triumphbögen, Statuen bedeutender Personen umfasste. Siegreiche Feldherren wurden im Triumphzug über das Forum Romanum geleitet. In der spätrepublikanischen Epoche und in der Kaiserzeit legten Caesar, Augustus, Vespasian und Trajan weitere, nach ihnen benannte Foren an. Heute sind sie Ruinenfelder inmitten Roms, die nur noch in wenigen erhaltenen Säulen und Triumphbögen ihre einstige Schönheit ahnen lassen.

Fossilien [zu lateinisch fossilis ›ausgegraben‹], tierische oder pflanzliche Versteinerungen, Reste von Lebewesen der erdgeschichtlichen Vergangenheit. Als **Leitfossilien** bezeichnet man Überreste, die nur in einer bestimmten geologischen Schicht auftreten und diese kennzeichnen, z. B. Ammoniten.

Fotoapparat:
Sucherkamera für
Kleinbildformat
(Kompaktkamera)

Fotoapparat. So kompliziert moderne Fotoapparate auch sein mögen, sie alle lassen sich auf das alte Prinzip der →Camera obscura zurückführen. Im einfachsten Fall besteht ein Fotoapparat aus einem Kasten mit einer kleinen Öff-

Foto

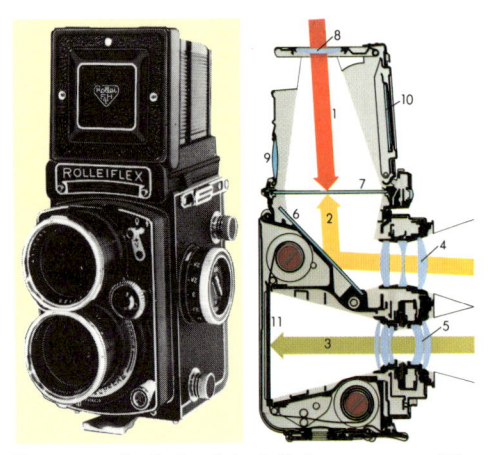

Fotoapparat: Zweiäugige Spiegelreflexkamera: LINKS Tele-Rolleiflex (Objektiv: C. Zeiss Sonnar, fünflinsig, 1:4/135 mm). RECHTS Schnittzeichnung der Rolleiflex: 1 Einblick in den Lichtschacht (rot), 2 Sucherbild-Strahlengang (gelb), 3 bilderzeugender Strahlengang (grün), 4 Sucherobjektiv, 5 Aufnahmeobjektiv, 6 Reflexspiegel, 7 Sucherbildebene, 8 und 9 Sucherokulare, 10 Reflexspiegel, 11 Bildebene

nung auf der einen und dem lichtempfindlichen Material auf der anderen Seite. Natürlich sind die mit einem derartigen Apparat aufgenommenen Fotos nicht so gut, wie wir das heute gewohnt sind.

Der heute verwendete Fotoapparat ist mit vielen technischen Einrichtungen ausgerüstet: Durch das →Objektiv fällt das Licht auf den Film. Die am Apparat einstellbare →Blende begrenzt die Lichtmenge, die auf den Film gelangt. Der →Verschluss liegt wie die Blende im Strahlengang, das heißt im Verlauf der Lichtstrahlen in der Kamera. Er öffnet sich für einen kurzen Moment, wenn man auf den Auslöser drückt, und lässt das für die Aufnahme notwendige Licht durch. Für lange Verschlusszeiten braucht man ein Stativ, da sonst die Aufnahme verwackelt.

Die meisten Fotoapparate verfügen über einen eingebauten →Belichtungsmesser, der die Helligkeit des Aufnahmegegenstands misst. Außerdem hat jeder Fotoapparat einen Sucher, durch den man den Bildausschnitt betrachten kann.

Bei der einäugigen **Spiegelreflexkamera** sieht man über einen Spiegel, der im Moment der Aufnahme wegklappt, durch das Objektiv auf den Aufnahmegegenstand. Die zweiäugige Spiegelreflexkamera hat 2 Objektive, das obere für den Sucher und das untere zum Fotografieren. Bei der einfacheren **Sucherkamera** schaut man durch ein kleines Fenster auf das Motiv.

Für die meisten Fotoapparate werden Kleinbildfilme (→Film) verwendet, die in lichtdichten Patronen aufgewickelt sind. Für größere Bildformate gibt es Platten und Rollfilme. Besonders flach sind Fotoapparate, die mit einer Filmscheibe (›Disc‹) arbeiten. Auf dieser Scheibe befinden sich z. B. 15 einzelne Filmstreifen kreisförmig angeordnet, es können also 15 Bilder gemacht werden.

Wenn man nicht lange auf die Entwicklung des Films warten möchte, kann man eine **Sofortbildkamera** verwenden. Hierfür gibt es besondere Kassetten, die bereits Film, Papier und die zur Entwicklung benötigten Chemikalien enthalten. Gleich nach der Aufnahme schiebt der Apparat das fertige Papierbild durch einen Schlitz heraus. (Weiteres BILD Seite 323)

Fotografie, Photographie [zu griechisch phos ›Licht‹ und graphein ›schreiben‹]. Seit alters her versuchen Menschen, von ihrer Umwelt dauerhafte Abbilder zu erzeugen. Dazu sind viele Techniken entwickelt worden, z. B. Malen, Zeichnen, Gravieren, Schnitzen. Wenn es jedoch darum geht, besonders genaue und naturgetreue Abbildungen herzustellen, ist das Fotografieren die geeignetste Methode. Bereits Anfang des 19. Jahrh. wurden Möglichkeiten erforscht, wie durch Lichteinwirkung auf bestimmte Chemikalien sichtbare Bilder erzeugt werden können. Die erste haltbare Fotografie stammt von Joseph Nicéphore Niepce (etwa 1826), die ersten brauchbaren Fotografien waren die nach dem Franzosen Louis Daguerre benannten ›Daguerreotypien‹

Fotoapparat: Teilschnitt durch eine Spiegelreflexkamera ohne Objektiv

Foto

(1837), von denen allerdings keine Abzüge hergestellt werden konnten. Diese Verfahren wurden verändert und wesentlich verfeinert, später kam die Erfindung der →Farbfotografie hinzu.

Im gleichen Maß, wie die chemischen Grundlagen der Fotografie erforscht und weiterentwickelt wurden, wandelte sich die Technik des →Fotoapparats von der →Camera obscura zur modernen Sucher- oder Spiegelreflexkamera. Viele zusätzliche technische Einrichtungen, z. B. →Blitzgeräte, →Winder, Wechselobjektive mit unterschiedlichen Brennweiten (→Objektiv), Balgen, Vorsatzlinsen, Farb- und Trickfilter (→Lichtfilter), helfen dem Fotografen, die Aufnahme nach seinen Wünschen zu gestalten oder besonderen Erfordernissen (z. B. die Verwendung eines Polarisationsfilters zur Unterdrückung von Lichtreflexen auf Glasscheiben oder Wasseroberflächen) gerecht zu werden. Bei der Gestaltung eines Fotos ist die Beleuchtung von großer Bedeutung, da sich mit Licht und Schatten plastische Wirkungen hervorrufen und Stimmungen gut ausdrücken lassen. Die Wahl der Belichtungszeit und der Blendenöffnung trägt ebenfalls zur Gestaltung bei. Besondere Effekte kann man bei der →Filmentwicklung und beim Herstellen von Papierabzügen erzielen.

Die Fotografie verdrängte anfangs auf manchen Gebieten die Malerei. Nach 1840 entstanden die Werke bestimmter Bildgattungen immer häufiger auf fotografischem Weg, so die Porträtminiatur und die Stadt- und Landschaftsansicht (›Vedute‹). Im 20. Jahrh. wurde die Fotografie, vor allem die Farbfotografie, zum eigenständigen künstlerischen Verfahren. Daneben spielten Fotografien auch in der modernen Kunst eine Rolle, etwa als Bestandteile von Collagen im Dadaismus und Surrealismus oder als Gemäldevorlagen (→Fotorealismus). Ohne die Fotografie ist die Entwicklung von Film und Fernsehen nicht vorstellbar. Film und Kamera wurden auch zu unentbehrlichen Hilfsmitteln für den Wissenschaftler.

Fotorealismus, Stilrichtung der Malerei, die um 1970 in den USA aufkam. Als Bildvorlage dienten nicht mehr die Dinge und Personen selbst, sondern ihr fotografisches Abbild. Dabei werden die Eigenheiten des ›fotografischen Auges‹ bewusst betont, z. B. Farbstichigkeit, Verzerrung durch das Weitwinkelobjektiv, unterschiedliche Schärfentiefe. Motive des modernen amerikanischen Lebensalltags herrschen vor (z. B. chromblitzende Autos, Reklamefassaden); es gibt jedoch auch Porträts.

Fotografie: OBEN Schema der Filmherstellung; UNTEN Entstehung einer fotografischen Schwarzweißaufnahme (schematisch)

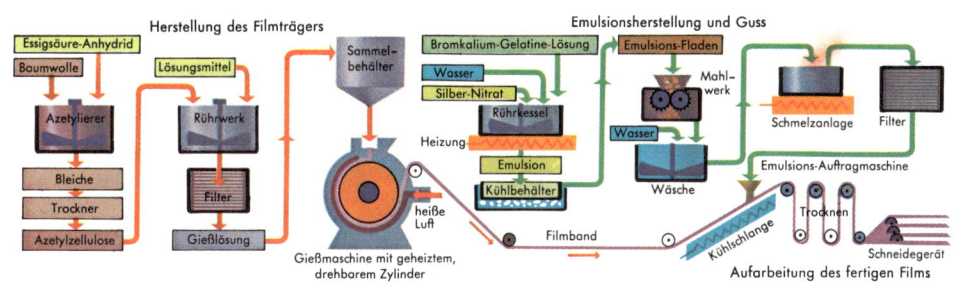

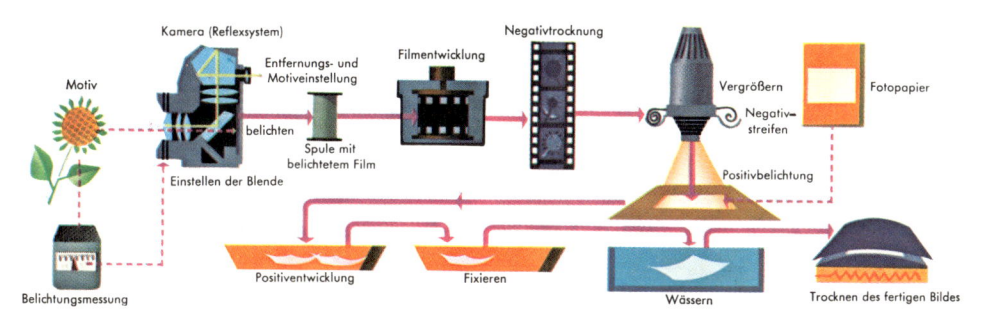

Fötu

Fötus, Fetus [lateinisch ›Frucht‹], Frucht in der Gebärmutter vom vierten Monat der Schwangerschaft an. Während der ersten 3 Monate, der Zeit der Organentwicklung, bezeichnet man den Keimling als →Embryo.

Foxterri|er, eine Rasse der →Hunde.

Fraktion [französisch ›Bruchteil‹], in heutigen Parlamenten die fest organisierte Gemeinschaft von Abgeordneten einer Partei, gelegentlich auch mehrerer (gleichgesinnter) Parteien.

Franc [frã], Währungseinheit in Frankreich, Belgien, Luxemburg und einigen anderen Ländern. Ein Franc sind 100 **Centimes**. In der Schweiz heißt die Währung **Franken** (= 100 **Rappen**). – Der Ursprung des Wortes Franc geht in das 14. Jahrh. zurück, als der französische König Johann der Gute eine Goldmünze mit diesem Namen als Lösegeld (franc ›frei‹) prägen ließ.

Francium [nach France ›Frankreich‹], Zeichen **Fr**, →chemische Elemente, ÜBERSICHT.

Franco. Der spanische General **Francisco Franco** (*1892, †1975) war im Spanischen Bürgerkrieg (1936–39) der Führer (spanisch: ›Caudillo‹) einer Aufstandsbewegung nationalspanischer Kräfte gegen die Republik. Von seinen Parteigängern wurde er 1936 zum Generalissimus (das heißt zum ranghöchsten General) und Staatschef ernannt. Nach seinem Sieg im Bürgerkrieg (1939) stellte er die Monarchie, die 1931 zugunsten der Republik abgeschafft worden war, wieder her und errichtete zugleich eine Diktatur. Seine Regierungsmacht stützte er fortan auf das Militär und die →Falange sowie auf die Duldung seitens der katholischen Kirche. Außenpolitisch hielt Franco sein Land offiziell aus dem Zweiten Weltkrieg heraus. Danach führte er es stärker an die von den USA geführten Staaten heran. In seinen letzten Amts- und Lebensjahren suchte er sein diktatorisches Regierungssystem ein wenig zu lockern.

Frank. Durch sein Tagebuch wurde das jüdische Mädchen **Anne Frank** (*1929), das mit 16 Jahren 1945 im Konzentrationslager Bergen-Belsen umkam, bekannt. In diesem Tagebuch beschreibt Anne Frank ihre Erlebnisse in den 2 Jahren, in denen sie sich mit ihren Eltern und einer befreundeten Familie (zusammen 8 Menschen) im engen Dachgeschoss eines Amsterdamer Hinterhauses vor den Deutschen versteckt hielt, die während des Zweiten Weltkriegs die Niederlande besetzt hatten. Das Tagebuch ist ein erschütterndes Dokument der Judenverfolgung durch die Nationalsozialisten.

Anne Frank

Franken, großer germanischer Stammesverband, der sich im Verlauf der →Völkerwanderung aus vielen kleineren Völkerschaften herausgebildet hatte. Im 4. Jahrh. setzten die ersten Franken über den Niederrhein und siedelten als Bundesgenossen Roms im Norden Galliens (Belgien und Nordfrankreich). Immer mehr Franken zogen nach; sie standen unter der Befehlsgewalt von Kleinkönigen; ein solcher Kleinkönig war auch der Vater →Chlodwigs, Childerich (†482), dessen Grab mit reichen Beigaben in der belgischen Stadt Tournai gefunden wurde. Die Franken am Rhein hatten einen Königssitz in Köln.

Das fränkisch besiedelte Nordgallien bildete den Ausgangspunkt für die Gründung des →Fränkischen Reichs. Seit etwa 500 traten immer mehr Franken zum Christentum über.

Die heutige **Landschaft** Franken mit mittleren und oberen Main, vorwiegend im nördlichen Teil Bayerns gelegen, umfasst ein Gebiet, das zur Zeit des Fränkischen Reichs, also im 8./9. Jahrh., an der östlichen Grenze dieses Reiches lag und als Ostfranken bezeichnet wurde.

Frankfurt, 1) Frankfurt am Main, 647 200 Einwohner, größte Stadt Hessens. Bestimmend für die Entwicklung Frankfurts war und ist seine Lage in der Rhein-Main-Ebene im Kreuzungspunkt der nordsüdlichen und der ostwestlichen Verkehrslinien (Autobahnknotenpunkt, Rhein-Main-Flughafen, Binnenhafen). Neben zahlreichen Bildungseinrichtungen (z. B. Universität, Senckenbergisches Naturhistorisches Museum, Goethe-Haus, Städelsches Kunstinstitut, Architektur- und Filmmuseum) beherbergt Frankfurt überregional bedeutende Banken und Industrieunternehmen z. B. der chemischen, elektrotechnischen und Metallindustrie.

Schon im 13. Jahrh. stieg die 794 erstmals in Geschichtsquellen genannte Stadt zu einem wichtigen Messe- und Handelsplatz auf und hatte als Ort der deutschen Königswahl (ab 1356), der Kaiserkrönungen (1562–1792) und im 19. Jahrh. als Sitz der Deutschen Bundesversammlung und der Frankfurter Nationalversammlung in der Paulskirche politische Bedeutung.

2) Frankfurt/Oder, 85 700 Einwohner, Stadt in Brandenburg am Westufer der Oder. Die Stadt liegt etwa 100 km östlich von Berlin an der Grenze zu Polen. Sie ist Sitz zentraler Behörden und zahlreicher Industrieunternehmen, z. B. der Holz-, Textil- und Metallverarbeitung. 1991 wurde eine Europauniversität gegründet.

Frankfurter Nationalversammlung. Am 18. Mai 1848 trat erstmals in der deutschen Ge-

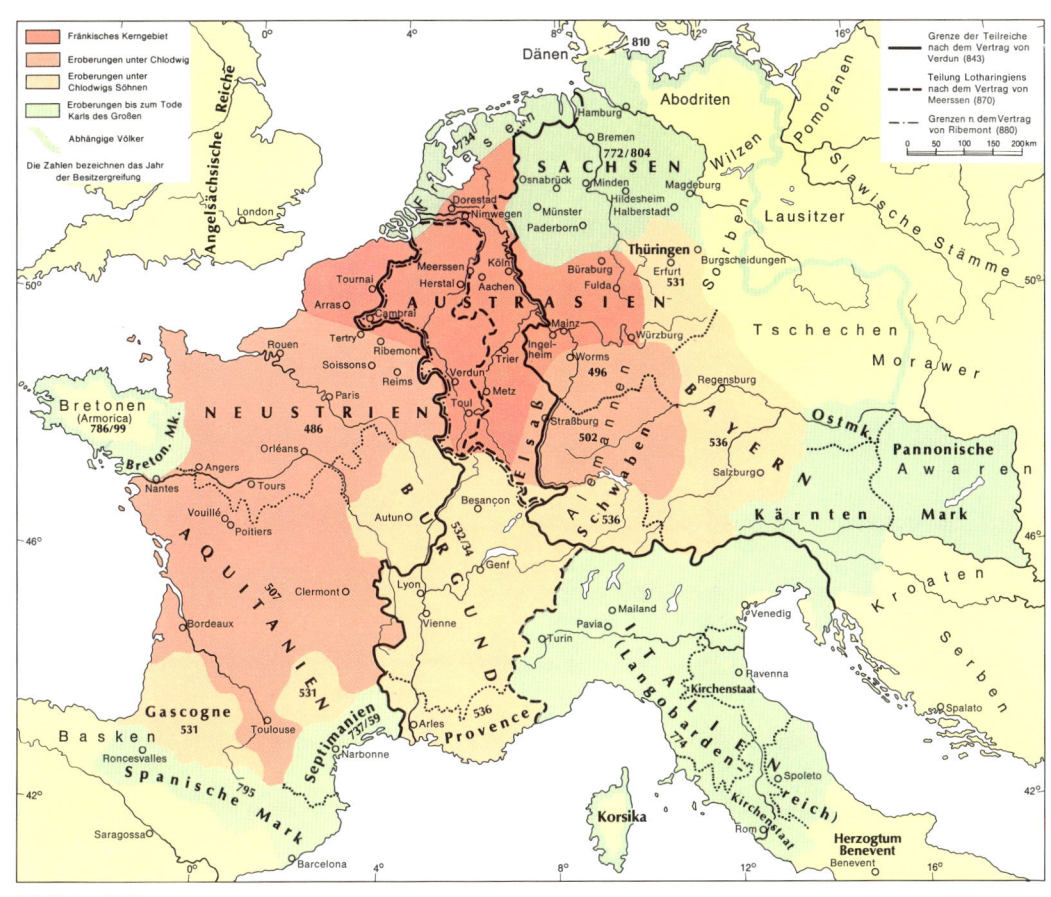

Fränkisches Reich

schichte in der Frankfurter Paulskirche eine deutsche Nationalversammlung zusammen, die nach allgemeinem und gleichem Wahlrecht zustande gekommen war. Ihr Präsident war Heinrich von Gagern. Das Ziel der Frankfurter Nationalversammlung, einen einheitlichen deutschen Staat zu schaffen und diesem eine Verfassung zu geben, scheiterte am Widerstand der größeren Einzelstaaten.

Fränkische Alb, Frankenalb, Gebirge in Nordbayern, das sich vom Nördlinger Ries bis zum Main erstreckt. Die im Mittel 500–600 m hohe Fränkische Alb erhebt sich mit einer bis zu 280 m hohen Stufe über das Vorland. Ihre Hochfläche besteht überwiegend aus Kalkgestein und ist deshalb wasserarm. Die Hänge der Flusstäler sind reich an Felsen und Höhlen. Hier hat man Reste urgeschichtlicher Tiere und Menschen gefunden. Bei Solnhofen werden Plattenkalke als Baumaterial abgebaut. Den Nordteil bildet die **Fränkische Schweiz,** mit ihren bizarren Dolomitfelsen der landschaftlich schönste Teil der Alb.

Fränkisches Reich, Frankenreich, lateinisch **Regnum Francorum,** das in Westeuropa mächtigste Reich des frühen Mittelalters. Kern des Fränkischen Reichs bildete das Siedlungsgebiet der Franken um Tournai im südlichen Belgien, wo seit 482 →Chlodwig aus dem Geschlecht der →Merowinger König war. Chlodwig machte sich zum König aller Franken, nachdem er seine Verwandten und seine fränkischen Mitkönige ausgeschaltet hatte. Er gewann die Herrschaft über den letzten Rest römischer Provinz in Gallien und eroberte Teile des Westgotenreiches in

Fran

Südfrankreich sowie des alemannischen Siedlungsgebietes am Oberrhein. Um 500 nahm Chlodwig den katholischen Glauben an und ließ sich in Reims, angeblich zusammen mit 3000 Franken aus seiner Gefolgschaft, taufen. Dadurch gewann er die Unterstützung der Bischöfe, die in ihm nun nicht mehr den fremden Machthaber sahen.

Als Chlodwig 511 starb, wurde sein Reich unter seine 4 Söhne geteilt, wie es das fränkische Erbrecht vorschrieb. Solche Teilungen blieben bestimmend für die Entwicklung des Fränkischen Reichs, das schließlich in mehrere selbstständige Teilreiche zerfiel: **Austrasien** im Osten mit dem Hauptort Metz, **Neustrien** im Westen um Rouen und **Burgund** im Südosten des Fränkischen Reichs. Die Alemannen, Hessen, Baiern und Thüringer wurden vom Frankenreich abhängig, verselbstständigten sich aber wieder, als im 7. Jahrh. die Macht der Merowingerkönige verfiel und mehr und mehr auf die →Hausmeier überging. Im Teilreich Austrasien wurde das Hausmeieramt im Geschlecht der →Karolinger erblich; diese machten sich nach und nach zu Alleinherrschern und schließlich zu Königen (751) im Fränkischen Reich. 732 hatte Karl Martell die Araber vor Poitiers geschlagen und dadurch deren weiteres Vordringen in Westeuropa verhindert.

Unter →Karl dem Großen erreichte das Fränkische Reich seine größte Ausdehnung; bald nach seinem Tod begann jedoch schon der Verfall des Frankenreichs. Mehrere Teilungen (vor allem im Vertrag von Verdun 843) hatten die Trennung des Fränkischen Reichs in ein westfränkisches (das spätere →Frankreich) und in ein ostfränkisches Reich zur Folge, dessen Herrscher die Kaiserwürde übernahm und aus dem das deutsche Reich (→deutsche Geschichte) entstand. Zwischen beiden lagen →Burgund und Italien, die für mehrere Jahrhunderte zum Zankapfel zwischen beiden Reichen wurden. Die geschichtliche Bedeutung des Fränkischen Reichs beruhte darauf, dass das Zentrum der politischen Macht in Europa aus dem Mittelmeerraum (Rom) in den Norden verlagert wurde. Hier wurden die Reste antiker Kultur erhalten und mit germanischen und christlichen Vorstellungen zur abendländischen Kultur des Mittelalters verschmolzen. (KARTE Seite 327)

Franklin [fränklin]. In seiner Zeit war **Benjamin Franklin** (*1706, †1790) in Europa einer der bekanntesten Amerikaner. Als Mitherausgeber und Autor einer Zeitung vertrat er Auffassungen und Ziele der →Aufklärung. Als Naturwissenschaftler beschäftigte sich Franklin mit der Theorie der Elektrizität. Er führte mithilfe von Drachen, die er in die Luft steigen ließ, Versuche durch, die Elektrizität in Gewitterwolken nachzuweisen. 1752 erfand er den Blitzableiter. Als Politiker vertrat er 1764–75 sein Heimatland Pennsylvania, das zu dieser Zeit englische Kolonie war, in London. Schließlich wurde er zu einem Führer der amerikanischen Unabhängigkeitsbewegung und unterzeichnete 1776 die Unabhängigkeitserklärung. Die Einigung auf die amerikanische Bundesverfassung von 1787 ist wesentlich der Vermittlung und Mitarbeit Franklins zu verdanken.

Frankreich
Fläche: 543 965 km²
Einwohner: 57,182 Mio.
Hauptstadt: Paris
Amtssprache: Französisch
Nationalfeiertag: 14. 7.
Währung: 1 Französ. Franc (FF) = 100 Centimes (c)
Zeitzone: MEZ

Frankreich, parlamentarisch-demokratisch verfasste Republik im Westen Europas, nach Russland flächenmäßig der größte europäische Staat. Vom ehemals großen Kolonialreich gehören heute nur noch wenige Gebiete zu Frankreich, teils als Übersee-Départements (Départements d'Outre-Mer, D.O.M.), teils als Überseegebiete, die Selbstverwaltung genießen.

Die Umrisse Frankreichs gleichen etwa einem Sechseck. Auf 3 Seiten ist das Land vom Meer umgeben: im Norden vom Ärmelkanal, im Westen vom Atlantischen Ozean und im Südosten vom Mittelmeer. Hier liegt, etwa 150 km vor der Küste, die ebenfalls französische Insel Korsika. Im Süden bilden die Pyrenäen, im Osten die Alpen, der Jura und der Rheingraben natürliche Grenzen. Nur im Nordosten fehlt eine solche Begrenzung; eine weite Ebene führt nach Mitteleuropa hinein.

Landschaft. Die Oberfläche Frankreichs lässt sich in überschaubare Großlandschaften einteilen. Kennzeichnend ist der Wechsel von Mittelgebirgen und ineinander übergehenden Beckenlandschaften. Daraus ergaben sich gute Verkehrsmöglichkeiten, die schon früh bedeutende Fernwege entstehen ließen. Die Hauptflüsse (Seine, Loire, Garonne, Rhône) und ihre Nebenflüsse wurden durch Kanäle verbunden.

Frankreich
Staatswappen

Staatsflagge

FRANZÖSISCHE GESCHICHTE

843	Im Vertrag von Verdun wurde das →Fränkische Reich geteilt: Im Westen entwickelte sich das **Westfränkische Reich,** das spätere Frankreich. Es herrschten Könige aus dem Haus der →Karolinger.	1804	Krönung Napoleons I. zum Kaiser der Franzosen **(Erstes Kaiserreich).**
987	Nach ihrem Aussterben wurde Hugo Capet zum König gewählt. Er ist der Stammvater der →Kapetinger.	1815	Wiedererrichtung der Monachie **(Restauration)** unter dem Bourbonen Ludwig XVIII.
1154	Durch Erbschaft und Heirat gelangte das ganze westliche Frankreich in den Besitz der englischen Könige.	1830 und 1848	versuchten die Volksmassen von Paris, die freiheitlichen ›Ideen von 1789‹ durch Aufstände zu verwirklichen und stürzten die Könige Karl X. (1830) und Louis Philippe (1848).
1180–1223	Philipp II. August stärkte die Macht des französischen Königs, eroberte die meisten englischen Besitzungen auf dem Festland und behauptete sich gegen den deutschen Kaiser (Sieg bei Bouvines 1214).	1848	Die **Zweite Republik** brachte das allgemeine Wahlrecht. Präsident wurde Napoleon I. Neffe Louis Napoléon Bonaparte, der dann als Napoleon III. das **Zweite Kaiserreich** errichtete. Dies wurde
1328	starben die Kapetinger aus. Die Nebenlinie der →Valois gelangte auf den Königsthron. Aber auch der König von England beanspruchte das Recht auf den französischen Thron. Er löste so	1870/71	im →Deutsch-Französischen Krieg von der **Dritten Republik** abgelöst.
1338	den →Hundertjährigen Krieg aus; währenddessen wurde das französische Volk sich zur Nation. Als Verkörperung dieses neuen Nationalbewusstseins gilt →Jeanne d'Arc.	19. Jahrh.	Frankreich schuf sich ein Kolonialreich in Afrika und Südostasien.
		1894	verbündete sich Frankreich, das die Vergeltung (›Revanche‹) für 1870/71 erstrebte, mit Russland.
		1904	kam es zur Einigung (›Entente‹) mit Großbritannien.
1429	Sie befreite die Stadt Orléans von der Belagerung durch die Engländer und geleitete Karl VII. zur Krönung nach Reims. Diesem gelang es dann die Engländer aus dem Land zu drängen.	1905	wurde durch Gesetz die völlige Trennung von Staat und Kirche vollzogen. Krisen zwischen dem Deutschen Reich und Frankreich gingen dem Ersten →Weltkrieg voraus, der großenteils auf französischem Boden ausgetragen wurde.
1477	König Ludwig XI. besiegte den Herzog von Burgund, Karl den Kühnen, bei Nancy. Dessen Tod bannte die Gefahr eines mächtigen Nachbarreichs →Burgund.	1919	Im Versailler Vertrag erhielt Frankreich Elsass-Lothringen zurück und wurde die führende Macht auf dem Festland, während von Frankreich verlangten Reparationen die Deutschen bedrückten und neue Ressentiments schürten (Besetzung des Ruhrgebiets 1923).
1519	König Franz I. bewarb sich um die deutsche Kaiserkrone, unterlag aber bei der Wahl dem Habsburger Karl V., gegen dessen Übermacht Franz 4 Kriegszüge verlor. Die Feindschaft gegen die Habsburger bestimmte von nun an die französische Politik. Als Fürst der →Renaissance förderte Franz I. die Künste: An der Loire entstanden viele Schlösser, die nicht mehr als Burgen zur bestmöglichen Verteidigung, sondern als angenehme Residenzen inmitten prächtiger Güter gebaut wurden. Franz I. umgab sich mit bedeutenden Künstlern, unter anderen wirkte →Leonardo da Vinci an seinem Hof.	1939	trat Frankreich in den Krieg gegen Deutschland ein (Zweiter Weltkrieg), brach aber 1940 militärisch zusammen. Zunächst nur zum Teil von deutschen Truppen besetzt, entstand im unbesetzten Teil Frankreichs der ›Etat Français‹ mit dem Hauptort Vichy, der mit nationalsozialistischen Deutschland zusammenarbeitete. Die ›Vichy-Regierung‹ stand unter der Führung des Generals Philippe Pétain. 1942 besetzte Deutschland ganz Frankreich. In London bildete General Charles de Gaulle eine Exilregierung, die die Widerstandsbewegung der Franzosen in Frankreich (→Résistance) unterstützte.
seit 1562	wüteten blutige Religions- und Bürgerkriege in Frankreich (→Hugenotten), bis der →Bourbone **Heinrich IV.** 1589 den Thron bestieg und durch seine Toleranz die Nation wieder vereinte.	1944	Nach ihrer Landung in der Normandie und an der Mittelmeerküste befreiten amerikanische und britische Truppen das Land in wenigen Monaten von der deutschen Besetzung. Am 25. 8. 1944 zog de Gaulle in Paris ein.
17. Jahrh.	König Ludwig XIII. und seine Minister **Richelieu** und **Mazarin** begründeten die unumschränkte Herrschaft des Königs (→Absolutismus). Sie machten Frankreich zur führenden Macht in Europa (→Westfälischer Friede). **Ludwig XIV.** baute die Königsmacht weiter aus und suchte sein Land in 4 kostspieligen Eroberungskriegen nach Norden und Osten zu vergrößern. Ein **Kolonialreich** entstand in Amerika und Indien. Unter Ludwig XIV. erlebte Frankreich seine kulturelle Glanzzeit. In Literatur und Kunst spricht man von der ›klassischen‹ Epoche. Ludwig XIV. verstand sich als ›Sonnenkönig‹, dessen Hofhaltung und Residenz →Versailles zum Vorbild für die europäischen Fürstenhöfe wurde. Die Misswirtschaft unter seinen Nachfolgern Ludwig XV. (1715–74) und Ludwig XVI. (1774–92) führte	1946	Eine neue Verfassung kennzeichnete den Beginn der **Vierten Republik,** deren zahlreiche verschiedene Regierungen sich für die europäische Zusammenarbeit einsetzten.
		1958	Kriege gegen die Unabhängigkeitsbewegungen in Südostasien und Algerien führten zur Staatskrise, die de Gaulle mit einer neuen Verfassung bewältigte. Die Dauerhaftigkeit der **Fünften Republik** beruht auf der starken Stellung des Staatspräsidenten, der vom Volk für 7 Jahre gewählt wird und Oberbefehlshaber der Streitkräfte ist, sowie auf der Tatsache, dass die Regierung nicht vom Parlament gewählt wird, sondern nur seines Vertrauens bedarf. De Gaulle trat 1969 zurück, seine Nachfolger waren Georges Pompidou (1969–74), Valéry Giscard d'Estaing (1974–81) und François Mitterrand (1981–95).
1789 1792–99	zur **Französischen Revolution. Erste Republik,** die Napoleon Bonaparte durch die Errichtung des **Konsulats** (1799) beendete.	1995	wurde der Gaullist Jacques Chirac zum Präsidenten gewählt.

Das ›Herz‹ Frankreichs bildet das **Pariser Becken,** in dessen Mittelpunkt die Hauptstadt Paris liegt. Sternförmig führen die großen Autostraßen und Eisenbahnstrecken von hier aus in alle Landesteile. Das Pariser Becken umfasst die fruchtbarsten Gegenden Frankreichs, so die Landschaft Beauce südwestlich von Paris, wo Getreide und Zuckerrüben wachsen. Das Pariser

Fran

ten ist umgeben von 4 alten Gebirgen: im Westen dem Rumpfgebirge der Bretagne, den bewaldeten →Ardennen im Nordosten, den →Vogesen im Osten und dem →Zentralmassiv im Süden. Zwischen Zentralmassiv und Pyrenäen breitet sich das **Aquitanische Becken** (Garonnebecken) aus. Dort haben sich unterirdische Erdöl- und Erdgas-Lagerstätten gebildet. Zum Meer zu findet Aquitanien seinen Abschluss in dem breiten Waldstreifen der ›Landes‹, dem eine Haffzone, hohe Dünenwälle und Strandseen vorgelagert sind.

> **Übersee-Départements:**
> Guadeloupe, Inselgruppe der Kleinen Antillen (1 779 km², 387 000 Einwohner)
> Martinique, Insel der Kleinen Antillen (1 102 km², 327 100 Einwohner)
> Französisch Guayana, im Nordosten Südamerikas (91 000 km², 73 000 Einwohner)
> Réunion, Insel im Indischen Ozean östlich von Madagaskar (2 510 km², 574 800 Einwohner)
> Mayotte, zur Inselgruppe der Komoren gehörende Insel im Indischen Ozean, nördlich von Madagaskar (375 km², rund 52 000 Einwohner)
>
> **Überseegebiete:**
> Saint-Pierre-et-Miquelon, 8 Inseln in Nordamerika, vor der Südküste von Neufundland (242 km², 6 000 Einwohner)
> Französisch-Polynesien, über eine Fläche von 4 Millionen km² verstreut im Pazifischen Ozean liegende Inseln (rund 4 000 km², etwa 190 000 Einwohner), darunter Tahiti mit 65 000 Einwohnern
> Neukaledonien, Inseln im südöstlichen Pazifik (19 103 km², 153 700 Einwohner), darunter die Insel Neukaledonien mit 16 627 km²
> Wallis und Futuna, 2 Inselgruppen im Pazifischen Ozean (274 km², 15 400 Einwohner)
> Terres Australes et Antarctiques Françaises, Gebiete und Inseln in der Antarktis und im Indischen Ozean (287 000 km², etwa 200 Einwohner)

Die dritte große Beckenlandschaft ist das **Rhône-Saône-Tal**, das zwischen Lyon und dem Rheintal als Hügelland gestaltet ist und sich nach Süden zu den französischen Mittelmeerlandschaften hin öffnet. Diese, der **Languedoc** im Westen und im Osten die **Provence** mit der Camargue sowie der buchtenreichen Felsküste der **Côte d'Azur** zählen zu den beliebtesten Feriengebieten Europas.

Das Klima im größten Teil Frankreichs ist ozeanisch, daher meist mild und feucht. Nur der Landstreifen am Mittelmeer hat heiße und trockene Sommer mit Regenzeiten im Frühjahr und im Herbst. Das Rhônetal, eingeengt zwischen Zentralmassiv und Alpen, wird besonders im Winter und Frühjahr von kalten Winden heimgesucht, deren bekanntester der ›Mistral‹ ist.

Bevölkerung. Abgesehen von etwa 4 Millionen Ausländern in Frankreich besteht die Bevölkerung fast nur aus Franzosen, die schon früh zu einer einheitlichen Nation mit einem ausgeprägten Nationalbewusstsein zusammengewachsen sind. Minderheiten bilden die Bretonen in der Bretagne, die →Flamen um Dünkirchen im nördlichsten Zipfel Frankreichs, die teilweise noch deutsch sprechende Bevölkerung im Elsass und in Lothringen, die →Basken im äußersten Südwesten, die →Katalanen in den Ostpyrenäen und deren Vorland, dem Roussillon, die Okzitanier im Languedoc sowie die italienisch sprechenden Korsen auf →Korsika. In den meisten Regionalsprachen (außer Flämisch und Deutsch) darf unterrichtet werden, allerdings ist die Amts-, Bildungs- und Schulsprache das Französische.

Wirtschaft. Die französische Landwirtschaft hat eine führende Stellung in der EU. Sie produziert wesentlich mehr, als zur Deckung des Eigenbedarfs notwendig ist und schafft dadurch große Exporteinnahmen. Von überragender Bedeutung ist der französische **Weinbau**, z. B. in der Gegend von Bordeaux und in Burgund. Ebenso von Gewicht ist der Obst- und Gemüseanbau sowie in der Provence der Anbau von Duftpflanzen zur Herstellung von **Parfum**. Frankreich besitzt den größten Bestand an Rindern in der EU. Große **Kohlevorkommen** ließen im 19. Jahrh. Industrireviere im Norden und Osten sowie in Mittelfrankreich entstehen. Mit dem Rückgang des Bergbaus entstanden Industriezonen im Bereich der Seehäfen (Dünkirchen, Fos). Eine wesentliche Rolle spielt die **Metallerzeugung** und **-verarbeitung** (Aluminium, Schiffbau, Kraftfahrzeugindustrie). Eine lange Tradition hat die **Textilindustrie**, deren Zentren sich im Norden, im Elsass und um Lyon konzentrieren. Eine der größten Industrieregionen ist Paris mit seiner Umgebung. (KARTE Band 2, Seite 200)

Über die Geschichte Frankreichs siehe ÜBERSICHT Seite 329.

Franz I., *1494, †1547, Vetter und Schwiegersohn König Ludwigs XII. von Frankreich, der 1515 den Thron bestieg. Als Mitbewerber um die Nachfolge des römisch-deutschen Kaisers Maximilian I. unterlag er 1519 dessen Enkel, Karl V., bei der Wahl in Frankfurt. Von den habsburgischen Ländern Karls V., Österreich, Spanien und Burgund, sah er Frankreich umklammert. Ziel seiner Politik war es deshalb, Habsburgs Macht zurückzudrängen. Umkämpft war vor allem Mailand, aber auch Neapel, Burgund und Navarra. Franz I. und Karl V., beide katholische Herrscher, führten trotz der aufkommenden Auseinandersetzungen mit den Protestanten mehrere Kriege gegeneinander. Franz I. wurde von Karl V. besiegt und musste seine Ansprüche auf Italien aufgeben. Er gilt als Wegbereiter der absoluten Monarchie in Frankreich und war ein Förderer von Künstlern und Gelehrten der Renaissance.

Franziskaner, von →Franz von Assisi 1209/10 gegründeter Bettelorden. Er besteht aus mehreren selbstständigen Zweigen (darunter **Minderbrüder** und **Kapuziner**), die aber alle auf der Ordensregel von 1223 beruhen. Die Franziskaner sind besonders in der Seelsorge und der Mission tätig. Sie tragen eine braune Wollkutte mit weißem Strick und loser Kapuze und gehen oft barfuß in Sandalen. Der weibliche Zweig, die **Klarissinnen,** sind nach Klara, der Jugendgefährtin des Franz von Assisi, benannt.

Franz Joseph I. Im Zusammenhang mit den revolutionären Ereignissen des Jahres 1848 wurde der achtzehnjährige **Franz Joseph** (*1830, †1916) nach der Abdankung seines Onkels, Ferdinands I., Kaiser von Österreich. Die nationale Bewegung des 19. Jahrh. hatte die Völker der habsburgischen Monarchie ergriffen und bedrohte den Bestand des Staates. Ansätze zur Einführung einer freiheitlicheren Verfassung zugunsten einer Mitsprache der einzelnen Völker scheiterten. Die Revolution wurde besonders in Ungarn, das sich für unabhängig erklärt hatte, blutig niedergeworfen. Nach 1851 regierte Kaiser Franz Joseph wieder absolutistisch. Innerhalb des Deutschen Bundes versuchte der Kaiser 1863 durch eine Reform, Deutschland unter Österreichs Führung wieder zu einigen. Nach dem verlorenen Krieg gegen Preußen (1866) war die Bildung eines deutschen Nationalstaates mit österreichischer Beteiligung jedoch ausgeschlossen.

Durch politische Zugeständnisse an Ungarn wurde die **Doppelmonarchie Österreich-Ungarn** errichtet und Franz Joseph 1867 zum **König von Ungarn** gekrönt. Er verkörperte in seiner Person den Zusammenhalt des Kaiser- und Königreichs. Österreich blieb im Deutsch-Französischen Krieg 1870/71 neutral. Persönlich erlebte der Kaiser schwere Schicksalsschläge: 1889 beging der einzige Sohn und Thronfolger Rudolf Selbstmord. 1898 wurde die Kaiserin Elisabeth von einem italienischen Anarchisten ermordet. Der neue Thronfolger, Franz Josephs Großneffe Franz Ferdinand, hatte ein Reformprogramm zur Lösung der Nationalitätenfrage entworfen, das der Kaiser jedoch ablehnte. Der Thronfolger und seine Frau starben durch ein Attentat in Sarajevo am 28. 6. 1914; dieses Ereignis wurde zum äußeren Anlass des Ersten Weltkriegs.

Französische Revolution, eine Epoche der Geschichte →Frankreichs, die von 1789 bis 1799 dauerte. Gegen Ende des 18. Jahrh. verbreiteten sich in Frankreich die Ideen der Aufklärung (Freiheit, Gleichheit). Gleichzeitig wurden die inneren Missstände des alten Staates immer deutlicher. Die Staatsfinanzen waren zerrüttet. Da berief König Ludwig XVI. 1789 die Generalstände, zu denen sich nach Ständen getrennt Abgeordnete des Adels, der Geistlichkeit und des Bürgertums aus ganz Frankreich am Königshof versammelten. Diese sollten neue Steuern bewilligen. Die Abgeordneten des Bürgertums, ›dritten Standes‹, dessen politischer Einfluss gering war, erklärten sich zur verfassunggebenden Nationalversammlung. Am 14. Juli 1789 erstürmten die Revolutionäre das Pariser Staatsgefängnis (die ›Bastille‹), das als Symbol der absolutistischen Herrschaft galt. Adel und Geistlichkeit verzichteten auf ihre Vorrechte und nach amerikanischem Vorbild wurden die Menschen- und Bürgerrechte verkündet (26. 8. 1789). Das Kirchengut wurde verstaatlicht, der Adel abgeschafft. 1791 hatte die Nationalversammlung eine neue Verfassung ausgearbeitet. Frankreich wurde konstitutionelle Monarchie. In der gesetzgebenden Versammlung (1791/92) bildeten die Republikaner, Jakobiner und Girondisten gegenüber den Anhängern der Monarchie die Mehrheit. Als Frankreich 1792 den Krieg gegen Österreich und Preußen eröffnete, erweckte der König durch seine Flucht aus Paris den Verdacht das Land zu verraten. Er wurde am 21. 1. 1793 hingerichtet. Im Frühjahr 1793 errichteten die Jakobiner zur Durchsetzung ihrer radikalen Ziele eine **Schreckensherrschaft;** ihr Führer Robespierre regierte mithilfe des Wohlfahrtsausschusses wie ein Diktator. Der Terror endete am 27. 7. 1794 mit der Hinrichtung Robespierres. Nach einer Übergangszeit von 5 Jahren, der bürgerlichen Herrschaft des **Direktoriums** (1795–99), ergriff 1799 Napoleon die Macht; er erklärte die französische Revolution für beendet, da er ihre Ziele für erreicht hielt.

Französische Revolutionskriege, die Kriege, die das revolutionäre Frankreich zwischen 1792 und 1802 gegen mehrere europäische Staaten führte. Es handelt sich um die ersten beiden →Koalitionskriege.

Französisch-Guayana, französisches Übersee-Département im Nordosten Südamerikas. Es gehört zum Bergland von Guayana und ist fast ganz von tropischem Regenwald bedeckt. Mehr als die Hälfte der 73 000 Bewohner leben in der Hauptstadt Cayenne. Im Küstentiefland wird Zuckerrohr angebaut. Bei Kourou an der

Fran

Freiburg Kantonswappen

Küste entstand 1966 das französische Raumforschungszentrum mit Raketenstartplatz. – Guayana, seit 1816 zu Frankreich gehörend, war bis 1938 Sträflingskolonie. (KARTE Band 2, Seite 197)

Französisch-Polynesien, französisches Überseegebiet im Pazifischen Ozean mit beschränkter Selbstverwaltung. Die Inselgruppen, deren wichtigste die Gesellschaftsinseln sind, liegen über ein Gebiet verstreut, das größer als Indien ist. Fast die Hälfte der 190 000 Einwohner lebt in der Hauptstadt Papeete auf Tahiti. Kopra, Kokosöl und Perlmutt sind wichtige Ausfuhrprodukte. Der Fremdenverkehr gewinnt an Bedeutung. (KARTE Band 2, Seite 198)

Franz von Assisi, Franziskus. Sein eigentlicher Name war Giovanni Bernardone (*1182, †1226), genannt Francesco (der ›Franzose‹). Franziskus wurde in Assisi als Sohn eines reichen Kaufmanns und einer vornehmen Französin geboren. Die Erfahrungen von Krieg, Gefangenschaft und Krankheit sowie ein Christus-Erlebnis gaben den Anstoß, dass Franziskus sein Leben ganz in den Dienst der Nachfolge Christi stellte. Er verzichtete auf allen Besitz und zog seit 1209 als Wanderprediger umher. Schon bald schlossen sich ihm Gefährten an, die er zu zweit als Prediger oder zur Pflege der Kranken aussandte. Für ihr Zusammenleben verfasste er eine Regel, die 1210 von Papst Innozenz III. bestätigt wurde. Ihre Bruderschaft erhielt den Namen ›Orden der Minderen Brüder‹ und breitete sich schnell aus (→Franziskaner). 1220 zog Franziskus sich aus gesundheitlichen Gründen in die Alverner Berge bei Arezzo zurück. In der Meditation empfing er 1224 die Wundmale Christi (→Stigmatisation). Er ist der Schutzheilige Italiens; sein Fest wird am 4. Oktober gefeiert.

Franz von Assisi (Ausschnitt aus einem Fresko von Cimabue; Assisi, S. Francesco)

Frauenfeld, 20 200 Einwohner, Hauptstadt des Schweizer Kantons Thurgau, liegt zu beiden Seiten der Murg.

Frauenschuh, eine →Orchidee.

Freetown [fritaun], 470 000 Einwohner, Hauptstadt des westafrikanischen Staates Sierra Leone, liegt am Atlantischen Ozean. Die Stadt wurde 1787 von freigelassenen Sklaven gegründet.

Fregatte, im 17. Jahrh. entstandenes, schnell segelndes Kriegsschiff. Im Zweiten Weltkrieg dienten mit Dieselmotoren angetriebene Fregatten zur U-Boot- und Luftabwehr. Heute erreichen Fregatten die Größe von Zerstörern und sind mit Lenkwaffen ausgerüstet.

Freiburg, französisch **Fribourg.** Der schweizerische Kanton (1 670 km^2, 214 600 Einwohner) hat eine überwiegend katholische, zu 2/3 französisch-, zu 1/3 deutschsprachige Bevölkerung. Hauptort ist **Freiburg im Üchtland.**
Der Kanton umfasst mit dem Tal der Saane vor allem das Schweizer Mittelland. Nur im Süden erreicht er die Voralpen (Vanil Noir 2 389 m). Im Westen gehören Murtensee und Teile des Ostufers des Neuenburger Sees noch zum Kantonsgebiet. Überall herrscht die Landwirtschaft vor. Zu den Spezialitäten zählt die Herstellung von Käse, vor allem im Greyerzer Land (französisch: Gruyères). An den Seen trifft man auch Obst- und Weinbau an. Freiburg trat 1481 der Eidgenossenschaft bei.

Freiburg im Breisgau, 191 600 Einwohner, Stadt in Baden-Württemberg am Austritt der Dreisam aus dem Schwarzwald in die Oberrheinebene. Die landschaftlich reizvolle Lage macht Freiburg zu einem Ausgangspunkt des Fremdenverkehrs. Es ist Sitz verschiedener Industrieunternehmen und führender Handels-, Banken- und Versicherungsplatz Südbadens. Die 1120 gegründete Stadt hatte unter den Zähringer Herzögen, Habsburgern, Franzosen und schließlich als Teil Badens eine wechselhafte Geschichte.

Freidenker, Begriff, der zunächst diejenigen bezeichnet, die den christl. Glauben dem Urteil der Vernunft unterwarfen, dann diejenigen, die das Denken unabhängig von jeder Autorität allein durch die einleuchtende Erkenntnis des Gegenstandes leiten lassen; im 19./20. Jahrh. (Selbst-)Bezeichnung atheistischer Denker. In Deutschland wurden Freidenker zunächst als **Freigeister** bezeichnet.

Freiheitskriege, Befreiungskriege, in Deutschland gebräuchliche Bezeichnung für die Kriege zwischen 1813 und 1815, in denen sich Deutschland, Italien und Spanien von der französischen Herrschaft befreiten. Die bekanntesten Schlachten sind die **Völkerschlacht bei Leipzig** (1813) und die Schlacht bei **Waterloo** (1815), in denen das napoleonische Frankreich unterlag.

Freiheitsstrafe, Entzug der persönlichen Freiheit zur Verbüßung von Straftaten. Die Strafdauer reicht von einem Monat bis lebenslänglich. Die früher in der Bundesrepublik Deutschland übliche Unterscheidung zwischen Gefängnis und Zuchthaus wurde 1969 aufgehoben. Auch in Österreich gibt es die einheitliche Freiheitsstrafe, während die Schweiz als Freiheitsstrafe Zuchthaus für schwere und Gefängnis und Haft für leichte Straftaten kennt.

Freiherr, Adelsbezeichnung (→Adel), die mit dem Titel **Baron** gleichzusetzen ist. Ursprünglich waren die Freiherrn Grundherren, die nur dem Kaiser lehnspflichtig waren.

Freilauf, →Fahrrad.

Freimaurer. Im Mittelalter war es üblich, dass Steinmetze und Maurer, die Kirchen bauten, sich in Vereinigungen zusammenschlossen. Diese nannte man ›Bauhütten‹. In England hatten sich Reste dieser Gemeinschaften erhalten. Es waren Vereinigungen, die das alte Brauchtum pflegten und sich in Gasthäusern (englisch ›lodge‹, daher Loge) trafen. 1717 schlossen sich 4 Londoner Logen zu einer Großloge zusammen, die nun auch für Mitglieder anderer Berufe offen war. Im 18. Jahrh. kam die Freimaurerei nach Deutschland. Diesem damals reinen Männerbund gehörten z. B. Goethe, Schiller, Mozart und Friedrich der Große an. Die Freimaurer bezeichnen sich als **Logenbrüder.** Ihr Ziel ist es, Menschlichkeit, Wahrheit und Toleranz zu üben und sich dafür einzusetzen. Sie fühlen sich keiner bestimmten Religion verpflichtet. Weltweit gibt es heute Freimaurerlogen mit etwa 7 Millionen männlichen und weiblichen Mitgliedern, davon etwa 20 000 in Deutschland.

Fremdwort, aus einer fremden Sprache übernommenes Wort. Es wird der Sprache, in die es aufgenommen wird, nicht angeglichen und behält Aussprache, Schreibweise und Lautung der Ursprungssprache bei (z. B. ›Management‹ für Unternehmensleitung, ›Trottoir‹ für Bürgersteig).

Frequenz [lateinisch ›Häufigkeit‹], bei periodischen Vorgängen wie →Schwingungen oder →Wellen die Anzahl der Schwingungen pro Zeiteinheit. Die **Frequenzeinheit** 1 Hz (→Hertz) liegt vor, wenn in einer Sekunde eine Schwingung erfolgt. Der →Wechselstrom, der von den Elektrizitätswerken geliefert wird, schwingt 50-mal je Sekunde hin und her. Er hat also eine Frequenz von 50 Hz.

Frequenzbereich, Wellenbereich, Teilbereich aus der Gesamtheit der elektromagnetischen Wellen. Innerhalb ihrer Einteilung (Übersicht) gibt es im Funkverkehr international vereinbarte Zuordnungen, wonach Rundfunk, Fernsehen, Sprechfunk und alle anderen Funkdienste nur auf ganz bestimmten Frequenzbereichen übertragen werden dürfen. Für den **Ton-Rundfunk** in Europa gilt als Mittelwelle (MW) der Bereich von 187 bis 570 m (1 605 bis 525 kHz), als Langwelle (LW) 1 050 bis 2 000 m (285 bis 150 kHz), als Kurzwelle (KW) 11 bis 49 m (26 bis 6,1 MHz) und als Ultrakurzwelle (UKW) 2,9 bis 3,4 m (104 bis 87,5 MHz).

Im **Fernseh-Rundfunk** verwendet man Frequenzen zwischen 44 und 216 MHz (Wellenlängen zwischen 7 und 1,4 m) für die Bänder I und III (VHF) sowie zwischen 470 und 790 MHz (Wellenlängen zwischen 0,64 und 0,38 m) für die Bänder IV und V (UHF).

Frequenzweiche, elektrische Schaltung zur Trennung zweier Frequenzbereiche oder zur Aufteilung eines Frequenzgemischs in mehrere Bänder. Sie wird z. B. in eine Lautsprecherbox eingebaut, um – bei einer Dreiwegbox – das Tongemisch in tiefe, mittlere und hohe Töne aufzuteilen und dem entsprechenden Tief-, Mittel- und Hochtonlautsprecher zuzuführen.

Freskomalerei, Wandmalerei auf frisch aufgetragenem, noch feuchtem Kalkputz (italienisch a fresco ›auf das Frische‹), mit dem sich die Farben unlöslich verbinden. Da der Mörtel schnell trocknet, kann der Freskomaler sein Werk nur stückweise vollenden. Um Zeit zu sparen, fertigt er sich einen Entwurf auf Karton und überträgt ihn auf die Wand. Schon die griechische Kunst kannte das Fresko; vielleicht ist es sogar noch älter. Ein besonders bekanntes Beispiel sind die Fresken von →Michelangelo an Decke und Altarwand der Sixtinischen Kapelle im Vatikan.

Frettchen. Das weiße bis hellgelbliche Frettchen mit seinen roten Augen ist eine Zuchtform des →Iltis; es wird seit dem Altertum zur Wildkaninchenjagd abgerichtet. (BILD Marder)

Freud. Der österreichische Arzt und Begründer der Psychoanalyse **Sigmund Freud** (*1856, †1939) studierte in Wien Medizin und ließ sich anschließend zum Nervenarzt ausbilden. Er ent-

\multicolumn{4}{c}{Frequenzbereiche}			
Bereich	Abkürzung	Wellenlänge	Frequenz
Millimeterwellen (extremely high frequency)	(EHF)	10 mm … 1 mm	30 GHz … 300 GHz
Zentimeterwellen (super high frequency)	(SHF)	10 cm … 1 cm	3 GHz … 30 GHz
Dezimeterwellen (ultra high frequency)	(UHF)	10 dm … 1 dm	300 MHz … 3 GHz
Ultrakurzwellen (very high frequency)	UKW (VHF)	10 m … 1 m	30 MHz … 300 MHz
Kurzwellen (high frequency)	KW (HF)	100 m … 10 m	3 MHz … 30 MHz
Mittelwellen (medium frequency)	MW (MF)	1 000 m … 100 m	300 kHz … 3 MHz
Langwellen (low frequency)	LW (LF)	10 km … 1 km	30 kHz … 300 kHz
Längstwellen (very low frequency)	(VLF)	100 km … 10 km	3 kHz … 30 kHz

Frie

wickelte eine eigene Methode zur Heilung seelischer Erkrankungen, die er **Psychoanalyse** (›Seelenzergliederung‹) nannte. Nach Freuds Ansicht sind alle psychischen Krankheiten auf frühkindliche Störungen in der sexuellen Entwicklung zurückzuführen. Während der psychoanalytischen Behandlung liegt der Patient auf einer Couch. Der Analytiker ermutigt ihn, seine Träume zu berichten und ohne Hemmungen auszusprechen, was ihn bedrückt. Durch das freie Sichaussprechen werden dem Patienten seine Leiden bewusst und er lernt unter Mithilfe des Analytikers sie zu verarbeiten. Bei der Verbreitung seiner Lehre stellten sich Freud große Schwierigkeiten entgegen, da es zur damaligen Zeit nicht üblich war, offen über sexuelle Fragen zu sprechen. Von den Nationalsozialisten wegen seiner jüdischen Abstammung verfolgt, wanderte Freud 1938 nach London aus. Seine Lehre wurde von seinen Schülern, unter ihnen seine Tochter Anna (*1895, †1982), erweitert, ergänzt und verändert.

Frieden, der Zustand eines ungestörten Miteinander- und Nebeneinanderlebens von einzelnen Menschen, Gruppen und Staaten.

Zum Schutz des Friedens innerhalb eines Gemeinwesens wurde schon früh der Burg-, Markt-, Stadt- oder Gerichtsfrieden entwickelt. In der Neuzeit ging der Schutz des **inneren Friedens** allmählich ganz auf den Staat und seine Organe über. Durch Strafgesetze sucht der Staat ihn zu sichern. Der Rechtsstaat sucht darüber hinaus z. B. durch die Respektierung der Bürger- und Menschenrechte dem Frieden eine besondere Qualität zu geben.

Der Frieden eines Staates nach außen (**äußerer Frieden**) findet seinen Ausdruck in diplomatischen und gutnachbarlichen Beziehungen zu anderen Staaten, in Handels-, Kultur- und Rechtsbeziehungen zu ihnen. Besteht zwischen Staaten Krieg, so kann der Friede durch einen **Friedensvertrag** oder durch ein entsprechendes Handeln (z. B. Aufnahme diplomatischer Beziehungen) wiederhergestellt werden.

Seit dem Ende des 19. Jahrh. versuchen die Staaten, durch Abrüstungsvereinbarungen (→Abrüstung), durch die Schaffung internationaler Organisationen (→Völkerbund, →Vereinte Nationen) und durch die Einrichtung internationaler Schiedsgerichte den Frieden zu sichern (**Friedenssicherung**). Im Rahmen der **Friedensforschung** gibt es heute wissenschaftliche Bemühungen, die Konflikte zwischen Staaten zu erforschen und Lösungen vorzuschlagen. Unter dem Namen **Friedensbewegung** finden sich Menschen und Organisationen mit unterschiedlichen politischen Zielen zusammen, um den Frieden zu fördern.

Friedenspfeife, Calumet [englisch käljumet, französisch kalümę], Tabakspfeife aus indianischem Pfeifenstein, Holz oder Knochen, die z. B. mit Federn, Haaren und Perlen geschmückt war. Sie wurde von nordamerikanischen Indianern bei Friedensabschlüssen oder anderen feierlichen Gelegenheiten geraucht.

Friedrich, Römische Kaiser und Deutsche Könige.

Friedrich I., *1122, †1190, hatte den italienischen Beinamen **Barbarossa**, deutsch **Rotbart**, war seit 1147 Herzog von Schwaben. Sein Onkel, König Konrad III., schlug ihn auf dem Sterbebett als seinen Nachfolger vor. Friedrich stammte aus dem Geschlecht der →Staufer, war aber durch seine Mutter Judith eng mit den →Welfen verwandt. So war er für die Parteigänger der Staufer wie für die mit diesen verfeindeten Anhänger der Welfen gleichermaßen annehmbar und wurde 1152 einstimmig zum König gewählt. Er rechtfertigte das in ihn gesetzte Vertrauen, indem er den Streit mit Heinrich dem Löwen beilegte. Dieser erhielt das Herzogtum Bayern zurück, das den Welfen entzogen worden war.

Nun konnte sich Friedrich seinem großen Ziel widmen, das Reich wieder in seinem alten Glanz erstehen zu lassen. 1154 zog er nach Italien, ließ sich 1155 in Pavia mit der lombardischen Königskrone und in Rom zum Kaiser krönen. Doch kam es bald zu Spannungen mit den Städten Oberitaliens, die reich geworden waren und nach größerer Selbstständigkeit strebten, ebenso mit dem Papst, als Friedrich es ablehnte, sein Kaisertum vom Papst als Lehen zu nehmen. Die Auseinandersetzungen, in deren Verlauf 1162 Mailand zerstört wurde, zogen sich lange hin und zwangen Friedrich zu mehreren Italienzügen, bis er 1177 in Venedig mit dem Papst und 1183 in Konstanz mit den Städten Frieden schloss.

Währenddessen baute er in Süddeutschland die staufische Macht aus. In zweiter Ehe heiratete er 1156 Beatrix von Burgund und ließ sich 1178 in Arles zum König von Burgund krönen. 1169 ließ er seinen vierjährigen Sohn Heinrich, den späteren Heinrich VI., zum König wählen und krönen. 1186 verheiratete er ihn mit Konstanze, der Erbin Siziliens, und bereitete damit die Verbindung des Reiches mit Süditalien vor. In Deutschland brach erneut der Streit mit Heinrich dem Löwen aus. Heinrich verlor seine Lehen, die auf dem Reichstag zu Gelnhausen neu vergeben wurden: Sachsen wurde geteilt, Bayern kam an

Friedrich I.
(Teil eines Reliquiars, Stift Cappenberg)

das Haus Wittelsbach. Als 1187 Jerusalem von dem türkischen Sultan Saladin erobert wurde, hielt der Kaiser es für seine Pflicht, als Haupt der Christenheit einen Kreuzzug zu unternehmen. 1189 brach sein Heer von Regensburg aus auf. Nachdem er unter schweren Verlusten Kleinasien fast durchquert hatte, ertrank er 1190 beim Baden im Fluss Saleph (heute Göksu). Nach der Sage, die ursprünglich mit seinem Enkel Friedrich II. verknüpft war, soll er im Berg Kyffhäuser im Harz schlafen und einmal wiederkehren.

Friedrich II., *1194, †1250, deutscher König und römischer Kaiser, der Sohn des Staufers Kaiser Heinrich VI. und der Konstanze, der Thronerbin des normannischen Königreichs Sizilien. Er wurde 1196 zum deutschen König gewählt. Als sein Vater 1197 starb, wurde er als König in Deutschland nicht anerkannt. 1198 ließ Konstanze ihn zum König von Sizilien krönen und stellte ihn unter die Vormundschaft des Papstes, der die Lehnsherrschaft über Sizilien besaß. Friedrich wuchs am Hof von Palermo auf, in einer geistigen Umgebung, in der sich byzantinische, arabische, jüdische und normannische kulturelle Einflüsse vermischten. So erwarb sich der junge König eine vielseitige und weltoffene Bildung. In späteren Jahren sammelte er einen Kreis von Dichtern um sich und schrieb selbst Gedichte, außerdem ein Buch über die Falkenjagd. Er führte Briefwechsel mit arabischen Gelehrten über naturwissenschaftliche Fragen. Seinen Sinn für Kunst zeigen seine zahlreichen Burgenbauten in Süditalien und Sizilien.

In Deutschland regierte inzwischen Kaiser Otto IV. aus dem Geschlecht der Welfen. Als ihn Gegner Friedrichs um Hilfe baten, griff er Sizilien an und drang bis nach Kalabrien vor. Darauf ließ der Papst Friedrich II. 1211 in Deutschland zum Gegenkönig wählen, dem sich viele deutsche Fürsten anschlossen. 1214 unterlag Otto IV. in der Schlacht von Bouvines dem französischen König. Darauf konnte sich Friedrich im deutschen Reich endgültig durchsetzen. 1215 und erneut 1220 gelobte er, einen Kreuzzug anzutreten und erlangte damit die Kaiserkrönung. In Deutschland gewährte er den geistlichen (1220) und den weltlichen Fürsten (1230/31) gewisse Vorrechte, die allmählich dazu führten, dass die einzelnen Landesherren in Deutschland größere Selbstständigkeit gegenüber dem König erlangten.

In Sizilien, das kein Wahlreich wie Deutschland, sondern ein Erbreich war, schuf er einen gut funktionierenden Beamtenstaat, der seiner Zeit weit voraus war. Zur Ausbildung der Verwaltungs- und Finanzbeamten, die er hierzu benötigte, gründete er eine Universität in Neapel.

Da er den Kreuzzug ins Heilige Land immer wieder aufschob, bannte ihn der Papst und löste den Bann auch nicht, als Friedrich 1228 den Kreuzzug begann. 1229 krönte er sich selbst zum König von Jerusalem. 1230 schloss er Frieden mit dem Papst und befand sich auf dem Höhepunkt seiner Macht. Danach erlebte er viele politische Rückschläge, bis er erneut gebannt wurde und in Deutschland Gegenkönige gewählt wurden. In seinem Testament hatte er seinen 1237 in Wien zum deutschen König gewählten Sohn Konrad IV. zu seinem Nachfolger bestimmt; dieser konnte jedoch den Zusammenbruch der staufischen Macht nach dem Tod Friedrichs II. nicht aufhalten.

Friedrich II., der Große, *1712, †1786, König von Preußen (1740–86), Sohn des ›Soldatenkönigs‹ Friedrich Wilhelm I. Er zog in seiner Jugend einem Leben unter Soldaten die Beschäftigung mit Literatur und Musik vor, spielte auch selbst Querflöte und komponierte. Nach dem Scheitern seiner Pläne, eine Tochter Georgs II. von England zu heiraten, versuchte er achtzehnjährig, der Herrschaft seines Vaters zu entfliehen. Gefangen genommen und mit seinem Freund Hans Hermann von Katte vor ein Kriegsgericht gestellt, wurde er zu Festungshaft verurteilt und gezwungen die Hinrichtung Kattes mitanzusehen. 1732 söhnte er sich mit seinem Vater aus, heiratete eine braunschweigische Prinzessin und setzte nach seiner Thronbesteigung das Werk seines Vaters fort, Preußen zur europäischen Großmachtstellung zu verhelfen. Im selben Jahr fand auch in Österreich, Teil des deutschen Reiches wie Preußen, ein Thronwechsel statt. Die weibliche Erbfolge der Maria Theresia war jedoch nicht unangefochten und wurde dazu ausgenutzt Besitzansprüche geltend zu machen. Friedrich II. griff 1740 das habsburgische **Schlesien** an, das er 1742 im Frieden zu Breslau für Preußen gewann. Im 2. Schlesischen Krieg (1744–45) festigte Friedrich seine Besitzansprüche. Um einer beabsichtigten Rückeroberung Schlesiens durch Österreich zuvorzukommen, begann Friedrich 1756 den 3. Schlesischen oder **Siebenjährigen Krieg** mit einem Einfall in Sachsen. Der verlustreiche Krieg, in dessen Verlauf der Bestand des preußischen Staates mehrmals infrage gestellt war, endete mit dem Sieg Preußens. Friedrich II. begann nun durch innere Kolonisation den Wiederaufbau des Landes. Etwa 300 000 Siedler fanden Siedlungsstellen durch ur-

Friedrich der Große

Frie

bar gemachtes Land. Handel und Gewerbe wurden staatlich gefördert. Friedrich II. war ein Anhänger der französischen Aufklärung, deren berühmter Vertreter Voltaire 1750-53 sein Gast in Berlin war. Gedanken der Aufklärung zeigen sich darin, dass er die Grundlagen zu einer vom König weitgehend unabhängigen Rechtsprechung legte, die Folter abschaffte und Glaubensfreiheit gewährte.

Friedrich Wilhelm, *1620, †1688, Kurfürst von Brandenburg seit 1640, erhielt von der Nachwelt den Beinamen der **Große Kurfürst.** Nach dem Dreißigjährigen Krieg wurde Brandenburg zum größten Fürstentum in Norddeutschland. Friedrich Wilhelm aus dem Haus Hohenzollern, kalvinistisch erzogen, wollte sein Land zu einem Machtfaktor in Europa machen. Schon zu Lebzeiten ›der Große‹ genannt, regierte er wie der französische König Ludwig XIV. absolutistisch. Die Verwaltung der Steuern, des fürstlichen Landbesitzes und des Militärs regelte er neu. Seit 1643/44 baute er ein stehendes Heer auf als Mittel, um seine Außenpolitik und den Absolutismus durchzusetzen. Handel und Manufakturen wurden von ihm gefördert, Oder, Spree und Elbe durch einen Kanal verbunden und der Versuch unternommen, in Westafrika eine Kolonie zu gründen (Groß-Friedrichsburg). Durch zweimaligen Parteiwechsel erreichte er 1660 die Lösung des Herzogtums Preußen aus der polnischen Lehnshoheit. Als Verbündeter Ludwigs XIV. siegte der Große Kurfürst 1675 bei Fehrbellin über die Schweden, ohne jedoch Schwedisch-Pommern zu gewinnen. 1686 änderte er seine Bündnispolitik zugunsten des Kaisers und damit gegen Frankreich. Im Vorjahr hatte er mit dem Edikt von Potsdam (1685) auf das Verbot des protestantischen Glaubens in Frankreich geantwortet: Brandenburg wurde Zuflucht für die protestantischen Franzosen (Hugenotten).

Friedrich Wilhelm I., *1688, †1740, trat als zweiter König in Preußen 1713 die Regierung an. (›In Preußen‹ bedeutete, sein Königtum nur für das außerhalb der Grenze des deutschen Reiches liegende Preußen galt, doch wurden unter ihm der Königstitel und der Name Preußen allmählich auf den Gesamtstaat übertragen.) Durch Reformen im Innern und eine schlagkräftige Armee wollte er Preußen Geltung in Europa verschaffen. Durch Neulandgewinnung (Trockenlegung) schuf er Siedlungsstellen, besonders für 15 000 wegen ihres Glaubens aus Salzburg vertriebene Protestanten. Durch Förderung der Gewerbe, wirtschaftliche Lenkung und Verpachtung des fürstlichen Grundbesitzes (Domänen) verhalf er seinen Untertanen zu Wohlstand. Die Rechte der Stände beseitigte Friedrich Wilhelm zugunsten seiner absolutistischen Machtausübung. Der Adel nahm die leitenden Stellen in Staat und Heer ein. Das Bürgertum wurde führend in der Wirtschaft. Das Heer wuchs auf 80 000 Soldaten an. Nach dem Nordischen Krieg fiel das östliche Vorpommern mit der begehrten Odermündung an Preußen (1720). Seinem Sohn, Friedrich II., hinterließ Friedrich Wilhelm I., der **Soldatenkönig,** eine der stärksten Armeen der Zeit und einen Staatsschatz von 8 Millionen Talern.

Friedrich Wilhelm III., *1770, †1840, trat 1797 die Regierung als preußischer König an. Unter seiner Herrschaft verlor Preußen fast die Hälfte seines Territoriums in den Kriegen, die Napoleon I. gegen ihn führte. Doch ist die Regierungszeit Friedrich Wilhelms III. auch mit dem Wiederaufbau und den Reformen des preußischen Staates (Karl August von Hardenberg, Freiherr vom Stein) sowie den **Freiheitskriegen** gegen Napoleon I. verbunden. Nach 1815 setzte die politische Restauration ein. Der preußische König schloss mit den Kaisern von Russland und Österreich die **Heilige Allianz,** die gegen freiheitliche Bestrebungen gerichtet war. Friedrich Wilhelm III. war mit Luise von Mecklenburg-Strelitz verheiratet, die in Preußen als **Königin Luise** sehr volkstümlich wurde.

Friedrich. Der Maler **Caspar David Friedrich** (*1774, †1840) gilt als ein Hauptmeister der →Romantik. Er war vor allem Landschaftsmaler. Entscheidend für seine Arbeit waren seine Reisen nach Rügen, Böhmen, ins Riesengebirge und in den Harz. So malte er um 1820 die Bilder ›Kreidefelsen auf Rügen‹ und ›Riesengebirgslandschaft‹. Dabei wollte Friedrich keine bloßen Abbilder der Natur schaffen. Für ihn war die Landschaft ein Ort religiöser Erfahrung. Der in die Betrachtung der Landschaft versunkene Mensch wird oft als Rückenfigur dargestellt, z. B. in dem Ölbild ›Mönch am Meer‹ (1808-10). In die Landschaft einbezogene Ruinen, Gräber, Kreuze oder Kirchen sollen die symbolische Wirkung verstärken. Das Gemälde ›Kreuz im Gebirge‹ (1808) war als Altarbild für eine Privatkapelle gedacht.

Friesen, Stamm der →Germanen. Sie siedelten ursprünglich an der Nordseeküste, vor allem zwischen den Mündungen des Rheins und der Elbe. Während der Zeit der Völkerwanderung und auch später noch breiteten sich die Friesen nach Westen und nach Osten aus, sodass sie im

8. Jahrh. unter ihrem König Radbod ein Gebiet beherrschten, das sich von der Schelde bis in das heutige Schleswig-Holstein erstreckte. Die Friesen wohnten meist auf Wurten in der fruchtbaren Marsch. Nach wechselvollen Kämpfen unterwarf Karl der Große sie 785. Mit den Franken kam das Christentum nach Friesland. Einer der Missionare war →Bonifatius. Den Namen Friesland tragen heute noch eine niederländische Provinz und ein Landkreis in Niedersachsen.

Friesische Inseln, Inselgruppe vor der Nordseeküste, die von den Niederlanden bis Jütland (Dänemark) reicht. Sie gliedert sich in die **Westfriesischen Inseln** (von Texel bis zur Emsmündung), die **Ostfriesischen Inseln** zwischen Ems- und Wesermündung (Borkum, Juist Norderney, Baltrum, Langeoog, Spiekeroog, Wangerooge) und die **Nordfriesischen Inseln** (Amrum, Föhr, Sylt, Nordstrand, Pellworm und die Halligen). Zwischen den Inseln und dem Festland liegt das Wattenmeer. Die Vogelwelt steht teilweise unter Naturschutz. Die Badeorte auf den Inseln werden von vielen Touristen besucht.

Frija, Frigg, altgermanische Göttin, die Gattin →Wotans und Mutter des Lichtgottes Baldur. Sie schützte Ehe und Familie. Nach ihr hat der **Freitag** seinen Namen.

Frisch. Der schweizerische Dramatiker und Erzähler **Max Frisch** (*1911, †1991) hatte mit dem Roman ›Stiller‹ (1954) seinen ersten großen Erfolg. Auch ›Homo Faber‹ (1957), ›Mein Name sei Gantenbein‹ (1964) und Dramen wie ›Biedermann und die Brandstifter‹ (1958) und ›Andorra‹ (1961) haben große Anerkennung gefunden. Frischs Dramen, die anfangs den Einfluss Bertolt Brechts zeigen, behandeln Gegenwartsprobleme. ›Andorra‹ ist eine Art Lehrstück über die zerstörerische Gewalt von (z. B. rassistischen) Vorurteilen. Außer um Fragen von Schuld, Macht und Gerechtigkeit geht es Frisch, besonders in seinen Romanen, um die Freiheit, sich jeweils anders als in vorgegebenen Formen verhalten zu können. Möglichkeiten, aus den Zwängen der bürgerlichen Gesellschaft auszubrechen, werden angesprochen. Die Suche nach dem eigenen Ich ist ebenfalls ein zentrales Thema.

Frischling, das junge Wildschwein (→Schweine).

Frondienste, seit dem Mittelalter bis ins 18./19. Jahrh. die dem →Grundherrn zu leistenden Dienste.

Fronleichnam bedeutet ›Leib des Herrn‹ und ist der mittelalterliche Ausdruck für den in der Messfeier nach der Wandlung in Brot und Wein gegenwärtigen Leib Christi. Der Name lebt heute in dem katholischen Feiertag fort, an dem die Gläubigen für die Einsetzung der →Eucharistie beim letzten Abendmahl danken. Das Fest wurde 1264 von Papst Urban IV. angeordnet. Es wird 10 Tage nach Pfingsten gefeiert. Häufig finden an diesem Tag Prozessionen statt; dabei wird eine geweihte Hostie in einer Monstranz durch die Straßen getragen.

Front [von lateinisch frons ›Stirn‹], in der Wetterkunde die Bezeichnung für die Grenze zwischen warmen und kalten Luftmassen am Boden. Wenn warme Luft gegen kalte vordringt, spricht man von einer **Warmfront,** beim Vordringen kalter Luft gegen warme von einer **Kaltfront.** Fronten sind jeweils mit bestimmten typischen Wettererscheinungen verbunden und bilden sich z. B. in wandernden Tiefdruckgebieten, den →Zyklonen. Für das Wetter in Mitteleuropa sind sie daher von großer Bedeutung. Beim Durchzug einer Front ändern sich Luftdruck, Temperatur und Windrichtung meist sprunghaft und häufig gibt es Niederschläge.

Frösche, die bekannteste und artenreichste Familie der →Lurche, bewohnen alle Erdteile. Sie leben an Land oder im Wasser; um sich fortzupflanzen, suchen sie das Wasser auf. Sie schwimmen mit kräftigen Bewegungen ihrer langen Hinterbeine, unterstützt durch Schwimmhäute zwischen den Zehen, und können auch gut tauchen (bis zu 8 Minuten). An Land bewegen sich Frösche, deren Hinterbeine zu kräftigen Sprungbeinen ausgebildet sind, mit zum Teil weiten Sprüngen fort. In Mitteleuropa sind der etwa 9 cm lange, braune **Grasfrosch** (der gut 50 cm weit springen kann) und der kleinere, grüne **Wasserfrosch** (auch **Teichfrosch**) häufig. Wasserfrösche leben in Teichen, Tümpeln und Bächen; sie sonnen sich gern auf Wasserpflanzen und Steinen. An warmen Sommerabenden ist weithin das laute Quaken der Männchen zu hören, das durch 2 weiße, fast kirschgroße Schallblasen verstärkt wird. Wasserfrösche werden bis zu 6 Jahre alt. Grasfrösche, die sich vor allem in feuchtem Gras aufhalten, bringen mithilfe ihrer vorgestülpten Kehlhaut nur einen schwachen Laut hervor. Um Beute zu fangen, schnellen Frösche ihre lange, klebrige Zunge heraus, an der Mücken und Fliegen haften bleiben. Das Weibchen setzt seine 1 000–4 000 Eier (Laich) in traubigen Klümpchen ab.

Zu den Fröschen gehören auch die **Laubfrösche,** die meist auf Bäumen oder Sträuchern le-

Frösche
1 Wasserfrosch;
2 Grasfrosch;
3 Laubfrosch;
4 Wechselkröte

Fruc

ben; mit den Haftballen an ihren Fingern und Zehen können sie selbst an glatten Flächen emporsteigen. Ihre grünliche Hautfarbe verändert sich je nach Untergrund. Die Männchen geben laute, fast schreiende Rufe von sich. Im Unterschied zu anderen Fröschen verkriechen sich Laubfrösche im Winter meist an Land. Zu Unrecht galten sie als Wetterpropheten.

Frucht. Im Spätsommer und Herbst reifen an vielen Pflanzen die Früchte. Sie enthalten im Innern Samen, die unter günstigen Bedingungen im nächsten Frühjahr keimen und eine neue Pflanze hervorbringen. Nach der →Bestäubung und →Befruchtung verblüht eine Blüte allmählich, meist bleibt nur der Fruchtknoten mit Samen erhalten, der sich zur eigentlichen Frucht entwickelt. Nadelhölzer, die keinen Fruchtknoten haben, bilden daher keine echten Früchte aus, zum Teil aber den Samen umhüllende Gebilde, die einer Frucht ähneln, z. B. ›Beerenzapfen‹ des Wacholders und die ›Samenbeere‹ der Eibe. Hat eine Blüte mehrere selbstständige Fruchtknoten, so entsteht eine **Sammelfrucht**, die sich aus vielen Einzelfrüchtchen zusammensetzt (wie Brombeere und Himbeere). Manchmal sind auch andere Blütenteile an der Bildung der Frucht beteiligt, z. B. der Blütenboden (Blütenachse) wie bei Erdbeere, Hagebutte und Apfel. Man spricht dann auch von einer **Scheinfrucht**. Die Fruchtwand lässt oft 3 Schichten erkennen. Bei der Pflaume z. B. ist die äußere Schicht häutig, die mittlere fleischig, die innere steinhart; in dem Stein ruht der Samen. Solche **Steinfrüchte** sind z. B. Kirsche, Pfirsich sowie Walnuss (mit grüner Schale) und Kokosnuss. Bilden sich alle Schichten fleischig-saftig aus, entsteht eine **Beere**, die zahlreiche Samen umschließt (z. B. Weinbeere, Heidelbeere, Tomate).

Neben diesen **Saftfrüchten** gibt es **Trockenfrüchte**, deren Fruchtwand haut- oder lederartig oder sogar holzig ist. Dazu gehören die **Nüsse**, deren trockene, harte Schale nicht von selbst aufspringt und meist nur einen Samen umschließt (Haselnuss, Eichel). Sehr kleine Nussfrüchte heißen **Nüsschen**. Bei der Erdbeere z. B. sitzen zahlreiche Nüsschen auf einer fleischigen Blütenachse. Eine Nussfrucht, bei der Fruchtwand und Samenschale miteinander verwachsen sind, haben z. B. die Gräser. Trockenfrüchte sind auch die **Spring-** oder **Kapselfrüchte,** die meist mehrere Samen bergen und bei der Reife aufspringen. Dazu gehören die länglichen **Hülsen,** die aus einem Fruchtblatt bestehen, das sich sowohl an seiner Bauchnaht als an seiner Rückennaht, eigentlich ›Mittelrippe‹, öffnet (wie Erbse und Bohne). Die ebenfalls länglichen **Schoten** bestehen aus 2 Fruchtblättern, die sich bei der Reife von ihren Rändern ablösen wie beim Senf. In der Umgangssprache werden auch die noch grünen Hülsen als Schoten bezeichnet. Kurze, breite Schoten heißen **Schötchen.** Bei **Spaltfrüchten** sind Hülsen und Schoten zwischen den Samen eingeschnürt und durch Querspaltung in einsamige Teile zerbrechlich wie bei Ahorn und Kümmel. Die runden oder ovalen **Kapseln** bestehen aus mehr als 2 trockenen Fruchtblättern, die sich durch Auseinanderweichen öffnen; zuweilen öffnet sich die Kapsel nur mit einem Deckel oder mit Löchern oder Poren wie beim Mohn. Das Fruchtfleisch vieler Saftfrüchte (→Obst) dient den Menschen und Tieren als Nahrung.

Die Frucht hat die Aufgabe, den Samen bis zur Reife zu schützen, um dann für dessen Ausbreitung zu sorgen und damit das Überleben der eigenen Art zu sichern. Unter der Mutterpflanze finden junge Pflanzen häufig keine günstigen Wachstumsbedingungen. Es fehlt an Raum, Licht und Nährstoffen. Viele Trockenfrüchte springen daher auf und streuen dabei die Samen weit heraus; oft sind diese so leicht, dass der Wind sie ein Stück forträgt. Früchte mit saftigem, schmackhaftem Fruchtfleisch werden von Vögeln und kleinen Säugetieren gefressen. Ihre leuchtenden Farben oder weithin sichtbaren Fruchtstände locken Tiere an. Die harten Samen werden weggeworfen oder oft weit von ihrem Ursprungsort entfernt unversehrt wieder ausgeschieden. Nüsse, die gefressen werden, werden völlig zerstört und können keine Samen bilden. Andere werden z. B. von Eichelhähern im Flug fallen gelassen oder von Eichhörnchen vergraben; oft finden die Tiere diese Früchte nicht mehr oder brauchen den Wintervorrat nicht auf und die Samen können keimen. Einige Samen haben fleischige Anhängsel, die bei Ameisen begehrt sind. Die Ameisen sammeln diese Samen (z. B. von Veilchen, Taubnesseln), verlieren aber viele auf ihren ›Straßen‹. Einige Früchte haben zusätzliche Einrichtungen, die ihre Verbreitung begünstigen. Mit Haken heften sie sich im Fell vorbeilaufender Tiere fest wie die Kletten. Manche Früchte oder Samen haben Flügel und Haare, mit deren Hilfe sie vom Herbstwind weit fortgetragen werden, bevor sie zu Boden sinken. So hat der Löwenzahn z. B. regelrechte ›Fall-

Frucht: 1 Hülse (Wachsbohne); **2** Gliederhülse (Vogelfußklee); **3** Schote (Raps); **4** Nuss (Haselnuss); **5** Kapsel (Mohn); **6** und **7** Spaltfrucht (6 Ahorn, 7 Kümmel); **8** und **9** Steinfrucht (8 Kirsche, 9 Muskatnuss); **10** und **11** Beere (10 Johannisbeere, 11 Gurke); **12** Sammelfrucht (Brombeere); **13** Scheinfrucht (Apfel)

schirme‹, der Ahorn ›Propeller‹ entwickelt. Einige Früchte werden auch durch das Wasser verbreitet; sie sind schwimmfähig wie die Kokosnuss. Eine Art Rakete besitzt die Spritzgurke, eine Kürbisart der Mittelmeerländer. Die eigroßen Früchte öffnen sich nach der Reife explosionsartig und spritzen das breiartige Innengewebe mit den Samen heraus.

Fruchtbarer Halbmond, auf der Landkarte halbmond- oder halbkreisförmig erscheinendes Gebiet, das sich von Israel über West- und Nordsyrien entlang der irakisch-iranischen Grenze bis zum Persischen Golf erstreckt. Wegen des günstigen Klimas ist in diesen Steppenlandschaften Ackerbau ohne künstliche Bewässerung möglich. Daher ist die Bevölkerungsdichte in diesem Raum seit jeher sehr hoch. Wie Funde von Archäologen belegen, hatten Getreideanbau und Haustierzucht im Gebiet des Fruchtbaren Halbmondes ihren Ursprung. Daraus kann geschlossen werden, dass die Sesshaftwerdung des Menschen hier ihren Ausgang nahm (→Jungsteinzeit).

Fruchtknoten, Teil einer →Blüte.

frühchristliche Kunst, die Kunst der Christen in der spätantiken Welt des Mittelmeerraums bis etwa 600. Sie überlebte das Ende der Antike und bildete die Grundlage der späteren Kunst Westeuropas, im Osten die Anfänge der byzantinischen Kunst (→Byzantinisches Reich). Vor der staatlichen Duldung des Christentums (313) war die frühchristliche Kunst auf den privaten Bereich beschränkt (einzelne Sarkophage, Katakombenmalerei). Als erster Bauherr der Kirchenarchitektur ließ Kaiser Konstantin I. im 4. Jahrh. Kirchen in Rom (San Giovanni in Laterano und die erste Peterskirche), Antiochia am Orontes und Bethlehem errichten. Es entstand der Bautypus der christlichen →Basilika. Daneben gab es den meist runden oder achteckigen Zentralbau, vorwiegend als Baptisterium (Taufkirche oder -kapelle), auch als Grabbau und Kirche. Werke der Skulptur sind vor allem reliefgeschmückte Sarkophage (Blütezeit 4. Jahrh.), rundplastische Porträts und Porträtstatuen sowie Kirchentüren aus Holz mit Schnitzreliefs. In der Malerei überwiegt im 4. Jahrh. noch die Katakombenkunst (Wandmalereien und Mosaiken). Boden-, Wand- und Kuppelmosaiken finden sich in Grabbauten, Baptisterien und Kirchen, vor allem in Rom und Ravenna (meist 5./6. Jahrh.). Die Mosaiken des 6. Jahrh. in Ravenna werden zum Teil schon der byzantinischen Kunst zugerechnet. Erhalten sind auch frühe Zeugnisse der Ikonenmalerei, der Buchmalerei sowie Werke

der Kleinkunst (Elfenbeinschnitzereien und Silberarbeiten, z. B. Reliquienkästchen).

Frühgeburt, die Geburt eines noch nicht vollständig entwickelten (unreifen), aber lebensfähigen Kindes zwischen der 28. und der 38. Schwangerschaftswoche. Zeichen der Unreife sind unter anderem ein niedriges Gewicht (weniger als 2 500 g), mangelnde Fettpolster und deshalb runzelige Haut, Fingernägel, die noch nicht die Fingerkuppen erreicht haben, Flaumbehaarung am ganzen Körper, unausgereiftes Atmungs- und Zentralnervensystem.

Frühling, eine der 4 Jahreszeiten, auf der nördlichen Halbkugel vom 21. März bis 22. Juni, auf der südlichen Halbkugel vom 23. September bis 22. Dezember. Zum Frühlingsanfang überschreitet die Sonne auf ihrer scheinbaren Bahn den Äquator; dann ist Tagundnachtgleiche.

Frühlingsknotenblume, der Märzenbecher (→Schneeglöckchen).

Fuchs, 1) ein →Schmetterling. 2) ein braunrotes →Pferd.

Füchse: Rotfuchs

Füchse, den →Hunden verwandte Raubtiere mit spitzer Schnauze und langem, buschigem Schwanz. Es gibt viele Arten, die sich vor allem durch die Farbe des Fells unterscheiden. Der ohne Schwanz etwa 70 cm lange **Rotfuchs,** der in deutschen Wäldern lebt, ist meist rotbraun mit heller Unterseite. Er wohnt in einem weit verzweigten unterirdischen Bau (häufig in einem Dachsbau), den er durch mehrere Ausgänge sichert. Füchse jagen Mäuse, junge Hasen, Insekten, krankes Wild, Rehkitze, nehmen auch Vogelnester aus und brechen in Hühnerställe ein. Sie fressen aber auch Pilze und Früchte. Rotfüchse wurden stark verfolgt, da sie Tollwut über-

Fuds tragen können. Besonders wertvoll ist das Fell des aus nördlichen Breiten stammenden **Blau-** oder **Silberfuchses**, der auch in Pelztierfarmen gezüchtet wird.

Fudschijama, →Fujisan.

Fuge [von lateinisch fuga ›Flucht‹], eine mehrstimmige Komposition für Instrumente, in der ein musikalischer Einfall (ein Thema) in verschiedener Form mehrmals wiederkehrt: Eine Stimme beginnt mit dem Thema (dem Subjekt) in der Grundtonart, der Tonika. Darauf setzt als Beantwortung eine zweite Stimme mit dem Thema auf der fünften Tonstufe der Grundtonart, der Quinte, ein, während die erste Stimme eine Gegenstimme (Kontrasubjekt) dazu ausbildet. Wenn alle Stimmen das Thema gebracht haben, ist die erste Durchführung (Exposition) beendet. Danach folgen mindestens 2 weitere Durchführungen. Zwischen den einzelnen Durchführungen stehen oft freie Zwischensätze, in denen jedoch ebenfalls das Thema oder die Gegenstimme weitergeführt wird. – Einen Höhepunkt in der Entwicklung dieser musikalischen Form stellen die Fugen Johann Sebastian Bachs dar.

Fugger, eine große schwäbische Unternehmerfamilie, die seit 1367 in Augsburg sesshaft war. Ursprünglich als Weber tätig, begann die Familie, Handel mit fertigen Stoffen zu treiben. Jakob I. und seine 3 Söhne, vor allem Jakob II. (*1459, †1525), hatten die kaiserliche Erlaubnis, auch mit Gold, Silber und Edelsteinen zu handeln, Geld zu verleihen und Zinsen einzunehmen. Jakob II., der Reiche, erwarb ein so großes Barvermögen, dass er wichtigster Geldgeber der Fürsten Deutschlands wurde. Er finanzierte die Kriege Kaiser Maximilians I. und den Kampf um die Kaiserwahl Karls V. 1519. Als Maximilian I. seine Schulden nicht zurückzahlen konnte, trat er an die Fugger das Recht ab, die Silber- und Kupferbergwerke in Tirol, Ungarn und Spanien auszubeuten und bald auch ganz zu erwerben. Das alleinige Verkaufsrecht (Monopol) für diese Metalle machte die Fugger zur reichsten Kaufmannsfamilie in Europa. Für arme Familien Augsburgs errichteten sie eine bis heute erhaltene Siedlung, die ›Fuggerei‹, zum fast kostenlosen Wohnen.

Fühler, Antennen, die gegliederten Anhänge am Kopf von Insekten, Krebsen, Gliederwürmern, Schnecken und Tausendfüßern. Sie tragen Sinnesorgane, vor allem zum Riechen und Tasten; bei den Lungenschnecken tragen die Fühler auch die Augen.

Fühler:
Fühlertypen verschiedener Insekten:
1 borstenförmig (Schabe), **2** doppelseitig gekämmt (Nachtpfauenauge), **3** keulenförmig (Marienkäfer)

Führer, italienisch **Duce,** spanisch **Caudillo,** in rechtsgerichteten Diktaturen der Inhaber der obersten Befehlsgewalt. – Adolf Hitler führte den Titel ›Führer und Reichskanzler‹; Benito Mussolini bezeichnete sich als ›Duce del Fascismo‹, Francisco Franco als ›Caudillo‹.

Führerschein, amtliche Bescheinigung über die Erlaubnis zum Führen von Kraftfahrzeugen im Straßenverkehr. Die Führerscheine sind in 5 Klassen unterteilt:

Klasse 1 für Krafträder, deren Hubraum 50 cm³ übersteigt, und solche, die so gebaut sind, dass sie schneller als 50 km/h fahren können (Mindestalter 20 Jahre). Als Unterklasse gibt die **Klasse 1b** (b=beschränkt); sie umfasst Leichtkrafträder mit einem Hubraum zwischen 51 und 80 cm³ und 80 km/h Höchstgeschwindigkeit (Mindestalter 18 Jahre).
Klasse 2 für Kraftfahrzeuge mit zulässigem Gesamtgewicht über 7,5 t oder Züge mit mehr als 3 Achsen (Mindestalter 21 Jahre).
Klasse 3 für Kraftfahrzeuge, die nicht zu den Klassen 1, 1b, 2, 4 oder 5 zählen (also besonders Personenkraftwagen) (Mindestalter 18 Jahre).
Klasse 4 für Kleinkrafträder (Moped, Mokick) bis 50 cm³ und 50 km/h Höchstgeschwindigkeit sowie Fahrräder mit Hilfsmotor (Mindestalter 16 Jahre).
Klasse 5 für Krankenfahrstühle bis 30 km/h Höchstgeschwindigkeit und Kraftfahrzeuge bis 25 km/h Höchstgeschwindigkeit sowie alle Kraftfahrzeuge bis 50 cm³, soweit sie nicht zu Klasse 1 oder 4 gehören (Mindestalter 16 Jahre).

Dem Erwerb des Führerscheins geht eine Fahrausbildung (Fahrschule) mit schriftlicher und praktischer Prüfung voraus. Der Führerschein wird zunächst auf Probe (2 Jahre) ausgestellt. Nur eine Prüfbescheinigung erfordert das Fahren eines Fahrrads mit Hilfsmotor (›Mofa 25‹) mit 25 km/h Höchstgeschwindigkeit. Hierfür gilt ein Mindestalter von 15 Jahren.

Fujisan [fudschisan], **Fudschijama,** höchster Berg Japans. Der 3 776 m hohe, kegelförmige Vulkan hat einen 600 m breiten, 150 m tiefen Krater; mit seinem majestätischen Aussehen beherrscht er die Ebene von Tokio. Der Fujisan ist der heilige Berg der Japaner und gilt als Wahrzeichen Japans.

Fulda, 56 700 Einwohner, alte Bischofsstadt in Hessen, zwischen Rhön und Vogelsberg an der Fulda. An die geschichtliche Bedeutung der Stadt erinnern der Dom mit dem Grabmal des Heiligen Bonifatius und die 744 gegründete Benediktinerabtei Fulda. Die Äbte waren bis 1802 zugleich Reichsfürsten (geistliche Herren und Territorialherren).

Füllen, Fohlen, das junge →Pferd bis zum zweiten Lebensjahr.

Fundamentalismus [zu lateinisch fundamentum ›Grundlage‹]. Unter Fundamentalismus versteht man allgemein das starre Festhalten an bestimmten, meist ideologischen oder religiösen Grundsätzen, verbunden mit einer ablehnenden Haltung gegenüber Neuerungen.

Ursprünglich bezeichnete der Begriff eine im 19. Jahrh. in den USA entstandene Richtung des Protestantismus, die sich auf die Bibel als unmittelbares Wort Gottes beruft und sich gegen jede Bibelkritik und moderne Naturwissenschaft wendet.

Wenn man heute von Fundamentalismus spricht, meint man meist den **islamischen Fundamentalismus**. Dies ist eine Strömung innerhalb des Islam, deren Vertreter die ursprüngliche und reine islamische Religion zur Grundlage des gesellschaftlichen und politischen Lebens machen wollen. Die Fundamentalisten fordern die wörtliche Befolgung der Vorschriften des Korans und einen islamischen Staat, in dem die islamische Pflichtenlehre, die Scharia, gilt. Sie sehen den Islam als ein geschlossenes System von Lösungen für alle Lebensfragen; die westliche Zivilisation wird dagegen als materialistisch und zerstörerisch empfunden.

Seit der Revolution (1979) im Iran unter der Führung des Ayatollah Khomeini spielt der kämpferische, antiwestliche islamische Fundamentalismus, dem es darum geht, die Staatsordnung zu stürzen und der dabei auch vor Terrorakten nicht zurückschreckt, eine immer wichtigere Rolle in einer Reihe von islamisch geprägten Staaten (z. B. Ägypten, Algerien, Türkei).

Eine weitere Form des religiösen Fundamentalismus ist der Hindufundamentalismus, der in Indien zunehmend an Bedeutung gewinnt. Auch der protestantische Fundamentalismus versucht in neuerer Zeit wieder, gezielt Einfluss auf das politische Leben in den USA zu nehmen.

Fünen, dänische Insel zwischen Jütland und Seeland, mit 2 976 km² etwas größer als das Saarland. Die Inselbewohner leben hauptsächlich von der Landwirtschaft (Schweine- und Milchviehhaltung, Getreide-, Rüben- und Obstanbau). Mit Jütland ist Fünen durch eine Brücke, mit Seeland durch Fährschiffe verbunden.

Funkmesstechnik, →Radar.

Funksprechgerät, Sprechfunkgerät, englische Bezeichnung **Walkie-Talkie,** handliches, tragbares Gerät zur drahtlosen Übermittlung von Nachrichten. Sender und Empfänger sind zu einer Einheit zusammengebaut und benutzen eine gemeinsame Antenne zum Senden und Empfangen. Im Allgemeinen hat ein solches Gerät nur eine begrenzte Auswahl von fest eingestellten Kanälen (Sende- und Empfangsfrequenzen, meist im UKW-Bereich). Die Sendeleistung ist verhältnismäßig gering und entsprechend beschränkt ist daher auch die Reichweite (ungefähr zwischen 0,5 und 50 km).

Funktechnik, Technik der drahtlosen Übertragung von elektrischen Signalen durch elektromagnetische Wellen; dazu gehören z. B. →Rundfunk und →Fernsehen.

Funktion [lateinisch ›Verrichtung‹]. Mathematik:

Aufgabe: Wie groß ist der Flächeninhalt A eines Quadrates mit den Seitenlängen $a = 1$ cm; 1,5 cm; 2 cm; 6 cm? Stelle die Ergebnisse in einer Wertetabelle zusammen.

Lösung: Der Flächeninhalt A eines Quadrates berechnet sich nach der Formel $A = a^2$. Somit ergibt sich für den gesuchten Flächeninhalt die folgende Wertetabelle:

a/cm	1	1,5	2	6
A/cm²	1	2,25	4	36

In dieser Aufgabe ergibt sich für jede Seitenlänge a genau ein Flächeninhalt A. Man sagt: Jeder Seitenlänge a ist genau ein Flächeninhalt A zugeordnet. Eine Zuordnung mit einer solchen Eigenschaft heißt Funktion oder Abbildung.

Allgemein wird bei einer Funktion oder Abbildung jedem Element einer Menge D (**Definitionsbereich**) genau ein Element einer Menge B als Funktionswert zugeordnet. Die Menge W aller Funktionswerte heißt **Wertebereich** der Funktion. Die Elemente des Definitionsbereiches werden meist mit x, die des Wertebereiches mit y bezeichnet. x bezeichnet man als die **unabhängige,** y als die **abhängige Variable**.

Um die Zuordnung zwischen x und y auszudrücken, schreibt man häufig: $x \to y = f(x)$, wobei $x \in D$ und $y \in W$. f bedeutet die Vorschrift, nach der man zu $x \in D$ den Funktionswert $f(x) \in W$ erhält ($f(x)$ wird gesprochen als f von x).

Durch Angabe der Zuordnungsvorschrift und der Wahl des Definitionsbereiches ist die Funktion festgelegt, denn für jeden Wert $x \in D$ lässt sich dann der zugehörige Funktionswert bestimmen.

Aufgabe: Gegeben ist die Funktion $x \to y = 2x^2 - 2$, $D = \{-2; 0; 0,5; 2\}$. Bestimme die zu x zugehörigen Funktionswerte.

Lösung: Man bestimmt den zu $x = -2$ zugehörigen Funktionswert $f(-2)$, indem man in dem Funktionsterm $f(x) = 2x^2 - 2$ für die Variable x den Wert -2 einsetzt, und den sich ergebenden Term berechnet. Also: $f(-2) = 2 \cdot (-2)^2 - 2 = 6$. Somit ist dem x-Wert -2 der Funktionswert 6 zugeordnet. Entsprechend ergibt sich: $f(0) = -2$, $f(0,5) = -1,5$ und $f(2) = 6$.

Eine Funktion lässt sich darstellen:
1. durch eine Wertetabelle;

Furi

2. durch ein Pfeildiagramm;
3. durch einen Graphen im →Koordinatensystem.

Für die Funktion $x \to y = 2x^2 - 2$, $D = \{-2; 0; 0,5; 2\}$ ergeben sich die folgenden Darstellungen:

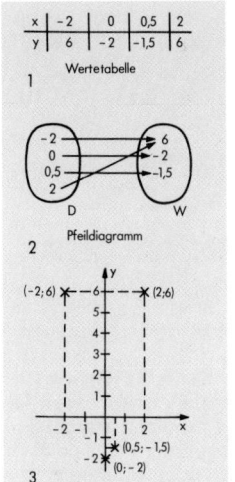

x	-2	0	0,5	2
y	6	-2	-1,5	6

1 Wertetabelle

1. Wertetabelle:
Bei der Wertetabelle werden die einander zugeordneten x- und y-Werte unter- oder nebeneinander geschrieben.

2 Pfeildiagramm

2. Pfeildiagramm

Im Pfeildiagramm geht von jedem x-Wert des Definitionsbereiches genau ein Pfeil zum zugeordneten y-Wert des Wertebereiches.

3

3. Graph im kartesischen Koordinatensystem

Werden die einander zugeordneten x- und y-Werte als Punkte $P(x; y)$ in ein Koordinatensystem gezeichnet, so entsteht der Graph der Funktion.

Funktionen werden häufig durch **Funktionsgleichungen** angegeben. Die Funktionsgleichung ist eine Aussageform (→Aussage) mit 2 Variablen. Beispiele solcher Funktionsgleichungen sind: $y = 2x+3$ (Beispiel einer linearen Funktionsgleichung) oder $2x^2 - y = 3$ (Beispiel einer quadratischen Funktionsgleichung). Der Graph einer linearen Funktion im Koordinatensystem ist für $D = \mathbb{R}$, $\mathbb{R}$ Menge der reellen Zahlen, eine →Gerade, der Graph einer quadratischen Funktion im Koordinatensystem ist für $D = 8$ eine →Parabel.

Furi|en [lateinisch furia ›Wut‹, ›Raserei‹], in den römischen Göttersagen Rache- und Unterweltgottheiten, die Verbrecher verfolgten und in den Wahnsinn trieben. Bei den Griechen hießen sie **Erinnyen**.

Furka, Pass in den schweizerischen Alpen in 2431 m Höhe zwischen Dammastock und Gotthard. Die Furkastraße verbindet das Tal der Rhone mit dem Tal der Reuß, die in nördlicher Richtung zum Vierwaldstätter See fließt. – Seit 1982 gewährleistet ein 15 km langer Eisenbahntunnel südlich des Passes auch im Winter eine sichere Verbindung zwischen Rhone und Rhein.

Furnier [von französisch fournir ›ausstatten‹], dünne Holzblätter von einigen Millimetern Dicke, die schichtweise von hochwertigen, fehlerfrei gewachsenen Edelhölzern (z. B. Mahagoni, Nussbaum, Eiche, Palisander) abgeschält werden. In der Möbelindustrie werden sie auf Trägerholz minderer Qualität geleimt, wodurch, im Gegensatz zu Massivholzmöbeln, die Herstellung preisgünstiger Möbel ermöglicht wird.

Fürst, Mitglied des Hochadels (→Adel). Unter den deutschen Fürsten bildete sich im 13. Jahrh. die Gruppe der →Kurfürsten.

Furt, seichte Flussstelle, die bei günstigem Wasserstand und leichter Strömung ein Durchwaten oder Durchfahren ermöglicht. Solche Stellen an Flüssen waren im Mittelalter für den Verkehr und die Entstehung von Siedlungen von größter Bedeutung (Frankfurt, Schweinfurt, Ochsenfurt).

Furtwängler. Der Dirigent und Komponist **Wilhelm Furtwängler** (*1886, †1954) wurde 1922 an die Spitze des Leipziger Gewandhausorchesters berufen. 1931 übernahm er auch die Leitung der Bayreuther Festspiele. 1933 wurde er Direktor der Berliner Staatsoper. Auseinandersetzungen mit den Nationalsozialisten veranlassten ihn 1934 von allen Ämtern zurückzutreten. In der Hoffnung, sich von der Politik fern halten zu können, nahm er 1935 seine Tätigkeit wieder auf. 1947 bis zu seinem Tod errang er weltweites Ansehen als Leiter z. B. der Berliner, Wiener und Londoner Philharmoniker, der Wiener Staatsoper, der Mailänder Scala und der Salzburger Festspiele. Er wurde besonders als Interpret der Musik des 19. Jahrh. bekannt, setzte sich aber auch für zeitgenössische Musik ein. Er komponierte Werke im spätromantischen Stil.

Furunkel, schmerzhafter Entzündungsherd im Bereich eines Haarbalgs und seiner Talgdrüse. Um das Haar entwickelt sich eine Hauterhebung in Form eines geröteten Knotens, der eitrig zerfällt und später mit Narbenbildung abheilt. Furunkel können an der gesamten behaarten Körperoberfläche entstehen, besonders im Nacken, am Rücken und im Gesicht.

Fürwort, →Pronomen.

Fuß, 1) Teil der Fortbewegungsorgane des Menschen und vieler Tiere. Er wird aus 7 Fußwurzelknochen: Sprungbein, Fersenbein, Kahnbein, 3 Keilbeinen, Würfelbein, den 5 Mittelfußknochen und, je nach Zehe, 2–3 Zehenknochen gebildet. Zwei Fußgelenke ermöglichen die Bewegung des Fußes. Die Knochen des Unterschenkels (Schien- und Wadenbein) umgreifen gabelförmig den obersten Fußwurzelknochen,

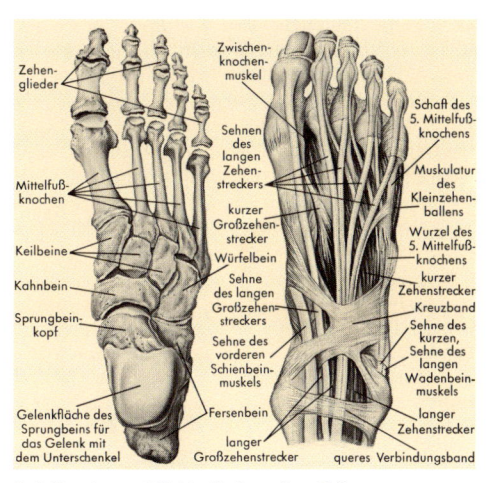

Fuß: Knochen und Weichteile des rechten Fußes

das Sprungbein, und bilden das obere Sprunggelenk, das das Heben und Senken des Fußes ermöglicht. Das untere Sprunggelenk wird von dem Sprungbein, dem darunter liegenden Fersenbein und dem sich nach vorne anschließenden Kahnbein gebildet. Durch Bewegung in diesem Gelenk kann der äußere oder innere Fußrand angehoben werden. Die Fußwurzel und die Mittelfußknochen bilden zusammen mit Bändern und Muskeln die Fußgewölbe, die die Last des Körpergewichts tragen und beim Gehen ein federndes Auftreten ermöglichen. Sinkt das Fußgewölbe in seiner Längsrichtung ein, entsteht ein **Senk-** oder **Plattfuß.** Wird das Fußgewölbe in seiner Querwölbung abgeflacht, spricht man von einem **Spreizfuß.** Die Ursache dieser Veränderungen liegt in einer Muskel- und Bindegewebsschwäche. Der Gang wird unelastisch, der Fuß ermüdet rasch und schmerzt. Als Vorbeugung können spezielle Fußübungen zur Kräftigung der Muskulatur dienen. Durch Einlagen wird das Fußgewölbe angehoben und eine bessere Gewichtsverteilung auf den Fuß erreicht.

2) Die Länge des menschlichen Fußes diente früher als Längeneinheit, die man **Fuß** nannte. Der Fuß hatte in den ehemaligen deutschen Ländern einen unterschiedlichen Wert zwischen 25 und 34 cm. In Großbritannien und den USA wird **foot** (1 ft = 0,3048 m) nach dem Übergang zu metrischen Einheiten nicht mehr verwendet.

Fußball wird von 2 Mannschaften zu je 11 Spielern, wobei der Austausch von 2 Spielern gestattet ist, mit einem Hohlball von 68–71 cm Umfang gespielt. Durch Stöße mit dem Fuß, dem Bein, dem Kopf oder durch körperlichen Einsatz versucht jede Mannschaft, den Ball in das gegnerische Tor zu befördern und Angriffe auf das eigene Tor abzuwehren. Eine absichtliche Berührung des Balls mit der Hand oder dem Arm ist nicht gestattet.

Eine Mannschaft besteht aus einem Torwart, der im Strafraum den Ball mit der Hand spielen darf, und 10 Feldspielern, unter denen die Hauptpositionen wie Verteidiger, Stürmer und Mittelfeldspieler aufgeteilt sind. Das Spielfeld ist im Allgemeinen 70 × 105 m groß. An den Seiten ist es durch die Seitenlinien und an den Enden durch die Torlinien begrenzt. In der Mitte hinter den Torlinien stehen die Tore, deren vordere offene Seite sich auf den Torlinien befindet. Die Tore sind 7,32 m breit und 2,44 m hoch und werden an den Seiten durch die Pfosten und oben durch die Querlatte begrenzt. Ein Tor ist dann erzielt, wenn der Ball mit seinem vollen Umfang die Torlinie passiert hat. Dies gilt auch, wenn der Torwart den Ball hinter der Torlinie in der Luft fängt. Vor dem Torraum liegt der Strafraum mit dem Elfmeterpunkt, von dem der **Strafstoß (Elfmeter)** getreten wird. Um den Elfmeterpunkt ist ein Kreis von 9,15 m gezogen, von dem nur der Teil aufgezeichnet ist, der außerhalb des Strafraumes liegt; damit wird der Mindestabstand der Spieler beim Strafstoß markiert. Das Feld ist durch die Mittellinie in 2 Spielhälften geteilt. Um den Mittelpunkt der Mittellinie ist ein Kreis mit 9,15 m Radius, der Mittelfeldkreis, gezogen, um den Mindestabstand der Gegenspieler beim Anstoß festzulegen. Das Spiel wird eröffnet und nach einem Tor fortgesetzt mit Anstoß vom Mittelpunkt des Mittelkreises.

Die Spielzeit beträgt 2 × 45 Minuten, bei Jugend- und Damenmannschaften 2 × 40 Minuten, bei Schülermannschaften 2 × 30 Minuten. Enden Spiele, die durch einen Sieg entschieden werden

Umfang 68–71 cm
Gewicht 396–453 g

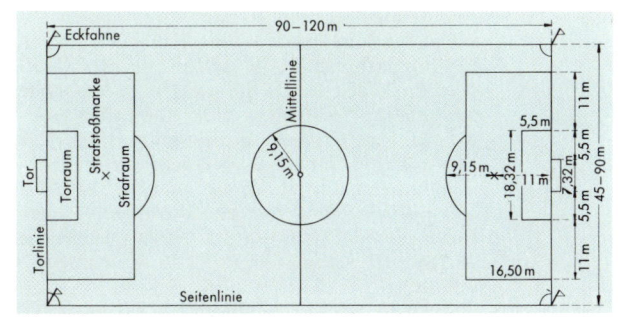

Fußball: Ball

Fußball: Spielfeld

Futu

FUSSBALL-WELTMEISTERSCHAFT
Endspielpaarungen

1930 in Uruguay:	**Uruguay**–Argentinien 4 : 2
1934 in Italien:	**Italien**–Tschechoslowakei 2 : 1
1938 in Frankreich:	**Italien**–Ungarn 4 : 2
1950 in Brasilien:	**Uruguay**–Brasilien 2 : 1
1954 in der Schweiz:	**Bundesrepublik Deutschland**–Ungarn 3 : 2
1958 in Schweden:	**Brasilien**–Schweden 5 : 2
1962 in Chile:	**Brasilien**–Tschechoslowakei 3 : 1
1966 in England:	**England**–Bundesrepublik Deutschland 4 : 2
1970 in Mexiko:	**Brasilien**–Italien 4 : 1
1974 in der Bundesrepublik Deutschland:	**Bundesrepublik Deutschland**–Niederlande 2 : 1
1978 in Argentinien:	**Argentinien**–Niederlande 3 : 1 (nach Verlängerung)
1982 in Spanien:	**Italien**–Bundesrepublik Deutschland 3 : 1
1986 in Mexiko:	**Argentinien**–Bundesrepublik Deutschland 3 : 2
1990 in Italien:	**Bundesrepublik Deutschland**–Argentinien 1 : 0
1994 in den USA:	**Brasilien**–Italien 3 : 2 (nach Elfmeterschießen)

müssen (z. B. Pokalspiele) mit einem Unentschieden, gibt es eine Verlängerung von 2 × 15 Minuten. Steht das Spiel dann immer noch unentschieden, entscheidet der Schiedsrichter auf **Elfmeterschießen.** Der Schiedsrichter wird durch 2 Linienrichter unterstützt. Sie zeigen z. B. an, wenn eine Abseitsstellung vorliegt oder der Ball die Seitenlinie überquert. Ein Spieler der gegnerischen Mannschaft wirft von der Stelle, an der der Ball über die Seitenlinie rollte, den Ball ein. Wird der Ball durch einen gegnerischen Spieler über die Torlinie außerhalb des Tores gespielt, gibt es einen **Torabschlag.** Schießt ein Spieler den Ball über die eigene Torlinie neben dem Tor, erhält die gegnerische Mannschaft einen **Eckstoß.** Als Strafen bei Regelwidrigkeiten werden **Freistöße** (unbehinderter Schuss der gegnerischen Mannschaft von außerhalb des Strafraums) verhängt, Spieler werden nach grobem oder wiederholtem Foulspiel mit der **gelben Karte** verwarnt. Bei der zweiten Verwarnung eines Spielers muss der Schiedsrichter dem Spieler die **rote Karte** zeigen und ihn des Feldes verweisen. Bei schweren Fouls der verteidigenden Mannschaft innerhalb des eigenen Strafraums entscheidet der Schiedsrichter auf Strafstoß.

Die Dachorganisation der Fußballvereine in der Bundesrepublik Deutschland ist der **Deutsche Fußballbund (DFB);** die Fußballverbände der Länder sind Mitglied in der **Fédération Internationale de Football Association (FIFA).** Die FIFA ist z. B. für die Abwicklung der Fußballweltmeisterschaft zuständig und betreut das olympische Fußballturnier. Die europäischen Fußballverbände sind in der **Union Européenne de Football Association** (UEFA) zusammengeschlossen.

Aus China sind fußballartige Spiele seit 2700 v. Chr. bekannt; auf ägyptischen und römischen Reliefs findet man ebenfalls Abbildungen solcher Spiele. Der erste deutsche Fußballverein wurde 1878 in Hannover gegründet.

Futur [aus lateinisch futurum ›das Zukünftige‹], **Zukunft,** Zeitform des Verbs, die ausdrückt, dass der dargestellte Vorgang noch stattfinden wird. Das Futur wird mit dem Hilfsverb ›werden‹ gebildet (→Tempus). – Das **Futur II (vollendete Zukunft)** drückt aus, dass ein Vorgang in der Zukunft abgeschlossen sein wird.

Futurismus, literarische, künstlerische und politische Bewegung, die 1909 durch ein Manifest des italienischen Dichters **Filippo Tommaso Marinetti** begründet wurde. Die Futuristen lehnten überlieferte Formen ab und verherrlichten moderne Technik, Geschwindigkeit, Kampf und Krieg. Die Malerei sollte vor allem Bewegung ausdrücken. Die Maler versuchten, das zeitliche Nacheinander von Bewegungen und Ereignissen in einem Moment der ›Gleichzeitigkeit‹ einzufangen. Ihre Bilder zeigen häufig ein schwer entwirrbares Gemenge sich gegenseitig durchdringender Formbruchstücke. Die Zerlegung der Form hatten sie vom französischen →Kubismus übernommen. Die revolutionären Ideen verbreiteten sich bald in ganz Europa, besonders eigenständig in Russland; hier war der Dichter **Wladimir Majakowski** der führende Futurist. Nach 1917 stellten sich die russischen Futuristen in den Dienst der kommunistischen Partei, während in Westeuropa der Faschismus viele der politischen Vorstellungen des Futurismus übernahm.

Futurismus: Gino Severini, ›Bal Tabarin‹; 1912 (New York, Museum of Modern Art)

Gall

G, der siebte Buchstabe des Alphabets, ein Konsonant; g ist das Einheitenzeichen für die Gewichts- und Masseeinheit Gramm (→Einheiten); das Vorsatzeichen für →Giga wird mit G abgekürzt. In der Musik ist G die fünfte Note der C-Dur-Tonleiter; der Violinschlüssel heißt auch G-Schlüssel (→Notenschlüssel).

Gabelweihe, der Rote →Milan.

Gabun
Fläche: 267 667 km^2
Einwohner: 1,237 Mio.
Hauptstadt: Libreville
Amtssprache: Französisch
Nationalfeiertag: 17. 8.
Währung: 1 CFA-Franc = 100 Centimes (c)
Zeitzone: MEZ

Gabun, Republik an der Westküste Afrikas, etwa doppelt so groß wie Griechenland. – Der 200 km breite Küstenstreifen ist mit Savanne bedeckt. Das 500–700 m hohe Bergland des Landesinnern trägt tropischen Regenwald. Die Bevölkerung besteht vorwiegend aus Bantustämmen. Größte Stadt ist die Hauptstadt Libreville. Die Landwirtschaft Gabuns ist unbedeutend. Kakao und Kaffee werden in geringem Umfang ausgeführt. Das Land ist reich an Bodenschätzen. Erdöl macht 4/5 der Exporte aus. Die Holzwirtschaft ist von großer Bedeutung. – Von Libreville aus begann 1875 die Besetzung von Französisch-Äquatorialafrika, zu dem das Land bis 1959 gehörte. 1960 wurde Gabun unabhängig. (KARTE Band 2, Seite 194)

Gadolinium [nach dem finnischen Chemiker J. Gadolin, *1760, †1852], Zeichen **Gd,** metallisches →chemisches Element (ÜBERSICHT), ein Lanthanoid.

Galagos, eine Familie der →Halbaffen.

Galápagosinseln, vulkanische Inselgruppe im Pazifischen Ozean, zu Ecuador gehörend. Von den 13 größeren und 17 kleineren Inseln (Gesamtfläche 7812 km^2) sind nur 4 bewohnt. Die wirtschaftliche Bedeutung der Inselgruppe ist gering. Bekannt sind die Galápagosinseln durch ihre einzigartige Tier- und Pflanzenwelt mit vielen Arten, die nur hier vorkommen. Interessant sind vor allem die bis 1,50 m langen Riesenschildkröten und -echsen sowie viele Vogelarten. (KARTE Band 2, Seite 197)

Galaxie, →Sternsysteme.

Galaxis, [mittellateinisch galaxia ›Milchstraße‹], das →Milchstraßensystem.

Galeere [zu mittellateinisch galea ›Ruderschiff‹], im Mittelalter ein Ruderkriegsschiff, das mit Rammsporn und Wurfmaschinen, später auch mit Geschützen bewaffnet war. Galeeren waren etwa 40 m lang und hatten bis zu 50 Ruderbänke, die mit je 1–3 Mann, meist Sträflingen, besetzt wurden. Gegen Ende des Mittelalters entwickelten sich aus der Galeere die kampfkräftigere, aber schwerfällige **Galeasse** mit etwa 40 Ruderbänken, die **Galeote** als Aufklärungsschiff mit etwa 20 Ruderbänken sowie die **Feluke** als schneller Segler mit 10 Ruderbänken als Hilfsantrieb. Zum reinen Segelschiff wurde die **Galeone**.

Galilei. Der italienische Mathematiker, Physiker und Philosoph **Galileo Galilei** (*1564, †1642) wirkte in Pisa, wo er vom Schiefen Turm aus physikalische Experimente durchgeführt haben soll. Er war Professor der Mathematik in Padua und später Hofmathematiker der Medici in Florenz. Aufgrund wissenschaftlicher Beobachtungen entdeckte er die Gesetze der Pendel- und Fallbewegungen sowie die physikalischen Zusammenhänge bei der Wurfparabel. Durch den Bau eines astronomischen →Fernrohres konnte er die Planetenbewegungen beobachten. Er trat öffentlich für das kopernikanische Weltsystem (→Kopernikus) ein, nach dem sich die Erde um die Sonne bewegt. Diese Lehre hatte die katholische Kirche, die noch an der Vorstellung von der Erde als Mittelpunkt des Weltalls (→Ptolemäus) festhielt, verboten. Galilei wurde vor ein kirchliches Gericht gestellt, zum Widerruf gezwungen und zu unbefristeter Haft verurteilt. Sein Ausspruch ›Und sie (die Erde) **bewegt sich doch**‹ ist Legende. Wichtige Schriften von Galilei sind der ›Dialogo‹ (Dialog über die beiden Weltsysteme) und die ›Discorsi‹, die mathematische Beweise über 2 neue Wissenszweige enthalten.

Galle, 1) eine von bestimmten Leberzellen ständig abgesonderte Flüssigkeit, die beim Menschen gelbgrün aussieht und bitter schmeckt. Bis zu 1 Liter Galle wird täglich von der Leber gebildet. Diese gelangt über einen Gang in die **Gallenblase,** wo sie durch Wasserentzug eingedickt und gespeichert wird. Bei Bedarf wird die Galle in den Zwölffingerdarm abgegeben, wo sie bei der Verdauung der Fette eine wichtige Rolle spielt. Mit der Galle werden Abbauprodukte des Stoffwechsels, aber auch Medikamente in den Zwölffingerdarm ausgeschieden. Die Galle setzt sich zusammen aus **Gallenfarbstoffen,** deren Abbauprodukte den Kot bräunlich färben, **Gallen-**

Gabun
Staatswappen

Staatsflagge

Galileo Galilei

Gall

säuren und **Cholesterin;** besonders die Gallensäuren sorgen dafür, dass die Fette zu einer Emulsion und damit verdaubar werden. Zuweilen bilden einzelne Bestandteile der Galle, z. B. Cholesterin, feste Kristalle, die sich zu sogenannten **Gallensteinen** zusammensetzen. Diese können, wenn sie sich in den engen Gängen zwischen Gallenblase und Darm festsetzen, sehr schmerzhafte Koliken hervorrufen.

2) jede Missbildung an **Pflanzen**, die von einem Parasiten verursacht wird. Häufig entstehen Gallen durch Insekten (Gallwespen, Gallmücken, Milben). An Eichen findet man sie besonders häufig. Eine Gallwespe sticht mit ihrem Legebohrer z. B. ein Blatt oder eine Knospe an und legt ein Ei hinein, aus dem später die Larve schlüpft. Durch vom Parasiten abgesonderte Stoffe und als Abwehr der Pflanze gegen den Parasiten bildet sich die Galle, die der Larve Behausung und Nahrung bietet. Auch Pilze und Bakterien können zur Gallenbildung führen, z. B. der Wurzelkropf bei Obstbäumen, eine durch Bakterien verursachte tumorartige Wucherung. Die befallenen Pflanzen werden meist nur wenig geschädigt.

Galle 2):
Gallen (oben) und Weibchen (unten) der Eichelgallwespe

Galli|en nannten die Römer das Land der Kelten, die das heutige Frankreich und seit etwa 400 v. Chr. auch Oberitalien bewohnten. Diese Völker hießen bei den Römern ›Gallier‹. Von 225 bis 190 v. Chr. wurde das oberitalische Gallien von den Römern unterworfen. Sie machten es zur Provinz **Gallia Cisalpina** (diesseits der Alpen) im Unterschied zu dem jenseits der Alpen liegenden Gallien, das vom Rhein bis zum Mittelmeer und zum Atlantischen Ozean reichte und **Gallia Transalpina** genannt wurde. Die Römer eroberten 125 v. Chr. zunächst den südlichen Teil. 58–51 v. Chr. eroberte Caesar dann das restliche Gallien. Von nun an war Gallien ein Teil des Römischen Reichs. Die Römer gründeten Städte (z. B. Lyon) und bauten Straßen. Die Hauptorte der Stämme Galliens entwickelten sich zu blühenden Städten, z. B. Paris, Bordeaux, Trier, das im 4. Jahrh. eine Zeit lang Kaiserresidenz war. Nach 400 drangen die Germanen in das Innere Galliens ein, aber erst 486 beseitigte der Frankenkönig Chlodwig die römische Herrschaft.

Gallischer Krieg, der Krieg, durch den Caesar 58–51 v. Chr. die Völker Galliens im Bereich des heutigen Frankreich bis hin zum Rhein unterwarf und dieses Gebiet in das Römische Reich eingliederte. Er besiegte die Helvetier und die Germanen des Ariovist und warf den keltischen Aufstand unter Vercingetorix nieder. Zweimal überschritt er den Rhein, 55 stieß er über den Ärmelkanal nach Britannien vor. Caesar schuf sich in diesem Krieg ein ihm ergebenes Heer, das seine wichtigste Stütze im 49 beginnenden Bürgerkrieg wurde. Er berichtete über die Kämpfe in Gallien in seinem Werk ›De bello Gallico‹ (deutsch ›Über den Gallischen Krieg‹).

Gallium [von lateinisch Gallia ›Frankreich‹], Zeichen **Ga,** metallisches →chemisches Element (ÜBERSICHT), das besonders wichtig zur Herstellung von Halbleitern und elektronischen Bauelementen, aber auch von Speziallegierungen ist.

gallon [gälen, englisch], **Gallone,** Einheitenzeichen **gal,** in Großbritannien ein Hohlmaß für Flüssigkeiten und feste Stoffe: 1 gal = 4,54609 l; in den USA ein Hohlmaß für Flüssigkeiten: 1 gal = 3,78543 l.

Galopprennen, in gestrecktem Galopp gelaufene Rennen für Vollblutpferde. In diesen Rennen soll die Leistungsfähigkeit der Pferde ermittelt werden, um so die besten Tiere für die Vollblutzucht herauszufinden. Austragungsstätte der Rennen ist die meist ovale Rennbahn mit 2 langen Geraden (Gegengerade und Zielgerade) und einer Gesamtlänge zwischen 1600 und 2000 m. Die Renndistanz beträgt zwischen 1000 und 4000 m bei **Flachrennen** und zwischen 2800 und 6800 m bei **Hindernisrennen.** Die Jockeys, so heißen die Reiter, stehen während des Rennens vornübergebeugt in den Steigbügeln, damit Hinterhand und hintere Rückenpartie des Pferdes entlastet werden. Zielrichter legen, notfalls unter Auswertung der Zielfotografie, den Richterspruch fest, aus dem sich Sieger und Platzierte ergeben. Daneben ahndet die Rennleitung alle Unkorrektheiten und entscheidet über etwa eingelegte Proteste. – Die klassischen Rennen, z. B. das Deutsche Derby in Hamburg, sind Flachrennen. Hindernisrennen führen über feste Hindernisse wie Gräben, Wälle und Mauern oder über Hürden aus Reisig.

galvanische Elemente. Der Medizinprofessor **Luigi Galvani** (*1737, †1798) aus Bologna beobachtete 1780, dass frisch präparierte Froschschenkel auf einer Metallplatte in Zuckungen gerieten, wenn ein durch den Schenkel führender Eisendraht die Metallplatte berührte. Die Ursache dieses zufällig entstandenen Stromkreises fand der italienische Physiker **Alexander Volta** (*1745, †1827) in der Verschiedenartigkeit der Metalle und in dem angesäuerten Wasser des Froschschenkels. Der Froschschenkel diente dabei als Stromanzeiger. Volta entwickelte die erste brauchbare Stromquelle, indem er eine Kupfer-

Gamb

platte (Pluspol) und eine Zinkplatte (Minuspol) in verdünnte Schwefelsäure tauchte. Es entstand das **Voltaelement** mit etwa 1 Volt Spannung, mit dem man ein Glühlämpchen zum Leuchten bringen kann (BILD).

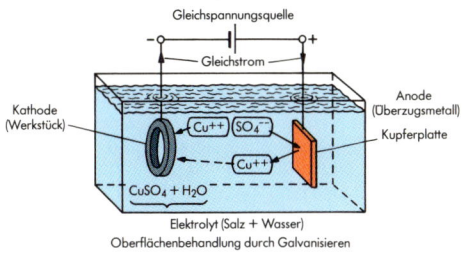

Oberflächenbehandlung durch Galvanisieren

Galvanotechnik: Kupfersulfat ($CuSO_4$) zerfällt im Wasser (H_2O) in Kupferionen (Cu^{++}) und Sulfationen (SO_4^{--}). Die negativ geladenen Sulfationen wandern zur positiv geladenen Anode und lösen dort weitere Kupferionen heraus. Die positiv geladenen Kupferionen wandern zur negativ geladenen Kathode.

Elektrizitätsquellen, die aus 2 verschiedenen, sich in einem Elektrolyten befindenden Elektroden (z. B. 2 Metalle oder ein Metall und Kohle) bestehen, heißen galvanische Elemente. In ihnen wird chemische in elektrische →Energie umgewandelt.

Primäre galvanische Elemente wie das Voltaelement oder die Einzelzelle einer Taschenlampenbatterie liefern nur so lange elektrische Energie, bis ihr negativer Pol aufgelöst ist. Sekundäre galvanische Elemente können erneut geladen werden (→Akkumulator).

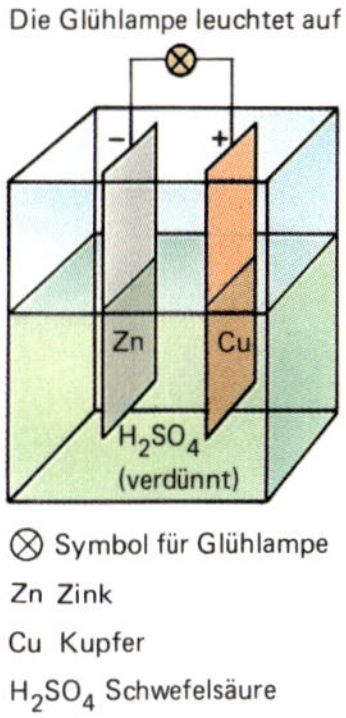

Galvanometer, Instrument zum Messen kleiner Gleichströme und Gleichspannungen. Es funktioniert wie ein →Drehspulinstrument, bei dem die Stärke des Stroms durch die Drehbewegung der vom Strom durchflossenen Spule über einen mit der Spule verbundenen Zeiger sichtbar gemacht wird. Häufig werden **Spiegelgalvanometer** (BILD) benutzt, bei denen die drehbare Spule über einen Faden mit einem Spiegel zur Vergrößerung der Anzeige verbunden ist.

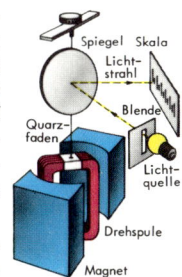

Galvanotechnik, Verfahren zur Oberflächenbeschichtung. Die Oberfläche vieler Gegenstände des täglichen Lebens, die meist aus legiertem →Eisen (Stahl) bestehen, wird durch Gebrauch und Witterungseinfluss unansehnlich und rostet. Aus diesem Grund überzieht man diese Gegenstände (Werkstücke) mit einer Schutzschicht aus edlerem Metall. Die Beschichtung geschieht mittels Gleichstrom. Dieser fließt nach dem Eintauchen des Werkstücks (als Kathode) durch den →Elektrolyten, der das edlere Metall (z. B. Kupfer, Silber, Chrom, Zink) als Anode enthält (BILD).

Beim Stromdurchgang geht das edlere Metall (Kupfer) in Lösung und lagert sich als gleichmäßige Schicht auf dem Werkstück ab, das dadurch verkupfert wird. Auf diese Weise werden Gegenstände auch versilbert, verchromt und verzinkt; man nennt diesen Vorgang **Galvanisieren**.

Außerdem stellt man in der Galvanotechnik Metallgegenstände her, deren Fertigung nach anderen Verfahren schwierig ist: Gips- oder Wachsabdrücke, z. B. von Büsten, Münzen oder Druckklischees, werden mit Graphitpulver leitend gemacht und z. B. als Kathode in ein Kupfersulfatbad mit Kupferanode gebracht. Der Metallüberzug, der sich bei der Elektrolyse bildet, lässt sich leicht abheben.

Gama. Der portugiesische Seefahrer **Vasco da Gama** (*um 1469, †1524) wurde von König Manuel von Portugal ausgeschickt, den Seeweg nach Indien um das Kap der Guten Hoffnung zu finden. Er brach 1497 mit 3 Schiffen auf und erreichte nach über 10 Monaten die indische Westküste; 1499 kehrte er zurück. 1502–04 segelte er mit einer Kriegsflotte erneut nach Indien und zwang die Städte an der indischen Westküste die portugiesische Oberhoheit anzuerkennen. Auf dieser Fahrt gründete er Niederlassungen in Ostafrika und legte den Grund für das portugiesische Kolonialreich. 1524 wurde er als Vizekönig nach Indien geschickt.

Gambe [aus italienisch viola da gamba ›Kniegeige‹], eine Streichinstrumentenfamilie des 16. bis 18. Jahrh. Im Gegensatz zur späteren Familie der Viole da Braccio, der ›Armgeigen‹, aus denen sich unsere heutigen Streichinstrumente entwickelten, haben die Gambeninstrumente 6 Saiten, wie die Gitarre Bünde auf dem Griffbrett und einen spitzen Korpus mit flachem Rücken.

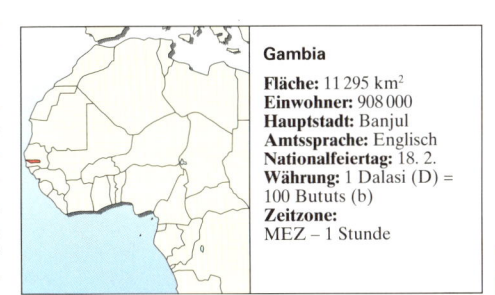

⊗ Symbol für Glühlampe
Zn Zink
Cu Kupfer
H_2SO_4 Schwefelsäure
galvanische Elemente

Galvanometer: Spiegelgalvanometer

Gambia
Fläche: 11 295 km²
Einwohner: 908 000
Hauptstadt: Banjul
Amtssprache: Englisch
Nationalfeiertag: 18. 2.
Währung: 1 Dalasi (D) = 100 Bututs (b)
Zeitzone: MEZ – 1 Stunde

Staatswappen

Staatsflagge

Gambia, Küstenstaat in Westafrika. Das Land erstreckt sich 350 km lang beiderseits des

Wörter, die man unter G vermisst, suche man unter Dj, J oder K

Gamm

Flusses Gambia und ist an der breitesten Stelle nur 45 km breit. Es besteht überwiegend aus Savanne und wird von Sudannegern bewohnt. Außer Uran besitzt es keine Bodenschätze. Die Industrie ist kaum entwickelt. Wichtigste Ausfuhrgüter sind Erdnüsse und Erdnussöl.

1843 wurde Gambia britische Kronkolonie. 1965 erlangte es die Unabhängigkeit; 1970 wurde die Republik ausgerufen. 1994 kam es zu einem Militärputsch, in dessen Folge die Verfassung außer Kraft gesetzt und die Parteien verboten wurden. (KARTE Band 2, Seite 194)

Gamma (Γ, γ), der dritte Buchstabe des griechischen Alphabets; γ wird in der Geometrie zur Bezeichnung eines Winkels verwendet.

Gammastrahlung, γ-Strahlung, die bei Atomkernumwandlungen (→Radioaktivität) auftretende elektromagnetische Strahlung.

Gämsen, ziegenähnliche Huftiere, die die Hochgebirge Europas von den Pyrenäen bis zum Kaukasus bewohnen. In den Alpen leben sie im Bereich der Waldgrenze bis zur Schneegrenze. In höheren Lagen des Schwarzwalds wurden sie mit Erfolg angesiedelt. Gämsen können mit ihren

Mahatma Gandhi

Gämse

harten Hufkanten und weichen Sohlen ausgezeichnet am steilen Fels klettern, ohne abzustürzen, und 3–4 m hoch und gut 10 m weit springen. Männchen (Bock) und Weibchen (Geiß) tragen senkrechte, oben scharf zurückgekrümmte Hörner (›Krucken‹, ›Krickeln‹). Die etwa rehgroßen Gämsen haben ein rot- bis dunkelbraunes Fell mit einem schwarzen Streifen auf dem Rücken. Sie leben in von einer Geiß geführten Rudeln; ältere Böcke sind meist Einzelgänger. Vor allem an schattigen, kühlen Plätzen suchen Gämsen nach Gräsern, Kräutern, Flechten und Moosen. Im Winter steigen sie bis in die Waldzonen herab. Vom Menschen nehmen sie nur schwer Fütterung an; sie können aber gut 2 Wochen ohne Nahrung auskommen. Nach etwa 6 Monaten Tragzeit wird im Mai/Juni meist ein einziges Kitz geboren. Gämsen werden etwa 10 Jahre alt. Die langen Rückenhaare des dichten Winterfells besonders der Böcke werden gebunden (›Gamsbart‹) an Trachtenhüten getragen.

Gandhi. Der Führer der indischen Unabhängigkeitsbewegung, **Mohandas Karamchand Gandhi** (*1869, †1948), genannt ›**Mahatma**‹ (deutsch ›große Seele‹), ging 1893 als Rechtsanwalt nach Südafrika. Im Kampf gegen Gesetze, die seine indischen Landsleute dort benachteiligten, entwickelte er Mittel des gewaltlosen Widerstands.

1914 kehrte Gandhi nach Indien zurück und begann mit den gleichen Methoden den Kampf für die staatliche Unabhängigkeit Indiens von Großbritannien. Er rief zum bürgerlichen Ungehorsam auf und forderte die Inder auf, nicht mit der von Großbritannien geführten Kolonialregierung zusammenzuarbeiten und keine britischen Waren zu kaufen (Boykott). Gandhi bemühte sich zugleich, das Kastenwesen, das heißt die Trennung der Inder hinduistischer Religionszugehörigkeit in streng voneinander abgeschlossene Gruppen (→Kasten), zu überwinden und die zu keiner Kaste gehörenden ›Unberührbaren‹ (›Parias‹) in die Gemeinschaft aller Inder einzugliedern.

Mit der Errichtung der ›Indischen Union‹ (1947) erreichten Gandhi und seine Anhänger die staatliche Unabhängigkeit ihres Landes, jedoch um den Preis der Teilung →Indiens. 1948 fiel Gandhi einem Attentat zum Opfer.

Ganges, Hauptstrom im Norden Vorderindiens. Mehr als die Hälfte (bis Allahabad) des 2700 km langen Flusses ist schiffbar. Der Ganges entspringt in rund 4000 m Höhe am Südhang des Himalaya. Er durchfließt mit sehr geringem Gefälle die große Gangesebene und bildet mit dem Brahmaputra ein riesiges fruchtbares, aber hochwassergefährdetes Delta. Dieses Mündungsdelta, das teils zu Indien, teils zu Bangladesh gehört, zählt zu den am dichtesten besiedelten Gebieten der Erde. Der Ganges ist der heilige Fluss Indiens. An seinen Ufern liegen mehrere Pilgerstädte der Hindu (z.B. Hardwar, Allahabad, Benares).

Gangschaltung, Einrichtung eines Fahrzeugs, durch die mithilfe eines →Getriebes und eines Schalthebels ein bestimmtes Übersetzungsverhältnis zwischen Motor- und Raddrehzahl (ein bestimmter Gang) gewählt werden kann. Im Allgemeinen haben Personenkraftwagen 5 Vorwärtsgänge und einen Rückwärtsgang, Lastkraftwagen haben meist 5–6 Gänge, mitunter auch mehr. Beim ersten Gang ist das Übersetzungsverhältnis am größten, beim höchsten Gang am kleinsten. Das bedeutet, dass zum Anfahren und bei niedrigen Geschwindigkeiten in den ersten Gang geschaltet wird, während die hohen Gänge für hohe Fahrgeschwindigkeiten genommen werden. – Auch das →Fahrrad hat meist eine Gangschaltung.

Gänse werden vermutlich schon seit dem 5. Jahrtausend v. Chr. als Haustiere gehalten. Sie gelten als Symbol der Wachsamkeit, da sie auf das leiseste Geräusch mit Geschnatter reagieren. Gänse sind nicht so sehr an das Wasser gebunden wie die eng verwandten Enten und Schwäne. Sie suchen ihre Nahrung meist an Land, wobei sie häufig ›im Gänsemarsch‹ laufen. Mit der Schnabelspitze rupfen sie Gräser und Kräuter ab und zerreiben sie mit den Schnabelrändern. Sie können auch längere Zeit auf dem Wasser schwimmen. Ihre Füße tragen breite Schwimmhäute; mithilfe einer an der Schwanzwurzel sitzenden Drüse fetten sie ihr Gefieder ein und machen es so ›wasserdicht‹.

Es gibt zahlreiche Gänsearten, die auf der nördlichen Erdhalbkugel, vor allem hoch im Norden, brüten und in Mitteleuropa zum Teil als Wintergäste erscheinen. Die graubraune **Graugans** nistet auch in Deutschland. Sie baut im Schilf aus Wasserpflanzen ihr großes Nest. Das Weibchen brütet allein, während das Männchen, der Ganter, Wache hält. Beide bleiben lebenslang zusammen. Die Küken sind Nestflüchter. Im Herbst ziehen Graugänse bis nach Afrika. Sie fliegen in v-förmigen Verbänden.

Von der Graugans stammt unsere **Hausgans** ab. Sie hat schneeweißes Gefieder und ist größer und schwerer. Hausgänse werden vor allem des Fleisches wegen gehalten; ihre Federn, besonders die flaumigen Daunen, dienen als wärmende Füllung von Betten und Kissen. Eine Zwischenstellung zwischen Gänsen und Enten nimmt die →Brandgans ein.

Gänsehaut. Durch Kälte oder bei Aufregung ziehen sich die Haarmuskeln zusammen und richten die feinen Haare der Haut auf. So versucht der Körper, sich vor Wärmeverlust zu schützen.

Ganter, das Männchen der →Gänse.

ganze Zahlen, Symbol $\mathbb{Z}$ (gesprochen: Doppelstrich-Z), bilden in der Mathematik die Menge $\mathbb{Z} = \{..., -4, -3, -2, -1, 0, 1, 2, 3, 4, ...\}$ (→Zahlenaufbau).

Gardasee, mit 368 km² der größte der italienischen Alpenseen. Das Becken des Gardasees wurde einst von eiszeitlichen Gletschern ausgeschürft. Die Endmoränen an seinem 18 km breiten Südrand sind natürliche Staudämme. Das milde, vom Mittelmeer beeinflusste Klima lässt Zypressen, Agaven, verschiedenartige Palmen und an geschützten Stellen sogar Orangen und Zitronen gedeihen. Zwei tunnelreiche Uferstraßen erschließen die Ost- und Westseite des Sees.

Garibaldi. Der aus Piemont stammende Marineoffizier **Giuseppe Garibaldi** (*1807, †1882) trat bei den Kämpfen um die Einigung Italiens als Führer von Freischaren hervor und wurde eine der volkstümlichsten Persönlichkeiten im Italien des 19. Jahrhunderts.

An der Spitze seiner Freischaren kämpfte er 1848 gegen die österreichische Herrschaft in der Lombardei und verteidigte 1849 vergeblich die in Rom ausgerufene ›Römische Republik‹. Als es 1859 erneut zum Kampf um die Einigung Italiens kam, eroberte Garibaldi mit dem ›Zug der Tausend‹ ganz Sizilien. Er setzte von dort zum Festland über und konnte bald in Neapel einziehen, an der Seite König Viktor Emanuels II. von Sardinien, der 1861 nach erfolgreichem Krieg gegen Österreich König von Italien wurde. Danach versuchte Garibaldi vergeblich, den noch außerhalb des italienischen Staates verbliebenen Kirchenstaat zu erobern.

Garmisch-Partenkirchen, 27 700 Einwohner, heilklimatischer Kur- und Fremdenverkehrsort in Oberbayern am Fuß des Wettersteingebirges. 1936 fanden hier die Olympischen Winterspiele statt.

Garnelen, oft fälschlich **Krabben** genannt, sind kleine →Krebse mit schlankem Körper, den eine durchsichtige Schale bedeckt, und langen Fühlern. Sie leben in großen Mengen in der Nordsee, auch in der Ostsee, und ernähren sich von kleinen Schnecken, Würmern, auch von winzigen toten Tieren und Pflanzen. Ihre Körperfarbe kann sich von Gelb bis fast Schwarz verändern, je nach der Farbe des Sandes oder Schlicks, auf und in dem sie leben. Garnelen sind Nahrung für viele Fische; größere Arten gelten als Delikatesse, kleinere werden zu Vogel- und Fischfutter zermahlen. Man fängt sie mit Reusen oder Netzen. Wie viele andere Krebse verfärben sich Garnelen beim Kochen rot. Verwandte Arten leben im Mittelmeer, an den Küsten Afrikas, Australiens, Indiens und im Golf von Mexiko.

Garonne [garɔn], größter Fluss im Südwesten Frankreichs. Der 575 km lange Fluss ent-

Gänse: Graugans

Garnele

Gäru

springt in den Pyrenäen. Er durchfließt das Land zwischen Toulouse und Bordeaux. Unterhalb von Bordeaux bildet die Garonne zusammen mit der Dordogne den **Gironde** genannten Mündungstrichter in den Atlantischen Ozean. Über den **Canal du Midi** ist die Garonne von Toulouse aus mit dem Mittelmeer verbunden.

Gärung, Zersetzungsvorgänge organischer Stoffe, die mit Gasentwicklung verbunden sind; diese Vorgänge bezeichnet man umgangssprachlich auch als **Faulen**. Dabei werden organische Stoffe durch die Mitwirkung von Kleinstlebewesen (Pilze, Bakterien) in kleinere Bruchstücke zerlegt, die aber selbst stets noch organische Verbindungen sind.

Der wirtschaftlich bedeutendste Gärvorgang, die **alkoholische Gärung**, ist die Umwandlung von →Kohlenhydraten (Stärke, Zucker) in →Alkohol und Kohlendioxid durch die Einwirkung von Hefepilzen.

Gase [zu griechisch chaos ›leerer Raum‹], 1) Physik: Körper, die sich im gasförmigen →Aggregatzustand befinden; dabei können sich die Gasmoleküle frei im Raum bewegen. Sie erfüllen ihn gleichmäßig und üben auf die Gefäßwände einen Druck aus.

2) Chemie: **Brenngase**, Gase oder Gasgemische, die mit Luft oder Sauerstoff brennbar sind und in Haushalt, Gewerbe oder Industrie vorwiegend zur Wärmeerzeugung eingesetzt werden. Sie bilden nach dem Erdöl den zweitwichtigsten Energieträger. Man unterscheidet nach der Herkunft die natürlichen **Erd-** und **Erdölgase**, die in Klärwerken gewonnenen **Klär-** oder **Biogase** sowie die in technischem Maßstab aus Kohle oder Ölschiefer erzeugten **Kokereigase**. Das überwiegend aus Wasserstoff, Kohlenmonoxid und Methan bestehende **Stadt-** oder **Leuchtgas** ist heute weitgehend durch Erdgas ersetzt worden.

Gasentladung. In einem Gas schwirren Moleküle (oder Atome) in ungeordneter Bewegung durcheinander. Da einige von ihnen immer ionisiert sind, befinden sich in einer mit Gas gefüllten Glasröhre viele neutrale Moleküle, aber auch einige wenige positive Ionen und negative Elektronen. Legt man an die in die Röhre eingeschmolzenen Elektroden eine Spannung an, so bewegen sich die Elektronen zur Anode, die positiven Ionen zur Kathode. Da das Gas unter so hohem Druck steht wie z. B. die Luft im Zimmer, liegen die Moleküle dicht beieinander, die geladenen Teilchen stoßen oft mit ihnen zusammen und erlangen keine große Geschwindigkeit. Der Strom durch das Gas ist nicht nachweisbar. Bei geringem Druck, den man durch Abpumpen des Gases erzeugt, haben die in der Röhre verbleibenden Moleküle größere Abstände. Da jetzt weniger Zusammenstöße stattfinden können, erreichen die Elektronen und Ionen höhere Geschwindigkeiten. Bei einer bestimmten angelegten Spannung werden die Elektronen so schnell, daß sie bei ihren Zusammenstößen mit den neutralen Molekülen aus diesen Elektronen herausschlagen, die dann ebenfalls neutrale Moleküle ionisieren. Die Gasentladung hat eingesetzt, der Strom durch das Gas nimmt sehr hohe Werte an.

Durch die Elektronenstöße werden die Gasatome nicht nur ionisiert, sondern auch zum Leuchten angeregt. Die Farbe des Lichtes hängt von der Art des Gases ab.

In der Natur beobachtet man solche Leuchterscheinungen beim **Nordlicht**: Von der Sonne kommen geladene Teilchen, die durch das erdmagnetische Feld in die Polargebiete gelenkt werden. Dort regen sie in den hohen Luftschichten die Moleküle durch Stoß zum Leuchten an.

Gasentladungslampen mit Leuchtstoff wandeln etwa 30% der zugeführten elektrischen Energie in Licht um, →Glühlampen nur etwa 4%. Sie sind deshalb wesentlich wirtschaftlicher und werden für die verschiedensten Zwecke verwendet. Man braucht für die Straßenbeleuchtung Quecksilberdampflampen (›weißes‹ Licht) und für die Beleuchtung von Kreuzungen Natriumdampflampen (gelbes Licht), für Reklameschilder mit unterschiedlichen Gasen gefüllte Leuchtröhren.

Gasmaske, Atemschutzgerät, das aus einer Gummimaske mit Sichtfenster oder Augengläsern und einem Filter besteht. Dieser ist mit je einem Aus- und Einatemventil versehen und enthält Chemikalien, die schädliche Gase, Nebel, Rauch und andere schwebende Stoffe zurückhalten. Gasmasken werden z. B. in der chemischen Industrie, bei der Feuerwehr und beim Militär benötigt.

Gasturbine, eine Wärmekraftmaschine, in der heiße Gase erzeugt werden, die zum Antrieb

Gasentladung: Leuchterscheinungen in einer Gasentladungsröhre

Kathode — Anode
Ionenstrahl — Dunkelräume — Elektronenstrahl
zur Vakuumpumpe
3000 V

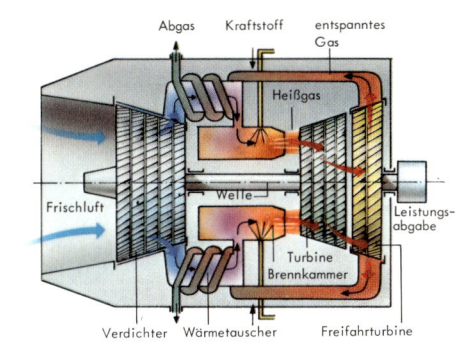

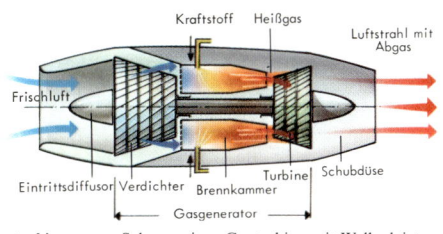

Gasturbine: OBEN Schema einer Gasturbine mit Wellenleistung. UNTEN Schema einer Gasturbine mit Strahlleistung (Fluggasturbine oder Turbinen-Luftstrahltriebwerk)

von Turbinen dienen. Eine Gasturbine ist im Prinzip einfach aufgebaut: In einem zylinderförmigen Gehäuse verdichten ein oder mehrere Verdichterräder Luft und fördern sie in Brennkammern, wo ununterbrochen Brennstoff eingesprüht und entzündet wird. Nur beim Anfahren der Gasturbine muss der Brennstoff durch eine Fremdzündung entflammt werden, dann erhält sich die Verbrennung von selbst. Die aus den Brennkammern abströmenden Verbrennungsgase sind sehr energiereich; sie treiben zunächst eine oder mehrere Turbinen an, auf deren Welle die eingangs befindlichen Verdichterräder sitzen. Darüber hinaus verbleibt den Verbrennungsgasen noch Energie, um eine weitere Turbine anzutreiben, deren Leistung nun effektiv genutzt werden kann. Diese Energie dient z. B. zum Antrieb eines Generators zur Stromerzeugung, einer Pumpe, einer Schiffsschraube, eines Hubschrauberrotors, von Lokomotivrädern. Eine so beschaffene Gasturbine gibt **Wellenleistung** (wie ein Verbrennungsmotor) ab. Bekannter ist die andere Form der Gasturbine, die **Strahlleistung** liefert. Bei ihr strömen die Verbrennungsgase, nachdem sie die Turbinen der Verdichterwelle angetrieben haben, mit der verbliebenen Druckenergie durch eine Schubdüse ins Freie. Dabei ergeben sich Ausströmgeschwindigkeiten bis zu 1 000 m/s. Die mit solchen Geschwindigkeiten ausgestoßene Masse bewirkt den →Rückstoß, der beim →Strahltriebwerk zum Vortrieb von Flugzeugen dient.

Nach der Dampfmaschine, der Dampfturbine und dem Verbrennungsmotor ist die Gasturbine die jüngste Wärmekraftmaschine. Die Hauptschwierigkeit bei ihrer Entwicklung lag darin, eine Nutzleistung übrig zu behalten, nachdem der Verdichter die ihm nötige Leistung verbraucht hat. Ein weiteres Problem liegt beim Werkstoff der Turbinenschaufeln; die sie durchströmenden Gase haben eine Temperatur von etwa 1 600 Kelvin. Gasturbinen arbeiten am wirtschaftlichsten in höheren Leistungsbereichen, in denen der Kraftstoffverbrauch denen des Dieselmotors vergleichbar ist. Da Bauvolumen und Gewicht im Verhältnis zur Leistung sehr klein sind, eignet sich die Gasturbine ganz besonders als Flugtriebwerk.

Gaswerk, Anlage zur Erzeugung von Stadt- oder Leuchtgas. In Gaswerken wird besonders Kohle bei hohen Temperaturen unter Sauerstoffausschluss verkokt, das heißt, es werden Feuchtigkeit und absorbierte Gase ausgetrieben und schließlich die Kohle zersetzt. Dabei entstehen Brenngase (→Gase 2), die aus Wasserstoff, Methan, Stickstoff und Kohlenoxid bestehen, und Koks. Als Nebenprodukt fällt Teer an. Das gereinigte Gas wird in riesigen **Gasometern** (bis 600 000 m^3 Fassungsvermögen) gesammelt und in Rohrleitungen dem Verbraucher zugeführt. Gaswerke haben heute durch die Versorgung mit Erdgas, z. B. aus Sibirien, erheblich an Bedeutung verloren.

Gaszähler, ein →Zähler.

GATT, Abkürzung für englisch **General Agreement on Tariffs and Trade,** ›Allgemeines Zoll- und Handelsabkommen‹, abgeschlossen am 30. 10. 1947, in Kraft seit dem 1. 1. 1948. GATT ist nicht nur ein Handelsvertrag, sondern zugleich eine Sonderorganisation der UNO mit Sitz in Genf. Mitglieder dieser Organisation sind die Unterzeichnerstaaten (1994: 123) des Vertrags. Ziel des GATT ist die Erleichterung des Handels auf der Grundlage gleicher Bedingungen für alle Mitglieder (z. B. durch den Abbau von Zöllen und anderen Handelshemmnissen).

Gau, Siedlungsgebiet germanischer Stämme in der Völkerwanderungszeit. Die Gaue entsprachen meist den späteren Grafschaften. In der Zeit des Nationalsozialismus (1933–45) ließ man die Einteilung des Reichsgebietes in Gaue wieder

Gau

aufleben. Viele Landschaftsnamen enthalten das Wort ›-gau‹ oder ›-gäu‹, so der Rheingau, der Sundgau im Elsass und das Allgäu.

GAU, Abkürzung für **g**rößter **a**nzunehmender **U**nfall, der schwerste mögliche Unfall in einem Kernreaktor oder einer Kernenergieanlage, der bei der Planung von Schutzmaßnahmen in Betracht gezogen wird.

Gaucho [gautscho], berittener Rinderhirt in den südamerikanischen Pampas, entspricht dem Cowboy der nordamerikanischen Prärie. Ihrer Abstammung nach sind Gauchos Indianermischlinge (Mestizen), die schon sehr früh von den Spaniern das Pferd übernommen hatten, das es vor deren Ankunft in Amerika nicht gab. Daraus hat sich eine Reiterkultur entwickelt, die heute in der Folklore von Argentinien, Brasilien und Uruguay weiterlebt.

Gauguin [gogẽ]. Der französische Maler, Grafiker und Bildschnitzer **Paul Gauguin** (*1848, †1903) wurde vor allem durch seine farbenfrohen Südseebilder bekannt. Noch als Bankangestellter tätig, hatte er sich den Impressionisten angeschlossen. Erst mit 34 Jahren begann er sich ganz der Kunst zu widmen. Es folgte ein Wanderleben, das ihn in die Bretagne, nach Martinique (Westindien) sowie in die Südsee nach Tahiti und auf die Marquesasinseln führte. Dort, auf der Insel Hiva Oa, ist er gestorben. Ähnlich wie Vincent van Gogh, bei dem er eine Zeit lang in Arles lebte, versuchte Gauguin die Malerei des Impressionismus zu überwinden. Die Impressionisten hatten die gegenständliche Form in oberflächenhafte Lichteffekte aufgelöst, Gauguin schuf dagegen wieder zeichnerisch fest umrissene, flächige Formen, deren Wirkung auf der Klarheit der Linien und den reinen, intensiv leuchtenden Farben beruhte. Dargestellt sind meist blumengeschmückte Frauen der Südsee in bunten Gewändern, Tiere, Strand und Meer. Die Bilder haben oft symbolische Bedeutung. Ferner schuf Gauguin Holzschnitte sowie Holzskulpturen, die im Stil an ›primitive Kunst‹ erinnern. Mit seinen Werken hatte er großen Einfluss auf den Expressionismus.

Gaumen, das Dach der Mundhöhle. Er besteht aus einem vorderen, harten und einem hinteren, weichen Teil. Letzterer bildet hinten das Zäpfchen und seitlich 2 Falten, die **Gaumenbögen,** in denen die **Gaumenmandeln** sind. Diese Gaumenmandeln haben die Aufgabe Krankheitserreger abzuwehren. Überwiegen die Erreger, entzünden sich die Mandeln und es kommt zu einer Mandelentzündung (→Angina).

Carl Friedrich Gauß

Gauß. Einer der größten Mathematiker aller Zeiten war **Carl Friedrich Gauß** (*1777, †1855). Auf vielen Gebieten der Mathematik, der Sternforschung, der Physik und der Vermessungskunde waren seine Arbeiten wegweisend. So bewies er z. B., dass das regelmäßige 17-Eck mit Zirkel und Lineal konstruiert werden kann und stellte den Fundamentalsatz der →Algebra auf. Er begründete die Zahlentheorie und die Geodäsie (Erdvermessung) als mathematische Wissenschaft. Er ermöglichte durch seine Bahnberechnungen die Wiederentdeckung des Planetoiden Ceres und erforschte den Erdmagnetismus. Große Teile seines mathematischen Schaffens wurden erst aus seinem Nachlass bekannt, da Gauß nichts veröffentlichte, was ihm unvollkommen erschien. 1807 wurde er Direktor der Sternwarte in Göttingen. Im Jahre 1816 wurde ihm die Vermessung des Königreichs Hannover übertragen, an der er 25 Jahre arbeitete.

Gaviale, eine Familie der →Krokodile.

Gazellen, →Antilopen.

Gebärmutter, lateinisch **Uterus,** beim Menschen und bei vielen Tieren der Teil der →Geschlechtsorgane, in dem sich der Keimling bis zur Geburt entwickelt.

Gebirge, ausgedehnte Hochgebiete der Erdoberfläche, die sich in Bergkämme, Einzelberge, Täler und Hochflächen unterteilen. Vom niederen Vorland heben sich Gebirge meist durch einen **Gebirgsfuß** deutlich ab. In Mitteleuropa finden sich **Mittelgebirge,** die bis etwa 1 500 m über den Meeresspiegel ansteigen. Sie sind meist bis in die oberen Höhen bewaldet. Verwitterung und Abtragung haben in diesen erdgeschichtlich oft sehr alten Gebirgen abgerundete Kuppen und Rücken von geringerer Höhe geschaffen (Harz, Fichtelgebirge, Schwarzwald); bloßgelegtes Felsgestein ist selten anzutreffen. Die **Hochgebirge** reichen meist weit über die Baumgrenze hinaus, die in Mitteleuropa im Schnitt um 2 000 m liegt. In ihnen findet man schroff ausgebildete Formen: scharfe Grate, hohe Felswände, tief eingeschnittene Täler und steil aufragende Gipfel, auf deren höchsten Teilen das ganze Jahr über Eis und Schnee liegen.

Die **Gebirgsbildung** ist ein sehr lange dauernder Prozess, der mit der Ablagerung großer Sedimentmassen durch Flüsse und Meere in meist küstennahen Großmulden (Geosynklinalen) beginnt. Dabei werden oft mehrere Kilometer mächtige Schichten gebildet, die in die Tiefe des Sammelbeckens und der Erdkruste absinken. Dort kommt es zu Bewegungen, die die Gesteinsschichten zusammenpressen, falten, übereinander schieben oder zerstückeln. Schließlich wird das Gebirge in einem erdgeschichtlich relativ kurzen Zeitraum herausgehoben (→Erdgeschichte).

Gebirge werden meist nach ihrer äußeren Form unterschieden. **Kettengebirge** sind durch lang gestreckte Täler in einzelne Ketten untergliedert (Alpen). **Kammgebirge** dachen sich vom Gebirgskamm aus nach beiden Seiten ab (Taunus). **Plateaugebirge** besitzen ausgedehnte Hochflächen (Schwäbische Alb).

Gebiss, die Gesamtheit der Zähne in der Mundhöhle von Mensch und Wirbeltieren. Gebiss- und Zahnform der einzelnen Tierarten (und des Menschen) sind in Abhängigkeit von der jeweiligen Nahrung sehr unterschiedlich ausgebildet. So haben Fleischfresser (z. B. Raubtiere) meistens große Eckzähne, mit denen sie die Beute ergreifen und festhalten. Ihre Backenzähne haben scharfe Schneiden, um die Nahrung zu zerkleinern. Die Backenzähne der Pflanzenfresser (z. B. Huftiere) haben breite Flächen, um ein Zermahlen der Nahrung zu ermöglichen. Von manchen Tieren werden die Zähne z. B. auch als Waffe (Stoßzähne des Elefanten) oder Werkzeug (Dammbau der Biber) genutzt.

Das Gebiss des erwachsenen Menschen besteht aus 32 →Zähnen; auf jeder Hälfte des Ober- und Unterkiefers befinden sich 2 Schneidezähne, 1 Eckzahn, 2 Backenzähne und 3 Mahlzähne. Beim kindlichen Gebiss **(Milchgebiss)** fehlen die Mahlzähne; es besteht aus 20 Zähnen. Der Durchbruch des Milchgebisses vollzieht sich in der Regel zwischen dem 7. Lebensmonat und dem Ende des 2. Lebensjahres. Der Zahnwechsel zum bleibenden Gebiss vollzieht sich in der Zeit zwischen dem 6. und 13. Lebensjahr. Eine Ausnahme bilden die hintersten Mahlzähne, auch Weisheitszähne genannt, die unregelmäßig nach dem 16. Lebensjahr oder viel später erscheinen und dabei häufig starke Beschwerden machen.

Durch Vererbung oder spätere ungünstige Faktoren (z. B. Fingerlutschen) kann es zu Fehlstellungen einzelner Zähne oder zu Abweichungen von der normalen Bissstellung durch Kieferverformungen kommen. Das begünstigt Schäden an den Zähnen (→Karies) und wegen mangelhafter Kaufähigkeit Verdauungsstörungen. Mithilfe von Zahnspangen können Kieferverformungen und Fehlstellungen der Zähne besonders im Kindesalter reguliert werden.

Ein **künstliches Gebiss** ist die Zahnprothese, die als Ersatz für fehlende Zähne dient. Sie ist entweder eine vollständige Ober- oder Unterkieferprothese oder eine Teilprothese, um große Zahnlücken zu schließen.

Gebote begegnen uns in Form von Befehlen, Vorschriften oder Gesetzen. Sie regeln das Zusammenleben von Menschen und sollen der Sicherung und Entfaltung des menschlichen Lebens dienen. Gebote schränken zwar die Freiheit des Einzelnen ein, sind aber unentbehrlich für die Freiheit aller und des Einzelnen in der menschlichen Gesellschaft. Alle Gebote und Gesetze bedürfen der Auslegung in der jeweiligen Situation.

Im Alten Testament wird von Weisungen und Geboten Gottes gesprochen. Sie sind zusammengefasst in den **Zehn Geboten.** Die ersten 3 behandeln das Verhältnis der Menschen zu Gott. Die übrigen regeln das Verhalten der Menschen untereinander. Die Gebote fordern Achtung vor Gott und schützen Person, Leben und Eigentum der Mitmenschen. Das Neue Testament nennt als Hauptgebot die Gottes- und Nächstenliebe.

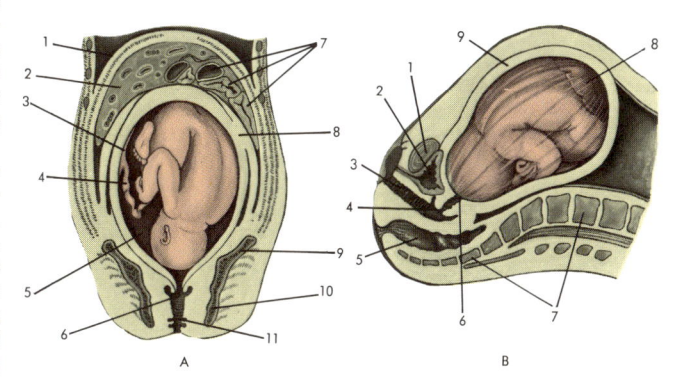

Geburt: A und B Normale Lage des Kindes zu Beginn der Geburt; A von vorn gesehen: **1** Zwerchfell, **2** Leber, **3** Mutterkuchen, **4** Nabelschnur, **5** Fruchtwasser, **6** äußerer Muttermund, **7** nach oben gedrückte Teile des Magen-Darm-Kanals, **8** Gebärmutter, **9** Darmbein, **10** Sitzbein, **11** Scheide; B von der Seite gesehen: **1** Schambeinfuge, **2** Harnblase, **3** Scheide, **4** äußerer Muttermund, **5** Mastdarm, **6** innerer Muttermund, **7** Wirbelsäule, **8** Mutterkuchen, **9** Gebärmutter

Geburt, die Ausstoßung der Frucht aus der →Gebärmutter. Die Geburt beginnt beim Menschen mit dem Einsetzen regelmäßiger **Wehen.** Das sind in bestimmten Zeitabständen auftretende, kräftige Zusammenziehungen der Gebärmuttermuskulatur, die durch Hormone ausgelöst werden. Die Wehen sollen den Gebärmuttermund für die Geburt erweitern und eröffnen (Eröffnungsperiode). Ist der Gebärmuttermund weit genug geöffnet, platzt die Fruchtblase, und das Fruchtwasser, worin das Kind während der Schwangerschaft schwimmt, fließt ab.

Gebu

Während der letzten Phase der Geburt (Austreibungsperiode) treten die Wehen in immer kürzeren Abständen auf; sie lösen bei der Mutter einen starken Drang zum Mitpressen aus (**Presswehen**). Bei der normalen Geburt wird zunächst der Kopf des Kindes geboren; die Schultern und der Körper folgen. 20–30 Minuten nach der Geburt des Kindes setzen noch einmal Wehen ein (**Nachwehen**), durch die der →Mutterkuchen und die Eihäute (**Nachgeburt**) ausgestoßen werden.

Nach der Geburt des Kindes wird die Nabelschnur, die den Mutterkuchen mit dem Kind verbindet, einige Zentimeter vom Körper des Kindes entfernt fest abgebunden und durchschnitten (›Abnabelung‹).

Geburtenregelung, Geburtenkontrolle, Maßnahmen, durch die Zeitpunkt und Anzahl von Geburten beim Menschen geplant werden können. Dies spielt eine Rolle bei der **Familienplanung**, gewinnt aber zunehmend an Bedeutung bei dem Versuch, die Geburtenrate in Staaten mit zu hohem Bevölkerungswachstum herabzusetzen (→Empfängnisverhütung, →Schwangerschaftsabbruch).

Geburtshelferkröten, →Lurche aus der Familie der →Unken; ihr Name geht darauf zurück, dass das etwa 5 cm lange Männchen ›Geburtshilfe‹ leistet. Es fasst die vom Weibchen abgelegten Eischnüre mit den Hinterbeinen, wickelt sie sich um den Hinterleib und sucht erst nach etwa 2–3 Wochen das Wasser auf, wo die Kaulquappen schlüpfen. Geburtshelferkröten leben vor allem in Westeuropa in Kiesgruben, auch im Mauerwerk alter Häuser. Nur in der Dämmerung und Nacht suchen sie nach Würmern, Schnecken, Spinnen und kleinen Raupen. Ihr Ruf klingt wie ein dunkler Glockenton, daher werden sie auch **Glockenfrösche** genannt.

Geburtshelferkröte: Männchen

Geckos: LINKS Gecko vor einer Glasscheibe, RECHTS die Haftlamellen durch die Glasscheibe fotografiert

Geckos, eine Familie kleiner →Echsen mit meist kleinen und höckerigen Schuppen; sie sind nach ihren lauten, wie ›gek-ko‹ klingenden Rufen benannt. Geckos leben vor allem in tropischen Wüsten, Wäldern und Sümpfen. Meist in der Nacht jagen sie Insekten. Auffallend sind die verbreiterten Zehen mit den Haftlamellen (daher auch ›Haftzeher‹). Die Arten, die sich auch in Wohnungen aufhalten, können damit an Wänden und Decken entlanglaufen, um nach Fliegen zu jagen. Der Schwanz der Geckos bricht leicht ab, wächst aber bald wieder nach.

gedruckte Schaltung, elektrische Schaltung, die unter Verwendung eines Druckverfahrens auf eine Isolierstoffplatte aufgebracht ist. Zur Herstellung wird eine kupferbeschichtete, dünne Isolierstoffplatte (z. B. aus glasfaserverstärktem Epoxidharz oder Hartpapier) entsprechend den Leiterzügen mit einem säurefesten Lack bedruckt und die nicht durch den Lack abgedeckte Kupferschicht weggeätzt. Die flachen Leiterbahnen bilden zusammen mit der Isolierstoffplatte eine **Leiterplatte (Platine)**. In der Platte sind an den Stellen, die mit Bauelementen (Widerstände, Kondensatoren, Spulen, Transistoren, integrierte Schaltungen) bestückt werden sollen, Löcher vorgesehen, durch die die Anschlussdrähte der Bauelemente gesteckt werden. Die Lötverbindungen zwischen Leiterbahn und Bauelementanschluss können alle gleichzeitig durch Tauchlötverfahren oder einzeln mit dem Lötkolben hergestellt werden.

Geest, wenig fruchtbares Gebiet im Norden und Nordwesten Deutschlands. Die Geest liegt höher als die vorgelagerten fruchtbaren Marschen. Sie besteht aus sandigen, trockenen Ablagerungen der Eiszeit und trägt teilweise Heide und Kiefernwald. Wo Ackerbau betrieben wird, haben die Bauern Windschutzhecken (›Knicks‹) angepflanzt, um zu verhindern, dass die lehmigen Bodenteilchen weggeweht werden.

Gefälle, Höhenunterschied zweier Punkte der Erdoberfläche. Es wird im Allgemeinen ausgedrückt durch den Höhenunterschied auf eine bestimmte Entfernung; 5 % Gefälle bedeutet 5 m Höhenunterschied auf 100 m.

Gefolgschaft. Als der fränkische König Chlodwig die Überreste römischer Herrschaft in Gallien beseitigt hatte (→**Fränkisches Reich**), gab er seinen Waffengefährten reiche Güter aus dem ehemals römischen Staatsbesitz und band sie auf diese Art fest an sich. Chlodwig war der **Gefolgsherr,** die Beschenkten waren die **Gefolgsleute.**

So hat sich die Gefolgschaft als Form des gesellschaftlichen Zusammenlebens bei den Germanen herausgebildet. Sie wurde dann zur Wurzel des mittelalterlichen →Lehnswesens.

Gefrierpunkt, die Temperatur, bei der ein Stoff aus dem flüssigen in den festen Aggregatzustand übergeht. Der Gefrierpunkt ist eine den betreffenden Stoff kennzeichnende Größe. Für Wasser liegt er z. B. bei 0 °C, für Quecksilber bei −39 °C.

Gegenreformation, häufig gebrauchte Bezeichnung für die Zeit, die der →Reformation folgte. Sie war geprägt von den vielfältigen Bemühungen des Katholizismus, die Ausbreitung des Protestantismus aufzuhalten und rückgängig zu machen. Dazu diente zum einen die innerkatholische Erneuerung, die besonders vom Orden der →Jesuiten vorangetrieben wurde. Sie gipfelte im Konzil von Trient (1545–63), das in scharfer, bis heute nachwirkender Abgrenzung zum Protestantismus die Lehre der katholischen Kirche neu festlegte und zugleich durch tief greifende Reformen das innerkirchliche Leben zu neuer Blüte brachte.

Viel folgenreicher für die europäische Geschichte war die andere Seite der Gegenreformation. Durch politische Maßnahmen wurde versucht, protestantisch gewordene Gebiete gewaltsam dem Katholizismus wieder zuzuführen. Führer dieser Bewegung, die, von Spanien ausgehend, fast ganz Europa erfasste, waren besonders die Herzöge von Bayern und Kaiser Ferdinand II. Hauptkampffeld war das deutsche Reich einschließlich der Niederlande. Die konfessionellen Auseinandersetzungen führten hier schließlich in den →Dreißigjährigen Krieg (1618–48), der in seinen Anfängen ein Religionskrieg war. Mit seinem Ende im →Westfälischen Frieden von 1648 kam auch die Gegenreformation zum Stillstand.

Gehalt, Entgelt, das ein Angestellter für seine Arbeit in einem Unternehmen oder im öffentlichen Dienst erhält. Das Entgelt eines Arbeiters im Betrieb wird **Lohn** genannt, die Bezahlung der Beamten (dazu zählen auch Richter sowie Berufs- und Zeitsoldaten) heißt **Besoldung.**

Geheimdienst, Nachrichtendienst, Abwehrdienst, staatliche Einrichtung, die den Auftrag hat, Kenntnisse über meist geheime politische, militärische oder technisch-wissenschaftliche Vorhaben und Tatsachen aus anderen Staaten zu beschaffen. Hierzu bedienen sich die Geheimdienste der →Spionage, die entweder von Agenten oder durch hochmoderne technische Einrichtungen betrieben wird. Daneben greifen Geheimdienste auch in das innenpolitische Geschehen fremder Staaten ein, z. B. durch Unterstützung regierungsfeindlicher Gruppen. Außerdem obliegt ihnen die Abwehr geheimdienstlicher Tätigkeit fremder Staaten. Je nach Aufgabenstellung unterhält ein Staat mehrere Geheimdienste, in der Bundesrepublik Deutschland bestehen z. B. der **Bundesnachrichtendienst (BND,** für Auslandsaufklärung), **der Militärische Abschirmdienst (MAD,** für die Abwehr der Militärspionage), das **Bundesamt für Verfassungsschutz** (für die Abwehr ausländischer Nachrichtendienste im Inneren). Diktatorisch regierte Staaten benutzen ihre Geheimdienste häufig zur Überwachung der eigenen Bevölkerung.

Geheime Staatspolizei, Kurzwort **Gestapo,** die politische Polizei in der Zeit der nationalsozialistischen Diktatur in Deutschland (1933–45). Sie diente dazu, alle politischen Gegner des Nationalsozialismus, ›staatsgefährliche‹ Personen, Vereinigungen und Ideen zu verfolgen. Im Zweiten Weltkrieg wurde ihr Name auch in den von deutschen Truppen besetzten Gebieten zum Inbegriff für politische Unterdrückung.

Geheimschrift, Chiffre [ʃifrə], Schrift zur Geheimhaltung von Aufzeichnungen, die nur Eingeweihten zugänglich sein soll. Bei einem **Ersetzungsverfahren (Tauschverfahren)** werden die Klartextelemente durch Zeichen gleicher oder verschiedener Art ersetzt, z. B. Buchstaben durch Ziffern. Bei einem **Wortverfahren (Codeverfahren)** werden Elementgruppen des Klartextes umgesetzt mithilfe eines Satzbuchs **(Code),** das zu den wichtigsten Elementgruppen im Wörterbuch Übersetzungen in Geheimworte (Codegruppen) enthält. Bei einem **Versetzungsverfahren (Verwürfelung)** bleiben die Klartextelemente erhalten, werden aber in ihrer Reihenfolge verändert.

Geheimtinte, Zaubertinte. Es gibt Flüssigkeiten, die beim Schreiben eine unsichtbare Schrift hinterlassen, die aber durch entsprechende Behandlung sichtbar wird. So färbt sich z. B. die fast unsichtbare Schrift einer Cobaltchloridlösung beim Erwärmen tiefblau oder die unsichtbare Schrift der Lösung eines Oxidationsmittels, wie z. B. Kaliumchlorid oder Salpeter, wird bei vorsichtigem Erwärmen des Schreibpapiers braun. Daneben gibt es noch die **sympathetischen Tinten,** bei denen eine farblose Flüssigkeit mit einer ›Entwicklerflüssigkeit‹ zusammengebracht wird, was eine farbige Verbindung ergibt. So wird die farblose Schrift mit Gerbsäure durch Eisenchlorid($FeCl_3$)-Lösung dunkel.

Gehen, leichtathletische Disziplin, bei der der Fußkontakt mit dem Boden ständig erhalten

Gehi

bleibt. Dies erreicht der Geher, indem er das nach vorn schwingende Bein mit der Ferse aufsetzt, bevor der hintere Fuß den Boden verlässt. 1908 wurde Gehen olympische Disziplin. Heute gehören das 20-km- und das 50-km-Gehen der Herren und das 10-km-Gehen der Damen zum olympischen Programm.

Gehirn, Abschnitt des Zentralnervensystems und das wichtigste Schalt- und Steuerungszentrum des Körpers. Es liegt geschützt in der knöchernen Schädelhöhle und ist sehr weich und druckempfindlich. Es wird von 3 Hirnhäuten umhüllt; zwischen der mittleren und inneren Hirnhaut befindet sich das Hirnwasser, das auch das Rückenmark umgibt und in 4 Hohlräumen des Gehirns gebildet wird.

Das Gehirn wird untergliedert in Großhirn, Kleinhirn und Hirnstamm. Das **Großhirn** ist am stärksten entwickelt und füllt den größten Teil des Gehirnschädels (→Kopf) aus. Seine Oberfläche weist viele Windungen und Furchen auf, die der Oberflächenvergrößerung dienen. Viele Nervenzellen sitzen in der Außenschicht, der **Hirnrinde,** und geben ihr ein graues Aussehen. Die weiße Innenschicht, das **Mark,** wird von Nervenfasern gebildet und dient der Reizleitung. In der Hirnrinde liegen Zentren für Sinnesempfindungen und Bewegungsvorgänge; sie ist grundlegend für Erinnerungsvermögen, Denkprozesse und willkürliche Handlungen. Jedes Zentrum hat eine bestimmte Aufgabe und ist an einer bestimmten Stelle der Hirnrinde lokalisiert. So liegt z. B. das Riechzentrum im Stirnhirn und das Sehzentrum im Hinterhauptsbezirk.

Das **Kleinhirn** liegt im Bereich des Hinterhaupts. Seine Aufgaben sind die Kontrolle des Gleichgewichts, die Regulation der Muskelspannung (Tonus) sowie die Regulierung des Zusammenspiels der verschiedenen Muskeln zu geordneten Bewegungsabläufen.

Der **Hirnstamm,** in dem lebenswichtige Zentren (z. B. Atem-, Herz- und Kreislaufzentrum) liegen, stellt die Verbindung von anderen Teilen des Gehirns zum Rückenmark her. Die zahlreichen Leitungsverbindungen innerhalb des Gehirns ermöglichen die Wahrnehmungen und die vielseitigen Reaktionen unseres Körpers darauf.

Gehirnerschütterung, vorübergehende Störung der Tätigkeit des Gehirns durch Gewalteinwirkung auf den Schädel. Bei einer Gehirnerschütterung kommt es zu kurzer Bewusstlosigkeit, Übelkeit und Erbrechen und einer Erinnerungslücke für die Zeit des Unfalls. Für einige Monate können noch Kopfschmerzen, Schwindel und Anzeichen von Kreislaufschwäche auftreten, die jedoch danach folgenlos abklingen. Zur Behandlung der Gehirnerschütterung ist meist für kurze Zeit Bettruhe erforderlich. Schwere Hirnverletzungen, z. B. Hirnquetschung, können zu Dauerschäden führen.

Gehör, die Fähigkeit, mithilfe des Gehörsinnes Töne wahrzunehmen. Das Gehörsinnesorgan des Menschen ist das →Ohr. Das Gehör ist die Voraussetzung dafür, dass wir uns mit unseren Mitmenschen verständigen können. Ohne Gehör kann ein Kind auch das Sprechen nicht erlernen, weil es die Sprache nicht hört (Taubstummheit). Bei entsprechender Schulung können auch Gehörlose, die im Besitz intakter Sprechorgane sind, die Lautsprache erwerben.

Geier, sehr große, schwere und plumpe →Greifvögel, die wegen ihres sehr dehnbaren Magens große Mengen auf einmal fressen können. Sie nisten auf unzugänglichen Felsen vor allem in den heißen Trockengebieten Afrikas und

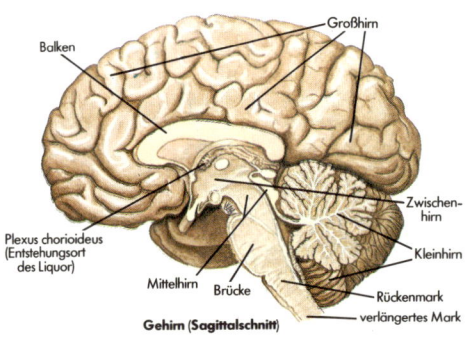

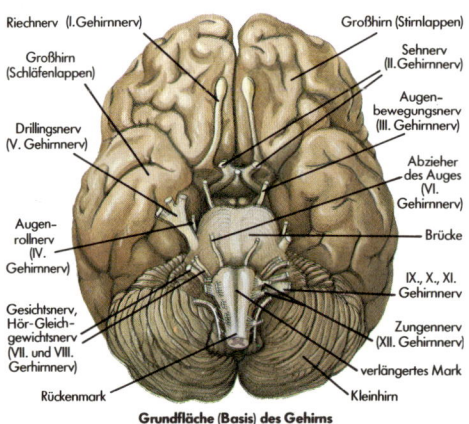

Gehirn

Südasiens, wo sie auch in den Städten häufig zu sehen sind. Da sie sich von toten Tieren ernähren, stellen sie eine Art ›Gesundheitspolizei‹ dar. Mit ihrem nackten oder nur spärlich befiederten Kopf und Hals können sie sich auch in größere Kadaver tief hineinfressen, ohne ihr Gefieder zu verschmutzen. Da Geier ihre Beute nicht selbst

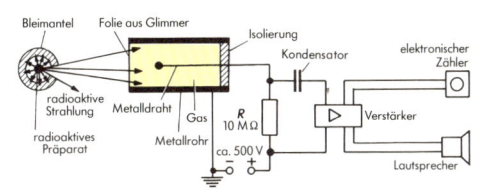

Geigerzähler

töten, fehlen ihnen starke Greifkrallen. Die **Altweltgeier** sind in Südeuropa, Afrika und Asien verbreitet. In Südeuropa leben z. B. der schneeweiße **Aasgeier** (auch **Schmutzgeier**) mit schwarzen Schwingen und der fahlbraune, früher in ganz Europa heimische **Gänsegeier** mit weißer Halskrause, der besonders häufig im Zoo zu finden ist. In den Hochgebirgen Europas horstet an schroffen Felsen der langschwänzige **Bartgeier**.

Die **Neuweltgeier** Amerikas, zu denen die →Kondore gehören, wurden bisher den Geiern zugeordnet, denen sie in Verhalten und Aussehen stark ähneln. Da neuere Untersuchungen große Unterschiede in Muskel-, Skelettbau und Verhalten zeigten, wurde vorgeschlagen sie eher den →Schreitvögeln zuzuordnen.

Geige, deutscher Name der **Violine**, das Sopraninstrument der Familie der Viola da Braccio (Armgeige). Ihre heutige Form entstand im 16. Jahrh. Das Instrument besteht aus einem hohlen Schallkörper aus Holz, dem Geigenhals und dem Bogen. Die Wölbung des Schallkörpers ist aus dem Holz herausgearbeitet, nicht gebogen. In der Decke befinden sich 2 Schalllöcher, auch F-Löcher genannt. Der Stimmstock im Innern des Schallkörpers überträgt die Schwingungen der Decke auf den Boden. Auf dem Geigenhals befindet sich das Griffbrett, über das 4 Saiten vom Saitenhalter über den Steg zu den 4 Wirbeln laufen. Die Wirbel selbst sitzen im Wirbelkasten, dessen Ausläufer die Schnecke ist, und dienen zum Stimmen des Instruments. Die 4 Saiten sind in Quinten (GDAE) gestimmt.

Während die linke Hand des Spielers auf dem Griffbrett die Saiten verkürzt, streicht die rechte Hand mit dem Bogen in der Nähe des Stegs über die Saiten.

Ihre höchste Vollendung erhielt die Geige durch die Geigenbauer des 17. und 18. Jahrh. in Oberitalien (in Cremona die Familien Amati und Guarneri, Antonio Stradivari) und Südtirol (Jakob Stainer). In Deutschland sind Mittenwald (Matthias Klotz) und Markneukirchen für den Geigenbau bekannt. (BILD Streichinstrumente)

Geigerzähler, Geiger-Müller-Zählrohr. Hans Geiger und Walter Müller konstruierten 1928 ein Gerät, mit dem man die Stärke der →Radioaktivität eines Stoffes erfassen kann. Dabei nutzten sie die Tatsache, dass radioaktive Strahlung ein Gas leitfähig (→Leiter) macht, man sagt: ionisiert. Das Gerät besteht aus einem Glasrohr, das mit einem Edelgasgemisch gefüllt ist. In seinem Innern ist ein Draht gespannt, an den eine Spannung von etwa 500 Volt angelegt wird. Fällt nun radioaktive Strahlung durch eine Folie aus Glimmer, die das Rohr an der einen Seite verschließt, so wird das Gas ionisiert und es fließt ein Strom. Dieser Stromstoß wird elektronisch verstärkt, über einen Lautsprecher hörbar gemacht und an einem Zählwerk angezeigt.

Geiserich, *um 389, †477, König der Wandalen (428–477), war einer der mächtigsten Herrscher der Völkerwanderungszeit. Die ostgermanischen Wandalen waren von der Oder bis nach Spanien gezogen. 429 setzten sie nach Afrika über, gründeten dort ein Reich mit der Residenz Karthago und beherrschten bald das ganze westliche Mittelmeer. 455 landete Geiserich vor Rom und ließ die Stadt plündern. Unter Geiserichs Nachfolgern zerfiel sein Reich.

Geiß, das Weibchen der →Gämsen und →Ziegen.

Geißeltierchen, Geißelalgen, einzellige Lebewesen (→Flagellaten).

Gelber Fluss, der chinesische Fluss →Hwangho.

Gelbspötter, ein mit den →Grasmücken verwandter Singvogel.

Gelbsucht, griechisch-lateinisch **Ikterus,** Krankheitszeichen, das bei unterschiedlichen Krankheiten auftreten kann. Dabei verfärben sich die Haut, die Bindehaut und andere Gewebe gelb, verursacht durch den Anstieg von Gallenfarbstoff (→Galle) im Blut. Zuerst wird die Gelbfärbung an der Bindehaut (dem ›Weißen‹) des Auges erkennbar.

Geige: a Schallkörper (Decke), **b** Oberbügel, **c** Mittelbügel, **d** Unterbügel, **e** Schalllöcher, **f** Saitenhalter, **g** Steg, **h** Hals, **i** Griffbrett, **k** Sattel, **m** Wirbelkasten, **n** Wirbel, **p** Schnecke, **q** Zargen

Geier: 1 Bartgeier, **2** Gänsegeier

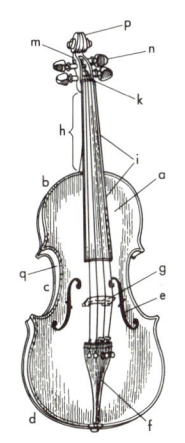

Wörter, die man unter G vermisst, suche man unter Dj, J oder K

Geld

Zu Gelbsucht kommt es z. B. bei Leberentzündungen, bestimmten Blutkrankheiten oder wenn der Abfluss der Galle z. B. durch Gallensteine oder eine Geschwulst behindert wird.

Geld, ein allgemein anerkanntes Tausch- und Zahlungsmittel. Wer in einem Geschäft Waren kauft, tauscht sie gegen Geld ein **(Tauschmittel).** Geld muss in allen Geschäften angenommen werden, es ist **gesetzliches Zahlungsmittel.** Außerdem stellt Geld einen **Wertmaßstab** oder **Wertmesser** dar, mit dem man den ›Wert‹ einer Ware bestimmen kann. Durch diese Bewertung **(Preis)** werden die unterschiedlichsten Waren vergleichbar gemacht. Geld dient auch zur **Wertaufbewahrung,** man hofft, später mit dem Geldbetrag mindestens genausoviel kaufen zu können wie heute. Steigen allerdings die Preise der Güter, bekommt man später für sein Geld weniger: Die **Kaufkraft** ist gesunken (→Inflation).

Wie sich im Zeitablauf die Kaufkraft und damit auch der **Geldwert** in der Wirtschaft ändert, wird mit einem Index (lateinisch ›Anzeiger‹) für die Kosten der Lebenshaltung ausgedrückt. Dabei werden die Ausgaben für eine bestimmte Anzahl von Gütern (›Warenkorb‹) zu verschiedenen Zeitpunkten miteinander verglichen.

Man unterscheidet verschiedene **Geldarten.** Ursprünglich versorgten sich die Menschen selbst; erst später erwarb man durch Tausch auch Waren, die man nicht selbst hergestellt hatte; man tauschte z. B. Getreide gegen Vieh. Dabei musste man aber jemanden finden, der bereit war, Getreide gegen Vieh zu tauschen und der auch mit der Menge an Getreide einverstanden war, die man ihm z. B. für eine Kuh anbot. Diesen Güteraustausch ›Ware gegen Ware‹ nennt man **unmittelbaren (direkten) Tausch.**

Im Lauf der Zeit spezialisierten sich die Menschen auf diejenigen Tätigkeiten, die sie besonders gut ausführen konnten, z. B. Jäger, Fischer, Schreiner, Schuster. Wer nun Güter tauschen wollte, z. B. Schuhe gegen Brot, nahm auch Waren an (z. B. Felle, Muscheln), die er im Augenblick nicht benötigte **(mittelbarer, indirekter Tausch).** Solche Zwischengüter waren dann Waren, die allgemein etwas galten (gelten = wert sein), die ersten Vorläufer des Geldes. Die Zwischengüter wie Felle, Muscheln, Glasperlen oder Steine werden als **Warengeld** bezeichnet.

Da das Warengeld teilweise schlecht transportierbar und schwer teilbar war und sich außerdem nicht beliebig lange aufheben ließ, verwendete man bald zum Tausch nur noch Metalle wie Kupfer, Silber und Gold, die zunächst gewogen und später in Form von Barren oder Plättchen verwendet wurden. Um Missbrauch zu verhindern, prägte man später →Münzen **(Metallgeld)** mit dem Siegel des Kaisers, Königs oder Landesherren. Dieses Metallgeld wurde vom **Papiergeld** im Lauf der Zeit verdrängt, da es beschwerlich war, immer viele Münzen mit sich zu führen. Man hinterlegte die Münzen bei einer Bank und erhielt dafür einen Hinterlegungsschein, mit dem man seine Münzen jederzeit wieder erhalten konnte. Aber auch der Kauf von Waren war möglich, da auf dem Schein stand, dass derjenige, der ihn bei einer Bank vorzeigt, die eingetragene Geldsumme in Münzen erhält. Später gaben private Kreditinstitute →Banknoten **(Geldscheine)** heraus, bis der Staat dieses Recht nur noch einer zentralen →Notenbank gewährte. Das in Form von Banknoten und Münzen vorhandene Geld wird auch als **Bargeld** bezeichnet.

Es gibt heute noch eine andere Geldart, das **Buchgeld** oder **Giralgeld.** Bei einer Bank werden Münzen oder Papiergeld eingezahlt; die Bank errichtet ein →Konto und durch →Überweisung kann man über das Geld verfügen, z. B. Rechnungen bezahlen. Das Buchgeld spielt im heutigen →Zahlungsverkehr zwischen Kunden und Banken sowie bei Banken untereinander eine große Rolle. Bei Buchungen von Konto zu Konto wird meist kein Bargeld mehr bewegt, es werden nur die überwiesenen Geldbeträge gutgeschrieben oder abgeschrieben.

Gelenk, 1) Anatomie: bewegliche Knochenverbindung. Die in einem Gelenk zusammenstoßenden Knochenenden sind durch einen Gelenkspalt voneinander getrennt. Der **Gelenkkopf** und die **Gelenkpfanne** bilden die **Gelenkflächen.** Diese sind meist so gestaltet, dass sie ineinander greifen. Umgeben ist das Gelenk von einer aus Bindegewebe bestehenden **Gelenkkapsel,** deren innere Zellschicht die flüssige **Gelenkschmiere** bildet. Diese verhindert eine zu große Reibung der mit Knorpel überzogenen Gelenkflächen. Die Beweglichkeit eines Gelenks hängt von der Gestalt der Gelenkflächen, der Anordnung und Stärke der Bänder und Muskeln ab, die es umgeben. Das Grundgelenk des Daumens, ein **Sattel-**

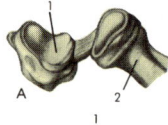

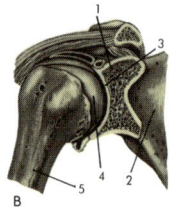

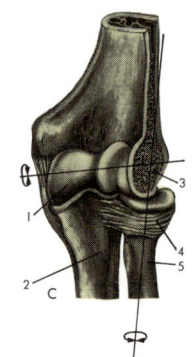

Gelenk 1): A Sattelgelenk, zwischen großem Vieleckbein (1) und Mittelhandknochen des Daumens (2). **B** Kugelgelenk (Schultergelenk); 1 aufgeschnittener Gelenkteil des Schulterblattes, 2 Schulterblatt, 3 Gelenkpfanne des Schulterblattes, 4 Gelenkkopf des Oberarmbeins, 5 Oberarmbein. **C** Scharnier- und Drehgelenk (Ellbogengelenk); 1 Rolle, 2 Elle, 3 Köpfchen des Oberarmbeins, 4 Köpfchen der Speiche, 5 Speiche. (Horizontale Linie = Achse des Scharniergelenks zwischen Ober- und Unterarm, vertikale Linie = Achse des Scharniergelenks zwischen Ober- und Unterarm, vertikale Linie = Achse des Drehgelenks zwischen Speiche und Elle)

gelenk, ermöglicht kreisende Bewegungen und die Gegenüberstellung von Daumen und Hand (z. B. beim Greifen). Ein **Scharniergelenk** wie das Fingergelenk lässt nur Bewegungen um eine Achse zu (Beugung und Streckung). Gelenke, die zusätzlich Seit- und Drehbewegungen, das heißt Bewegungen in jeder Richtung gestatten (das Schultergelenk), nennt man **Kugelgelenk.**

2) Maschinenbau: bewegliche Verbindung zwischen 2 Maschinenteilen, z. B. zwischen 2 Wellen. Je nach Form der Gelenke unterscheidet man zwischen **Achsen-, Gabel-, Kugel-, Hardy-** und **Kreuz-** oder **Kardangelenken.**

gemäßigte Zone, Bereich der Erdoberfläche auf der nördlichen und südlichen Halbkugel, der durch die Wendekreise (23,5° nördlicher und südlicher Breite) und die Polarkreise (66,5° nördlicher und südlicher Breite) begrenzt ist. Dies entspricht in etwa den beiden →Isothermen: mittlere Januartemperatur +18 °C an den Wendekreisen, mittlere Julitemperatur +10 °C an den Polarkreisen. Charakteristisch für die gemäßigte Zone sind die unterschiedlichen Tageslängen, die Temperaturunterschiede in den Jahreszeiten sowie vorherrschende Westwinde und Regen zu allen Jahreszeiten.

Gemeinde, 1) unterste Verwaltungseinheit, die aus mehreren Siedlungen bestehen kann. Ihrer Gewalt unterliegen alle Sachen und Personen, die sich in dem Gemeindegebiet (Gemarkung) befinden. Sie hat einen eigenen Haushalt, kann die ihr zustehenden Steuern einziehen sowie Vermögen erwerben und verkaufen. Mehrere Gemeinden können sich zu einer **Verbandsgemeinde** zusammenschließen.

2) in den christlichen Kirchen die unterste Einheit der kirchlichen Gliederung in einem bestimmten Gebiet.

Gemeinschaft Unabhängiger Staaten, Abkürzung **GUS,** 1991 in Minsk gegründeter, lockerer Staatenbund, dem (1995) Armenien, Aserbaidschan, Georgien, Kasachstan, Kirgisien, Moldawien, Russland, Tadschikistan, Turkmenistan, die Ukraine, Usbekistan und Weißrussland angehören. Ziele der GUS sind die Entwicklung eines gemeinsamen Wirtschaftsraums, die Koordination der Außen- und Verteidigungspolitik sowie die Zusammenarbeit auf verschiedenen anderen Gebieten, z. B. im Umweltschutz und im Luftverkehr.

Gene [von griechisch gennan ›erzeugen‹], **Erbfaktoren, Erbanlagen,** Einheiten der Erbinformation, die z. B. die Ausbildung eines bestimmten Merkmals eines Lebewesens bedingen.

Gene

Ein Gen ist ein bestimmter Teilabschnitt der Desoxyribonucleinsäure (DNS, →Nucleinsäuren), der die Information für den Aufbau eines bestimmten Eiweißmoleküls (›Protein‹) enthält. Diese Eiweißmoleküle sind wiederum am Aufbau der Merkmale beteiligt. Die Tatsache, dass jedes Individuum andere, ihm eigene Erbanlagen hat und daher auch unterschiedliche Eiweiße, erklärt die Verschiedenheit der Merkmale und damit der Individuen.

Alle Zellen eines Individuums haben denselben Bestand an Genen. Die Summe aller Gene eines Lebewesens heißt **Genom.** Die Gene eines Organismus sind auf den →Chromosomen im Kern angeordnet. Die Gesamtheit der auf den Chromosomen des Kerns liegenden Gene nennt man **Genotyp** (›Erbbild‹). Er galt bisher als unveränderbar. Neue Methoden in der Genetik (**Gentechnologie, Genmanipulation**) machen es jedoch möglich, bei →Mikroorganismen den Genotyp zu verändern, z. B. durch Einfügen neuer Gene. Dies hat einerseits Vorteile: Z. B. kann man bestimmte Bakterien dadurch veranlassen, Antibiotika in großen Mengen zu produzieren. Andererseits könnten diese Methoden viele Gefahren mit sich bringen, wenn sie auch am Menschen angewendet würden. Dem Genotyp stellt man den **Phänotyp** (›Erscheinungsbild‹) gegenüber. Er umfasst alle Merkmale eines Organismus (z. B. Augenfarbe, Organe, Funktionen) und ist durch Umwelteinflüsse veränderbar.

Genealogie, die Lehre von der Abstammung der Lebewesen; meist versteht man darunter die auf den Menschen bezogene Ahnenforschung. Auf **Stamm-** oder **Ahnentafeln** werden die Vorfahren eines Menschen aufgezeichnet, um verwandtschaftliche Beziehungen und Herkunft darzustellen.

Generationswechsel liegt vor, wenn sich bei einer Tier- oder Pflanzenart ungeschlechtliche ›Vermehrung mit geschlechtlicher ›Fortpflanzung bei aufeinander folgenden Generationen abwechseln. Bei den Ohrenquallen z. B. entwickeln sich aus den befruchteten Eiern (geschlechtliche Generation) der frei schwimmenden Medusen (›Quallen‹) fest sitzende Polypen, die durch Knospung oder Querteilung (ungeschlechtliche Generation) wieder frei schwimmende Medusen hervorbringen (BILD).

Bei den Pflanzen ist der Generationswechsel der Farne besonders auffällig. Die Farnpflanze erzeugt ungeschlechtlich Sporen, aus denen je ein winziges flaches Pflänzchen entsteht, der Vorkeim. Auf diesem entstehen die weiblichen

Achsengelenk

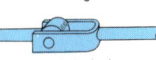

Gabelgelenk

Kugelgelenk

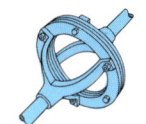

Hardygelenk

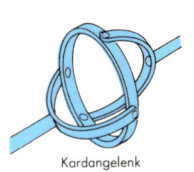

Kardangelenk

Gelenk 2)

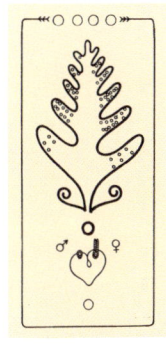

Generationswechsel bei Pflanzen: Aus den von der Farnpflanze gebildeten Sporen (unten) wächst als geschlechtliche Generation der Vorkeim mit den männlichen (♂) und weiblichen (♀) Geschlechtszellen. Aus der befruchteten Eizelle entsteht die Farnpflanze der ungeschlechtlichen Generation

Gene

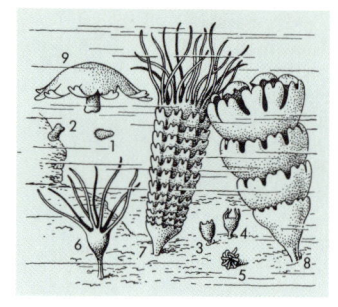

Generationswechsel bei Tieren (am Beispiel der Ohrenqualle): **1–6** Die Wimperlarve (1) setzt sich fest (2) und wird unter Ausbildung von Tentakeln (3–6) zum Polypen der ungeschlechtlichen Generation, die durch Einschnürungen die Anlagen der geschlechtlichen Generation bildet (7); diese trennen sich als junge Scheibenquallen ab (8, 9) und wachsen zu den frei schwimmenden männlichen und weiblichen Tieren heran. Aus ihren befruchteten Eiern entstehen die Wimperlarven (1)

und männlichen Geschlechtszellen, die sich in einem Regen- oder Tautropfen vereinigen (→Befruchtung). Aus der befruchteten Eizelle entsteht wieder eine Farnpflanze (BILD Seite 359).

Wenn bei ein und demselben Individuum abwechselnd oder nebeneinander geschlechtliche und ungeschlechtliche Fortpflanzung vorkommen, z. B. bei der Tulpe durch Blüten und Zwiebeln, nennt man das Fortpflanzungswechsel.

Generator, auch **Dynamomaschine** oder kurz **Dynamo,** eine elektrische Maschine, die mechanische in elektrische Energie umwandelt, das heißt, sie erzeugt Strom. Im Prinzip stellt ein Generator die Umkehrung eines →Elektromotors dar und ist daher ebenso aufgebaut wie dieser. Eine Spule auf einer drehbaren Achse, die durch einen äußeren Antrieb in Rotation versetzt wird, dreht sich in einem Magnetfeld. Dieses Feld induziert in der Spule eine Spannung, die Ursache dafür ist, dass durch die Spule ein elektrischer Strom fließt. Der Strom kann an den Anschlussklemmen der Maschine abgenommen und einem Verbraucher (z. B. einer Lampe) zugeführt werden.

Zur elektrischen Energieversorgung werden in Kraftwerken Generatoren durch Wasserturbinen, Dampfturbinen und Dieselmotoren angetrieben. Beispiel für einen Generator mit geringer Leistung ist der **Fahrraddynamo** (→Dynamo). Der Generator in Kraftfahrzeugen, früher meist **Lichtmaschine** genannt, wird vom Motor über Keilriemen angetrieben. Er liefert Strom für alle elektrischen Verbraucher, z. B. für Zündung, Beleuchtung, Scheibenwischer. Der Generator lädt auch die Batterie auf, die bei Motorstillstand die elektrische Energieversorgung übernimmt.

In der Elektronik bezeichnet man als Generator eine elektronische Schaltung oder ein Gerät zur Erzeugung von Wechselspannungen. Der Generator besteht hierbei im Prinzip aus einem Verstärker mit einer Rückkopplung zwischen Aus- und Eingang. Nach der Kurvenform der erzeugten Spannung lassen sich Sinus-, Rechteck-, Sägezahn-, Dreieck- und Impulsgeneratoren unterscheiden. Ein Sinusgenerator wird auch als **Oszillator** bezeichnet.

Genetik, die Wissenschaft von der →Vererbung (→Gene).

genetischer Code [-kod], die in der DNS (→Nucleinsäuren) verschlüsselte Erbinformation.

genetischer Fingerabdruck, →Fingerabdruck.

Genezareth, See Genezareth, See in Nordisrael nahe der Grenze zu Syrien, etwa 170 km². Der Seespiegel liegt 209 m unter dem Meeresspiegel; damit ist der See der tiefstgelegene Süßwassersee der Erde. Er ist sehr fischreich und wird vom Jordan durchflossen, dessen Wasser von hier aus bis in die trockene, südliche Küstenebene Israels gepumpt wird. Nach dem Neuen Testament verbrachte Jesus am See Genezareth die erste Zeit seines öffentlichen Wirkens.

Genf, Kanton im französischsprachigen Südwesten der Schweiz. Sein Hügelland umfasst das untere (südwestliche) Ende des Genfer Sees und wird im Westen durch die Berge des Jura, im Süden und Osten durch die Savoyer Alpen begrenzt. Haupterwerbszweige sind Fremdenverkehr und Uhrenindustrie. Es werden Obst, Gemüse und Wein angebaut. Der Kanton ist seit 1814 Mitglied der Eidgenossenschaft.

Genf
Kanton
Fläche: 282 km²
Einwohner: 373 000
Stadt
169 500 Einwohner

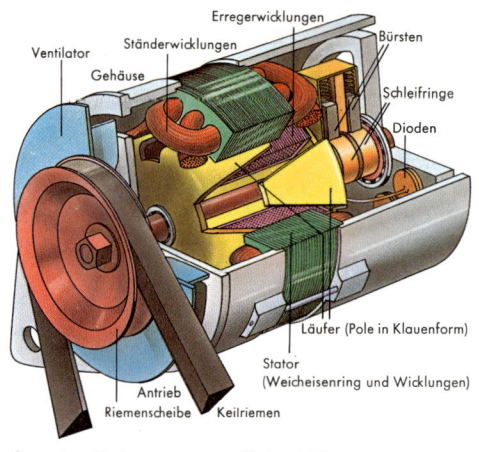

Generator: Drehstromgenerator für Kraftfahrzeuge
(Erregerwicklungen, Bürsten, Ständerwicklungen, Ventilator, Gehäuse, Schleifringe, Dioden, Läufer (Pole in Klauenform), Stator (Weicheisenring und Wicklungen), Antrieb, Riemenscheibe, Keilriemen)

Wörter, die man unter G vermisst, suche man unter Dj, J oder K

Die Hauptstadt des Kantons, Genf, liegt am Ausfluss der Rhone aus dem Genfer See. Die Stadt ist der geistige Mittelpunkt der französischen Schweiz. Sie ist Tagungsort bedeutender internationaler Konferenzen und Kongresse sowie der Sitz internationaler Organisationen (z. B. Weltgesundheitsorganisation, Rotes Kreuz, GATT, Ökumenischer Rat der Kirchen, Lutherischer Weltbund und Europäisches Kernforschungszentrum (CERN). – Im 16. Jahrh. wirkte der Reformator Johannes Calvin in der Stadt. Stadt und Kanton tragen noch heute ein stark protestantisches Gepräge. 1920–46 war Genf Sitz des Völkerbundes.

Genfer Konventionen, auch **Rotkreuz-Konventionen,** internationale Vereinbarungen zum Schutz der Verwundeten, Kriegsgefangenen und der Zivilbevölkerung im Fall eines bewaffneten Konflikts. Sie sind die rechtliche Grundlage für die Arbeit des →Roten Kreuzes im Kriegsfall. Die erste Konvention dieser Art kam 1864 auf Anregung des Schweizers **Henri Dunant** zustande. Die heute gültigen Konventionen bestehen aus 4 Abkommen von 1949.

Genfer See, französisch **Lac Léman,** See an der französisch-schweizerischen Grenze, der größte See der Alpen (581 km^2). Der Wasserspiegel des Sees liegt in 372 m Höhe. Die Rhône durchfließt den Genfer See in ostwestlicher Richtung. Das milde Klima ermöglicht am nördlichen (schweizerischen) Ufer ausgedehnten Weinanbau. Am dicht besiedelten Ufer liegen malerische Städte, Schlösser und Weinorte. Bekannt sind neben den Großstädten Genf und Lausanne die Kurorte Montreux und Vevey.

Genitiv [lateinisch ›Herkunftsfall‹, zu gignere ›hervorbringen‹], **Wesfall,** →Kasus.

Genossenschaft, Zusammenschluss von Personen oder Unternehmen, den **Genossen,** um in einem gemeinsamen Geschäftsbetrieb, wirtschaftliche Ziele besser verwirklichen zu können. In einer **Produktivgenossenschaft** sind die Genossen selbst in ihrem **Genossenschaftsbetrieb** tätig, während in **Hilfsgenossenschaften** die Genossen in ihren Einzelbetrieben selbstständig bleiben und sich nur z. B. zum gemeinsamen Wareneinkauf oder Vertrieb zusammenschließen. Bedeutende Genossenschaften in Deutschland sind landwirtschaftliche Genossenschaften (nach ihrem Gründer benannte Raiffeisen-Genossenschaften), Kreditgenossenschaften, Konsumgenossenschaften, Winzergenossenschaften und Wohnungsbaugenossenschaften. In Israel gibt es den Kibbuz.

Gent, 235 400 Einwohner, Hafen- und Industriestadt in Belgien, Hauptstadt der Provinz Ostflandern, liegt am Zusammenfluss von Schelde und Leie. Der **Gent-Terneuzen-Kanal** verbindet die Stadt mit Brügge und der Nordsee. Auf der Halbinsel zwischen Schelde und Leie liegt die Altstadt mit Häusern aus dem 13.–17. Jahrh. und der gotischen Kathedrale mit dem **Genter Altar** (von den Brüdern van Eyck).

Genua, 701 000 Einwohner, liegt am Golf von Genua im Nordwesten Italiens. Genua ist der größte Handelshafen des Landes. Die Stadt wurde im 10. Jahrh. eine selbstständige Republik und im Mittelalter eine der führenden Seemächte des Mittelmeers. Seit dem 13. Jahrh. wurde Genua, ähnlich wie Venedig, von Dogen regiert. Genuas Macht verfiel seit dem 15. Jahrh., doch konnte es seine Selbstständigkeit bis 1797 wahren. Die Kathedrale San Lorenzo und zahlreiche Paläste erinnern an die künstlerische Blütezeit im 16. und 17. Jahrh. 1451 wurde in Genua der Seefahrer Christoph Kolumbus geboren.

Genus [lateinisch ›Geschlecht‹, ›Art‹, ›Gattung‹], grammatisches Geschlecht von Substantiv, Artikel, Adjektiv und Pronomen. In der deutschen Sprache unterscheidet man **Maskulinum** (männliches Genus, **der** Mann), **Femininum** (weibliches Genus, **die** Frau) und **Neutrum** (sächliches Genus, **das** Kind).

Geographie [griechisch ›Erdbeschreibung‹], **Erdkunde,** eine Wissenschaft, die sich anfänglich mit den Land- und Meeresräumen, der Pflanzen- und Tierwelt sowie dem Menschen beschäftigte. Messung und Darstellung waren ihre ursprünglichen Methoden, sodass die Erdvermessung und Herstellung von Karten (**Kartographie**) bereits im Altertum und Mittelalter gut entwickelt waren. Das Entdeckungszeitalter führte zu einer Erweiterung des geographischen Weltbildes. Die Fülle des Tatsachenmaterials wurde geordnet und in **Kosmographien** (›Weltbeschreibungen‹) und Kartenwerken niedergeschrieben, die seit dem 16. Jahrh. als ›Atlas‹ bezeichnet werden. Immer wieder versuchte man auch, geographische Tatsachen zu erklären und zwischen den verschiedenen geographischen Erscheinungen (**Geofaktoren**) Beziehungen herzustellen. Dabei wurde klar, dass die Geofaktoren wie Klima, Gewässerverhältnisse, Verteilung der Pflanzen- und Tierwelt und Oberflächenformen der Erde (Relief) eng miteinander verflochten sind, jedoch über die Erde hin mannigfach abgewandelt werden. Diese jeweils verschiedenen Ausprägungen bezeichnet man als **Landschaft.**

Genf
Kantonswappen

Geol

Teilgebiete der **allgemeinen Geographie** sind z. B. die Lehre von den Formen der Erdoberfläche (Geomorphologie), Meereskunde (Ozeanographie), Gewässerkunde (Hydrographie), Klimakunde (Klimatologie), die Lehre von der Verbreitung von Pflanzen und Tieren (Biogeographie); ferner die Geographie des Menschen (Anthropogeographie), aufgegliedert z. B. in Bevölkerungs-, Siedlungs-, Wirtschafts- und Verkehrsgeographie. Der allgemeinen Geographie steht die **Länderkunde** (spezielle Geographie) gegenüber. Sie sucht die Erdteile, Länder und Landschaften jeweils in ihrer Eigenart zu erfassen und darzustellen. Wichtige Hilfsmittel der Geographie sind die Karte und das Luftbild.

Geologie [griechisch ›Lehre von der Erde‹], Lehre vom Bau, von der Zusammensetzung und von der Geschichte der Erdkruste sowie von den Kräften, unter deren Einfluss sich die Entwicklung vollzieht. (→Erdgeschichte)

Geometrie [griechisch ›Erdmessung‹], ein Teilgebiet der Mathematik. Sie beschäftigt sich mit den Formen, Größen und Beziehungen von Figuren in der Ebene **(Planimetrie)** und im Raum **(Stereometrie)**. Die in der Natur vorkommenden Formen (z. B. ein Felsen, ein Baumstamm, der Umriss eines Teiches) sind vielgestaltig und unregelmäßig. Deshalb untersuchte man schon sehr früh, etwa bei den alten Ägyptern und Babyloniern um 2000 v. Chr., einfache, leicht zu berechnende Grundformen.

So finden sich im ›Rechenbuch‹ des Priesterschülers Ahmes (um 1600 v. Chr.) Flächenberechnungen für Rechteck, Dreieck, Trapez und Kreis. Die Ägypter konnten schon den Rauminhalt von Würfel, Quader, Zylinder und Pyramide berechnen. Während die Ägypter und Babylonier ihre Formeln aus ihren Erfahrungen nahmen und nicht logisch begründeten, wurde bei den Griechen jeder neue Satz aus bereits bekannten Lehrsätzen abgeleitet. Diese konnten ihrerseits wieder aus noch einfacheren Sätzen hergeleitet werden. So gelangte man schließlich zu sogenannten Grundsätzen oder **Axiomen,** die sich nicht mehr beweisen lassen. Euklid (*um 365, †um 300 v. Chr.), Lehrer in Alexandria, hat in seinem Buch ›Die Elemente der Geometrie‹ alle damals bekannten geometrischen Sachverhalte aus Axiomen folgerichtig aufgebaut. Das Buch hatte wegen seiner logischen Strenge großen Einfluss auf die gesamte Entwicklung der Mathematik. So wird der Aufbau mathematischer Sätze in Voraussetzung, Behauptung und Beweis auch heute noch verwendet.

Bei der Beschreibung geometrischer Figuren spielt die →Mengenlehre eine bedeutende Rolle. So werden alle geometrischen Figuren wie Geraden, Strecken, Kurven, Rechtecke, Kreise usw. als Menge von Punkten angesehen. Da die Grundmenge der Planimetrie die →Ebene ist, stellen alle ebenen Figuren eine Untermenge der Ebene dar. Es ist von dieser Betrachtungsweise her einleuchtend, dass der →Punkt das einfachste Grundelement der Geometrie darstellt.

Ein Zusammenhang zwischen der Geometrie und der Algebra wird in der **analytischen Geometrie** hergestellt. Hier werden die Punkte der Ebene und des Raumes durch Koordinaten bezüglich eines →Koordinatensystems festgelegt. Die Beziehungen zwischen den Punkten können dann durch Gleichungen oder Ungleichungen gekennzeichnet werden. Damit lassen sich Probleme der Geometrie auf Probleme der Algebra zurückführen. Es besteht aber auch umgekehrt die Möglichkeit, die Geometrie auf die Lösung algebraischer Aufgaben anzuwenden.

In neuester Zeit lässt man sich beim Aufbau der Geometrie vom Begriff der →Abbildung leiten. Dabei werden diejenigen Eigenschaften geometrischer Gebilde untersucht, die bei bestimmten Abbildungen unverändert (invariant) bleiben. So werden z. B. bei den Kongruenzabbildungen Längen und Winkel nicht verändert, wogegen bei den Ähnlichkeitsabbildungen zwar die Längen, nicht aber die Winkel verändert werden.

Georg. Der heilige Georg lebte während der Regierungszeit des römischen Kaisers Diokletian und starb als Soldat um 303 den Märtyrertod. Im späten Mittelalter war er ein Volksheiliger, seit dem 13. Jahrh. der englische Schutzheilige. Schon früh entstanden Legenden über sein Leben. Er wird meist als Reiter, der einen Drachen tötet, dargestellt.

Georgetown [dschodschtaun], 188 000 Einwohner, Hauptstadt und wichtigster Ausfuhrhafen der südamerikanischen Republik Guyana, liegt an der Mündung des Flusses Demerara in den Atlantischen Ozean.

Georgi|en, Staat in Südwestasien, im Westen Transkaukasiens, eine Republik mit den Teilrepubliken Abchasien und Adscharien sowie dem Autonomen Gebiet Südossetien. Georgien ist etwa so groß wie Irland. Gebirgs- und Vorgebirgsländer nehmen den Großteil des Territoriums ein, dazwischen breitet sich im Westen die Kolchis aus. Im Bereich der Kolchis herrscht subtropisch-feuchtes Klima vor; gegen Osten Georgiens nimmt die Trockenheit rasch zu.

Georgien

Staatswappen

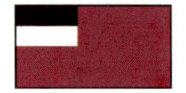

Staatsflagge

Georgien
Fläche: 69 700 km²
Einwohner: 5,471 Mio.
Hauptstadt: Tbilissi (deutsch Tiflis)
Amtssprache: Georgisch
Nationalfeiertag: 26. 5.
Währung: 1 Lari = 100 Tetri
Zeitzone: MEZ + 3 Stunden

Die zur georgisch-orthodoxen Kirche zählenden Georgier stellen fast 3/4 der Bevölkerung; mit ihnen leben Armenier, Russen und Aserbaidschaner. Am dichtesten sind die Kolchis und der Küstenstreifen am Schwarzen Meer besiedelt. Aufgrund der Gebirge wird nur knapp die Hälfte der Fläche landwirtschaftlich genutzt. Maulbeerbaumkulturen sind Grundlage einer umfangreichen Seidenraupenzucht. Bergbau, Textil-, Nahrungs- und Genussmittelindustrie produzieren auch für den Export.

Das erste georgische Reich entstand im 4. Jahrh. n. Chr. während der Diadochenkriege. Im 12. Jahrh. nach arabischer Eroberung erneut geeint, reichte Georgien vom Schwarzen bis zum Kaspischen Meer und umfasste Teile Armeniens und Persiens. Seit dem 18. Jahrh. wurde es russischer Herrschaft unterstellt. Zwischen 1918 und 1921 existierte eine unabhängige Republik Georgien, die dann in die UdSSR eingegliedert wurde. 1991 proklamierte das Land seine Unabhängigkeit. 1994 trat Georgien der Gemeinschaft Unabhängiger Staaten bei. (KARTE Band 2, Seite 199).

Georgi|er, Grusini|er, in ihrer eigenen Sprache **Kartwelier,** Sammelname für eine Vielzahl kulturell und sprachlich eng verwandter Gruppen im südwestlichen Kaukasus. Sie gehören dem Christentum an und haben sich trotz ihrer politischen Zerrissenheit zwischen Georgien, Aserbaidschan, Russland, Türkei und Iran ein starkes eigenes Nationalgefühl bewahrt.

geozentrisches Weltsystem, →Ptolemäus.

Geparde, katzenartige Raubtiere, die paarweise oder in Familien in Savannen und Steppen leben, in größerer Zahl heute nur noch in Ost- und Südwestafrika. Anders als alle anderen →Katzen beschleichen sie ihre Beutetiere (Gazellen, Zebras, Gnus, Bodenvögel) nicht, sondern hetzen hinter ihnen her. Sie ergreifen sie auch nicht mit den Pfoten, deren Krallen sie nicht zurückziehen können, sondern überrennen sie und versuchen, sie mit den Vorderläufen zu erschlagen. Mit ihrem sehr schlanken, leichten Körper und den hohen Beinen können Geparde über kurze Strecken schneller laufen als alle anderen Tiere; sie erreichen eine Geschwindigkeit von über 100 Kilometern pro Stunde. Seit alters her wurden Geparde zur Jagd abgerichtet. Für die Beutetiere sind sie aus der Entfernung mit ihrem gelbbraunen, schwarzgetüpfelten Fell kaum zu erkennen. Im Zoo sind Geparde schwer zu züchten; Jungtiere sind leicht zu zähmen.

Gera, 132 300 Einwohner, Stadt in Thüringen, liegt an der Weißen Elster. Gera ist der kulturelle und wirtschaftliche Mittelpunkt Ostthüringens. Gera wurde 1237 Stadt und erhielt Magdeburger Stadtrecht.

Gerade, Geometrie: Zeichnet man mithilfe eines Lineals eine Linie und denkt sich diese nach beiden Seiten hin unbegrenzt fortgesetzt, so entsteht eine Gerade. Sie ist durch die Angabe zweier Punkte eindeutig bestimmt, das heißt, durch 2 Punkte verläuft genau eine Gerade. Als Abkürzung für die Gerade durch die Punkte A und B verwendet man meist das Symbol AB. Wird eine Gerade in einem kartesischen →Koordinatensystem gezeichnet, so kann man sie mithilfe einer Gleichung der Form $y = m \cdot x + n$ beschreiben, falls die Gerade nicht parallel zur y-Achse verläuft. Hierbei nennt man m die **Steigung** und n das **absolute Glied** der Geraden.

Die Steigung m gibt die Änderung des y-Wertes an, falls man den x-Wert um 1 erhöht.

Beispiel:
Gegeben: $y = -2x + 0{,}5$
$x_1 = 5 \Rightarrow y_1 = -9{,}5$,
$x_2 = 6 \Rightarrow y_2 = -11{,}5$
Somit erhält man eine Änderung des y-Wertes von -2.

Ist $m > 0$, so verläuft die Gerade im Koordinatensystem von links unten nach rechts oben; man sagt: Die Gerade **steigt.** Ist $m < 0$, so verläuft die Gerade von links oben nach rechts unten; man sagt: Die Gerade **fällt.** Ist $m = 0$, so verläuft die Gerade parallel zur y-Achse (BILDER 1, 2 und 3). Das absolute Glied n gibt den y-Wert an der Stelle $x = 0$ an, das heißt, der Punkt $P(0; n)$ ist der Schnittpunkt der Geraden mit der y-Achse. Mithilfe der Steigung m und des absoluten Gliedes n lässt sich eine Gerade im Koordinatensystem leicht zeichnen.

Beispiel: Zeichne die Gerade $y = -2x + 1$. Die Gerade geht durch den Punkt $P(0; 1)$. Geht man von P aus um 1 nach rechts und um 2 nach unten (beachte $m = -2$), so erhält man einen zweiten Punkt Q auf der Geraden. Da eine Gerade aber durch 2 Punkte eindeutig festgelegt ist, kann man die Gerade jetzt zeichnen (BILD 4).

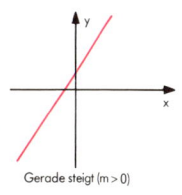

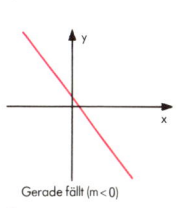

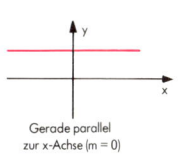

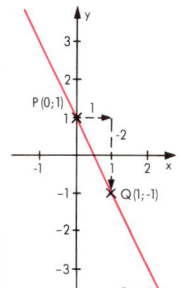

1 Gerade steigt ($m > 0$)

2 Gerade fällt ($m < 0$)

3 Gerade parallel zur x-Achse ($m = 0$)

4 Gerade

Gera

Durch die Gleichung $y = m \cdot x + n$ wird jedem x-Wert aus der Menge $\mathbb{R}$ genau ein y-Wert zugeordnet. Die Gerade ist somit der Graph einer →Funktion. Eine Funktion mit der Funktionsgleichung $y = m \cdot x + n$ heißt **lineare Funktion**.

Geradenspiegelung, eine Kongruenzabbildung (→Abbildung).

Geranilen, die →Pelargonien.

gerben, →Leder aus Tierhäuten herstellen.

Gericht. Das friedliche Zusammenleben der Menschen erfordert verbindliche Regeln. Sie beruhen auf Gesetzen, Verträgen und gefestigten allgemeinen Anschauungen. Wenn es zu Verstößen gegen diese Regeln oder zu Auseinandersetzungen über ihre Bedeutung kommt, ist der Rechtsfriede gefährdet. Ihn durch klare Entscheidungen (Urteile, Beschlüsse) oder durch Vermittlung (z. B. bei Vergleichen) wiederherzustellen, ist die Aufgabe der Gerichte. Sie greifen aber nicht von sich aus ein, sondern werden erst auf entsprechenden Antrag hin tätig. Die Gerichte bilden neben den Parlamenten und Regierungen einen unabhängigen Teil der Staatsgewalt. Ihre Unabhängigkeit garantiert in der Bundesrepublik Deutschland das Grundgesetz; es bestimmt auch, dass jedermann ungehindert die Gerichte zu seinem Schutz anrufen kann. Das Gerichtssystem in der Bundesrepublik Deutschland ist, nach Sachgebieten geordnet, in **5 Gerichtsbarkeiten** aufgeteilt, die wiederum in verschiedene Stufen (**Instanzen**) gegliedert sind.

1) Die (historisch so bezeichnete) **ordentliche Gerichtsbarkeit** umfasst die Zivil- und Strafgerichte. Ihre 4 Instanzen heißen Amtsgericht, Landgericht, Oberlandesgericht (in Berlin Kammergericht), Bundesgerichtshof. Die **Zivilgerichte** befassen sich mit Belangen des Privatrechts, das heißt mit Streitigkeiten der Bürger untereinander, z. B. bei Verträgen, Ehescheidungen, Schadensfällen. Den **Strafgerichten** obliegt die Aburteilung von Straftätern.

2) Die **Verwaltungsgerichtsbarkeit** (in den 3 Instanzen Verwaltungsgericht – Oberverwaltungsgericht – Bundesverwaltungsgericht) ist für Streitigkeiten zuständig, die Bürger mit Behörden oder die Behörden untereinander haben.

3) Rechtsstreitigkeiten, die sich aus einem Arbeitsverhältnis ergeben, werden durch die **Arbeitsgerichtsbarkeit** (Arbeitsgericht – Landesarbeitsgericht – Bundesarbeitsgericht) entschieden.

4) In die Zuständigkeit der **Sozialgerichtsbarkeit** (Sozialgericht – Landessozialgericht – Bundessozialgericht) fallen Streitigkeiten aus dem Sozialrecht (z. B. um Rente, Krankenkasse).

5) Die **Finanzgerichtsbarkeit** (Finanzgericht – Bundesfinanzhof) ist mit Steuerstreitigkeiten befasst.

Eine besondere Stellung nimmt das →Bundesverfassungsgericht ein, das die Einhaltung der Regeln des Grundgesetzes überwacht.

Gerichtsvollzieher, Beamter des Justizdienstes, dessen wichtigste Aufgabe darin besteht, gerichtlich festgestellte Ansprüche eines Gläubigers im Weg der Zwangsvollstreckung beim Schuldner durchzusetzen. Bei Zahlungsansprüchen kann der Gerichtsvollzieher beim zahlungsunwilligen Schuldner Wertgegenstände pfänden, sie versteigern und den Erlös dem Gläubiger auszahlen.

Germanen, Sammelname für viele einzelne Völker und Stämme in Nord- und Mitteleuropa, die der indogermanischen Sprachfamilie angehören. Die Germanen selbst kannten keine einheitliche Bezeichnung; der Name war von einem Stamm, der am Niederrhein lebte, auf alle seine östlichen und nördlichen Nachbarn übertragen worden. Besonders in den letzten beiden Jahrhunderten vor Christi Geburt versuchten germanische Stämme, sich nach Westen und Süden auszubreiten. Sie wurden jedoch von den Römern an Rhein und Donau aufgehalten. Die Römer ihrerseits beendeten Versuche, in das germanische Siedlungsgebiet vorzudringen, bald nachdem →Arminius mehrere römische Legionen 9 n. Chr. in der Schlacht im Teutoburger Wald vernichtend geschlagen hatte. Von da an bis zum Beginn der →Völkerwanderung (375) galt der Rhein als Grenze zwischen dem Römischen Reich und dem germanischen Siedlungsgebiet. Von den Römern wurden die Germanen wegen ihres Aussehens (sie waren blond und blauäugig) bewundert. Im Rom der Kaiserzeit war es sogar Mode, blonde Perücken aus Germanenhaar zu tragen.

Lebensweise und Kultur der Germanen sind heute vor allem aus archäologischen Funden bekannt. Wichtigstes schriftliches Zeugnis ist das länderkundliche Buch des römischen Schriftstellers Tacitus, das kurz ›Germania‹ genannt wird. Die Germanen siedelten meist in Flussnähe oder Waldlichtungen. Sie lebten oft in verstreut liegenden Einzelhöfen oder ihre Höfe bildeten ›Haufendörfer‹, die sie manchmal mit einer Befestigung umgaben. Die Germanen bildeten eine Gemeinschaft freier Bauern, die vorwiegend Ackerbau und Viehzucht betrieben. Davon ausgeschlossen waren die Unfreien, meist unterworfene Ureinwohner oder Kriegsgefangene und ihre Nachkommen. Erst nach und nach, mit dem

Aufkommen der →Gefolgschaft, bildete sich eine Adelsschicht heran. Politische Entscheidungen fassten die Freien in einer Versammlung, dem ›Ding‹. Dort wählten sie die Fürsten oder den Heerführer für einen bevorstehenden Kriegszug, den Herzog. Auf dem Ding wurde auf der Grundlage von mündlich überlieferten Rechtsvorschriften auch Recht gesprochen.

Die Germanen glaubten an eine Vielzahl von Göttern; zu den wichtigsten zählen →Wotan mit seiner Gemahlin →Frija und →Donar. Sie gehören zum Göttergeschlecht der →Asen, das von den auf Tod und Verderben sinnenden Riesen bedroht wird. Ihr Kampf endet mit der Vernichtung der Erde und des Sitzes der Götter (→Walhall) durch Feuer (Götterdämmerung).

Das Christentum breitete sich seit dem 3. Jahrhundert unter den Germanenstämmen aus. Aber erst der Übertritt des fränkischen Königs →Chlodwig zum katholischen Christentum führte mithilfe vieler irischer und angelsächsischer Missionare zur nachhaltigen Christianisierung.

Germanicus, Der römische Feldherr **Gaius Iulius Caesar Germanicus** (*15 v.Chr., †19 n.Chr.) wurde von seinem Onkel und Adoptivvater Kaiser Tiberius als Befehlshaber der 8 Legionen am Rhein nach Germanien geschickt. In mehreren Feldzügen 14–16 n.Chr. versuchte er, die Niederlage der Römer im Teutoburger Wald zu rächen. Nach anfänglichen Erfolgen scheiterte Germanicus am Widerstand der Cherusker unter Arminius.

germanische Sprachen, Sprachgruppe, zu der Sprachen gehören, die hauptsächlich im Raum von Nordsee und Ostsee gesprochen werden: Deutsch (mit Jiddisch), Englisch, Niederländisch (mit Afrikaans), Friesisch, Isländisch, Dänisch, Färöisch, Norwegisch, Schwedisch. Die germanischen Sprachen zählen zu den →indogermanischen Sprachen.

Germanium, Zeichen **Ge,** metallisches →chemisches Element (ÜBERSICHT), das zur Herstellung von Halbleiterbauelementen (Dioden, Transistoren) und dem Bau von optischen Geräten technische Bedeutung gewonnen hat.

Gershwin [göschwin]. Der amerikanische Komponist **George Gershwin** (*1898, †1937), der mit seiner Oper ›Porgy and Bess‹ (1935) sehr großen Erfolg hatte, verband in seinen Kompositionen Stilelemente der Unterhaltungsmusik, des Jazz und der europäischen Kunstmusik. Zunächst schrieb er vor allem erfolgreiche Schlager, Songs und Revuen, während er sich später klassischeren Formen widmete, die jedoch von hoher rhythmischer Vitalität geprägt waren, z.B. die ›Rhapsody in Blue‹ (1924), das ›Klavierkonzert in f‹ (1925) und das Orchesterwerk ›Ein Amerikaner in Paris‹ (1928).

Gerste, ein →Getreide.

Gerstenkorn, eitrige Entzündung einer Talgdrüse am Rand des Augenlides. Wird die Entzündung chronisch, spricht man von einem **Hagelkorn.**

Geruch, Duft, der von einem Gegenstand, Stoff oder Lebewesen ausgeht und mithilfe der Nase durch den **Geruchssinn** wahrgenommen werden kann. Dabei lösen die meisten Gerüche Mischempfindungen aus, an denen auch der Geschmackssinn beteiligt ist. Bei den einzelnen Lebewesen ist die Empfindlichkeit des Geruchssinnes unterschiedlich ausgeprägt. Während der Hund, mit sehr vielen Riechzellen ausgestattet, Gerüche sehr gut unterscheiden kann, hat der Mensch ein nur wenig ausgebildetes Geruchsvermögen. Auch zeigen die Riechzellen starke Gewöhnung. Wenn man einem bestimmten Geruch längere Zeit ausgesetzt ist, lässt die Empfindung für diesen deutlich nach. Gerüche unterstützen den Geschmackseindruck beim Essen und dienen der Orientierung, auch haben sie Einfluss auf das Paarungsverhalten der Tiere.

Geschäftsfähigkeit, nach dem Bürgerlichen Gesetzbuch die Fähigkeit, in eigener Verantwortung wirksam bindende Verpflichtungen einzugehen. Der Geschäftsfähige kann also einerseits z.B. →Verträge schließen und beenden oder →Prozesse führen, muss aber andererseits auch für die Folgen einstehen. Die Geschäftsfähigkeit tritt mit der →Volljährigkeit ein. Das Gesetz geht davon aus, dass Minderjährige häufig die Tragweite von Rechtsgeschäften, etwa eines Ratenkaufs, nicht überblicken und besonders geschützt werden müssen. Dies gilt besonders für Kinder unter 7 Jahren, die ebenso wie entmündigte Erwachsene geschäftsunfähig sind. Minderjährige im Alter von 7–17 Jahren sind **beschränkt geschäftsfähig.** Das bedeutet, dass sie Rechtsgeschäfte nur mit Billigung ihrer Erziehungsberechtigten vornehmen können, mit einer wichtigen Ausnahme: Ihr Taschengeld können sie nach Belieben verwenden (→Lebensalter).

Geschlechtshormone, Bezeichnung für →Hormone, die, angeregt von der Hirnanhangdrüse, von den männlichen oder weiblichen Keimdrüsen (→Geschlechtsorgane) gebildet werden. Sie sind für die Entwicklung der Samen- und

Gaius Iulius Caesar Germanicus (Statue, um 20 n. Chr.)

Eizellen notwendig und dienen damit der Fortpflanzung. Das unterschiedliche Erscheinungsbild von Mann und Frau ist weitgehend von den Geschlechtshormonen geprägt. Sie bestimmen z. B. die unterschiedlichen Körperformen, die Behaarung und die tiefe oder höhere Stimme. Auch viele Stoffwechselvorgänge werden von den Geschlechtshormonen beeinflusst. Die männlichen Geschlechtshormone heißen **Androgene,** das wichtigste ist das **Testosteron.** Weibliche Geschlechtshormone sind die **Östrogene,** die den monatlichen Zyklus (→Menstruation) der Frau regeln, und die **Gestagene,** die für die Erhaltung der Schwangerschaft sorgen.

Geschlechtsmerkmale, Kennzeichen, durch die sich das männliche vom weiblichen Geschlecht unterscheidet. Dabei unterscheidet man die **primären Geschlechtsmerkmale,** die der Fortpflanzung dienen, wie Hoden, Samenwege, Penis beim Mann und Eierstock, Gebärmutter, Scheide bei der Frau, von den **sekundären Geschlechtsmerkmalen,** die nicht in unmittelbarem Zusammenhang mit der Fortpflanzung stehen und sich erst in der Pubertät unter dem Einfluss der Geschlechtshormone entwickeln (Bart, Körperbehaarung, Stimme, Brust).

Geschlechtsorgane, Genitalorgane, Organe, bei vielen Tieren und dem Menschen, die das Geschlecht kennzeichnen und der Fortpflanzung dienen. Zu den inneren Geschlechtsorganen zählen die Keimdrüsen, die die Keimzellen (Ei- und Samenzellen) und die →Geschlechtshormone produzieren. Die äußeren Geschlechtsorgane dienen der Übertragung der Samenzellen beim →Geschlechtsverkehr.

Die **männlichen Keimdrüsen** sind die beiden Hoden, die zusammen mit den Nebenhoden im Hodensack liegen. Die in den Hodenkanälchen gebildeten Samenzellen werden in den Nebenhoden gespeichert. Von hier aus führen die Samenleiter (im Samenstrang) durch den Leistenkanal und münden unterhalb der Harnblase im Bereich der Vorsteherdrüse in die gemeinsame Harn-Samen-Röhre. Kurz davor münden auch noch die Ausführungsgänge der Bläschendrüsen in die Samenleiter. Hoden, Nebenhoden, Bläschendrüsen und Vorsteherdrüse sondern eine Flüssigkeit ab, die den Samenfäden als Transportmittel dient. Die Vorsteherdrüse (Prostata) umfasst die Harnröhre ringförmig und ist vom Enddarm aus zu tasten.

Die **äußeren Geschlechtsorgane des Mannes** sind das Glied (Penis) und der Hodensack. Das Glied besteht aus dem Schaft und vorne der Eichel, die von der verschiebbaren Vorhaut bedeckt wird. Im Innern des Gliedes verläuft die Harn-Samen-Röhre. Außerdem besteht der Schaft aus 3 Schwellkörpern, die sich bei sexueller Erregung prall mit Blut füllen und dadurch zur Versteifung des Gliedes (→Erektion) führen.

Die **weiblichen Keimdrüsen** sind die beiden Eierstöcke, pflaumengroße Organe mit je etwa 200 000 →Eizellen. Etwa alle 4 Wochen wird eine reife Eizelle aus dem Eierstock ausgestoßen (Eisprung oder Ovulation). Den Eierstöcken liegen trichterförmig die Eileiter an, bleistiftdünne Muskelschläuche, in denen die Eizelle zur Gebärmutter transportiert wird und die Befruchtung stattfindet. Sie münden in die Gebärmutter (Uterus), ein birnenförmiges, von Muskelschichten durchflochtenes Hohlorgan, das im kleinen Becken zwischen Harnblase und Mastdarm liegt. Sie ist mit Schleimhaut ausgekleidet, die gegebenenfalls ein befruchtetes Ei aufnehmen kann oder aber mit der →Menstruation alle 4 Wochen abgestoßen und anschließend mit dem nächsten Monatszyklus neu aufgebaut wird. An der Gebärmutter unterscheidet man den Gebärmutterkörper, den Gebärmutterhals und den Gebärmuttermund, der in die Scheide (Vagina) hineinragt. Diese ist ein schleimhautausgekleideter, sehr dehnbarer Muskelschlauch von etwa 10 cm Länge, dessen Eingang zum Teil von einer dünnen Hautfalte überspannt ist, dem Jungfernhäutchen, das beim ersten Geschlechtsverkehr einreißt. Mithilfe bestimmter Bakterien entsteht ein schwach saures Sekret in der Scheide, das die inneren Geschlechtsorgane vor aufsteigenden Krankheitskeimen schützt. Beim Geschlechtsverkehr nimmt sie den Samen auf; sie ist auch die Durchtrittsstelle für das Menstruationsblut sowie für das Kind während der Geburt.

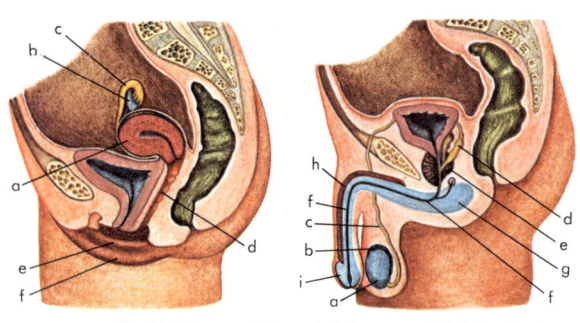

Geschlechtsorgane (Längsschnitt): LINKS weibliche Beckeneingeweide; **a** Gebärmutter, **b** Eierstock, **c** Eileiter, **d** Scheide, **e** kleine Schamlippe, **f** große Schamlippe; RECHTS männliche Beckeneingeweide; **a** Hoden, **b** Nebenhoden, **c** Samenleiter, **d** Samenbläschen, **e** Vorsteherdrüse, **f** Harnröhre, **g** Schwellkörper der Harnröhre, **h** Schwellkörper des Penis, **i** Eichel mit Vorhaut

Die Scheide bildet den Übergang zu den **äußeren Geschlechtsorganen der Frau:** Die großen Schamlippen verschließen und schützen den Scheidenvorhof. Unter ihnen liegen die kleinen Schamlippen, die sich im Kitzler treffen, der sehr berührungsempfindlich ist. Unterhalb des Kitzlers liegt die Mündung der Harnröhre. Der Bereich zwischen Scheideneingang und After heißt Damm.

Geschlechtsreife, Entwicklungsphase des Menschen und der höheren Tiere, mit der die Tätigkeit der Geschlechtsdrüsen beginnt.

Beim Menschen wird der Begriff weiter gefasst auch als →Pubertät bezeichnet.

Geschlechtsverkehr, Geschlechtsakt, Beischlaf, die körperliche Vereinigung beim Menschen. Dabei wird das männliche Glied (→Erektion) in die Scheide eingeführt. Auf dem Höhepunkt der sexuellen Erregung (Orgasmus) kommt es beim Mann zum Samenerguss (→Ejakulation). Der Geschlechtsverkehr ermöglicht die →Fortpflanzung (→Befruchtung) und spielt eine Rolle in der Liebesbeziehung zwischen Mann und Frau.

Geschlechtswort, →Artikel.

Geschütz, Feuerwaffe für weite Entfernungen. Folgende 3 Hauptarten lassen sich unterscheiden: 1) Die **Kanone,** ein meist in Panzern eingebautes Flachfeuergeschütz, verleiht dem Geschoss lang gestreckte Flugbahn und hohe Wucht. 2) Der **Mörser,** ein Steilfeuergeschütz der Artillerie mit kurzem Rohr; Vorderlader; schießt Geschosse fast senkrecht sehr hoch in die Luft. 3) Die **Haubitze,** eine Mischung aus Kanone und Mörser. Mit diesem Standardgeschütz der Artillerie wird wie mit Mörser indirekt, das heißt, ohne dass man das Ziel sehen kann, geschossen.

Geschwindigkeit. Ein Radfahrer fährt über eine Strecke von 10 km so schnell, dass der Zeiger auf seinem Tachometer **(Geschwindigkeitsmesser)** gleichmäßig auf der Zahl 10 steht. Er benötigt eine Stunde, um die Entfernung zurückzulegen. Möchte man seine Geschwindigkeit v (von velocitas, lateinisch ›Geschwindigkeit‹) angeben, so muss man die zurückgelegte Strecke durch die dafür benötigte Zeit dividieren.

$$\text{Geschwindigkeit } v = \frac{\text{zurückgelegte Strecke}}{\text{benötigte Zeit}}.$$

Im Straßenverkehr wird die Geschwindigkeit in Kilometer (km) durch Stunde (h) gemessen. Der Radfahrer hatte also eine durchschnittliche Geschwindigkeit von $10 \frac{\text{km}}{\text{h}} = 10 \text{ km/h}$.

Verschiedene Geschwindigkeiten in m/s	
Wachstum des Haares	0,000 000 003
Schnecke	0,0015
Fußgänger	1,5
Brieftaube, Rennpferd	17
Schall in Luft bei 0 °C und Normaldruck	331,5
Wasserstoffmolekül bei 0 °C und ~1 bar	1 843
Erde auf der Bahn um die Sonne	29 760
Lichtgeschwindigkeit	299 792 458

Auf den Verkehrsschildern (BILD) lässt man das ›/h‹ weg, da sich hier alle Geschwindigkeitsangaben auf die Zeiteinheit Stunde beziehen.

Besonders schnelle Läufer können die 100-m-Strecke in 10 Sekunden (s) zurücklegen, das heißt, sie haben eine durchschnittliche Geschwindigkeit $v = \frac{100 \text{ m}}{10 \text{ s}} = 10 \frac{\text{m}}{\text{s}}$. Da 1 h aus 3 600 s besteht, würde der Läufer, wenn er die Geschwindigkeit 10 m/s durchhalten könnte, in der Stunde $10 \frac{\text{m}}{\text{s}} \cdot 3\,600 \text{ s} = 36\,000 \text{ m} = 36 \text{ km}$ zurücklegen, das heißt, eine Geschwindigkeit von 10 m/s ist die gleiche Geschwindigkeit wie 36 km/h.

Geschworene, früher die juristisch nicht ausgebildeten, ehrenamtlichen Richter beim →Schwurgericht. Heute nennt man sie wie alle ehrenamtlichen Richter →Schöffen. In Österreich und der Schweiz wird die Bezeichnung Geschworene noch verwendet.

Geschwulst, lateinisch **Tumor,** allgemein eine Schwellung, im Besonderen eine Gewebswucherung, die häufig ohne erkennbare Ursache entsteht. Sie ist durch überschießendes, unkontrolliertes Zellwachstum gekennzeichnet und kann von jedem Körpergewebe ausgehen. Man unterscheidet dabei gutartige und bösartige (→Krebs) Formen. Gutartige Geschwülste sind zum umgebenden Gewebe abgegrenzt und haben meist eine Kapsel. Sie wachsen langsam und verdrängen dabei das benachbarte Gewebe. Sie bilden nie →Metastasen und lassen sich durch eine Operation meist gut entfernen.

Geschwür, Gewebsverlust an einer Stelle der Haut oder Schleimhaut. Ursachen für seine Entstehung sind häufig Durchblutungsstörungen (z. B. bei Unterschenkelgeschwüren) oder lang anhaltende Reize und Entzündungen. Wird im Magen zu viel Magensäure gebildet, kann sich ein Magengeschwür entwickeln. Ein Geschwür heilt sehr schlecht und immer mit einer Narbe.

Geselle, Gehilfe. Ein Handwerker schließt eine meist dreijährige Ausbildung (Lehre) in seinem Beruf mit der **Gesellenprüfung** ab. Das **Gesellenstück** ist die Anfertigung oder Bearbeitung

Getreide:
1 Hafer, 2 Reis

Geschwindigkeit

Wörter, die man unter G vermisst, suche man unter Dj, J oder K

Gese

eines Gegenstandes in dem erlernten Beruf, also z. B. beim Schreinergesellen eines Möbelstücks, beim Konditorgesellen einer Torte. Nach bestandener Gesellenprüfung, zu der neben dem praktischen auch ein theoretischer Teil gehört, bekommt der Geselle einen **Gesellenbrief** ausgestellt. Der Gesellenprüfung kann später eine Prüfung zum →Meister folgen.

Gesellschaft mit beschränkter Haftung, Abkürzung **GmbH.** Wirtschaftsunternehmen mit einer kleineren Zahl von Eigentümern werden häufig in Form einer GmbH geführt, für deren Gründung ein **Stammkapital** von mindestens 50 000 DM notwendig ist. Die Haftung gegenüber den Gläubigern des Unternehmens ist in Verlustfällen auf die Höhe des Stammkapitals beschränkt. So können sich die Eigentümer davor schützen, dass ihr Privateigentum bei Verlusten gefährdet wird. – Ein oder mehrere **Geschäftsführer** leiten das Unternehmen; in der **Gesellschafterversammlung** aller Eigentümer werden die für das Unternehmen wichtigsten Beschlüsse gefasst, wird die Geschäftsführung kontrolliert und über die Verwendung der Gewinne (je nach Höhe der Geschäftsanteile) abgestimmt. Große Unternehmen mit vielen Eignern wählen in der Bundesrepublik Deutschland meist die Rechtsform der →Aktiengesellschaft.

Gesetz, Rechtssatz, Norm, jede allgemeine Vorschrift, die die Rechte und Pflichten des Einzelnen festschreibt oder die Befugnisse des Staates und seiner Einrichtungen ordnet. Gesetze sind Ausdruck des Willens einer staatlichen Gemeinschaft, des Volkes als Ganzem oder selbstständiger Teile wie Städte und Gemeinden. Die Befugnis Gesetze zu erlassen steht in einer Demokratie in erster Linie den Parlamenten (Bundestag, Landtagen) zu. Man spricht hier von **Parlamentsgesetzen.** Häufig ist es nicht sinnvoll, komplizierte Fragen durch Parlamentsgesetze zu entscheiden. Deshalb kann das Parlament die Regierung ermächtigen, weitere Einzelheiten durch von ihr verantwortete Vorschriften zu klären. Solche Vorschriften heißen **Verordnungen.** Schließlich gibt es noch **Satzungen,** das sind im Wesentlichen die Gesetze der Städte und Gemeinden.

gesetzlicher Vertreter, derjenige, der nach dem Willen des Gesetzes einen anderen vertritt, z. B. die Eltern ihre minderjährigen Kinder.

Gestapo, die →Geheime Staatspolizei.

Gesteine, einheitliche Mineralaggregate, die räumlich ausgedehnte, selbstständige geologische Körper bilden und die Erdkruste und den oberen Erdmantel aufbauen. Es gibt Lockergesteine (Sand, Kies) und Festgesteine (Sandstein, Granit).

Nach der Entstehung von Gesteinen unterscheidet man:

1) **Magmengesteine** (auch Erstarrungs-, Eruptiv-, Massengesteine oder Magmatite), die entweder in ihrer glutflüssigen Entstehungsphase bis an die Erdoberfläche dringen oder als ›Magmakissen‹, Lagergänge sowie Intrusionen (›Eindringlinge‹) in der oberen Erdkruste erstarren. Die Lagergänge enthalten meist abbauwürdige Erze und Mineralien. Die Tiefengesteine erstarren langsam und bilden grobkörnige Kristalle.

2) **Sedimentgesteine,** die durch mechanische Verwitterung (Frost, Temperaturwechsel) und durch chemische Zersetzung von Gesteinen sowie unter Mitwirkung von Organismen entstehen. Ihnen gehören die meisten Gesteine auf der Erdoberfläche an, die Ton- und Kalkgesteine, die verfestigten Sandsteine, aber auch die lockeren Kies- und Sandablagerungen wie auch der Gesteinsstaub, der Löss.

3) **Metamorphe Gesteine,** die aus Magmen- oder Sedimentgesteinen hervorgegangen sind. Diese wurden entweder beim Kontakt mit aufdringendem Magma oder bei ihrem Absinken in größere Erdtiefen durch steigende Temperatur und wachsenden Druck umgewandelt. Zu den metamorphen Gesteinen gehören z. B. Gneis (aus Granit) und Marmor (aus Kalkstein).

Gestirne, die Körper des Sonnensystems (z. B. →Sonne, →Planeten, →Monde, →Kometen) und die →Fixsterne.

Getreide, Körner tragende →Gräser, die für die Ernährung von Menschen und Tieren besonders wichtig sind und seit Jahrtausenden von Menschen aus Wildgräsern gezüchtet und auf Feldern angebaut werden (→Fruchtbarer Halbmond). Zum Getreide gehören Weizen, Roggen, Gerste, Hafer, Hirse, →Mais und →Reis. Die →Blütenstände sind Ähren bei Weizen, Roggen und Gerste, Rispen bei Hafer, Hirse und Reis, Kolben beim Mais. Die Grannen sind die Borsten an den Spelzblättern, die die Körner umgeben. Bei Weizen, Roggen und Gerste unterscheidet man Winter- und Sommergetreide, je nachdem, ob es im Herbst oder im Frühjahr gesät wird. Die nach der Ernte übrig bleibenden Getreidehalme nennt man Stroh. Getreide enthält Stärke und Eiweiß, Mineralstoffe und Vitamine.

Roggen ist in Deutschland das wichtigste Brotgetreide; es dient auch als Futter für Haustiere.

Getreide:
3 Hirse (Rispenhirse),
4 Roggen, 5 Weizen,
6 Gerste

Die Halme wachsen fast mannshoch, die Ähren tragen Grannen. Roggen gedeiht auf allen Bodenarten und ist sehr widerstandsfähig.

Die Halme des **Weizens** bleiben niedriger, die Ähren sind kürzer und schwerer und tragen keine oder sehr kurze Grannen. Weizen braucht nährstoffreiche Böden und verträgt kein extremes Klima. In Deutschland ist er das am meisten angebaute Getreide. Dennoch muss Weizen eingeführt werden, um den Bedarf zu decken. Hauptausfuhrländer sind die USA, Kanada und Australien. Aus dem hellen und feinen Mehl werden Backwaren und Nudeln hergestellt; außerdem wird Weizen als Grieß, Grünkern, Stärke und zur Herstellung von Bier verwendet.

Gerste ist das Getreide, das sich am besten dem Klima anpasst. Es wächst in den Hochländern des Himalaya ebenso wie am Äquator. Die Halme bleiben niedrig und die flachen Ähren tragen meist 2 Reihen Körner mit langen, rauen Grannen. Die Körner werden vor allem als Viehfutter, verarbeitet zu Malz zum Brauen von Bier, zur Herstellung von Graupen, Grieß und Malzkaffee verwendet.

Der Blüten- und Fruchtstand des **Hafers** bildet eine lockere, überhängende Rispe. Hafer liefert vor allem Haferflocken und Hafermehl und ist ein wichtiges Futtergetreide besonders für Pferde. Hafer stellt geringe Ansprüche an Klima und Boden und verträgt relativ viel Feuchtigkeit.

Hirse, ein Rispengras wie der Hafer, ist ein anspruchsloses Getreide der wärmeren Gebiete, so in Afrika, manchen Gebieten Asiens und Amerikas. Hirse wird wie Reis zubereitet. (Weitere BILDER Seite 367)

getrenntgeschlechtig nennt man Tiere, bei denen männliche und weibliche Geschlechtsorgane getrennt voneinander in verschiedenen Individuen derselben Art ausgebildet sind. Man bezeichnet diese als Männchen und Weibchen (z. B. bei Fischen, Vögeln, Säugetieren). Bei den Pflanzen heißt getrenntgeschlechtig, dass eine Pflanze nur Staubblätter (männliche Blüten) und eine andere nur Fruchtblätter (weibliche Blüten) besitzt. Diese Pflanzen nennt man **zweihäusig.**

Getriebe, mechanische Einrichtung zum Übertragen der Bewegung von Maschinenteilen. Ein **Kurbelgetriebe** wandelt eine Drehbewegung in eine hin und her gehende Bewegung um und umgekehrt, z. B. Pleuelstange und Kurbelwelle im Verbrennungsmotor. Seil-, Riemen- und Kettengetriebe sind **Zugmittelgetriebe,** die die Drehbewegung einer Welle auf eine räumlich entfernte andere übertragen, z. B. beim Fahrrad und

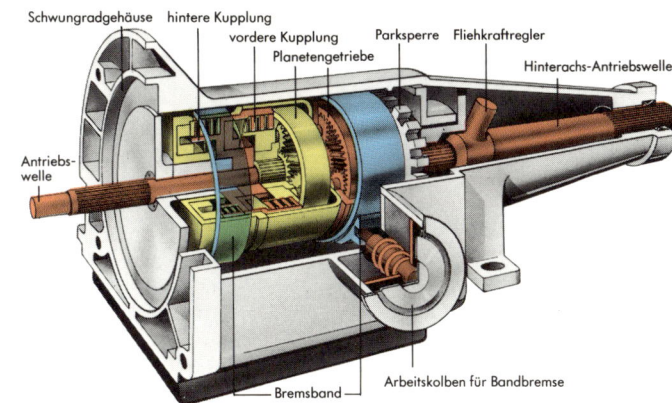

Getriebe: vollautomatisches Kraftwagengetriebe

Kraftrad. Zu den **Rädergetrieben** gehören Reibrad- und Zahnradgetriebe. Ein Zahnradgetriebe (→Zahnrad) überträgt die Bewegung einer Welle auf eine andere, wobei sich je nach Zahl, Größe und Zähnezahl der Zahnräder unterschiedliche Drehrichtungen und Drehzahlen ergeben.

Das **Kraftwagengetriebe,** meist ein Zahnradgetriebe, sorgt dafür, dass der Motor bei jeder Fahrgeschwindigkeit im günstigsten Drehzahlbereich arbeitet. Zum Anfahren wird die größte Übersetzung, das heißt der erste Gang, genommen. Mit zunehmender Fahrgeschwindigkeit werden dann die nächstkleineren Übersetzungen geschaltet (→Gangschaltung). Bei diesem Wechsel der Getriebeübersetzung muss mithilfe der Kupplung die Motor- von der Getriebewelle getrennt werden. Ein Schalten unter Last, also ohne Auskuppeln, ermöglicht das Planetengetriebe beim **automatischen Getriebe,** bei dem nur zu Beginn der Fahrt über einen Wählhebel ein bestimmter Fahrbereich gewählt wird, z. B. Rückwärtsfahrt, langsame Fahrt im Gebirge, normale Fahrt. – Ein weiteres wichtiges Getriebe im Kraftwagen ist das →Differenzialgetriebe.

Große Bedeutung haben die **hydraulischen Getriebe** erlangt, bei denen Flüssigkeiten, meist Öl, in geschlossenen Leitungssystemen zur Kraftübertragung verwendet werden. Diese Getriebe, man nennt sie auch hydraulische Antriebe, bestehen aus Pumpe, Druckleitung, Regelorganen und Zylinder. Sie arbeiten stufenlos und werden z. B. in hydraulischen Pressen, Baggern, Gabelstaplern und Fahrzeugbremsen angewendet.

Getto, Ghetto, Wohnviertel für Juden, erstmals 1516 in Venedig bezeugt. Danach wurden

Gewa

auch die Judenviertel anderer Städte Gettos genannt. Nach der rechtlichen Gleichstellung der Juden im 19. Jahrh. kam es zur Beseitigung der Gettos.

Im Zweiten Weltkrieg errichteten die nationalsozialistischen deutschen Besatzungsbehörden z.B. in Polen (Warschau, Lodz, Lublin) Gettos und transportierten von hier aus die Juden in die Vernichtungslager.

Die Bezeichnung ›Getto‹ wird heute auch auf Wohnbezirke von Minderheiten angewendet, die dort ohne nennenswerte Kontakte zur übrigen Bevölkerung leben (z. B. Farbigen- oder Ausländergettos).

Gewaltenteilung, die Aufteilung der Staatsgewalt auf unterschiedliche, voneinander unabhängige Staatsorgane. Im modernen **Rechtsstaat** übernehmen das frei gewählte Parlament die **gesetzgebende (legislative),** die Regierung die **vollziehende (exekutive)** und unabhängige Gerichte die **richterliche (judikative) Gewalt.** Die 3 Gewalten sollen sich gegenseitig kontrollieren, um den Bürger besser gegen den Missbrauch staatlicher Macht zu schützen. Die Gewaltenteilung ist eine der wesentlichen Grundlagen der modernen →Demokratie. ÜBERSICHTEN zur Gewaltenteilung findet man bei den Stichwörtern Deutschland, Österreich und Schweiz.

Die Forderung nach der Teilung der Staatsgewalt geht bis in die Antike zurück. In der Neuzeit entwickelten der englische Philosoph John Locke (*1632, †1704) und der französische Staatstheoretiker Charles de Montesquieu (*1689, †1755) diesen Gedanken weiter.

Gewebe, Verband von Zellen. Die Gewebe werden nach Bau und Aufgabe unterschieden:
1) Das **Oberflächen-** oder **Epithelgewebe** hat die Aufgabe, die äußeren und inneren Oberflächen des Körpers zu bedecken und zu schützen. Zu den äußeren Oberflächen gehört die Haut mit einer widerstandsfähigen Zellschicht. Zu den inneren Oberflächen, die von einer zarten Haut, der Schleimhaut, ausgekleidet sind, zählen z.B. die Mundhöhle, der Magen-Darm-Kanal und die Atemwege.

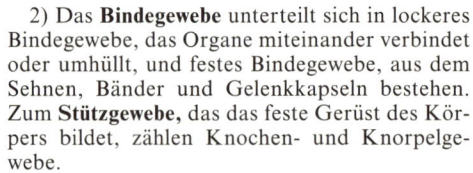

2) Das **Bindegewebe** unterteilt sich in lockeres Bindegewebe, das Organe miteinander verbindet oder umhüllt, und festes Bindegewebe, aus dem Sehnen, Bänder und Gelenkkapseln bestehen. Zum **Stützgewebe,** das das feste Gerüst des Körpers bildet, zählen Knochen- und Knorpelgewebe.
3) Das **Muskelgewebe** bildet die Muskulatur (→Muskeln).
4) Das **Nervengewebe** bildet das →Nervensystem.

Gewehr, eine Handfeuerwaffe. Sie setzt sich aus dem Rohr (Lauf), dem Schaft (Kolben) und dem Gewehrschloss zusammen. Als im 14. Jahrh. das Schießpulver entdeckt wurde, entwickelte man bald Geschütze und Gewehre. Mit den aus den Handfeuerwaffen verschießbaren Kugeln konnte ein einzelner Mann die Rüstung eines schwer bewaffneten Ritters durchschlagen, ohne dass dieser ihn angreifen konnte. Der ›ritterliche‹ Kampf Mann gegen Mann verlor an Bedeutung. Anfangs schossen die **Vorderlader** mit glatten Rohren (Arkebusen, Musketen, Flinten) noch sehr ungenau. Das Laden und Abfeuern war so schwierig, dass man hierfür Spezialisten, z.B. die ›Musketiere‹, ausbilden musste. Bedingt durch die technische Weiterentwicklung im Waffenwesen wurden die Gewehre im Verlauf der Jahrhunderte immer wirkungsvoller (schnellere Schussfolge, größere Reichweite) und handlicher, sodass sie seit dem 18. Jahrh. zur Standardwaffe der Infanterie wurden. Vor etwa 200 Jahren entwickelte man den **gezogenen Lauf:** In die Innenseite des Rohres fräste man spiralförmige Rillen. Dadurch wurde das Geschoss beim Abschuss in eine Drehung um die Längsachse versetzt. Die Drehung verlieh dem Geschoss eine stabilisierte Flugbahn, wodurch sich die Schussweite erhöhte. Ein mit gezogenem Lauf ausgerüstetes Gewehr nannte man **Büchse.** Im 19. Jahrh. baute man dann den **Hinterlader** und schließlich das Mehrladegewehr (mehrere Patronen im Magazin). Heute sind beim Militär **automatische Gewehre** in Gebrauch, die sich nach jedem Schuss selbst laden und mit denen man auch Dauerfeuer schießen kann. Gewehre der unterschiedlichsten Bauarten werden auch bei Sport und Jagd verwendet.

Geweih, paarige knöcherne Stirnwaffen fast aller →Hirsche. Außer beim Rentier sind sie nur beim Männchen entwickelt. Das Geweih wächst aus 2 Knochenzapfen an der Stirn, den ›Rosenstöcken‹, heraus und bildet 2 ›Stangen‹, von denen die ›Sprossen‹ abzweigen. Jedes Jahr wird das Geweih zu bestimmter Zeit abgeworfen und

Geweih: 1–3 Entwicklung des Rehgehörns (1 Spießer, 2 Gabler, 3 Sechser); 4 und 5 Damhirsch (4 Löffler, 5 Kapitalschaufler); 6 Edelhirsch (Vierzehnender); 7 Elch (Kapitalschaufler)

neu gebildet, wobei sich an jeder Stange jeweils eine Sprosse mehr abzweigt als im Vorjahr, bis die Reifeform erreicht ist und einige Jahre wiederholt wird. Im hohen Alter wird das Geweih wieder geringer (›zurückgesetzt‹). Während des Wachstums ist das Geweih von einer plüschähnlichen, stark durchbluteten Haut (dem ›Bast‹) umgeben und wird durch sie ernährt. Das neue Geweih ist zunächst knorpelig weich und verknöchert erst allmählich. Nach beendetem Wachstum trocknet der Bast ein und wird vom Tier durch Reiben (›Fegen‹) an Stämmchen und Sträuchern abgestreift; dabei färbt sich der zunächst weiße Knochen braun. Wird das Geweih während des Wachstums verletzt oder nicht richtig ernährt oder erleidet das Tier eine Hodenverletzung, so entstehen Unregelmäßigkeiten. In der Brunftzeit werden mit den Geweihen erbitterte Kämpfe um die Weibchen ausgefochten, wobei es aber selten zu ernsthaften Verletzungen kommt. Nach der Brunftzeit wird das Geweih abgeworfen, wozu sich die Knochenschicht zwischen Rosenstock und Stange auflöst. Das Geweih des Rehbocks nennt der Jäger **Gehörn,** das des Damhirschs und Elchs **Schaufeln.** Eine andere Entwicklung und Ausbildung zeigen die →Hörner, das Kennzeichen zahlreicher, ebenfalls zu den Paarhufern zählender Tiere.

Gewerkschaft, Vereinigung von Arbeitnehmern mit dem Ziel, Arbeitsplatzbedingungen, Entlohnung und Stellung in der Gesellschaft für alle Arbeitnehmer zu verbessern. Die Gewerkschaften bilden ein Gegengewicht zu den Arbeitgeberverbänden. Sie führen z. B. Verhandlungen (→Tarifvertrag) über Lohnerhöhungen und allgemeine Arbeitsbedingungen (z. B. Arbeitszeiten, Urlaubsansprüche). Darüber hinaus setzen sie sich vor allem für das Erreichen der Vollbeschäftigung (→Arbeitsmarkt) sowie für die Beteiligung der Arbeitnehmer an betrieblichen Entscheidungen (→Mitbestimmung) ein.

Die Mitgliedschaft in einer Gewerkschaft ist in Deutschland freiwillig. Die Beiträge der Mitglieder werden zum Teil für Verwaltungszwecke abgeführt, dienen aber im Fall eines Arbeitskampfes (Streik) der Bezahlung der streikenden Arbeitnehmer, die dann keinen Lohn erhalten.

In Deutschland gibt es eine Reihe von Einzelgewerkschaften, die sich nach Branchen (Wirtschaftszweigen) unterscheiden und im übergeordneten **Deutschen Gewerkschaftsbund (DGB)** zusammengeschlossen sind.

Die ersten Gewerkschaften wurden 1824/25 in Großbritannien gegründet **(Trade Unions).** Die Gewerkschaftsbewegung verbreitete sich im 19. Jahrh. auch in anderen Ländern. Neben den nationalen Organisationen gibt es auch internationale gewerkschaftliche Vereinigungen (z. B. **Europäischer Gewerkschaftsbund).**

Gewicht. Unter dem Gewicht eines Körpers versteht man seine durch Wägung bestimmte →Masse. Die SI-Einheit (→Einheiten) für das Gewicht ist das →Kilogramm.

Vom Gewicht zu unterscheiden ist die **Gewichtskraft.** Das ist die Kraft, mit der ein Körper von der Erde angezogen wird. Ihr Betrag G ergibt sich als Produkt aus der Körpermasse (dem Gewicht) m und der Fallbeschleunigung g:

$$G = m \cdot g.$$

Gewichtsstücke (Wägestücke) sind Verkörperungen von Masseneinheiten, die man benutzt, wenn man die Masse eines Körpers mit einer Balkenwaage ermittelt.

Gewichtheben, schwerathletische Sportart, bei der ein Gewicht vom Boden zur Hochstrecke gebracht werden soll. Als Wettkampf wird Gewichtheben nur mit der Scheibenhantel als **Reißen** oder **Stoßen** beidarmig ausgeführt. Der Heber hat jeweils 3 Versuche eine Last hochzuheben. Beim Reißen muss die Hantel in einem Zug, das heißt ohne Verhalten, vom Boden bis über den Kopf gebracht werden. Im Unterschied dazu wird beim Stoßen die Hantel zunächst in Brust- oder Schulterhöhe gehoben, umgesetzt und dann bis über den Kopf gehoben. Bei beiden Wettbewerben muss das Gewicht jeweils 2 Sekunden sicher gehalten werden.

Im olympischen Zweikampf (mit wechselnden Wettbewerben ist Gewichtheben seit 1896 olympische Disziplin) wird die Leistung in beiden Wettbewerben zusammengezählt und so der Sieger ermittelt. Hierbei können Spitzenathleten (je nach Körpergewicht) Lasten von über 260 kg bis über 460 kg bewältigen. Bei Weltmeisterschaften und sonstigen Wettbewerben werden Titel auch in den Teildisziplinen vergeben. Es siegt, wer das höchste Gewicht reißt oder stößt. Um Leistungen vergleichbar zu machen, sind die Gewichtheber nach ihrem Körpergewicht in →Gewichtsklassen eingeteilt. Die Scheibenhantel besteht aus einer 20 kg schweren Griffstange (bis 2,20 m lang), auf deren Enden die unterschiedlich schweren Stahlscheiben aufgeschoben und festgeschraubt werden. Die Scheiben haben ein Gewicht von 25, 20, 15, 10, 5, 2,5 und 1,25 kg.

Gewichtsklassen. In verschiedenen Sportarten werden die Wettkämpfer nach ihrem Körpergewicht in Gruppen eingeteilt, um durch die

Gewi

Gewichtsklassen (Gewichte in kg)						
Herren	Boxen	Ringen	Gewichtheben	Rasenkraftsport	Judo	Taekwondo
Nadel	bis –	–	–	–	–	48
Papier	bis –	48	–	–	–	–
Fliegen	bis 50,8	52	52	–	–	52
Bantam	bis 53,5	57	56	–	–	56
Feder	bis 57,1	62	60	65	–	60
Superleicht	bis –	–	–	–	60	–
Halbleicht	bis 58,9	–	–	–	65	–
Leicht	bis 61,2	68	67,5	70	71	64
Halbwelter	bis 63,5	–	–	–	–	–
Welter	bis 66,6	74	–	–	–	68
Halbmittel	bis 69,8	–	–	–	78	73
Mittel	bis 72,5	82	75	75	86	78
Supermittel	bis 76,2	–	–	–	–	–
Halbschwer	bis 79,3	90	–	–	95	84
Leichtschwer	bis –	–	82,5	82,5	–	–
Mittelschwer	bis –	–	90	90	–	–
Cruiser	bis 88,4	–	–	–	–	–
Schwer	über 88,4	bis 100	–	über 90	über 95	über 84
1. Schwer	bis –	–	100	–	–	–
2. Schwer	bis –	–	110	–	–	–
Superschwer	bis –	130	130	–	–	–

Zusammenstellung gleich schwerer Kämpfer möglichst gleiche Gewinnaussichten zu schaffen. In der ÜBERSICHT sind die Gewichtsklassen der Amateursportarten aufgeführt, bei denen eine eindeutige Klassifizierung vorliegt. Nicht berücksichtigt wurden davon abweichende Gewichtsklassen, vor allem beim Profisport.

Gewitter, Unwetter mit elektrischen Entladungen aus einer Gewitterwolke in Form von →Blitz und →Donner, meist begleitet von Schauern. Voraussetzung für die Entstehung von Gewittern sind hohe Luftfeuchtigkeit und kräftige, aufwärts gerichtete Luftströmungen, wie sie z. B. im Sommer über dem erhitzten Erdboden aufsteigen. Die feuchte Luft kühlt dabei ab, die Feuchtigkeit kondensiert und es bilden sich Haufenwolken. Starke Aufwinde, deren Geschwindigkeit mit der Höhe zunimmt, lassen diese Wolken oft bis in Höhen von 8–12 km wachsen. Mit der Bildung von Wassertröpfchen beginnen Teile der Wolke sich elektrisch aufzuladen. Von den Aufwinden werden die Tröpfchen so rasch emporgewirbelt, dass sie auseinander gerissen werden. Kleinere Teilchen, die positiv geladen sind, werden weiter mit nach oben genommen, während größere, negativ geladene nach unten sinken. Mit der Zeit sammeln sich die negativen Ladungen im unteren, die positiven im oberen Bereich der Gewitterwolke an. Zwischen beiden Bereichen sowie zwischen Wolke und Erdboden bauen sich elektrische Spannungen auf, die sich in Form von Blitzen entladen.

Gewitterwolken verändern sich ständig. Wassertröpfchen, die nach oben gewirbelt werden, vereinigen sich, bis sie zu schwer werden und als dicke Regentropfen nach unten fallen. Gelangen die Tröpfchen in große Höhen, wo die Temperatur unter 0 °C liegt, so gefrieren sie zu kleinen Eisteilchen. Andere Wasserteilchen lagern sich an und gefrieren ebenfalls, bis die so entstandenen Eiskörner zu schwer werden und nach unten fallen. Sie erreichen den Erdboden entweder als →Hagel oder, wenn sie in den unteren, wärmeren Luftschichten auftauen, als dicke Tropfen. Eine Gewitterwolke enthält im Durchschnitt 100 000 Tonnen Wasser (diese Menge würde 2 000 große Güterwagen füllen).

Nach ihrer Entstehung unterscheidet man Wärmegewitter und Frontgewitter. **Wärmegewitter** entstehen infolge Überhitzung des Bodens und der unteren Luftschichten. Sie sind in tropischen und subtropischen Ländern weit häufiger als in Mitteleuropa, wo vor allem **Frontgewitter** auftreten. Diese entstehen durch das Einströmen kälterer Luftmassen entlang einer Kaltfront. Dabei werden entweder die oberen Luftschichten abgekühlt oder die unteren angehoben; beides hat eine starke Durchmischung der Luft mit Bildung von kräftigen Aufwinden zur Folge.

Gewölle, Nahrungsrückstände von Vögeln. Die unverdaulichen Teile (Knochen, Haare, Krallen, Zähne) der Beutetiere werden vom Magen dieser Vögel zu kleinen grauen Klumpen zusammengepresst, durch die Speiseröhre heraufgewürgt und ausgespien. Am bekanntesten sind die Gewölle der Eulen und Greifvögel.

Gewürzpflanzen, Pflanzen, die ihrer Geschmacksstoffe wegen manchen Speisen beigegeben werden. Sie enthalten Stoffe wie ätherische Öle oder scharf schmeckende Substanzen, die den Appetit anregen, die Verdauung fördern und zum Teil bakterienfeindlich wirken. Die meisten ausländischen Gewürze werden in der Sonne getrocknet und können längere Zeit gut verschlossen gelagert werden, ohne ihre Würzkraft zu verlieren. Viele einheimische Gewürzpflanzen, auch **Küchenkräuter** genannt, werden sowohl getrocknet als auch frisch verwendet.

Gewürze werden den Lebensmitteln in kleinen Mengen zugesetzt; sie können selten allein gegessen werden, da sie ein zu starkes Aroma haben. Von vielen einheimischen Gewürzpflanzen dienen die Blätter oder auch das ganze Kraut zum Würzen (z. B. Basilikum, Bohnenkraut, Borretsch, Dill, Estragon, Liebstöckel, Lorbeer, Majoran, Melisse, Petersilie, Rosmarin, Thymian, Schnittlauch), von anderen die Blüten und Knospen (Nelken, Kapern) oder Teile davon (Safran), ferner Rinde (Zimt), Wurzelstöcke (Ingwer, Sel-

Gewürzpflanzen:
1 Borretsch, 2 Dill,
3 Bohnenkraut,
4 Gewürznelke

lerie) oder Zwiebeln (Zwiebel, Knoblauch). Viele Gewürze sind Früchte und Samen der Pflanzen (Pfeffer, Senf, Kümmel, Anis, Vanille, Paprika, Koriander, Muskat, Cayennepfeffer, Wacholderbeeren). Eine bekannte indische Gewürzmischung ist Curry, ein meist gelblich braunes Pulver. Es besteht aus Gewürzen wie Ingwer, Pfeffer, Gewürznelken, Koriander, Zimt, Kümmel, Muskat, besonders aber aus Kurkuma, das aus dem Wurzelstock eines Ingwergewächses stammt und dem Curry sein gelbes Aussehen verleiht.

Die meisten Gewürze stammen aus dem tropischen Asien und waren in früheren Zeiten sehr teuer. Manche dieser Gewürze (Pfeffer, Zimt, Ingwer) erhielten schon die Römer aus Indien. Im späten Mittelalter lag der Gewürzhandel fast ausschließlich bei Arabern und Venezianern. Mit der Entdeckung des Seewegs nach Indien übernahmen die Portugiesen das Monopol, nach der Eroberung (1607) der Molukken, der ›Gewürzinseln‹, die Niederländer, später auch die Briten.

Geysir [gaisir], heiße Springquelle in vulkanischen Gebieten der Erde. An der Erdoberfläche stellen sie flache Wasserbecken dar, die durch lange Schlote mit dem Grundwasser in Verbindung stehen. Dieses wird durch heißes Magma tief im Erdinneren erhitzt und beginnt aufzusteigen. In geringeren Tiefen stößt der heiße Wasserdampf auf ein Grundwasserbecken, das durch die darüber liegenden Erdschichten unter hohem Druck steht und dessen Wasser daher meist am Sieden gehindert wird. Beginnt allerdings ein kleiner Teil trotz des hohen Drucks zu sieden, drängt der Dampf nach oben und reißt einen Teil des Grundwassers mit sich. Das bringt eine Druckminderung, durch die der größte Teil des überhitzten Wassers im Grundwasserbecken in einer Eruption als Wasserfontäne aus dem Boden schießt. Sobald der Ausbruch nachgelassen hat, füllt sich der Schlot wieder mit abgekühltem Grundwasser; der Ausbruchkreislauf beginnt erneut.

Der bekannteste Geysir, der ›Old Faithful‹ im Yellowstone-Nationalpark der USA, schießt 2–5 Minuten lang eine 40 m hohe Fontäne empor; nach einer Pause von etwa 70 Minuten steht ein neuer Ausbruch bevor.

Gezeiten, regelmäßige Schwankungen des Meeresspiegels. Das Steigen des Wassers von niedrigsten zum höchsten Wasserstand heißt **Flut,** das Fallen **Ebbe.** Der Höhenunterschied zwischen Hoch- und Niedrigwasser wird als **Tidenhub** bezeichnet.

Gezeiten werden erzeugt durch Anziehungskräfte vor allem zwischen Erde und Mond und

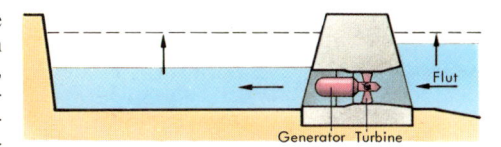

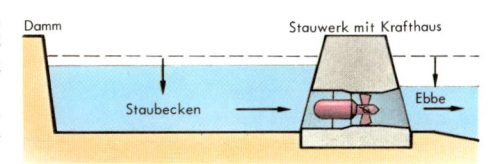

Gezeiten: Funktionsweise eines Gezeitenkraftwerks; OBEN Auffüllen des Beckens bei Flut; UNTEN Ausströmen des Wassers bei Ebbe

durch Fliehkräfte, die bei der Bewegung der Erde um die Sonne entstehen. Diese Kräfte bewegen auf der Erde sowohl auf der dem Mond zugewandten Seite als auch auf der Gegenseite die Wassermassen nach ›oben‹, vom Mittelpunkt der Erde weg; durch die Erddrehung wandern diese Flutberge täglich mit dem Mond einmal um die Erde, sodass etwa 12–13 Stunden zwischen dem Eintreffen der Flut an einem Ort vergehen (BILD Seite 374).

Der Tidenhub ist in den einzelnen Meeren und Meeresteilen sehr unterschiedlich. In der Ostsee beträgt er nur wenige Zentimeter, an der deutschen Nordseeküste bis zu 4 m. Im Ärmelkanal (Bucht von Saint Malo) erreicht er bis zu 11,5 m. Die Kraft des Gezeitenstroms wird in **Gezeitenkraftwerken** zur Energieerzeugung genutzt.

ggT, Mathematik: Abkürzung für **g**rößter **g**emeinsamer **T**eiler (→Teiler).

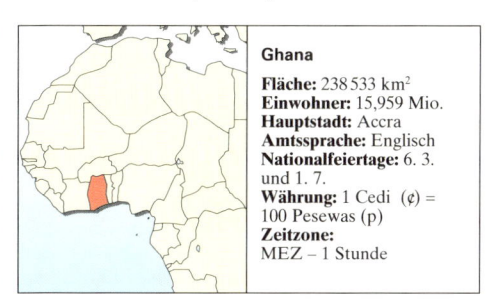

Ghana
Fläche: 238 533 km²
Einwohner: 15,959 Mio.
Hauptstadt: Accra
Amtssprache: Englisch
Nationalfeiertage: 6. 3. und 1. 7.
Währung: 1 Cedi (¢) = 100 Pesewas (p)
Zeitzone: MEZ – 1 Stunde

Ghana 
Staatswappen

Staatsflagge

Ghana, Staat in Westafrika am Golf von Guinea. Das Land ist etwas kleiner als Großbritannien und Nordirland. Es grenzt im Westen an Elfenbeinküste, im Norden an Burkina Faso und im Osten an Togo. Die größte landschaftliche Einheit in Ghana ist das Voltabecken, nach Süden,

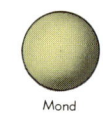

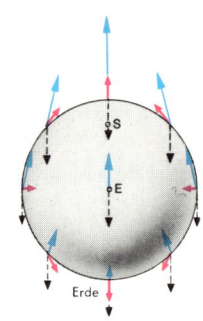

GHz

Osten und Norden umgeben von Hügelketten. Der Küste entlang zieht sich eine nach Westen breiter werdende Ebene. Der Süden des Landes hat feuchtheißes Klima mit 2 Regenzeiten; der Norden ist trockener mit nur einer Regenzeit. Größter Fluss ist der 1 600 km lange Volta, der im Unterlauf zu einem der größten Stauseen der Erde aufgestaut ist.

Über die Hälfte der Ghanaer sind Christen; fast 1/4 hängt Naturreligionen an, ein kleiner Teil (15%) bekennt sich zum Islam.

Ghana ist der größte Kakaoerzeuger der Erde. Das Land ist reich an Bodenschätzen wie Gold, Diamanten, Eisenerz. Das Holz der ghanaischen Wälder ist ebenfalls ein wichtiges Ausfuhrgut.

Ghana entstand 1957 aus den ehemals britischen Besitzungen Goldküste und West-Togo. 1960 wurde die Republik ausgerufen. Nach einem Militärputsch 1966 stand das Land in der Folgezeit meist unter der Herrschaft von Militärregierungen. (KARTE Band 2, Seite 194)

GHz, Einheitenzeichen für **G**iga**h**ertz (→Giga, →Hertz).

Gibbons, Langarmaffen sind mit den →Menschenaffen eng verwandt. Sie leben in Wäldern Südostasiens und ernähren sich von Blättern, Früchten, Vogeleiern und jungen Vögeln. Die schlanken Gibbons schwingen sich mit ihren sehr langen Armen so geschickt von Ast zu Ast, dass es aussieht, als flögen sie. Sie schnellen bis zu 10 m weit durch die Luft. Am Boden gehen sie für kurze Zeit aufrecht, wobei sie mit den Armen balancieren. Auffallend ist ihr lautes, heulendes Geschrei. (BILD Affen)

Gibraltar, 5,8 km² große Halbinsel an der Südspitze der Iberischen Halbinsel. Das seit 1704 zu Großbritannien gehörende Gebiet ist eine Kronkolonie mit beschränkter Selbstverwaltung. Spanien erhebt Anspruch auf Gibraltar. Ein 400 m hoher Fels – die einzige Stelle Europas, an der Affen frei leben – beherrscht die Halbinsel. Da man von Gibraltar aus den gesamten Schiffsverkehr zwischen Mittelmeer und Atlantischem Ozean kontrollieren kann, wurde die Halbinsel zu einer starken Seefestung ausgebaut. Die Stadt Gibraltar liegt auf der Westseite der Halbinsel und hat etwa 28 000 Einwohner meist spanischer oder italienischer Herkunft. Den regen Fremdenverkehr nutzen viele afrikanische Händler, die von Tanger nach Gibraltar kommen. Die **Straße von Gibraltar** ist 60 km lang und 14–44 km breit; die geringste Tiefe beträgt 286 m. Sie ist von alters her die Nahtstelle zwischen Afrika und Europa.

Gift, in der Natur vorkommender oder künstlich hergestellter Stoff, der nach dem Einatmen, Schlucken oder der Aufnahme durch die Haut im menschlichen und tierischen Organismus gesundheitliche Schäden (→Vergiftung) hervorruft. Allgemein gilt, dass jede Substanz zum Gift wird, wenn sie dem Körper in zu großen Mengen zugeführt wird (z. B. Kochsalz). In geringer Konzentration werden die Wirkstoffe bestimmter **Giftpflanzen** (Seidelbast, Wasserschierling, Einbeere) auch als Arzneimittel verwendet. Gifte im engeren Sinn entfalten ihre schädigende Wirkung schon bei relativ kleinen Mengen. Man kann unterscheiden zwischen **pflanzlichen** (z. B. Pilzgifte), **tierischen** (z. B. Schlangengifte) und **chemischen** (z. B. Arsen, Blausäure) **Giften.** Die Wirkung von Giften ist sehr unterschiedlich: Sie können einzelne Organe in ihrer Funktion für eine gewisse Zeit stören, zu bleibenden Gesundheitsschäden oder gar zum Tod führen. Die Giftwirkung ist unter anderem abhängig von der aufgenommenen Giftmenge (Dosis) und von der unterschiedlichen **Giftfestigkeit** des Organismus. Darunter versteht man die Unempfindlichkeit gegenüber Giften, die auf eine vererbte Immunität oder auf Gewöhnung und Anpassung an eine wiederholte, steigende Dosis zurückzuführen ist, z. B. beim Alkohol. Gifte können in Stoffwechselprozesse eingreifen (Blausäure), am Zentralnervensystem angreifen (Strychnin), sie können die Blutbildung hemmen (Benzol) oder auch durch Verätzung Gewebe zerstören (Natronlauge, Salzsäure). Einige Gifte (z. B. bestimmte Schlangengifte) können durch die Gabe von Gegengiften unwirksam gemacht werden. (BILDER Seite 376).

Giftschlangen, die giftigen →Schlangen.

Giga, Vorsatzzeichen **G,** ein Vorsatz vor →Einheiten für den Faktor 10^9 (Milliarde); z. B.: 1 Gigahertz = 1 GHz = 10^9 Hz (Hertz).

Gilde, andere Bezeichnung für →Zunft.

Gimpel, →Finkenvögel, die wegen ihrer schwarzen Kopfkappe und ihres rundlichen Körpers auch **Dompfaff** genannt werden. Das Männchen ist an seinem leuchtend roten Bauch zu erkennen. Gimpel nisten meist in niedrigem Gezweig junger Fichten, auch in dichten Hecken und Sträuchern in Wäldern, Gärten und Parks. Mit ihrem starken, schwarzen Schnabel fressen sie neben Samen und Beeren auch Knospen von Obstbäumen. Wegen ihres schönen Gesangs werden Gimpel häufig im Käfig gehalten.

Ginkgo, Ginko, ursprünglich in Ostasien heimischer, 30–40 m hoher Parkbaum; er ist mit den

Mond

Fliehkraft

Anziehungskraft des Mondes

Gezeiten erzeugende Kraft

S = gemeinsamer Schwerpunkt Erde-Mond

E = Schwerpunkt der Erde

Gezeiten

Ginster: Besenginster

Wörter, die man unter G vermisst, suche man unter Dj, J oder K

Nadelhölzern verwandt. Vor Millionen von Jahren waren Ginkgogewächse weit verbreitet, heute ist der Ginkgobaum der einzige Vertreter dieser Pflanzen. Die fächerförmigen, einmal gespaltenen Blätter werden im Herbst abgeworfen. Die kirschenförmigen Früchte sind essbar.

Ginseng, älteste Heilpflanze Ostasiens. Sie wuchs wild in den Urwäldern von Korea und der Mandschurei und wird heute z. B. in China, Japan und Korea angepflanzt. Die dicke, rübenförmige Wurzel hat häufig eine gewisse Ähnlichkeit mit der Gestalt eines Menschen. Dem aus ihr gewonnenen Heilmittel wird unter anderem lebensverlängernde Wirkung zugeschrieben.

Ginster, strauchartig wachsende Pflanzen, vor allem an Waldrändern und auf Böschungen mit sandigen Böden. Die kleinen Blätter fallen bereits im Hochsommer von den grünen Stängeln ab. Die meist leuchtend gelben Blüten blühen von Mai bis Juli. In den schwärzlichen, behaarten Hülsen entwickeln sich erbsenähnliche Samen, die beim Aufspringen der Frucht weit weggeschleudert werden.

Giotto [dschotto]. Der italienische Maler und Baumeister **Giotto di Bondone** (*wahrscheinlich 1266, †1337) schuf vor allem Fresken. Er überwand die flache, unräumliche Darstellungsweise der älteren Malerei des Mittelalters durch die neue Wirklichkeitsnähe seiner Kunst. Er malte lebensechte Gestalten mit plastischer Körperlichkeit in einem klar überschaubaren, in der Tiefe begrenzten Bildraum. Die erzählende Darstellung, in der die Menschen besonders hervortreten, wird durch Landschaft und Architektur ergänzt. Die älteren Maler hatten dagegen als Hintergrund meist einen Goldgrund gesetzt, der das Geschehen im Vordergrund aus dem realen Zusammenhang löste und ihm so Erhabenheit verlieh. Ein Hauptwerk Giottos sind die Fresken in der Arenakapelle in Padua (um 1305), auf denen vor allem Szenen aus dem Leben der Maria und dem Leben Christi dargestellt sind. 1334 wurde Giotto Dombaumeister in Florenz.

Gips, die Verbindung Calciumsulfat, die in Wasser so gut wie unlöslich ist. Gips enthält aber noch geringe Restmengen an Wasser, das er beim Erhitzen auf über 100 °C teilweise verliert. Fügt man zu gebranntem Gips unter Rühren wenig Wasser hinzu, so erstarrt er in wenigen Minuten zu einer festen Masse, weswegen er als Baustoff und Formmasse seit dem Altertum verwendet wird. Auch die in Schulen benutzte Tafelkreide besteht aus Gips. Die größten Gipsvorkommen sind aus eingedampftem Meerwasser entstanden.

Giraffen:
LINKS Giraffe, Langhals- oder Steppengiraffe, RECHTS Okapi, Kurzhals- oder Waldgiraffe

Giraffen, 5–6 m hohe Säugetiere, die in kleineren Herden die Busch- und Baumsteppen Afrikas südlich der Sahara bewohnen. Der überlange Hals misst 2–3 m, hat aber wie der Hals aller Säugetiere nur 7, jedoch stark verlängerte Halswirbel. Auf dem Kopf haben diese Huftiere fellbedeckte Knochenzapfen. Ihr Fell ist netz- oder sternförmig gemustert. Mit ihrer Greifzunge pflücken sie Blätter und Zweige von Bäumen. Sie wiederkäuen im Stehen und schlafen oft auch so. Um Wasser am Boden zu trinken, spreizen sie die besonders langen Vorderbeine auseinander, da ihr Hals recht unbeweglich ist. Giraffen können sehr schnell laufen und wehren sich mit ihren Hufen auch gegen Löwen. Im Allgemeinen werden sie 6–8 Jahre alt, in Gefangenschaft auch über 20 Jahre. Mit ihnen verwandt ist das etwa zebragroße, sehr scheue **Okapi,** auch **Kurzhals-** oder **Waldgiraffe,** das einzeln oder paarweise in den dichten Regenwäldern des Kongogebiets lebt; es wurde erst 1901 aufgespürt. Das rotbraune, samtartige Fell ist an Beinen und Schenkeln schwarzweiß gestreift. Das Weibchen trägt keine Stirnzapfen. Giraffen sind häufig, Okapis seltener im Zoo zu finden.

Girlitz. Der unauffällig gelbgrüne Girlitz, ein in den Ländern um das Mittelmeer heimischer kleiner →Finkenvogel, ist auch in Deutschland häufig. Er ist dem →Zeisig ähnlich, klettert aber nicht in den Zweigen. Mit seinem kurzen Schnabel sucht er nach Samen. Das Männchen fällt durch seinen klirrenden Gesang auf. Der Girlitz ist die Stammform des →Kanarienvogels.

Gimpel

Ginkgo: Zweig und Frucht eines Ginkgobaums

Wörter, die man unter G vermisst, suche man unter Dj, J oder K

Giro

Girokonto [schirokonto], →Konto.

Gironde [schiroঁd], Mündungstrichter der mit der Dordogne vereinigten Garonne im Südwesten Frankreichs. Der Trichter ist etwa 75 km lang und am Übergang in den Atlantischen Ozean 10 km breit.

Giseh, Gizeh, 1,25 Millionen Einwohner, Stadt in Ägypten, liegt am westlichen Nilufer gegenüber Alt-Kairo. Bei Giseh liegen die →Pyramiden, die zur Zeit der 4. Dynastie (um 2590 bis 2470 v. Chr.) von den Pharaonen Cheops, Chephren und Mykerinos errichtet wurden und zu den →sieben Weltwundern zählen, sowie die älteste erhaltene ägyptische Sphinx.

Gitarre, Zupfinstrument, das ursprünglich in Spanien beheimatet war. Ihr hölzerner Korpus ist an den Seiten nach innen geschweift, Decke und Boden sind flach, die Decke enthält ein rundes Schallloch. Meist hat sie 6 Saiten, die in E, A, d, g, h, e gestimmt sind. Quer über das Griffbrett laufen 12–22 Bünde, die die Halbtöne markieren.

Die Gitarre ist in der deutschen Volksmusik unter dem Namen **Klampfe** verbreitet. In Tanzmusik, Jazz und Rockmusik wird die Gitarre als **Schlaggitarre** (als Rhythmusinstrument) verwendet: Akkorde werden mit der Hand oder einem Plektron angerissen. Dazu wird meist nicht die traditionelle ›akustische‹ Gitarre, sondern die **Elektrogitarre** verwendet, bei der die Schwingungen der Saiten elektroakustisch verstärkt und über Lautsprecher hörbar gemacht werden. Der Resonanzkörper ist dadurch überflüssig und durch ein Brett, oft in Gitarrenform, ersetzt.

Gladiatoren [zu lateinisch gladius ›Schwert‹], im alten Rom Kämpfer, die auf Leben und Tod im Amphitheater zur Unterhaltung des Volkes gegeneinander oder gegen Tiere kämpften. Meist waren es Sklaven und verurteilte Verbrecher, die in Gladiatorenschulen für solche Kämpfe ausgebildet wurden. Besiegte, schwer verletzte Gladiatoren konnte das Volk durch Zuruf retten; im anderen Fall musste der Sieger den Besiegten töten. Überstand ein Gladiator mehrere Kämpfe, so wurde er zum Helden, konnte viel Geld verdienen und sich sogar aus der Sklaverei befreien.

Glarus, seit 1450 ein Kanton der deutschsprachigen Schweiz. Der Kanton erstreckt sich von den Glarner Alpen im Süden, die hier im Tödi 3 614 m erreichen, bis zum Walensee im Norden. Durchflossen wird er von der Linth, wie die Limmat, ein Nebenfluss der →Aare, hier heißt. Hauptort des Kantons ist Glarus; hier gibt es Textil-, Maschinen- und Möbelindustrie.

Stadt
Einwohner: 6 100
Kanton
Fläche: 648 km²
Einwohner: 37 000

Glas. Schon den Ägyptern vor etwa 3 500 Jahren war Glas bekannt. Um Christi Geburt verbreitete sich die Glasmacherkunst über die Mittelmeerländer, wo sie besonders in Venedig zu hoher Blüte kam. Venedigs Glasgewerbe belieferte bis ins 16. Jahrh. Europa mit Gläsern der verschiedensten Art. In Böhmen und Bayern standen die ersten deutschen Glashütten. Gläser für technische und optische Zwecke konnten erst im 19. Jahrh. hergestellt werden, nachdem die Brüder Siemens eine besonders günstige Feuerung ausgearbeitet hatten. So ist Glas heute ein unentbehrlicher Werkstoff, ohne den viele technische Erfindungen, z. B. Glühlampe, Leuchtröhre, Thermometer, nicht denkbar wären.

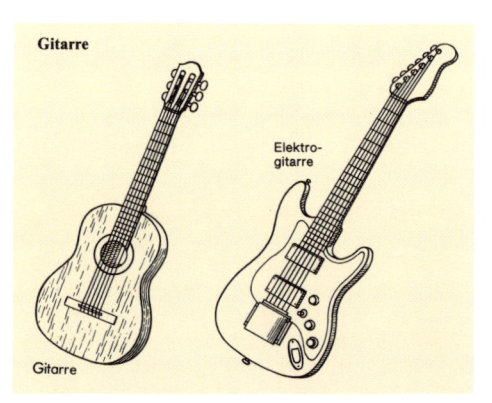

Glas ist ein in sich vollständig homogener (einheitlicher) Stoff, dessen verschiedene Bestandteile durch Zusammenschmelzen innig miteinander vermischt wurden; sie sind ineinander gelöst und danach fest geworden. Einfaches Glas, z. B. Fensterglas, besteht aus Quarzsand, Natriumkarbonat und Calciumkarbonat.

Man kann Glas als feste Lösung bezeichnen, die eine hohe Durchsichtigkeit, geringe Leitfähigkeit für Wärme und elektrischen Strom sowie große Widerstandsfähigkeit gegen Luft, Wasser und die meisten anderen Flüssigkeiten besitzt. Seine Wärmeleitfähigkeit beispielsweise beträgt nur 1/100 von der des Eisens.

Unzerbrechliches Glas gibt es nicht, jedoch lässt sich die Splitterwirkung dadurch herabsetzen, dass man sogenanntes **Verbundglas** herstellt. Besonders wichtig ist dies für die Sicherheit bei Autofrontscheiben. Hier sind 2 dünne Glas-

Gift: Giftpflanzen:
1 Seidelbast,
a blühend,
b fruchttragend;
2 Wasserschierling mit Wurzelstock;
3 Einbeere

Glat

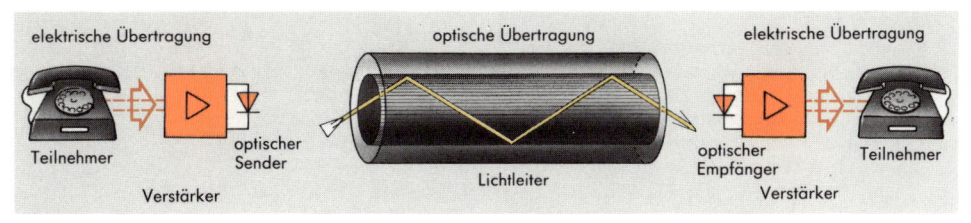

Glasfaserkabel

schichten auf einer elastischen Zwischenschicht aus Kunststoff miteinander verbunden.

Glasfaserkabel, aus einem Bündel von Glasfasern (Lichtwellenleiter, Lichtleiter) aufgebautes Kabel zur optischen Übertragung von Nachrichten und Daten. Die einzelne Glasfaser besteht aus einem Kern und einem Mantel, die unterschiedliche optische Eigenschaften besitzen. Ein Lichtstrahl, der an der einen Stirnfläche der Glasfaser in den Kern eintritt, wird durch die Faser geleitet. Der Lichtstrahl kann zwischendurch nicht nach außen dringen, da er an der Grenzfläche zum Mantel so gebrochen wird, dass er immer im Kern bleibt. Er tritt, unabhängig davon, wie das Kabel gebogen wird, am Ende der Faser wieder aus. Glasfaserkabel sind sehr leistungsfähig; es lassen sich gleichzeitig viele Telefongespräche, Fernsehprogramme, Computerdaten und anderes übertragen.

Glasgow [glasgou], 689 000 Einwohner, Stadt in Schottland. Sie liegt in der Strathclyde Region zu beiden Seiten des Clyde und ist die größte schottische Hafen-, Handels- und Industriestadt. Glasgow hat 2 Universitäten und eine bedeutende Gemäldesammlung.

Glasmalerei, künstlerische Gestaltung von Glasflächen. Glasgemälde sind entweder farbige oder weiße Fensterverglasungen mit figürlichen und abstrakten Kompositionen oder kleinere, nicht unbedingt für ein Fenster bestimmte Bildscheiben. Die Glasfenster der mittelalterlichen Kirchen wurden aus verschiedenfarbigen Glasstücken mosaikartig zusammengesetzt. Diese wurden nach einer Vorzeichnung (Riss) in die richtige Form geschnitten und bemalt. Als Malfarbe diente eine bräunlich schwarze Farbe aus pulverisiertem Bleiglas und einem Metalloxid, das **Schwarzlot,** mit dem z. B. Umrisse gezogen und Flächen schattiert wurden. Anschließend wurde die Farbe im Ofen bei etwa 600 °C auf die Glasstücke aufgeschmolzen, die man dann nach dem Abkühlen mit Bleistegen einfasste und miteinander verband. Das so entstandene Bleinetz bildet ein Linienmuster, erfüllt also neben der technischen eine künstlerische Aufgabe. Um 1300 kamen als Malfarben Silbergelb und Eisenrot hinzu, seit dem 16. Jahrh. Emailfarben, im 19. Jahrh. eine ganze Palette von Farben. Durch sie wurde farbiges Malen auf Glas möglich, sodass sich das Bleinetz zunehmend erübrigte.

Geschichte. Schon die Römer kannten Fensterglas. Das Bildfenster aus Blei und Glas aber ist eine Erfindung des Mittelalters; ein frühes Beispiel sind die 5 Prophetenfenster des Augsburger Doms (um 1100). Die große Zeit der Glasmalerei begann im 13. Jahrh., als die gotischen Kirchenwände immer mehr in Fenster ›aufgelöst‹ wurden. Häufig dargestellt wurden Christus und seine Vorfahren (Wurzel Jesse), Heiligenlegenden, einzelne Heilige, vor allem Maria. Bedeutende Beispiele sind die Fenster der Kathedralen von Chartres (BILD Seite 177) und Reims sowie das Straßburger Münster. Ein Mittelpunkt der Glasmalerei im 15. Jahrh. war Straßburg mit der Werkstatt von Peter Hemmel. In der Renaissance entstanden neben monumentalen Glasfenstern vor allem in der Schweiz kleine, meist runde Glasbilder für Amts- und Bürgerstuben (**Schweizerscheiben**). Danach setzte erst im 19. Jahrh. wieder eine Neubelebung der Glasmalerei ein, eine künstlerische Erneuerung erst im 20. Jahrh. (z. B. Marc Chagall). (Weiteres BILD Seite 378)

Glasnost [russisch ›Öffentlichkeit‹], Schlagwort, mit dem der sowjetische Parteichef Michail Gorbatschow in den 1980er-Jahren sein Bemühen um mehr Offenheit im öffentlichen Leben der Sowjetunion bezeichnete, z. B. ungehinderte Berichterstattung in den Medien, öffentliche Diskussion über die Missstände in Staat und Gesellschaft. (→Perestroika)

Glatze, vorübergehende oder bleibende Kahlheit, die vorwiegend bei Männern auftritt infolge von starkem Haarausfall, der mit dem Alter zunimmt. Als Ursachen für eine Glatzenbildung kommen z. B. Erbanlagen, Hormone, Arzneimittel oder Krankheiten infrage.

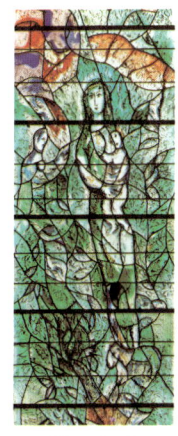

Glasmalerei:
Marc Chagall,
›Maria mit dem Kind im Baum Jesse‹;
1970/78 (Zürich, Fraumünster)

Glarus
Kantonswappen

Wörter, die man unter G vermisst, suche man unter Dj, J oder K

Glau

Glaube, im alltäglichen Sprachgebrauch die innere Überzeugung eines Menschen, der etwas für wahr hält, ohne es genauer zu wissen. So **glaubte** man beispielsweise in der Antike, dass die Erde eine flache Scheibe sei, während man seit der Neuzeit **weiß,** dass sie die Form einer Kugel hat. Im christlichen Sinn bedeutet der Glaube aber mehr als das persönliche Fürwahrhalten von etwas. Der christliche Mensch glaubt z. B. an die Gnade Gottes, an ein Weiterleben nach dem Tod und an die Vergebung der Sünden.

Gleichgewicht, ursprünglich der Zustand der mit gleichen Gewichten belasteten gleicharmigen Waage, im übertragenen Sinn, z. B. in der Mechanik, der Zustand eines Körpers, bei dem sich die Wirkungen aller angreifenden Kräfte gegenseitig aufheben. Das Gleichgewicht heißt **stabil,** wenn sich der Körper, z. B. eine Kugel, in einer nach oben gewölbten Schale (oberes BILD), nach einer geringen Verschiebung aus der Gleichgewichtslage von selbst zurückbewegt; es heißt **labil,** wenn der Körper sich weiter davon entfernt (mittleres BILD). Ist der Körper auch in der neuen Lage im Gleichgewicht (unteres BILD), so wird es **indifferent** genannt.

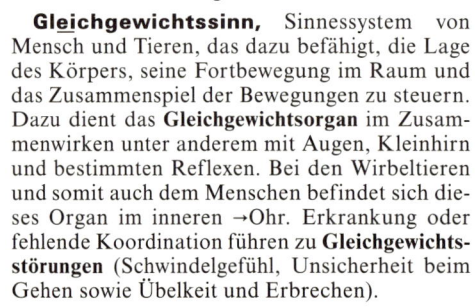

Gleichgewichtssinn, Sinnessystem von Mensch und Tieren, das dazu befähigt, die Lage des Körpers, seine Fortbewegung im Raum und das Zusammenspiel der Bewegungen zu steuern. Dazu dient das **Gleichgewichtsorgan** im Zusammenwirken mit anderem mit Augen, Kleinhirn und bestimmten Reflexen. Bei den Wirbeltieren und somit auch dem Menschen befindet sich dieses Organ im inneren →Ohr. Erkrankung oder fehlende Koordination führen zu **Gleichgewichtsstörungen** (Schwindelgefühl, Unsicherheit beim Gehen sowie Übelkeit und Erbrechen).

Gleichrichter, Bauelement, Schaltung oder Gerät zur Umwandlung (Gleichrichtung) von Wechselstrom in Gleichstrom. Man erhält dabei zunächst nur pulsierenden Gleichstrom; das bedeutet, dass der Strom immer in eine Richtung fließt, dabei jedoch seine Stärke ständig ändert. Für die meisten technischen Anwendungen muss der Strom noch geglättet werden. Dies geschieht durch einen Ladekondensator und einen nachgeschalteten Tiefpass (elektrischer Filter). Die Gleichrichtung erfolgt durch elektronische Bauelemente (→Dioden oder Thyristoren; früher Elektronenröhren), die aufgrund ihrer ›Ventilwirkung‹ den Strom in einer Richtung durchlassen, in der anderen hingegen sperren.

Nach der Art, wie die Bauelemente zusammengeschaltet sind, unterscheidet man zwischen **Einweggleichrichtern,** die nur eine der beiden Halbschwingungen beim Wechselstrom ausnutzen, und **Zweiweggleichrichtern,** bei der beide Halbschwingungen verarbeitet werden. Solche Schaltungen befinden sich in allen elektronischen Geräten, die an das Stromversorgungsnetz angeschlossen sind, z. B. Fernseh- und Rundfunkgeräte, Verstärker. Einzelne Geräte zum Gleichrichten (Netzgeräte) gibt es z. B. zum Aufladen einer Autobatterie.

Gleichspannung, elektrische Spannung, die einen stets in die gleiche Richtung fließenden elektrischen →Gleichstrom verursacht; Gegensatz: Wechselspannung.

Gleichstrom, elektrischer Strom, der wie ein Fluss von der Quelle zum Meer stets in die gleiche Richtung fließt. So wie der Fluss seinen Wasserstand mit der Zeit z. B. durch Regenfälle ändert, kann auch der Gleichstrom seine Stärke mit der Zeit ändern. Man erzeugt einen Gleichstrom meist mit einer Batterie, die an ihrem Minuspol stets einen Elektronenüberschuss, an ihrem Pluspol immer einen Elektronenmangel aufweist, oder durch Gleichrichtung von Wechselstrom. Die →Spannung, die zwischen Plus- und Minuspol einer solchen Spannungsquelle herrscht und als **Gleichspannung** bezeichnet wird, ist die Ursache dafür, dass durch ein angeschlossenes Elektrogerät ein Gleichstrom fließt. Dabei werden die →Elektronen immer in gleicher Richtung, also vom Minuspol der Stromquelle über das Gerät zum Pluspol, transportiert.

Gleichung, Mathematik: Ausdruck für eine Gleichheitsbeziehung.

> Aufgabe: Der Flächeninhalt eines Rechtecks beträgt 20 cm². Die eine Seitenlänge beträgt 5 cm. Wie lang ist die andere Seitenlänge?
> Lösung: Die gesuchte Seitenlänge sei x. Dann ergibt sich mit der Formel $A = a \cdot b$ für den Flächeninhalt eines Rechtecks: 20 cm² = 5 cm · x. Also: $x = 4$ cm.

Der Ausdruck 20 cm² = 5 cm · x heißt Gleichung. Eine Gleichung entsteht, indem man links und rechts von einem Gleichheitszeichen einen Term hinschreibt.

Kommen in der Gleichung keine Variablen vor, so ist die Gleichung eine →Aussage; enthält sie Variable, so ist sie eine Aussageform.

> Beispiele:
> 1) 7 · 12 = 84 (Diese Gleichung ohne Variable ist eine Aussage.)
> 2) $x + 2 = 8$ (Diese Gleichung mit einer Variablen ist eine Aussageform.)

Die Menge, deren Elemente anstelle der Variablen in eine Gleichung eingesetzt werden sollen, heißt **Grundmenge** (G). Die Menge aller Elemente der Grundmenge, die beim Einsetzen in die Gleichung eine wahre Aussage ergeben, heißt **Lösungs-** oder **Erfüllungsmenge** (*L*). Das Bestimmen der Lösungsmenge einer Gleichung nennt man das **Lösen** der Gleichung.

> Aufgabe: Bestimme die Lösungsmengen der folgenden Gleichungen:
> 1) $9 + x^2 = 18$, $G = \mathbb{N}$
> 2) $9 + x^2 = 18$, $G = \mathbb{Z}$
> Lösung: 1) $L = \{3\}$, 2) $L = \{-3; 3\}$.

Wir sehen, dass die Lösungsmenge einer Gleichung von der Grundmenge abhängt. Deshalb ist die Angabe der Grundmenge einer Gleichung unerlässlich.

> Aufgabe: Bestimme die Lösungsmengen der folgenden Gleichungen:
> 1) $x + 2 = 2 + x$, $G = \mathbb{Q}$
> 2) $x^2 + 1 = 0$, $G = \mathbb{Q}$
> 3) $x^2 - 4 = 0$, $G = \mathbb{Q}$
> Lösung: 1) $L = \mathbb{Q}$. 2) $L = \{\}$. 3) $L = \{-2; 2\}$.

Wir unterscheiden je nach der Lösungsmenge drei Typen von Gleichungen:
1) Sind alle Elemente der Grundmenge Lösungen, so heißt die Gleichung **allgemeingültig**.
2) Ist kein Element der Grundmenge Lösung, so heißt die Gleichung **unlösbar** oder **nicht erfüllbar**.
3) Sind einige Elemente der Grundmenge Lösungen, so heißt die Gleichung **lösbar** oder **erfüllbar** oder **teilgültig**.

Häufig begegnet man folgenden Typen von Gleichungen:
1) **lineare Gleichungen**, z. B. $3 \cdot (4x - 1) = 21$. Die Variable hat die Hochzahl 1.
2) **quadratische Gleichungen**, z. B. $x^2 - x - 6 = 0$. Die Variable x kommt mit der Hochzahl 2 vor.
3) **Wurzelgleichungen**, z. B. $\sqrt{x+2} - \sqrt{x} = 1$. Die Variable x kommt unter der Wurzel vor.
4) **Bruchgleichungen**, z. B. $\frac{1}{x-1} - \frac{1}{1-x} = 0$. Die Variable x kommt im Nenner vor.
5) **Exponentialgleichungen**, z. B. $2^{x-1} = 8$. Die Variable x kommt in der Hochzahl vor.

Bei der Lösung linearer Gleichungen versucht man die Gleichungen so umzuformen, dass sie die Form $x = $ Zahl erhalten. Dazu benutzt man Term- oder Äquivalenzumformungen (→Term, →Äquivalenzumformung).

Bei quadratischen Gleichungen benutzt man die Formel

$$x^2 + px + q = 0 \Rightarrow x_{1,2} = -\frac{p}{2} \pm \sqrt{\left(\frac{p}{2}\right)^2 - q}.$$

Wurzelgleichungen werden quadriert, Bruchgleichungen werden auf einen gemeinsamen Nenner gebracht und Exponentialgleichungen werden logarithmiert. Danach werden diese Gleichungen durch Term- und Äquivalenzumformungen auf die Form $x = $ Zahl gebracht. Neben den obigen Gleichungen treten auch häufig **Funktionsgleichungen** auf. Sie enthalten 2 oder mehrere Variable, die durch die Gleichung einander zugeordnet sind. In der Gleichung $y = 0,5 \cdot x + 5$ gehört z. B. zu jedem x-Wert genau ein y-Wert (→Funktion).

Gletscher, Eisstrom oder Eisfeld in Polargebieten oder im Hochgebirge. Oberhalb der Schneegrenze, wo während des ganzen Jahres mehr Schnee fällt als abschmilzt, liegen die ›Nährgebiete‹ der Gletscher. Hier sammelt sich in Mulden Schnee, aus dem sich durch wiederholtes Auftauen und Gefrieren schließlich Firn bildet. Unter dem Druck der von oben ständig erneuerten Schneemassen werden die unteren Firnschichten zu Eis. Aus 5–8 m Neuschnee entsteht ungefähr 1 m Firn, der zu 5–10 cm Eis zusammengedrückt wird. Die 800 m dicke Eisschicht des größten Alpengletschers (Aletschgletscher) wurde also aus Neuschnee von mehr als 60 km Höhe gebildet.

Das Eis fließt, durch sein eigenes Gewicht geschoben, langsam talwärts, bei den Alpengletschern zwischen 40 und 200 m jährlich. Bei der Bewegung des Eises bilden sich bis 40 m tiefe **Gletscherspalten.** Die Gletscher schmelzen oft erst weit unterhalb der Schneegrenze, im ›Zehrgebiet‹. Dem unteren Ende des Gletschers **(Gletscherzunge)** entströmt, meist aus einer torähnlichen Öffnung **(Gletschertor)**, das Schmelzwasser. Beim Abschmelzen hinterlassen die Glet-

Gletscher: Aletschgletscher

Glie

scher vor und unter der Gletscherzunge oft mächtige Ablagerungen von Lehm, Sand und Gesteinsschutt **(Moränen)**, die sie auf ihrem Weg ins Tal mitgeführt haben.

Man unterscheidet 2 Hauptarten der Vergletscherung: Das **Inlandeis** stellt eine Vereisung ganzer Länder oder Kontinente dar. Solche Eisflächen bedeckten während der Eiszeit ganz Nordeuropa bis nach Norddeutschland und sind heute in Grönland und in der Antarktis anzutreffen. **Gebirgsgletscher** liegen in Talzügen und Mulden, zwischen denen die Gebirgskämme und Gipfel aufragen.

Gliederfüßer, ein Stamm der →Wirbellosen mit rund 1 Million Arten. Ihre Beine bestehen aus einzelnen Gliedern, die durch Gelenke verbunden sind. Damit können sich diese meist recht klein gebliebenen Tiere schnell fortbewegen. 6 Beine haben die Insekten, 8 Beine die Spinnen, 10 oder noch mehr Beine die Krebse, einige Tausendfüßer über 100 Beine.

Der Körper der Gliederfüßer ist deutlich in mehrere Abschnitte gegliedert (›Gliedertiere‹). Oft sind mehrere der ringförmigen, hintereinander stehenden Glieder zu einem großen Abschnitt vereinigt, wie Kopf, Bruststück (beide auch zu einem Kopfbruststück verschmolzen wie bei Krebsen) und Hinterleib. Die Gliederung erfasst auch die Muskulatur, die Atmungs- und Kreislauforgane, die Ausscheidungsorgane und vor allem das Nervensystem, das ein strickleiterförmiges Bauchmark bildet. Alle Gliederfüßer tragen einen von der Haut abgeschiedenen Panzer, der den ganzen Körper bedeckt. Er stellt ein stützendes äußeres Skelett dar, an dessen Innenflächen die Muskeln ansetzen. Der sehr leichte Panzer schützt gegen Hitze, Austrocknung, Kälte, Nässe und vielfach auch vor Verletzungen und dem Gefressenwerden. Damit sich die Tiere trotzdem gut bewegen können, sind die harten Segmentplatten durch biegsame Gelenkhäute miteinander verbunden und gegeneinander verschiebbar. Da der Panzer aus totem Material (→Chitin) besteht, kann er nicht mitwachsen und wird vom Tier mehrmals abgeworfen. Der neue, zunächst noch weiche Panzer erhärtet sehr rasch an der Luft oder im Wasser.

Am Kopf der Gliederfüßer sitzen meist 1 oder 2 Paar Fühler (›Antennen‹), die Tast- und Geruchsorgane tragen, und Mundwerkzeuge zum Kauen, Lecken, Saugen und Stechen. Das Nervensystem ist hoch entwickelt. Im Wasser lebende Gliederfüßer atmen durch äußere →Kiemen (Krebse), Landtiere durch →Tracheen oder durch lungenartige Bildungen (einige Spinnen).

Das Blut zirkuliert in Blutgefäßen und in der Leibeshöhle (offener Blutkreislauf). Nur die Insekten können fliegen. Die Gliederfüßer sind fast alle getrenntgeschlechtig. Neben der geschlechtlichen Fortpflanzung ist auch →Jungfernzeugung häufig.

Glimmer [aus englisch to glimmer ›glänzen‹], gesteinsbildende Minerale. Es handelt sich um Mineralblättchen, die hell oder dunkel glänzen. Sie kommen in vielen Gesteinen vor, z. B. im Granit, im Gneis und im Glimmerschiefer. Verbreitet ist der magnesium- und eisenreiche dunkle Biotit, der verwittert auch als ›Katzengold‹ bekannt ist, sowie der helle Muskovit.

Globus [lateinisch ›Kugel‹], verkleinerte Nachbildung der Erde durch eine Kugel. Die Achse des drehbaren Globus ist meist wie die Erdachse geneigt. Eine Erdkarte, die durch Längen- und Breitenkreise unterteilt ist, überzieht ihn. Auf der Karte können z. B. die Oberflächenformen dargestellt sein, aber auch die Staaten der Erde, Klimazonen und anderes. Es gibt glatte Globen und Reliefgloben, auf denen die Erdoberfläche plastisch wiedergegeben ist. 1492 stellte Martin Behaim aus Nürnberg den ersten Globus her (›Erdapfel‹).

Glockenblumen, verschiedene Wald- und Wiesenblumen mit glockenförmigen, meist blauen Blüten.

Glockenspiel, Musikinstrument, das aus vielen, unterschiedlich gestimmten Glocken zusammengestellt ist. Schon im Mittelalter findet sich in England und den Niederlanden die Sitte, an Kirch- oder Rathaustürmen eine Anzahl abgestimmter Glocken aufzuhängen, um neben dem einfachen Glockenläuten Melodien, meist Choräle, erklingen zu lassen. Heute werden Glockenspiele vielfach mechanisch betrieben oder sind mit Uhrwerken kombiniert.

Das moderne Glockenspiel besteht aus Stahlplatten, die in 2 Reihen in einem flachen Resonanzkasten angeordnet sind und mit Holz- oder Metallschlägeln angeschlagen werden.

Gluck. Der Komponist **Christoph Willibald Ritter von Gluck** (*1714, †1787) zählt zu den Erneuerern des Musiktheaters im Zeitalter des Barock. Ziel seiner Reform war es, einen der dramatischen Handlung entsprechenden musikalischen Ausdruck zu finden. Er beseitigte die Auswüchse des Ziergesangs und die unnatürliche Starrheit im Aufbau der damaligen Opern, indem er die bisher getrennten Einzelformen wie Rezitativ, Arie, Ballett, Chor usw. zu großen, in-

Glockenblumen:
Rautenblättrige
Glockenblume

einander fließenden Szenen verband. Seine wichtigste Reformoper ›Orfeo ed Euridice‹ (1762) berichtet von dem Gang des sagenhaften griechischen Sängers Orpheus in die Unterwelt.

Glühlampe, eine mit elektrischem Strom betriebene Lichtquelle. Die Glühlampe besteht im Wesentlichen aus dem Glühdraht (oder Leuchtkörper), einer Halterung für den Glühdraht, dem Glaskolben und dem Sockel. Als Material für den Glühdraht wird Wolfram verwendet, da es von allen Metallen den höchsten Schmelzpunkt hat und sich damit die höchste Lichtausbeute erzielen lässt. Um den Wolframdraht vor dem Verglühen zu schützen, darf sich im Innern der Lampe kein Sauerstoff befinden, da dieser mit dem heißen Metall reagieren würde. Die Lampe ist daher mit einem neutralen Gas, meist ein Stickstoff-Argon-Gemisch, gefüllt. Eine höhere Lichtausbeute als bei den gewöhnlichen Lampen wird erreicht, wenn statt Argon das schwerere Edelgas Krypton verwendet wird **(Kryptonlampen).**

Der Erfinder der Glühlampe ist der deutsch-amerikanische Mechaniker Heinrich Göbel, der 1854 eine von ihm gebaute Lampe zur Beleuchtung seiner Werkstatt benutzte. Den ersten technischen Erfolg hatte der Amerikaner Thomas Alva Edison 1879 mit seiner Kohlefadenlampe.

Glühwürmchen, Johanniskäfer, kleine Leuchtkäfer, die nach dem wurmähnlichen Aussehen und der kriechenden Bewegung der flügellosen Weibchen benannt sind. Das Weibchen lockt mit Lichtsignalen das fliegende, ebenfalls leuchtende Männchen an. Das fahlgrüne Licht wird mithilfe von Stoffwechselvorgängen in Leuchtorganen am Hinterleib erzeugt. Die Larven der Glühwürmchen fressen z. B. Schnecken, die sie durch ein Gift lähmen. Erst nach 3 Jahren schlüpft der Käfer, der wenig oder keine Nahrung mehr aufnimmt und nur 8-9 Tage lebt. In den Tropen gibt es zahlreiche Leuchtkäferarten.

Glyzerin, ungiftiger, süßlich schmeckender Alkohol. Glyzerin ist in der Natur weit verbreitet; es ist in jedem Fett und Öl gebunden enthalten und entsteht bei der alkoholischen Gärung. Die Anwendungsmöglichkeiten sind sehr vielfältig. Wegen der feuchtigkeitserhaltenden Wirkung wird Glyzerin z. B. als Zusatz in Haut- und Schuhcremes, Rasierseifen und Stempelfarben verwendet; es ist auch ein wichtiger Grundstoff der chemischen Industrie. Aus Glyzerin wird der Sprengstoff **Nitroglyzerin** hergestellt.

GmbH, Abkürzung für →Gesellschaft mit beschränkter Haftung.

Gneis, Gestein, das aus magmatischen Gesteinen (Orthogneis) oder aus Sedimentgesteinen (Paragneis) entstanden ist. Stets sind mehr als 20 % Feldspat, daneben Quarz und Glimmer sowie weitere charakteristische mineralische Gemengteile vorhanden. Erkennungsmerkmal ist die schiefrige Struktur.

Gneisenau. Der preußische Heerführer **August Wilhelm Anton Graf Neidhardt von Gneisenau** (*1760, †1831) trat 1785 als Offizier in preußische Dienste. Er wurde neben General Gerhard von Scharnhorst der bedeutendste Reformer der preußischen Armee. Er setzte sich für moderne Gefechtsformen und für die Abschaffung der Prügelstrafe im Heer ein. In den Freiheitskriegen hatte er als Generalstabschef →Blüchers wesentlichen Anteil an den militärischen Operationen der ›Schlesischen Armee‹ und der endgültigen Niederlage Napoleons.

Gnu, zu den →Antilopen gehörender Paarhufer.

Go, japanisches Brettspiel, das von 2 Spielern mit 181 weißen und 181 schwarzen Steinen gespielt wird. Das quadratische Spielbrett ist mit 19 waagerechten und 19 senkrechten Linien überzogen. Die Spieler setzen abwechselnd einen Stein auf einen der 361 Schnittpunkte und versuchen, mit ihren Steinen Ketten zu bilden und Gebiete zu erobern. Jeder besetzte Schnittpunkt und jeder eroberte gegnerische Stein wird mit einem Punkt gewertet. Es siegt der Spieler, der die meisten Punkte erringt.

Gobelin [goblɛ̃], in Deutschland übliche Bezeichnung für Wandteppich (→Bildwirkerei).

Gobi, vorwiegend steppenartige Wüste in Mittelasien. Die im Durchschnitt 1 000 m hohe Beckenlandschaft erstreckt sich über fast 2 000 km in westöstlicher Richtung. Das Klima ist extrem kontinental mit sehr starken Temperaturgegensätzen zwischen Sommer und Winter. Die Bevölkerung besteht überwiegend aus nomadisierenden Mongolen. Seit 1955 wird die Gobi von der Transmongolischen Eisenbahn durchquert. Politisch gehört das Gebiet zur Mongolei und zur Volksrepublik China.

Goebbels. Der nationalsozialistische Politiker **Joseph Goebbels** (*1897, †Selbstmord 1945) stieg als Redner mit demagogischer Ausstrahlung nach dem Regierungsantritt Adolf Hitlers 1933 zum Reichsminister für Volksaufklärung und Propaganda auf. In seinem Amt schuf er im Dienst des diktatorischen Herrschaftsanspruchs der Nationalsozialisten, besonders Hitlers, die

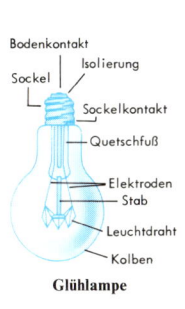

Glühlampe (Bodenkontakt, Isolierung, Sockel, Sockelkontakt, Quetschfuß, Elektroden, Stab, Leuchtdraht, Kolben)

Wörter, die man unter G vermisst, suche man unter Dj, J oder K

Goer

Voraussetzungen dafür, dass in Presse, Film und Funk nur regierungsgenehme Meinungen verbreitet werden durften. Als entschlossener Verfechter der nationalsozialistischen Ideologie beteiligte sich Goebbels maßgeblich an den Judenverfolgungen seiner Regierung (→Reichskristallnacht). Im Zweiten Weltkrieg wurde er einer der einflussreichsten Berater Hitlers. Nach der deutschen Niederlage bei Stalingrad rief er 1943 im Berliner Sportpalast zum totalen Krieg auf. Neben Hitler und Heinrich Himmler war Goebbels einer der Hauptverantwortlichen für die Verbrechen des nationalsozialistischen Deutschland.

Goerdeler. Der Politiker **Carl Friedrich Goerdeler** (*1884, †1945), 1930–37 Oberbürgermeister von Leipzig, war einer der führenden Köpfe der deutschen Widerstandsbewegung gegen die nationalsozialistische Diktatur in Deutschland. Für den Fall, dass Adolf Hitler gestürzt würde, war er als Reichskanzler vorgesehen. Nach dem fehlgeschlagenen Putsch gegen Hitler (20. Juli 1944) wurde Goerdeler verhaftet, zum Tode verurteilt und hingerichtet.

Goethe. Der Dichter **Johann Wolfgang von Goethe** (*1749, †1832; geadelt 1782) wurde in Frankfurt am Main am Großen Hirschgraben geboren, wo das nach dem Zweiten Weltkrieg wieder aufgebaute Geburtshaus besucht werden kann. Sein Vater, Kaiserlicher Rat ohne Amtsausübung, war ein ernster und strenger Mann. Seine Mutter dagegen besaß Heiterkeit und Phantasie.

1765–68 studierte Goethe in Leipzig, dann 1770/71 in Straßburg die Rechtswissenschaften. Dort wurde für seine Entwicklung besonders die Bekanntschaft mit Johann Gottfried Herder, der ihm Shakespeare, Homer und die Volksdichtung nahe brachte, wichtig. Das stärkste Erlebnis seiner Jugend war jedoch die Liebe zu Friederike Brion, die er in Gedichten beschrieb. In dieser Zeit wurde Goethe zum Dichter des →Sturm und Drang. Zwischen 1771 und 1775, der ›Geniezeit‹ Goethes, arbeitete der Dichter als Anwalt in Frankfurt (1772 in Wetzlar). Diese Jahre zeichnen sich durch ein reiches dichterisches Schaffen aus. Es entstanden Hymnen wie ›Prometheus‹ (1774) und ›Ganymed‹ (1774), die Dramen ›Götz von Berlichingen‹ (1773), ›Clavigo‹ (1774), ›Stella‹ (1775), der ›Urfaust‹ (1772–75) und der Briefroman ›Die Leiden des jungen Werthers‹ (1774), der auf die Beziehung Goethes zu Charlotte Buff zurückgeht. Dieser Roman einer unglücklichen Liebe, an dessen Ende Werthers Selbstmord steht, löste über Deutschland hinaus ein wahres ›Werther-Fieber‹ aus und machte Goethe weltberühmt. Im Herbst 1775 folgte der Dichter der Einladung des Herzogs Karl August nach Weimar, wo er hohe Staatsämter bekleidete (1779 Geheimer Rat, 1782 Leiter der Finanzkammer).

Die verantwortungsvollen Aufgaben und die Freundschaft mit Charlotte von Stein bewirkten Goethes Abkehr vom ›Sturm und Drang‹ seiner Jugendzeit. Während er bisher in einem volkstümlichen, kraftvollen, leidenschaftlichen Stil geschrieben hatte, begann sich nun das klassische Formideal durchzusetzen (→Klassik). Die italienische Reise (1786–88) und die Begegnung mit der Kunst der Antike und der Renaissance brachten in Goethe den Willen zur klassischen Form zur vollen Reife. Besonders die Dramen ›Iphigenie auf Tauris‹ (Versbearbeitung 1787) und ›Torquato Tasso‹ (ebenfalls in Versform, 1790) sind die dichterischen Zeugnisse dieser Wendung. Goethe beendete außerdem das Trauerspiel ›Egmont‹ (1787). Die ›Römischen Elegien‹, ein Nachklang römischer Erlebnisse, entstanden 1790.

Nach seiner Rückkehr nach Weimar trat Goethe von den meisten Staatsämtern zurück, übernahm aber 1791 die Leitung des Weimarer Hoftheaters (bis 1817). 1788 begann er ein Liebesverhältnis mit dem Bürgermädchen Christiane Vulpius, die er 1806 heiratete. 1792 nahm Goethe in Begleitung des Herzogs von Weimar am Krieg gegen Frankreich teil. Mit der Französischen Revolution von 1789 setzte er sich dichterisch in dem Stück ›Die natürliche Tochter‹ (1803) auseinander. Die Freundschaft mit Friedrich Schiller (1794–1805) regte Goethe zu neuem Schaffen an. Goethe schrieb Balladen (z. B. ›Der Zauberlehrling‹) und vollendete den Bildungsroman ›Wilhelm Meisters Lehrjahre‹ (1796). 1797 erschien das Epos ›Hermann und Dorothea‹. Schiller ist es zu verdanken, dass Goethe die Arbeit am →Faust wieder aufnahm (›Faust‹, I. Teil, 1808 veröffentlicht).

Wichtige Werke seiner Altersepoche sind unter anderem der Roman ›Die Wahlverwandtschaften‹ (1809), die Selbstbiographie ›Aus meinem Leben – Dichtung und Wahrheit‹ (1811–14 und 1833), die ›Italienische Reise‹ (2 Bände, 1816/17) und die Gedichtsammlung ›Westöstlicher Divan‹ (1819). Goethe hatte im Alter noch mehrere Liebeserlebnisse (Marianne von Willemer, Ulrike von Levetzow). Über viele Jahre hin beschäftigte er sich auch mit naturwissenschaftlichen Forschungen (›Farbenlehre‹, 1810, und kleinere Arbeiten). Bei der Ordnung seiner

Johann Wolfgang von Goethe
(aus einem Gemälde von J. Stieler, 1828; München, Neue Pinakothek)

Gold

Schriften unterstützte ihn **Johann Peter Eckermann** (*1792, †1854), der später ›Gespräche mit Goethe‹ veröffentlichte. Goethe konnte noch seine Haupt- und Lebenswerke abschließen: ›Wilhelm Meisters Wanderjahre‹ (1821, endgültige Fassung 1829) und ›Faust‹, II. Teil (1832). Im Alter von 82 Jahren starb er in Weimar.

Gogh [goch]. Der niederländische Maler **Vincent van Gogh** (*1853, †1890) stellte zunächst in schweren, dunklen Farben die Arbeiter und Bauern seiner Heimat dar. Dann schloss er sich in Paris den Impressionisten an und malte nun in viel helleren Farben die Stadt und ihre Umgebung, Stillleben und Porträts. Auf der Suche nach noch mehr Licht und Sonne ließ er sich 1888 in Arles in der Provence nieder. Hier im Süden schuf er die Bilder, die seinen Ruhm begründet haben. Es sind vor allem Landschaften, gemalt in starken, leuchtenden Farben, die bei ihm zum wichtigsten Ausdrucksmittel wurden, und mit heftigem Pinselstrich, durch den die Bildoberfläche lebendiger, bewegter wirkt: sattgelbe Felder, dunkelgrüne Zypressen, eine strahlende oder glühende Sonne, die zu kreisen scheint; daneben Stadtansichten mit bunten Häusern und Porträts. Auch während der geistigen Erkrankung der letzten Zeit, die er in einer Heilanstalt verbrachte, bis er sich schließlich selbst erschoss, malte er, z. B. Selbstporträts. Seine Bilder machten später vor allem auf die Expressionisten einen nachhaltigen Eindruck. Zu Lebzeiten verkaufte van Gogh nur ein einziges Bild; heute hängen seine Werke in den bedeutendsten Museen.

Gogol. Der russische Schriftsteller **Nikolai Wassiljewitsch Gogol** (*1809, †1852) ist ein Vertreter der ›natürlichen Schule‹ in der russischen Literatur, einer späten Stufe der Romantik, die gleichzeitig Vorform des Realismus war. In seinen Werken werden gesellschaftliche Missstände übertrieben, grotesk dargestellt oder in genauen Milieubeschreibungen aufgedeckt. Besonders wegen seiner Schilderungen des Alltäglichen und der Details gilt Gogol als Vorläufer des Realismus und beeinflusste unter anderem Fjodor Dostojewski. Zwischen 1835 und 1842 entstanden die ›Petersburger Novellen‹, z. B. ›Die Nase‹ und ›Der Mantel‹. Ebenso zur Weltliteratur gehört seine Karikatur des Provinzbeamtentums in ›Der Revisor‹. Gogols Hauptwerk ist der Roman ›Tote Seelen‹ (1842).

Golanhöhen, bis 1200 m hohes Gebirge im Südwesten Syriens im Grenzbereich zu Israel. Die Golanhöhen wurden während des ›Sechstagekrieges‹ im Juni 1967 von Israel erobert und besetzt. 1974 gab Israel den nordöstlichen Teil mit der Stadt Kuneitra an Syrien zurück; 1981 annektierte es den Rest.

Gold, Zeichen **Au** (lateinisch **au**rum), ein →chemisches Element (ÜBERSICHT). Schon den Menschen der Steinzeit war dieses Edelmetall bekannt, das seitdem als wertvolles Schmuckmetall bei allen Völkern sehr geschätzt war. Als reines Element ist das hellgelb glänzende Metall ungewöhnlich weich und dehnbar. Schmuckgegenstände werden daher aus Legierungen (meist mit Kupfer) gefertigt, deren Goldgehalt in der Regel in Tausendstel angegeben wird; die Feingehalte 333, 585 und 900 bedeuten 33,3%, 58,5% und 90% Goldanteil.

In der Natur findet sich Gold oft in gediegener, das heißt elementarer Form. Das einfachste und älteste Verfahren der Goldgewinnung ist das Waschen des Goldes, z. B. aus Flusssanden, wie es auch heute noch gelegentlich ausgeführt wird. Bei der modernen Goldgewinnung wird der fein gemahlene Erzschlamm mit Quecksilber verarbeitet und das Gold durch Amalgambildung gebunden. Nach Abdestillieren des Quecksilbers bleibt relativ reines Gold zurück. Gold kommt in der Erdkruste auf allen Kontinenten vor; allerdings gibt es nur wenige abbauwürdige Lagerstätten. Auch die Ozeane der Erde enthalten schätzungsweise 60 Millionen Tonnen Gold; dafür gibt es aber noch kein wirtschaftlich lohnendes Verfahren der Goldgewinnung.

Wirtschaft. Abbauwürdige Lagerstätten befinden sich vor allem in Südafrika, USA, Kanada und Russland. Wegen seiner Knappheit ist Gold sehr geschätzt als Wertanlage für Privatleute, Banken und Staaten. In der Industrie wird Gold vor allem zur Schmuckherstellung verwendet, ferner für elektrische Kontakte, Präzisionswiderstände, Schreibfedern und in der Zahntechnik. Früher diente Gold als allgemeines Tauschmittel. Heute ist es als Münzgeld, abgesehen von Sonderprägungen, ohne Bedeutung. Bis 1971 war Gold auch die Grundlage der internationalen Währungsordnung (→Währung). – Der Preis des Goldes ist nicht festgelegt, sondern unterliegt dem Angebot und der Nachfrage am Goldmarkt. Aufgrund von Spekulationen, das heißt dem Handel mit Gold mit dem Ziel der Ausnutzung von Wertsteigerungen, ist der Goldpreis starken Schwankungen ausgesetzt.

Goldene Bulle, das wichtigste Gesetz des alten deutschen Reichs. Sie wurde von den Reichstagen von Nürnberg und Metz 1356 in der Regierungszeit Karls IV. angenommen und blieb bis

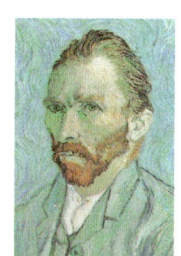

Vincent van Gogh: (Selbstporträt, 1889; Paris, Musée d'Orsay)

Gold: OBEN Gold mit Quarz, MITTE Feinblättriges gediegenes Gold auf Nebengestein, UNTEN Goldbarren in verschiedenen Größen

Wörter, die man unter G vermisst, suche man unter Dj, J oder K

Gold

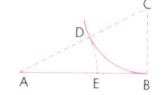

goldener Schnitt:
$\frac{1}{2}\overline{AB} = \overline{BC} = \overline{CD}$
$\overline{AE} = \overline{AD}$
$\overline{AB} : \overline{AE} = \overline{AE} : \overline{EB}$

Golf: Golfball

Golf: Aufsatz

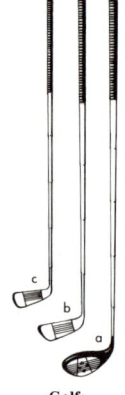

Golf:
a Holzschläger,
b Eisenschläger;
c Putter

1806 gültig. In ihr wird die **Wahl des deutschen Königs** geregelt. Von den 7 Kurfürsten gab der Erzbischof von Trier seine Stimme als Erster ab, danach kamen Köln, Böhmen, Pfalz, Sachsen, Brandenburg. Der Erzbischof von Mainz als Letzter konnte bei Stimmengleichheit den Ausschlag geben. Die Länder der Kurfürsten wurden für unteilbar erklärt. Auch verbot die Goldene Bulle alle Städtebündnisse außer solchen, die der Wahrung des Landfriedens dienten.

Goldene Horde. Um 1240 drangen die Mongolen unter Batu Khan, einem Enkel →Dschingis Khans, nach Ungarn, Polen und Schlesien vor. 1241 besiegten sie bei Liegnitz ein deutsch-polnisches Heer, zogen sich aber dennoch nach Südrussland zurück. Hier gründeten sie ein Reich, das ›Khanat der Goldenen Horde‹. Residenz war das 1254 von Batu Khan gegründete Sarai an der unteren Wolga. Die Mongolenherrschaft, die Russland kulturell vom Westen und von Byzanz abschloss, konnte erst im 15. Jahrh. von den russischen Fürstentümern nach und nach abgeschüttelt werden.

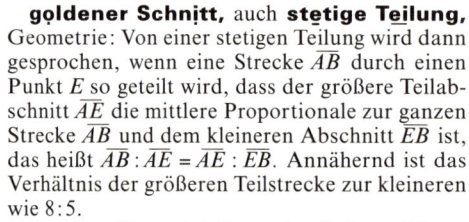

goldener Schnitt, auch **stetige Teilung,** Geometrie: Von einer stetigen Teilung wird dann gesprochen, wenn eine Strecke $\overline{AB}$ durch einen Punkt E so geteilt wird, dass der größere Teilabschnitt $\overline{AE}$ die mittlere Proportionale zur ganzen Strecke $\overline{AB}$ und dem kleineren Abschnitt $\overline{EB}$ ist, das heißt $\overline{AB} : \overline{AE} = \overline{AE} : \overline{EB}$. Annähernd ist das Verhältnis der größeren Teilstrecke zur kleineren wie 8:5.

Durchgeführt wird die stetige Teilung folgendermaßen (BILD): Die zu teilende Strecke ist $\overline{AB}$. Es wird ein Kreis mit dem Radius $\frac{1}{2}\overline{AB}$ konstruiert, der die Strecke $\overline{AB}$ im Punkt B berührt. Die Verbindungslinie zwischen dem Punkt A und dem Kreismittelpunkt C schneidet dann den Kreis im Punkt D. Ein Kreis um A mit dem Radius $\overline{AD}$ liefert schließlich den gesuchten Punkt E, der die Strecke $\overline{AB}$ stetig teilt.

Bei Kunstwerken der antiken Architektur und Werken der Renaissance wurde der goldene Schnitt als ideales Maßverhältnis angewendet.

Goldenes Vlies. Nach der griechischen Sage flüchtete Phrixos, der Sohn der Wolkengöttin, auf einem Widder mit goldenem Fell (Vlies) aus Griechenland nach Kolchis am Schwarzen Meer. Er opferte den Widder dem Göttervater Zeus; das Fell wurde im Hain des Ares aufbewahrt. Das Goldene Vlies raubte der thessalische Königssohn Iason mit den →Argonauten und brachte es nach Griechenland.

Goldfische, meist goldrote, aber auch schwarze, braune, weiße oder gefleckte Fische, die schon vor mehr als 1000 Jahren in China aus einem karpfenähnlichen Fisch gezüchtet wurden. Heute sind sie als Zierfische für Teiche und Aquarien weltweit verbreitet. Besondere Zuchtformen sind z. B. der **Schleierschwanz** mit sehr großen, doppelten Schwänzen, der **Teleskopfisch** mit gestielten Augen und der **Löwenkopf.** (BILD Aquarium)

Goldhähnchen, mit den →Grasmücken verwandter Singvogel.

Goldhamster, →Hamster.

Goldregen, ein bis 7 m hoher Zierstrauch, der **sehr giftig** ist. Seine schwarzbraunen Samen sitzen in seidig behaarten Hülsen. Die leuchtend gelben Blüten bilden lange, hängende Trauben (daher der Name).

Golf [von griechisch kolpos ›Bucht‹], eine besonders große Meeresbucht, z. B. der Golf von Biscaya im Winkel zwischen der Nordküste Spaniens und der Westküste Frankreichs, der Golf von Mexiko oder der Persische Golf.

Golf [wohl von schottisch gowf ›schlagen‹], ein Rasenballspiel in natürlichem oder nur wenig verändertem Gelände. Es gilt, den Golfball (46 g schwer, 41 mm Durchmesser) mit möglichst wenigen Schlägen vom Abschlag in das Loch auf dem Grün zu befördern. Ein Golfplatz verfügt über 18 Bahnen **(Löcher)** mit einer Gesamtbahnlänge von 4500–7000 m. Vier Bahnen sollen die Länge von je 200 m nicht überschreiten, die restlichen 14 zwischen 200 und 500 m lang sein. Am Bahnanfang befindet sich der **Abschlag.** Eine kurz gemähte Grasfläche **(Fairway)** schließt sich an. Seitlich wird sie von hohem Gras, Bäumen und Buschwerk, dem **Rough,** begrenzt. Im Fairway befinden sich künstlich angelegte Hindernisse, z. B. sandgefüllte **Bunker,** die der Golfer überwinden muss. An das Fairway schließt sich das Grün **(Green)** mit dem Loch von 10,8 cm Durchmesser an. Der Ball wird gespielt mit einem der 14 verschiedenen **Golfschläger** (Holz- und Eisenschläger). Holzschläger dienen für Weit- und Treibschläge, Eisenschläger für relativ kurze Schläge; mit dem Putter wird der Ball ins Loch getrieben. Für jede Bahn ist eine bestimmte Zahl von Schlägen festgesetzt. Diese Normzahl heißt **Par.** Die Gesamtzahl der Schläge für den Platz wird **Standard** genannt. Par und Standard orientieren sich an der Spielstärke erstklassiger Spieler, von denen man erwartet, dass sie die Bahnen in den vorgegebenen Schlägen bewältigen. Schwächere Spieler erhalten eine Vorgabe.

Golfkriege, →Persischer Golf.

Golfstrom, stärkste →Meeresströmung im Atlantischen Ozean. Er kommt aus dem Golf von Mexiko im Süden der USA und trägt mit großer Geschwindigkeit warmes Wasser quer über den Atlantischen Ozean nach Osten. Wegen seiner Auswirkungen auf das Klima in Mittel- und Nordeuropa, das viel milder ist als das der Ostküste Amerikas, wird der Golfstrom als ›Warmwasserheizung Europas‹ bezeichnet. In den letzten Jahren haben Meeresforscher jedoch festgestellt, dass es nicht eine zusammenhängende Warmwasserströmung ist, die die Küsten Europas erwärmt. Auf seinem Weg nach Osten überquert der Golfstrom den Mittelatlantischen Rücken, ein großes unterseeisches Gebirge, das den Ozean von Norden nach Süden durchzieht. Durch die Überquerung wird der Strom in einzelne große Wirbel aufgelöst, die nur langsam ihre Lage verändern. Diese Wirbelbildung setzt sich fort bis in den Nordatlantik. Durch Übertragung von Wirbel zu Wirbel gelangt die Wärme, die der Golfstrom ständig heranführt, in nördliche Breiten, wo sie von den warmen Wassermassen zum Teil an die darüber lagernde Luft abgegeben wird. Die so erwärmten Luftmassen beeinflussen das Klima in Mittel- und Nordeuropa.

Gong, Musikinstrument, eine runde, aus Bronze gegossene oder gehämmerte Platte, die frei aufgehängt und mit einem weichen Klöppel angeschlagen wird. Der Gong stammt aus Ostasien. In Indonesien gibt es eigene Orchester mit diesem Instrument: die Gamelanorchester.

Gorbatschow. Der sowjetische Politiker **Michail Sergejewitsch Gorbatschow** (*1931) war als Generalsekretär der Kommunistischen Partei (1985–91) und Staatspräsident (1988–91) der mächtigste Mann in der Sowjetunion. Seine Politik war gekennzeichnet durch die Bemühungen um mehr Durchschaubarkeit des öffentlichen Lebens (→Glasnost) und um die Demokratisierung des Staates (→Perestroika). Als diese Politik 1991 zur Auflösung der Sowjetunion führte, verlor er seine Ämter. Für seine Entspannungspolitik erhielt Gorbatschow 1990 den Friedensnobelpreis.

Gorillas, die größten und stärksten →Menschenaffen. Die Männchen sind aufrecht stehend etwa 2 m hoch und können ein Gewicht von rund 250 kg erreichen. Zootiere, die wegen Bewegungsmangel zur Fettsucht neigen, sogar über 350 kg. Gorillas gehen nicht aufrecht, sondern auf Beinen und Armen, wobei sie die Hände mit den Knöcheln aufstützen. Ihr dichtes Haarkleid ist grauschwarz bis schwarz. Sie bewohnen in Großfamilien tropische Urwälder des mittleren Afrika (Gabun, Kamerun). Von allen Affen bewegen sie sich am häufigsten am Boden. Schreien und Trommeln mit den Fäusten auf die Brust gehören zum Imponiergehabe, mit dem der Gorilla die eigene Gruppe und auch fremde Angreifer in Schach hält. Das Furcht erregende Aussehen täuscht darüber hinweg, dass Gorillas friedfertige Pflanzenfresser sind. Durch Vernichtung des Lebensraumes sind sie in ihrem Bestand sehr gefährdet. (BILD Affen)

Göring. Der nationalsozialistische Politiker **Herrmann Göring** (*1893, †Selbstmord 1946) war im Ersten Weltkrieg Kampfflieger. Nach dem Regierungsantritt Adolf Hitlers als Reichskanzler (1933) wurde er eine Schlüsselfigur bei Aufbau und Festigung der nationalsozialistischen Gewaltherrschaft. Als komissarischer Leiter des preußischen Innenministeriums errichtete er das ›Geheime Staatspolizeiamt‹ Preußens. Für innenpolitische Gegner der Nationalsozialisten, besonders Sozialdemokraten und Kommunisten, errichtete Göring die ersten Konzentrationslager. Als preußischer Ministerpräsident (1933–45) schaltete er die Regierungspolitik Preußens, des bei weitem größten deutschen Teilstaats, mit der Politik Hitlers gleich. 1935–45 war er auch Oberbefehlshaber der Luftwaffe. Im Zweiten Weltkrieg wurden aufgrund seiner Anweisungen viele Menschen aus den eroberten Gebieten nach Deutschland verschleppt. Seit 1940 trug er den Titel **Reichsmarschall.** 1946 wurde er von dem Internationalen Militärtribunal in Nürnberg zum Tod verurteilt. In der Nacht vor seiner Hinrichtung beging er Selbstmord.

Gorki [russisch ›der Bittere‹]. Der russische Schriftsteller **Maxim Gorki** (eigentlich Alexei Maximowitsch Peschkow, *1868, †1936) durchwanderte auf Arbeitssuche weite Teile Russlands. Die Menschen, denen er auf seinen Reisen begegnete, vor allem Landstreicher und Außenseiter, beschrieb er in vielen Erzählungen. Sein Schauspiel ›Nachtasyl‹ (1902) aus dem Vagabundenmilieu wurde ein Welterfolg. In seinen Romanen schilderte der Marxist und Freund Lenins die revolutionäre Bewegung (z. B. ›Die Mutter‹, 1907) und die Gesellschaft Russlands. 1934 verkündete er die Kunstrichtung des ›sozialistischen Realismus‹, nach der die Welt des Sozialismus positiv und ihre Helden als vorbildlich dargestellt werden sollten. Als Höhepunkt im Schaffen Gorkis gelten seine Kindheits- und Jugenderinnerungen.

Göteborg, 431 800 Einwohner, Handels- und Hafenstadt in Südschweden. Göteborg wurde

Goti

1619 von Gustav II. Adolf gegründet und ist der größte Ausfuhrhafen Skandinaviens.

Goten, das größte Germanenvolk. Es siedelte zwischen dem 2. und 3. Jahrh. n. Chr. im Gebiet von Oder und Weichsel. Dass die Goten von Skandinavien eingewandert seien (die Ostseeinsel Gotland bringt man mit ihnen in Verbindung), glaubt man heute nicht mehr. Im 3. Jahrh. wanderten sie nach Südosten an die Schwarzmeerküste und an den Unterlauf der Donau, wo sie in zahlreichen Kriegszügen die römischen Grenzen bedrohten. Hier spalteten sich die Goten in →Ostgoten und →Westgoten.

Gotik, Stilepoche der mittelalterlichen Kunst, folgt in Europa der →Romanik. Sie zeichnet sich durch Eigenständigkeit gegenüber der Antike aus. Dies kommt auch im Namen zum Ausdruck, der in der Renaissance geprägt wurde: Abgeleitet von den Goten, die man in Italien als barbarische Eindringlinge in Erinnerung hatte, bedeutete ›gotisch‹ zunächst soviel wie ›barbarisch‹, ›nicht antik‹. Zu einer Aufwertung der gotischen Epoche kam es erst im 19. Jahrh. Die Gotik entstand etwa ab 1140 in Nordfrankreich und verbreitete sich über West-, Mittel- und Südeuropa. Um 1420 wurde sie in Italien, um 1500 auch nördlich der Alpen von der →Renaissance abgelöst. Die zeitliche Folge der Stilstufen wird mit **früh-, hoch-** und **spätgotisch** bezeichnet und muss für jede Region unterschiedlich gesehen werden.

Kennzeichnend für die Baukunst ist ein neues Raumgefühl, das den **Kirchenbau** zu mächtiger Höhe steigert. Diesem Streben nach oben dient im Innern das Kreuzrippengewölbe, das vor allem das Mittelschiff in großer Höhe überspannt; seine Rippen setzen sich über wulstartige Dienste an den Pfeilern entlang nach unten fort und betonen so die senkrechte Ausrichtung aller Bauglieder; Pfeiler und Dienste verschmelzen zu Bündelpfeilern. Der Gewölbedruck wird nicht nur zu den Pfeilern geleitet, sondern auch durch gewaltige Strebebögen aufgefangen, die die Mauern von außen verstärken. Die Seitenschiffe werden verlängert und um den Chor herumgeführt, den außerdem noch ein Kapellenkranz umgeben kann. Die Wände erscheinen ›aufgelöst‹, durchlichtet: Hohe, schmale Spitzbogen (statt der gedrungenen, romanischen Rundbogen) bilden die unterste Reihe; darüber verläuft oft ein Laufgang mit Arkaden, über dem hohe Spitzbogenfenster die Wand öffnen, durchscheinend machen. Die Fenster werden durch ›Maßwerk‹ gegliedert; das sind geometrisch konstruierte Ornamentformen (Rosette, ›Fischblase‹), die den leuchtenden

Gotik: Chartres, Westfassade der Kathedrale; Anfang 12. Jahrh. begonnen

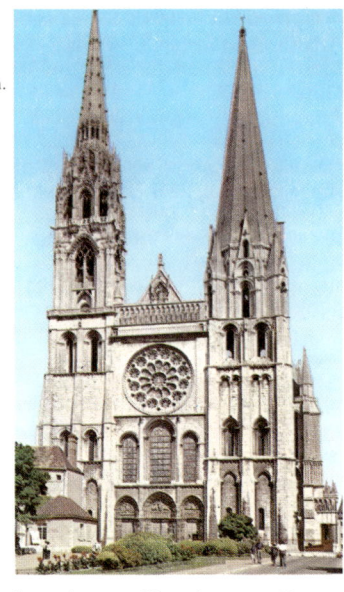

Glasbildern als steinerne Umrahmung dienen. Das Maßwerk schmückt auch Wandflächen, Turmhelme und Giebel; in spätgotischer Zeit entwickelt es sich zu immer freieren, reicheren, flammenartigen Formen. Im Außenbau wird die Westfassade bauplastisch reich gegliedert und durch hoch aufragende Türme betont.

Hervorzeichnende gotische Bauten sind in Frankreich die Kathedralen von Laon, Bourges, Paris (Notre-Dame), Chartres, Reims und Amiens, in England die Kathedrale von Salisbury und die Westminsterabtei in London, in Deutschland, wo sich die Gotik nur zögernd durchsetzte, die Liebfrauenkirche in Trier und Sankt Elisabeth in Marburg (frühgotisch), das Münster im damals deutschen Straßburg und der Dom zu Köln (hochgotisch), ferner Sankt Lorenz in Nürnberg mit spätgotischem Chor und die ebenso spätgotische Sankt-Georgs-Kirche in Dinkelsbühl. – In der weltlichen Baukunst entstanden Burgen und Schlösser, später Rathäuser und Bürgerhäuser.

Die gotische Skulptur hatte ihren Platz vor allem am und im Kirchenbau. **Standbilder** und **Reliefs** schmückten Portale, Chorpfeiler und Chorschranken. Es war architekturgebundene Plastik, mit der Wand im Hintergrund (›Gewändefigur‹) und der Konsole unter den Füßen; anfangs säulenhaft starr, später körperlich gerundet und freier, bewegter. Träger des Ausdrucks wurde besonders das Gewand, dessen Falten die Figuren oft in s-förmig schwingender Haltung er-

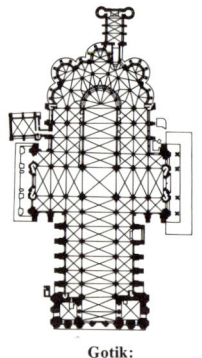

Gotik: Chartres, Grundriss der Kathedrale

scheinen lassen. Daneben entstand **Grabplastik** und eine Gruppe von **Holzfiguren,** die Andachtsbilder genannt wurden (Jesus und Johannes, Marienklage, Pietà). Hauptwerke gotischer Skulptur finden sich in den französischen Kathedralen, in Deutschland besonders in Bamberg, Naumburg und Köln, ferner in Italien in Siena und Pisa (Giovanni Pisano) und in Prag (Peter Parler). Weich fließende Gewänder kennzeichnen die Werke des um 1400 einsetzenden ›Schönen Stils‹, auch ›Internationaler Stil‹ genannt, besonders die ›Schönen Madonnen‹ mit ihren lieblichen Gesichtern. In der Spätgotik entstanden besonders in Deutschland viele Holzbildwerke, vor allem geschnitzte Flügelaltäre; Künstler waren **Tilman Riemenschneider** und **Veit Stoß.**

Der Malerei boten die beschränkten Flächen des gotischen Kirchenraums keine Aufgaben mehr. An ihre Stelle traten die Glasfenster (→Glasmalerei). Nur in den italienischen Kirchen gab es noch Wandflächen. Hier schuf **Giotto** mit seinen Fresken einen neuen Stil, der bis in die Renaissance fortwirkte. Fresken und Tafelbilder malte **Simone Martini,** vor allem in Siena. Nördlich der Alpen blieben den Malern nur die Altartafeln, aus denen sich das **Tafelbild** entwickelte. Zu nennen sind für die Niederlande

Gotik: Inneres von Sankt Georg in Dinkelsbühl; 1448–99

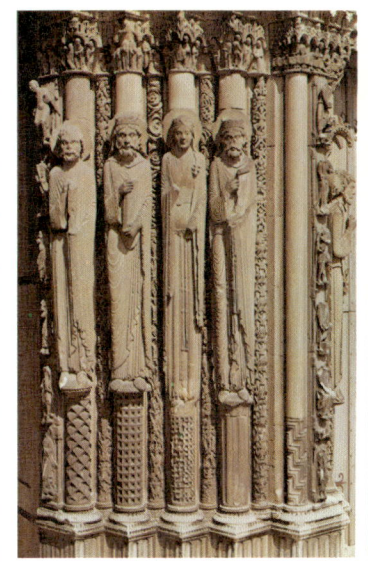

Gotik: LINKS Gewändefiguren des mittleren Westportals der Kathedrale von Chartres; um 1150. RECHTS Grabplatte des Peter von Aspelt (†1320) im Mainzer Dom

besonders **Rogier van der Weyden** und die **Brüder van Eyck,** für Deutschland **Albrecht Dürer** und **Mathias Grünewald.** Auch die →Buchmalerei erlebte in der Gotik eine neue Blüte. (Weitere BILDER Seite 388)

Gotland, zu Schweden gehörende Ostseeinsel, etwa 90 km vor der Ostküste des Landes. Mit 3 001 km^2 ist Gotland die größte Insel der Ostsee. Auf ihr leben etwa 56 000 Menschen. Das milde Klima lässt hier Kastanien und Walnussbäume gedeihen. Die einzige Stadt der Insel ist Visby, die seit dem 12. Jahrh. eine der führenden Hansestädte war und rege Verbindungen zu allen Ostseeländern unterhielt. Nachdem Gotland vom 15. bis 17. Jahrh. dänisch war, kam es 1645 an Schweden. (KARTE Band 2, Seite 206)

Gott [germanisch ›Wesen, das angerufen wird‹], das absolut Heilige und Vollkommene, eine das menschliche Vorstellungsvermögen übersteigende personale Macht, von der sich der religiös überzeugte Mensch geschaffen und angesprochen weiß. Man unterscheidet den Glauben an viele Götter **(Polytheismus)** und den Glauben an einen Gott **(Monotheismus).** Viele, auch sehr alte Religionen glauben an höchste Wesen, an unpersönliche Mächte, die als Gottheiten verehrt werden. Die **jüdische Religion** ist gekennzeichnet durch das Bekenntnis zu dem einen Gott (Jahwe), dessen Wirken erfahren wird in der Ge-

Gött

Gottesanbeterin

schichte des Volkes Israel. Das **Christentum** beruht auf diesem jüdischen Glauben, wie er im Alten Testament überliefert ist. Danach hat sich dieser Gott selbst in Jesus Christus offenbart. Jesus verkündet von ihm: Er ist der Schöpfer der Welt und aller Lebewesen; er lenkt die Welt. Auch der **Islam** ist streng monotheistisch. Gott (Allah) hat die Welt erschaffen und wird am Ende der Zeiten die Menschen nach ihren Taten richten. Dagegen kennt der **Hinduismus** eine bunte Vielfalt verschiedener Götter. Ähnlich ist es im **Buddhismus,** wo die Götter zudem derselben Vergänglichkeit unterliegen wie die Menschen.

Götterdämmerung, in der altnordischen Sage der Weltuntergang, bei dem die Götter mit den feindlichen Mächten kämpfen und ihnen unterliegen. Die Sage endet mit der Aussicht auf eine neu entstehende Erde, die aus dem Meer emporsteigt. – Der Sagenstoff wurde in einigen Werken der altnordischen Literatur verarbeitet, an die Richard →Wagner im letzten Teil seines ›Ring des Nibelungen‹ anknüpfte.

Gottesanbeterin, ein entfernt mit den →Heuschrecken verwandtes Insekt, das seine Fangbeine ›wie zum Gebet erhoben‹ hält, wenn es auf ein Beuteinsekt lauert. Blitzschnell schießen die Vorderbeine vor und packen zu. Das Opfer wird lebend verzehrt. Die bis 7,5 cm lange Gottesanbeterin findet man in Deutschland noch am Kaiserstuhl (nordwestlich von Freiburg im Breisgau) und im Saarland.

Gotik: Oberrheinischer Meister. Das Paradiesgärtlein; um 1440 (Frankfurt am Main, Städelsches Kunstinstitut)

Gotik: Hausförmiger Reliquienschrein aus Limoges; um 1300 (Nürnberg, Germanisches Nationalmuseum)

Gottesgnadentum. Seit der Zeit der Karolinger (8. Jahrh.) wurde dem Herrschertitel die Formel ›Dei gratia‹ (›von Gottes Gnaden‹) beigefügt. Damit sollten die besondere Berufung des Fürsten und seine Abhängigkeit von Gott ausgedrückt werden. Zur Zeit des Absolutismus fühlte sich der Herrscher nur Gott unterstellt und keiner irdischen Gewalt verantwortlich.

Gottesurteil, in Gerichtsverfahren früher Kulturen und des deutschen Mittelalters angewandtes Verfahren, die Frage nach Schuld oder Unschuld eines Angeklagten durch ein angebliches Zeichen Gottes beantworten zu lassen. Dem lag die Vorstellung zugrunde, Gott werde in der Probe den Unschuldigen schützen. Das Gottesurteil wurde herbeigeführt z. B. durch das **Los** (wer unterlag, war schuldig), die **Feuerprobe** (beim Gang über glühendes Eisen verletzte sich der Schuldige) oder die **Wasserprobe** (wen das als rein geltende Wasser nicht annahm, das heißt, wer an der Oberfläche blieb, war schuldig). Obwohl durch das Konzil von 1215 verboten, hielten sich Feuer- und Wasserprobe in Hexenprozessen bis zum 18. Jahrhundert.

Gotthelf. Mit 40 Jahren begann der schweizerische Pfarrer **Jeremias Gotthelf** (eigentlich Albert Bitzius, *1797, †1854) in volkserzieherischer Absicht zu schreiben. In seinen Erzählungen schildert er realistisch und kritisch das bäuerliche Leben. Seine Meisterromane, z. B. ›Uli der Knecht‹ (1841) und ›Uli der Pächter‹ (1849), gestalten eine Welt der Bosheit und Laster; sie gehören zu den bedeutendsten Werken der Bauerndichtung.

Göttingen, 122 700 Einwohner, alte Universitätsstadt in Niedersachsen an der Leine, rund 50 km nordöstlich von Kassel. Bemerkenswert in der an Fachwerkhäusern reichen Altstadt sind die im 14. Jahrh. gotisch umgebaute Johanniskirche und die gotische Jakobikirche. 1351–1552 gehörte die Stadt der Hanse an.

Götz von Berlichingen wurde 1480 auf der Stammburg seines Geschlechts, der ›Götzenburg‹ in Jagsthausen, Baden-Württemberg, geboren. Er erhielt eine seinem Stand entsprechende Erziehung in den ritterlichen Künsten und trat zunächst in den Dienst des Markgrafen von Ansbach. Als er 1504 vor Landshut im Kampf seine rechte Hand verlor, ließ er sich eine Hand aus Eisen anfertigen, deren kunstvollen Mechanismus er selbst entwarf; sie wird im Museum der Götzenburg aufbewahrt. Ihr verdankt er seinen Beinamen **Ritter mit der eisernen Hand.** Im →Bauernkrieg wählten ihn die Odenwälder Bauern zu ihrem Führer, jedoch übernahm er diese Rolle nur halbherzig und wirkte im Interesse des Adels mäßigend auf die Aufständischen ein. Später stellte er sich in den Dienst des Kaisers. In den letzten Jahren vor seinem Tod (1562) schrieb er seine Lebenserinnerungen, die Goethe als Quelle für sein Drama ›Götz von Berlichingen‹ (1773) dienten.

Gouachemalerei [guasch-], deutsch **Guaschmalerei,** Malerei mit deckenden, kreidig wirkenden Wasserfarben (Gouachefarben), denen Pigmente und weiße Füllstoffe zugesetzt wurden; sie hellen beim Trocknen auf. Umgekehrt wie beim →Aquarell wird das Papier zuerst mit der dunkleren Farbschicht bedeckt, hellere Flächen werden darüber gemalt, schließlich durch Deckweiß die Lichter gesetzt. Die mittelalterlichen Buchmaler bevorzugten die Gouachemalerei, dann wurde sie erst wieder im 18. und 19. Jahrh. beliebt.

Goya. Der spanische Maler und Graphiker **Francisco de Goya** (eigentlich Goya y Lucientes; *1746, †1828) war 25 Jahre lang Hofmaler des spanischen Königs. Er schuf im Stil des Rokoko Kirchenfresken sowie Vorlagen (Kartons) für Bildteppiche für die Madrider Teppichmanufaktur. Sie zeigen meist in hellen, bunten Farben heitere Szenen aus dem Leben des Adels und des Volks. Unter dem Eindruck der Französischen Revolution und der Kämpfe und Aufstände, die in der Folgezeit auch in Spanien ausbrachen, wandelte sich sein Stil. Er fand zu einem zeitkritischen, oft bitteren Realismus. Seine Gemälde und vor allem die Radierungen wurden zu Anklagen gegen Elend, Not, Krieg und Inquisition. In seiner Spätzeit malte er düstere Bilder in dunklen Farben mit oft phantastischem, spukhaftem Inhalt.

Gracchen [grachen]. Die Brüder **Tiberius Sempronius Gracchus** (*162 v. Chr., †133 v. Chr.) und **Gaius Sempronius Gracchus** (*153 v. Chr., †121 v. Chr.) waren Volkstribunen (Tiberius 133, Gaius 123 und 122 v. Chr.), die die Interessen der →Plebs vertraten. Um deren wirtschaftliche Lage zu verbessern, verteilten sie Staatsland und provozierten so die Gegnerschaft des Senats und die Entstehung blutiger Unruhen.

Grad, 1) Einheit für die Messung der Größe eines Winkels. Das Zeichen für Grad ist °.
Ein Winkel der Größe 1° ist festgelegt als der 360. Teil des Vollwinkels (→Winkel).
Der Grad wird weiter in (Winkel-)Minuten (Zeichen: ′) und Sekunden (Zeichen: ″) unterteilt. So gilt: 1° = 60′ und 1′ = 60″.
Die Messung eines Winkels geschieht mit einem →Winkelmesser.
2) Einheitenzeichen °C, °F, °K, °R, Temperaturgrade in den verschiedenen Temperaturskalen (→Temperatur, →Grad Celsius, →Grad Fahrenheit, →Grad Kelvin, →Grad Réaumur). Eine Verwendung von Vorsätzen (→Einheiten) ist bei Größen mit dem Gradzeichen (°) nicht zulässig.

Grad Celsius [nach dem schwedischen Astronomen Anders Celsius, *1701, †1744], Einheitenzeichen °**C,** gesetzliche Einheit der **Celsiustemperatur** t (u). In der **Celsiusskala** (→Temperatur, BILD) ist ein Grad als der hundertste Teil der Temperaturdifferenz zwischen Eispunkt (0°C) und Siedepunkt (100°C) des Wassers bei normalem Atmosphärendruck (1,01325 bar) festgelegt.

Grad Fahrenheit [nach dem deutschen Physiker Daniel Gabriel Fahrenheit, *1686, †1736], Einheitenzeichen °**F,** angloamerikanische Einheit der →Temperatur, in Großbritannien nicht mehr amtlich. Ein °F ist der 180. Teil der Temperaturdifferenz zwischen dem Eispunkt (32°F) und dem Siedepunkt (212°F) des Wassers. Zwischen der Celsiustemperatur und der Fahrenheittemperatur besteht der Zusammenhang:

$$x\,°C = \left(\frac{9}{5}x + 32\right) °F \text{ und}$$
$$x\,°F = \frac{5}{9}(x - 32) °C.$$

Fahrenheit wählte ursprünglich als 0°F die Temperatur einer Kältemischung aus Salmiak und Eis und als 100°F die ›normale‹ Körpertemperatur des Menschen.

Grad

Granat:
Almandin, Kristall
(Tirol, Österreich)

Granat:
geschliffener Granat

Grad Kelvin [nach dem britischen Physiker William Thomson, Lord Kelvin of Largs, *1824, †1907], Einheitenzeichen °**K,** nichtgesetzlicher (veralteter) Name der Einheit der thermodynamischen →Temperatur; wurde durch das →Kelvin abgelöst.

Gradnetz, der Ortsbestimmung dienendes, ›gedachtes‹ Liniennetz, das die Erde überzieht. Es besteht aus den **Längenkreisen,** die um die Pole parallel zum Äquator und den **Meridianen,** die von Pol zu Pol laufen. Der Nullmeridian führt durch →Greenwich in England; von dort wird die geographische →Länge nach Osten und Westen bis je 180° Grad gezählt. Ausgangspunkt für die Längenkreise ist der Äquator; von dort wird nach Norden und Süden bis 90° gezählt (→Breite). Da die Breitenkreise jeweils etwa 110 km auseinander liegen und der Abstand der Meridiane im Äquator ebenfalls rund 110 km beträgt, werden Breiten- und Längenkreise weiter in 60 (Bogen-)Minuten (60′) und Sekunden (60″) unterteilt. So kann man jeden Punkt der Erde genau bestimmen. Z. B. liegt Wiesbaden auf 50° 4′ 30″ nördlicher Breite und 8° 15′ östlicher Länge.

Grad Réaumur [-reomür, nach dem französischen Technologen und Biologen René-Antoine Réaumur, *1683, †1757], Einheitenzeichen °**R,** veraltete, nichtgesetzliche Einheit der Réaumurtemperatur. In der **Réaumurskala** (→Temperatur, BILD) beträgt der Fundamentalabstand zwischen Eispunkt und Siedepunkt des Wassers 80 Grad, wobei dem Eispunkt die Temperatur 0°R, dem Siedepunkt die Temperatur 80°R zugeordnet ist. Zwischen der Celsius- und der Réaumurtemperatur besteht der Zusammenhang:

$$x\,°C = \tfrac{4}{5}\,x\,°R \text{ und } x\,°R = \tfrac{5}{4}\,x\,°C.$$

Graf, im Fränkischen Reich ein königlicher Beamter, der einen bestimmten Amtsbezirk verwaltete. Später wurde dieses Amt erblich und die Grafen entwickelten sich zu Lehnsnehmern des Königs, die sich stark verselbstständigten (→Adel). Heute ist Graf in Deutschland nur noch ein Teil des Familiennamens.

Graffiti (Einzahl: **Graffito**) war ursprünglich die Bezeichnung für Zeichnungen und Texte, die in Felsen, Mauern oder Wandflächen eingeritzt oder aufgekritzelt wurden. Diese Graffiti sind bereits aus der Antike bekannt. In den 1970er-Jahren erschienen in den USA zunehmend Graffiti als Form des politischen Protests. Es waren Zeichnungen oder auch witzige oder kämpferische Texte, die mit Spraydosen illegal auf Wände, Busse, U-Bahnen usw. gesprüht wurden. Sie entwickelten sich in den 80er-Jahren in New York zu einer anerkannten Kunstrichtung, der **Graffiti-Art,** vor allem durch Künstler wie Keith Haring (*1958, †1990) und Jean-Michel Basquiat (*1960, †1988).

Grafik [griechisch ›Schreibkunst‹], Teilgebiet der bildenden Kunst, das Handzeichnungen (→Zeichnung) und künstlerische Gestaltungen umfasst, die mittels drucktechnischer Verfahren vervielfältigt worden sind (Druckgrafik). Zur **Druckgrafik** gehören z. B. der →Holzschnitt, der →Kupferstich und die mit ihm verwandte Radierung sowie die →Lithographie. Man unterscheidet **Originalgrafik,** bei welcher der Künstler die Druckvorlage eigenhändig hergestellt hat, und **Reproduktionsgrafik,** bei der fremde Vorlagen originalgetreu wiedergegeben werden. Hauptausdrucksmittel ist die Linie, im Unterschied zu den durch Farbe gestalteten Flächen in der Malerei. Doch wurden auch Verfahren mit eher malerischer Wirkung entwickelt. Zunächst war die Grafik eine Schwarzweißkunst, später trat auch die Farbe hinzu. In neuerer Zeit entwickelte sich die **Gebrauchsgrafik (Grafikdesign),** z. B. Werbe-, Buchgrafik, deren Erzeugnisse (Plakate, Prospekte) heute meist maschinell vervielfältigt werden.

Gral, in der mittelalterlichen Dichtung ein geheimnisvoller heiliger Gegenstand, der seinem Besitzer irdisches und himmlisches Glück verleiht. Doch nur ein Auserwählter kann ihn finden. In französischen Sagen ist der Gral die

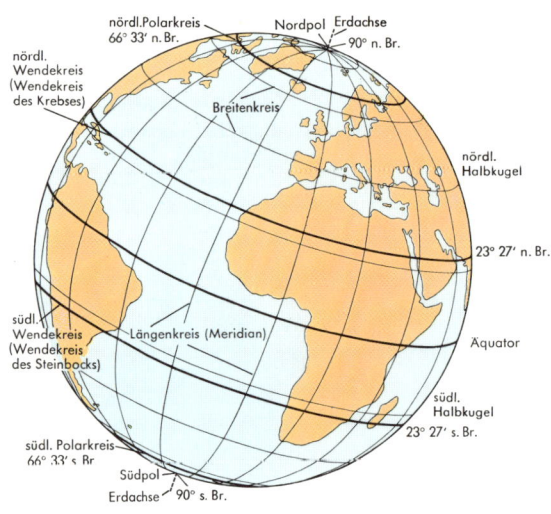

Gradnetz der Erdkugel

Abendmahlsschüssel Christi, in der auch sein Blut aufgefangen wurde. Wolfram von Eschenbach stellt ihn als Stein mit wunderbaren Kräften dar (→Parzival).

Gramm, Einheitenzeichen **g,** gesetzliche →Einheit der Masse und des Gewichts: 1 g = 0,001 kg (→Kilogramm).

Grammatik [aus griechisch grammatike ›Buchstabenkunde‹], **Sprachlehre,** Teil der Sprachwissenschaft, der sich mit Entstehung, Funktion und Aufbau der Sprache beschäftigt. Die Grammatik untersucht Wortbildung, Wortarten, Laute und Aufbau der Sätze.

Granada, 246 600 Einwohner, Hauptstadt der spanischen Provinz Granada im Andalusischen Bergland. Granada wurde 711 von den Mauren erobert und war 1238–1492 Hauptstadt eines maurischen Königreichs. Aus dieser Zeit stammt der islamische Palast der **Alhambra.**

Granat [von lateinisch granatus ›gekörnt‹], eine Gruppe meist körnig abgesonderter Silikatminerale, die für die metamorphen →Gesteine typisch sind. Wichtig sind die Aluminiumgranate Pyrop, Almandin, Spessartin und Grossular, daneben der Eisen- und der Chromgranat. Edle Granate, die ›Karfunkel‹, waren die wichtigsten Edelsteine der Völkerwanderungszeit und des frühen Mittelalters. Im 19. Jahrh. schätzte man die blutroten bis fast schwarzen Pyrope Böhmens, heute werden die leuchtenderen Pyrope bevorzugt. Im Alpengebiet gehören sie zum volkstümlichen Schmuck.

Granatapfel, eine →Südfrucht.

Granate, ursprünglich eine mit Pulver gefüllte Kugel mit Zündschnur, die mit der Hand geworfen wurde (→Handgranate); später Geschoss der Artillerie. Moderne, mit Sprengstoff gefüllte Granaten werden von Granatwerfern oder Geschützen abgeschossen und explodieren beim Aufschlag sofort oder mit Verzögerung.

Granit [von lateinisch granum ›Korn‹], die am weitesten verbreitete Gruppe der Tiefengesteine. Das Gestein stammt aus der glühend flüssigen Schmelze in der Tiefe der Erdkruste und kristallisierte bei etwa 900 °C langsam und grobkörnig aus. Hauptbestandteile sind Feldspat, Quarz und Glimmer. Granite bilden meist ausgedehnte Massive oder mächtige ›Stöcke‹. Sie werden im Straßenbau als Pflastersteine verwendet.

Grapefruit [grepfruht, englisch], eine →Citrusfrucht.

Graph [zu griechisch graphein ›schreiben‹], Mathematik: zeichnerische Darstellung der Lösungsmenge einer Aussageform (→Aussage) mit 2 Variablen im Koordinatensystem.

Ein Punkt $P(x; y)$ gehört zum Graphen, wenn seine Koordinaten x und y die Aussageform erfüllen und wenn das Koordinatenpaar zur Grundmenge der Aussageform gehört.

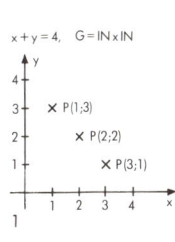

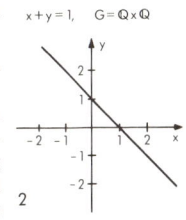

Graffiti: Wandbild in New York von Keith Haring (Ausschnitt; Höhe 4,50 m, Gesamtbreite 15 m)

Gral: Die drei Ritter der Artusrunde finden den Gral; aus einer französischen Handschrift von 1286 (Bonn, Universitätsbibliothek)

1 $x + y = 4$, $G = \mathbb{N} \times \mathbb{N}$

2 $x + y = 1$, $G = \mathbb{Q} \times \mathbb{Q}$

3 $|x| + |y| \leq 1$, $G = \mathbb{Q} \times \mathbb{Q}$

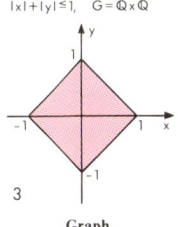

Graph

Wörter, die man unter G vermisst, suche man unter Dj, J oder K

Grap

Ein Graph kann aus gezeichneten Punkten bestehen (BILD 1), eine Linie sein (BILD 2) oder eine Fläche bilden (BILD 3). Graphen werden vor allem zur Darstellung von →Funktionen und →Relationen benutzt.

Graphit, Mineral, das eine Ausprägung des reinen Kohlenstoffs (C) darstellt. Er ist von vollkommener Spaltbarkeit und sehr geringer Härte. Typisch ist der Schichtaufbau seines Kristallgitters. Daher wird Graphit als Schmiermittel verwendet. Auch leitet er Elektrizität und Wärme gut in Schichtrichtung (Kollektorbürsten von Elektromotoren und Elektroden zur Lichtbogenerzeugung). Wichtig ist seine Verwendung bei der kontrollierten Kernspaltung im Kernreaktor, wo er zur Steuerung und Abbremsung der Neutronen dient. Allgemein bekannt ist Graphit als Bleistiftmine.

Gräser, Pflanzen mit schlanken, runden Stängeln **(Halmen),** die knotig gegliedert und zwischen den Knoten hohl sind. Die schmalen Blätter umfassen mit ihrem unteren Teil den Halm. Mehrere unscheinbare Blütchen ohne Krone und Kelch sind zu kleinen Ähren zusammengestellt, die stets zusammengesetzte Blütenstände bilden. Man unterscheidet Ähren, Rispen und Kolben (→Blütenstände). Bei schönem Wetter öffnen Gräser ihre Blüten, und der Wind treibt den Blütenstaub von den herabhängenden Staubbeuteln zu den gefiederten Narben. Die Früchte (Körner) sind von schützenden Hüllspelzen umgeben.

Gräser sind weltweit verbreitet. Zu ihnen gehören auch →Getreide und →Schilfgras. Tropische Gräser sind das →Zuckerrohr und der →Bambus. Von Gräsern zu unterscheiden sind →Riedgräser und →Binsen.

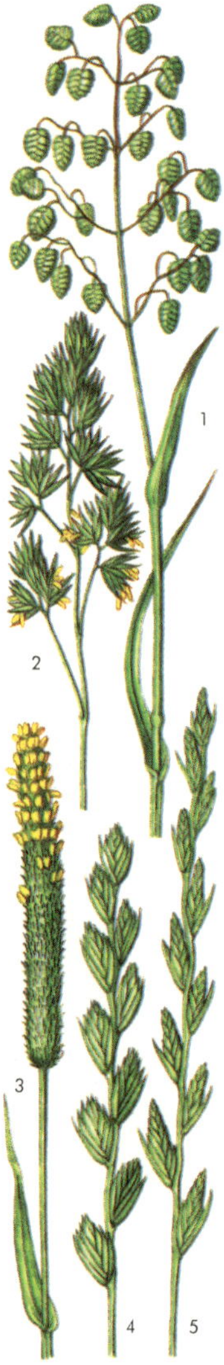

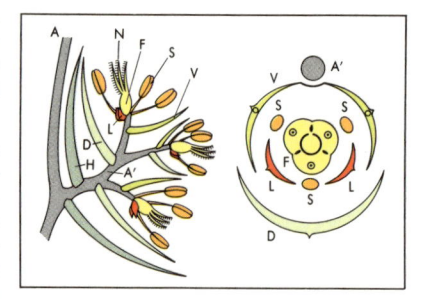

Gräser: LINKS schematische Darstellung des dreiblütigen Ährchens.
RECHTS Blütendiagramm einer typischen Grasblüte (A Ährenachse, A' Ährenachse, D Deckspelze, F Fruchtknoten, H Hüllspelze, L Lodiculae, N Narbe, S Staubgefäß, V Vorspelze

Grashüpfer, eine →Heuschrecke.

Grasmücken, kleine, schlicht braun oder grau gefärbte Singvögel, die meist in Wäldern, Gärten und Parkanlagen im dichten Gebüsch leben; den Winter verbringen sie in wärmeren Ländern. Mit ihrem schlanken Schnabel suchen sie vor allem Insekten, auch Beeren. Die Männchen sind **sehr gute Sänger.**

Mit den Grasmücken verwandt sind die vor allem in Nadelwäldern nistenden **Goldhähnchen,** die mit nur knapp 9 cm Körperlänge die kleinsten in Deutschland heimischen Vögel sind. Sie bleiben oft auch im Winter im Brutgebiet. Verwandt sind auch die häufigen, grünlich grauen **Laubsänger,** die in busch- und baumreichem Gelände gut versteckte, kugelförmige Bodennester bauen, z. B. der **Fitis** und der **Zilpzalp.** Zur Familie der Grasmücken gehören auch die bräunlichen **Rohrsänger,** die verborgen im Schilf leben, und der **Gelbspötter** (auch **Gartenspötter),** der mit großem Geschick die Stimmen anderer Vögel nachahmt (er ›spottet‹).

Grass. Der aus Danzig stammende Schriftsteller und Grafiker **Günter Grass** (*1927) schreibt Gedichte, Romane und Theaterstücke. Bekannt machte ihn der Roman ›Die Blechtrommel‹ (1959); er spielt, vor allem in den Jahren 1933–45, im Danziger Raum und gibt ein bis in Einzelheiten realistisches, gleichzeitig aber auch groteskes Bild kleinbürgerlicher Welt und Gesinnung, gesehen mit den Augen des zwergwüchsigen Oskar Matzerath, der mithilfe seiner Kindertrommel Protest anmeldet. Die ›Blechtrommel‹ bildet mit der Novelle ›Katz und Maus‹ (1961) – unter Danziger Jugendlichen spielend – und dem Roman ›Hundejahre‹ (1963) die ›Danziger Trilogie‹; im letzteren Roman zeichnet Grass ein satirisches, oft auch phantastisches Bild der Kriegs- und Nachkriegszeit. In seinem Drama ›Die Plebejer proben den Aufstand‹ (1966) setzt sich Grass kritisch mit dem Verhalten Brechts während des Ostberliner Aufstands am 17. 6. 1953 auseinander. Der Roman ›Der Butt‹ (1977) befasst sich besonders mit der Rolle der Frau in der Geschichte (bis zum Feminismus). In seinem neuesten Roman ›Ein weites Feld‹ (1995; dieser Titel ist ein Zitat aus Theodor Fontanes Roman ›Effi Briest‹) stellt Grass vor dem Hintergrund der Biographie Fontanes das Leben seiner Hauptfigur ›Fonty‹ im nationalsozialistischen Deutschland, in der DDR und im vereinigten Deutschland dar.

Gräser: **1** Zitter-, **2** Knäuel-, **3** Wiesenlieschgras (Timotheusgras), **4** Quecke, **5** englisches Raygras

Gräser

Gräten, die Knochen der Knochenfische (→Fische).

Graubünden, kurz **Bünden,** rätoromanisch **Grischun,** italienisch **Grigioni,** französisch **Les Grisons,** der flächengrößte Kanton der Schweiz. Die Hauptstadt ist Chur. Graubünden wird von den Gebirgszügen der Rätischen Alpen mit dem Piz Kesch (3 420 m), der Berninagruppe (4 049 m) und der Engadiner Alpen durchzogen. Sie teilen das Bündner Land in viele Täler, deren wichtigste das Rheintal und das Engadin sind. Hohe Pässe verbinden die Täler. Eisenbahnverkehr ist ganzjährig durch eine Reihe von Tunnels möglich. Der Straßentunnel durch den San Bernardino ermöglicht das ganze Jahr hindurch für den Autoverkehr die direkte Verbindung nach Oberitalien. Eine weitere Durchgangsstrecke ist die Linie Innsbruck–Engadin–Comer See.

In der Wirtschaft Graubündens spielen Alpwirtschaft und die Nutzung der reichen Waldbestände, die zur Ansiedlung von Holz verarbeitender Industrie in der Umgebung von Chur geführt hat, eine bedeutende Rolle. Besonders wichtig ist der Fremdenverkehr: Viele Orte haben sich wegen ihrer Heilquellen (z. B. Sankt Moritz, Schuls-Tarasp) und ihres günstigen Klimas (z. B. Davos, Arosa) zu viel besuchten Kurorten und beliebten Wintersportplätzen entwickelt.

Die Täler Graubündens gehörten ursprünglich zum Herzogtum Schwaben. Gegen die Herrschaft der Habsburger schlossen sie sich im 14. und 15. Jahrh. zu Bünden zusammen, darunter der ›Graue Bund‹ im Vorder- und Hinterrheintal, von dem der Kantonsname abgeleitet ist. Aber erst 1803 wurde Graubünden als 15. Kanton in die Eidgenossenschaft aufgenommen.

Graubünden
Fläche: 7 109 km²
Einwohner: 169 000
Sprachen: vorwiegend Deutsch, teilweise Italienisch, daneben Rätoromanisch

Graupeln, fester Niederschlag in Form kleiner weißer Eiskörner von weniger als 5 Millimeter Durchmesser. Graupeln entstehen, wenn in einer Wolke kleine Wassertröpfchen an Eiskristalle anfrieren. (→Hagel)

Gravitation [zu lateinisch gravis ›schwer‹], **Massenanziehung,** die Anziehung, die 2 Massen aufeinander ausüben. Zwei Körper ziehen sich aufgrund ihrer Massen mit einer bestimmten Kraft an. Diese **Gravitationskraft** ist umso größer, je größer die beiden Massen sind und je kleiner ihr Abstand untereinander ist. Isaac Newton erkannte in der Gravitation den Grund für die von Johannes Kepler aufgestellten Gesetze der Planetenbewegung (→Kepler-Gesetze) und fand, dass die auf der Erde oder anderen Himmelskörpern wirkende Gewichtskraft (Schwerkraft) einen Sonderfall der allgemeinen Gravitation darstellt. Albert Einstein konnte mithilfe seiner allgemeinen Relativitätstheorie die Erkenntnisse über die Gravitation vertiefen.

Graz, 237 800 Einwohner, zweitgrößte Stadt Österreichs und Hauptstadt des Bundeslandes Steiermark, liegt zu beiden Seiten der Mur; bedeutendes Kulturzentrum mit Universität.

Grazien, bei den Römern 3 göttliche Dienerinnen und Sinnbilder jugendlicher Anmut und Lebensfreude; in der griechischen Sage hießen sie **Chariten.**

Greco. El Greco (›der Grieche‹) wurde der aus Kreta stammende Maler **Domenikos Theotokopulos** (*um 1541, †1614) in Spanien genannt, wo er sich niederließ. Zunächst ging er um 1560 nach Italien (Venedig, Rom), wo er besonders die Werke der Maler Tizian und Tintoretto studierte. Seit 1577 hat er nachweislich in der spanischen Stadt Toledo gelebt. Von der Kirche und vom Adel, zeitweise auch von König Philipp II. erhielt er so viele Aufträge, dass er eine große Werkstatt führen konnte. El Greco malte vor allem Bilder mit religiösem Inhalt (Altäre, Andachtsbilder), auch Landschaften und Porträts. Kennzeichnend für seinen Malstil sind zarte, lang gestreckte Körperformen, durch die die dargestellten Personen entkörperlicht, durchgeistigt wirken; auf den Gesichtern liegt meist ein inbrünstig frommer, erregter Ausdruck. Die Farben sind kalt, fahl oder unwirklich leuchtend, wie auf dem Gemälde ›Toledo im Wetterleuchten‹. Eindrucksvoll sind auch seine Porträts, z. B. das des Großinquisitors Fernando Niño de Guevara. El Greco wird der Stilrichtung des →Manierismus zugerechnet.

Greenpeace [gri̱npihß; engl.], internationale Umweltorganisation, die 1971 in Vancouver (Kanada) gegründet wurde. Sie will durch gewaltfreie Aktionen auf Umweltverschmutzung und -zerstörung aufmerksam machen. So setzt sie sich z. B. für die Erhaltung der letzten Robben, Wale und Meeresschildkröten ein und für die Beendigung aller Atomwaffentests und kämpft gegen die Versenkung von Chemie- und Atommüll ins Meer und gegen die Verseuchung der Umwelt durch Gifte und Abgase.

Greenwich [gri̱nidsch], Stadtbezirk von London am Südufer der Themse. Durch die Sternwarte, die 1675 hier gegründet wurde, verläuft

Graubünden
Kantonswappen

Grasmücken:
OBEN Dorngrasmücke,
UNTEN Goldhähnchen

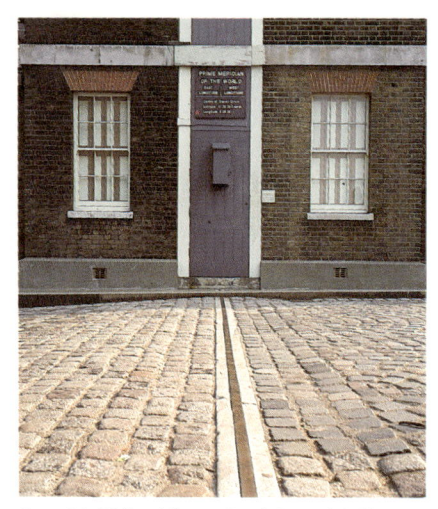

Greg

Greenwich: Nullmeridian am Royal Greenwich Observatory

der →Nullmeridian. Seit 1925 gilt die **Greenwichzeit** als Weltzeit. Das Observatorium befindet sich seit 1948 in Herstmonceux, Südengland.

Gregor VII., *um 1021, †1085, lernte als Mönch **Hildebrand** im Kloster Cluny (1048) die kirchliche Erneuerungsbewegung kennen, deren Ziel es war, die Kirche von weltlichen Einflüssen zu befreien. Als er 1073 Papst wurde, verbot er daher den Kauf geistlicher Ämter und die Verleihung dieser Ämter durch weltliche Herren (›Laieninvestitur‹). Als der deutsche König **Heinrich IV.** einen neuen Erzbischof in Mailand einsetzte, brach der →Investiturstreit aus. Gregor verlangte von Heinrich IV. unter Androhung des Kirchenbannes den Verzicht auf die Einsetzung von Bischöfen. Darauf berief Heinrich die deutschen Fürsten und Bischöfe nach Worms, wo die Absetzung Gregors ausgesprochen wurde. Nun verhängte der Papst 1076 den Bann über den König. Heinrich entschloss sich, 1077 in **Canossa** Buße zu tun. Nach der Versöhnung eroberte er Rom und ernannte einen Gegenpapst. Gregor floh nach Salerno, wo er 1085 starb.

gregorianischer Gesang, der einstimmige Gesang in lateinischer Sprache, der im Wechsel von einem einzigen Sänger (Solist) und dem Chor im Gottesdienst der katholischen Kirche gesungen wird. Er hat seinen Ursprung in der Musik der Mittelmeerländer, besonders Griechenlands, und wird seit der Zeit Papst Gregors I. (um 600) gepflegt. Besonders auffallend ist der fließende Rhythmus (keine Einteilung in Takte).

Grenada

Staatswappen

Staatsflagge

Greifvögel, weltweit verbreitete große Vögel mit besonders ausgebildeten Greiffüßen. Mit diesen ›Fängen‹, die lange, kräftige Zehen und scharfe, oft sichelförmig gekrümmte Krallen haben, ergreifen sie ihre Beute (teils auch im Flug) und schleppen sie zu einem sicheren Fressplatz oder zum Horst (großes Nest). Mit Hieben des kräftigen, hakenförmigen Schnabels töten sie die Beute und reißen sie in Stücke. Unverdaute Nahrungsreste würgen sie als →Gewölle wieder aus. Vor allem lebende Tiere schlagen →Adler, →Bussarde, →Habichte, →Falken, →Milane und →Weihen; meist von toten Tieren ernähren sich die →Geier. Oft kreisen Greifvögel fast ohne Flügelschlag in der Luft (Adler, Bussard), manche fliegen sehr schnell (Habicht). Mit ihren äußerst scharfen Augen, die achtmal kleinere Objekte als ein Menschenauge sehen können, erspähen sie ihre Beute auch aus großer Entfernung. So kann ein Mäusebussard von einem Baum aus eine Maus in 50–100 m Entfernung am Boden erkennen. Bei vielen Arten reichen die Federn als ›Hose‹ über den ganzen Lauf hinab. Die Weibchen legen meist 2–4 Eier, die sie allein bebrüten. Während dieser Zeit werden sie vom Männchen mit Nahrung versorgt. Die Jungen sind →Nesthocker. Auch flügge Jungvögel werden noch längere Zeit von beiden Eltern betreut. Greifvögel sind nützlich, da sie Mäuse sowie kranke und schwache Tiere erbeuten. Sie sind in ihrem Bestand zurückgegangen und gefährdet, da ihr Lebensraum immer mehr eingeengt wird. (BILD Flugbild)

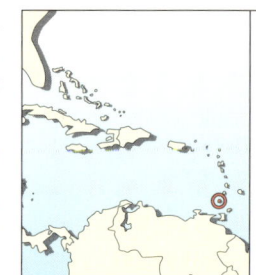

Grenada
Fläche: 344 km²
Einwohner: 91 000
Hauptstadt: St. George's
Amtssprache: Englisch
Nationalfeiertag: 7. 2.
Währung: 1 Ostkarib. Dollar (EC $) = 100 Cents (c)
Zeitzone: MEZ – 5 Stunden

Grenada, Staat in Westindien. Er umfasst die zu den Kleinen →Antillen gehörende Insel Grenada und den südlichen Teil der Inselgruppe der Grenadinen. Die vulkanische Insel Grenada ist stark bewaldet und wird oft von Erdbeben heimgesucht. Haupterwerbszweig ist die Landwirtschaft. Die wichtigsten Ausfuhrgüter sind Kakao und Muskat (1/3 der Weltproduktion). – Die ehemals britische Kolonie ist seit 1974 ein unabhän-

Wörter, die man unter G vermisst, suche man unter Dj, J oder K

giger Staat im Commonwealth of Nations. Staatsoberhaupt ist die britische Königin. (KARTE Band 2, Seite 197)

Griechen, lateinisch **Graeci,** Name, den die Römer den Hellenen gaben, also den Stämmen, die im Süden der Balkanhalbinsel und in Teilen des Mittelmeerraums (z. B. Süditalien) siedelten und eine einheitliche →griechische Kultur besaßen. – Heute sind die Griechen das Staatsvolk in Griechenland. Sie betrachten sich selbst als Nachkommen der alten Griechen, jedoch hat die Bevölkerung im Lauf der Jahrhunderte viele andere Elemente aufgenommen, zuletzt durch den Zustrom von Flüchtlingen aus der Türkei nach dem verlorenen Krieg gegen diese (1923).

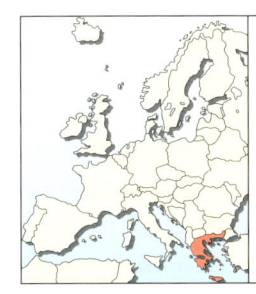

Griechenland
Fläche: 131 957 km²
Einwohner: 10,182 Mio.
Hauptstadt: Athen
Amtssprache: Neugriechisch
Nationalfeiertag: 25. 3.
Währung: 1 Drachme (Dr.) = 100 Lepta
Zeitzone: MEZ + 1 Stunde

GRIECHISCHE GESCHICHTE IM ÜBERBLICK

Um 1900 v. Chr.	Einwanderung von indogermanischen Stämmen.
um 1600 bis um 1200 v. Chr.	Reich von Mykene, dem die Dorer ein Ende bereiteten. Besiedlung der Inseln und der Westküste Kleinasiens.
800–500 v. Chr.	**Archaische Zeit:** Besiedlung Süditaliens (›Magna Graecia‹). Politische Zentren Griechenlands waren Athen und Sparta, das im 6. Jahrh. v. Chr. die führende Macht war. Die demokratische Polis bildete sich allmählich heraus.
500 bis 336 v. Chr.	**Klassische Zeit:** Athen gewann die Führung der Griechen in den Perserkriegen und wurde zur ersten Macht und zum kulturellen Mittelpunkt in Griechenland. Dadurch geriet es in Gegensatz zu Sparta, das seine Stellung im **Peloponnesischen Krieg** (431–404 v. Chr.) zurückeroberte.
Um 340 v. Chr.	König Philipp II. von Makedonien unterwarf die griechischen Städte (Schlacht bei Chaironeia 338 v. Chr.).
334 bis 323 v. Chr.	Alexander der Große eroberte das Perserreich und leitete die Epoche des **Hellenismus** ein.
2. Jahrh. v. Chr.	Die Römer unterwarfen Griechenland (146 v. Chr.: Zerstörung der Stadt Korinth). Makedonien wurde römische Provinz, Griechenland unter dem Namen ›Achaia‹ der römischen Verwaltung unterstellt.
325–1453	In **byzantinischer Zeit** war Griechenland eine unbedeutende Provinz.
11.–14. Jahrh.	Einfälle der süditalienischen Normannen, der Venezianer und der Kreuzfahrer.
15.–19. Jahrh.	Griechenland stand als Teil des **Osmanischen Reichs** unter der Herrschaft der Türken.
1821–1830	Im Unabhängigkeitskrieg schüttelten die Griechen die türkische Herrschaft ab.
1830	Im Londoner Vertrag erwirkte Großbritannien von den übrigen europäischen Großmächten die Souveränität für ein **Königreich Griechenland**.
1912–1918	In den 2 Balkankriegen und nach dem Ersten Weltkrieg, in dem es neutral blieb, konnte Griechenland sein Staatsgebiet im Norden (Makedonien, Thrakien) und Süden (Kreta) vergrößern.
1924–1935	Griechenland ist eine Republik.
1941–1944	Besetzung durch deutsche Truppen während des Zweiten Weltkriegs.
1945–1949	Ein kommunistischer Aufstand unter General Markos wurde von Regierungstruppen niedergeschlagen.
1952	Beitritt in NATO.
1967–1974	Militärdiktatur, die 1973 die **Republik** ausrief.
1981	Griechenland erlangte die Mitgliedschaft in der EG.

Griechenland, Republik in Südosteuropa, die aus dem Südteil der Balkanhalbinsel und zahlreichen Inseln besteht. Insgesamt ist das Land so groß wie Süddeutschland. Die Küsten haben eine Länge von rund 15 000 km; sie sind meist felsig und reich an Buchten. Drei Viertel der Oberfläche sind Gebirgsland mit kleinen Beckenlandschaften. Häufige Erdbeben weisen auf den unruhigen Untergrund hin. Der höchste Berg des Landes ist der 2 917 m hohe **Olymp** in Thessalien in Nordostgriechenland. Die **Peloponnes,** die größte griechische Halbinsel, ist durch den Kanal von Korinth vom Festland getrennt. An das innere Bergland **Arkadien** schließen sich zum Meer hin zahlreiche kleine, fruchtbare Küstenebenen an. Vor der Westküste Griechenlands liegen die **Ionischen Inseln,** vor der Ostküste im Ägäischen Meer die Inselgruppen der **Kykladen** und **Sporaden.** Die großen Inseln **Lemnos, Lesbos, Chios, Samos** und **Rhodos** sind der Küste der Türkei vorgelagert. **Kreta** im Südosten ist die größte griechische Insel.

In Griechenland herrscht größtenteils Mittelmeerklima. Auf trockene, heiße Sommer mit nördlichen Winden folgen milde, regenreiche Winter. Der immergrüne Buschwald (Macchie) ist die typische natürliche Vegetation. Der Ölbaum prägt weithin das Landschaftsbild.

Die Bevölkerung besteht überwiegend aus Griechen; daneben gibt es Minderheiten von Türken, Armeniern und Bulgaren. Am dichtesten sind die Beckenlandschaften besiedelt, am dünnsten die Gebirge im Landesinnern. Im Bereich von Athen lebt mehr als 1/3 der Bevölkerung.

Die größten Städte sind **Athen, Saloniki, Piräus, Patras** und **Heraklion.**

Die meisten Griechen gehören der griechisch-orthodoxen Staatskirche an.

Wirtschaft. Nur rund 1/4 der Fläche dient dem **Ackerbau** (Weizen, Gerste, Mais, Baumwolle, Zuckerrüben, Oliven, Tabak, Tomaten und Obst). Weintrauben werden für Wein, Rosinen, Korinthen und als Tafeltrauben verwendet. Auf den Bergweiden wird Viehwirtschaft, vor allem Schafzucht, betrieben.

Die Erzeugnisse des **Bergbaus** haben für den Export große Bedeutung. Griechenland fördert besonders Braunkohle, Bauxit, Eisenerz und Magnesit.

Griechenland

Staatswappen

Staatsflagge

Grie

Wichtige Zweige der Industrie sind chemische Industrie, Stahlerzeugung, Schiffbau und Mineralölverarbeitung. Traditionelle Bedeutung besitzt die Verarbeitung landwirtschaftlicher Erzeugnisse. Neben landwirtschaftlichen Erzeugnissen machen Bergbauprodukte und Industriegüter fast die Hälfte des Exports aus.

Landschaft, Klima und geschichtliche Bedeutung Griechenlands haben den Fremdenverkehr zu einem wichtigen Wirtschaftszweig gemacht. Die zahlreichen Gebirge erschweren den Landverkehr. Eisenbahnnetz und Straßen werden verstärkt ausgebaut. Die Schiffahrt spielt sowohl als Küstenschiffahrt wie auch im Überseeverkehr eine große Rolle. Haupthafen ist **Piräus**. Griechenland ist Mitglied der EU und der NATO. (KARTE Band 2, Seite 205)

gri̯echische Geschichte. Mit der Einwanderung indogermanischer Stämme (→Achäer) nach Griechenland um 1900 v. Chr. begann die griechische Geschichte. Nachdem um 1100 v. Chr. die Dorer eingewandert waren, bildeten sich 3 griechische Hauptstämme heraus: **Äolier, Ionier** und **Dorer.** Es gab keinen einheitlichen Staat aller Griechen, sondern eine Vielzahl von kleinen Einzelstaaten, in denen ursprünglich Könige herrschten und sich nach und nach das demokratische Staatswesen der **Polis** herausbildete. Landmangel drängte die Griechen zur Gründung von Kolonien in allen Teilen des Mittelmeerraums, besonders in Süditalien, Kleinasien und am Schwarzen Meer. Die Blütezeit der Stadtstaaten, deren wichtigste **Athen, Sparta** und **Theben** waren, wird als ›klassische Zeit‹ der griechischen Geschichte und Kultur bezeichnet. Im Peloponnesischen Krieg (431–404 v. Chr.) rieben sich die griechischen Städte gegenseitig auf, was schließlich zu ihrer Unterwerfung unter die Herrschaft Makedoniens führte. Alexander der Große leitete das Zeitalter des Hellenismus ein, in dem die griechische Kultur weit nach Asien und bis nach Ägypten getragen wurde.

Die Römer ›befreiten‹ im 2. Jahrh. v. Chr. die griechischen Städte von der makedonischen Herrschaft, unterstellten sie aber der eigenen Verwaltung. Im Oströmischen, später Byzantinischen Reich war Griechenland eine unbedeutende Provinz, die seit dem Ende des 14. Jahrh. nach und nach vollständig unter die Herrschaft der Türken fiel. – Im 19. Jahrh. lebte das griechische Nationalbewusstsein auf. Von vielen Europäern unterstützt, z. B. von dem englischen Dichter Lord Byron, befreiten sich die Griechen von der Türkenherrschaft und bildeten fortan einen unabhängigen Staat.

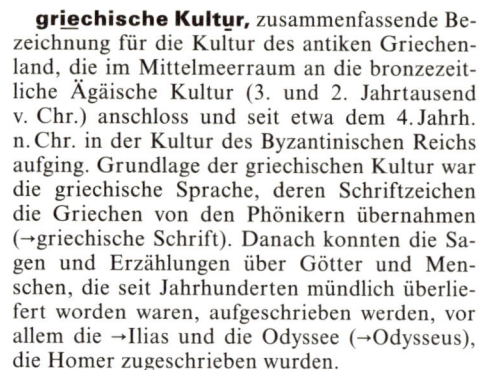

griechische Kultu̯r, zusammenfassende Bezeichnung für die Kultur des antiken Griechenland, die im Mittelmeerraum an die bronzezeitliche Ägäische Kultur (3. und 2. Jahrtausend v. Chr.) anschloss und seit etwa dem 4. Jahrh. n. Chr. in der Kultur des Byzantinischen Reichs aufging. Grundlage der griechischen Kultur war die griechische Sprache, deren Schriftzeichen die Griechen von den Phönikern übernahmen (→griechische Schrift). Danach konnten die Sagen und Erzählungen über Götter und Menschen, die seit Jahrhunderten mündlich überliefert worden waren, aufgeschrieben werden, vor allem die →Ilias und die Odyssee (→Odysseus), die Homer zugeschrieben wurden.

Der geistige Lebensgrund der Griechen war ein mythologisch (→Mythologie) und dichterisch gestalteter Götterglaube. Über ihre Götter besaßen sie jedoch weder eine heilige Schrift (wie die Christen die Bibel) noch eine religiöse Lehre mit Anweisungen, wie sie ihre Götter zu verehren hatten. Man fühlte sich von elementaren Kräften in der Natur umgeben und bedrängt und suchte sich daraus zu lösen, indem man jene zu menschenähnlichen und dabei doch völlig wunderbaren Wesen umbildete, um sie dann als Götter zu verehren, ihnen in Tempeln zu opfern und ihren Willen an heiligen Stätten (z. B. Delphi) aus Orakeln zu erforschen. Den Menschen waren die Götter durch Macht, Unsterblichkeit und ewige Jugend überlegen. Ihren Wohnort hatten sie auf dem Berg Olymp, wo Zeus, der Göttervater, mit seiner Gemahlin Hera über die übrigen Götter herrschte. Die Götter mischten sich oft in das Treiben und die Geschicke der Menschen, sei es aus Neugierde, sei es aus Mitleid oder Leidenschaft (Liebe, Hass, Eifersucht).

Im Tempelbezirk von Olympia wurden seit 776 v. Chr. alle 4 Jahre sportliche Wettkämpfe, die **Olympischen Spiele,** abgehalten, an denen nur freie griechische Männer teilnehmen durften. Jeder Teilnehmer kämpfte für seinen Stadtstaat, die Polis, um den Sieg. Den Siegern zu Ehren wurden Standbilder aus Bronze errichtet. Während der Olympischen Spiele herrschte in Griechenland Waffenruhe.

In Athen wurde zu Ehren von Dionysos, dem Gott des Weines und des Tanzes, alljährlich ein Frühlingsfest gefeiert. Aus diesem Anlass fanden in den Freilufttheatern, die mehrere Tausend Menschen fassen konnten, mehrtägige Dichterwettkämpfe statt. Berühmte Verfasser der hier aufgeführten Schauspiele (Tragödien, Komödien) waren z. B. Aischylos, Sophokles, Euripides und Aristophanes.

griechische Kunst: attische Kanne des geometrischen Stils; 750/25 v. Chr. (Hannover, Kestner-Museum)

griechische Kunst, die Kunst der Griechen im 1. Jahrtausend v. Chr. Im Anschluss an die mykenische Kultur (→Mykene) entwickelte sich auf dem griechischen Festland zunächst die **geometrische Kunst** (Ende 11.–8. Jahrh. v. Chr.). Die Bezeichnung geht auf die Linienornamente (Kreis, Zickzackband, Mäander) zurück, mit denen die Tongefäße (Vasen, Kannen) verziert wurden. Es folgte die **archaische Kunst** (7. und 6. Jahrh. v. Chr.), die bereits monumentale Werke der Architektur und Plastik hervorgebracht hat. Es entstand die Grundform des griechischen →Tempels. Die Bauten des seit Mitte des 6. Jahrh. v. Chr. ausgeprägten **dorischen Stils (dorische Ordnung)** hatten gedrungene →Säulen ohne Basis (Fußteil) und mit einem kissenförmigen Kapitell (Kopfteil). Das Material ist Marmor oder auch Kalkstein, der verputzt wurde. Der **ionische Stil (ionische Ordnung)**, der im 6. Jahrh. v. Chr. an der kleinasiatischen Küste Ioniens entstand, ist durch schlanke, hohe Säulen auf reich profilierter Basis gekennzeichnet; die Kapitelle sind durch spiralförmig eingerollte ›Voluten‹ geschmückt. Die archaische Plastik brachte die blockhafte, nackte Jünglingsfigur (Kuros) hervor, daneben die bekleidete weibliche Figur (Kore). Ferner schmückten ursprünglich farbig gefasste Skulpturen und Reliefs die Giebel und das Gebälk der Tempel. Als Zeugnisse der nicht erhaltenen Wand- und Tafelmalerei kann man die mit erzählenden Figurendarstellungen bemalten →Vasen ansehen.

Die **klassische Kunst** (5. und 4. Jahrh. v. Chr.) war die Blütezeit der griechischen Kunst. Es entstand der **korinthische Baustil (korinthische Ordnung)**, bei dem das Säulenkapitell aus einem

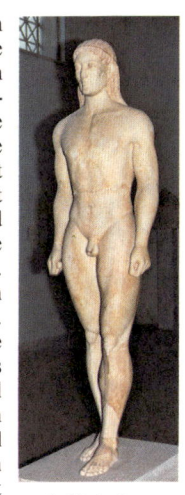

griechische Kunst: Hirschjagd, Kieselmosaik aus Pella; um 320 v. Chr.

griechische Kunst: Kuros von Anavyssos; um 530–520 v. Chr. (Athen, Nationalmuseum)

griechische Kunst: Tempel des olympischen Zeus, korinthisch; um 175 v. Chr., Athen

In Griechenland wurden, nach Anfängen in Ägypten und Babylonien, die Grundlagen der Naturforschung gelegt, z. B. durch den Arzt →Hippokrates, die Naturphilosophen Thales von Milet und Pythagoras, die Mathematiker Archimedes und Euklid. Das geistige Bild der griechischen Kultur wurde maßgeblich durch die großen Philosophen →Sokrates, →Platon und →Aristoteles geprägt. Sie stellten die Frage nach den Göttern neu und rückten den Menschen als selbstständig denkendes und eigenverantwortlich handelndes Wesen in den Mittelpunkt ihres Denkens.

Ihre Blütezeit erlebte die griechische Kultur im 5. Jahrh. v. Chr. Sichtbarer Ausdruck hierfür sind die in dieser Zeit hauptsächlich auf der Akropolis entstandenen Skulpturen und Bauwerke.

Griechische Kultur und Lebensweise verbreiteten sich in der damaligen bekannten Welt zunächst durch die Eroberungszüge Alexanders des Großen. Nach der Eingliederung Griechenlands in das Römische Reich wurde die →römische Kultur sehr stark von der griechischen beeinflusst.

Die weltgeschichtliche Bedeutung und das Beispielhafte der griechischen Kultur besteht darin, dass die Griechen vor allen anderen Völkern ihre Geschicke frei, spontan und individuell gestaltet haben. Ihr geistiges und künstlerisches Erbe wurde zum unverzichtbaren Bestandteil abendländischer Kultur. Auch ohne dass es dem modernen Menschen immer bewusst ist, steht er noch heute im Einflussbereich griechischer Anschauungsformen und Begriffe.

griechische Kunst: Wasserkrug mit Götterdarstellung, von links nach rechts Artemis, Apoll, Athena, Hermes, Ariadne, Dionysos; 2. Hälfte 6. Jahrh. v. Chr. (München, Staatliche Antikensammlung)

griechische Kunst

dorisches Kapitell

ionisches Kapitell

korinthisches Kapitell

chischen Kunst bezogen sich später immer wieder klassizistische Kunstepochen (→Klassizismus). Der klassische Tempel galt als mustergültig in der Klarheit und Harmonie aller seiner Teile, die klassische Skulptur als schön im natürlichen und im ›idealen‹ Sinn.

Nach dem Tod Alexanders des Großen (323 v. Chr.) setzte die **hellenistische Kunst** (Ende 4. bis 1. Jahrh. v. Chr.) ein. Die griechische Kunst beherrschte nun das gesamte Mittelmeergebiet und zum Teil den Orient. Im Tempelbau überwogen die ionische und die korinthische Ordnung. Ferner entstanden Markthallen, Rathäuser, Bibliotheken, Theater. Ein bedeutendes Monument dieser Zeit ist der **Pergamonaltar** (zwischen 180 und 160 v. Chr.); er hat einen 120 m langen, 2,30 m hohen Figurenfries, auf dem der Kampf der Götter mit den Giganten gezeigt wird. Marmorskulpturen sind die ›Nike von Samothrake‹ und die ›Aphrodite von Melos‹ (›Venus von Milo‹, beide 2. Jahrh. v. Chr., heute im Louvre, Paris) sowie die dramatisch bewegte ›Laokoon-Gruppe‹ (1. Jahrh. v. Chr., Vatikan).

griechische Schrift. Die Griechen haben ihre Schrift vermutlich gegen Ende des 11. Jahrh. v. Chr. von den Phöniziern übernommen. Das Alphabet hatte ursprünglich wie das phönikische nur 22 Buchstaben, aber keine Zeichen für Vokale. Dieses Uralphabet wurde von den Griechen ergänzt und verändert. Entscheidend war die Regelung, die für die griechische Sprache entbehrlichen Konsonantenzeichen des phönikischen Alphabets als Vokalzeichen zu verwenden.

Grieshaber. Der Grafiker und Maler **Hans Andreas Paul** (Abkürzung HAP) **Grieshaber** (*1909, †1981) trug viel zur Erneuerung der

korbartigen Kern besteht, um den sich plastische Akanthusblätter (nach der Staude Akanthus) ranken. Aus dieser Zeit sind bedeutende Bauwerke teilweise erhalten, z. B. auf der Athener →Akropolis der ›Parthenon‹, ein der Göttin Athene geweihter Tempel (dorisch), sowie der Niketempel und das ›Erechtheion‹ (beide ionisch), ferner der Zeustempel von Olympia (dorisch).

Die plastischen Bildwerke der frühklassischen Zeit **(Strenger Stil)** verraten genaue Studien des menschlichen Körpers. Hauptwerke sind die marmornen Giebelskulpturen des Zeustempels in Olympia sowie der ›Wagenlenker von Delphi‹ und der ›Gott aus dem Meer‹, beide um 460 v. Chr. aus Bronze gegossen. In der **Hochklassik** wirkten namentlich bekannte Bildhauer wie **Myron** (›Diskuswerfer‹, um 450 v. Chr.), **Polyklet** (›Jüngling mit Siegerbinde‹, um 430 v. Chr.) und der berühmteste von allen, **Phidias**, unter dessen Leitung die Parthenonskulpturen entstanden (heute großenteils im Britischen Museum, London). Von ihm stammen vielleicht auch die beiden Kriegergestalten aus Bronze, die 1972 vor der Küste Kalabriens bei Riace aus dem Meer geborgen wurden (heute in Reggio di Calabria). Viele griechische Skulpturen wurden von den Römern in Marmor kopiert und sind nur in diesen Kopien erhalten, da die Originalwerke aus Bronze wegen des Metallwerts meist schon in der Antike eingeschmolzen wurden. Werke der Malerei sind nur aus Beschreibungen bekannt.

Bedeutende Bildhauer der **Spätklassik** des 4. Jahrh. v. Chr. waren **Skopas, Praxiteles** und **Lysipp.** Auf die klassische Periode der grie-

griechische Kunst: dorischer Tempel; um 450 v. Chr. (Tempel des Hephaistos in Athen)

Grim

Griechische Schrift			
Zeichen	Name	Zeichen	Name
A α	Alpha	N ν	Ny
B β	Beta	Ξ ξ	Xi
Γ γ	Gamma	O o	Omikron
Δ δ	Delta	Π π	Pi
E ε	Epsilon	P ϱ	Rho
Z ζ	Zeta	Σ σ	Sigma
H η	Eta	T τ	Tau
Θ ϑ	Theta	Y υ	Ypsilon
I ι	Iota	Φ φ	Phi
K κ	Kappa	X χ	Chi
Λ λ	Lambda	Ψ ψ	Psi
M μ	My	Ω ω	Omega

Holzschnitttechnik bei, mit der bereits die Expressionisten begonnen hatten. Seine Farbholzschnitte zeigen in großflächigen, kräftigen Formen und lebhaften Farben Menschen, Tiere und Pflanzen. Grieshaber schuf Plakate, Illustrationen und Holzschnittfolgen wie den ›Totentanz von Basel‹ (1968), ferner auch Wandmalereien, Glasfenster und Mosaiken.

Grillen, den →Heuschrecken nah verwandte Insekten.

Grillparzer. Der österreichische Schriftsteller **Franz Grillparzer** (*1791, †1872) studierte Jura und wurde Beamter und später Archivdirektor der Finanzverwaltung. Nebenbei schrieb er Dramen für das Wiener Burgtheater. Die Aufführungen seiner frühen Tragödien ›Die Ahnfrau‹ (1817) und ›Sappho‹ (1818) wurden große Publikumserfolge. Spätere Werke, die den Sinn des Staates und den Auftrag des Herrschers zum Inhalt haben, brachten Grillparzer in Konflikt mit der Zensurbehörde. Sein Lustspiel ›Weh

HAP Grieshaber: Siamkatzen; Holzschnitt, 1960

dem, der lügt‹ (1838) wurde bei der Uraufführung ausgepfiffen. Nach diesem Misserfolg lebte Grillparzer, der ein verschlossener und schwieriger Mensch war und oft unter tiefer Niedergeschlagenheit litt, zurückgezogen und veröffentlichte seine nachfolgenden Dramen (unter anderem ›Ein Bruderzwist in Habsburg‹) nicht mehr. Erst in seinem Alter wurden seine Bühnenstücke mit Erfolg aufgeführt. Er schrieb auch 2 Novellen, Tagebücher, Epigramme.

Grimm. Auf ihren Reisen durch Deutschland sammelten die **Brüder Grimm** (**Jacob,** *1785, †1863, und **Wilhelm,** *1786, †1859) seit 1806 Märchen. Grund dafür war ihre Bewunderung für die Volksdichtung und ihr Bemühen, dieses geistige Gut zu bewahren und es den Menschen ins Gedächtnis zu rufen. Über ›Hänsel und Gretel‹, den ›Froschkönig‹, ›Dornröschen‹ und ›Rumpelstilzchen‹ ließen sich die beiden Sammler und Forscher von Leuten aus dem Volk (besonders in Hessen) erzählen. Diese bis dahin nur mündlich überlieferten Geschichten stellten die Brüder zu der heute in viele Sprachen übersetzten Sammlung ›Kinder- und Hausmärchen‹ (3 Bände, 1812 bis 1822) zusammen. Besonders dem Erzähltalent Wilhelm Grimms ist es zu verdanken, dass die grimmschen Märchen zum Volks- und Kinderbuch geworden sind. Die Brüder Grimm gaben auch ›Deutsche Sagen‹ (2 Bände, 1816–18) heraus, die auf bestimmte Gegenden bezogene Sagen über die Begegnung von Menschen mit Hexen, Nixen, Zwergen und Kobolden sowie geschichtliche Sagen enthalten. In diesen wird von Kaiser Barbarossa, Lohengrin und Tannhäuser erzählt. Sowohl Jacob, von Beruf Bibliothekar, als auch Wilhelm waren 1830–37 als Professoren in Göttingen tätig. 1841 wurden die Brüder als Mitglieder der Akademie der Wissenschaften nach Berlin berufen. Mit seiner ›Deutschen Grammatik‹ (4 Bände, 1819–37) begründete Jacob die Forschung über die Geschichte der germanischen Sprachen. Er erkannte unter anderem die Gesetzmäßigkeit des Lautwandels, vor allem der Lautverschiebung. Beide begründeten das ›Deutsche Wörterbuch‹ (ab 1854), das erst 1961 von Nachfolgern abgeschlossen wurde. Es ist eine Sammlung des neuhochdeutschen Sprachschatzes, in der Grundbedeutung und Entwicklung der Wörter geschichtlich erklärt werden.

Grimmelshausen. Zu den phantasiereichsten deutschen Erzählern des 17. Jahrh. zählt **Johann (Hans) Jakob Christoffel von Grimmelshausen** (*um 1622, †1676). Er zog wahrscheinlich

griechische Kunst: Kore vom Erechtheion, Athen; um 420/413 v. Chr. (London, Britisches Museum)

Grip

Wilhelm und Jacob Grimm

schon mit 12 Jahren in den Dreißigjährigen Krieg. Als Soldat der kaiserlichen Armee kämpfte er bis zum Ende des Krieges in verschiedenen Gegenden Deutschlands. Ab 1667 war er Bürgermeister in Renchen (Baden). Seine Kriegserlebnisse verarbeitete Grimmelshausen in seinem 1669 erschienenen und schon damals erfolgreichen Roman ›Der Abentheurliche Simplicissimus Teutsch‹ (→Simplicissimus). Oft krasse, aber auch humorvolle Schilderungen und eine urwüchsige, zum Teil mundartliche Sprache kennzeichnen Grimmelshausens Werke. Mit der ›Lebensbeschreibung der Ertzbetrügerin und Landstörtzerin Courasche‹ (1670) lieferte er ein weibliches Gegenstück zu dem Abenteurer Simplicissimus. Der Schriftsteller Bertolt Brecht nahm diese Figur als Vorbild für sein Bühnenstück ›Mutter Courage und ihre Kinder‹.

Grippe, eine akute, fieberhafte Infektionskrankheit, die durch →Viren hervorgerufen wird und häufig als →Epidemie auftritt. Es kommt zu hohem Fieber, Husten, Schnupfen, Hals-, Kopf- und Gliederschmerzen. In schweren Fällen kann die Grippe, vor allem bei älteren Menschen, zu Herz- und Kreislaufversagen führen. Umgangssprachlich werden auch die üblichen Erkältungskrankheiten als Grippe bezeichnet.

Grizzlybär [grịslibär, englisch grizzly ›grau‹], →Bären.